Mevrouw de minister

MADELEINE ALBRIGHT

Mevrouw de minister

Het persoonlijke verhaal van de machtigste vrouw van de VS

MET BILL WOODWARD

ANTHOS | STANDAARD UITGEVERIJ

VOOR MIJN FAMILIE
VAN VROEGER EN NU
DIE IK RESPECTEER EN LIEFHEB

Eerste druk september 2003
Tweede druk november 2003
Derde druk november 2003
Vierde druk januari 2004
Vijfde druk januari 2004
Zesde druk februari 2004
Zevende druk augustus 2004

ISBN 90 7634 164 8
Copyright © 2003 Madeleine Albright
Oorspronkelijke titel *Madam Secretary. A Memoir*
Oorspronkelijke uitgever Hyperion
Copyright Nederlandse vertaling © 2003 Uitgeverij Anthos, Amsterdam
Vertaling Amy Bais en Frans Hille
Vertaling nawoord Meile Snijders
Redactie Martin Appelman, Ampersand, redactie & productie
Omslagontwerp Studio Jan de Boer BNO
Boekverzorging Asterisk*, Amsterdam

Inhoud

DEEL TWEE

VEERTIEN PAKKEN EN EEN ROK

DEEL DRIE

MEVROUW DE MINISTER

DEEL VIER

OORLOG VOEREN, VREDE NASTREVEN

Woord vooraf

WE HEBBEN ALLEMAAL ONS VERHAAL. Dit is het mijne. Het is een afspiegeling van de turbulentie van de afgelopen eeuw, de groeiende en veranderende rol van vrouwen, en de botsing tussen mensen over de hele wereld die geloven in vrijheid en degenen die macht belangrijker achten dan menselijke waarden.

Voor ik ging schrijven, heb ik de memoires van andere voormalige ministers van Buitenlandse Zaken van de Verenigde Staten gelezen. De boeken waren uitstekend, maar de aanpak die de auteurs hadden gekozen leek me voor mij niet de juiste. Ik wilde het persoonlijke combineren met de politiek en niet alleen beschrijven wat er gebeurde, maar ook waarom en hoe gebeurtenissen werden beïnvloed door relaties tussen mensen. Ik wilde er ook voor zorgen dat de hoofdpersoon niet dodelijk saai werd voor de lezers.

Veel levens verlopen langs een min of meer voorspelbaar pad, zoals water door een rivier stroomt. Mijn weg is anders geweest. Het idee dat een dochter van Tsjechoslowakije, kort voor het uitbreken van de Tweede Wereldoorlog geboren, op een dag de eerste vrouwelijke minister van Buitenlandse Zaken van de Verenigde Staten zou worden, was onvoorstelbaar. Het was bijna net zo onvoorstelbaar dat iemand die tot haar 39ste geen overheidsfunctie had vervuld en moeder van drie kinderen was, het zou brengen tot de hoogstgeplaatste vrouw in de Amerikaanse geschiedenis. Tot lang nadat ik volwassen was geworden, verwachtte ik niet dat ik zou worden wat ik werd.

Ik maakte dan wel een late start, maar ik deed mijn best om de achterstand snel in te halen. Ik begon als een sociaal ingestelde vrijwilliger, zamelde geld in voor politieke kandidaten en diverse goede doelen, ontmoette nieuwe mensen en verlegde geleidelijk aan mijn persoonlijke horizon, terwijl ik ondertussen promoveerde aan de universiteit. Met de steun van mijn gezin nam ik de horde naar een werkend bestaan: ik werkte voor de Senaat en het Witte Huis, adviseerde Democraten die kandidaat waren voor nationale functies, was voorzitter van een denktank en doceerde in internationale betrekkingen. Elk jaar vergaarde ik meer kennis, ervaring en deskundigheid. Vrij weinig mensen hadden nog van me gehoord toen president Clinton in 1992 vroeg of ik de Amerikaanse afgevaardigde bij de Verenigde Naties wilde worden. Naar de maatstaven van

Washington had ik een onopvallende loopbaan gehad, maar ik was er klaar voor. Zoals senator Barbara Mikulski, zelf ook een pionier, over ons tweeën zei: 'We waren mensen die na vijfentwintig jaar van de ene dag op de andere een succes werden.'

Toen ik eenmaal in de regering zat, moest ik het probleem oplossen hoe te functioneren in een wereld die voornamelijk door mannen werd gedomineerd. Die uitdaging was mij niet onbekend, maar het niveau lag hoger en de druk was groter. Mij wordt vaak de vraag gesteld of ik neerbuigend behandeld werd tijdens mijn reizen naar Arabische landen en andere gebieden met uiterst traditionele culturen. Mijn antwoord is dan: 'Nee, want als ik ergens aankwam, was dat in een vliegtuig waarop met grote letters "United States of America" stond.' Buitenlandse functionarissen hadden daar respect voor. Sommige mannen in mijn eigen regering gaven mij meer problemen.

Toen ik aan het eind van de jaren vijftig afstudeerde, maakte ik deel uit van een generatie vrouwen die nog onzeker waren of ze goede echtgenotes en moeders konden zijn en tegelijk in hun werk succesvol. Vanaf de dag van mijn afstuderen tot het afstuderen van mijn jongste kind moest ik het hoofd bieden aan het aloude probleem van het afwegen van de eisen van een gezin tegen academische en beroepsbelangen. Terwijl ik de carrièreladder besteeg, moest ik leren omgaan met de verschillende woorden die gebruikt worden om vergelijkbare kwaliteiten in mannen (zelfverzekerd, initiatiefrijk, betrokken) en vrouwen (bazig, agressief, emotioneel) te beschrijven. Het kostte me jaren, maar in de loop van de tijd ontwikkelde ik voldoende vertrouwen in mijn eigen oordeel om mijn werk op mijn eigen manier en in mijn eigen stijl te doen, en me tenminste iets minder aan te trekken van wat anderen ervan dachten.

Ik vind wel dat ik geboft heb dat ik onder Bill Clinton diende, een president die een inspirerende visie had op Amerika's rol als verenigende kracht in een wereld die op topsnelheid van het ene tijdperk naar het andere schoot. De president was, net als ik, van mening dat ons land niet alleen getuige moest zijn van de geschiedenis, maar de geschiedenis vorm moest geven op een manier die onze belangen en idealen diende. Hij bood mij de kans die nog geen man of vrouw ooit had gekregen om de volle termijnen van de functie van zowel Amerikaanse afgevaardigde bij de Verenigde Naties als Amerikaanse minister van Buitenlandse Zaken te vervullen. Dat waren de spannendste banen, en ik kreeg de kans ze te vervullen op een moment dat de Verenigde Naties nieuwe bevoegdheden kregen, en trouwens vrijwel alle instituten, betrekkingen, aannames en leerstellingen die met buitenlands beleid te maken hadden, opnieuw kritisch werden bezien in het licht van de val van de Berlijnse Muur.

Ik heb genoten van mijn tijd als minister van Buitenlandse Zaken en zou graag geschreven hebben over alles wat zich tijdens mijn ambtsperiode afspeelde. Toen ik in functie was, werd ik na een redevoering of een verklaring voor het Congres regelmatig bekritiseerd omdat ik deze of gene kwestie of een bepaald deel van de wereld niet behandeld had. Het probleem is dat er niet genoeg ruimte is – noch in een redevoering noch in een boek – om alles recht te doen. Bij het schrijven van deze memoires merkte ik dat er letterlijk honderden bladzijden moesten worden geschrapt om de complete tekst hanteerbaar te houden. Daarom heb ik uitermate selectief moeten zijn bij de behandeling van mijn tijd als lid van het kabinet. Ik betreur het dat niet alles in dit boek staat en heb niet onhoffelijk willen zijn jegens de mensen en de landen die niet genoemd worden. Ik zal blijven schrijven en daarmee zullen andere delen van het verhaal ook verteld worden.

Dit boek is een persoonlijk verhaal, niet de geschiedenis van het buitenlands beleid van de regering-Clinton of zelfs maar een samenvattende kroniek van de wereldpolitiek tegen het eind van de vorige eeuw. Het gaat over de hoogtepunten, een aantal ingewikkelde kwesties, die de krantenkoppen zijn blijven beheersen sinds ik het ambt verliet, onder andere terrorisme, Irak, het Midden-Oosten en Noord-Korea. Het risico bij het schrijven van een dergelijk boek is dat de wereld blijft veranderen terwijl de tekst geredigeerd, gedrukt, gebonden en gedistribueerd moet worden – een proces dat maanden duurt. De tekst van dit boek werd voltooid tijdens de woelige lente van 2003. Wat er sindsdien gebeurd is, is u, de lezer, bekend, maar mij tijdens het schrijven niet. U hebt dat voordeel en het zal ongetwijfeld uw lezing van sommige van de belangrijkste hoofdstukken die hierna volgen beïnvloeden.

Levens zijn per definitie grillig en ongelijkmatig, maar er is een zekere symmetrie in mijn verhaal. Voor sommige mensen zijn diplomatie en buitenlands beleid zaken die ze zich eigen moeten maken, maar ik had ze in mijn bloed. Mijn vader was diplomaat en tevens hoogleraar, en sinds mijn kindertijd was ik zijn meest enthousiaste leerling.

Historische krachten die vergelijkbaar waren met die die mijn persoonlijke lot vormgaven, doken tijdens mijn jaren als beleidsmaker voor de regering weer op. Toen ik nog een klein meisje was, werd ons gezin tweemaal van huis en haard verdreven, eerst door de fascisten, later door de communisten. Terwijl ik in functie was, was ik in staat te strijden tegen etnische zuiveringen in Joegoslavië, een land waar ik als kind gewoond heb. Het grootste gedeelte van mijn leven heeft het communisme Europa verdeeld gehouden. Ik heb mijn academische leven besteed aan onderzoek naar de gevolgen daarvan. Toen ik eenmaal in functie was, kon ik de nieuwe democratische landen van Midden- en Oost-Europa, inclusief mijn vaderland Tsjechoslowakije, helpen om volwaardige deelnemers aan de vrije wereld te worden.

Ik kon de lessen van mijn eigen ervaring toepassen om de ambities van vrouwen op het werk, op school, thuis en in het leven te steunen, en ik werkte ook aan de hervorming en heropleving van de Verenigde Naties, een organisatie waar mijn vader voor gewerkt had op een cruciaal moment in ons leven.

Omdat ik al heel jong had gezien wat er gebeurt als Amerika in mondiale kwesties slechts een passieve rol speelt, gebruikte ik mijn positie vooral om nauw samen te werken met bondgenoten en vrienden in alle werelddelen om een gezamenlijk front te vormen ter ondersteuning van de vrijheid en tegen de krachten van onverdraagzaamheid, ongebreidelde ambitie en haat.

Ik heb veel autobiografieën gelezen en vond de eerlijkste de beste. Ik heb daarom geprobeerd eerlijk te zijn, ook als dat moeilijk was. Mijn plezierigste ervaringen waren trouwens het stichten van een gezin. Mijn pijnlijkste was de scheiding en het vinden van een manier om verder te gaan. De meest boeiende was dat ik achter mijn joodse afkomst kwam. De verdrietigste was de ontdekking dat drie van mijn grootouders in concentratiekampen overleden waren. Een belangrijk deel van dit boek gaat over de schok van die ontdekking en hoe ingewikkeld het was om dergelijke diepgaande persoonlijke onthullingen te verwerken op het moment dat ik begon aan mijn werk als minister van Buitenlandse Zaken.

Terwijl ik mij op deze bladzijden van privé naar openbaar leven begeef, lijken de stadia misschien los van elkaar te staan, maar dat is niet het geval. Elke fase bereidt de volgende voor en heeft invloed gehad op wie ik ben geworden. In gesprekken met jonge vrouwen heb ik vaak gezegd dat vrouwenlevens zich in segmenten voltrekken, gedeeltelijk onder invloed van de biologie. Ik heb ook gezegd dat dat feitelijk een voordeel is, omdat het vrouwen de mogelijkheid geeft verschillende wegen te bewandelen. Het is echter belangrijk een soort gids te hebben. Die gids is voor mij altijd het geloof in de democratische belofte geweest dat ieder mens in staat moet zijn om zover te gaan als haar of zijn talenten toestaan.

Dat is een overtuiging die mijn ouders mij hebben meegegeven en die ik tijdens de verschillende ervaringen in mijn leven heb ontwikkeld: het is dezelfde overtuiging die geldt voor de helden die ik heb ontmoet, de doelen die ik heb gesteund, en de miljoenen mensen die ik, direct of indirect, elke dag heb zien strijden om kansen voor anderen te scheppen. Geloof in de democratische belofte toont Amerika op zijn best en de wereld op haar hoopvolst. Ik zal altijd dankbaar zijn voor de mogelijkheid die ik heb gekregen om die belofte te dienen, en om, voor zover ik daartoe in staat was, het geschenk van de vrijheid die de Verenigde Staten mij en mijn familie hebben geschonken terug te betalen.

DEEL EEN

Van Madlenka tot Madeleine Albright

HOOFDSTUK 1

Helden en schurken

IK WILDE DAT ER GEEN EIND AAN KWAM. In een poging de tijd stil te zetten, dacht ik terug aan die decemberochtend toen de telefoon ging en aan de woorden 'Ik wil dat je mijn minister van Buitenlandse Zaken wordt' en aan de installatieceremonie waarbij mijn adelaarsbroche losraakte. Ik dacht aan kleine meisjes die handtekeningen vroegen tijdens een triomftocht per trein van Washington naar de Verenigde Naties in New York; aan het gezicht van Václav Havel, warm en wijs, toen hij een rode sjerp over mijn schouder legde en mij een kus op mijn wang gaf; en aan namen in de muur van een synagoge in Praag. Ik dacht aan tot puin gereduceerde gebouwen in Kenia en Tanzania, aan over doodskisten gedrapeerde Amerikaanse vlaggen; en aan president Clinton, in een verkreukt overhemd, met zijn bril op het puntje van zijn neus, die pleitte voor vrede in het Midden-Oosten.

Ik dacht aan de talloze bijeenkomsten, sommige in voorname paleizen in het midden van de nacht, andere in verafgelegen dorpen waar niets anders groeide dan de honger van de kleine kinderen, maar waar mensen toch nog lachten en hoop bleven houden. Ik dacht aan de juichende menigten, blij in Kosovo en Midden-Europa, maar kunstmatig in Noord-Korea, en aan vrouwen en meisjes die in een vluchtelingenkamp een paar kilometer van de Afghaanse grens over hun angsten vertelden.

Het geluid van plakband dat van grote rollen getrokken werd, doorbrak mijn mijmeringen. We hadden het zo druk gehad, dat we pas waren begonnen met inpakken toen het allang donker was. Nu stonden overal dozen, gehuld door bubbeltjesplastic, stapels boeken, lege zakken chips en souvenirs die zich tijdens miljoenen kilometers reizen en bijna drieduizend dagen overheidsdienst hadden opgehoopt. Stafleden liepen gejaagd heen en weer, bezig met sorteren, inpakken, verzegelen en etiketten plakken. Ik trok mij zwijgend terug in het kleine privé-kantoor van de minister van Buitenlandse Zaken, nog een paar uur *mijn* kantoor, en liep instinctief naar het raam.

Ik zou het uitzicht bijna nog het meest missen. Lichtcirkels op de National Mall sloten Lincoln Memorial en Washington Monument in. Ertussenin stonden, in het donker van de januariavond, de obsederende bronzen beelden ter herinnering aan de Amerikaanse betrokkenheid bij de Koreaanse oorlog, en het stille en

tegelijkertijd veelzeggende zwarte marmer van de Vietnamese muur. Aan de andere kant van het Tidal Basin zag ik de koepel boven het gedenkteken voor
Thomas Jefferson, de eerste Amerikaanse minister van Buitenlandse Zaken, en
aan de overkant van de rivier de verre gloed van de eeuwige vlam bij het graf
van John Kennedy op de nationale begraafplaats Arlington. Ik was intens dankbaar voor iedere dag die mij gegeven was om bij te dragen aan de traditie van
eer en opoffering die ik voor mij zag.

Ik wilde misschien dat er geen eind aan kwam, maar de klok tikte door en er
was nog veel te doen. Ik ging voor de laatste keer naar mijn bureau en concentreerde me op het velletje briefpapier voor me. 'Beste Colin,' schreef ik. 'We hebben hard gewerkt en hopen dat het kantoor schoon is als je aankomt. Het zal
echter nog steeds vervuld zijn van de geest van al onze voorgangers, die het allemaal als de grootste eer beschouwden om de Verenigde Staten te vertegenwoordigen. Hierbij draag ik de mooiste baan van de wereld aan je over. Veel geluk en
de beste wensen. Madeleine.'

Oorspronkelijk heette ik geen Madeleine. Ik werd op 15 mei 1937 in Praag geboren, in een ziekenhuis in de wijk Smíchov. In het Tsjechisch betekent 'smíchov' gelach, maar in mijn geboortejaar viel er weinig te lachen in Tsjechoslowakije. Het
waren onheilspellende tijden. Ik was het oudste kind van Josef en Anna Körbel en
werd Marie Jana gedoopt, maar zo werd ik niet genoemd. Mijn grootmoeder gaf
me de bijnaam Madla, naar een personage in een populaire voorstelling, *Madla in
de steenfabriek*. Mijn moeder, die haar eigen manier had om woorden uit te spreken, veranderde het in Madlen. Meestal werd ik Madlenka genoemd. Het duurde
jaren voor ik ontdekte hoe ik werkelijk heette. Pas toen ik tien jaar was en Frans
leerde vond ik de versie die mij het best beviel: Madeleine. Ondanks alle wisselin-
gen van landen en talen in mijn jeugd heb ik echter nooit mijn oorspronkelijke
naam veranderd en zowel op mijn naturalisatiepapieren als op mijn trouwakte
staat 'Marie Jana Korbel'.*

Om mij te begrijpen, moet u mijn vader begrijpen. Om hem te begrijpen, moet u
weten dat mijn ouders opgroeiden in wat zij beschouwden als een paradijselijk
oord. Tsjechoslowakije was in de periode tussen de twee wereldoorlogen de
enige functionerende democratie in Midden-Europa, en het land was gezegend
met een wijze leider, vreedzaam rivaliserende politieke partijen en een gezonde
economie.

De nieuwe republiek was ontstaan aan het eind van de Eerste Wereldoorlog,
toen mijn vader negen jaar oud was en de hele kaart van Europa veranderde.
Duitsland en zijn bondgenoten waren verslagen. Een van die bondgenoten was
het Oostenrijks-Hongaarse rijk, dat Midden-Europa meer dan drie eeuwen had

---

* Mijn familie heeft het gebruik van de umlaut in Körbel afgeschaft sinds hun verblijf tijdens de Tweede Wereldoorlog in Engeland.

overheerst en nu ontmanteld werd. Eenenvijftig miljoen mensen van verschillende nationaliteiten bevonden zich opeens in nieuwe of herschikte landen als gevolg van president Woodrow Wilsons standpunt ten aanzien van zelfbeschikkingsrecht.

Vanaf het begin had het nieuwe land Tsjechoslowakije banden met de Verenigde Staten. Het ontstaan werd in 1918 zelfs in Pittsburgh afgekondigd. De president en de auteur van de Onafhankelijkheidsverklaring was Tomáš Garrigue Masaryk, een intellectueel die de zoon was van een Slowaakse koetsier en een Moravische moeder, en die de principes waarop het Amerikaanse politieke systeem was gebaseerd enthousiast onderschreef. Masaryk trouwde met een Amerikaanse, Charlotte Garrigue, en nam de opmerkelijk progressieve stap om haar meisjesnaam als zijn tweede voornaam aan te nemen.

Het ontstaan van elk land brengt uitdagingen met zich mee. Er waren in Tsjechoslowakije veel economische en sociale problemen, waaronder gevoeligheden tussen de industrieel meer ontwikkelde Tsjechen en de voornamelijk agrarische Slowaken. Er waren ook spanningen die langzaam zouden oplopen met betrekking tot de etnisch Duitse minderheid in het gebied dat bekendstond als Sudetenland langs de lange Tsjechische grens met Duitsland. Maar Masaryk was geen gewone president. Hij was een leider met sterke humanistische en religieuze overtuigingen en onder zijn leiding werd Tsjechoslowakije inderdaad een paradijselijk oord, met een vrije pers, goed openbaar onderwijs en een bloeiend intellectueel leven. Hoewel Masaryk stierf toen ik vier maanden oud was, groeide ik in elke andere betekenis met hem op. Mijn familie sprak vaak over hem en mijn vader was sterk beïnvloed door zijn grote vertrouwen in democratie, zijn overtuiging dat kleine landen dezelfde rechten zouden moeten hebben als grote landen, en zijn respect en liefde voor de Verenigde Staten.*

Uit mijn vaders herinneringen aan de jaren twintig en vroege jaren dertig blijken zijn trots en enthousiasme. 'Terwijl andere Europese landen politieke en sociale omwentelingen, en onstabiele financiële situaties doormaakten en een voor een bezweken voor het fascisme,' zou hij schrijven, 'was Tsjechoslowakije een vesting van vrede, democratie en vooruitgang. Als studenten zwolgen we in het elixer van de vrijheid. We lazen enthousiast Tsjechoslowaakse en buitenlandse literatuur en dagbladen, we bezochten elke première van het Nationaal Theater en de Nationale Opera; we misten geen enkel concert van het Praags Filharmonisch Orkest.'

Praag was al eeuwen een cultureel Mekka en oefende een onweerstaanbare aantrekkingskracht uit op jonge intellectuelen zoals mijn ouders. Toen mijn va-

---

* In 2000, toen ik Praag bezocht om deel te nemen aan de viering van de 150ste geboortedag van Masaryk, liet een oude Tsjech die ik nooit ontmoet had, een cadeau en een boodschap achter bij mijn hotel. Het cadeau was een plakboek met krantenartikelen uit de tijd van Masaryks laatste ambtsjaar, zijn dood en begrafenis. De boodschap was dat hij mij het plakboek cadeau deed omdat hij dacht dat ik dezelfde idealen aanhing als Masaryk. Ik was diep geraakt.

der opgroeide in het stadje Kysperk droomde hij ervan naar de grote stad te gaan, naar de plaatsen waar Mozart had opgetreden en in de cafés te zitten waar Franz Kafka zijn ideeën had gekregen. Hij wilde bij de avant-garde horen, Karel Čapeks utopische fictie* lezen en schilderijen kopen van Čapeks broer Josef.

In Kysperk was niet eens een middelbare school, dus moest mijn vader op twaalfjarige leeftijd naar de naburige, grotere stad Kostelec nad Orlicí. Hij was een ijverige leerling en politiek en cultureel actief. Hij wist al jong dat hij diplomaat, journalist of politicus wilde worden en maakte plannen om dat te bereiken. Waar hij in zijn plannen geen rekening mee gehouden had, was dat hij verliefd zou worden.

Mijn ouders ontmoetten elkaar op de middelbare school. Mijn moeder was iets jonger en heel aantrekkelijk. Ze was tenger, had kort bruin haar en kuiltjes in haar wangen. Mijn vader had een krachtig, ernstig gezicht en golvend haar – mijn moeder zei vaak dat hij knapper werd naarmate hij ouder werd. Volgens mijn vader introduceerde hij zichzelf bij hun eerste ontmoeting met de tekst dat ze het meest praatgrage meisje in Bohemen was; dus gaf ze hem een draai om zijn oren. Ze heette Anna, een afkorting van Andula, maar vanaf het moment dat ze op de middelbare school zat stond ze bekend als Mandula, een samentrekking van hoe mijn vader haar noemde: Ma (mijn) Andula. Zij noemde hem Jožka. Haar ouders waren kennelijk niet enthousiast over de relatie en stuurden haar naar een school in Genève ter voltooiing van haar opvoeding. Als het een poging was de relatie op te breken, was het bijna gelukt. Mijn moeder schreef veel later in een korte tekst op een blocnote met geel papier die ik kort na haar dood vond: 'Jožka was een man die zeker het zeven jaar wachten waard was, voor hij klaar was voor het huwelijk.' Daar voegde ze aan toe – en streepte het weer door – 'maar ik was niet altijd zo verliefd. Paar keer dacht ik erover dit te verlaten.' (Zelfs na meer dan veertig jaar in Engeland en Amerika sprak mijn moeder nog Engels met een zwaar accent en had ze haar eigen idee over grammatica en idioom.)

Ze vervolgde: 'Ik vroeg me vaak af wat ik in zijn persoonlijkheid het meest bewonderde. Was het zijn doorzettingsvermogen, dat hij waarschijnlijk had geërfd van zijn vader, die zich van een kleine middenstander tot aandeelhouder en directeur van een groot bouwbedrijf had opgewerkt, of hield ik van hem vanwege zijn goede hart, vriendelijkheid, onzelfzuchtigheid en trouw aan zijn gezin, eigenschappen die hij van zijn lieve moeder geërfd heeft?' Wat het ook was, ze heeft hem altijd aanbeden.

Mijn vader voltooide zijn opleiding zo snel mogelijk, studeerde in de schoolvakanties Duits en Frans bij privé-leraren, en bracht toen een jaar door aan de Sorbonne in Parijs, waar hij zijn Frans vervolmaakte en een beeld kreeg van de wereld buiten Tsjechoslowakije. Op zijn drieëntwintigste behaalde hij de juridische doctorstitel aan de Karelsuniversiteit in Praag, de oudste universiteit van

---

* In zijn toneelstuk *R.U.R.* uit 1920 introduceerde Čapek het idee van robots, afgeleid van het Tsjechische woord *robota*, dat (eentonig) werk betekent.

COA

Centraal Orgaan opvang asielzoekers

with compliments

volgens afspraak ☐

voor uw informatie ☐

—

Aeneas vluchtte samen met zijn oude vader en kind uit het brandende Troje. Na vele omzwervingen en het trotseren van allerlei gevaren belandt hij tenslotte in Italië en sticht daar de stad Latium. Aeneas staat bekend als een held uit de Griekse oudheid. Het beeldmerk van het COA is op het verhaal van Aeneas gebaseerd.

In terval auclit
Arnold v/d Heijden

Centraal Bureau

Sir Winston Churchilllaan 366a

2285 SJ Rijswijk

postbus 3002

2280 ME Rijswijk

telefoon 070 372 70 00

Midden-Europa. Na veertien maanden militaire dienstplicht werd hij aangenomen bij het ministerie van Buitenlandse Zaken en, volgens mijn moeders verslag, 'na een paar maanden werken zonder loon konden we gaan trouwen'.

De bruiloft vond plaats op 20 april 1935. Mijn moeder had, net als de meeste vrouwen in die tijd, niet de universitaire opleiding die mijn vader had gehad. Maar ze deelde zijn culturele belangstelling en ging enthousiast mee in het avontuur dat haar van het platteland naar Praag zou brengen. Ze verhuisden naar een in zwart en wit ingericht art-deco-appartement en maakten al snel deel uit van de cafégemeenschap van de stad. Het jaar daarop werd mijn vader benoemd tot persattaché van het Tsjechoslowaakse gezantschap in Joegoslavië, en mijn ouders vertrokken weer, dit keer naar Belgrado. Joegoslavië was toen nog een koninkrijk en omdat mijn vader een hartstochtelijk democraat was, raakte hij al snel bevriend met de leiders van de democratische oppositie, die hij vaak maar discreet opzocht.

Over de periode in Belgrado schreef mijn moeder: 'Misschien hebben we, omdat we jong en gelukkig waren, de donkere wolken die zich aan de politieke hemel samenpakten, soms genegeerd. We waren ons er allemaal van bewust, maar hoopten dat ze zonder rampen aan te richten zouden overdrijven.' Het jonge paar was optimistisch genoeg om een gezin te stichten – en daar kwam ik in beeld – maar 'de rampen' bleven niet lang uit. 'De periode van ons persoonlijke geluk was veel te kort,' herinnerde mijn moeder zich. 'Hitler was te sterk en te agressief en de westerse democratieën op dat moment te zwak en dus was de kleine democratische republiek Tsjechoslowakije de eerste die het moest ontgelden, en daarmee miljoenen onschuldige mensen.'

Tsjechoslowaakse diplomaten rekenden lange tijd op bondgenootschappen met Frankrijk en de Sovjet-Unie, en ze waren ervan overtuigd dat de hooggestemde principes van de Volkenbond zouden worden gerespecteerd. Ze hadden tragisch genoeg niet gerekend op de opkomst van Hitler. De nieuwe president, Edvard Beneš, kwam in 1937 in functie. Hij deelde weliswaar Masaryks humanistische filosofie, maar miste diens charisma en vermogen om zijn volk te inspireren. Hij was, in mijn vaders woorden, 'een wiskundig politicus'. Toch deed Beneš al het mogelijke om West-Europa te waarschuwen dat Hitlers ambitie onverzadigbaar was. In maart 1938 dwong Hitler Oostenrijk met succes tot aansluiting. In september eiste hij dat Beneš het gezag over Sudetenland zou overdragen. In plaats van zich achter Praag te scharen, hoopten de westerse machten een oorlog te kunnen voorkomen door druk op Beneš uit te oefenen om toe te geven. Op 29 september 1938 tekenden het Verenigd Koninkrijk, Frankrijk, Italië en Duitsland in München een overeenkomst waarin geëist werd dat Tsjechoslowakije capituleerde. Twee dagen later begonnen de nazi's met de bezetting van Sudetenland. Beneš trad af. De Britse premier Neville Chamberlain gaf de beruchte verklaring af dat het Verdrag van München 'zou zorgen voor vrede in onze tijd'. Die zeven woorden, samen met de zwarte paraplu die Chamberlain droeg, staan sindsdien symbool voor een schandelijke appeasementpolitiek.

Om de druk op te voeren, installeerden de Duitsers een marionettenregime in Praag, dat het parlement zuiverde en alle sporen van de filosofie van Masaryk en Beneš begon uit te wissen. Mijn vaders contacten met de democratische oppositie in Joegoslavië maakten hem ongewenst in Belgrado en het nieuwe Tsjechoslowaakse ministerie van Buitenlandse Zaken voldeed al snel aan een verzoek om zijn terugtrekking. Dus verhuisden we in december 1938 terug naar Praag. Volgens mijn moeder kreeg mijn vader een klerkenbaantje op het ministerie van Buitenlandse Zaken, maar nu de nazi's op het punt stonden de rest van het land over te nemen, was zijn toekomst, net als die van andere trouwe en vooraanstaande aanhangers van Beneš, onzeker en somber.

Aangezien Beneš en een aantal van zijn ministers al waren gevlucht, begon mijn vader ook naar een uitweg te zoeken. Mijn moeder herinnerde zich: 'Tsjechoslowakije onmiddellijk verlaten was technisch onmogelijk. In Praag heerste totale chaos. Een tijdlang was er helemaal geen communicatie mogelijk, de banken waren gesloten, vrienden werden gearresteerd. We hoorden van welingelichte bronnen dat Jožka's naam ook op een lijst stond van mensen die moesten worden gearresteerd.' Ik werd voor korte tijd naar mijn grootmoeder van moederskant gestuurd die op het platteland woonde, terwijl mijn ouders hun huis verlieten en elke nacht bij andere vrienden logeerden en overdag op straat en in restaurants onze ontsnapping planden. 'De Gestapo arresteerde mensen meestal 's nachts,' vertelde mijn moeder. 'Via allerlei mogelijke en onmogelijke plannen, met de hulp van een paar goede vrienden, met veel geluk en wat steekpenningen lukte het ons uiteindelijk om de benodigde toestemming van de Gestapo te krijgen om het land te verlaten.' Snelheid was geboden. Op 15 maart 1939 bereikte het Duitse leger de Tsjechoslowaakse hoofdstad. Tegen elf uur die avond zaten mijn ouders en ik op een trein het land uit, met twee kleine koffers, alles wat ze in hun haast hadden kunnen inpakken. Mijn moeder schreef eenvoudig en onderkoeld: 'Dat was de laatste keer dat we onze ouders levend zagen. Het duurde zes jaar voor we terug konden keren.'

We gingen eerst naar Belgrado en daarna naar Londen, waar we in mei arriveerden, vlak voor mijn tweede verjaardag. De stad zat vol buitenlanders die werk zochten. Dus was mijn vader opgelucht toen Jan Masaryk, zoon van de voormalige president en minister van Buitenlandse Zaken van wat de Tsjechoslowaakse regering in ballingschap zou worden, naar Londen kwam. Hij huurde een klein kantoor en nam jonge voormalige medewerkers van het ministerie van Buitenlandse Zaken in dienst – onder wie mijn vader. In juli arriveerde Beneš in Londen. Het doel van de ballingen was om door middel van Britse radio en kranten de feiten over Hitlers bezetting bekend te maken en landgenoten bijeen te brengen.

Ik had altijd gedacht dat mijn ouders zich snel hadden aangepast aan het leven in Engeland, maar toen ik mijn moeders herinneringen las, begreep ik dat dat niet het geval was geweest. 'We werden uitsluitend omringd door Tsjechische mensen, zonder vrienden te maken onder de Engelsen, op een paar uitzonderingen na... Ik heb altijd bewondering gehad voor hun eerlijkheid, rechtvaardigheid in tijden van gebrek, hun moed tijdens de bombardementen, hun vastbeslotenheid onder slechte omstandigheden Hitler te bestrijden, maar het duurde lang voor ik sommige van hun gewoontes begreep en me tussen hen thuis voelde... Maar net zoals wij onze tijd uitzaten in afwachting van het moment dat we weer naar huis konden gaan, zaten zij hun tijd uit in afwachting van het moment dat alle buitenlanders weer weg konden.'

Mijn vroegste herinneringen zijn aan een flat aan Kensington High Road in Notting Hill Gate. Mijn ouders sliepen in een opklapbed en we hadden een groene telefoon. Toen ik mijn vaders stem hoorde via de BBC-radio, dacht ik dat hij *in* de radio zat. Hij was de woordvoerder van de regering in ballingschap en zijn redevoeringen werden ook elke dag een paar uur naar ons vaderland uitgezonden. Er woonden nog andere Tsjechoslowaakse gezinnen in ons flatgebouw, dat speciaal voor vluchtelingen gebouwd was. De buren gaven me soms bruin brood met varkensvet en zout. Als het luchtalarm ging zaten we 's avonds samen in de kelder. Ik zong kinderliedjes en we sliepen allemaal op geïmproviseerde bedden. Mijn ouders zeiden dat het verstandig was om in de kelder te blijven, maar er liepen leidingen met gas en heet water doorheen en ik realiseer me nu dat we het niet zouden hebben overleefd als het gebouw geraakt was.

Hier ontdekte ik voor het eerst hoe het voelt om beroemd te zijn. De emigrantengemeenschap wilde, met de hulp van het Rode Kruis, een film maken over de benarde toestand van kinderen van vluchtelingen en ik mocht de hoofdrol spelen. Er werd gefilmd in een schuilkelder die leek op die van ons. Ik nam de opdracht heel serieus en werd beloond met een roze knuffelkonijn dat me de hele oorlog heeft bijgestaan.

Wij waren in Engeland niet de enige leden van onze familie. Mijn vaders oudere broer John, zijn vrouw Ola en hun kinderen Alena en George hadden zich geïnstalleerd in een landhuis in Berkhampstead. We hebben een tijdje bij ze gewoond voor we naar Londen verhuisden, maar de broers hadden uitgesproken verschillende karakters en lagen voortdurend met elkaar overhoop. Toen ze eindelijk ophielden met ruzie maken, hielden ze ook op met elkaar te praten. De elfjarige dochter van mijn vaders zuster Greta, Dáša, kwam uit Tsjechoslowakije bij ons wonen. In de eerste paar jaar ontvingen we af en toe brieven van mijn drie nog levende grootouders* die mijn ouders hardop voorlazen. 'We houden van jullie en we zullen elkaar na de oorlog weer zien.' Later kregen we bericht dat mijn moeders zuster Mana aan een nierziekte was overleden. Ik herinner me dat, omdat mijn moeder ontroostbaar was.

Hoewel het ergste van de *Blitzkrieg* achter de rug was, wilden mijn ouders weg uit Londen. We woonden korte tijd in Beaconsfield, de geboorteplaats van koningin Victoria's gezaghebbende premier Benjamin Disraeli. Daar werd op 7 okto-

---

* De vader van mijn moeder was in 1938 overleden, voor we Praag verlieten.

ber 1942 mijn zusje Kathy geboren. Daarna verhuisden we naar Walton-on-Thames, ongeveer een uur rijden van Londen, waar we in een bakstenen huis woonden met een merkwaardige, stekelige plant, een apeboom, voor de deur. Ik ging naar Ingomar School en droeg het bruinwitte uniform, compleet met das en een strooien hoed met gestreept lint. Elke dag lunchte ik met koud vlees en een stoofpot die in het Engels *bubble and squeak* (gepruttel en gepiep) heet (een prutje van opgebakken restjes aardappel en kool, dat zo heet vanwege de geluiden die je maag na het eten maakt). Ik begon een echt Engels meisje te worden. Omdat ik beter Engels sprak dan mijn moeder moest ik vaak met distributiebonnen, achter de kinderwagen met Kathy, vier blokken verder lopen en een drukke straat oversteken om naar de groenteboer te gaan. Ik haalde over het algemeen goede cijfers, maar kreeg tot mijn schande – gezien mijn toekomstige loopbaan – een 4 voor aardrijkskunde.

Hoewel Walton-on-Thames op het platteland lag, was de oorlog nog steeds een belangrijk deel van ons leven en zorgde hij zowel voor spanning als de dagelijkse routine. Mijn vader was blokhoofd van de luchtbescherming. We kochten een stalen tafel, een zogenoemde Morrison-shelter, genoemd naar Herbert Morrison, Churchills minister van Binnenlandse Zaken. Het was het nieuwste van het nieuwste en zou volgens de reclame een gezin dat eronder schuilde redden als hun huis gebombardeerd werd. De tafel werd het middelpunt van ons bestaan. We aten eraan, speelden eromheen of erbovenop, en als de sirenes loeiden trokken we de verduisteringsschermen naar beneden en gingen eronder slapen. Vanuit mijn toenmalige gezichtspunt hoorde dit allemaal bij het normale leven en het verhinderde mij niet om van het leven te genieten of te leren hoe ik met onze Engelse vrienden aan een 'high tea' moest deelnemen.

Hoe moeilijk of beangstigend onze situatie ook was, mijn ouders wisten de vervelende kanten ervan voor ons weg te houden. Ze wilden dat mijn zusje en ik ons veilig en op ons gemak zouden voelen, en dat was het geval. Ze beschikten over de liefde en de kunst om het abnormale normaal te laten lijken – zoals thuis in de ene taal praten en op school in een andere, en door gewone dingen te doen zoals zwemmen in Lyme Regis, in Dorset, ook al stonden er enorme zwarte stalen barricades op het strand tegen de Duitse invasie. Ik vond ook de zondagse bijeenkomsten van hun Tsjechoslowaakse vrienden absoluut niet vreemd. Nadat iedereen gegeten had, liepen de mannen met z'n tweeën of drieën op en neer door onze kleine tuin en hielden serieuze gesprekken. Ze ijsbeerden met hun handen op hun rug zoals Europese mannen dat doen, mijn vader altijd met een pijp in zijn mond en een rookwolk rond zijn hoofd. Pas toen ik op de universiteit zat en mijn doctoraalscriptie schreef over de naoorlogse periode in Tsjechoslowakije, drong het tot me door wat voor werk mijn vader tijdens de oorlog gedaan had, hoe de regering in ballingschap had gefunctioneerd en hoe belangrijk de kwesties waren geweest die op die zondagmiddagen zo opgewonden in onze achtertuin werden besproken.

Ik kan me niet precies het moment herinneren waarop ik hoorde dat de oorlog was afgelopen en dat we terug naar huis zouden gaan. Ik weet wel dat het vrolijk gevierd werd. We praatten nergens anders over. De tafel in onze eetkamer was nu weer gewoon een tafel, geen schuilplaats meer. We stonden op het punt, dachten we, om een normaal leven te gaan leiden.

Mijn vader zat in het eerste vliegtuig naar het bevrijde Tsjechoslowakije, samen met president Beneš en zijn mensen. Mijn moeder, zusje, nichtje Dáša en ik volgden een paar weken later in het ruim van een bommenwerper, een ervaring die zo beangstigend was dat het een aantal jaren zou duren voor ik mijn enorme vliegangst overwon.

Omdat de Tsjechoslowaakse leiders na München gedwongen waren te capituleren, hadden de Duitsers de hoofdstad niet gebombardeerd. Praag was dus onbeschadigd gebleven en zag er in mijn achtjarige ogen uit als een paradijselijk oord. Het land zelf had echter onherstelbare schade geleden. De economie was lamgelegd. Het volk had zes jaar demoraliserende bezetting achter de rug. De joodse bevolking was praktisch uitgeroeid.

Dankzij mijn vaders werk in Londen en zijn positie in de nieuwe regering kregen we een prachtig appartement op Hradčanské Náměstí, vlak bij de Praagse Burcht, waar president Beneš woonde en werkte. Het appartement was ruim en licht, met glas-in-loodramen en een verrassend mooie inrichting. Mijn ouders vertelden ons dat ze gehoord hadden dat onze grootouders tijdens de oorlog waren overleden. Ze zeiden dat hun ouders oud waren geweest en dat dat nu eenmaal gebeurde als je oud werd. Mijn moeder huilde vaak, maar als ik ernaar vroeg zei ze alleen: 'Het is alleen maar omdat ik zo blij ben weer thuis te zijn.' Mijn nichtje Dáša bleef bij ons wonen. Haar ouders waren ook overleden, een gegeven dat ik eenvoudig accepteerde.

Er liepen sovjetsoldaten door de straten. Mijn ouders waren bang voor ze, maar spotten onder elkaar met hun lompheid. Ik kreeg te horen dat de enige bom die Praag geraakt had per ongeluk door een Amerikaans vliegtuig afgeworpen was. Gezien het feit dat ik opgegroeid was met het idee dat de Duitsers slecht waren en de Amerikanen en de Russen goed, vond ik dit enorm verwarrend.

Mijn vader werkte een paar blokken verderop, op het ministerie van Buitenlandse Zaken, en bracht me naar school. In Engeland had ik genoten van school, maar in Praag vond ik het vreselijk, en mijn onderwijzers waren net zomin onder de indruk van mij. Het grootste deel van de tijd moest ik in de hoek staan. Als mijn ouders vroegen wat ik verkeerd gedaan had, zei mijn onderwijzeres dat ik arrogant geweest was. 'Hoezo?' vroegen ze. De onderwijzeres antwoordde dat ik tegen haar gezegd had dat ze een mooie jurk aan had. In Engeland zou dat een compliment zijn geweest, maar op het Europese vasteland was het onaanvaardbaar dat een kind zo informeel tegen haar onderwijzeres sprak.

Voor de oorlog was de Tsjechoslowaakse vrijheid vernietigd door de fascisten; nu werd zij bedreigd door de communisten. De Tsjechoslowaakse Communistische Partij was opgericht in 1921, vier jaar nadat de bolsjewistische revolutie Rusland had getransformeerd. De partij bestond nog, omdat Tsjechoslowakije een land was dat gelijkheid voorstond en een groot deel van de bevolking sympathie had voor de communistische bewering dat het communisme het opnam voor de werkende klasse. Er waren ook veel Tsjechen en Slowaken die zich identificeerden met 'Moedertje Rusland' als een land van mede-Slaven. Na de oorlog won de partij aan kracht omdat de westerse mogendheden, niet Moskou, verantwoordelijk werden gehouden voor het verraad van München. De Sovjet-Unie was ook een bondgenoot geweest in de strijd tegen de nazi's en generaal Eisenhower had toegestaan dat het Rode Leger Praag bevrijdde. Het gevolg was dat de communistische partij de grootste politieke partij werd en zelfs de meerderheid van de stemmen kreeg bij de verkiezingen van 1946. Naar aanleiding van de wens tot nationale eenheid en vanwege het parlementaire stelsel van het land, stemde Beneš in met een coalitieregering die geleid werd door een communistische premier en die bestond uit zowel communisten als leden van diverse democratische partijen met de partijloze Jan Masaryk als minister van Buitenlandse Zaken.

Beneš en degenen die hem steunden, zoals mijn vader, wilden dat Tsjechoslowakije terugkeerde tot de democratische waarden uit de vooroorlogse periode. De president beging de vergissing te denken dat de Tsjechoslowaakse communisten hetzelfde wilden. De communisten kregen de leiding over de politie en het ministerie van Defensie en Masaryk kreeg een Slowaakse communist als plaatsvervanger. Onder leiding en met steun van Moskou namen de communisten sleutelposities in, onder andere bij de vakbonden, grote industriële bedrijven en de media. De democratische partijen daarentegen zaten niet op één lijn en werkten ook niet samen.

Elders in Europa was de Koude Oorlog tussen Oost en West begonnen. De sovjets namen in Oost-Europa systematisch de macht over. Na hun succes in 1946 meende Moskou dat de Tsjechoslowaakse communisten legaal, door middel van verkiezingen, aan de macht konden komen, en daarmee een geslaagd model konden vormen voor West-Europa, waar Frankrijk en Italië ook grote communistische partijen hadden. Tsjechoslowakije belandde andermaal tussen twee vuren. Beneš probeerde er het beste van te maken door zijn land een brug tussen Oost en West te noemen, een land dat behoorde bij beide delen. Masaryk had weinig waardering voor dit beeld en zei tegen de Britse koning George VI: 'Paarden lopen over bruggen en bevuilen ze vaak met uitwerpselen.' Ik herinner me Masaryk als een vriendelijke man met een droog gevoel voor humor. Als ik hem bij officiële gelegenheden ontmoette, had hij meestal zijn arm in een mitella. Ik vroeg mijn vader: 'Heeft de minister van Buitenlandse Zaken een gebroken arm?' 'Nee,' antwoordde mijn vader. 'Hij draagt de mitella omdat hij geen handen wil schudden met communisten.'

Mijn vader werkte korte tijd als Masaryks secretaris-generaal en werd in de herfst van 1945 benoemd tot vertegenwoordiger van Tsjechoslowakije in Joegoslavië en het naburige Albanië, waarmee hij op de ongebruikelijk jonge leeftijd van 36 de rang van ambassadeur bereikte. Dus keerden we na slechts een paar maanden in Praag terug naar Belgrado.

Mijn vader trof een Joegoslavië aan dat, in zijn woorden, 'uitgeput' was. Meer dan eentiende van de bevolking was tijdens de oorlog omgekomen, vaak in de strijd tegen de Duitsers, maar ook in onderlinge gevechten. Mijn vader had zich verheugd op het weerzien met oude vrienden, maar velen van hen waren nu toegewijde communisten en ontliepen hem. Hij sprak met Serviërs die bitter klaagden over moordpartijen die de Kroaten tijdens de oorlog hadden aangericht en over de geleidelijke teloorgang van hun nationale identiteit onder het dictatoriale communistische bewind van Josip Broz, beter bekend als maarschalk Tito. Hij sprak Kroaten die zich tegen het bestaan van Joegoslavië als natie verzetten en een apart, etnisch eigen land wensten. Toevallig zou ik later een groot deel van mijn tijd in de regering besteden aan dezelfde problemen die mijn vader in 1945 op zijn weg vond en waarover hij zijn eerste boek schreef, *Tito's Communism*. Zijn liefde voor het land was oprecht en hij droeg zijn boek zelfs op 'Aan het Joegoslavische volk, dat in zijn tragische geschiedenis vaak zijn bloed heeft gegeven voor het gemeenschappelijke doel van vrijheid en democratie die het Joegoslavische volk ontzegd zijn'.

De Tsjechoslowaakse ambassade in Belgrado lag aan een belangrijke verkeersader, tegenover het hoofdpostkantoor, een paar blokken van het parlementsgebouw vandaan. Ik vond het een heel imposant gebouw en dat was het ook. Aan de kant van de hoofdweg was een lang balkon waar we bij officiële parades stonden. De ingang werd bewaakt door Tito's partizanen in gevechtstenue en de ambassadeurswoning lag opzij van de grote binnenplaats. We hadden een butler, een chauffeur, een kok en dienstmeisjes. Omdat mijn vader niet wilde dat ik met communisten naar school ging, kreeg ik een gouvernante. Omdat het gebouw tijdens de oorlog niet gebombardeerd was, was het gebruikt door het regionale opperbevel van het Duitse leger, en met het opperbevel waren schilderijen, vloerkleden, meubels en een gobelin verdwenen. Alleen het kantoormeubilair was nog over. Mijn ouders moesten dus veel van het meubilair gebruiken dat ze gekregen hadden voor ons appartement in Praag.

Hoewel het leven totaal verschillend was van wat we in Londen, of zelfs gedurende de korte periode terug in Tsjechoslowakije, hadden ervaren, leken mijn ouders zich gemakkelijk aan te passen. Als hij niet aanzat bij een officiële lunch, at mijn vader samen met ons in de eetkamer, en daarna reed de chauffeur ons vaak in onze zwarte Tatra, een Tsjechoslowaakse auto met één vin op de achterkant, als een Batmobile, naar de bossen buiten de stad waar we lange wandelingen maakten.*

Ondanks de politieke verwarring en enorme armoede om hen heen, maakten mijn ouders op mij een veel gelukkiger indruk dan toen ze in Engeland waren.

---

* De Tsjechoslowaakse regering gaf Tito een Tatra, die de auto doorgaf aan zijn zoon, die tijdens de oorlog een arm verloren had. De zoon reed er met duizelingwekkende vaart mee door Belgrado, en ik herinner me dat mijn vader zei dat het een enorme diplomatieke rel zou geven als Tito's zoon zou komen te overlijden terwijl hij in een Tsjechoslowaakse auto reed.

Tenslotte was het diplomatieke leven datgene waar ze zich op hadden voorbereid en waren we allemaal samen. We waren ook blij met de geboorte van mijn broertje John op 15 januari 1947. Mijn moeder gaf leiding aan de staf van de ambassade en zorgde ervoor dat we allemaal te eten hadden. Soms liet ze levende lammetjes uit de provincie komen, waarmee we in de keuken speelden tot ze in de pan verdwenen. Mijn zusje en ik weigerden dan te eten.

Mijn moeder weigerde op haar eigen onnavolgbare wijze om dingen volgens het protocol te doen. Na officiële diners nodigde ze graag een kleine groep mensen uit in onze eigen eetkamer en serveerde dan Tsjechoslowaakse worstjes, de zogenaamde *párky*. Dat deed ze op een keer ook met Tito. Kennelijk waren de voorproevers van de president tegen het hele idee – tot mijn moeder een worstje pakte, het in tweeën sneed, haar helft opat en de communistische dictator de andere helft aanbood. De gevreesde leider schrokte het op.

Mijn moeder hernieuwde de kennismaking met sommige van haar oude vrienden en dronk Turkse koffie met hen, niet zozeer omdat ze de koffie erg lekker vond, maar omdat ze het leuk vond om de kopjes om te keren en de toekomst te lezen uit het koffiedik. Ik vond dat altijd een van haar opvallendste zonderlinge eigenschappen, maar ontdekte later dat veel Tsjechen geloven in zowel toekomstvoorspellingen als astrologie.

Als dochter van de ambassadeur werd ik het 'officiële kind'. Gewapend met boeketten en gekleed in klederdracht – een witte blouse met grote pofmouwen met geeloranje borduursels, een plooirok met roze dessin, een marineblauw geborduurd schortje en een heleboel linten – begeleidde ik mijn vader naar het vliegveld om arriverende functionarissen te begroeten. Mijn 'taken' gaven me de kans om al heel jong een aantal historische personen te ontmoeten, bijvoorbeeld Tito. Ik bood hem een keer witte rozen aan toen hij een receptie voor de nationale feestdag bezocht.

Ik was tien jaar toen mijn ouders vonden dat ik qua opleiding zover was gekomen als met een gouvernante mogelijk was. Ik was te jong om ingeschreven te worden op het gymnasium in Praag, dus kondigden ze aan dat ze me naar kostschool in Chexbres in Zwitserland zouden sturen om Frans te leren. Ik reageerde zoals de meeste tienjarigen zouden doen. Ik wilde niet van huis weg. Toen we onderweg naar Zwitserland in Praag stopten, werd ik letterlijk ziek van spanning en kwam te laat voor de aanvang van het schooljaar. Mijn moeder hield, op voor haar totaal onkarakteristieke wijze, vol dat ik gezond genoeg was om te gaan. Ik huilde de hele vliegreis naar Zürich waar we een nacht bleven. Ik had gehoord dat Zürich het centrum was voor de behandeling van kinderverlamming, dus de volgende ochtend zei ik bij het opstaan dat mijn benen zo'n pijn deden dat ik me niet kon bewegen. Mijn moeder trapte er niet in en vond een arts die mij gezond verklaarde. Ik kon niet anders doen dan doorreizen naar school.

In september 1947 arriveerde ik in het Prealpina Institut pour Jeunes Filles. De school was gevestigd in een groot gebouw op een schitterend terrein met uitzicht op het Meer van Genève. Mijn kamer had uitzicht op het meer – en drie kamergenoten. Er werd mij gezegd dat ik niets zou krijgen tenzij ik er in het Frans om vroeg, een taal die ik toen helemaal niet sprak. Een tijdlang voelde ik me ellendig. Op den duur vond ik mijn weg in de taal en werd er, als de altijd ijverige student, zelfs behoorlijk goed in. Ik ontwikkelde toen al de gewoonte om mijn opdrachten te serieus te nemen en te overdrijven. Ik kreeg de leiding van de kamercontrole, een hielenlikkersbaantje uiteraard, maar ik overdreef het. De kamercontrole werd een persoonlijke controle en ik eiste dat de meisjes me lieten zien of ze schone handen en nagels hadden voor ze konden gaan eten. Het duurde niet lang voor ze me lieten weten hoe ze over me dachten en ik moest hun vriendschap helemaal opnieuw verdienen. Mijn eerste Amerikaanse vriendin in Prealpina was een meisje met blond haar, een grote glimlach en een grijze Parkerpen, allemaal zaken waarom ik haar beneed.

Het hoofd van de school werd verondersteld ons elke week twee francs zakgeld te geven en ons het dorp in te laten gaan. Hij deed dat slechts sporadisch, maar als we inderdaad gingen kocht ik altijd de driehoekige Toblerone-chocola die ik nog steeds heerlijk vind. We wandelden elke zondag, hoe koud het ook was, een paar kilometer naar de kerk, en in Zwitserland leerde ik schaatsen en skiën, met dezelfde schoenen. Veel later vielen mijn welvoorziene Amerikaanse kinderen bijna om van het lachen toen ik ze vertelde dat ik ooit mijn schaatsen met een sleutel aan mijn skischoenen had vastgemaakt.

Thuis was het Tsjechoslowaakse experiment van een coalitieregering van democraten en communisten bezig te mislukken. De strijd om de politieke macht was meedogenloos. De communisten waren lange tijd populair geweest, maar nu ontstond er verzet tegen hun tactloze pogingen hun invloed in de hele maatschappij uit te breiden. Naarmate hun electorale vooruitzichten verslechterden, werden hun methodes steeds agressiever. Moskou ging ook rechtstreeks druk uitoefenen op Praag.

In de zomer van 1947 kondigden de Verenigde Staten een groot hulpprogramma – het Marshallplan – aan om de Europese landen te helpen de verwoesting van de oorlog te boven te komen. Elk land in Europa, inclusief de Sovjet-Unie en Tsjechoslowakije, werd uitgenodigd deel te nemen. De sovjets waren argwanend en zagen het plan meer als een Amerikaans paard van Troje dan als een middel voor economisch herstel. In Praag wilde Beneš dat Tsjechoslowakije deelnam en accepteerde de Amerikaanse uitnodiging officieel. Jan Masaryk, die voor officiële zaken in Moskou was, werd door Stalin ontboden en kreeg te horen dat zijn land geen toestemming zou krijgen om aan het Marshallplan deel te nemen. Terug in Praag zei een bittere en sarcastische Masaryk tegen collega's: 'Het is een tweede München. Ik vertrok naar Moskou als minister van Buitenlandse Zaken van een onafhankelijk land en ik kom terug als een knechtje van Stalin.'

Ondanks deze tegenslag bleef Beneš hoopvol en stelde zijn vertrouwen in de verkiezingen die waren gepland voor mei 1948. Toen mijn vader in januari van dat jaar de president bezocht, probeerde hij Beneš te waarschuwen dat de communisten geen middel zouden schuwen om de macht over te nemen. Toen ze bespraken wie er wel en niet te vertrouwen was, zei Beneš: 'Maak je geen zorgen. Het gevaar van een communistische coup is voorbij. Ga terug naar Belgrado en ga door met je werk.' Mijn vader schreef: 'Dat waren de laatste woorden die president Beneš tegen mij zei. Ik heb hem nooit meer gezien.'

Beneš had ongelijk. Vastbesloten om de verkiezingen niet af te wachten, bestempelden de communisten democratische leiders als reactionairen, deelden wapens uit aan activisten, eisten onmiddellijke en radicale socialisering van de economie en stuurden pakketten met explosieven in een mislukte poging drie ministers te vermoorden, onder wie Masaryk. Verzwakt door twee hartaanvallen kon Beneš de vastbesloten vijand, die zich niet aan de spelregels hield, niet aan. In februari diende een dozijn democratische ministers hun ontslag in, in een poging om vervroegde verkiezingen af te dwingen. In plaats daarvan zetten de communisten mensenmassa's, de media en milities in om Beneš te dwingen zich akkoord te verklaren met een nieuwe regering van nationale eenheid. De staatsgreep van 25 februari 1947 bracht de werkelijke macht in handen van de communisten en die zou daar meer dan veertig jaar blijven. Op 10 maart 1947 werd Masaryks lichaam gevonden onder het gebroken raam van zijn appartement in het Tsjechoslowaakse ministerie van Buitenlandse Zaken. De autoriteiten noemden het zelfmoord. Mijn ouders – en de meeste Tsjechoslowaakse democraten – waren van mening dat het moord was. Op 7 juni trad president Beneš af. Het sovjetblok was compleet. Om te voorkomen dat het communisme zich nog verder in Europa zou uitbreiden, besloot de regering-Truman met Canada en bevriende naties in Europa tot de oprichting van de Noord-Atlantische Verdragsorganisatie (NAVO).

Voor mijn ouders betekende de coup het eind van hun droom van een vrij Tsjechoslowakije. Ik zag ze pas later dat voorjaar, toen ze naar Zwitserland kwamen om mij te vertellen dat mijn vader een nieuwe aanstelling had gekregen, dit keer bij de Verenigde Naties. Kort voor de coup had hij aangeboden zijn ontslag in te dienen als ambassadeur, omdat hij vond dat alleen een communist het vertrouwen van het regime in Belgrado kon krijgen. Er was even sprake van dat hij ambassadeur in Frankrijk zou worden. Uiteindelijk kreeg hij een functie aangeboden als vertegenwoordiger van Tsjechoslowakije in een nieuwe VN-commissie die zich boog over de status van Kasjmir, een provincie die zowel door India als Pakistan, beide net onafhankelijk geworden landen, werd geclaimd. Mijn moeder, zus en broer zouden naar Londen verhuizen terwijl mijn vader in Azië was. Mijn ouders brachten dit nieuws kalmpjes, alsof het een alledaagse gebeurtenis was.

Toen de schoolvakantie begon, ging ik naar mijn familie in Londen, waar we in een donker kelderappartement woonden, met de badkuip in de keuken. Mijn vader schreef ons opgewekte brieven waarin hij enthousiast de schoonheid van Srinagar in Kasjmir beschreef en ons vertelde over de apen in New Delhi waarvan hij bezwoer dat ze zijn hotelkamer binnenkwamen. Ik weet niet wat hij mijn moeder schreef, maar ik weet wel dat hij een manier zocht, en vond, om ons naar Amerika te krijgen, waar hij zich zo snel mogelijk bij ons zou voegen.

Zo begon een nieuw hoofdstuk in de Europese geschiedenis en in mijn leven. Voor de tweede keer in minder dan tien jaar werden mijn ouders gedwongen hun vaderland te verlaten. Ik was elf jaar oud en gereed om, samen met mijn moeder, zus en broer, de Atlantische Oceaan over te steken. We hadden een reis geboekt op een gigantisch passagiersschip, de *America*, en ik verheugde me zeer op de vijf dagen durende reis. We scheepten 's nachts in Southampton in. Toen we wakker werden, kregen we een enorm ontbijt met spek en eieren; pas later ontdekte ik dat het zo rustig was omdat we in de haven van Le Havre lagen. Het zou voor langere tijd onze laatste volledige maaltijd zijn. Toen we eenmaal op weg gingen, werden we allemaal zeeziek. Mijn moeder bleef de hele reis in bed, terwijl wij leefden op gebakken aardappels.

Ons schip voer door een novemberzee. Er stond een harde wind en de golven waren hoog. Boven ons hoofd verzamelden zich enorme zwarte wolken die slag-regens en vrieskou met zich meebrachten. We staarden door de patrijspoorten en waagden ons maar zelden aan dek. Ik dacht dat de reis, waar ik me zo op ver-heugd had, nooit zou eindigen. Pas toen we onze bestemming naderden, werd de hemel weer helder. Uiteindelijk, op 11 november 1948, Wapenstilstandsdag, was daar het Vrijheidsbeeld. Met de hand van mijn zusje in de mijne staarde ik vol ontzag naar het beeld dat ons verwelkomde.

HOOFDSTUK 2

Amerikaanse worden

MIJN MOEDER, KATHY, JOHN EN IK gingen in een gehuurd huisje op een tamelijk groot landgoed in Great Neck, Long Island, wonen, niet ver van het tijdelijke hoofdkantoor van de VN bij Lake Success. Terugkijkend op die periode realiseer ik me hoe goed mijn moeder omging met veranderingen. Het grootste deel van haar leven was ze een verwende dochter geweest en tot voor kort de vrouw van een ambassadeur. Nu was ze voor de tweede keer een vluchteling die in een vreemd land probeerde een thuis te maken voor haar kinderen, op dat moment zonder haar echtgenoot. Ze was pas 37, maar in mijn kinderogen vreselijk oud. Ik herinner me niet dat ze al Amerikaanse vrienden had, maar ik weet wel dat ze verslaafd raakte aan radiosoaps, zich onbewust van het feit dat de verhalen nooit eindigden.

Voor mij was het verlangen om me aan te passen en nieuwe vrienden te maken al een tweede natuur. Ik voelde me uiteraard 'een vreemde', maar daar was ik aan gewend. Ik had me zelfs een buitenstaander gevoeld op de Tsjechoslowaakse school waar ik op zat, omdat het er zo streng was. Maar in Great Neck werd ik me toch voor het eerst bewust van een dilemma waarmee ik de rest van mijn leven geconfronteerd zou worden: hoe kon ik, gezien mijn persoonlijke ervaringen en ambitie om alles goed te doen, mijn ingewortelde ernst overwinnen en me aanpassen?

De eerste stap was Amerikaans te gaan klinken. Mijn moeder schreef Kathy en mij in op de Arrandale School bij ons in de buurt. Ik had al twee scholen in Engeland en een in Tsjechoslowakije gehad, twee jaar onderwijs gekregen van een gouvernante in Belgrado, een jaar op een kostschool in Zwitserland en drie maanden op het Lycée Français in Londen gezeten. Ik sprak vier talen – Tsjechisch, Servo-Kroatisch, Frans en Engels – maar ik sprak nog geen Amerikaans. Ik ontdeed me zo snel mogelijk van mijn Engelse accent.

Mijn vader arriveerde op tijd om onze eerste kerst in de Verenigde Staten te vieren. Voor mijn vader stond Amerika voor vrijheid en veiligheid. Hij zag wel de grappige kanten van het je moeten aanpassen aan een nieuwe cultuur. Als hij niet op kantoor was bij de VN, schreef hij aan een kort verhaal met de titel 'Mijnheer DP (*Displaced Person*) ontdekt Amerika'. Volgens het verhaal waren het de kleine dingen die ertoe deden. Mijnheer DP hield net als mijn vader van wandelen, maar eind jaren veertig reed op Long Island iedereen auto. Mijnheer DP merkte al snel dat hij nergens heen kon gaan zonder dat iemand stopte om te vragen of het wel goed met hem ging en hem een lift aanbood. Op het moment dat mijnheer DP toegaf, werd hij Amerikaan. Mijnheer DP had nog nooit van allergieën gehoord. Toen mevrouw DP allergisch werd voor waspoeder, werd zij Amerikaanse. Toen de kinderen DP ontdekten dat ze niet zonder Howdy Doody en klapkauwgom konden leven, werden zij Amerikanen. Het gezin DP voelde zich al gauw echt thuis.

In werkelijkheid was het niet eenvoudig om Amerika zover te krijgen dat het ons volledig accepteerde, maar dat wist ik destijds niet. Ik word nog steeds een 'vluchteling' genoemd, wat juist is; maar in tegenstelling tot velen die voor en na ons naar Amerika kwamen, hadden wij geen ontberingen hoeven doorstaan. Wij hoefden niet door prikkeldraad ontsnappen. We hadden niet veel geld, maar we waren het land binnengekomen op diplomatieke paspoorten.

Dat wilde niet zeggen dat mijn ouders niet met ernstige problemen te kampen kregen. Dat was wel het geval, zowel financieel als politiek. Maar er was nooit een reden voor ons als kinderen om ons zorgen te maken – zoals mijn moeder zou zeggen: 'Jullie vader heeft alles onder controle.'

Ik ontdekte pas in 1993, op mijn eerste dag als ambassadeur bij de VN, hoe onzeker de status van mijn familie was geweest. Een van de onderzoekers van de VN-bibliotheek gaf me een stapel papieren die getuigden van de moeilijke weg die mijn vader had moeten bewandelen. Zijn voornaamste doel was om politiek asiel te krijgen en hij had geprobeerd vast te stellen of het beter was om zijn functie bij de Kasjmir-commissie neer te leggen of te worden ontslagen. In beide gevallen was het tijdstip van wezenlijk belang, want hij moest asiel krijgen voor hij zijn Tsjechoslowaakse diplomatieke status kwijtraakte en het land gedwongen zou moeten verlaten. Bij het aanvragen van asiel bevond hij zich vooral in een moeilijke positie omdat hij ook moest aantonen dat hij, hoewel hij feitelijk een communistische regering vertegenwoordigde, geen sympathisant was en geen verslag had uitgebracht aan de communisten. In de VN-archieven ontdekte ik memo's en correspondentie die getuigden van het feit dat mijn vader altijd democratische doelstellingen had nagestreefd en zijn Britse en Amerikaanse collega's behulpzaam was geweest. Ik vond het heel ontroerend om de archiefstukken te lezen, vooral de brief die mijn vader op 12 februari 1949 naar Warren Austin stuurde, de toenmalige ambassadeur van de Verenigde Staten bij de VN, waarin hij minister van Buitenlandse Zaken Dean Acheson vroeg ons allemaal te laten blijven:

> Het zij mij vergund om het volgende te zeggen: ik werd verkozen tot lid van deze commissie voor de communistische putch (sic) op 25 februari 1948 in Praag plaatsvond. Na overleg met mijn politieke vrienden in ballingschap besloot ik lid te blijven van de commissie, omdat ik van mening was dat ik door te voorkomen dat een Tsjechoslowaakse communist mij zou vervangen het gemeenschappelijke

doel van democratie en vrede diende. Ik bracht mr. Lewis Douglas, de Amerikaanse ambassadeur in Londen, in juni 1948 van dit besluit op de hoogte.

Tijdens mijn werk voor de commissie weigerde ik het beleid te volgen van het sovjetblok, waarvan de vertegenwoordigers al het positieve werk in de Verenigde Naties, hun commissies en andere instellingen belemmerden. Ik heb geen enkel verslag uitgebracht aan de Tsjechoslowaakse communistische regering over de activiteiten van de commissie omdat ik mijzelf beschouw als een vertegenwoordiger van de democratische en vreedzame Tsjechoslowaakse natie. Op basis hiervan heb ik getracht bij te dragen aan het gemeenschappelijke doel van democratie en vrede door met de andere leden van de commissie samen te werken in een sfeer van wederzijds vertrouwen. Ik werkte nauw en welwillend samen met de vertegenwoordiger van de Verenigde Staten in de commissie.

Ik nam deel aan de activiteiten van de commissie tot deze op 1 februari 1949 terugkeerde naar het Indiase subcontinent [...]. Ik werd op de hoogte gesteld van mijn ontslag dat het gevolg was van mijn democratische overtuiging en het werk voor de commissie.

De laatste alinea vatte zijn probleem helder samen:

> Ik kan uiteraard niet terugkeren naar het communistische Tsjechoslowakije, omdat ik gearresteerd zou worden voor mijn trouw aan de democratische idealen. Ik zou u bijzonder dankbaar zijn als u zo vriendelijk wilt zijn aan Zijne Excellentie de minister van Buitenlandse Zaken over te brengen dat ik hem nederig verzoek mij het recht te verlenen in de Verenigde Staten te blijven, en hetzelfde recht te verlenen aan mijn vrouw en drie kinderen.

Vier maanden nadat mijn vader deze brief verstuurde, werd ons politiek asiel verleend.

Voor veel mensen waren de jaren vijftig in Amerika een periode van normaliteit, zelfs zelfgenoegzaamheid. Anderen ervoeren ze als een verwarrende tijd, met de dreiging van de Koude Oorlog en in eigen land de onrust door de aberratie van het McCarthyisme. Al deze stromingen hadden invloed op het leven dat ons gezin zou gaan leiden in ons nieuwe huis in Colorado.

We kwamen in Denver terecht dankzij dr. Philip Mosely, directeur van het Russian Institute van Columbia University, die ook verbonden was aan de Rockefeller Foundation. Met zijn hulp ontving mijn vader een beurs van de Foundation en een aanbod om te doceren aan de universiteit van Denver, met een toelage van vijfduizend dollar voor het eerste jaar. Hij kocht meteen een groene Ford coupé, laadde zijn gezin erin en we vertrokken naar het westen. Onze spaarzame bezittingen volgden in een verhuiswagen van de Mayflower Company, wat mijn vader daarna voor altijd de mogelijkheid gaf om de grap te maken dat we met de *Mayflower* waren aangekomen.

Denver was destijds een middelgrote westelijke stad, met een klein centrum en een paar buitenwijken. Het was er rustig en vriendelijk, en voor ons perfect omdat er ondanks de isolatie een deel van de universiteit was dat internationaal georiënteerd was. De Social Science Foundation van de universiteit van Denver was in 1926 opgericht en ontwikkelde de eerste afdeling voor internationale betrekkingen in de VS. De directeur, Benjamin Cherrington, een van de oprichters, zag er niet alleen uit als een engel maar gedroeg zich ten opzichte van mijn vader ook zo. Cherrington had gewerkt voor het ministerie van Buitenlandse Zaken en nam mijn vader in dienst. Toen ik op de middelbare school zat, kreeg deze vriendelijke en erudiete man belangstelling voor mij. We lunchten samen en spraken over internationale betrekkingen en de Democratische Partij. Hij is ook de reden voor de onwaarschijnlijke vriendschap die ik later ontwikkelde met een zeer Republikeinse senator, Alaska's Ted Stevens, die trouwde met Cherringtons dochter Ann. Tragisch genoeg kwam Ann in 1978 om bij een vliegtuigongeluk. Toen ik minister van Buitenlandse Zaken was, was Stevens voorzitter van de uiterst belangrijke financiële commissie. Ik had vaak afspraken met deze wijze maar sikkeneurige senator om een begroting voor het ministerie van Buitenlandse Zaken op te stellen die beantwoordde aan onze behoeften op het gebied van buitenlands beleid, maar voor we aan het werk gingen wisselden we altijd enthousiast eerst familienieuws uit.

Terugkijkend op mijn tijd in Denver, ben ik verbaasd hoe kort die maar duurde – net iets meer dan zes jaar vanaf het moment dat we arriveerden tot het moment dat ik naar de universiteit ging. In die fase had ik mijn eigen idee over hoe ik een authentieke Amerikaanse tiener kon worden, door te proberen mijn klasgenoten niet voor het hoofd te stoten terwijl ik mijn best deed de beste van mijn klas te worden, en om te gaan met mijn hopeloos strenge en nerveuze Europese ouders. Het was moeilijk om populair te zijn als je een overbezorgde moeder had die de hele tijd over je inzat en die het idee van pyjamafeestjes volstrekt verwerpelijk vond. Zelfs nadat we al jaren in Denver woonden, toen de oorlogsherinneringen verbleekten, was mijn moeder voortdurend bang dat er iets met ons zou gebeuren, en als ik 's avonds uitging bleef ze op, zwierf in haar nachtpon door het huis tot ik thuiskwam.

Soms leek het erop dat hoe harder ik mijn best deed om een doorsnee-Amerikaanse te worden, hoe meer mijn ouders vasthielden aan hun eigen achtergrond. Mijn moeder droeg vaak een geborduurd leren jasje, gevoerd met schaapsvacht, dat ze in Joegoslavië had gekocht. In de afgelopen jaren, toen 'exotische' kleding in de mode raakte, zou dat jasje het toppunt van chic zijn geweest, maar in de jaren vijftig schaamde ik me ervoor. Ik wilde nooit iemand te eten of te logeren vragen, uit angst dat mijn ouders iets erg Europees zouden doen. Zijzelf daarentegen hielden opgewekt feestjes in onze rommelige tuin en serveerden *sarma* (Joegoslavische koolrolletjes gevuld met gehakt en overgoten met hete tomatensaus) en *knedlíky* (Tsjechoslowaakse fruitnoedels in gesmolten boter, met suiker en gehakte noten eroverheen). Als klap op de vuurpijl zong mijn vader dan

Tsjechische, Slowaakse en Servische liedjes, en mijn moeder las de gasten de hand en vertelde middelbare dames vastberaden dat ze nog meer kinderen zouden krijgen en de mannen dat ze verhoudingen zouden krijgen. De vrienden die ze in Denver maakten, waren dol op de sfeer. En mijn ouders begonnen van Denver te houden. Mijn moeder zei soms: 'Er zijn twee mooie steden in de wereld, Praag en Denver.' Mijn vader herhaalde onvermoeibaar iedere keer het motto van de *Denver Post*: 'Het is een voorrecht in Colorado te wonen.'

Toen we net in Denver kwamen, verhuisden we regelmatig, van het ene gemeubileerde huurhuis naar het andere. Die eerste zomer, in 1949, woonden we in een klein huis in het zuiden van Denver. Het was allemaal heerlijk rustig. Mijn vader maaide het gras, wat ik hem nog nooit had zien doen. We raakten bevriend met de Spencleys, aardige, conservatieve buren die deze vreemdelingen uit een land waar ze nog nooit van gehoord hadden, verwelkomden. Ik werkte nauwgezet aan mijn postzegelverzameling, aangemoedigd door mijn vader omdat het mij bij mijn aardrijkskunde zou kunnen helpen. We zwommen in het meer van Washington Park tot we afgeschrikt werden door de polio-epidemie. Tegen het eind van de zomer huurden we een ander huis, dat door een smeedijzeren hek van de begraafplaats gescheiden was, en dat het eigendom was van twee zusters.

Hoewel we allemaal in verschillende mate het Engels beheersten, bleven we thuis Tsjechisch spreken en eten, en mijn 'volwassen' verantwoordelijkheden als de oudste zus hielden in dat ik Kathy naar school en naar de kerk bracht (John was te klein). Ik had mijn eerste communie gedaan en was dol op de catechismusles en begon zelfs meer van de mis te houden toen ik Latijn kreeg. Toen we in Engeland waren, speelde ik vaak priestertje, en werd ik al gauw de meest religieuze persoon in ons gezin. Mijn moeder ging af en toe mee naar de kerk, maar mijn vader ging alleen met Kerstmis en Pasen. Ze vertelden me dat ze thuis net zo goed aan God konden denken, en ze maakten bezwaar tegen het feit dat de enveloppen waarin het collectegeld werd verzameld genummerd waren, zodat de priesters konden zien of we inderdaad naar de mis waren geweest.

In de herfst van 1949 begon ik aan de junior high school van Morey, een school waar zowel leerlingen uit de rijke als de minder rijke wijken van Denver op zaten. Ik was jaloers op het leven van mijn klasgenoten, ongeacht uit welke wijk ze kwamen. Ze leken me zo gelukkig. Iedereen en alles leek, oppervlakkig gezien, zo onschuldig en ongecompliceerd. Dat gold vooral voor Marilyn Van Derbur, de mooiste van mijn klasgenoten, die in 1958 Miss America zou worden. Ik was geschokt toen ze er in 1991 moedig voor uitkwam dat ze tijdens die jaren op Morey – toen ze me het volmaakte, op en top Amerikaanse meisje leek – lastig gevallen werd door haar vader, een vooraanstaand man in de Denverse gemeenschap.

Zowel mijn ouders als ik vonden het moeilijk te begrijpen dat school leuk kon en moest zijn. Ze konden niet geloven dat ik een vak had als huishouden, waar ik leerde in welke volgorde je de afwas moest doen (glazen, zilver, klein porselein, groot porselein, potten en pannen); en waar ik leerde naaien, een vrijetijdsbesteding die me in staat stelde mijn eigen kleren te maken en gordijnen in elkaar te zetten voor elk nieuw huis waar we introkken.

Mijn pogingen om niet op te vallen werden in een aantal gevallen doorkruist. Ik kan me er twee erg goed herinneren. De eerste keer was toen we op tuberculose getest werden. Ik bleek positief. De enige andere klasgenoot met dat resultaat was een jongen die vaak ongewassen en slordig gekleed naar school kwam. De verklaring voor mijn resultaat bleek littekenweefsel – ik was tijdens de oorlog kennelijk in aanraking geweest met tuberculose – maar wat mij betreft deed de reden er niet toe. Ik was samen met die jongen gestigmatiseerd.

Toen werd het Valentijnsdag, een feestdag waar ik nog nooit van gehoord had. De meisjes moesten lunchpakketten meebrengen die werden verkocht aan de hoogste bieder van de jongens. De veiling had niets te maken met wat er in het pakket zat – het ging om de presentatie. Dat wist ik niet, dus ik bracht heerlijk eten mee in een schoenendoos, ingepakt in kranten. De andere meisjes hadden hun pakjes versierd met enorme strikken. De mijne werd als laatste verkocht... aan de jongen met de positieve tuberculosetest. Ik was uiteraard verliefd op de langste, knapste jongen van de klas die, al deelde hij mijn hartstocht voor internationale betrekkingen, absoluut geen belangstelling voor mij of slecht verpakte Valentijnslunches had.

Toen ik in de tweede klas zat, eisten de bejaarde zusters het huis naast de begraafplaats weer op, dus verhuisden we naar een huis van de universiteit in het centrum van Denver, twee blokken van het parlementsgebouw van Colorado, lang voor de stadsvernieuwing. Dit plaatste mij definitief in de categorie van Morey-leerlingen uit de mindere buurten. We woonden in een flat zonder lift met twee slaapkamers. Mijn zus en ik deelden een slaapkamer. Mijn ouders deelden de andere slaapkamer met mijn broer, wat misschien een verklaring is voor het feit dat ik niet meer broers en zussen heb.

Toen er een woning van de universiteit dichter bij de campus beschikbaar kwam, verhuisden we opnieuw, dit keer naar een kleine bungalow vlak bij het footballstadion van de universiteit van Denver, tussen twee parkeerterreinen in die in de herfst op zaterdag altijd vol stonden. We bleven daar het grootste deel van de jaren vijftig. Het huis had één verdieping, en een halfafgebouwde kelder waar mijn vader zijn werkkamer had. Als de kelder onderliep, wat vaak gebeurde, zat hij met zijn voeten op een paar bakstenen om te kunnen blijven werken. Mijn ouders gaven op vrijdagavond Engelse les aan Tsjechoslowaakse nieuwkomers en het was mijn taak om thuis te blijven en voor Kathy en John te koken, die gelukkig van koude witte bonen in tomatensaus op toast hielden. Op zaterdag nam ik ze mee naar de bioscoop waar we keken naar het bioscoopjournaal, series en doorlopende films, onder andere westerns zoals *The Lone Ranger*.

Ik verheugde mij op de derde klas, want dat was de hoogste klas in junior high school en dan kon je alle anderen vertellen wat ze moesten doen. Maar toen kwam mijn vader op het idee om mij naar Kent te sturen, een kleine particuliere meisjesschool in Denver, die dochters van hoogleraren beurzen aanbood. Ik schreeuwde en was woedend, maar net als bij alle andere ruzies die ik met mijn vader had, waren mijn protesten zinloos. Ik waardeerde uiteindelijk de opleiding die ik in mijn jaren op Kent kreeg wel, maar als een relatief arm buitenlands katholiek meisje had ik het gevoel dat ik deel uitmaakte van een programma om veranderingen door te voeren op een school voor rijke protestanten. Mij werd een dagelijkse vernedering bespaard door de regel dat we een uniform moesten dragen. Op een dag, toen ik in mijn eigen kleren verscheen, droeg ik een geruite rok en een blouse met dessin, en was ontsteld toen een van de docenten zei dat men dat absoluut niet deed. Wat moet ze jaren later niet gedacht hebben, toen deze stijl bij de beste ontwerpers in de mode kwam?

Naarmate ik ouder werd, raakte ik meer aangepast, maar mijn karakteristieke ernst achtervolgde me. Ik deed mijn uiterste best op school, bij hockey, op de zangclub en bij het schooltoneel (waar ik mr. Bennett in *Pride and Prejudice* speelde). Tegen de tijd dat ik in de vierde zat, was ik populair genoeg om te worden gekozen in de schoolraad, maar werd (helaas) weer overijverig en gaf iemand aan omdat hij praatte tijdens het studie-uur. Ik werd nooit meer voor iets gekozen. Misschien ter compensatie richtte ik een club voor internationale betrekkingen op en benoemde mijzelf tot voorzitter; we vergaderden één keer per week tijdens de lunch. Toen ik ambassadeur bij de VN werd kreeg ik mijn publiek vaak aan het lachen door te zeggen dat een van mijn kwalificaties voor de baan was dat ik de Rocky Mountain Empire United Nations-wedstrijd had gewonnen, omdat ik de leerling was die het meest over de VN wist. Ik had daarvoor de namen van de zestig landen die in 1953 lid waren in alfabetische volgorde uit mijn hoofd geleerd.

Ondanks het feit dat ik mijzelf in toenemende mate beschouwde als een doorsnee-Amerikaans meisje, raakte mijn vader nooit helemaal vertrouwd met het sociale leven van Amerikaanse tieners. Met afgrijzen denk ik terug aan mijn eerste dansfeest . Ten eerste was er de kwestie of ik überhaupt mocht gaan. Ik kan me de naam van de arme jongen die mij uitnodigde niet meer herinneren, maar ik weet nog wel dat hij zestien was en dus een rijbewijs had, wat volgens mij het antwoord was op de vraag hoe ik naar het feest zou gaan en terug zou komen. Maar nee, meerijden met 'die jongen' was uitgesloten. Uiteindelijk, na lange discussies, bereikten mijn ouders en ik een compromis. Ik kon met 'die jongen' meerijden, maar mijn vader zou in zijn eigen auto achter ons aan rijden en ons na afloop weer naar huis volgen. Voor zover ik weet heeft hij de hele avond in zijn auto gezeten en door de ramen naar binnen gegluurd. Toen onze kleine autocolonne terugkeerde, vroeg mijn vader 'die jongen' binnen voor melk en koekjes. Onnodig te zeggen dat er geen tweede afspraakje volgde.

Gezien dit alles en het feit dat ik eerder blozend en rond was dan lang en blond, kon ik niet concurreren met de geraffineerdere, typisch Amerikaanse meisjes. Ik was duidelijk geen kandidaat voor de Denver Country Club. Maar omdat ik naar Kent ging, kreeg ik wel de kans naar de feestjes te gaan. Of, beter gezegd, ik werd uitgenodigd tot de marteling van de permanente muurbloem.

Ik stond bekend als een serieus meisje met een behoorlijke persoonlijkheid, maar niet als iemand voor wie de jongens in de rij stonden om mee te dansen. Dat was op zich allemaal pijnlijk, maar er was één voorval dat met name wreed was. Tot mijn grote verbazing was er op een van deze feestjes een jongeman – niet een jongen – die me ten dans vroeg. Hij was net als ik een derdejaars, maar dan aan de universiteit, niet op high school. Tot mijn nog grotere verbazing vroeg hij me een paar keer uit. Hij leek oprecht geïnteresseerd in mij en nam zelfs het irritante feit dat ik om tien uur 's avonds binnen moest zijn voor lief. Opeens verdween hij echter en begon uit te gaan met een of ander meisje uit de betere kringen. Via de schooltamtam kreeg ik de waarheid te horen: zij had hem de voorwaarde gesteld dat hij met mij uit moest gaan. Dat was de prijs die hij moest betalen om haar mee uit te mogen nemen. Ik heb wekenlang mijn gezicht niet durven vertonen, omdat ik dacht dat iedereen over mijn vernederende ervaring sprak. Bestaat er een groep die gemener voor elkaar is dan meisjes op high school?

Ik had één feestjurk. Ik kon hem echter op twee manieren dragen. Hij was van marineblauwe tafzijde, met een zigzag boordje en een tulen rok die ik voor de afwisseling over de tafzijde kon dragen. Geen van beide mogelijkheden was geschikt als formele avondkleding, dus toen ik uitgenodigd werd voor een officiële gelegenheid, kreeg ene miss Elizabeth Fackt, werkzaam aan de faculteit, medelijden met me en bood aan me iets geschikts te lenen. Die jurk was ook van tafzijde, maar dan wit, schouderloos, met twee rijen ruches aan de zoom. Hij was misschien aantrekkelijk als miss Fackt hem droeg, maar zij was eind vijftig. Ik was zestien en als ik de jurk aanhad zag hij eruit als een lampenkap. Ik probeerde wanhopig er iets aan te verbeteren. Als dochter van een voormalig diplomaat had ik officiële dansavonden bijgewoond, dus ik ging erop uit, kocht een twaalf centimeter breed, scharlakenrood lint en droeg dat over één schouder, als een koninklijke sjerp. Helaas zag dat er ook belachelijk uit, dus droeg ik het lint rond mijn middel.

Miss Fackt, haar jurk en de sjerp maken allemaal deel uit van mijn verleden. Miss Fackt vanwege de manier waarop mijn ouders haar naam uitspraken: zij spraken een korte 'a' uit als een 'u'. Wat de jurk en de sjerp betreft, bijna een halve eeuw later werd mij de hoogste eer verleend die de Tsjechische regering een buitenlander kan geven, de orde van de Witte Leeuw. We bevonden ons in de Praagse Burcht, omringd door hoogwaardigheidsbekleders, en ik voelde mij hogelijk vereerd toen president Havel een rood lint om mijn schouders legde. En toch moest ik, toen ik die dag met mijn rode sjerp door Praag liep, denken aan die oude jurk en de vrouw die mijn ouders 'miss F*ckt' noemden.

Mijn sociale leven werd nog verder ingeperkt doordat mijn ouders erop stonden om elke zondag gezinsuitjes te ondernemen. We reden de bergen in en picknickten. Mijn vader, gekleed in pak met das, ging vissen, terwijl mijn moeder paddestoelen verzamelde, die wij kinderen niet durfden te eten omdat we zeker wisten dat zij niet wist welke giftig waren en welke niet. We aten altijd hetzelfde, een of andere Tsjechische versie van hamburgers, *karbenátky* (eerder een soort koud gehakt), en mijn moeders versie van aardappelsalade, die bestond uit aardappelen, een zak ontdooide gemengde groenten en een paar eetlepels mayonaise. Onderweg naar huis stopten we bij restaurants waar Kathy, John en ik, vanwege de beperkte financiën, de goedkoopste dingen op het menu leerden te bestellen – een gewoonte die ik nog steeds niet kwijt ben.

In de loop van de tijd ontwikkelden wij met zijn drieën een gezinsmythologie over hoe streng onze vader was, maar in werkelijkheid was hij eerder liefdevol dan streng. Hij eiste wel respect en soms hadden we last van taalproblemen. Mijn zusje was een keer ongehoorzaam en mijn vader weigerde met haar te praten. Mijn zusje vroeg hem: 'Ben je boos (*mad*)?' Mijn vader ontplofte. 'Hoe durf je dat tegen me te zeggen!' Hij dacht in Brits Engels en vertaalde *mad* als *crazy* (gek).

Mijn moeder was heel duidelijk niet degene die het gezin tucht oplegde. Haar absoluut subjectieve kijk op ons leidde er zelfs toe dat een van de slechte schoolrapporten van mijn broer volgens haar van iemand anders moest zijn – het kon niet van hem zijn en als dat wel zo was, kwam dat omdat zijn onderwijzers stom waren. In haar geval was de taal ook een probleem, maar meestal een reden voor een hartelijke lach – bijvoorbeeld toen ze het verschil tussen '*passed away*' (overleden) en '*passed out*' (flauwgevallen) niet begreep in de beschrijving van de toestand van een zieke, bejaarde buurvrouw – of toen mijn ouders de vraagprijs voor hun eerste huis naar 29.000 dollar moesten verlagen omdat de mogelijke kopers niet begrepen dat '*serty*' (*thirty*, dertig) in werkelijkheid een getal was.

Van mijn vader moesten we 'gezinssolidariteit' vertonen omdat we naar Amerika waren gekomen en het grootste deel van onze familie achtergelaten hadden. Mijn vaders broer en zijn vrouw waren in Engeland gebleven en de broers spraken nog steeds niet met elkaar. Mijn nichtje Dáša, dat in Engeland bij ons had gewoond en ons had opgezocht in Belgrado, had ervoor gekozen om Tsjechoslowakije niet te verlaten toen mijn vader haar gevraagd had met ons mee te gaan.

Terwijl de Korbels een nieuw leven opbouwden in Denver, goot Stalin zijn regime in beton in Midden- en Oost-Europa. Welke verschillen er ook waren geweest tussen de landen van het Oostblok, ze werden allemaal systematisch verwijderd toen de nationale leiders, zelfs communistische 'dissidenten', tijdens showprocessen ter dood veroordeeld werden. Terreur was aan de orde van de dag. Het sovjetblok werd zelfs sterker na de dood van Stalin in 1953, toen Tsjechoslowakije en de andere satellietstaten zich aansloten bij het Warschaupact, een soort spiegelbeeld van de NAVO.

Als iemand die gevlucht was voor het communisme was mijn vader bereid – gretig zelfs – om te spreken en te schrijven over de verschrikkingen ervan. Zijn boek over Joegoslavië, *Tito's Communism*, werd in 1951 gepubliceerd. Hij werd daarna vaak voor interviews gevraagd. Ik verbeeld me altijd dat andere vaders over minder serieuze onderwerpen, bijvoorbeeld sport, praten. Mijn vader praatte als het even kon tegen mij over geschiedenis en buitenlands beleid en zijn overtuigingen werden de mijne.

Hij was in staat om elk historisch tijdperk dat ik bestudeerde tot leven te brengen met verhalen en wist elke slag of conferentie in zijn context te plaatsen. Als hij over de Tweede Wereldoorlog sprak, week hij nooit ver af van de lessen van München: onvoorstelbare drama's zijn het gevolg als grote mogendheden vrede sluiten met het kwaad, beslissingen nemen over de ruggen van kleinere mogendheden en geen aandacht schenken aan wat er in verafgelegen gebieden gebeurt. Hij zei dat kleinere landen voor zichzelf moeten opkomen en dat het Tsjechoslowaakse volk bereid was geweest te vechten. Hij was zelf als reservist korte tijd gemobiliseerd geweest en was, samen met veel andere Tsjechoslowaken, teleurgesteld over het besluit van Beneš om te zwichten voor de grote mogendheden.

Mijn vader vertelde mij veel over de holocaust. Het was een onderwerp dat in de jaren vijftig in het openbaar niet zo vaak besproken werd als later. Ik hoorde van hem over de treinen vol mensen die naar de concentratiekampen gingen en dat miljoenen van hen in gaskamers waren gestorven. En dat antisemitisme onaanvaardbaar was en tolerantie essentieel. Mijn moeder herhaalde zijn woorden, maar voegde eraan toe dat we Duitsers en al degenen die ze 'collaboranten' noemde moesten haten. We spraken over zoveel onderwerpen, dat er geen reden was om te denken dat er dingen waren die ik niet wist. Ik vond dat ik te veel over verdriet wist, gezien het feit dat ik pas een tiener was; ik had het gevoel dat ik als volwassene geboren was.

Binnen de bungalow was de tegenstrijdigheid van ons bestaan ons allemaal duidelijk. Ons meubilair was of geleend of gekocht in goedkope winkels, en we aten aan de keukentafel die gedekt werd met zeildoek. Aan onze muren hing echter een uitzonderlijke verzameling uitstekende olieverfschilderijen – het gevolg van een bijzondere vergissing. Toen mijn ouders in 1948 op het punt stonden uit Joegoslavië te vluchten, deden ze of ze pakten voor een normale nieuwe diplomatieke opdracht. Ze vertelden mensen dat mijn moeder Kathy en John meenam om met mij vakantie te vieren in Zwitserland voordat ze teruggingen naar Praag, terwijl mijn vader zou vertrekken naar India en Pakistan. Alleen de secretaresse van mijn vader wist dat ze niet van plan waren terug te keren naar Tsjechoslowakije.

Ons meubilair uit de ambassadeurswoning zou naar Praag getransporteerd worden, terwijl in het geheim kisten gevuld met familiefoto's en de persoonlijke bibliotheek van mijn ouders ons in ballingschap zouden volgen. Maar er werd een vergissing gemaakt en nadat we in Denver aankwamen, ontvingen we kisten vol Tsjechisch glas, een enorm vloerkleed uit een van de ontvangstruimten van de ambassade – en de schilderijen. De kisten met onze persoonlijke bezittingen kwamen nooit aan en zijn nooit teruggevonden. Het feit dat onze familiefoto's verdwenen, betekent dat ik geen foto's heb van mezelf als baby. Ik kan nu onthullen dat de babyfoto die als de mijne in het jaarboek van mijn high school staat, in feite van mijn broer John is, die als kleine jongen blonde krullen had die veel langer waren dan hij zich wil herinneren.

Ondanks het feit dat ze volkomen misplaatst waren in ons huis, waren mijn ouders blij dat ze zoveel bekende voorwerpen om zich heen hadden. Onder de schilderijen bevonden zich twee Josef Čapeks van spelende kinderen, voor de oorlog gekocht. Ik ben dol op de schilderijen, die nu in mijn slaapkamer hangen. We hadden ook een paar Joegoslavische olieverfschilderijen die gekocht waren toen we in Belgrado woonden, en ook de schilderijen die we samen met het appartement in Praag, vlak na de oorlog, hadden gekregen. Wat het vloerkleed betreft, dat was zo groot dat het in vieren gevouwen moest worden om in onze huiskamer te passen.*

Om de eindjes aan elkaar te knopen werkte mijn moeder als secretaresse bij de openbare scholen van Denver. Ze had als jonge vrouw een secretaresseopleiding gevolgd, dus kon ze typen, wist hoe te archiveren, en hoewel haar Engels eigenaardig was, was het goed genoeg. De volledige baan van mijn moeder en het hooglerarenrooster van mijn vader betekende dat hij thuis was als we uit school kwamen. Samen deden de voormalige ambassadeur en ik elke avond de afwas en maakten we vrijdagsmiddags het huis schoon, waarbij Kathy verantwoordelijk was voor de badkamer en John voor het buitenzetten van de vuilnis, dit alles begeleid door operamuziek van bijvoorbeeld *Aïda* en *Eugen Onegin*. Mijn vader stortte zich naast zijn werk op zijn tweede boek, *Danger in Kashmir*, dat nog steeds beschouwd wordt als de beste geschiedkundige weergave van dat pijnlijke conflict. Een tijdlang liep het hele gezin in navolging van Mahatma Gandhi diep buigend voor elkaar door het huis. Als plichtsgetrouwe dochter schreef ik voor geschiedenis een lange verhandeling over de grote Indiase leider. Kathy en John deden later hetzelfde.

* Kort nadat ik in 1997 minister van Buitenlandse Zaken was geworden, werd ik benaderd door een erfgenaam van het gezin dat in het appartement gewoond had dat we tijdens ons korte verblijf in Praag in 1945 hadden gekregen, en wiens bezit volgens de zogenaamde Beneš-decreten was geconfisqueerd door de Tsjechoslowaakse regering. De Nebrichs waren Duitsers die in 1945 uit Praag gevlucht waren. Ze verhuisden naar Oostenrijk, lieten zich daar naturaliseren en probeerden vervolgens vergeefs hun bezit terug te krijgen van de Tsjechoslowaakse regering. Via hun verzoek aan mij probeerden ze hun bezit dat mogelijkerwijs in handen was van de Korbels terug te krijgen. Ik droeg de zaak over aan mijn broer John, om namens onze familie op te treden. Hij en zijn advocaten onderzochten de kwestie en vroegen uiteindelijk advies aan de Tsjechische regering. Op 20 mei 1999 kreeg mijn broer een reactie van de Tsjechische ambassadeur in de VS, Alexandr Vondra, die bevestigde dat 'leden van de familie Nebrich voor en tijdens de Tweede Wereldoorlog in Tsjechoslowakije hadden gewoond, en onderdanen waren van het Duitse Rijk'. Vondra schreef dat hun eigendommen volgens de regels van de Beneš-decreten op de juiste manier waren geconfisqueerd en 'dat er geen basis is voor enige claim tegen de familie Korbel inzake die eigendommen'. De volgende dag gaf Johns advocaat het standpunt van de Tsjechische regering door aan de erfgenamen van de familie Nebrich en daarmee achtten wij de zaak afgedaan.

Het leven bestond echter niet alleen uit ons gezin. Ik had uiteindelijk een heerlijke middelbareschoolromance met een jongen die een klas hoger zat. Ik ontmoette Elston Mayhew op een feestje. Hij had lichtblauwe ogen die kleurden bij zijn blauwe trui met V-hals. Ik vond hem echt erg aardig en hij vond mij aardig. Elston was een kei in exacte vakken en hoorde niet bij de Country Club-groep. Hij was een geadopteerde zoon uit een aardig middenklasse gezin en mocht in zijn vaders groene Oldsmobile rijden. We gingen vaak samen uit met een jongen en zijn vriendin die als tweedejaars naar Kent gekomen was en die in een van de minder gegoede wijken woonde. Val Blum werd mijn beste vriendin, al was dat op het eerste gezicht onwaarschijnlijk – ze durfde alles, ze rookte en had een auto. Je kon altijd met haar lachen en we waren samen met haar vriendje, Robert Dupont, die Elstons beste vriend was, twee jaar lang onafscheidelijk totdat Elston naar Princeton vertrok. We deden dingen die mijn ouders zeker afgekeurd zouden hebben – als ze hadden geweten wat we uitspookten. Ik bleef vaak bij Val thuis logeren, waar we niet op een bepaalde tijd thuis hoefden te zijn. Soms zeiden we tegen haar ouders dat we naar de bioscoop gingen, maar reden in plaats daarvan vijfenveertig kilometer naar Boulder, racend over de nieuwe snelweg, om Vals broer op de universiteit van Colorado op te zoeken. Of we gingen kijken naar het landen van de vliegtuigen op het vliegveld van Stapleton en zorgden ervoor dat de ramen van de ruime Oldsmobile beslagen raakten.

Hoewel het wellicht niet zoveel stress veroorzaakte als tegenwoordig, was het toch een hele toer om op een universiteit terecht te komen. Wat mij betreft was de vraag niet zozeer of ik geaccepteerd zou worden, maar of ik een beurs zou krijgen, want mijn ouders konden mij zonder beurs niet naar de universiteit laten gaan. Mijn studentendecaan was een fantastische, geduldige vrouw, Aileen Nelson; ze doceerde geschiedenis, mijn favoriete vak. Ik had al besloten me op Wellesley in te schrijven, maar omdat ik als de dood was dat ik geen beurs zou krijgen, schreef ik me ook bij een hele reeks andere universiteiten in – Stanford, Mount Holyoke, de universiteit van Pennsylvania (omdat het in de buurt van Princeton en dus Elston was) en de universiteit van Colorado. Het hoofd van Kent, miss Mary Bogue, maakte bezwaar: ik schreef me bij te veel scholen in, zei ze. Mrs. Nelson was het niet met haar eens, dus hield ik voet bij stuk, schreef me in en wachtte.

Stanford stuurde de toelatingen een maand eerder dan de andere universiteiten en ik herinner me dat ik thuiskwam en de brief vond: ik was toegelaten maar zonder beurs. Voor mij was dat hetzelfde als afgewezen worden. Ik vloog het huis uit en rende over een van de parkeerterreinen, in tranen. Mijn vader kwam me zoeken en stelde me gerust door steeds opnieuw te zeggen dat er waarschijnlijk een fout gemaakt was. Toen miss Bogue me de volgende dag op school bij zich liet komen, was ze er niet op uit me te troosten. 'Dit is heel teleurstellend,' zei ze, 'want al die opleidingen beoordelen studenten ongeveer op dezelfde manier.' Ik was hysterisch.

Een paar weken later kwam ik thuis en vond een tweede envelop, die er net zo uitzag als de eerste. Er zat een brief in met de boodschap dat ik een beurs van de Colorado Stanford Club ontving. Ik kreeg te horen dat de procedure losstond van de toelatingen, en daarom kreeg ik het bericht niet op hetzelfde moment. Er kwamen nog meer brieven, met nog meer aanbiedingen. Uiteindelijk ontving ik een aanbod voor een beurs van elke universiteit waar ik me had aangemeld, waaronder Wellesley, mijn eerste keus.

Miss Bogue liet me weer op haar kantoor komen. 'Dit is heel teleurstellend,' dreunde ze. 'Door je op zoveel scholen in te schrijven en ze dan af te wijzen, doe je de reputatie van de school geen goed.'

Ik ging absoluut niet teleurgesteld weg uit haar kantoor. Ik was gereed om naar de universiteit te gaan. Ondanks enkele traumatische momenten – waarvan sommige normaal waren voor een tienermeisje en andere te wijten waren aan mijn 'buitenlands-zijn' – had ik genoten van de middelbare school. Ik had voor 25 dollarcent per uur op kinderen gepast. Ik had al mijn zwemdiploma's. Dankzij mijn ouders, zus en broer had ik het gevoel dat ik ergens thuishoorde en bezat ik een groot optimisme. Mijn vader zei vaak: 'Er is zo'n groot verschil tussen de Verenigde Staten en elk ander land. Als je ergens anders als vluchteling aankomt zeggen ze: "Het spijt ons dat u uw land moest verlaten. Wat kunnen we doen om u te helpen? En, tussen haakjes, wanneer gaat u terug naar huis?" In Amerika zeggen ze: "Het spijt ons dat u uw land moest verlaten. Wat kunnen we doen om u te helpen? En, tussen haakjes, wanneer wordt u Amerikaan?"'

Ironisch genoeg duurde het voor ons langer dan de gebruikelijke vijf jaar voor we Amerikaans staatsburger konden worden. Het McCarthyisme eiste zijn tol en ik neem aan dat er meer vragen gesteld moesten worden, omdat mijn vader gewerkt had voor een Tsjechoslowaakse coalitieregering met communisten. Als mijn ouders zich al zorgen maakten, lieten ze daar nooit iets van merken.

In de herfst van 1955 stapte ik, voorzien van grijze en bruine wollen Bermudashorts, bijpassende truien met nauwsluitende hals en een camel duffelse jas (met het juiste aantal benen knopen), op de Denver Zephyr voor de treinreis naar de universiteit. Op Wellesley kon het niemand wat schelen dat ik een beurs had, in tegenstelling tot Kent, maar ik werd ingeschreven als buitenlandse student. Ik kwam uit Denver en voelde me een volstrekt Amerikaanse Maddy. Ik was alleen nog geen Amerikaans staatsburger. Nog niet.

HOOFDSTUK 3

De best mogelijke wereld

'HET GEBEURT ALLEMAAL met de beste bedoelingen in deze, de best mogelijke wereld.' Deze zin van Voltaire uit de musical *Candide* die Leonard Bernstein in 1956 schreef, geeft mijn opwinding over mijn universiteitsjaren goed weer. Ik was omgeven door nieuwe vrienden, fantastische hoogleraren, volgde inspirerende colleges en was vrij – niet alleen in de Amerikaanse betekenis, maar ook in de zin dat er van mij verwacht werd dat ik mijn eigen beslissingen nam. Mijn jaren in Denver hadden de overgang betekend van een Europees diplomatenkind met oorlogservaringen naar een Amerikaanse tiener, maar ik werd geremd door het feit dat mijn ouders mij goed in de gaten hielden. Nu was ik uit hun buurt, zij het nog niet geheel zelfstandig. Het proces van het volwassen-worden raakte in een stroomversnelling en vanaf het moment dat ik op Wellesleys spectaculaire campus arriveerde, gelegen te midden van tweehonderd hectare weiden en bossen, ongeveer zestien kilometer ten westen van Boston, genoot ik van elke minuut.

De groep jonge vrouwen die in de herfst van 1955 op Wellesley arriveerde, bestond uit zowel de laatsten van de zwijgende generatie met haar afvaardiging van slimme, plichtsgetrouwe dochters die bereid waren om zich te voegen bij de groep goedopgeleide, slimme, plichtsgetrouwe echtgenotes, als de eerste vrouwen die graag serieus genomen wilden worden en erkend als zelfstandige individuen, niet slechts als aanhangsels van hun erg in trek zijnde echtgenoten. In feite waren ze beide; in ieder geval was ik het. Ik bereidde me voor op een loopbaan in de journalistiek of de diplomatie, terwijl ik ook graag zo snel mogelijk wilde trouwen met de volmaakte partner. De gedachte dat deze twee ambities met elkaar in strijd konden zijn, kwam niet bij me op. Dus concentreerde ik me op mijn studie en maakte me zorgen over mijn sociale leven.

Het overgangskarakter van mijn generatie kwam tot uiting in het contrast tussen het moderne onderwijs dat we kregen en de tradities van Wellesley. De laatste waren het product van vroeger tijden en we stelden ze niet ter discussie. Praktisch op het moment dat we aankwamen werden we naar de gymnastiekafdeling gestuurd voor wat een 'foto van de lichaamshouding' werd genoemd. Dat was om te zien of we 'een idee hadden van een goede lichaamshouding en goed konden staan'. We moesten boven het middel naakt zijn. De schoolautoriteiten bekeken de foto's kritisch en als we zakten, lieten ze ons oefeningen doen. Tot mijn opluchting slaagde ik.*

Op het moment van afstuderen hielden de senior meisjes (in die dagen, voordat politieke correctheid vereist werd, hadden wij er geen probleem mee elkaar zo te noemen) een wedstrijd, waarbij een stok werd gebruikt om een houten hoepel zo groot als een hoelahoep over een pad te rollen. De deelnemers hadden de toga's die ze voor de diploma-uitreiking droegen, opgeschort en hun baretten met sjaals onder hun kin vastgeknoopt. Het was allemaal erg negentiende-eeuws. De winnares werd verondersteld de eerste van haar jaar te zijn die zou gaan trouwen, maar de winnares van mijn jaar, Amalya 'Mal' Kearse, werd in plaats daarvan de eerste Afro-Amerikaanse vrouw die zitting had in het U.S. Court of Appeal (en bovendien een bridgespeelster van wereldklasse).

Wellesley was in de jaren vijftig ook een reflectie van het idee van verscheidenheid, of gebrek eraan. Mal was een van de slechts twee zwarte meisjes in mijn klas (de andere, Shirlee Taylor, werd een talentvol schrijfster en journalist**). Kamergenotes werden ingedeeld naar godsdienst. De mijne was dus katholiek, Mary Jane Durnford uit Windsor, Connecticut. Ze was blond, aantrekkelijk en we konden meteen goed met elkaar opschieten, ook al waren we erg verschillend. Haar hoofdvak was wiskunde, ik deed politieke wetenschappen. Iedere keer als we ijsjes van Howard Johnson aten, werd ik dikker; zij niet. Ze had een vriendje op Harvard met wie ze voortdurend samen was. Ik was verliefd op Elston, die ik niet vaak genoeg zag. Mary Jane en ik vulden elkaar aan, vooral wat Frans betrof. Ik, de leerling die haar leraren op de middelbare school had verbijsterd met vloeiend gesproken Frans, kreeg mijn verdiende loon op de universiteit. Op mijn eerste schriftelijke test schreef monsieur François: *'Vos idées sont très bonnes, mais vous avez massacré la grammaire.'* (Je ideeën zijn erg goed, maar je hebt de grammatica vermoord.) Mary Jane was heel goed in grammatica. Ze corrigeerde mijn schriftelijke verhandelingen en ik leerde haar met meer zelfvertrouwen te spreken.

Verderop in onze gang in het Victoriaanse huis dat als ons studentenhuis dienst deed, woonden twee joodse meisjes. Susan Dubinsky was op weg een succesvol schrijfster te worden en was een van die mensen die elk beeld in de sonnetten van Shakespeare of zelfs de meest duistere teksten van Faulkner wist te duiden. Emily Cohen, een sprankelende leerling van de Bronx High School of Science en toen al een uitgesproken feministe, twijfelde aan al onze aannames en werd mijn vriendin voor het leven. Later hadden we een gemeenschappelijke passie voor journalistiek en politiek, maar in het begin gingen we vooral samen winkelen. Emily, een echte Newyorker, nam me in de voorjaarsvakantie mee

---

* Ik heb me lang afgevraagd wat er met de foto's is gebeurd. Een paar jaar geleden werden ze in een kluis aangetroffen. Op Yale.

** Een van haar werken is de klassieker *The Sweeter the Juice: A Family Memoir in Black and White* (1994).

naar haar ouderlijk huis aan de Grand Concourse in de Bronx, en liet me achter zich aanlopen terwijl ze van de ene uitverkoop naar de andere rende. Ze hield zo van koopjes dat ze zelfs de verkeerde maat bh kocht als die afgeprijsd was. Als katholiek moest ik op vrijdag vis eten. Toen ik bij Emily logeerde, betekende dat dat ik voor het eerst *gefillte Fisch* te eten kreeg.

In de eerste week na onze aankomst zat ik tijdens een college politieke wetenschappen naast een meisje met de naam Wini Shore. Binnen een paar minuten ontdekten we dat we al eerder klasgenoten waren geweest, in de zesde klas van de Arrandale School in Great Neck. Daarmee was ze mijn oudste vriendin in de VS. In de loop van de jaren werd onze vriendschap hechter terwijl we de verschillende levensfasen doorliepen, en zijn onze kinderen en kleinkinderen goed bevriend.

De roman *The Group* van Mary McCarthy beschrijft het leven van een groep jonge vrouwen die elkaar in de jaren dertig van de twintigste eeuw op Vassar leerden kennen. Afgezien van wat lichte aanpassingen die te maken hebben met de tijd, zijn er opmerkelijke overeenkomsten met mijn jaren op Wellesley. Ik leerde er mijn beste vriendinnen kennen en ik ontwikkelde er mijn levenslange behoefte aan een groep om in te functioneren.

In Denver moest ik vechten om erbij te horen. Op Wellesley had ik het veel gemakkelijker – meestal. Omdat ik nog geen Amerikaans staatsburger was, was ik technisch gesproken nog een 'buitenlander' die zich elk jaar in januari bij de instanties moest melden en ik was het onderwerp van veel goedmoedige grappen. Bij een bepaalde gelegenheid richtten mijn vriendinnen mijn slaapkamer opnieuw in met officiële posters met de tekst 'Buitenlanders moeten zich laten registreren'. In dat eerste semester schrok ik een keer toen ik beneden in ons studentenhuis moest komen. Daar stond een groep oud-studenten die waren gekomen om de buitenlandse student – mij – te helpen aanpassen aan de Amerikaanse 'way of life'. Ze waren van plan me mee te nemen naar de stad om me te laten zien wat een Amerikaans meisje zoal draagt. Toen ik heel toepasselijk gekleed in Bermudashort, bijpassende Shetlandtrui en de alomtegenwoordige ronde broche verscheen, kon ik hun gezichten zien betrekken.

Mijn 'groep' was natuurlijk geïnteresseerd in mannen en relaties – we waren alleen veel terughoudender en veel minder opzichtig gekleed dan de jonge vrouwen tegenwoordig. Ons ondergoed was bedoeld om te bedekken, niet te onthullen, en onze roklengte toonde niets boven de knie. We moesten na afspraakjes uiterlijk om elf uur 's avonds binnen zijn en jongens mochten alleen op zondagmiddag op onze kamers komen, met de deur open en hun – en onze – voeten op de vloer.

We waren ook nogal naïef. Toen wij met Engels William Blakes 'The Sick Rose' analyseerden, waarin de onzichtbare worm het bed van dieprode vreugde van de roos vindt, vroeg de hoogleraar, David Ferry, mij om de symboliek te verklaren. Ik antwoordde grappig dat bloemen symbool staan voor vernieuwing en dat tuinen de levenscyclus vertegenwoordigen. Dat maakte geen indruk, hij protesteerde: 'Ja, heel goed, maar hoe zit het met de seksuele connotaties, miss Korbel?'

Tegenwoordig is in een collegezaal overal het geluid van klikkende muizen te horen terwijl studenten aantekeningen maken op hun laptops. In onze collegezalen was het klikken afkomstig van onze breinaalden terwijl we truien en sokken voor onze vriendjes breiden. Ik breide mij een weg door menig college ten gunste van Elston en zijn opvolgers. Op een dag raakte een hoogleraar zo geïrriteerd door het gezamenlijke kabaal dat hij aankondigde dat hij vanaf dat moment breien zou beschouwen als het toegeven van een zwangerschap.

Het feit dat Wellesley een universiteit uitsluitend voor vrouwen was, maakte een groot verschil, want alle belangrijke functies werden door vrouwen (of meisjes) vervuld. Wij waren de voorzitters van de studentenraad, de redacteuren van de krant, de aanvoerders van het atletiekteam en de sprekers bij de diploma-uitreiking. Niemand hoefde tijdens college te doen of ze dom was om de jongens niet in verlegenheid te brengen, al bleef die tactiek wel gebruikelijk bij afspraakjes. Tijdens mijn hele tijd op de middelbare school wilde ik wel slim zijn, maar niet te veel opvallen. Nu was ik omringd door meisjes die de besten waren geweest op hun middelbare school, en veel van hen waren nog serieuzer dan ik.

Een vrouwenuniversiteit was ook anders vanwege de erkenning die zij vrouwelijke hoogleraren verleende. Hoewel we ze destijds geen rolmodellen noemden, daagden de hoogleraren op Wellesley ons wel uit om te excelleren. Ik had vier voortreffelijke vrouwelijke mentoren: professor Margaret Ball, die internationale betrekkingen doceerde, professor Alona Evans (internationaal recht), professor Louise Overacker (politiek en belangengroeperingen) en professor Barbara Green (adviseur doctoraalscripties). De lessen die zij mij geleerd hebben over hoe het internationale stelsel functioneert en over de rol die Amerika speelt als belangrijkste organisator van dat systeem, zijn me altijd bijgebleven.

Ondanks alle aanpassingen, maakte ik nog steeds deel uit van een minderheid. De studenten op Wellesley waren voornamelijk Republikeins. Ik had me aangesloten bij de Democraten. Als kleine groep vonden we onszelf erg dapper. Later zou ik op hoog niveau deelnemen aan presidentiële campagnes, maar in 1956 hoorde ik bij het voetvolk van enthousiaste aanhangers van de campagne 'Madly for Adlai', voor Adlai Stevenson toen hij zonder veel hoop de verkiezingsstrijd aanging met president Eisenhower. Ik gaf me heel enthousiast op om dollars voor Democraten te verzamelen. Ik liep door Boston met mijn bordje toen een oude man me toebeet: 'Geen ene dollar voor de Democraten, maar als ik jou nou eens vijf dollar gaf?'

Tegen het eind van mijn tweede jaar ging ik vrij tevreden naar huis. Ik was twintig jaar. Ik was dol op mijn hoogleraren. Ik deed mijn eerste journalistieke ervaring op als verslaggever van de schoolkrant, de *Wellesley News*. Ik had zelfs een fatsoenlijk sociaal leven. Mijn vriendinnen en ik vonden allemaal dat Elston op zijn haar na een beetje op Elvis Presley leek, en ik vond het heerlijk om hem in ieder geval een beetje in de buurt te hebben. We zijn wel een tijdje uit elkaar geweest en voor korte tijd verving ik zijn oranjezwarte Princeton-sjaal door een grijsbruine van een jongen op het Massachusetts Institute of Technology. Ik ging ook uit met Roger Cipriani uit Chicago, die op Harvard zat en die ik op de trein naar Boston had ontmoet. Onze korte vriendschap zou mijn lot op een positieve en totaal onvoorziene manier beïnvloeden. Tegen de zomer waren Elston en ik echter weer samen.

Mijn leven leek zich in positieve richting te ontwikkelen. Ik ging werken voor de *Denver Post* (veel beter dan mijn vorige vakantiebaantje, lingerie verkopen in een warenhuis) en stond op het punt Amerikaans staatsburger te worden.

Mijn familieleden waren al in maart 1957 Amerikaans staatsburger geworden, terwijl ik op de universiteit zat. Dus kreeg ik die zomer mijn eigen historische moment. Na twee jaar universiteit had ik het gevoel dat ik alles wist en ik was nogal overtuigd van mezelf toen ik ging zitten voor het onderzoek. De ondervrager wilde er zeker van zijn dat ik begreep wat de verantwoordelijkheden van het staatsburgerschap inhielden en dat ik geen communist was. Ik wilde dat hij zou weten wat mijn mening was over de McCarran Act, een nationale wet waarvan ik vond dat hij immigratie ten onrechte beperkte. Gelukkig was ik in staat mijn argumenten niet te ver door te voeren en was de ondervrager tolerant genoeg om ze door de vingers te zien. En zo zwoer ik, samen met een groep andere enthousiaste kandidaten, trouw aan de Verenigde Staten. Nadat we geïnstrueerd waren over de rechten en plichten die het gevolg waren van die eed, ontving ik mijn naturalisatiecertificaat. Eindelijk, ik was een Amerikaanse.

Ik was blij met dit bewijs erbij te horen, maar ik was jong en het zou nog even duren voor de volle betekenis van staatsburgerschap tot me doordrong. In de jaren daarna heb ik vaak aan die dag in Denver gedacht. Op 4 juli 2000 hield ik een toespraak bij een naturalisatieplechtigheid in Monticello, de geboorteplaats van de eerste Amerikaanse minister van Buitenlandse Zaken. Ik maakte enkele opmerkingen over de verantwoordelijkheden van het staatsburgerschap en later stond ik in de zuilengang om naar het publiek te kijken, dat stond te wachten op het afleggen van de eed.

Onder de hete zomerzon stonden honderden mensen, bruin en wit, Aziatisch en zwart, jong en oud, vluchtelingen, immigranten en geadopteerde kinderen. Tegen het eind van de plechtigheid zouden ze allemaal Amerikanen zijn. Ze werden verzocht om op de traptreden tegenover ons te gaan staan en trouw te zweren. Ik ging bij hen staan en herhaalde de patriottische eed. Iedere nieuwe staatsburger die naar voren kwam om het certificaat op te halen, schudde ik de hand en ik zei: 'Ik heb net zo'n certificaat. Bewaar het goed. Het is het belangrijkste stuk papier dat u ooit zult ontvangen.' Die avond ging ik thuis naar mijn archiefkast en vond het document dat ik in Denver had gekregen precies op de plaats waar het hoorde – naast die van mijn moeder en vader.

Mijn gedroomde loopbaan als journalist begon onder aan de ladder. Mijn verantwoordelijkheden bij de *Denver Post* waren het lezen en uitknippen van artikelen uit de kranten in het archief van de krant, telefonische vragen beatwoorden en bundels knipsels naar verslaggevers op de stadsredactie brengen. Het duurde niet lang voor ik een aantrekkelijke jonge verslaggever opmerkte, die regelmatig de trappen naar ons kantoor beklom om research te doen voor de verhalen die hij aan het schrijven was. We glimlachten, zoals mensen die elkaar opmerken doen, maar omdat hij een gouden ring aan zijn linkerhand droeg, dacht ik dat hij getrouwd was en daarom glimlachte ik niet helemaal op *die* manier. Tot ik op een ochtend bij toeval de kans kreeg wat beter te kijken – en toen tot mijn genoegen ontdekte dat het een schoolring was die hij droeg.

Omdat ik nog een jonge student was, durfde ik deze man met het open gezicht en het jongensachtige uiterlijk een nogal directe vraag te stellen:

'Waar studeer je?'

'Op Williams in Williamstown, Massachusetts.'

'Ik zit op Wellesley in Wellesley, Massachusetts. Waar kom jij vandaan?'

'Chicago.'

'O ja? Ik heb een tijdje verkering gehad met een jongen uit Chicago – Roger Cipriani. Ken je die?'

'Ken ik hem? Hij is mijn beste vriend – o jee,' zei de jonge verslaggever, 'dan moet jij miss Wellesley zijn.'

En met die paar woorden begon mijn relatie met Joe Albright, de man met wie ik zou trouwen. Omdat Roger en ik niet echt als vrienden uit elkaar waren gegaan, spraken Joe en ik niet verder over dat onderwerp, maar ik vertelde hem over Elston, en Joe vertelde over zijn vriendin in Bennington. Hij zei dat hij vlakbij de universiteit van Denver in een studentenhuis woonde. Ik zei dat het twee blokken bij mij vandaan was. Hij bood me een lift naar huis aan. Ik vroeg hem te komen eten.

Mijn ouders waren geneigd mijn vriendjes eerst te testen – alsof ik een of andere prinses was en de huwelijkskandidaten raadsels moesten oplossen of draken moesten verslaan voor ze binnen mochten komen. Het probleem was dat er geen rijen voor mijn deur stonden, dat we niet in Midden-Europa waren en dat mijn testmethodes verschilden van die van mijn ouders. Trouwens, Joe was nog maar nauwelijks een vriend, laat staan een huwelijkskandidaat.

Een van de tests die iemand die bij de Korbels langskwam onmiddellijk kon diskwalificeren was iets waarop geen enkele jongeman zich ooit had kunnen voorbereiden. Ons huis was gevuld met die bonte verzameling schilderijen uit het appartement in Praag. Niemand met ook maar enige kennis van kunst zou denken dat ze door dezelfde persoon geschilderd waren, maar er waren al enkele potentiële vrijers geweest die dat wel dachten. 'Goh,' zeiden ze dan, 'jullie hebben een boel schilderijen, schildert je vader?' Waarop mijn moeder dan in het Tsjechisch zei: 'Dit is een idioot.' Mijn vader stemde daarmee in, in het Tsjechisch.

Toen Joe het huis binnenkwam, waren zijn eerste woorden: 'Jullie hebben een paar prachtige schilderijen. Mijn vader is schilder.'

Mijn vader rolde met zijn ogen en zei, in het Tsjechisch: 'Dus deze keer heeft ze een jongen meegebracht wiens vader huizen schildert.'

Mijn moeder was vriendelijker. Ze zei in het Tsjechisch tegen mij: 'Hij ziet er inderdaad leuk uit.' Tijdens het eten spraken we over Harry Truman, die mijn vader zeer bewonderde. Joe gaf toe dat hij was opgegroeid in een gezin dat Truman verfoeide. Misschien omdat hij haar complimenteerde met haar kookkunst, zag mijn moeder die blunder door de vingers en nodigde Joe, zonder overleg met mij, uit de volgende dag te komen eten, en de dag erna. Joe accepteerde, zonder overleg met mij.

Hij en ik gingen ook samen lunchen. In het weekend werkte hij 's nachts, terwijl ik met Elston bleef uitgaan. Om het nog mooier te maken, ging ik een paar keer uit met een jongeman van Harvard Business School die ik aan het eind van het schooljaar had ontmoet en die in Denver was. Ik voelde me, wat heel ongebruikelijk voor mij was, de koningin van het bal. Mijn vader was natuurlijk ontsteld. Hij uitte zijn afkeuring met een Servisch woord, *zaglavićeš*, wat met zijn intonatie betekende: 'Je bent op het verkeerde pad en zal als hoer in de goot belanden.' Waar het mijn 'moraal' betrof, wond hij er geen doekjes om, zelfs geen buitenlandse.

Hij had zich geen zorgen hoeven te maken. Elston en ik stonden op het punt uit elkaar te gaan. Als aankomend ingenieur had hij al enige tijd geklaagd dat ik een 'pseudo-intellectueel' was omdat ik zoveel over geschiedenis en politiek praatte. Nu vertelde ik hem over Joe. Hij beschuldigde mij ervan hem te bedriegen, wat waar was, maar hij had mij ook vaak bedrogen. Hoe dan ook, Elston verdween, zij het niet gelukkig.

Ondertussen ontbrak het Joe en mij nooit aan gespreksstof. Joe liet duidelijk merken dat hij geïnteresseerd was in wat ik dacht en hij zat ook vol verrassingen. Toen hij in juli vroeg of ik zin had om mee te gaan naar de rodeo tijdens de Cheyenne Frontier Days, dacht ik dat het een prima manier zou zijn om hem kennis te laten maken met het westen. Maar toen deze stadsjongen mij ophaalde in een versleten spijkerbroek, afgetrapte cowboylaarzen en een afgedragen Stetson, was ik onder de indruk. Het bleek dat zijn familie een ranch in Wyoming had, waar hij vanaf zijn vroege jeugd de zomers had doorgebracht en bij rodeo's zelfs kalveren met lasso's had gevangen. Die dag praatten we, wandelden we, hielden elkaars hand vast, kusten en werden – en dat zijn de juiste woorden – zwaar verliefd.

In de loop van de tijd kreeg Joe veel te horen over mijn familie en ik kreeg meer te horen over de zijne. Mijn vaak overgeplaatste diplomatenfamilie was ongewoon, zijn familie was buitengewoon. Joe's betovergrootvader was Joseph Medill, die de *Chicago Tribune* groot had gemaakt. Zijn grootvader, Joseph Medill Patterson, stichtte de *New York Daily News*. Zijn oudtante Cissy Patterson was eigenares van de *Washington Times-Herald*, die later aan Eugene Meyer, de vader van Katharine Graham, verkocht werd en fuseerde met de *Washington Post*. De persoon in Joe's familie die een afkeer had van Harry Truman was een neef van zijn grootvader geweest, kolonel Bertie McCormick, de voormalige uit-

gever van de *Chicago Tribune*, die een bittere redactionele strijd had geleverd tegen de president. Verdere onthullingen over de familie kwamen stukje bij beetje –
'op basis van wat noodzakelijk is om te weten'. Toen mijn vader een Guggenheim Fellowship won, was Joe bij ons thuis en we vierden het samen. Aan het
eind van de avond, nam Joe mij terzijde en zei: 'Madeleine, ik weet niet of ik je
dit moet vertellen, maar Harry Guggenheim is mijn oom.'

Mijn vader kreeg een vergelijkbare schok te verwerken toen een vriend die
veel van kunst wist Joe toevallig bij ons thuis ontmoette. 'Jongeman,' zei de
vriend, 'weet je dat je dezelfde naam draagt als een beroemde Amerikaanse kun-
stenaar, Ivan Albright?'

'Ja, meneer,' antwoordde Joe, 'dat is mijn vader.'

Ik herinner me mijn vaders gezicht, waarop in gelijke mate verbazing en opluchting te lezen stonden dat Joe onmogelijk kon hebben verstaan wat hij die
eerste dag in het Tsjechisch tegen mijn moeder had gezegd.

In feite was Ivan Albright niet Joe's echte vader. Hij was de tweede echtgenoot
van Joe's moeder, Josephine Patterson. Josephine was intelligent en had een
prachtig doorleefd gezicht als gevolg van al haar wilde avonturen, maar ze was
helaas erg onzeker. Ze was eerder getrouwd geweest met een advocaat, ge-
naamd Fred Reeve. Fred en Josephine hadden twee kinderen – Joe en zijn zus
Alice. Op een gegeven moment besloot Reeve terug te gaan naar zijn eerste
vrouw. Zoals Joe het mij uitlegde, vond Reeve dat hij bij zijn vrouw kon terugkeren alsof hij nooit was weggeweest, omdat de katholieke kerk Reeves eerste
scheiding noch zijn tweede huwelijk had erkend. Joe vertelde dat Josephine het
schijnheilig van de kerk vond, wat haar bitter stemde. Niet alleen ten opzichte
van Reeve maar ook ten opzichte van de kerk. Wat Reeve betreft, hij bezocht zijn
kinderen, maar kreeg nooit een echte band met hen. Joe sprak over zijn biologische vader altijd met een mengeling van bewondering en verdriet.

Zes weken na onze eerste ontmoeting vroeg Joe me ten huwelijk. Ik zei ja, in
het besef dat de bruiloft pas na mijn afstuderen zou plaatsvinden. We kenden elkaar natuurlijk nog niet goed, maar wat kon ons dat schelen? We waren smoor-
verliefd en Joe leek me een prins die vanuit het niets was verschenen. Hij gaf mij
zijn *Thèta Delta Xi*-speld om te dragen en vertrok naar Wyoming om zijn ouders
over mij te vertellen. Toen hij terugkwam, zei hij dat hij in de problemen was geraakt. Zijn moeder vond het absoluut niet prettig dat ik katholiek was en had Joe
niet zo subtiel gevraagd of ik hem om zijn geld trouwde. Ik was heel snel verliefd
geworden op Joe, nog voor ik iets wist over zijn familie, laat staan over hun geld,
en dacht eigenlijk dat het feit dat hij regelmatig bij ons bleef eten hem financieel
hielp. Ik was beledigd – persoonlijk maar ook namens hem. Hoe was het mogelijk dat zijn familie zo weinig vertrouwen in hem had? Het lijkt onredelijk om te
klagen over rijkdom en prestige, maar Joe leefde lange tijd onder druk om te bewijzen dat zijn sociale positie verdiend en niet eenvoudig geërfd was. Ik denk dat
hij de verantwoordelijkheid die het gevolg was van zijn afkomst onaangenaam
vond en als een zware last ervoer.

Ik keerde terug naar Wellesley voor mijn derde jaar. Mijn vriendinnen gilden toen ze een speld van een jongensdispuut op mijn linkerborst zagen. Toen ik voor de zomervakantie vertrok, had ik geen echt vast vriendje en nu stond ik op het punt me te verloven. Ik liet me erop voorstaan dat de speld en ik hoorden bij een fantastische vierdejaars op Williams College. Joe was de hoofdredacteur van zijn krant, *junior Phi Bèta Kappa*, en bereid elk weekend naar Wellesley te rijden of mij naar Williams te laten komen. Alles leek volmaakt. Ik deed het goed op de universiteit en zou gaan trouwen met een fascinerende man die vond dat ik een carrière kon hebben die de zijne aanvulde.

Ik droeg Joe's dispuutsspeld de hele tijd en hulde mij in een Williams-sjaal en een zwarte trui van Joe met paarse cijfers op de rug. Toen ik hem op Williams opzocht, kreeg ik een serenade van de andere leden van zijn dispuut.

Het was aanzienlijk moeilijker om zijn familie voor mij te winnen. Kort nadat Joe het nieuws aan zijn moeder had verteld, vroeg ze haar zus Alicia om mij eens te bekijken. Dus gingen Joe en ik, onderweg naar de universiteit, langs bij Alicia Patterson en Harry Guggenheim op hun grote landgoed met uitzicht op Long Island Sound. Joe legde uit dat het 'Falaise' heette, naar een dorp in Normandië en dat sommige van de bouwstenen uit Europa waren overgebracht. Er stonden enorme ijzeren hekken rond het herenhuis en er lagen landerijen omheen die de afmetingen leken te hebben van de hele Wellesley-campus. Charles Lindbergh was een van de vele beroemdheden die er hadden gelogeerd; en jaren later, toen ik naar *The Godfather* ging, zag ik tot mijn verbazing dat Francis Ford Coppola een van de kamers van Falaise en ook de stallen van het huis in zijn film had gebruikt. Als je in een bepaalde scène goed kijkt, kun je een portret van Alicia Patterson aan de muur zien hangen.

Het was voor het eerst dat ik naar het oosten vloog in plaats van de trein te nemen. Joe haalde me op in New York en we reden naar Long Island. Ik was goed voorbereid. Harry Guggenheim was Alicia's derde echtgenoot. Ze was, net als Joe's moeder, intelligent – en had een gezicht waaruit haar sterke karakter bleek, met hoge jukbeenderen en diepliggende ogen. Ze leek op Katherine Hepburn in *The Lion in Winter* en was gekleed als de hertogin van Windsor. Ze had ook gewoon lef. Ze rookte, dronk, jaagde op groot wild en kwartels, speelde tennis en bridge, en deed alles elegant en stijlvol. Ze had geen kinderen en beschouwde Joe en zijn zus Alice als haar erfgenamen.

Het was een hete dag, maar omdat ik herfstweer verwachtte, droeg ik een lichtblauwe lamswollen twinset en een tweed rok. Alicia verwelkomde ons en we gingen een eindje wandelen. Hoewel 'tante Alicia', zoals ze me vroeg haar te noemen, haar best deed me op mijn gemak te stellen, was ik niet goed in de rol van Assepoester en voelde ik me behoorlijk ongemakkelijk. Na onze wandeling kondigde ze aan dat we ons gingen omkleden voor het diner. Ik had mijn hele universiteitsgarderobe bij me, dus was ik op alles voorbereid, dat dacht ik tenminste. Maar toen ik, gewikkeld in een handdoek, uit het bad stapte, was er geen kledingstuk meer op mijn kamer te vinden.

Na een paar momenten van paniek zag ik een dienstmeisje binnenkomen die al mijn opnieuw gestreken kleren binnenbracht. Ik weet nu dat dit de manier is waarop de betere kringen omgaan met hun gasten, maar destijds was ik bang dat ze vonden dat ik me beter moest verzorgen. Ik begon mijn leven als lid van de Patterson-clan, want dat waren ze altijd, ook al hadden ze door hun echtgenoten verschillende achternamen. Een van de toasts – een belangrijk onderdeel van familiebijeenkomsten – was op mijn moeder en vader, 'belangrijke diplomaten en vertegenwoordigers van een vrij Tsjechoslowakije'. Dat vond ik prachtig.

Mijn ouders maakten eerder kennis met de ouders van Joe dan ik. Op de terugweg van Wyoming naar Chicago stopten de Albrights om de Korbels in Denver te ontmoeten. In onze naïviteit hadden Joe en ik dat een goed idee gevonden, maar je kunt je moeilijk twee echtparen voorstellen die meer verschillend waren. Ze hadden één ding gemeenschappelijk: de missie om uit te vinden of het kind van de anderen goed genoeg was voor dat van hun. Mijn vader, de diplomatieke intellectueel, dacht dat hij van elke ontmoeting een succes kon maken. Mijn moeder, de spontane extraverte vrouw met de scherpe tong, wilde dat iedereen haar aardig vond. Ivan Albright, die het kleinste detail van een persoonlijkheid op canvas kon vastleggen, was weinig op zijn gemak met verbale communicatie. En Joe's moeder, een combinatie van rebel en lid van de jetset, was afwisselend charmant en onbehouwen. Omdat ze ons niet ongerust wilden maken, meldden beide ouderparen dat de ontmoeting goed was gegaan. Details van de gênante situatie kwamen pas jaren later boven tafel.

Ik maakte kennis met Joe's moeder en vader tijdens Thanksgiving in New York. Hoewel het zenuwslopender was dan met tante Alicia, leken we goed met elkaar op te kunnen schieten. We logeerden in het huis van Alicia en Harry Guggenheim op 74th Street en met hun hulp en het plezier dat we beleefden aan het als groep naar restaurants en theaters gaan, meende ik dat ik alle vragen die de Albrights over mij hadden, bevredigend kon beantwoorden.

Tijdens de kerstvakantie stopte ik op de terugweg van Denver in Chicago en bracht de Albrights weer een bezoek, dit keer in hun ruime patriciërshuis op Division Street. Overal hingen Ivan Albrights rijke, gedetailleerde schilderijen. Mijn toekomstige schoonvader was een van de meest originele Amerikaanse kunstenaars van de twintigste eeuw, en was het meest bekend om zijn 'Picture of Dorian Gray'. Ik heb zijn werk leren waarderen. In eerste instantie had ik echter moeite met zijn macabere realisme en ik zou nooit gewend raken aan zijn weergave van de 'Temptations of St. Anthony', met verdrinkende lijken die worden verzwolgen door halfopgegeten vissen terwijl kwijlende wolven toekijken. Dit schouwspel hing boven de tafel in de eetkamer.

Een van de hoogtepunten van het kerstbezoek was de ontmoeting met Joe's grootmoeder, Alice Higinbotham Patterson, een geboren matriarch. De familie noemde haar 'Gaga' (gek, seniel), wat ze absoluut niet was. Ze was lid van een familie die al generaties in Chicago woonde en de dochter van de medeoprichter van het warenhuis Marshall Fields. Gaga was nog geen één meter vijftig lang,

tenger en mooi. Ze was gescheiden en woonde alleen in een elegant appartement gevuld met schilderijen en antieke Chinese beelden, met uitzicht op Lake
Shore Drive. Bij de lunch kregen we kaassoufflé geserveerd. Ik had nog nooit
zoiets gegeten. Toen ik de opscheplepel in de prachtige creatie stak, zakte het
geheel in elkaar – en mijn hart stopte ongeveer. Ik was ervan overtuigd dat ik
een enorme faux pas begaan had.

Te zeggen dat ik overweldigd was door Joe's familie zou zwak uitgedrukt zijn.
Ik moet tot hun verdediging aanvoeren dat ze, toen ze eenmaal inzagen dat wij
tweeën vastbesloten waren te trouwen, hun best deden om alles soepel te laten
verlopen, maar dat kostte tijd. Ze waren geschokt dat Joe, die eerder regelmatig
te gast was geweest op debutantenbals in Chicago als partner van een miss
Roosevelt of miss Coolidge, mij had gekozen. Toen in het verleden familieleden
met buitenlanders trouwden, hadden ze er in ieder geval titels mee verkregen.
Ik was geen gravin.

Ik keerde na de kerst naar Wellesley terug met het idee dat ik niet alleen het
schoonfamilie-examen had overleefd, maar dat ik ook nog in staat was een full-
timevriendje met mijn studie te combineren. Het zou blijken dat geen van beide
waar was.

Ik was altijd een georganiseerde student geweest. Zeer georganiseerd. Ik
stopte al mijn collegedictaten en aantekeningen over gelezen boeken die op
losse blocnoteblaadjes stonden in een multomap. Elke bladzijde met aantekeningen correspondeerde precies met een bepaalde opdracht. Ik gebruikte verschillende kleuren inkt, met in mijn achterhoofd de tijd die ik zou uitsparen als
ik later naar de aantekeningen moest verwijzen. Voor examens maakte ik samenvattingen van de aantekeningen op keurig georganiseerde indexkaartjes en
maakte dan samenvattingen van de samenvattingen. Maar Joe's bezoekjes en
mijn reisjes naar Williamstown begonnen nu mijn studiegewoontes te beïnvloeden. Ik had geen tijd meer voor de dictaten in verschillende kleuren of het samenvatten van de samenvattingen.

De examens stonden voor de deur en ik had het gevoel dat ik slecht voorbereid
was en was ervan overtuigd dat ik voor alles zou zakken. Om de verwarring nog
groter te maken bleek dat Joe aan het twijfelen sloeg. Tijdens een winters weekend in Williamstown ging hij met me naar Baxter Hall, het studentencentrum, en
toen we daar zaten zei hij dat hij het gevoel had dat we te hard van stapel waren
gelopen. Hij zei dat hij nooit 'groot' zou kunnen worden als hij zo jong trouwde.
Ik was sprakeloos.

Ik begon heel langzaam mijn speld af te doen, in de hoop dat hij me zou tegenhouden. Toen hij dat niet deed, legde ik hem op zijn schoot. Hij stond op en
gooide de speld uit het raam. Het drama vereiste dat ik nu naar buiten zou stam-
pen, maar er was zonder auto 's avonds in de winter geen enkele manier om
Williamstown te verlaten en aangezien ik er geen had, ging ik terug naar de kamer die ik gehuurd had. Ik kon niet slapen omdat ik probeerde te bedenken wat
er gebeurd was en of er een mogelijkheid was dat Joe zich zou bedenken. Mijn

conclusie was niet bepaald bemoedigend: Joe stond nog steeds onder invloed van zijn moeder.

Joe moet zelf ook wat overdenkingen gepleegd hebben. Hij kwam om samen met me te gaan ontbijten en gaf me de speld terug die hij had opgehaald. Ik vond het een wonder dat hij hem gevonden had. We werden het erover eens dat we onze relatie in stand zouden houden – maar dat we het wat rustiger aan zouden doen. Ik ging volstrekt leeg terug naar Wellesley. Ik wilde niet geloven dat mijn prins in een kikvors veranderd was, maar ik moest wel terugdenken aan de universiteitsstudent met wie ik op de middelbare school verkering had gehad en die me had laten vallen. Misschien moest mijn hoop altijd de bodem worden ingeslagen door relaties aan te gaan die te mooi waren om waar te zijn. Misschien was Joe het probleem helemaal niet; misschien was ikzelf het probleem wel.

In de maanden die volgden bleef Joe mij elke dag schrijven. Het verschil was dat er onder de brieven 'met vriendelijke groeten' stond in plaats van 'liefs'. Als we elkaar zagen bleek dat we elkaar nog steeds meer te zeggen hadden dan iemand anders. Wat onze relatie definitief beklonk was echter de Library of Congress. We realiseerden ons allebei dat we daar research moesten doen voor de doctoraalscripties die we aan het schrijven waren, dus reisden we tijdens de voorjaarsvakantie naar Washington. Dit keer waren er geen twijfels en er was geen sprake van 'met vriendelijke groeten'. We hadden het heerlijk en werden het er op de een of andere manier over eens dat trouwen Joe's 'grootheid' niet in de weg hoefde te staan. Vanaf dat moment werd 'naar Washington gaan' onze geheime code voor het samen leuk hebben.

Joe's moeder was echter nog steeds niet overtuigd – een feit dat pijnlijk duidelijk werd tijdens de diploma-uitreiking van haar zoon. Toen we voor de plechtigheid op zijn kamer bij elkaar kwamen, liet Joe zijn scriptie aan zijn ouders zien. Hij had er de hoogste waardering voor gehaald en zou daarvoor tijdens de plechtigheid toegesproken worden, maar zijn moeder wierp één blik op de opdracht – 'VOOR MADELEINE MET WIE...' – en zij en Ivan liepen weg en kwamen niet terug om Joe te zien afstuderen. De scriptie ging over Joseph Medill Patterson, de vader van Joe's moeder die zij verafgoodde en hem als rolmodel voorhield, en dus had Joe de scriptie misschien niet aan mij moeten opdragen, maar het was nu eenmaal zo.

Toch werkte wat Josephine met kerst wel gelukt was die zomer niet. Toen Joe die herfst terugkwam van een busreis door de Sovjet-Unie, gaf hij me een antieke verlovingsring met smaragd en diamant die hij in Londen had gekocht. Onze verloving werd een paar maanden later officieel aangekondigd. Het artikel verscheen in de *Chicago Sun-Times* onder een zeskolomskop – 'Joseph Albright trouwt in juni' – en er stond niet zoals gebruikelijk een foto van de aanstaande bruid bij, maar van de bruidegom. Mijn naam werd wel genoemd in de tweede zin, terwijl de eerste was: 'Joseph Medill Patterson Albright trouwt aanstaande juni een bruid uit Denver.'

Die herfst begon Joe aan zijn eerste fulltimebaan, bij de *Chicago Sun-Times*.

We belden elkaar elke avond en naast mijn werk als redacteur van de universiteitskrant en het beheer van het snelbuffet waren er geen afleidende factoren. Ik concentreerde me op mijn studie, met name op mijn doctoraalscriptie.

Het zou niet in mijn lijn gelegen hebben om een suggestie van mijn vader over welk onderwerp dan ook niet te volgen, en al helemaal niet waar het het hoogtepunt van mijn werk als student betrof. Hij suggereerde dat ik zou schrijven over een man die in het naoorlogse Tsjechoslowakije een schurkenrol had gespeeld. Zdeněk Fierlinger was een sociaal-democraat die zijn partij gretig tot samenwerking met de communisten had gebracht. Het uiteindelijke gevolg was de dood van Masaryk, het aftreden van Beneš en het eind van de democratie.

In kringen rond mijn vader werd over Fierlinger gesproken als een quisling, naar Vidkun Quisling, de Noorse politicus wiens samenwerking met de nazi's voor en tijdens de Tweede Wereldoorlog zijn naam synoniem maakte met een zwakke ruggengraat en een verraderlijk hart. Het begrip *fellow-traveler* (sympathisant met de communisten) was de Amerikanen inmiddels bekend, dankzij senator Joseph McCarthy die er een dagtaak van maakte om mensen, ongeacht hun schuld of onschuld, ervan te beschuldigen te heulen met de communisten. Fierlinger was een ware fellow-traveler. Ik vermoed dat hij verbaasd zou zijn geweest als hij wist dat in het voorjaar van 1959 een heel huis Amerikaanse studentes zijn naam kende. Ik praatte maandenlang bijna net zoveel over hem als over Joe, en bracht in ieder geval meer tijd met hem door.

Mijn scriptie zorgde ervoor dat ik me bewust bleef van mijn geboorteplek. Ik was dan wel Amerikaanse geworden, maar ik kon mezelf niet losmaken van de strijd in Europa. Ik wilde wel zoveel mogelijk op mijn Amerikaanse leeftijdgenoten lijken, maar ik was anders. Ik had nachten doorgebracht in schuilkelders. Ik had in mijn leven iets ervaren van de ontwrichting die een oorlog kan veroorzaken. Mijn familie was uit haar vaderland verdreven door aanhangers van Stalin. Die ervaringen hadden van mij iemand met uitgesproken meningen gemaakt. En ik had de aangeboren neiging die inderdaad uit te spreken.

De strijd tijdens de Koude Oorlog lag mij na aan het hart en ik volgde de gebeurtenissen op de voet – Chroesjtsjov die Stalin beschuldigde, de lancering van de Spoetnik, die onze geleerden schokte en het begin inluidde van het ruimtevaarttijdperk, de communistische revolutie op Cuba, op slechts 140 kilometer afstand van onze kust, het ineenstorten van het kolonialisme en de strijd tussen Amerika, de Sovjet-Unie en Mao's China om de invloed op de nieuwe onafhankelijke staten in Azië en Afrika. Het was een enerverende periode, maar ook – voor mij – een periode van zuiver morele duidelijkheid. Wij deugden, de communisten deugden niet. De helft van Europa was vrij, de andere helft leefde in gevangenschap. De mensen die geloofden in het soort democratische humanisme dat Tomáš Masaryk had gepredikt, moesten zich, waar ook ter wereld, verenigen.

Mijn vader, in Denver, was ver verwijderd van Tsjechoslowaaks-Amerikaanse kringen, maar in gedachten was hij vaak bij ons geboorteland. Hij begon te werken aan zijn derde boek, *The Communist Subversion of Czechoslovakia*, dat in wezen een waarschuwing inhield over de kwetsbaarheid van de democratie en het gevaar van coëxistentie met communisten. In zijn conclusie schreef hij dat Lenin zijn aanhangers had aangeraden 'elke list, alle foefjes, trucjes, geslepenheid, illegale methoden, geheimhouding en versluieren van de waarheid te benutten' om hun doel te bereiken. Hij drong er bij de democratische leiders op aan zich niet in de luren te laten leggen door hun eigen vertrouwen in democratische praktijken en de wens om mensen te vertrouwen. Communisten konden niet worden vertrouwd, want ze streefden niet naar coëxistentie; ze wensten onderwerping. Wat betreft de mogelijkheid dat de Sovjet-Unie op een dag vrijwillig het communisme zou opgeven, spotte Chroesjtsjov zelf dat dat pas zou gebeuren 'als garnalen leren fluiten'.

Het schrijven van een doctoraalscriptie was zwaar, maar het leerde me om me langere tijd in één onderwerp te verdiepen. Veel van het materiaal dat ik vond was in het Tsjechisch en ik ontdekte al snel dat ik het geschreven Tsjechisch, dat ik sinds mijn negende niet meer geleerd had, niet volledig begreep. Voor mij was het een gesproken taal, dus begon ik mezelf hardop voor te lezen. Mijn ouders hadden me een kleine Olivetti typemachine gegeven toen ik naar de universiteit ging, op voorwaarde dat ik brieven in het Tsjechisch zou schrijven en een brief naar huis nooit zou typen. Mijn vader vond het onbehoorlijk om persoonlijke brieven op een typemachine te schrijven en zei dat dit een goede gelegenheid was om mijn Tsjechisch te oefenen. Toen hij mijn brieven gecorrigeerd met rode inkt terugstuurde, kwam ik in opstand en zei dat als hij ooit nog iets van me wilde horen, het in het Engels zou zijn. Hoewel mijn gesproken Tsjechisch goed is, schrijf ik tot op de dag van vandaag aan mijn Tsjechische vrienden in het Engels, omdat ik mij schaam voor mijn kinderlijke geschreven Tsjechisch.

Ondanks alle moeite die ik ervoor gedaan had geloof ik dat niet veel meer mensen dan mijn vader, Joe en mijn adviseur mijn scriptie gelezen hebben. Mijn vaders boek daarentegen werd niet alleen in het Westen gelezen, maar, zoals ik later ontdekte, ook in Tsjechoslowakije. In 1990 woonde ik, nadat de Berlijnse Muur gevallen was, een conferentie in Duitsland bij waar ik een gesprek had met Jaroslav Šedivý, die later de Tsjechische minister van Buitenlandse Zaken zou worden. Hij vertelde me hoe hij tijdens de Koude Oorlog in de archieven van het Tsjechoslowaakse ministerie van Buitenlandse Zaken had gewerkt en meningsverschillen had gehad met degenen die hem geïnstrueerd hadden alle informatie over mijn vader, die door de communisten als een verrader beschouwd werd, te verwijderen. Hij was daarna gaan werken op een instituut waar hij op de een of andere manier een illegale uitgave van *The Communist Subversion of Czechoslovakia* te pakken had gekregen. Hij zei dat hij toen voor het eerst begreep wat er tussen het eind van de oorlog en de communistische machtsovername in 1948 werkelijk met zijn land gebeurd was. Šedivý werd een dissident en werd gearresteerd. Na zijn gevangenisstraf werkte hij als glazenwasser tot Tsjechoslowakije weer vrij werd.

Ik genoot van de incidentele onderbrekingen van mijn studie. Joe nodigde me in mijn laatste jaar aan de universiteit uit om voor de paasvakantie naar Chicago te komen om meer tijd met hem en zijn familie door te brengen. Joe's grootmoeder – de formidabele Gaga – nam mij onder haar vleugels. Dit had zijn voor- en nadelen. Ze was geweldig amusant, maar eerlijk gezegd was ik bang voor haar. Bij het begin van mijn bezoek nam ze me mee uit lunchen in de exclusieve Casino Club aan Lake Shore Drive. In die dagen droegen nette jonge vrouwen hoeden en witte handschoenen. Het was niet tot me doorgedrongen dat lunch een dergelijke gelegenheid was, maar ik keek om me heen en zag dat alle anderen hoeden droegen, net als Gaga. Ik had gewoon mijn mond moeten houden, maar in mijn verlegenheid besloot ik tot een gevaarlijke aanpak.

'Ik vind het altijd enig om voor Pasen een nieuwe hoed te kopen, maar in Wellesley kon ik er geen vinden die ik mooi vond. Ik was van plan er hier een te kopen.'

'Goed idee,' zei Gaga. 'We gaan meteen na de lunch naar mijn hoedenmaker om een hoed voor je te kopen.'

Hoedenmaker? dacht ik – o ja, een speciale winkel voor hoeden. Ik had tot dan toe mijn hoeden altijd in warenhuizen gekocht.

We hoefden alleen maar Michigan Avenue over te steken en kwamen bij Bes-Ben. De winkel stond vol spiegels met stoelen ervoor, waar je uren hoeden kon passen. Er stonden er een paar op standaards maar Gaga zei dat ik moest gaan zitten en dirigeerde het winkelpersoneel, dat kennelijk aan haar gewend was, om hun paascreaties te laten zien aan 'de verloofde van haar kleinzoon' – of misschien zei ze voor zijn 'aanstaande'. (Het was belangrijk dat je bij de Pattersons het juiste woord gebruikte. Mij werd al in het begin van mijn relatie met de familie te verstaan gegeven dat men 'avondjurk' zei en niet 'avondkleding', 'sofa' niet 'bank', 'geschenk' niet 'cadeau' en 'rijk' niet 'vermogend'.)

Terwijl de hoedenmakers hun producten te voorschijn haalden, zag ik uit een ooghoek het prijskaartje aan een van de hoeden. Toen ik de hoed opzette en in de spiegel keek zag ik Minnie Pearl in de Grand Ole Opry, maar wat mij angst aanjoeg was de prijs. De hoed kostte tweehonderd dollar – meer dan duizend dollar in tegenwoordige prijzen. Dit was onmogelijk.

'Hij is heel mooi, maar het is helemaal de verkeerde kleur,' zei ik.

'Maakt u zich geen zorgen, mevrouw, we kunnen hem maken in elke kleur die u wilt.'

'Ik weet niet zeker of ik deze bloemen wel zo mooi vind.'

'We kunnen er elke soort bloemen of besjes op zetten die u maar wilt.'

'Weet u, ik heb eigenlijk niet echt een nieuwe hoed nodig.'

Op dat moment deed Gaga een duit in het zakje en zei: 'Maar meisje, tijdens de lunch zei je nog dat je er een nodig had.'

Daarmee was de kous af. Voor ik het wist, legden ze een centimeter rond mijn hoofd, kozen we kleuren, linten, bessen en bloemen. De verkoopster zei dat ik dit allemaal op tijd voor Pasen zou krijgen.

Ik was verlamd. Moest ik voor de hoed betalen of was het een geschenk? Als Gaga betaalde en ik bedankte haar niet, zou ze me ongelooflijk onbeschoft vinden. Als ik haar bedankte en het *geen* geschenk was, zou ze me enorm aanmatigend vinden. We gingen terug naar haar appartement om thee te drinken. Mijn verstand stond op nul. Ik had net min of meer besloten dat het geld dat ik aan het sparen was voor Joe's huwelijkscadeau aan de hoed besteed moest worden, toen Gaga zei: 'Ik hoop dat je je kleine paasgeschenk mooi vindt?' Ik was gered. De hoed was gemaakt van ongebleekt stro, met fuchsiabloemen, verschillende soorten besjes en een frambooskleurig fluwelen lint. Ik droeg hem die Pasen en maanden later bij de repetitie van onze bruiloft. Hij staat nu nog in mijn kast, nog steeds in de oorspronkelijke blauwe doos.

Toen de bruiloft naderde, bracht Joe een gevoelig onderwerp ter sprake: zou ik het erg vinden om lid van de episcopale kerk te worden? Ik besprak het onderwerp met mijn ouders, die vonden dat ik daar geheel zelfstandig over moest besluiten. Ik had altijd al regelmatiger dan zij de kerk bezocht en zij waren gewoon minder geïnteresseerd. Ik werd eraan herinnerd dat, hoewel Tomáš Masaryk diep religieus was geweest, veel Tsjechoslowaken meer werelds georiënteerd waren. Dat was ook het geval bij mijn ouders. Wat hun trouwens meer zorgen baarde dan mijn bekering was het feit dat vrijwel iedereen in Joe's familie minstens één keer gescheiden was. Mijn vader had een open gesprek met Joe over de onaanvaardbaarheid van een scheiding. Zoals mijn moeder met reden vele malen daarna tegen mij zei: 'Maar Joe zei tegen je vader dat hij niet in een scheiding geloofde.'

Wat mijn eigen gevoelens betreft, ik vond het niet erg om me te bekeren, behalve op één punt. Ik geloof in het katholieke dogma dat de Maagd Maria je gebeden bij God kan brengen. Ik bid de rozenkrans en vier elk jaar mijn naamdag, die, omdat ik Marie Jana heet, op 15 augustus valt, de dag van Maria-Hemelvaart. Toen ik eenmaal had toegestemd lid te worden van de episcopale kerk, vroeg Joe's moeder me een afspraak te maken met de episcopale bisschop van Chicago, en dit was het onderwerp van gesprek. Wat het geloof betreft ben ik van mening dat je wel dingen aan je geloof kunt toevoegen, maar dat het moeilijk is om er dingen uit te halen. De moeder van Jezus had een ereplaats in iedere christelijke kerk, maar ik voelde me het meest op mijn gemak bij het katholieke standpunt. Ik dacht niet dat ik Maria op kon geven en dat heb ik ook nooit gedaan.

Mijn vertrek uit de katholieke kerk had ook invloed op waar we zouden gaan trouwen. Omdat de kerk die ik in Denver bezocht niet geschikt was, kozen we voor St. Andrews, een mooie, kleine episcopale kerk in Wellesley. Zelfs onder normale omstandigheden zou ik niet verwacht hebben dat mijn moeder een bruiloft in Amerikaanse stijl zou organiseren. Gezien de locatie en de gevoeligheden van de Albrights, was het maar goed dat ik alles zelf in handen had. Terwijl ik mijn doctoraalscriptie schreef, koos ik jurken voor de bruidsmeisjes, schreef de uitnodigingen met de hand, koos een plaats voor de receptie en een menu. De uitdaging was ervoor te zorgen dat de keuzes aan de Patterson-normen voldeden zonder dat de Korbels bankroet raakten.

Ik studeerde af op 8 juni. Als ik niet was gaan trouwen, zou ik het vreselijk hebben gevonden om Wellesley te moeten verlaten. De drie dagen tussen de diploma-uitreiking en het huwelijk bleef ik in het studentenhuis met Mary Jane, wier eigen bruiloft twee dagen na de mijne zou plaatsvinden.

Op 11 juni 1959, een prachtige lentedag, trouwde ik met Joe. Mijn ouders en Kathy en John kwamen met de auto uit Colorado. De Albrights gaven een repetitiediner in Joseph's restaurant in Boston. De volgende dag stond ik op, waste mijn haar, deed mijn trouwjurk aan en een sluier met een enigszins ouderwets kroontje met parels dat door een Tsjechische vriendin van mijn moeder gemaakt was. Mijn vader was natuurlijk degene die mij weggaf. Kathy was eerste bruidsmeisje. Ze was tijdens de plechtigheid zo nerveus dat haar bloemen trilden. Joe was er zo op geconcentreerd om de vragen van de priester juist te beantwoorden dat hij toen hem gevraagd werd 'Wilt gij...' antwoordde met 'Ik wilt.' Zijn ouders leken volstrekt tevreden met onze episcopale ceremonie. De enige wanklank werd veroorzaakt door Joe's extreem gedistingeerde zuster Alice, eerstejaars op Radcliffe. Ze haatte haar lichtgroene bruidsmeisjesjurk en na de plechtigheid en het maken van de foto's scheurde ze die in tweeën en liet de resten in de prullenbak in de badkamer achter. Maar die ene nijdige bui kon mijn vreugde niet bederven. Ik vond het fantastisch dat ik mrs. Joseph Albright was geworden – en ik had allerlei soorten briefpapier met monogrammen om het te bewijzen.

Twaalf jaar nadat ik als vluchteling naar de VS was gekomen, was ik Amerikaans staatsburger. Ik had een groep dierbare vrienden om me heen verzameld. Ik was cum laude afgestudeerd aan een van de beste universiteiten, die er vooral op toezag dat vrouwen werden uitgerust met leiderschapsvaardigheden. Ik was getrouwd met een Amerikaanse prins die ik aanbad en die van mij hield. Ik had het glazen muiltje geprobeerd en het paste. In het sprookje is dat het eind van het verhaal. In het echte leven is het slechts het begin van een nieuw hoofdstuk.

HOOFDSTUK 4

Waarde van het gezin

M IJN JONGSTE DOCHTER, KATIE, werd in 1967 geboren, en tegen de tijd dat ze naar de universiteit ging, werden er cursussen gegeven over de jaren zestig. Ze schreef zich in. Dat decennium was inmiddels synoniem geworden met alternatieve experimenten: hippies, drugs, seksuele vrijheid, Woodstock, demonstraties tegen de oorlog. Degenen van ons die tegen het eind van de jaren vijftig afstudeerden, hebben in veel opzichten de jaren zestig gemist. Terwijl onze jongere broers en zussen met van alles experimenteerden, deden wij wat onze ouders deden: beginnen aan een loopbaan en een gezin stichten.

Zelfs vergeleken met onze conservatieve vrienden waren Joe en ik een uitzondering wat onze ernst betrof. We begonnen echter met een niet zo ernstige huwelijksreis van zes weken van het ene Caribische eiland naar het andere. Onmiddellijk daarna, tegen eind juli, moest Joe zich voor militaire dienst melden op Fort Leonard Wood in Missouri. Toen hij vertrok, zette ik koers naar Denver om bij mijn ouders te zijn en het enige tijdelijke baantje aan te nemen dat ik kon vinden, als kaartverkoopster bij de Gray Line Bus Company, in afwachting van het moment dat ik mij weer bij Joe kon voegen.

Ik ging zo snel als ik kon naar Missouri. Joe moest in de kazerne blijven. Ik vond een verbouwde motelkamer als onderkomen. Ik overwoog 'functies' als serveerster in een drive-inrestaurant en lokaas voor een tatoeagewinkel, maar wees die af en vond toen de volmaakte baan voor een ambitieuze journalist. Ik werkte voor de *Rolla Daily News* – 'nieuws voor heel Rolla en omgeving' – als manusje van alles. Ik schreef overlijdensberichten en societynieuws, nam advertenties op,* deed verslag van de schaarse sportevenementen en interviewde mensen die UFO's hadden gezien. Ik reed elke dag in Joe's oude blauwwitte Ford vijfenveertig kilometer naar mijn werk, vaak met een onderbreking op de terugweg voor een afspraak met mijn nieuwe echtgenoot. Voordat hij in dienst ging, was Joe flink door de zon gebruind en had hij dik donkerbruin haar: ik vond hem altijd erg knap. Hij was nog steeds knap, maar zijn hoofd was kaalgeschoren en

---

* Eentje kan ik me nog goed herinneren: 'Grafperceel te koop: eigenaar moet weg; wil met verlies verkopen.'

ik vond hem te mager. Ik kreeg echter een brief van het leger waarin mij werd meegedeeld hoe trots ik moest zijn dat Joe de hoogste cijfers van zijn trainingskamp had behaald.

Het was vredestijd en het Pentagon kondigde Operation Santa Claus aan, die Joe's diensttijd met een maand bekortte, zodat hij en zijn collega's de kerst bij hun gezinnen konden doorbrengen. Na de feestdagen in Denver gingen we in januari 1960 naar Chicago voor een nieuw begin. Joe's ouders namen hun jongere kinderen, Adam en Dina, van school en gingen op wereldreis, wat ons de ruimte gaf. We installeerden ons in hun huis totdat we een eigen appartement vonden, op de derde verdieping van een gebouw zonder lift, maar met een daktuin, aan North Pine Grove Avenue.

We meubileerden de flat met spullen die we op veilingen kochten. Later zou ik al mijn postdoctorale studeerwerk in een enorme leunstoel doen, die we per ongeluk hadden gekocht omdat hij er op het podium uitzag als een stoel van normale afmetingen. (Hij staat nu op mijn boerderij in Virginia en mijn kleinkinderen kunnen er allemaal tegelijk in zitten.) We kregen allemaal leuke nieuwe vrienden en werden vaste gasten in Second City, het theater voor improvisatie in Chicago. We brachten ook tijd door met Joe's grootmoeder. Ik probeerde uit te vinden hoe ik moest omgaan met lokale debutantes, van wie sommige voormalige vriendinnetjes van Joe waren. Het kostte me weken om een granaatrode fluwelen baljurk met lange mouwen te naaien die ik wilde dragen tijdens de belangrijkste sociale gebeurtenis van het seizoen. De jurk paste bij een antieke, granaatkleurige ketting die mijn ouders me als huwelijkscadeau hadden gegeven. Als mij gevraagd werd waar ik de jurk gekocht had, glimlachte ik alleen maar in plaats van dat ik er trots op was dat ik hem zelf gemaakt had.

Joe ging terug naar de *Sun-Times* en ik begon uit te kijken naar werk. Aangezien er destijds in Chicago vier kranten waren, meende ik dat ik een goede kans maakte om een plek bij een van de andere drie te vinden, maar het mocht niet zo zijn. Joe's hoofdredacteur vroeg op een avond tijdens een dineetje: 'Zo, wat ga jij doen, liefje?'

'Een baan zoeken bij een krant,' antwoordde ik.

'Nou,' zei hij, 'je kunt niet bij dezelfde krant werken als je man omdat dat tegen het beleid is van de dagbladen. En het zou natuurlijk niet echt goed zijn voor de carrière van je man als zijn vrouw voor een concurrerend blad werkte. Ik ben dus bang dat je iets anders zult moeten verzinnen.' Tientallen jaren later kan ik een heleboel opmerkingen bedenken die ik die avond had kunnen maken. Maar toen zei ik niets en schikte me.

Het 'iets anders' dat ik uiteindelijk ging doen was het werk als assistent van de illustratieredacteur van de *Encyclopaedia Britannica*. Tijdens het sollicitatiegesprek werd mij gevraagd wanneer ik van plan was zwanger te worden. Ik kan me niet herinneren dat ik beledigd was; ik zei alleen maar dat ik geen haast had. Ik was verbaasd toen ze me aannamen, want ik had geen specifieke ervaring met foto's. Ik neem aan dat het voldoende was dat ik kon lezen. *EB*, zoals we het noemden, had als beleid om per jaar één soort artikelen te herzien. In 1960 actualiseerden ze hun geografische artikelen en het was mijn taak om foto's uit te zoeken, onderschriften te schrijven en de vormgeving voor de illustraties voor te bereiden. Later verhuisde ik naar de public-relationsafdeling waar ik *EB* zorgvuldig moest napluizen op 'stoppers' die konden worden gebruikt aan het eind van een krantenkolom. Ik selecteerde juweeltjes als: 'Struisvogels hebben geen stem, volgens de *Encyclopaedia Britannica.*'

Bij de verkiezingen van 1960 mochten wij voor het eerst stemmen voor een president; Joe en ik volgden de campagnes op de voet. Net als veel andere vrouwen was ik gek op John F. Kennedy. In 1958 had ik de aanstaande president tijdens zijn campagne voor herverkiezing voor de Senaat voor de krant in Wellesley mogen interviewen. Ik had hem niet alleen vragen gesteld voor mijn artikel, maar ook om zijn handtekening gevraagd. Joe vond dat ik me heel onprofessioneel had gedragen. Hij had gelijk, maar ik had toch maar mooi Kennedy's handtekening.

De campagne van 1960 was aanleiding tot Joe's eerste belangrijke primeur. De Republikeinse Conventie werd in Chicago gehouden, waar hij zich verstopte in de badkamer van de hotelkamer in het Sheraton-Blackstone waar Richard Nixon vergaderde met belangrijke partijleiders over de vraag wie zijn kandidaat voor het vice-presidentschap zou worden. Terwijl Joe gehurkt in een badkuip fanatiek notities zat te maken (sommige zelfs op wc-papier) zei Nixon dat hij Henry Cabot Lodge nodig had omdat Lodge sterk was in buitenlandse zaken, zodat hij zich op binnenlandse kwesties kon concentreren. Het verhaal leverde Joe een vermelding van zijn naam bij het artikel op de voorpagina op.

Rond deze tijd werd een andere jonge verslaggever, James Hoge, door de *Sun-Times* in dienst genomen. Hoge had het helemaal voor elkaar: gouden lokken, vierkante kaaklijn, charme en een opleiding aan Yale. Het is geen wonder dat hij een lange en verdienstelijke journalistieke carrière in Chicago en New York maakte, maar destijds waren rivaliteit en jaloezie tussen Joe en Jim onvermijdelijk. Hoewel de twee mannen elkaar beroepshalve hadden weten te ontlopen, werd het al snel onmogelijk niet met elkaar om te gaan. Onder luid tandengeknars van de Pattersons trouwde Jim met Alice, Joe's zuster. Nadat Joe en ik gescheiden waren en Jim meer betrokken raakte bij buitenlands beleid, ontdekte ik dat ik veel te bepraten had met mijn voormalige zwager.

Ik was dan misschien wel de plichtsgetrouwe dochter, maar van Joe werd verwacht dat hij – en dat probeerde hij ook te zijn – de plichtsgetrouwe kleinzoon, zoon en neef zou zijn. Hij was opgeleid om tot het familiebedrijf toe te treden. Naast de andere kranten van de familie, hadden Joe's tante Alicia en Harry Guggenheim op Long Island het zeer succesvolle *Newsday* opgezet. Tegen de tijd dat ik in de familie kwam, had men zich er al lange tijd op ingesteld dat Joe die krant op een dag zou overnemen.

In het voorjaar van 1961 kreeg hij een brief van zijn tante waarin stond dat het moment inderdaad gekomen was dat hij naar Long Island moest verhuizen om het opleidingsprogramma voor *Newsday* te volgen. Het idee van verhuizen joeg mij geen angst aan. Ik had net ontdekt dat ik zwanger was, dus ons leven zou in ieder geval veranderen. Toch hadden we allebei gemengde gevoelens. We hadden genoten van onze onafhankelijkheid in Chicago, maar we waren ook bereid om de volgende stap te zetten.

Ik twijfelde er niet aan dat Joe en ik een vrolijk leven zouden leiden als hij eenmaal de krant overnam, en ik was nog steeds gefascineerd door zijn familie, maar wat ik de leukste eigenschap van mijn man vond, was dat hij niet op ze leek. Hij besteedde niet veel tijd aan praten over de stamboom van de familie, nadenken over wat de volgende spannende vakantie zou worden, of overwegen welk pand hij zou kopen. Hij nam ook niet deel aan de irritantste conversatie van de Pattersons, namelijk wie wat nalaat aan wie.

Een van de redenen waarom er zoveel discussie was over testamenten was dat het eigendom van *Newsday* op het spel stond. Toen de krant werd opgericht, werd Alicia hoofdredacteur en uitgever, en voor 49 procent eigenaar. Harry hield de zakelijke kant in de gaten en was in het bezit van de overige 51 procent. Omdat Harry meer dan tien jaar ouder was dan Alicia, werd ervan uitgegaan dat zij hem zou overleven; op dat moment zou zij nog eens twee procent van de aandelen krijgen en zij en haar erfgenamen zouden uiteindelijk zeggenschap hebben over de krant.

Hoewel het huwelijk tussen Alicia en Harry onder druk stond, was het wel duidelijk waarom Alicia door hem gefascineerd was geraakt. Hij had gestudeerd in Cambridge, had zijn sporen verdiend in de oorlog en de diplomatie, had een groot mijnbouwbedrijf geleid en was een van de eersten geweest die de nieuwe vliegtuigindustrie had gesteund. Hij was ook een filantroop met een schitterend kunstmuseum van de familie, een man die verhalen kon vertellen over Charles Lindbergh en Jimmy Doolittle, en die de eigenaar was geweest van een paard dat de Kentucky Derby had gewonnen.

Als ze niet bij elkaar waren schreven ze elkaar lange brieven waarboven D.D. (*Dearest Darling*) stond, maar Alicia en Harry kregen hoogoplopende ruzies over hoe zij de krant leidde en over politiek. Harry was een Republikein, Alicia meer een Democraat. In 1956 betekende dat dat Harry de herverkiezing van president Eisenhower steunde. Alicia stond achter Adlai Stevenson.

Alicia en Adlai kenden elkaar al jaren. In de jaren vijftig hadden ze een verhouding gehad en Alicia had zelfs overwogen Harry te verlaten om met Stevenson te trouwen. Uiteindelijk bleef ze waar ze was, voornamelijk omdat de kritische twee procent op het spel stond. Zij en Adlai bleven echter zeer goede vrienden. Stevenson kwam in het begin van de jaren zestig zelfs heel openlijk naar Long Island als Harry weg was. Ik was wat teleurgesteld toen ik de grote Adlai hoorde roddelen over de vakanties op zijn jacht aan de Rivièra. Anderzijds was het fascinerend om zijn anekdotes over president Kennedy te horen en de beschrijving van zijn activiteiten als Amerikaans ambassadeur bij de VN.

Nadat we van Chicago naar Long Island waren verhuisd, installeerden Joe en ik ons in een klein appartement in Garden City, ongeveer anderhalve kilometer van het hoofdkantoor van de krant. Volgens de instructies van de gynaecoloog was het mijn taak om te wandelen. Dus dat deed ik, minstens zeven kilometer per dag. In het tijdperk zonder echoscopie en natuurlijke voeding dronk ik uitsluitend Metrecal, het dieetdrankje van die tijd, en zwarte koffie. Toch bleef ik dikker worden. Ten slotte vertelde de arts me toen ik zes maanden zwanger was, dat ik 'minstens een tweeling' zou krijgen.

Op 17 juni was Joe kranten aan het bezorgen vanuit de kofferbak van onze auto (onderdeel van zijn stage op de bezorgafdeling) toen ik hem liet weten dat hij snel moest komen. Onze tweelingdochters arriveerden zes weken te vroeg. Na hun geboorte mocht ik ze zelfs niet aanraken. De baby's waren klein en ademden niet goed; ze werden snel in couveuses gelegd en wij kregen te horen dat ze het misschien niet zouden overleven. Toen ik jong was, hadden mijn ouders mij beschermd tegen gevaar en verdriet. Zij konden me nu niet beschermen. Ik had me nog nooit zo hulpeloos gevoeld. We wilden de kinderen zelfs geen naam geven tot we zeker wisten dat ze zouden blijven leven. Maar onze baby's waren vechtersbazen en al snel werd 'baby A' Anne Korbel Albright en 'baby B' Alice Patterson Albright.

Ik werd naar huis gestuurd, maar Anne en Alice moesten nog zes weken in het ziekenhuis blijven. Het was pijnlijk – en tegennatuurlijk, vond ik – om twee baby's te hebben en niet bij ze in de buurt te kunnen komen. Volgens de gewoontes van die tijd mocht ik tegen het raam tikken en naar de meisjes kijken – en zelfs dat alleen op gezette tijden.

Ik werd gek van mijn pogingen om mezelf bezig te houden. Tijdens een van mijn lange wandelingen voor de bevalling had ik een bord gezien met reclame voor een korte cursus Russisch aan Hofstra College (nu University), die acht weken zou duren. Ik besloot me in te schrijven. Ik studeerde zes uur per dag en ging daarna naar het ziekenhuis voor mijn dagelijkse portie kijken naar mijn dochters. Dat ik Tsjechisch sprak was een hulp bij het leren van Russisch, en tegen het eind van de cursus sprak ik het met gemak.

Eindelijk konden we de kinderen mee naar huis nemen (in een wasmand), met maar één instructie: geef ze eten. Ze wogen nog steeds te weinig en ze moesten om de drie uur eten, dag en nacht. Als ze sliepen moesten ze gewekt worden om te voeden, wat voor elk ongeveer een uur kostte. Zo begon een nieuw segment in mijn bestaan, dat werd bepaald door flesvoeding, luiers, rammelaars, boertjes, tanden krijgen, knuffels, regelmatig wegen, bezoekjes aan de dokter, en schreeuwend, spetterend baden. Ik was zo trots op mijn mooie en lieve dochters; ik raakte ook gefrustreerd omdat ik eveneens mijn opleiding ten volle wilde benutten.

Tante Alicia, die vaak langskwam, was op de hoogte van mijn dilemma en dat van veel jonge vrouwen van mijn leeftijd. Toen ze door Radcliffe College werd gevraagd deel te nemen aan een bijeenkomst om de sociale aspecten te behandelen die bijdragen aan en een handicap zijn voor carrières van vrouwen, nam ze contact met me op. Ze schreef: 'Ik dacht dat jij wel wat ideeën over het onderwerp hebt, gezien je grote wens om ondanks de baby's te blijven werken.' In een poging haar een beeld te geven, nam ik contact op met diverse universiteiten voor vrouwen om wat cijfermateriaal te krijgen en schreef vervolgens een artikel over mezelf dat feitelijk en deprimerend was. Toen ik het onlangs tussen mijn papieren vond, was ik verbaasd om te zien hoe relevant het nog steeds was wat betreft het klassieke vrouwendilemma: het moeizaam combineren van huwelijk, moederschap en een baan. Ik schreef destijds:

> Ik heb in de loop van twee jaar twee keer een goede baan met goede vooruitzichten moeten opzeggen om mijn mans keuzes te volgen. En toen had ik nog niet eens kinderen. Nu moet ik, als ik werk zou willen hebben, een betrouwbaar kindermeisje zoeken en aannemen en haar misschien zelfs meer betalen dan ikzelf kan verdienen. Misschien ben ik overdreven pessimistisch. Misschien zou ik morgen al een baan als typiste kunnen vinden. De volgende vraag is: waarom zou ik? Wil ik werk alleen om een baan te hebben, of wil ik werken omdat ik iets wil doen dat de moeite waard is?

Dit klonk somberder dan ik was en dus besloot ik met een iets optimistischer gezichtspunt:

> Ik moet echter toegeven dat ik me een beetje een pionier voel. Ik heb er geen vrede mee om de rest van mijn leven achterover te zitten en te overwegen in welke volgorde ik de kamers ga schoonmaken. Ik wil een oplossing vinden en ik vind nog steeds dat het op de een of andere manier mogelijk moet zijn om een verantwoordelijke moeder en een goede echtgenote te zijn en tegelijkertijd een intellectueel bevredigende baan te hebben.

Joe was bij dit alles mijn bondgenoot en redigeerde het stuk zelfs. Hij was in 1961 zelfs al bewust genoeg om waar ik het woord 'meisje' had geschreven, dit door te strepen en te vervangen door 'vrouw'.

Ondanks mijn twijfels hadden we een heel prettig leven. We gingen elk weekend naar New York voor toneelvoorstellingen, om te winkelen of aan te zitten aan diners met beroemde gasten bij Alicia en Harry. Alicia nodigde ons ook uit in hun huis in Georgia, waar ik mijn best deed een sportvrouw te worden. Ik tenniste, maar ik leerde ook heel goed croquet spelen en deed mee aan de kwarteljacht. Moeilijker was het om te leren waterskiën op de rivier de Saint Mary, die vol slangen zat, zelfs al verzekerde tante Alicia me dat slangen in het water niet bijten. Prima, dacht ik, maar weten de slangen dat ook?

Na een jaar op Long Island werd het tijd dat Joe's training zich verbreedde, dus werd hij naar het kantoor van *Newsday* in Washington gestuurd. We arriveerden er in het voorjaar van 1962 en huurden een klein rood houten huis dat in de schaduw stond van een enorme donkere mirtenboom. Het huis stond in Georgetown, 3421 R Street, aan de minder populaire kant van Wisconsin Avenue. We vonden het heerlijk om deel uit te maken van het Washington van Kennedy. Dit was in de periode voor Vietnam, voor Watergate, voor elke andere -gate. Het publiek had veel vertrouwen in de politiek en we keken naar persconferenties van het Witte Huis, niet alleen vanwege de informatie, maar omdat de president briljant, charmant en geestig was.

We waren pas vijfentwintig jaar, maar omdat Joe journalist was, zij het laag op de ladder, hadden we gemakkelijk toegang tot het sociale en politieke toneel van Washington. We maakten deel uit van een groep jonge stellen die oppervlakkig gezien uitwisselbaar waren. Onze eigen kring bestond uit Ward en Jean Just, Eric en Muffie Wentworth, en Worth en Joan Bingham. Toen Joe's zuster Alice en Jim Hoge naar Washington kwamen, werden zij ook in de kring opgenomen. De mannen waren allemaal journalisten die met elkaar concurreerden om de beste verhalen. De vrouwen concurreerden met elkaar om te zien wie hollandaisesaus kon maken die niet mislukte. We serveerden het over vrijwel alles voor we het toen populaire nagerecht van witte druiven in zure room en bruine suiker opdienden. We tennisten op St. Albans, banen waar iedereen wilde spelen. We praatten onophoudelijk over de drie p's: principes, politiek en personen.

Het is kenmerkend voor feestjes in Washington dat de eerste vraag na 'Hoe heet u?' altijd is 'Wat doet u?', of, zoals destijds, 'Wat doet uw man?' Het antwoord bepaalt vaak of de conversatie voortgezet wordt, en dus waren we enorm onder de indruk toen onze buurman, Richard Gardner, de eerbiedwaardige titel van waarnemend staatssecretaris van Buitenlandse Zaken voor Internationale Organisaties had. Zijn vrouw Danielle werd mijn beste vriendin in Washington.

Tante Alicia kwam vaak langs voor een diner op het Witte Huis of om deel te nemen aan vergaderingen die met de krant te maken hadden. Als ze in de stad was, maakte ze tijd vrij om de kinderen te zien en bridge te spelen. Ik ontmoette de legendarische reuzin van Washington, Kay Graham, voor het eerst tijdens een van deze bridgedrives, op een moment dat ze zichzelf volgens eigen zeggen nog voornamelijk beschouwde als vrouw van haar man en moeder van haar kinderen.

Hoewel ik aan al deze activiteiten deelnam, was dat maar een deel van mijn tijd, want ik was begonnen met een postdoctorale opleiding aan de Johns Hopkins School of Advanced International Studies. Ik had de hoop op een journalistieke carrière opgegeven, maar ik had bedacht dat ik mijn vaders voorbeeld kon volgen en hoogleraar kon worden. Ik had me ingeschreven voor het volledige pakket van vijf vakken, plus Russisch. De tweeling was een jaar oud en ik had goede hulp, maar andere jonge moeders waren niet bepaald een steun; ze vroegen me voortdurend hoe ik het vond om de kinderen bij een huishoudster achter te laten. Het was de eerste maar zeker niet de laatste keer dat de tweedeling tussen moeders die thuis blijven en moeders die dat niet doen me duidelijk werd. Ik vond toen en vind nu dat vrouwen hun eigen keuzes moeten maken op basis van hun eigen omstandigheden, en dat degenen die het er niet mee eens zijn zich met hun eigen zaken moeten bemoeien.

Het was nu halverwege 1963. We waren al een jaar in Washington. Joe deed het goed op zijn werk. Ik haalde hoge cijfers. Anne en Alice brabbelden een eind weg en probeerden uit hun dubbele kinderwagen te klimmen terwijl we door Georgetown wandelden. Het waren mooie meisjes met grote ogen en blonde krullen. Toen onze kinderarts waarschuwde dat ze niet erg lang zo mooi zouden blijven, omdat hun uiterlijk het gevolg was van het feit dat ze te vroeg geboren waren, namen we een andere kinderarts. De jaren hebben zijn ongelijk bewezen.

We bereidden ons voor op een heerlijke zomer toen het bericht kwam dat tante Alicia in het ziekenhuis was opgenomen met een bloedende maagzweer. De altijd maar doorwerkende, ongezond levende hoofdredacteur kreeg te horen dat ze kon kiezen tussen overstappen op een saai dieet zonder alcohol of een operatie ondergaan. Ze koos voor het laatste en negeerde daarmee het advies om de operatie uit te stellen tot ze weer enigszins op krachten was. Soms is het gevaarlijk om rijk en machtig genoeg te zijn om het oordeel van anderen, zelfs artsen, terzijde te kunnen schuiven. Alicia stierf op 2 juli 1963, zesenvijftig jaar oud, op de operatietafel. Haar dood zou opnieuw een keerpunt in Joe's – en mijn – leven betekenen.

In overeenstemming met Alicia's plannen om de krant op den duur over te dragen aan haar neef ontbood oom Harry Joe onmiddellijk naar Long Island. Niet lang daarna waren we te gast op een cocktailparty waar een vrouw die Joe niet kende tegen hem zei: 'Ik begrijp dat haar neef komt om de zaak over te nemen en iedereen maakt zich zorgen over hem.'

'Ik weet niet of *iedereen* zich zorgen maakt, maar *ik* in ieder geval wel,' reageerde Joe.

Hij was pas zesentwintig en hij voelde zich zichtbaar niet op zijn gemak in moeilijke sociale situaties. Terwijl hij het later heel prettig vond dat hij er altijd jonger uitzag dan hij was, was het in 1963 een enorme handicap. Hij had zijn haar gemillimeterd en droeg een bril met een zwart hoornen montuur en pakken van Brooks Brothers. Hij zag eruit als twintig. Het hielp niet dat hij bij *Newsday* bekend stond als 'Joey', zoals Alicia hem jarenlang had genoemd.

Niemand, en Joe al helemaal niet, verwachtte dat hij meteen uitgever en hoofdredacteur zou worden, dus was het geen probleem dat oom Harry aan Mark Ethridge, de hogelijk gerespecteerde uitgever en hoofdredacteur van de *Louisville Courier-Journal* vroeg om zijn pensioen op te schorten en de krant tijdelijk te leiden. Joe werd benoemd tot assistent van de uitgever en kreeg een reeks kortetermijnwerkzaamheden opgedragen, zogenaamd om ervaring op te doen. Evengoed moest Joe het zelfvertrouwen en het raffinement tonen die noodzakelijk zijn bij het beheer van een grote krant, terwijl hij tegelijkertijd bescheiden en niet aanmatigend moest zijn om te bewijzen dat hij niet leed aan grootheidswaan. Hij moest indruk maken op oom Harry, maar hem niet ergeren. Het was goedbeschouwd een onmogelijk te handhaven evenwicht.

Achteraf beschouw ik onze jaren op Long Island als een belangrijke overgangsfase in Joe's loopbaan, mijn ontwikkeling en ambities, en uiteindelijk ook ons huwelijk. Destijds had ik echter het gevoel dat de weg die we bewandelden al uitgestippeld was. We maakten ons zorgen, maar waren er ook zeker van dat *Newsday* onze toekomst was.

Nadat mij als mrs. Joseph Medill Patterson Albright landhuizen waren getoond, ging ik als Madeleine Korbel op stap met makelaars en vond een sprookjesachtige, achttiende-eeuwse boerderij op Long Island, overdekt met blauweregen en omgeven door een lang verwaarloosde maar verrassend grote tuin. Ik denk niet dat ik ooit van een ander huis zoveel zal houden. Toen ik de tweeling voor het eerst de treden naar de voordeur op zag klimmen, had ik visioenen dat ze in hun trouwjurken uit het huis kwamen. Joe vond het ook prachtig. Als geduldige vader leerde hij zijn dochters in de winter skiën op de kleine heuvel in de buurt van het huis en in de zomer zwemmen en duiken in het zwembad.

Onze verhuizing bleek ook gunstig voor mijn academische loopbaan. Ik kon mijn postdoctorale studie aan Columbia University voortzetten. Naast het werk aan mijn doctoraat besloot ik ook een certificaat te halen bij het Russian Institute van de universiteit, dat als het beste van het land bekend stond. Dit betekende dat ik nog meer cursussen moest volgen, dus reed ik drie dagen per week naar de stad. De rest van de tijd was ik een Long Island-echtgenote, moeder en temmer van een overwoekerde tuin. Met hulp zorgde ik dat het liep.

Op 22 november zat ik in een taxi in Manhattan, op weg naar de University Club waar ik Danielle Gardner zou zien, voordat ik naar Columbia ging. Ik zat na te denken over hoe gefragmenteerd mijn leven was toen ik op de autoradio hoorde dat president Kennedy neergeschoten was. Ik stapte uit de taxi en rende naar de club, en trok me met Danny terug op de dames-wc. Terwijl we elkaar troostten hoorden we een vrouw op een van de wc's zeggen: 'Hij verdiende het.' We waren zo ontzet dat we niet eens wilden zien wie zoiets kon zeggen. Later voegden we ons bij een enorme menigte die naar de etalage van een elektronicazaak staarde waar een muur van televisies stond die allemaal op de show van Walter Cronkites waren afgestemd. In een waas nam ik de trein naar huis.

Joe en ik hadden het jammer gevonden om Washington te verlaten op het hoogtepunt van het Kennedy-tijdperk, maar nu de president er niet meer was, waren we blij dat we weg waren. We lagen voortdurend onder een microscoop. Joe werd altijd gevolgd en beoordeeld. Toen we met kerst een feestje gaven, zag ik mensen die in de bovenhal aan het vloerkleed voelden. 'Het is geen wol,' zei een gast minachtend. Terwijl Joe van de ene functie in de andere rolde, werden de kritiek en de roddels steeds luider. Er waren natuurlijk ook positieve signalen. Oom Harry nam ons regelmatig mee naar de paardenrennen en sloot ruime weddenschappen voor ons af, en elke zondag lunchten we samen met hem, met roast beef en Yorkshire pudding. Maar hij was niet iemand die met complimentjes te koop liep; Joe wist nooit waar hij aan toe was. Extravert als ik was, probeerde ik te zorgen dat de relatie soepel liep. Optimistisch als ik was, bleef ik volhouden dat alle veranderingen van baan voor Joe een goed teken waren.

Mijn werk op Columbia eiste veel van me en ik vroeg me vaak af waarom ik mezelf een dergelijk hoog doel had gesteld. Het antwoord was dat ik het inspirerend vond. Het was de beste periode om de Sovjet-Unie te bestuderen. De Cubaanse raketcrisis in 1962 had aangetoond hoe hoog de inzetten waren die hoorden bij een poging de mysteries van het sovjetsysteem te begrijpen en ik had de beste hoogleraren om het me te leren. De faculteit was een *Who's who* van het onderzoek naar het communisme – Seweryn Bialer, Alexander Dallin, John Hazard, Donald Zagoria en Zbigniew Brzezinski, die later president Jimmy Carters adviseur voor nationale veiligheid en mijn baas zou worden.

Ik leerde Brzezinski kennen toen hij als jonge hoogleraar aan Harvard een lezing was komen geven op Wellesley. Daarna had hij *The Soviet Bloc* geschreven, een scherpzinnige analyse van hoe Stalin zijn rijk had opgebouwd. Hij was nog maar halverwege de dertig, maar werd al overal geciteerd en was steeds vaker aanwezig in kringen van beleidsmakers. Ik vond het belangrijk deel te nemen aan een seminar dat hij hield over vergelijkend communisme, op zichzelf al een nieuw idee. Met alle respect voor mijn andere voormalige hoogleraren vond ik het de beste cursus die ik tijdens mijn postdoctorale opleiding gevolgd heb. De hoogleraar was uitdagend, het materiaal geheel nieuw en de studenten vonden zichzelf allemaal de besten. Brzezinski gaf opdracht lange stukken in het Russisch te lezen, zonder te twijfelen aan ons vermogen om die te begrijpen. Omdat hij een goede vriend was van mijn vrienden de Gardners en ik ouder was dan de meeste studenten, was ik in staat zijn menselijke kant te zien. Voor de meeste van zijn studenten leek hij echter onbenaderbaar. Hij was briljant, had geen geduld met kletspraat, en hij sprak weliswaar met een Pools accent, maar deed dat in volmaakte, duidelijke alinea's. Zelfs toen was al duidelijk dat hij een belangrijke rol zou gaan spelen in het buitenlands beleid van de VS.*

Op de eerste dag vroeg Brzezinski om een vrijwilliger die als eerste een spreekbeurt zou houden. Stilte. We wisten allemaal dat degene die het eerst zou zijn minder voorbereidingstijd zou hebben en geen voorbeeld om zich aan te spiegelen. Nog meer stilte. Het verstandigste was om te wachten, zelfs als Brzezinski ongeduldig werd. Mijn hand schoot omhoog. Of het mijn vader of mijn hoogleraar was, ik moest behagen. Ik weet niet zeker of Brzezinski mijn 'offer' op prijs stelde, maar ik heb het nooit vergeten en ik heb tegenwoordig een speciale plek in mijn hart voor elk van mijn studenten die bereid is die eerste spreekbeurt op zich te nemen.

Aan het eind van het semester leverde ik mijn verhandeling in waarin ik een vergelijking gaf hoe het nationalisme en communisme zich in Joegoslavië en

---

* Joseph Starobin, de voormalige hoofdredacteur van Amerika's communistische dagblad, *The Daily Worker*, was een van de studenten in ons groepje. Starobin was zelfs nog ouder dan ik, enigszins kalend, met een grote bril, en kon met grote kennis van zaken vertellen over veranderingen in het communistische denken en over zijn ontmoetingen met Mao en Ho Tsji Minh. Een ander lid van ons groepje was William Taubman, wiens gezaghebbende biografie van Nikita Chroesjtsjov in 2003 verscheen.

Vietnam hadden ontwikkeld en schoof het onder de afgesloten deur van Brzezinski's kamer door met een briefje waarin ik hem verzocht mij schriftelijk mijn cijfer mee te delen. Op het moment dat het briefje uit het zicht verdween, werd ik bevangen door de angst die me in de jaren daarop, toen ik in het Witte Huis voor hem werkte, nog vaak zou overvallen: hoe had ik zijn naam gespeld? 'B-r-z-e-z…'of, de hemel sta me bij, 'B-r-e-z'? Ik heb het briefje nog steeds, dat nog aan mijn stuk vastzat toen ik het terugkreeg. Brzezinksi had me een 10– gegeven en ik had zijn naam goed gespeld.

Ik was voortdurend bang dat ik niet genoeg tijd zou hebben om mijn promotie af te ronden. Er stond zeven jaar voor de studie en het schrijven van een dissertatie. Ik wilde de studie graag afmaken, maar ik wilde ook graag meer kinderen. Ik was blij te horen dat ik zwangerschapsverlof kon krijgen. Alice en Anne waren viereneenhalf jaar oud en gingen naar wat we Miss Stoddards School voor Heel Kleine Kinderen noemden, toen ik opnieuw zwanger raakte. Ik verheugde me erop meer tijd met de tweeling te kunnen doorbrengen. De dingen liepen echter niet zoals ik ze had gepland. Tijdens de eerste drie maanden van mijn zwangerschap kregen de meisjes mazelen. Ik had als kind in Praag de mazelen gehad, maar mijn moeder en ik konden ons geen van beiden herinneren of ik had gehad wat de tweeling had – wat we de 'driedagenmazelen' noemden, ook bekend als Duitse mazelen. De gynaecoloog gaf me gammaglobuline, wat destijds de gebruikelijke behandeling was. Maar tegen de tijd dat ik zes maanden zwanger was, was ik weer zo dik als een olifant en de arts, die vermoedde dat ik misschien weer een tweeling kreeg, besloot een röntgenfoto van me te laten maken.

Ik was niet in verwachting van een tweeling. De baby was zelfs erg klein. Ik leed aan een ziekte die hydramnion heette, waarbij te veel vruchtwater wordt geproduceerd dat druk uitoefent op de schedel van de baby.

'Wat is de kans dat het kind een hersenbeschadiging heeft?' vroeg ik.

'Behoorlijk goed,' antwoordde de arts rustig.

Uit zijn toon meende ik af te leiden dat ik de vraag verkeerd om gesteld had, dus ik vroeg het nog eens. Het antwoord bleef hetzelfde. Joe en ik waren ontzet. Ik ging naar een specialist in New York voor een second opinion. Hij stelde dezelfde diagnose. Toen ik met grote moeite informeerde naar een abortus, zei de arts dat het niet alleen tegen de wet maar ook veel te laat was, een advies dat ik accepteerde.

Het waren stille, angstige, vreselijke maanden. We vertelden het alleen aan onze naaste familieleden en ik probeerde mezelf af te leiden van wat er aan het gebeuren was door de meest ingewikkelde Ierse trui ter wereld te breien. Toen ik acht maanden zwanger was, kon de arts de harttonen van de baby niet waarnemen, maar, zei hij, dat kon komen door al het vruchtwater. Ik werd allergisch voor mijn eigen lichaam en had voortdurend jeuk. Op het moment dat ik na negen maanden weeën kreeg, zeiden de artsen dat de baby dood geboren zou worden. Ze gaven me totale narcose. Toen ik bijkwam had ik geen jeuk meer en was mijn buik redelijk plat, maar mijn arm zag eruit als een ballon. Het infuus was uit de ader geschoten en het vocht was in mijn arm gelopen. Omdat Joe er zo jong uitzag en ik zo vreselijk, vroeg de verpleegkundige of Joe mijn zoon was. Er had een baby moeten zijn die huilde. In plaats daarvan huilde ik.

We waren danig in de war. Het was een drama: de baby die we zo graag wilden hebben, was gestorven. Maar toen we er na een tijdje over na konden denken, voelden we ons ook opgelucht. We waren weken bezig geweest te bedenken wat de gevolgen voor de tweeling zouden zijn van de geboorte van een kind dat ernstig geestelijk gehandicapt had kunnen zijn. Onze vrienden waren geschokt en leefden mee met de dood van de baby, maar omdat we hun niet verteld hadden wat de artsen hadden gezegd, konden we niet echt uitleggen dat we, afgezien van het verdriet, blij waren dat deze hartverscheurende ervaring achter de rug was. Op het moment dat zoiets gebeurt, denk je dat je de enige vrouw ter wereld bent die een dergelijk verdriet ervaart, maar in de loop van de jaren heb ik anderen ontmoet die vergelijkbare tragedies hebben doorgemaakt.

Ik weet dat wat ik heb geschreven over mijn gedachten en gevoelens in die periode aanleiding zal zijn voor sommige mensen met geestelijk gehandicapte kinderen om me te bekritiseren. Ik weet dat die gezinnen van hun kinderen houden, en als mijn baby was blijven leven zou ik onvoorwaardelijk van hem gehouden hebben. Ik weet ook dat de ervaring mij ervan overtuigde dat een vrouw zelf het recht moet hebben te kiezen, vooral in moeilijke gevallen, en dat een besluit tot beëindiging van de zwangerschap onmogelijk zonder veel verdriet genomen kan worden – of de reden nu te maken heeft met de gezondheid van de foetus of van de vrouw, of andere treurige omstandigheden.

In 1966 werd ik weer zwanger en op 5 maart 1967 werd Katherine Medill Albright – Katie – geboren. Godzijdank verliep de zwangerschap deze keer zonder problemen en was de baby gezond en heerlijk levenslustig. Joe en ik brachten een plezierige zomer door met onze drie meiden. Toen Alice en Anne in de herfst weer naar school gingen, deed ik dat ook.

Mijn postdoctorale programma verplichtte niet tot een eindscriptie, maar ik besloot er toch een te schrijven zodat ik iets concreets als resultaat van al mijn werk kon laten zien in het geval ik niet zou promoveren. In academische en politieke kringen groeide de nadruk op pogingen tot begrip van hoe de sovjetmaatschappij werkte. Ik besloot één elitegroep te bestuderen, de diplomatieke dienst van de Sovjet-Unie. Ik concludeerde dat hoewel de meeste sovjetambassadeurs die in 1964 in functie waren van oorsprong ingenieurs waren, ze in feite waren gerekruteerd door de NKVD, de geheime politie, de voorloper van de KGB. Met andere woorden, hun belangrijkste taak was spionage. Toen ik bij de VN werkte en later als minister van Buitenlandse Zaken leidden mijn conclusies tot interessante gesprekken met de Russische minister van Buitenlandse Zaken Jevgeni Primakov en zijn opvolger, Igor Ivanov, die beiden op de hoogte waren van mijn onderzoek. Ze legden er allebei de nadruk op dat de huidige Russische buitenlandse dienst heel anders was dan zijn voorloper.

Het schrijven van een eindscriptie naast de vele vakken die ik volgde was een wetenschappelijke uitdaging die mijn persoonlijke leven beïnvloedde. Ik wilde goede cijfers halen, maar ik wilde ook meer tijd aan de kinderen besteden. Ik wilde een goede echtgenote zijn en Joe bijstaan bij zijn sociale verplichtingen. Ik wilde een goede gastvrouw zijn voor de vriendengroep die zich om ons heen had gevormd en voor wie ik zogenaamde fijnproeversdiners bereidde. Joe steunde me geweldig, maar het gevoel dat me in Washington af en toe had bekropen was nu voortdurend aanwezig: ongeacht wat ik deed, dacht ik dat ik op dat moment iets anders moest doen. Ik had hetzelfde probleem als veel andere vrouwen: ik voelde me schuldig.

Ik herinner me vooral één bepaalde gebeurtenis. De nacht voor ik een examen moest doen was Anne verschrikkelijk ziek. Ik was de hele nacht op met haar, en terwijl zij zich 's ochtends beter voelde, was ik een wrak. Ik trok een olijfgroene wollen jurk met jasje aan, een complet dat afkomstig was uit een partij couture-kleding die ik van tante Alicia geërfd had, en reed naar New York voor het examen. Ik was verbijsterd toen ik een 10 haalde. Ik besloot dat de jurk, ondanks de droevige herkomst, me geluk bracht en droeg hem daarna bij de meeste examens, ook toen ik vele jaren later mijn proefschrift verdedigde.

Er was echter geen toverjurk die me kon helpen met het schuldgevoel, en tot mijn kinderen het huis uitgingen was ik bang dat ik mijn prioriteiten niet in de juiste volgorde stelde. Als Joe niet gezegd had dat ik het goed deed, denk ik niet dat ik doorgegaan zou zijn.

Joe had het zelfs nog moeilijker. Hij deed zijn best om oom Harry te plezieren, maar de vraag is of hij ooit een echte kans maakte. Achteraf denk ik dat Harry nooit van plan is geweest om de krant over te dragen aan de neef van zijn vrouw. Hij had zelf kinderen, kleinkinderen, neven en achterneven. Hij had trouwens verschillende keren voor Alicia stierf vraagtekens geplaatst bij de richting die zij de krant gaf. Als Alicia was blijven leven, weet ik zeker dat zij Joe's uitgevers- en managerskwaliteiten had gestimuleerd, maar de situatie was nu zo onduidelijk dat niemand zich opwierp als zijn mentor. Afgezien van een paar uitzonderingen op zijn werk en een paar bijzonder goede vrienden van onze eigen leeftijd, leek het alsof er destijds twee soorten mensen rond Joe aanwezig waren, beide onoprecht. Sommigen probeerden zich bij hem populair te maken voor het onwaarschijnlijke geval dat hij de hoofdprijs zou winnen. Anderen wachtten zijn ondergang af. Ik vond het interessant om in een boek over *Newsday,** dat jaren later gepubliceerd werd, te lezen hoe veel van zijn voormalige collega's Joe beschreven als een uitermate vriendelijke, pretentieloze man, een goede verslaggever, die, vonden de meesten, in een bijzonder moeilijke positie was gemanoeuvreerd.

In 1966 nam Harry Guggenheim Bill Moyers aan om *Newsday* te leiden, een

---

* Robert F. Keeler, *Newsday: A Candid History of a Respectable Tabloid*, New York, William Morrow, 1990.

man die maar drie jaar ouder was dan Joe, maar die perschef was geweest van Lyndon Johnson. Vanuit het perspectief van Harry en de reputatie van *Newsday* was de aanstelling van Moyers heel gunstig. Hij werd hogelijk gerespecteerd, was politiek door de wol geverfd en had veel lovenswaardige ideeën over de taak van de journalist.

Sommigen zagen Moyers komst als de manier om van *Newsday* meer dan een familiekrant te maken. Wij ervoeren de keus uiteraard wat persoonlijker. Joe was blij dat de krant kon groeien, maar hij wilde degene zijn die de krant naar nieuwe hoogtes opstuwde. Mark Ethridge was een noodoplossing geweest, maar Moyers was een bedreiging. De verhouding tussen Joe en Bill was privé hartelijk maar beroepsmatig moeizaam. Joe werd redacteur van de editie voor Suffolk, wat betekende dat hij elke dag naar het oostelijke puntje van Long Island moest rijden – zodat hij buiten het circuit viel waar de belangrijkste beslissingen werden genomen. Vervolgens stelde Moyers Joe voor naar Washington te gaan als bureauchef van de krant. Hoewel we blij waren met het vooruitzicht, moesten we ook onze toekomstplannen herzien. De functie van uitgever van *Newsday* leek niet meer binnen bereik. We stelden ons voor dat Joe meer betrokken kon raken met het *Tribune*-bedrijf of op den duur een leidinggevende functie zou kunnen krijgen bij een andere belangrijke krant.

Het was 1968 en we stonden op het punt terug naar Washington te verhuizen. Ik was geslaagd voor mijn schriftelijke en mondelinge examens, had mijn eindscriptie ingeleverd en een certificaat ontvangen van het Russian Institute. Een belangrijk deel van mijn postdoctorale werk was klaar en het studieterrein dat ik had gekozen was eindeloos boeiend. Ik had de dochter van Stalin, Svetlana, ontmoet toen ze naar Long Island kwam om openlijk de methodes van wijlen haar vader af te wijzen. Een Russisch vissersschip was te dicht in de buurt van onze stranden gekomen en omdat ik Russisch sprak vroeg *Newsday* mij met de officieren te praten. In Tsjechoslowakije stond een groep hervormers op die trachtte het communistische systeem een menselijker gezicht te geven.

Ondertussen was het land dat ik had geadopteerd en dat mij had geadopteerd bezig met zijn eigen filosofische strijd. Aanvankelijk was ik er in het geheel niet bij betrokken, hoewel ik omgeven werd door de groeiende protesten tegen de oorlog in Vietnam. Ik was fel anticommunistisch, zowel door mijn afkomst als uit overtuiging, en ik steunde instinctief de Amerikaanse regering. Het kwam lange tijd niet bij me op om vraagtekens bij de oorlog te plaatsen. Dat begon pas te veranderen in het begin van 1968, na het Tet-offensief, waarbij de Noord-Vietnamese troepen ons ambassadecomplex in Saigon aanvielen en schonden voordat ze werden teruggeslagen. Wat ook onze bedoelingen waren, het werd steeds duidelijker dat we niet zouden zegevieren.

Zelfs toen ik mij tegen de oorlog keerde, werd ik gek van de demonstrerende studenten. Ik had bepaalde dagen vrijgemaakt om naar Columbia te gaan en toen ik ontdekte dat de bibliotheek bezet werd door demonstranten, voegde ik me niet alleen niet bij hen, maar zag ik hen als een bron van grote ergernis. Ik was bang dat ik niet het gebouw in zou kunnen waar ik mondelinge examens moest doen. Als jonge moeder met drie kinderen zag ik mezelf niet meedemonstreren.

De jaren zestig, die voor Joe en mij zo voorspelbaar waren begonnen, eindigden niet op die manier. De weg waarlangs mr. en mrs. Joseph Medill Patterson Albright zouden reizen bleek geblokkeerd. Dat stoorde me niet echt; mijn hele leven was één lange les in aanpassen. Voor Joe zou het moeilijker zijn. Waar dat probleem toe zou leiden, kon ik niet voorzien.

Voorlopig gingen we terug naar Washington waar alles gebeurde. Joe kon zijn geduchte schrijf- en onderzoeksvaardigheden tentoonspreiden. Alice en Anne zaten op school; Katie was een babbelende peuter. Ik kon doorgaan met mijn postdoctorale opleiding – en meer. Ik was niet langer de vrouw van de vermoedelijke uitgever, die als de vrouw van Caesar overal boven moest staan. Ik kon, voor het eerst, zelf politiek actief worden.

HOOFDSTUK 5

Mrs. Albright gaat naar Washington

Toen ik benoemd werd tot minister van Buitenlandse Zaken, zeiden sommige mensen dat ik al mijn hele leven bezig was geweest die baan te krijgen. Dat is niet waar. Het grootste deel van de tijd had ik het me niet eens kunnen voorstellen. Het is wel zo dat ik, naarmate het duidelijker werd dat Joe nooit uitgever van *Newsday* zou worden, begon na te denken over mogelijkheden om mijn tweeledige hartstocht voor buitenlands beleid en politiek te combineren. Maar wat waren die mogelijkheden?

De vrouwen die ik het meest bewonderde waren uitzonderlijk in elke betekenis van het woord; ik kon niet verwachten dat ik hen kon navolgen. Eleanor Roosevelt had spectaculair werk verricht bij het opstellen van de Universele Verklaring van de Rechten van de Mens voor de VN, maar zij was de echtgenote van een president. Indira Gandhi was de eerste vrouwelijke premier van India geworden, maar zij was de dochter van een premier. Golda Meir – onderwijzeres in de Verenigde Staten – moest naar Israël verhuizen voordat ze werd beschouwd als een potentiële leider. Ik streefde er natuurlijk niet naar om president of premier te worden, ik wilde alleen maar een interessante baan, bij voorkeur op het gebied van buitenlands beleid. Maar er waren niet veel vrouwen in functies die te maken hadden met buitenlands beleid. Er waren een paar vrouwelijke ambassadeurs, maar de meesten waren vroeg begonnen en waren carrièrediplomaten.

Mij stond dus geen duidelijke weg voor ogen, maar ik wilde wel iets doen. Om te kunnen beginnen had ik goede kwalificaties nodig en de steun van iemand die genoeg vertrouwen in me had om me te helpen, niet uit liefdadigheid maar omdat hij (zo was het nu eenmaal) zag wat ik hem of een bepaald project waard was. Dus bleef ik werken aan mijn dissertatie en greep elke gelegenheid aan om zowel mijn kwalificaties als mijn contacten uit te breiden.

Ik begon als een eenvoudig vrijwilliger met geld inzamelen en het opzetten van een nieuwsbrief voor een kleine school. Ik zat in diverse besturen die advies gaven over van alles, van onderwijs tot bestuur. Ik hielp veilingen te organiseren. Ik stond voor de deur van stemlokalen en drong er bij mensen op aan dat ze zouden gaan stemmen en ik verleende af en toe logies aan Tsjechoslowaakse bezoekers. Ik organiseerde diners en picknicks op de boerderij van 180 hectare die

we in Virginia hadden gekocht, met het tweehonderd jaar oude stenen huis, en
de weide met koeien. Ik deed ook veel typische moederdingen, zoals het af en toe
naaien van een jurk of een kostuum, huiswerk nakijken, het organiseren van gezamenlijk vervoer, en manoeuvreren door de niet altijd kindvriendelijke straten
van Georgetown om koekjes voor de padvinderij te verkopen. Deze activiteiten
hadden hun eigen charme, maar eisten nauwelijks concentratie. Mijn leven leek
een legpuzzel, alleen werkte ik met stukjes van diverse puzzels tegelijkertijd en
er was geen voorbeeldplaat waarop ik kon zien hoe het resultaat moest zijn.

Toen Joe en ik in 1968 terugkeerden naar Washington, hoorden we er snel weer
bij, want Joe maakte nog steeds deel uit van de gevierde groep journalisten.
Maar we waren minder dromerig over onze toekomst en de stad was zelf ook
minder dromerig. De demonstraties tegen Vietnam en voor de mensenrechten
verstoorden de hoofdstad. In de nasleep van de moord op Martin Luther King jr.
was Resurrection City opgericht op de Mall om de politici te herinneren aan Poor
People' Campaign. Als Joe en andere journalisten verslag deden van onrust in de
straten droegen ze helmen. Joe's moeder en jongere broer Adam die op bezoek
waren, moesten als ze terugkwamen van marsen en waken bij kaarslicht het
traangas uit hun ogen spoelen. Tijdens een van de woelige demonstraties zagen
Alice en Anne vanuit hun slaapkamerraam studenten tegels uit de stoep wrikken
om als projectielen te gebruiken. Op een keer moest ik onze auto gaan zoeken
die demonstranten met hun blote handen hadden verplaatst, om redenen die ik
nog altijd niet kan bedenken. Vanaf 1969 zagen we, als we de tv aanzetten, in
plaats van JFK's charmante aanwezigheid de dreigende gezichten van Richard
Nixon en Spiro Agnew.

Veel van onze vrienden van het eerste uur waren vertrokken, maar we deden
ons best om ons weer in het stadsleven te storten. Als liberaal met een sociaal geweten wilde ik doen wat ik kon om de economische, sociale en rassenverschillen
te overbruggen die Washington toen nog duidelijker verdeelden dan tegenwoordig. Ik probeerde betrokken te raken bij lokale politieke activiteiten en nam deel
aan campagnes om meer geld in te zamelen voor openbare scholen. Tegelijkertijd schreef ik, enigszins schuldbewust, onze dochters in op Beauvoir, een particuliere school die op kleuterschoolniveau begon en doorliep tot en met groep
vijf. Op Beauvoir zaten veel kinderen van politici en de belangrijkste families in
Washington. Het was een van de drie scholen die hoorden bij de nationale kathedraal in Washington, superieur maar nauwelijks gemengd.

Ik probeerde mijn beslissing te compenseren – of te rationaliseren – door een
campagne te starten om Afro-Amerikaanse leraren en leerlingen te rekruteren
en het budget voor beurzen te verhogen. Dit was een heel nieuwe uitlaatklep
voor mijn energie en ik ontdekte dat ik er goed in was. Ik vond geld inzamelen
vooral een kwestie van organisatie en – met mijn achtergrond van notities maken, verschillende kleuren pennen en indexkaartjes – georganiseerd was ik.

Het klinkt misschien gek, maar niemand zou nu dit boek lezen als ik niet ge-

vraagd was om toe te treden tot de ouderraad van Beauvoir en leiding te geven
aan de jaarlijkse geldinzamelingsactie die in de herfst van 1969 begon. In het leven leidt het een tot het ander en in Washington doet één persoonlijke aanbeveling hetzelfde. Natuurlijk telt een aanbeveling alleen als die gunstig is. Ik was
vastbesloten om, wat voor werk ik ook moest doen, het goed te doen.

Mijn partner bij de geldinzameling bleek een mede-ouder te zijn, Harry Mc-
Pherson, destijds een politieke legende. Harry was adviseur van Lyndon Johnson
geweest, zowel in de Senaat als in het Witte Huis. Hij beschikte over een charme
die Texanen eigen is, en we lachten veel, vertelden verhalen en zongen country-
and-westernliedjes terwijl we enveloppen met bedelbrieven adresseerden, die
Harry – in een speelse bui – ondertekende met de handtekening van Johnson.

Mijn succes als geldinzamelaar werd opgemerkt en ik werd gevraagd om voorzitter te worden van het bestuur van Beauvoir. Ook Harry werd lid.* Op een bepaald moment hadden we een probleem met een ander bestuurslid. Het was een
man die in onze gemeenschap gerespecteerd werd maar hij werd ervan verdacht
dat hij mensen geld afhandig had gemaakt met een piramidespel. Het was een
pijnlijke situatie maar we hadden geen keus: er moest tegen de persoon in kwestie gezegd worden dat hij moest aftreden. Harry was erbij toen ik het slechte
nieuws bracht. Ik moest hard en diplomatiek zijn. 'Madeleine,' verklaarde Harry
toen het gebeurd was, 'om een oude Texaanse uitdrukking te gebruiken, jij bent
iemand om mee naar de boorput te gaan.' Ik had nooit eerder een dergelijk compliment van een man gekregen. Ik heb nog jarenlang, als mensen mij om een re-
ferentie vroegen, naar Harry verwezen. Hij stond iedere keer klaar.

Het was echter een andere doorbraak op Beauvoir die mijn leven echt veranderde. Mensen die me op de school hadden zien werken, vroegen of ik in 1972
wilde helpen een fundraising-diner voor de presidentiële campagne van Edmund Muskie, de senator van Maine, te organiseren. Ik zei dat ik het enig zou
vinden, om twee redenen. Ik wilde dat een Democraat het Witte Huis zou her-
overen en ik was graag actief.

Vier jaar daarvoor had Muskie als Hubert Humphreys running mate ondanks
hun verlies met zijn integriteit en intelligentie indruk gemaakt op de kiezers. Hij
werd vanwege zijn verweerde gezicht en slungelachtige lijf van 1,92 m voortdurend vergeleken met Lincoln. Aan de vooravond van de verkiezingen halverwege
de ambtstermijn in 1970 had Muskie een eloquente speech op televisie gehouden
waarin hij opriep tot fatsoen in de politiek en dat had zijn populariteit enorm vergroot. Toen het grote aantal Democratische kandidaten bijeenkwam in 1972, on-
derscheidde Muskie zich zowel in ervaring als in naamsbekendheid. De oorlog in
Vietnam was nog steeds het belangrijkste thema en zijn bedachtzame oppositie
leidde tot steun van een grote verscheidenheid van partijleiders. Twee weken

---

* Als bestuursvoorzitter besteedde ik zoveel tijd aan Beauvoir dat mijn moeder uitriep:
'Wat heb je toch met die school? Je doet of het Harvard is, maar het is maar een kleuterschool tot en met groep vijf!'

voor de voorverkiezingen in New Hampshire publiceerde de aartsconservatieve *Manchester Union Leader* een brief waarin – ten onrechte – werd beweerd dat Muskie het gebruik van het (ongunstige) woord 'Canuck' als aanduiding voor Frans-Canadezen, van wie er veel in New Hampshire wonen, niet had afgekeurd.* Het blad publiceerde ook een hoofdredactioneel commentaar waarin scherpe kritiek werd geleverd op Muskies vrouw Jane, omdat ze zich 'ondamesachtig' zou gedragen – ze zou kauwgum kauwen en vloeken.

Muskie klom woedend op de laadbak van een bestelwagen die voor het gebouw van de *Union Leader* stond geparkeerd om zich te verdedigen en de uitgever van de krant te hekelen over de aanval op zijn vrouw. Het was een emotioneel tafereel en terwijl er sneeuw viel noteerden de journalisten dat er tranen over het gezicht van de senator liepen. Tegenwoordig zou een mannelijke politicus die huilt terwijl hij zijn vrouw verdedigt waarschijnlijk stijgen in de opiniepeilingen. In 1972 werden mannen nog niet geacht in het openbaar te huilen, zeker niet als ze kandidaat stonden voor het presidentschap. Muskie hield vol dat de verslaggevers smeltende sneeuwvlokken hadden gezien in plaats van tranen. Hij won de voorverkiezingen nog wel, maar met een veel kleiner verschil dan verwacht. Zijn campagne was plotseling in de problemen.

Die tegenslag droeg bij aan de druk die ik voelde. Er lagen zes weken tussen de voorverkiezingen in New Hampshire en het diner dat ik moest organiseren. In het begin was het diner belangrijk geweest vanwege het geld. Nu zou er ook kritisch naar gekeken worden om te zien of de Democraten in officieel Washington nog steeds enthousiast waren voor de kandidatuur van Muskie.

Ik werkte koortsachtig, met veel hulp van vrienden, en ik zocht sponsors voor de toen zeer hoge prijs van 125 dollar per couvert. Ik koos de tafelversieringen en bestelde meer dan duizend maaltijden – en maakte aan den lijve mee hoe ingewikkeld het was om uitnodigingen te laten ontwerpen die moesten worden afgedrukt op kringlooppapier met een bewijs dat ze door vakbondsleden waren gedrukt. Toen de grote dag naderde was ik opgewonden: het diner was uitverkocht. We zouden een enorm geldbedrag inzamelen en misschien wel de Muskie-campagne de stimulans geven die hij nodig had.

Op de dag zelf kreeg ik al vroeg een vreemd telefoontje van de ambassade van Tsjaad. De zaakgelastigde vertelde dat hij door onze campagne was uitgenodigd om aanwezig te zijn bij het diner. 'Wanneer stuurt u de limousine om mij op te halen?' Ik zette de zaakgelastigde in de wacht en belde campagnefunctionarissen** die zich een dergelijke uitnodiging niet herinnerden. 'Laat hem toch maar gewoon komen,' zeiden ze, 'maar zeg tegen hem dat we geen limousines hebben.' Ik gaf de boodschap door en zette het gesprek uit mijn hoofd.

---

* Jaren later werd onthuld dat de 'Canuck'-brief was geschreven door Kenneth Clawson, waarnemend hoofd communicatie van president Nixon.
** Muskies campagnemanager in 1972 was Berl Bernhard, een bekend jurist en ambtenaar. Zijn assistent was George Mitchell, die in 1980 Muskie verving in de Senaat en later fractievoorzitter werd.

Het diner werd gehouden in de balzaal van het Washington Hilton. Muskie zou worden gefêteerd door vrijwel elke Democraat van naam. Ik droeg wat ik zelf een prachtige avondjurk vond, met veel goud erin, die ik bij Bergdorf voor de schrikbarend hoge prijs van 300 dollar had gekocht. Ik droeg een blonde page-koppruik (ik was veel haar kwijtgeraakt na de geboorte van de tweeling en niet alles was teruggegroeid) die ik net voor onze terugkeer naar Washington had gekocht. Ik overtuigde mezelf er op de een of andere manier van dat het allemaal mijn eigen haar was en dat ik zou zijn wat ik altijd al had willen zijn – een geraffineerde blondine. Uit de foto die ik nog steeds heb van mezelf met die pruik blijkt dat ik niet iedereen voor de gek heb kunnen houden.

Omdat ik verantwoordelijk was voor het diner, kon ik niet ontspannen: ik moest ervoor zorgen dat alles soepel verliep. De voorbereidingen in de laatste uren voor het diner verliepen voorspoedig, maar toen verscheen er een bloemist die zei dat hij vijftig 'bloemarrangementen' in zijn vrachtwagen had staan die wij besteld hadden. Of we even wilden betalen? We waren met stomheid geslagen. We hadden geen bloemen besteld. We hadden zelfs ter ere van het milieuvriendelijke standpunt van de senator van Maine het Hilton versierd met echte sparrenbomen in potten.

Onze mensen hadden net de bloemen geweigerd toen er een man verscheen met een tiental kratten met sterkedrank, ook direct te betalen. Nee, dank u, zeiden we, onze drank was er al. Toen liepen er mensen naar binnen met tweehonderd pizza's, grote, met alles erop en eraan – alweer direct te betalen. We stuurden alles terug, onder hevig protest van de bezorgers die – tot overmaat van ramp – bestelbonnen hadden met onze namen erop. Op dat moment hadden we geen idee wat er aan de hand was.

Toen werd het tijd voor de vip-receptie die aan het diner voorafging. Ik zag een echtpaar in Afrikaanse gewaden en ging naar ze toe. 'U bent zeker van de ambassade van Tsjaad.'

'O nee,' zei de man, 'ik ben de ambassadeur van Kenia.' Ik keek om me heen. Bij de ingang stond nog een Afrikaans echtpaar, en nog een, vele in hun traditionele kleding. Achter hen, ontdekte ik al snel, stonden limousinechauffeurs die betaling eisten. Binnen een halfuur waren er niet minder dan twintig Afrikaanse ambassadeurs verschenen. We moesten uit alle macht plaatsen voor ze vinden aan een diner waar geen tafel meer vrij was. We wilden geen aparte tafel alleen voor de Afrikanen organiseren: dat zou beledigend kunnen zijn. We werden gered door Gretchen Poston, die hier mensen liet inschikken en daar een beroep deed op vrienden, en alle ambassadeurs en hun partners kregen zitplaatsen. Gretchen werd later secretaris ontvangsten op het Witte Huis in de tijd van president Carter.

Eindelijk zat iedereen. De maaltijd was begonnen. Ik slaakte een zucht van verlichting. Toen liepen er nog twee mensen binnen die ik niet herkende. Ik dacht: 'O, hemel, wat nu weer?' en stak een hand op om ze tegen te houden. 'Wij zijn de goochelaars die u gehuurd hebt om de kinderen te vermaken,' kondigden ze aan. Ik vertelde ze dat dit een politiek diner was, geen kinderfeestje. Na een paar minuten heen en weer praten zeiden ze: 'We zijn echte tovenaars en heel goede ook. We hebben ons vak op de Virgineilanden geleerd. Als u ons niet binnenlaat, zullen we u in iets vreselijks omtoveren.' Ik kon mijn lachen niet houden. 'Nou ja, wat kan het schelen? Kom maar binnen.'

De volgende dag lunchte ik met mijn team. We hadden meer geld ingezameld dan er tot dan toe bij een dergelijke gelegenheid voor Muskie was ingezameld, maar er waren heel wat woedende, onbetaalde winkeliers voor wie we een oplossing moesten zoeken. 'Wat is er in vredesnaam gebeurd?' We wisten het niet, maar we vermoedden dat we gesaboteerd waren door een rivaliserende Democratische campagne. Het meest waarschijnlijke was, dachten we, dat de nepuitnodigingen en -bestellingen het werk waren van Dick Tuck, een befaamde politieke grapjas die destijds werkte voor George McGovern, een van Muskies belangrijkste Democratische tegenstanders. Twee jaar later, tijdens de verhoren naar aanleiding van het Watergate-schandaal, hoorden we eindelijk hoe het werkelijk zat. Donald Segretti, de jurist die de leiding had van de 'dirty tricks'-campagne voor Nixons herverkiezingscommissie, had het allemaal georganiseerd. De Republikeinen, die Muskie de sterkste Democratische kandidaat achtten, wilden zijn campagne ontregelen. Segretti zei tegen de Watergate-commissie dat hij alleen niet had toegestaan dat ze olifanten de balzaal hadden laten binnenkomen.

Sinds 1972 ben ik vaak voor allerlei gelegenheden teruggeweest in het Hilton, recentelijk als lid van het kabinet, en elke keer als ik door de hal naar de grote balzaal loop, moet ik denken aan hoe ik die zaal binnenkwam, in mijn goudkleurige jurk en blonde pruik, aan de zijde van senator Muskie. Ik had gehoopt een leider te vinden waarin ik kon geloven en die vertrouwen in mij zou hebben, en dat klopte. Hoewel Muskie niet tot presidentskandidaat genomineerd werd, betekende het diner die avond voor mij het begin van een hogelijk gewaardeerde, jarenlange vriendschap met de senator en zijn gezin.

Na de drukte van de campagne vond ik het moeilijk om me te concentreren op mijn dissertatie. Niet omdat het werk zo moeilijk was, maar vanwege alle andere verplichtingen. Het schrijven van een dissertatie is eenzaam werk. Bovendien kosten oudere kinderen vaak meer tijd dan baby's, zoals de meeste moeders weten. Ze hebben huiswerk en allerlei clubs en moeten overal naartoe gereden worden. Natuurlijk was samen met de kinderen zijn veel leuker dan het schrijven van een dissertatie. Ik genoot vooral van de vrijdagmiddagen als ze vroeg uit school kwamen en we boodschappen gingen doen, en als ik met ze ging paardrijden of ze naar gitaarles bracht. Ik was dol op onze 'damesmiddagjes' zoals mijn dochters ze noemden.

Maar zelfs als de meisjes naar school waren, bleef de telefoon maar rinkelen. Elk succes met de ene activiteit bracht een uitnodiging voor een andere. Ik zamelde geld in voor de senaatscampagne van Walter Mondale en de zoon van

Adlai Stevenson. Ik werd gevraagd voor het bestuur van het Negro Student Fund (al snel herdoopt in Black Student Fund) en het bestuur van D.C. Citizens for Better Public Education. Ik zat in het bestuur van het College of Preachers van de nationale kathedraal, en als voorzitter van het bestuur van Beauvoir was ik automatisch lid van het bestuur van de nationale kathedraal, of het 'Chapter' zoals het genoemd werd.

De kathedraal is de plek waar veel van de grootste episcopale en oecumenische bijeenkomsten, begrafenissen en vieringen van feestdagen in en rond Washington worden gehouden. Toen ik in het Chapter zat, onderging de kathedraal een belangrijke uitbreiding, wat betekende dat ik mee moest stemmen over het ontwerp van het nieuwe roosvenster en mee mocht discussiëren over hoe de volgende reeks gargouilles er uit moesten zien. Toen de hoeksteen werd gelegd voor de uitbreiding van het schip, las ik voor vanaf de preekstoel. Toen ik daar stond, dacht ik even terug aan mijn jeugddroom om priester te worden, hoewel zelfs de episcopale kerk vrouwen nog toestemming moest geven gewijd te worden. Zoals iedereen weet die in een vergelijkbare positie gewerkt heeft voor een kerk of een stichting, zijn er altijd verschillen tussen persoonlijkheden en beleid waaraan gewerkt moeten worden. Hoewel het Chapter elke vergadering met een gebed begon, leerde ik er net zoveel over politiek als tijdens mijn campagnewerk.

Toen het tijd werd mijn curriculum vitae te schrijven vond ik het iedere keer moeilijk om deze periode te beschrijven, die ik 'mijn periode van goede werken' begon te noemen. Ik had dan wel geen 'echte' baan, maar ik was voortdurend in touw. Ik leerde organiseren, managen, netwerken, motiveren en te zorgen dat ik altijd deed wat ik had beloofd. Maar al deze activiteiten werden in de gewone wereld niet geregistreerd en ik wilde dat er een soort puntensysteem was voor vrijwilligerswerk zodat het zich liet vergelijken met overheids- of bedrijfsfuncties. 'Senior vice-president voor communicatie' klinkt zoveel indrukwekkender dan 'het verzorgen van de nieuwsbrief van de school'. Veel van de indrukken die de ingewijden in Washington van mij hebben, ontstonden in deze periode en die indrukken waren geenszins gelijkluidend. Sommigen zagen mij als een energieke, intelligente vrouw die deed wat ze beloofde. Maar ongeacht hoe hoog ik ook steeg in de regering, er bleven mensen die me altijd zouden blijven beschouwen als de vriendin van hun vrouw of de behulpzame moeder die het vervoer van de kinderen regelde.

En dan was er ook nog altijd die dissertatie. Ik voelde me als het witte konijn in *Alice in Wonderland* dat constant op de klok kijkt om te zien of het tijd te kort zou komen. Uiteindelijk vond ik de oplossing: opstaan voor de dagelijkse chaos in het huishouden begint. Bijna drie jaar lang stond ik elke ochtend om halfvijf op, maakte een kop koffie voor mezelf, ging naar de tweede verdieping van ons huis en schreef.

Een goed onderwerp voor een dissertatie moet meer dan alleen oorspronkelijk en gemakkelijk te onderzoeken zijn. Het moet ook je aandacht vasthouden gedurende de lange tijd die het kost om het te schrijven. Ik had een paar jaren eerder, in augustus 1968, mijn onderwerp gekozen, toen ik de spullen in het huis op Long Island inpakte voor onze terugkeer naar Washington.

Op een radio die door het hele huis schetterde, luisterde ik bezorgd naar hoe de sovjettanks Tsjechoslowakije binnenrolden om wat de 'Praagse Lente' heette te onderdrukken. De Praagse Lente was een spectaculair experiment dat gestart was onder leiding van eerste secretaris Alexander Dubček, een hervormingsgezinde Slowaak die getracht had, zoals hij het noemde, 'socialisme met een menselijk gezicht' in te voeren. Onder Dubček werd de censuur op de pers opgeheven, werden politieke gevangenen vrijgelaten, werd er een begin gemaakt met economische hervormingen en werd eerder misbruik door de regering onthuld. De mist van angst waarin het land twintig jaar had verkeerd begon op te trekken.

Hoewel Dubček volhield dat zijn hervormingsprogramma een binnenlandse aangelegenheid was, was het te veel voor het totalitaire regime in Moskou en de andere satellietlanden. De tanks vielen binnen. Dubček werd gearresteerd, uit de partij gezet en kreeg een verbod om in het openbaar te spreken zonder toestemming. De zware sovjetlaars zou erin slagen de afwijkende meningen korte tijd te doen verstommen, maar het gedrag van de Tsjechoslowaakse bevolking in de eerste acht maanden van 1968 zou uiteindelijk bewijzen dat de Tsjechoslowaken geen sovjetklonen waren; de wurggreep van de communistische ideologie kon worden weggenomen.

Op het gevaar af dat het klinkt alsof ik alleen maar met mezelf bezig was, moet ik zeggen dat de Praagse Lente een geschenk uit de hemel was voor iemand die een onderwerp voor een dissertatie zocht. Ik besloot te schrijven over de rol van de Tsjechoslowaakse pers, en mijn kennis van de geschiedenis en de taal van het land te combineren met mijn onderzoek naar veranderingen in communistische systemen en mijn niet aflatende belangstelling voor de journalistiek.*

Niemand vindt het echt leuk om een dissertatie te schrijven. Zelfs hoogleraren die andere boeken geschreven hebben kijken met afschuw op die ervaring terug. Het weerhoudt hen er echter niet van om hun studenten aan dezelfde verschrikkingen te onderwerpen. Je werk is het hoogtepunt van jaren strijd, waar je je hele ego in legt; je wordt beoordeeld door mensen die ook weer beoordeeld worden door hun collega's over hoe streng ze voor hun studenten zijn.

Net zoals onze eerdere verhuizing naar New York heel goed uitkwam omdat ik daardoor in staat was aan het Russische studieprogramma van Columbia mee te doen, zo kwam het heel goed uit dat ik nu naar Washington terugkeerde. De Library of Congress gaat er prat op dat ze een superieure Slavische afdeling heeft, waar ik me in de grote Tsjechoslowaakse dagbladen kon verdiepen om te

---

* Ik was dankbaar dat professor Seweryn Bialer, een Poolse emigrant die de ergste communistische periode in zijn eigen land had meegemaakt en die mijn adviseur was bij het schrijven van mijn eindscriptie, bereid was mij ook bij de dissertatie te adviseren.

proberen vast te stellen wanneer de pers vond dat men kon afwijken van de officiële partijlijn. Ik krabbelde notities op indexkaartjes, net als op Wellesley, alleen waren de kaartjes nu 10 x 15 cm in plaats van 7,5 x 12 cm. Tegenwoordig klinkt het als een primitieve methode, maar het was heel bevredigend om mijn kaartenbak te zien vollopen.

Het materiaal dat ik las was boeiend, maar het vuur ontbrak. De inzichten van de mensen die ik ontmoette via een belangrijk Tsjechoslowaaks echtpaar, Jan en Meda Mladek, dat bij ons in de straat woonde, waren veel boeiender. In het huis van de Mladeks was het een komen en gaan van Tsjechoslowaakse bezoekers en vluchtelingen, en ik deed mijn best iedereen te spreken. Twee journalisten waren vooral belangrijk, ze brachten uren met me door, gaven informatie en sfeerbeschrijvingen. In mijn dissertatie moest ik ze als anonieme bronnen opvoeren om hen te beschermen. Nu, een kwart eeuw later, zijn die bezwaren opgeheven. Het waren Olga Králová, een belangrijke radiocorrespondent, en Jiří Dienstbier.

Dienstbier was tijdens de acht maanden van de Praagse Lente opgetreden als een radiocommentator die duidelijk zijn mening gaf. Tijdens de hele sovjetinvasie had hij Radio Praag in de lucht weten te houden en deed hij eerlijk verslag. Met hulp van collega's was hij daarna naar Washington gevlogen voor een opdracht. Ik was verbijsterd toen hij besloot terug te keren naar Tsjechoslowakije. Hij zou er zeker gearresteerd worden, maar hij vond dat hij het aan zijn land verplicht was om terug te gaan. Bij zijn terugkeer werd hem verboden journalistiek te bedrijven en werd hij gedwongen ongeschoold werk te doen. Uiteindelijk werd hij inderdaad gearresteerd. Toen Dienstbier weer achter het IJzeren Gordijn verdween, dacht ik dat ik hem nooit meer zou zien.

Mijn doctoraat halen was het moeilijkste dat ik ooit in mijn eentje had moeten doen. Ik deed er dertien jaar over. Ik begon toen Anne en Alice hun wieg nauwelijks ontgroeid waren. Toen ik klaar was, zaten ze op high school. In de tussentijd plaagden ze me vaak door te zeggen dat zij hun huiswerk niet af hoefden te maken als ik het mijne niet afkreeg.

Op de ochtend van 1 mei 1975, een bijzonder warme dag, trok ik in een hotelkamer in New York mijn olijfgroene wollen geluksjurk aan en ging op weg naar Columbia om mijn dissertatie te verdedigen. Ik was uiteraard zenuwachtig. Mijn examinatoren waren een aardige doorsnee van Midden-Europa. Er was een Hongaarse hoogleraar, een Joegoslaaf, een Pool en een Bulgarije-expert. Gezien mijn eigen achtergrond benadrukte ik de uitzonderlijke rol die de journalisten in Bohemen en Tsjechoslowakije tussen de twee wereldoorlogen gespeeld hadden. De hoogleraren gedroegen zich alsof ik de journalisten van hun eigen land beledigd had; elk van hen vond duidelijk de geschiedenis van zijn eigen land uniek. Dus zweette ik, zowel van de warmte als door de indringende vragen. Desondanks gaven ze me het hoogste cijfer. Ik belde meteen mijn ouders en voelde triomf. Het was typerend dat ik de enige was die eraan getwijfeld had dat ik zou slagen. Joe was zo vol vertrouwen dat hij een surpriseparty georganiseerd had waar ik bij thuiskomst in terechtkwam.

Toen de verkiezingsperiode voor 1976 begon, vonden wij, de medewerkers van Muskie, dat hij zich weer kandidaat moest stellen voor het presidentschap. Hoewel hij bij de voorverkiezingen van 1972 verloren had, was hij als voorzitter van de nieuwe senaatscommissie voor de begroting bezig een reputatie op te bouwen met pogingen het onpraktische wettelijke toewijzingsproces onder controle te krijgen. Hij had de historische milieuwetgeving opgezet, die bedoeld was om de vervuilde waterwegen en lucht van Amerika te zuiveren, en hij zat een toezichthoudende subcommissie voor die overheidsverkwistingen aan het licht bracht. Muskie was een progressieve Democraat, maar hij kwam oorspronkelijk uit het zuinige Maine. 'Er is niets progressiefs aan het verkwisten van het geld van de belastingbetaler,' verklaarde hij. Muskie had een – terechte – reputatie vanwege zijn opvliegende karakter, maar zowel de Democraten als Republikeinen bewonderden hem om zijn kracht en principes.

We dachten dat we een kans hadden om Muskies kandidatuur openbaar te maken toen hem gevraagd werd de Democratische reactie op de 'State of the Union'-speech in 1976 van president Ford uit te spreken. De rede van de senator voor de verkiezingen halverwege de politieke ambtstermijn van 1970 was een enorm succes geweest. In de hoop dat succes te herhalen vroegen we aan enkele van de meest gerespecteerde goeroes van de Democratische partij om de presentatie voor te bereiden. Dat waren onder anderen Bob Squier, een politiek adviseur met een lange staat van dienst die een sleutelrol had gespeeld in de samenstelling van de speech in 1970; Richard Goodwin, die voor president Kennedy en zijn broers geschreven had; de beroemde opiniepeiler Patrick Cadell. Het was mijn taak om het geld in te zamelen om deze mannen te betalen. Het leek ons de moeite waard.

Het was een slecht teken toen Bob Squier in de *New York Times* werd geciteerd in verband met een mogelijke poging van Muskie om presidentskandidaat te worden: 'Ik ben van mening dat ik dr. Frankenstein ben: wij bedachten Muskie in 1970 en we kunnen hem in 1976 weer bedenken'. De drie buitenstaanders slaagden er tijdens eindeloze bijeenkomsten niet in een acceptabele ontwerptekst te schrijven.* Vervolgens begon de televisie-uitzending met Muskie die in een stoel zat die te klein voor hem was en die met zijn ogen zat te draaien omdat de verkeerde tekst op de monitor verscheen. De mensen die ik thuis uitgenodigd had om te kijken begonnen te lachen, terwijl ik probeerde ze af te leiden met schalen vol hors-d'oeuvres. Uiteindelijk deed de senator het niet slecht, maar de vonk sloeg niet over en hij stelde zich niet kandidaat.

Muskie haalde echter wel de lijst van mogelijke kandidaten voor het vice-presidentschap die Jimmy Carter in overweging nam. Terwijl de Muskies naar Georgia vlogen voor nadere gesprekken, werd ik naar New York gestuurd waar de Democratische Conventie gehouden zou worden, om de Muskie-afgevaardig-

---

* Uiteindelijk moest een groot deel van de speech geschreven worden door twee stafmedewerkers van de Senaat, John McEvoy en Al From.

den onder te brengen en toe te zien op de installatie van een privé-telefoonlijn in Muskies kamer. Carter wilde elke kandidaat voor het vice-presidentschap kunnen bellen zonder te worden afgeluisterd. Nadat Carter was genomineerd, wachtten we. Het telefoontje kwam in de ochtend van 15 juli, over de hotellijn – niet de privé-lijn die ik met zoveel moeite had laten installeren. Muskie nam aan. Binnen drie seconden had hij weer neergelegd. Het enige dat Carter had gezegd was: 'Je bent het niet geworden. Bedankt.' Deze korte mededeling bleef enige tijd knagen.

Kort nadat we naar Washington terugkeerden, stapte Muskies belangrijkste assistent inzake wetgeving over naar het campagneteam van Carter-Mondale. Het was onduidelijk wie hem ging vervangen. Omdat ik nooit in de Senaat gewerkt had, wist ik niet zeker of ik wel gekwalificeerd was, maar Joe moedigde me aan om te solliciteren. Voor het eerst maakte mijn doctorstitel een verschil. Muskie zou kunnen zeggen 'Ik heb voor deze hoge functie dr. Albright ingehuurd', in plaats van 'Ik heb Joe Albrights vrouw aangenomen, die toevallig een heleboel geld voor me ingezameld heeft'. En zo kreeg ik in 1976, negenendertig jaar oud, moeder van drie kinderen, mijn eerste volledige, betaalde baan sinds ik vijftien jaar eerder bij de *Encyclopaedia Brittanica* had gewerkt.

De Verenigde Staten hadden het druk met de viering van het tweehonderdjarig bestaan. Er waren festivals, optochten, een sail, adembenemend vuurwerk en presidentsverkiezingen. Mijn ouders belden zoals gewoonlijk om er zeker van te zijn dat de kinderen patriottische liederen zongen en om hen eraan te herinneren dat ze boften dat ze in de Verenigde Staten woonden. Ik voelde dat ook zo. Als belangrijkste assistent van Muskie op het gebied van wetgeving bevond ik me eindelijk aan de hoofdtafel, bij de mannen, waar de beslissingen werden genomen en waar ik mijn opleiding kon voortzetten.

Ik leerde van de besten. Ed Muskie was een fantastische leraar in de zin dat ik veel kon leren door alleen maar te kijken hoe hij zowel in het openbaar als achter de schermen te werk ging. De senator wist wanneer hij verzoenend moest optreden als hij informatie zocht en coalities smeedde, en wanneer hij zijn beruchte driftbuien moest gebruiken om functionarissen ter verantwoording te roepen en tegenstanders de pas af te snijden. Als je voor Muskie werkte, moest je snel leren, want het was ondenkbaar dat de senior senator uit Maine een stafmedewerker had die hem niet bij kon houden.

Ik moest op korte termijn deskundig worden op het gebied van bedrijfstakken die wezenlijk waren voor Maine, zoals schoenen, visserij en papier. Ik was medeverantwoordelijk voor het schrijven van memo's voor elke stemming, over elk onderwerp. Ik hielp argumenten te ontwikkelen ter ondersteuning van het controversiële verdrag dat Panama het beheer over het kanaal gaf. En ik leerde over de vele manieren waarop het Congres buitenlands beleid kan beïnvloeden – lessen die later van onschatbare waarde zouden blijken.

De meeste stafmedewerkers in de Senaat waren vijf tot tien jaar jonger dan ik, de meesten of nog vrijgezel of net getrouwd. 's Avonds waaierden ze uit over de

vele cafés van Capitol Hill om over politiek te praten en te flirten. Ik ging direct
naar huis. Alice en Anne waren vijftien jaar, maar Katie was nog maar negen.
Omdat ik me schuldig voelde, vroeg ik haar of ze het erg vond als ik een volledige baan had. Ze antwoordde 'nee' omdat ze dan in ieder geval wist waar ik
was. Tijdens al mijn vrijwilligersactiviteiten was het moeilijk voor haar geweest
om in de gaten te houden waar ik zat. Dus vanaf mijn eerste tot mijn laatste dag
bij de overheid had ik de regel dat elk telefoontje van een van mijn dochters, als
het maar enigszins kon, onmiddellijk naar mij doorgeschakeld moest worden.

Toen ik op een avond thuiskwam, kon Katie nauwelijks wachten om uit te zoeken wat er aan de hand was geweest. 'Mam, toen ik je kantoor belde, zeiden ze
dat je op de vloer was met senator Muskie. Wat waren jullie aan het doen?' Ik
legde uit hoe wetgevende kwesties worden behandeld in de vergaderzaal ('op de
vloer') van de Senaat. De volgende dag vertelde ik het verhaal aan Muskie, die
Katie Katydid noemde en haar altijd graag mocht. Toen ze hem voor het eerst
ontmoette was ze vijf jaar oud en had opgekeken naar zijn 1,92 m lange lichaam
en gevraagd: 'Senator Muskie, bent u een reus?'

Iedereen die het wereldje in Washington heeft gevolgd, kent de strijd tussen
de uitvoerende en wetgevende macht. Ieder bewaakt angstvallig zijn eigen voorrechten; ieder is van mening dat hij het volk beter vertegenwoordigt; elk citeert
de grondwet om de eigen beweringen te onderbouwen. Als de twee machten elk
door een andere politieke partij geleid worden, zoals het geval was tegen het
eind van de jaren dat Ford president was, verhevigt de strijd zich.

Toen Jimmy Carter president Ford in november 1976 versloeg, verheugden we
ons op de komst van een Democraat in het Witte Huis, maar de werkelijkheid
was niet zonder problemen. Het Muskie-kamp had nauwe banden met vice-president Mondale, maar de manier waarop de keuze van de vice-president tot
stand was gekomen, had wonden geslagen. Omdat we niet wisten dat dit de stijl
van Jimmy Carter was, waren we nogal uit het veld geslagen door de eerste brief
van de president aan onze senator, die gericht was 'Aan Ed Muskie', in plaats van
aan 'Beste Ed'. Onze eerste vergaderingen met de belangrijkste mensen van
Carter gingen ook al niet zo goed. Ze hadden zich tijdens hun campagne opgesteld 'tegen Washington' en leken vastbesloten die houding te handhaven. Er
werd onder de stafmedewerkers heel wat gemopperd over wat wij beschouwden
als de arrogantie van de nieuwkomers.

Op een dag waren we aan het klagen dat onze senator niet met voldoende respect behandeld werd, toen Muskie de kamer inkwam en vroeg wat het probleem
was, en zei: 'Laten we één ding goed in de gaten houden. Ik weet wie ik ben en ik
weet ook dat we maar één president tegelijk hebben, en deze is toevallig ook nog
een Democraat. We gaan zo goed mogelijk samenwerken.' We hadden onze or-
ders gekregen. Toen president Clinton in functie was kwam het vaak voor dat ik
aan dat moment terugdacht en wenste dat andere Democratische leden van het
Congres erbij geweest waren om die les te leren.

Terwijl mijn leven langzaam vorm kreeg, leken Joe's plannen geleidelijk aan in te storten. In het voorjaar van 1970, toen hij aan het herstellen was van hepatitis die hij had opgelopen door het eten van rauwe oesters in het buitenland, werd hij gebeld door oom Harry. Ik was erbij en hoorde Joe protesteren: 'Wat bedoel je, *Newsday* verkopen? Dat kun je niet doen. Dat kan niet. Mijn familie is voor 49 procent eigenaar.' In de overtuiging dat *Newsday* onder leiding van Bill Moyers een spreekbuis van de progressieven aan het worden was, zei Harry tegen Joe dat hij van plan was de krant te verkopen aan Norman Chandler, de conservatieve eigenaar van de *Times Mirror* Company.

Joe en Bill Moyers waren nooit vrienden geweest, maar nu probeerden ze samen genoeg geld bij elkaar te krijgen om te bieden op de 51 procent van de aandelen in het bezit van Harry Guggenheim. Het lukte ze, maar Harry wilde aan hen niet verkopen. Joe en zijn familie kregen uiteindelijk meer geld voor hun minderheidsaandeel dan Harry kreeg voor het meerderheidsaandeel, maar geld was het punt niet.

Hoewel Joe bitter teleurgesteld was, herstelde hij snel. Hij schreef een boek, *What Makes Spiro Run*, waarin hij voor het eerst het hele verhaal vertelde over de kwalijke zaken die leidden tot Spiro Agnews gedwongen aftreden als Nixons vice-president. Hij bleef ook werken als onderzoeksjournalist voor de *San Francisco Chronicle* en andere kranten, en later voor de krantenketen van Cox.

Zo ontdekte hij dat een aantal kernwapeninstallaties volgens de Amerikaanse regering beter moest worden beveiligd. Hij deed zich voor als aannemer, kreeg plattegronden van wapenfabrieken en toestemming ze te bezichtigen, waarbij hij in de onmiddellijke nabijheid van kernwapens was. Hij schreef een reeks boeiende artikelen over het gebrek aan beveiliging bij die installaties. De serie won vele prijzen en werd genomineerd voor de Pulitzerprijs – de droom van elke journalist. Joe hoopte dat hij zou winnen en was teleurgesteld toen zijn serie niet won. Ik probeerde het verlies voor hem te verzachten door te vertellen dat ik had gehoord dat de commissie, die nieuwe ethische regels had opgesteld, besloten had geen prijzen toe te kennen aan verslaggevers die undercover op zoek naar een verhaal gingen. Ik suggereerde dat sommige van de juryleden misschien om de een of andere reden iets tegen zijn familie hadden. Maar niets dat ik zei kon de pijn verzachten.

Toch waren we het erover eens dat we een behoorlijk mooi leven hadden. Joe was dan wel geen uitgever geworden, maar hij werkte in het beroep dat hij gekozen had en werd door zijn collega's gerespecteerd.

Een portret van het gezin Albright halverwege de jaren zeventig zou een gelukkig getrouwd echtpaar met drie slimme en mooie dochters getoond hebben. We gingen naar Georgia om te jagen. We skieden in Colorado. We hadden onze boerderij in Virginia, waar we als het even kon land aan toevoegden, en werkten aan en rond het oude stenen huis. We hadden zoveel projecten onder handen op de boerderij – tuinieren, schilderen, bouwen – dat we het Goelag Albright gingen noemen, maar we maakten ook lange wandelingen, lazen, tennisten, gingen naar de plaatselijke renbaan, gaven feesten en keken hoe de koeien door de wei zigzagden terwijl onze dochters om ze heen dartelden. Joe was nooit verlegen als het een veiling betrof en zijn vaardigheden bij het bieden vulden de boerderij met schitterende aanwinsten. We hadden, in tegenstelling tot mijn kindertijd, veel familieleden om ons heen. Zowel Joe's als mijn ouders brachten ons regelmatig een bezoek. Mijn broer John, een econoom, was naar Washington verhuisd en hij en zijn vrouw Pamela kwamen elk weekend naar de boerderij en deelden in het werk en de pret.

We hadden een prettige en heterogene groep vrienden, maar we hadden het het meest naar ons zin als we samen waren. Joe en ik waren niet alleen man en vrouw, maar ook elkaars beste vrienden.

Wini Shore van Wellesley was nu Wini Shore Freund en nog steeds iemand die ik voortdurend in vertrouwen nam. Wini was ook gelukkig getrouwd en had schitterende dochters. 'Hebben wij niet enorm geboft?' zei ik tegen haar.

'Dat moet je niet zeggen,' huiverde ze. 'Ik ben bijgelovig.'

HOOFDSTUK 6

Van Pool tot Pool

TIJDENS DE KERSTVAKANTIE VAN 1976 lag ik in bed met longontsteking. De telefoon ging. Het was mijn vroegere hoogleraar Zbigniew Brzezinski. In de loop van de jaren waren we vrienden geworden en ik had me zelfs verkleed als het achtereind van een paard voor een gekostumeerd feestje in het huis van zijn familie in New Jersey. Nadien had hij me opgebeld toen ik op de verkiezingsavond bij Muskie in Maine was, omdat hij zich zorgen maakte over de spannende eindstrijd en benieuwd was welke kant de vier kiesmannen van de staat zouden kiezen. Nu zei Zbig, met dat lichte Poolse accent dat ik zo goed kende: 'De gekozen president heeft me gevraagd om zijn adviseur voor nationale veiligheid te worden.'

'Ik weet het,' zei ik. 'Gefeliciteerd, dat is fantastisch nieuws.'

'Kun je een plek voor me vinden om te wonen?'

Ik zei schertsend: 'Natuurlijk, maar ik dacht dat je belde om me een baan aan te bieden.'

'Nee,' zei hij. 'Ik bel alleen omdat ik een huis zoek.'

Later verhuisde hij definitief naar McLean, Virginia; onze gezinnen raakten nog beter bevriend. Het hielp dat Zbigs vrouw, Muska, ook een Amerikaanse van Tsjechoslowaakse origine was en op Wellesley gestudeerd had. Begin 1978 belde ze om iets te vragen over ons jaarlijks schaatsfeest en of we vlees hadden van de herten op onze boerderij. Ze vroeg in een bijzin of ik ooit overwogen had om voor de uitvoerende tak van de overheid te werken. Ik vertelde waar het feest werd gehouden, dat we eigenlijk nooit herten doodmaakten en antwoordde dat ik hield van mijn werk op de Hill met Muskie.

Later die dag zei een van de assistenten in ons kantoor dat dr. Brzezinski aan de telefoon was. 'Over dat gesprek dat je met Muska hebt gehad...' begon hij. Ik vroeg me af waarom hij zich interesseerde voor schaatsen en het hertenvlees. Toen: 'Zou je op het Witte Huis willen werken?'

Ik zat in zo'n typisch Senaatskantoor, dat wil zeggen dat we allemaal praktisch boven op elkaar zaten. Ik fluisterde tegen hem: 'Nee, ik hou van het werk dat ik doe.' Op het moment dat ik ophing, realiseerde ik me dat ik gek was om zo snel nee te zeggen, rende naar een telefooncel in de gang en belde nerveus terug. 'Ik was te snel,' zei ik en we maakten een afspraak elkaar te zien.

Ik wist echt niet of ik het aanbod wilde aannemen. Ik had president Carter nooit ontmoet en had me een jaar lang kritisch opgesteld ten aanzien van de manier waarop de nieuwe regering omging met het Congres. Van de andere kant kon ik op het Witte Huis uitsluitend aan kwesties van buitenlands beleid en rechtstreeks onder Brzezinski werken. Bovendien moedigde Joe me aan. 'Waarom zou je in vredesnaam zo'n kans laten lopen?' bleef hij maar zeggen. 'Dit is wat je altijd hebt willen doen. Grijp je kans.'

Het werk bestond uit het voor de National Security Council (NSC) onderhouden van de contacten met het Congres, het coördineren van de strategie van de regering betreffende de wetgeving, het bijwonen van vergaderingen van de president met congresleden en vragen van de Hill beantwoorden.

Ik had niet verwacht dat ik bij Ed Muskie weg zou gaan. We konden heel goed met elkaar opschieten en ik leerde elke dag van hem. Maar hoe graag ik hem ook mocht, Muskie slaagde erin me woedend te maken door zijn twijfel uit te spreken of ik de verandering wel aankon. Hij wist niet zeker, zei hij, of een vrouw wel kon slagen in een baan die het onderhouden van relaties met het Congres inhield, deels omdat de overweldigende meerderheid van senatoren en afgevaardigden mannen waren. Ook al waren drie van zijn vijf kinderen dochters en had hij een flinke vrouw met eigen meningen, toch wist Muskie niet goed om te gaan met hoogopgeleide vrouwen, wat hij bij mijn afscheidsfeest opnieuw bewees. Hij stond voor de hele groep en zei: 'Ik heb nu veel vrouwen in mijn staf, maar ik zal Madeleine altijd in ere houden, want zij was de eerste die seks op het kantoor introduceerde.' We staarden hem allemaal aan en begonnen toen te lachen.

'Senator,' zei ik, 'ik denk dat u "geslacht" bedoelt.' Verwijzend naar zijn eigen achtergrond en die van mijn nieuwe baas, zei hij toen: 'Ik vind het erg jammer om Madeleine te zien vertrekken, maar dit betekent dat ze altijd bekend zal staan als de eerste vrouw ter wereld die van Pool tot Pool ging.'

Mijn vader kwam vrij regelmatig naar Washington voor vergaderingen en hij en mijn moeder waren aanwezig geweest bij mijn fundraising-diner voor Ed Muskie. Ik denk dat mijn geldinzamelingsactiviteiten hem verbaasden, hij verbaasde mij in ieder geval met de zijne. Het jaar dat ik trouwde was hij decaan geworden van de Graduate School for International Studies aan de universiteit van Denver. Enthousiast voor het idee om wat hij 'het Harvard van het westen' noemde te ontwikkelen, zamelde hij met dat doel voor ogen veel geld in. Ik was blij dat hij meegemaakt had dat ik bij de staf van Muskie werkte en zou graag gezien hebben dat hij lang genoeg had mogen leven om me in het Witte Huis te zien.

Mijn vader stierf vrij jong. Hij was nog geen achtenzestig en was niet lang ziek geweest. Hoewel hij in de loop van de jaren maagproblemen had gehad, was hij redelijk gezond en maakten we ons eigenlijk meer zorgen over mijn moeder. Toen ze midden vijftig was bleek dat ze een ongeneeslijke ziekte had, sclerodermie. Nadat mijn vader het hoorde maakte hij zich de hele tijd zorgen over haar symptomen – blauwe vingers, verhardende huid, moeizame ademhaling.

Mijn moeders gezondheid was geen reden voor mijn ouders om niet te reizen. In het voorjaar van 1977 maakte mijn vader zijn boek *Twentieth-Century Czechoslovakia* af en zat hij midden in een nieuw project over de Tsjechoslowaakse legionairs, troepen die aan het eind van de Eerste Wereldoorlog waren achtergelaten in Rusland. Hij was onderweg om te zien wat hij in Britse archieven kon ontdekken. Toen ze een tussenstop in Washington maakten, kwamen ze naar de boerderij en beklommen we samen de heuvel achter ons huis voor een wandeling. Voor de eerste keer voor zover ik mij kon herinneren, kondigde mijn vader aan dat hij te moe was om verder te gaan, hij moest naar huis voor een dutje.

Evengoed vermaakten mijn ouders zich uitstekend in Europa; ze hadden zelfs de gelegenheid om mijn vaders broer op te zoeken, met wie hij het na vele jaren eindelijk had bijgelegd. Kort nadat ze in april waren teruggekomen, belde mijn moeder en zei dat mijn vader helemaal geel geworden was. Ik dacht dat het misschien geelzucht was en vloog naar Denver. Terwijl we in het ziekenhuis wachtten op de uitslagen van de tests, hield mijn vader vol dat hij zich goed voelde. Hij had twee dagen eerder nog gezwommen. We waren optimistisch, maar uit de tests bleek al snel dat hij alvleesklierkanker had. Na de operatie waren we weer optimistisch, want de chirurgen zeiden dat ze alles verwijderd hadden. Mijn vader kwam weer op krachten en ging weer zwemmen.

Een paar weken later belde mijn moeder weer, in paniek. Het ging slechter met hem. Hij had hoge koorts en ijlde. Ik ging terug naar Denver waar de artsen Kathy, John en mij vertelden dat de kanker zijn lever had bereikt en zich door zijn lichaam verspreidde. Er kon niets meer aan gedaan worden. Zelfs na zo'n lange tijd in Amerika, was mijn moeder nog steeds gewend aan Europese artsen die je nooit precies vertelden wat er mis was. Ze viel flauw toen ze het nieuws hoorde.

Toen we mijn vaders kamer inliepen, schrokken we toen we zagen hoe snel hij achteruit gegaan was. De man die een absoluut verstandsmens was geweest, was door zijn ziekte gereduceerd tot iemand die slechts onsamenhangende teksten uitsloeg. De artsen wisten niet zeker hoe lang hij nog te leven had. We werden het erover eens dat we om de beurt bij hem zouden blijven. Kathy had als lerares de zomer vrij en nam de eerste wacht. Het bleek meteen de laatste te zijn. John en ik hebben tegen elkaar gezegd dat we niet denken dat we ooit afscheid van onze vader hadden kunnen nemen, maar we hebben altijd gewenst dat we erbij waren geweest, samen met onze moeder en Kathy, toen hij op 18 juli 1977 stierf. Onze moeder werd verzwolgen door haar verdriet en wij vroegen ons als kinderen alle drie af of ze het zou overleven. Ze hadden sinds hun tienerjaren alles voor elkaar betekend. De rest van haar leven zou ze ons de achttiende van elke maand bellen om herinneringen te delen.

Ik was veertig jaar, duidelijk iemand die zelfstandig na kon denken, maar mijn vader was mijn allerbeste vriend en adviseur geweest. Hoewel ik rouwde, had ik merkwaardig genoeg nooit dat gevoel van 'Had ik maar...' Ik was een liefhebbende, plichtsgetrouwe dochter geweest. Ik voelde me niet belast door dingen die ik gedaan of nagelaten had. Omdat ik probeerde hem te evenaren, had ik het gevoel dat hij nooit van mijn zijde was geweken, want ik was nooit helemaal opgehouden aan hem te denken. Zelfs vandaag nog doet het zien en ruiken van een man met een pijp mij denken aan mijn vader, al heb ik eigenlijk geen speciale geheugensteuntjes nodig.

Bij de begrafenis in Denver waren er veel blijken van waardering. John, Kathy en ik waren ontroerd om te zien hoezeer de collega's en voormalige studenten van onze vader hem respecteerden en hoe hartelijk ze over hem spraken. Het was alsof hij nog een heel andere familie had. Ons huis stond vol bloemen, waaronder een bijzondere bloembak in de vorm van een piano gevuld met philodendron. Toen mijn moeder zag dat ik hem bekeek, zei ze: 'Dat komt van je vaders favoriete student.' 'Wie is dat?' vroeg ik. 'Een jonge vrouw,' zei mijn moeder, 'Condoleezza Rice.'*

Mijn vader had altijd plezier gehad in lesgeven. Hij werd meer dan eens gekozen tot beste docent van de universiteit en was, na zijn aftreden als decaan, blijven lesgeven. Hij werd in academische kringen hogelijk gerespecteerd, deels vanwege zijn boeken** en talrijke wetenschappelijke artikelen. Steeds als er een belangrijke internationale gebeurtenis plaatsvond, werd dr. Korbel om een reactie gevraagd.

Soms praatten we over wat er gebeurd zou zijn als de communisten Tsjechoslowakije niet hadden overgenomen. Sommige mensen die hem kenden hadden het gevoel dat hij dan op den duur minister van Buitenlandse Zaken zou zijn geworden, maar mijn vader voelde zich ongemakkelijk bij dat soort speculaties. Hij gaf duidelijk alle hoop op het bereiken van die functie op toen hij Amerikaans staatsburger werd. Hij verruilde zijn pak en das voor een coltrui en een sportjasje, en liet zijn baard staan. Ik weet dat hij rouwde om zijn volk dat onder het communisme leed, maar hij heeft nooit getwijfeld aan de juistheid van zijn beslissing om zijn gezin naar Amerika te brengen. Zoals mijn moeder schreef: 'Hij zei vaak: ik heb veel eervolle banen gehad, maar ik geniet het meest van mijn werk als docent aan de universiteit in een vrij land.'

Hoewel mijn vader degene was die het gezin in balans hield, zou hem dat zonder mijn moeder niet gelukt zijn. Ze was gewiekst en charmant, in staat om on-

---

* Condoleezza Rice had muziek gestudeerd, vandaar de piano, maar was overgestapt naar internationale betrekkingen nadat ze een cursus bij mijn vader gevolgd had en had met hem aan haar dissertatie gewerkt. Tien jaar later was ik adviseur buitenlands beleid van Michael Dukakis en zocht deskundigen die konden plaatsnemen in de adviesraad voor zijn presidentscampagne. Ik belde Condi, omdat ik dacht dat ze het heel goed zou doen. Ze was een sovjetdeskundige, woonde buiten Washington en was een Afro-Amerikaanse vrouw. Maar nadat ik mijn verhaal had afgedraaid, antwoordde ze: 'Madeleine, ik weet niet hoe ik dit tegen je moet zeggen, maar ik ben Republikein.' 'Condi,' zei ik verbaasd, 'hoe is dat mogelijk? We hadden dezelfde vader.'

** Na zijn eerste boek over Tito schreef mijn vader nog *Danger in Kashmir*, *The Communist Subversion of Czechoslovakia*, *Poland between East and West*, *Détente in Europe: Real or imaginary?* en *Twentieth-Century Czechoslovakia*.

gestraft de meest vreselijke dingen te zeggen en te doen – zelfs ten opzichte van hem. Volgens haar was mijn vader toen hij jong was erg opvliegend. Als het weer gebeurde, wees zij hem zijn plaats. Op een keer werd hij driftig toen een van de kinderen een of andere 'arrogante' opmerking maakte en zette zijn ontbijtbord zo krachtig neer dat het brak. Die avond kregen we allemaal porseleinen borden, maar ze serveerde zijn eten op een kartonnen bord. 'Wat heeft dit te betekenen?' tierde hij. 'We hebben niet genoeg borden voor ons allemaal,' zei ze liefjes. Mijn vader keek haar dreigend aan, begon toen te lachen, stond op en gaf haar een kus.

Mijn ouders waren nooit gelukkiger dan toen ze in Colorado woonden. Zelfs toen het voor het geld niet meer hoefde, bleef mijn moeder werken als secretaresse, op een kantoor dat financiële diensten leverde, omdat ze genoot van haar vrienden. Telkens als er Tsjechoslowaakse immigranten arriveerden, werden ze door haar geadopteerd. Studenten kwamen langs voor haar maaltijden en mijn vaders geanimeerde tafelconversatie. Hij keurde haar bezoekjes aan waarzegsters en seances af, dus wachtte ze tot hij de stad uit was en ging dan samen met een vriendin.

Mijn ouders waren voor mijn kinderen alles wat mijn grootouders voor mij niet hadden kunnen zijn. Ze hadden een enorme invloed op het leven van mijn dochters. Mijn moeder bakte koekjes met de meisjes en leerde ze Tsjechoslowaakse liedjes die ze niet begrepen. Nog belangrijker was dat ze hun het belang van familie bijbracht. Mijn vader leerde ze vissen en van geschiedenis te houden. Elke zomer stuurden we ze alle drie naar Colorado voor een logeerpartij. Toen de meisjes naar een zomerkamp in de buurt van Colorado Springs gingen, kwamen mijn ouders naar het ouderweekend. Met Kerstmis verzamelde de hele familie, inclusief John en Kathy, hun partners en diverse kinderen, zich in Aspen. Mijn kinderen waren dol op hun grootmoeder en 'bumpa', en vergelijken mij nu met mijn moeder als ik me zorgen maak en met mijn vader als ik college ga geven over het nieuws.

Toen ik begon aan de volgende fase van mijn werkend leven miste ik mijn vader enorm. Mijn moeder, met haar bovennatuurlijke gave, zei vaak tegen me: 'Maak je geen zorgen: hij ziet alles wat je doet en vindt het prachtig.' Hij zou veel plezier hebben gehad in het feit dat ik zijn passies volgde, net zoals hij opgetogen was geweest toen ik promoveerde. Toen hij zijn laatste boek schreef, nam hij mijn dissertatie op in de bibliografie, onmiddellijk na de hoofdbronnen. Ik ben nooit iemand geweest die denkbeeldige conversaties voerde, maar in mijn jaren bij de regering-Carter dacht ik er vaak over na wat mijn vader ervan zou denken. Ik neem aan dat hij Carters moed om de mensenrechten tot een belangrijk aspect van onze betrekkingen met andere landen te maken, zou hebben toegejuicht; hoewel ik betwijfel of hij zich ertoe had kunnen zetten om te zeggen, zoals Carter wel deed, dat we ons daartoe moesten ontdoen van onze 'buitensporige angst voor het communisme'.

In maart 1978 installeerde ik me in wat letterlijk een kast was in de kelder van de westelijke vleugel van het Witte Huis. Ik had een groter kantoor kunnen krijgen, met een marmeren schouw, maar dat zou in het Old Executive Office Building zijn geweest, waar de meeste stafleden van de NSC waren gevestigd. In kantoorpolitiek van het Witte Huis is het, net als bij onroerend goed, de locatie waar alles om draait.

Het is niet ongebruikelijk dat mensen met grote belangstelling voor politiek van de ene kant van Pennsylvania Avenue verhuizen naar de andere kant en terug. De ervaring van werken op de Hill verrijkt de ervaring van de uitvoerende tak van de overheid en omgekeerd. Het is echter verbazingwekkend hoe snel je geïrriteerd kunt raken over het gezichtspunt van de andere kant. Ik had mijn 'waar je zit is waar je staat'-openbaring op mijn allereerste dag.

Ed Muskie was een van de senaatsadviseurs voor de onderhandelingen die gaande waren over het Verdrag inzake het Internationale Recht van de Zee om de internationale regelingen betreffende het gebruik van de oceanen te herzien. Hij respecteerde internationale overeenkomsten, maar hij vertegenwoordigde ook een staat met een lange kustlijn waar visserij van wezenlijk belang was voor de lokale economie. Een van mijn laatste daden als zijn belangrijkste assistent op het gebied van wetgeving was het schrijven van een brief aan president Carter waarin ik onze steun voor het verdrag in het algemeen betuigde, maar klaagde over het feit dat de regering weigerde de problemen te begrijpen die het voor onze kiezers betekende. De brief werd ondertekend en op een vrijdag naar het Witte Huis gestuurd.

De maandag daarop arriveerde ik op mijn nieuwe werk op het Witte Huis, klaar om mijn nieuwe verantwoordelijkheden op me te nemen – een daarvan was het beantwoorden van post van de Hill. Op mijn bureau lag de brief die ik had geschreven. Ik ging zitten en stelde een antwoord op, waarin ik uitlegde dat, hoewel we uiteraard begrip hadden voor de zorg van de kiezers van de senator, de draagwijdte van het Verdrag inzake het Internationale Recht van de Zee belangrijker was voor de nationale belangen van de Verenigde Staten. De brief werd uitgetikt op het lichtgroene papier dat de president gebruikte, de juiste mensen voorzagen hem van een handtekening, en de brief werd verzonden. Wat een typisch Washington-moment.

Ik bracht drie jaar bij de NSC door met het in me opnemen van alles om mij heen. Ik leerde hoe het besluitvormende apparaat van de nationale veiligheid werkte, verfijnde mijn vaardigheden in de omgang met het Congres en zette mijn tanden in een verscheidenheid aan actuele kwesties van buitenlands beleid.

Ik vond het heerlijk om in het Witte Huis te werken, waar alle kamers en gangen geschiedenis, drama en intrige ademen. De feitelijke werkruimte is echter benauwd en klein. Terwijl ik de trap opliep van mijn kantoor in de kelder, op weg naar mijn eerste bespreking in de Cabinet Room, vroeg ik me af hoe het mogelijk was dat niemand in het Witte Huis tijdens Nixon iets had geweten van het

Watergate-schandaal. Functionarissen van alle rangen moesten elkaar voortdurend passeren. De gezichtsuitdrukkingen moeten toch iets onthuld hebben.

Toen was ik voor het eerst in de Cabinet Room. Rond de grote, ovalen tafel zaten de president, vice-president Walter Mondale, minister van Buitenlandse
Zaken Cyrus Vance, minister van Defensie Harold Brown, directeur van de CIA admiraal Stansfield Turner, voorzitter van de Joint Chiefs of Staff generaal George
Brown, Brzezinski en een paar senatoren die waren gekomen om naar de president te luisteren. Ik zat op een stoel aan de zijkant.

De groep was bijeengeroepen om te discussiëren over een wapenverkooppro-
gramma voor het Midden-Oosten. President Carter had duidelijk gemaakt dat hij
hechtte aan Israëls veiligheid maar dat hij het tegelijkertijd belangrijk vond om
de banden met de gematigde, pro-westerse Arabische landen aan te halen. Voor
dit doel had de regering halverwege februari plannen aangekondigd om F-16's
en F-15's aan Israël en Saoedi-Arabië, en minder geavanceerde F-5E's aan
Egypte te leveren. De Israëli's maakten bezwaar tegen de verkoop aan Arabische
landen en de Amerikaanse joodse gemeenschap verzette zich tegen de plannen.

Ik luisterde intensief naar de president terwijl hij uitlegde waarom het essentieel was dat de verkoop doorging en ik maakte notities toen de senatoren vragen begonnen te stellen, want ik zou later verantwoordelijk zijn voor de antwoorden. Als nieuwkomer nam ik alles in me op – ik keek naar de portretten aan
de wanden, staarde uit het raam en vroeg me af hoe de Rozentuin er in de zomer
uit zou zien, als er ook werkelijk rozen bloeiden.

De vergadering werd afgesloten en ik keerde terug naar mijn kantoor, vol van
mezelf en mijn nieuwe baan. Onmiddellijk ging de telefoon. Het was mijn rechtstreekse lijn met Brzezinski. 'Madeleine, kom alsjeblieft even boven.' Zbig was
nog steeds in gesprek met functionarissen die de vergadering hadden bijgewoond. 'Wil je alsjeblieft voor minister Vance en minister Brown in je notities opzoeken hoe de president een bepaald punt betreffende de verkoop heeft gefor-
muleerd?'

Terwijl ik naar de nauwelijks leesbare krabbels op mijn blocnote keek, voelde
ik me zoals ik me op de dag van mijn promotie had gevoeld. Ik had geen notities
gemaakt over dat deel van de discussie, dus moest ik zeggen: 'Dat kan ik niet.' Ik
mocht gaan en sloop naar mijn schuilplaats in de kelder, in de volle overtuiging
dat ik ontslagen zou worden.

Nadenkend over wat ik nu moest doen, bedacht ik dat de beste verdediging
een goede aanval was, dus ging ik zo gauw hij vrij was terug naar Brzezinski's
kantoor. Uit deze onderneming bleek duidelijk dat ik in een vrij hoge positie was
geplaatst zonder de ervaring te hebben die een klim van onderop met zich mee-
brengt. Met niet zo'n klein beetje brutaliteit zei ik: 'Ik wist niet dat ik als secretaresse ingehuurd was.'

Zonder zijn stem te verheffen zei Brzezinski dat hij niet wist waar ik het over
had. 'Heb je om je heen gekeken in de Cabinet Room?'

'Jazeker.'

'Was je niet de laagstgeplaatste persoon die aanwezig was?'

'Zonder meer.'

'Goed, daar heb je je antwoord. Je bent geen secretaresse, alleen maar de laagste persoon bij een vergadering op hoog niveau en dat is je werk.' Ik werd terecht berispt zonder zwaar gestraft te worden.

Toen ik mij meer op mijn gemak begon te voelen en mijn vriendschap met Brzezinski groeide, durfde ik hem wel te berispen. Hij had me aangenomen om met het Congres te werken, maar hij begreep niet ten volle wat dat betekende. Hij ging niet graag naar de Hill, niet omdat hij daar niet gezien wilde worden, maar omdat hij vond dat het te veel tijd kostte om één senator per keer te spreken, vooral omdat ze hem vaak lieten wachten. Toen hij klaagde, moest ik hem eraan herinneren dat zij gekozen functionarissen waren en hij niet. Toen ik later in mijn loopbaan op Capitol Hill ontboden werd om toegeschreeuwd te worden over iets wat ik niet gedaan had, moest ik mezelf herinneren aan wat ik tegen Zbig had gezegd.

Een van de interessantste aspecten van mijn werk was onze wekelijkse stafbespreking, die leek op een werkgroep op hoog niveau. Het was een heel intelligente groep. Brzezinski zei dat hij ons altijd alles zou vertellen over zijn besprekingen met de president zolang er geen lekken waren. Die waren er niet en hij hield woord. Na zijn verslag stelde hij een relevant gespreksonderwerp aan de orde – variërend van de voors en tegens van wapenbeperking tot het verkennen van nieuwe relaties met China, of tot een analyse van wat hij in het Midden-Oosten zag gebeuren – en verwachtte dat wij allemaal zouden bijdragen, of het ging om ons terrein van deskundigheid of niet.

Voor degenen die Brzezinksi alleen op de televisie zagen, leek hij een streng mens, met scherpe gelaatstrekken die cartoontekenaars verheugd transformeerden tot die van een havik. Als hoogleraar had hij me angst ingeboezemd, maar als baas was hij hartelijk. Hij praatte niet alleen over collegialiteit maar bracht haar ook in de praktijk. Hij stelde ons nooit voor als 'staf': we waren zijn collega's. Aan het eind van de dag kwamen degenen van ons die in de westelijke vleugel werkten vaak naar zijn kantoor om naar het nieuws te luisteren of de gebeurtenissen van de dag door te nemen. Hij werd geplaagd met zijn accent, en zijn korte haar was onderwerp van discussie. Hamilton Jordan zei dat hij er uit zag als Woody Woodpecker. We konden ons lachen niet houden toen Brzezinski op een dag binnenkwam met geföhnd haar, in een poging van de voorlichter om zijn imago te veranderen.

Hoewel de meeste bazen op topniveau bij de NSC mannen waren, waren er uitzonderingen. De briljante, jonge Jessica Matthews was verantwoordelijk voor 'global affairs' – een nieuwe categorie buitenlands beleid waaronder sommige van president Carters favoriete onderwerpen vielen: mensenrechten, milieu en andere zaken betreffende natuurlijke hulpbronnen. Christine Dodson, die ik voor het eerst op Columbia had ontmoet, was Zbigs stafchef en vertrouweling. Christine en ik werden en zijn nog steeds goede vriendinnen. Ze is een vrouw met veel gezond verstand, een van de zeldzame mensen die nooit de waarheid verbloemen.

In de loop van de tijd ging ik nauw samenwerken met stafleden van het Witte Huis. Zij vonden dat ik voor een specialist op het gebied van buitenlands beleid een vrij goed gevoel voor politiek had en ik was een loyale Democraat. Ik woonde de dagelijkse stafvergadering in de Roosevelt Room bij, die elke ochtend om halfacht begon en die vaak gevolgd werd door ontbijt aan de ronde tafel in de kantine van het Witte Huis. Elke ochtend gaf ik een samenvatting van het internationale nieuws en de belangrijke aangelegenheden van die dag, met nadruk op de zaken die voor de president of de vice-president van belang waren.

De dood van een belangrijk leider viel in die categorie. Wekenlang volgde ik de verslechterende gezondheidstoestand van de Joegoslavische president Tito,* en moest uiteindelijk op 4 mei 1980 melden dat hij overleden was. Beide grootmachten hadden getracht Tito voor zich te winnen en hij werd ook gerespecteerd door de ontwikkelingslanden. Het resultaat was dat zijn begrafenis goed bezocht werd. Vice-president Mondale werd gekozen om de Amerikaanse afvaardiging te leiden, die uitgebreid werd met een aantal functionarissen van de ministerraad en een uitgebreide verzameling andere hoogwaardigheidsbekleders. Ik werd uitgenodigd vanwege mijn vroegere connectie met Joegoslavië. Uiteindelijk waren er zoveel vips dat er in het voorste gedeelte van het vliegtuig niet genoeg ruimte was voor voormalig gouverneur Averell Harriman en zijn vrouw, de betoverende Pamela.

Een van de vips die wel een zitplaats in het voorste deel had was de moeder van de president, bij ons allen bekend als 'Miz Lillian'. Miz Lillian had een andere stijl maar dezelfde krachtige overtuigingen als haar beroemde zoon. Terwijl hij zich in het openbaar begrijpelijkerwijs voorzichtig uitdrukte, was zij geliefd om haar openhartigheid en grote levenslust. De staf wist dat een reis met haar een avontuur was. Ze kon echter niet goed slapen in een vliegtuig en moest worden beziggehouden. We deden dat om de beurt. Mijn beurt viel midden in de nacht; het begon ermee dat Miz Lillian uit de badkamer kwam vlak nadat Pamela Harriman er geweest was. De moeder van de president had een grote hoeveelheid ringen in haar hand en zei in gepeperde taal dat mrs. Harriman die op de wastafel had laten liggen. Ze voegde eraan toe: 'En heb je gezien hoe ze op de stoelleuning van die aantrekkelijke Walter Mondale ging zitten? Zo dichtbij? Ze moet wel, getrouwd met die oude druiloor.'

Ons vliegtuig had stapelbedden die 's nachts uit het plafond werden getrokken en 's ochtends werden teruggeduwd. De nacht ging voorbij en toen we allemaal al een tijdje op waren en het vliegtuig bijna ging landen, begon Pamela nerveus

---

* In 1978, voor hij ongeneeslijk ziek werd, had ik – dertig jaar nadat ik Tito in Belgrado bloemen had aangeboden – de gelegenheid om hem weer te begroeten, dit keer tijdens een plechtigheid op het gazon van het Witte Huis. Wat mij opviel was hoe goed geconserveerd de Joegoslavische machthebber was, al was het onmogelijk zijn oranje haar te negeren.

door het gangpad heen en weer te lopen. 'Heeft iemand Averell gezien?' vroeg
ze. De stoelen en badkamers werden gecontroleerd. Er was geen spoor van de
achtentachtigjarige staatsman. We keken verward om ons heen. Hoe konden we
Averell Harriman zijn kwijtgeraakt? Pamela was in alle staten. Toen bedacht een
lid van de bemanning om het bed boven de stoel van Averell te controleren.
Kennelijk was de gouverneur, die doof was, zich niet bewust geweest van de
ochtenddrukte en was niet tegelijk met ons opgestaan. De bemanning had hem
met bed en al terug in het plafond geduwd, waar hij nu heel kalm uit te voorschijn kwam.

Mijn leercurve was steil, maar het was een stimulerende klim. Toen hij mij aannam, drong Brzezinski er bij mij op aan geen duidelijke omschrijving te wensen
van wat ik zou gaan doen, omdat dat ook zou bepalen wat ik *niet* verondersteld
werd te doen. 'Wees voorzichtig dat je jezelf niet uit een interessante baan weg-
definieert,' zei hij. Ten slotte gaf hij me carte blanche om de vergaderingen over
buitenlands beleid bij te wonen die de president had met congresleden en om de
wetgevende strategie voor elke kwestie waar de NSC bij betrokken was te coördineren. Het gevolg was dat ik gebeurtenissen in alle regio's moest bijhouden, op
de hoogte moest zijn van het ministerie van Defensie en de CIA, en in de gaten
moest houden waar elke dollar voor buitenlands beleid naartoe ging. Maar ik
moest vooral de gecompliceerde details van de wapenbeheersing bestuderen.
President Carter bereidde zich voor om toestemming aan de Senaat te vragen
voor het SALT-II-verdrag, bedoeld om de kernwapenwedloop met de Sovjet-Unie
aan banden te leggen. Het zou duidelijk een hevige strijd worden. Veel senatoren
vonden dat het verdrag voordelig zou zijn voor de Sovjet-Unie en onvoldoende
kon worden gecontroleerd, terwijl andere een Democratische president gewoon
geen belangrijke overwinning op het gebied van buitenlands beleid gunden.
Goedkeuring van het verdrag was zo belangrijk dat de regering een speciale
eenheid, onder leiding van de jurist Lloyd Cutler uit Washington, opzette om de
strategie te coördineren. Het was mijn taak om in de buurt van de senatoren te
blijven en te rapporteren wat hun standpunten waren.

Het SALT-II-verdrag werd uiteindelijk op 18 juni 1979 in Wenen ondertekend.
Een van de laatste kwesties die moest worden opgelost had te maken met een
sovjetbommenwerper, de Backfire. Uit angst dat de bommenwerper, die voor de
middellange afstand gebruikt kon worden, zou worden omgebouwd om de Verenigde Staten aan te vallen, wilden we grenzen stellen aan het vermogen en de
productiesnelheid.

Een speciale brief met waarborgen en afspraken over het vliegtuig werd onderdeel van het officiële onderhandelingsverslag. Een paar dagen later kreeg ik
het in blauw leer gebonden verdrag, zes centimeter dik, op mijn bureau om door
te geven aan de Senaat. Ik keek naar de handtekeningen. Carters handtekening
kende ik goed – sterke halen. Ernaast stond die van Leonid Brezjnev, verrassend
zwak en licht. Maar waar was de brief over de Backfire? Hij moest tegelijk met

het verdrag ingediend worden. Ik belde de wapenbeheersingsdeskundige van de NSC en hij wist het niet zeker: ze waren in haast uit Wenen vertrokken. Toen herinnerde iemand zich dat hij wat hij meende dat een kopie van de brief was in een prullenbak gezien had. Groot alarm. De brief werd wonderbaarlijk genoeg teruggevonden. Hij werd in mijn kantoor afgeleverd, helemaal in de kreukels. Mijn huisvrouweninstinct nam de overhand. Ik streek de brief, maar hij zag er nog steeds niet erg officieel uit, dus ging ik naar de kantine van het Witte Huis en 'leende' een menuomslag van blauw leer, ging daarna naar een goedkope winkel en vond een rood-wit-blauw lint om over de brief te leggen. Ik zette alles in elkaar, voegde de brief bij de rest van het verdrag en stuurde het naar de Senaat.

Tegen het eind van 1979 was het debat over SALT-II in volle hevigheid aan de gang en we begonnen langzaam een meerderheid aan stemmen te krijgen. We zouden waarschijnlijk de goedkeuring van de Senaat hebben gekregen als de sovjettroepen niet op eerste kerstdag Afghanistan waren binnengevallen. Door die hoge bergketen te overschrijden hadden de sovjets nog een andere grens overschreden. Ze gebruikten militair geweld om hun invloedssfeer uit te breiden voorbij de grenzen die ze na de Tweede Wereldoorlog hadden opgeëist. Het was een daad van puur imperialisme en hoewel het SALT-II-verdrag nog steeds in ons nationaal belang was, zou de Senaat het verdrag duidelijk niet ratificeren.

De inval opende een nieuw front in de Koude Oorlog. De regering reageerde met economische maatregelen door de graanexport te stoppen, de overdracht van geavanceerde technologie te verbieden en visrechten te beperken. We reageerden met politieke maatregelen door de Olympische Spelen van 1980 in Moskou te boycotten en de dienstplichtregistratie opnieuw in te voeren, en militaire maatregelen door in Pakistan een relatie met het Afghaanse verzet, de moedjahedien, aan te knopen in de vorm van wapenleveranties en trainingen. De onvoorziene gevolgen van deze relatie, die zich in de volgende tien jaar zou uitbreiden, zouden zich laten gelden tijdens en zelfs na mijn periode als minister van Buitenlandse Zaken.

De Afghaanse crisis bracht Vance en Brzezinski samen – althans tijdelijk. Hoewel ze hadden samengewerkt om president Carter verkozen te krijgen, hadden ze een heel verschillende aanpak van belangrijke kwesties van buitenlands beleid, inclusief hoe er met de Sovjet-Unie moest worden omgegaan. Vance, een scherpzinnig jurist, meende dat onderhandelingen de spanningen tussen de Verenigde Staten en de Sovjet-Unie konden verminderen en zodoende gunstig zouden zijn voor beide zijden. Brzezinski achtte de VS-sovjetbetrekkingen een verloren zaak. Hoewel hij zich niet verzette tegen onderhandelingen over zaken als wapenbeheersing, twijfelde hij eraan of de Sovjet-Unie zich tevreden zou stellen met een 'vreedzame coëxistentie'. Hij had al enige tijd gewaarschuwd voor Moskous bedoelingen in Afghanistan en was van mening dat de sovjets hard aangepakt moesten worden, op alle fronten.

Vance en Brzezinski concurreerden voortdurend – zij het discreet – om invloed op hoofd en hart van president Carter. Het gevolg was een vaak onprettige machtsstrijd. Theoretisch is het het werk van de minister van Buitenlandse Zaken om het buitenlands beleid van de VS te formuleren en uit te voeren. De opdracht van de adviseur nationale veiligheid is om te zorgen dat alle aspecten van ons beleid op het gebied van nationale veiligheid, inclusief defensie, diplomatie en inlichtingendienst, zich in dezelfde richting bewegen. Van hem (of haar) wordt verwacht dat hij het beleid coördineert, niet maakt of uitvoert. In de praktijk zijn de grenzen echter vaag. Het is een algemene vaststelling in Washington dat de enige keer dat de NSC en het ministerie van Buitenlandse Zaken goed samenwerkten was toen Henry Kissinger hoofd van beide was.

Meningsverschillen tussen Buitenlandse Zaken en de NSC, die onderdrukt werden bij de reactie op de inval in Afghanistan, kwamen naar buiten naar aanleiding van de vrijwel gelijktijdige crisis in Iran, waar door het revolutionaire regime van ayatollah Khomeini gesteunde activisten drieënvijftig Amerikanen gijzelden. Buitenlandse Zaken en NSC waren het erover eens dat het de moeite waard was om te proberen de gegijzelden langs diplomatieke weg vrij te krijgen, maar verschilden over al het andere van mening. Moesten we represailles uitvoeren en het leven van de gegijzelden in gevaar brengen? Wat moest er gebeuren met de afgezette sjah van Iran, wiens toelating tot de VS aanleiding was geweest tot de crisis? Moesten we proberen de gegijzelden zelf vrij te krijgen of wachten op de VN of een andere bemiddelaar om hun vrijlating te bewerkstelligen? De president was erop gebrand de gevangen Amerikanen te redden. Ondertussen was de pers meedogenloos. ABC-verslaggever Ted Koppel werd beroemd met een dagelijks nachtprogramma getiteld *America Held Hostage* (later veranderd in *Nightline*). Elke avond, bij het afsluiten van het avondnieuws, herinnerde de grootvaderlijke Walter Cronkite Amerika eraan hoeveel dagen de gegijzelden al in gevangenschap zaten. Republikeinen gaven de president de wind van voren vanwege zijn veronderstelde naïviteit in zijn omgang met de Sovjet-Unie en kennelijke hulpeloosheid in zijn reactie op Iran.

Op 24 april had ik, met enorme kaarten van het Midden-Oosten onder de arm, Brzezinski vergezeld toen hij een aantal kiezers van Gary Hart, de senator voor Colorado, op de hoogte bracht van de situatie in Israël en Palestina. Hij was net begonnen toen hij onderbroken werd door een boodschap en zich plotseling verontschuldigde. Later woonde ik een vergadering bij in de Situation Room die veel langer duurde dan verwacht en toen ik rond negen uur 's avonds het Witte Huis verliet, passeerde ik een rij limousines van kabinetsleden op de oprijlaan naar de westelijke vleugel. Er stond iets belangrijks te gebeuren, dacht ik. Maar wat?

Om drie uur 's nachts ging thuis de telefoon. Ik hoorde Joe zeggen: 'Wat bedoel je, een reddingsoperatie is mislukt?' Hij begon zich aan te kleden. 'Waarom bemoei je je ermee?' zei ik, in de veronderstelling dat het telefoontje voor mij was geweest. 'Dat was mijn kantoor,' zei hij. 'Het is bekend gemaakt. Het is mislukt.' Het lastige was dat het belangenverstrengeling voor ons zou zijn geweest om te praten over wat hij had gehoord en wat ik wist of niet wist.

Die ochtend werd eerst Joe en daarna heel Amerika wakker met het nieuws dat drie mariniers en vijf leden van de luchtmacht waren verongelukt toen een helikopter en een C-130 in de Iraanse woestijn met elkaar in botsing waren gekomen. De geplande reddingsoperatie was al afgebroken vanwege een zandstorm en technische problemen. Het was een ongelooflijk gewaagde poging die tragisch afliep. Cy Vance had zich ertegen verzet, omdat hij dacht dat het niet zou lukken. Hij trad af om principiële redenen.

'Je vriend Ed Muskie is benoemd tot opvolger van Cy,' zei Zbig een dag voor de officiële bekendmaking tegen me. De regering had iemand van het kaliber van Muskie nodig om de ophef over de mislukte operatie en het ontslag van Vance tot bedaren te brengen. Ik ging naar de Cabinet Room om de aankondiging bij te wonen en president Carter knipoogde naar me en vroeg later of ik tevreden was. Ik reageerde enthousiast en zei: 'U kent misschien mijn achtergrond niet precies?'

'Natuurlijk wel,' antwoordde hij.

Terwijl Muskie vragen van de pers beantwoordde, keken we naar hem op de monitor in de Cabinet Room. In eerste instantie was de stemming prima. Toen ontstond er gemompel over het feit dat hij zich zo autoritair uitdrukte, dat hij de president overschaduwde. Ik kreeg het gevoel dat sommige stafmedewerkers zich afvroegen of ze hun keuze zouden gaan betreuren.

De relatie tussen Muskie en Brzezinski begon goed maar werd allengs slechter. Muskie bracht medewerkers mee naar het ministerie van Buitenlandse Zaken die hem absoluut toegewijd waren, en die geneigd waren Zbig niet te mogen, en – uitzonderingen daargelaten – nooit voor de uitvoerende macht gewerkt hadden. Bovendien drukte het Carter-team voor nationale veiligheid – dat al meer dan drie jaar samenwerkte – zich uit in een jargon dat Muskie op geen enkele manier kon begrijpen. Ik bevond mij in een vreemde positie, aangezien beide mannen hoopten dat ik de problemen tussen hen zou verkleinen. Muskie, voormalig gouverneur, presidentskandidaat en voorzitter van de begrotingscommissie van de Senaat, voelde zich gekleineerd. Hij belde me op en zei: 'Wat is er met Zbig aan de hand? Waarom moet hij zich de hele tijd zo uitsloven, door ons dingen te vertellen als bijvoorbeeld de namen van alle stammen in Nigeria?'

'Dat is heel gewoon,' zei ik. 'Zbig is hoogleraar en heeft zijn hele leven dit soort zaken bestudeerd.'

Dan belde Brzezinski me op. 'Wat is er aan de hand met je vriend Muskie? Hij stelt alleen maar vragen, maar zegt nooit wat hij denkt.'

'Dat is heel gewoon,' zei ik. 'Hij is senator en senatoren stellen vragen.'

Muskie, wiens vader Pools was, klaagde: 'Brzezinksi doet alsof hij Poolser is dan ik.'

Wat moest ik zeggen? 'Dat is ook zo. Zijn ouders zijn allebei Pools en hij spreekt de taal vloeiend.'

De twee Polen werkten in de herfst van 1980 echter in harmonie samen toen er geheime informatie kwam dat de Sovjet-Unie van plan was meer troepen naar

Polen te sturen om de opkomende beweging van Solidariteit het zwijgen op te leggen. Ze waren het er kennelijk over eens dat het verstandig was om een derde leider van Poolse afkomst, paus Johannes Paulus II, te waarschuwen, maar de telefonist van het Witte Huis kon het nummer niet zo gauw vinden. Toen het eenmaal gevonden was, zei Brzezinksi: 'Zet het in mijn adresboek onder de P van paus.'*

Toen hij mij aannam had Zbig tegen me gezegd dat wij de pretoriaanse lijfwacht van de president waren, de kring van vertrouwelingen, en dat we op elk moment beschikbaar moesten zijn. Hij wist dat ik drie kinderen had, net als hij, maar hij werkte hard en verwachtte van iedereen in zijn staf dat ze hetzelfde deden. Op de Hill hadden we lange dagen gemaakt, maar er waren regelmatig rustpauzes als de senatoren naar hun kiesdistricten terugkeerden. Bij de NSC bleef het tempo hoog.

Joe was fantastisch. Hij nam de leiding over het huishouden en het eten met de kinderen op zich, terwijl de maaltijden bereid werden door onze elkaar snel opvolgende huishoudsters. Ik probeerde elke avond op tijd thuis te zijn voor het eten, maar slaagde daar niet altijd in. Alice en Anne wilden als tieners natuurlijk zo min mogelijk deelnemen aan gezamenlijke maaltijden, terwijl Katie, meegaand als altijd, wel meeat. Soms kwamen ze op zaterdag samen met mij lunchen in de kantine van het Witte Huis of waren ze aanwezig bij welkomstplechtigheden voor buitenlandse hoogwaardigheidsbekleders, of bij het vuurwerk ter gelegenheid van de 4de juli op het zuidelijke gazon. De meisjes hadden minder zin om elk weekend hun vrienden in de steek te laten om naar de boerderij te gaan. Onze boerderijweekends werden zondagse reisjes van een dag om de klusjes, het schilderwerk en onze gewaardeerde tomatenoogst bij te houden.

Het was niet verwonderlijk dat ik me schuldig bleef voelen dat ik niet meer tijd met mijn gezin doorbracht, maar zover ik wist leed niemand eronder. Joe was een betrokken vader en veel beter in het onze dochters leren hoe ze prachtige zinnen moesten schrijven dan ik. Hij probeerde me vrij te pleiten door te zeggen dat ze allemaal trots op me waren en dat ik precies het soort moeder was dat dochters moesten hebben. Hij vond het heerlijk om iedereen te vertellen over die keer in Colorado, toen Katie verslag deed van een gesprek dat ze meer dan eens in de skilift had gehad. Het was daar de gewoonte om je telefoonnummer op je ski's te schrijven en als mensen op Katies ski's het kengetal voor Washington D.C. zagen, vroegen ze: 'Werkt je vader voor de overheid?' Zij zei dan meteen: 'Nee, mijn moeder.'

Ik op mijn beurt had grote bewondering voor Joe. Hij had *Newsday* achter zich gelaten en gebruikte zijn journalistieke talenten om met goede verhalen te komen over van alles, van het leasen door de overheid van land in het westen tot

---

* Een paar maanden later hebben we dat nummer inderdaad gebruikt. In mei 1981 was ik in Zbigs privé-kantoor toen we hoorden dat er een moordaanslag op de paus gepleegd was. Ik belde en kreeg uiteindelijk een non te spreken. Toen nam Brzezinski de telefoon over om zijn bezorgdheid te uiten.

graanverkoop aan Rusland. Voor zover ik wist was er geen onderwerp dat hij niet de baas kon.

Ik zei regelmatig tegen mezelf dat ik, hoe graag ik Muskie en Brzezinski ook mocht, eraan twijfelde of ik een tweede termijn met hen beiden zou overleven. Dit kwam uiteindelijk niet aan de orde. President Carter was een van onze intelligentste presidenten en iemand die zich intensief inzette voor het voorkomen van conflicten en voor de menselijke waardigheid, zowel tijdens als na zijn ambtstermijn. Hij was een initiërende president die op het gebied van buitenlands beleid veel bereikte, waaronder het historische Vredesverdrag voor het Midden-Oosten, de Camp David-akkoorden.

Politiek had hij echter minder geluk. De stijgende olieprijzen ruïneerden de economie. De sovjetinvasie in Afghanistan ondermijnde ons buitenlands beleid. Het gijzelingsdrama was aanleiding tot een gevoel van nationale hulpeloosheid. En de Republikeinse kandidaat, Ronald Reagan, bleek een veel krachtiger kandidaat dan vele Democraten hadden voorspeld. Ik, in mijn eeuwige optimisme, dacht nog steeds dat we het wel zouden halen. Ik had het mis.

Onvermijdelijk werd het 20 januari 1981, de dag waarop de nieuwe president werd geïnstalleerd. Christine en ik bleven in het Witte Huis tot een uur voor de plechtigheid om twaalf uur. In de Situation Room was men nog steeds druk bezig met de gijzelingscrisis. Als een laatste trap na voor president Carter zouden de Iraniërs de gegijzelden vrijlaten op het moment dat Reagan werd beëdigd. Buiten op straat liepen we tegen lachende Reagan-aanhangers op, klaar voor de overname van onze kantoren en onze banen. We stapten in mijn auto en reden naar Andrews Air Force Base in Maryland waar Carter, bleek en koud, op het platform afscheid nam van sombere stafleden. Hij stapte in het vliegtuig met als einddoel Georgia. Joe Albright, die een verslag van het vertrek moest schrijven, stapte in een ander vliegtuig. Christine en ik reden weg om krabkoekjes en heel veel patat te gaan eten.

Na een korte vakantie ging ik voor Zbig werken, om hem te helpen bij het onderzoek voor zijn memoires, *Power and Principle*. Ik vond het heerlijk, maar realiseerde me tegelijkertijd dat ik een eigen project moest hebben. Het werd tijd voor nog een andere Pool. In augustus 1980 illustreerde Lech Wałęsa, een elektricien, de onrechtvaardigheden van een arbeidersstaat toen hij op de muur van de Leninwerf in Gdańsk klom en een vrije vakbond eiste. Net als de Tsjechoslowaken in 1968 probeerden de Polen zich te bevrijden van de communistische overheersing en opnieuw was ik geïnteresseerd in de rol die de pers zou spelen. Ik vroeg een beurs aan bij het Woodrow Wilson International Center for Scholars en die aanvraag werd gehonoreerd.

In het begin van september 1981 startte ik met een nieuwe dagindeling. Ik moest, zoals altijd, afvallen en dus stak ik drie ochtenden per week de Key Bridge over naar Virginia en ging naar een dieetcentrum voor extra vitaminen en voor een gewichtscontrole. Dan bleef ik in Virginia voor een Poolse les van

een uur. Ik had op een zeker moment beloofd Pools te leren zodat ik Poolse journalisten zou kunnen interviewen. Daarvandaan nam ik de metro naar het
Smithsonian Institute waar het Wilson Center was gevestigd.

De snelle ontwikkeling van de gebeurtenissen in Polen stond mijn ordelijke
plannen in de weg. Toen Solidariteit aan stootkracht won, leek het waarschijnlijk dat de Sovjet-Unie, net als bij de Praagse Lente in Tsjechoslowakije, zou ingrijpen en verdere liberalisering zou blokkeren. Mijn project zou veel minder interessant zijn als ik Polen niet in kon. Hoewel het Wilson Center wilde dat zijn
wetenschappers in Washington waren, begreep James Billington, een groot historicus die er directeur was, dat ik naar Polen moest.

Tegen het eind van oktober vulde ik mijn koffers met cadeaus – Nescafé,
Marlboro, chocola en, nota bene, blikken Poolse ham – en vertrok naar Polen
waar ik twee drukke weken doorbracht. Ik begon met de namen van een paar
journalisten die ik had gekregen van Jane Curry, een wetenschapper die bereid
was haar contactpersonen te delen. Tegen het eind van mijn verblijf had ik, omdat de ene journalist mij doorgaf aan de volgende, de meeste belangrijke schrijvers in Gdańsk, Krakau en Warschau gesproken. Ik sprak hen op hun redactie-
kantoren, in hun appartementen, in lawaaierige restaurants, bij de borrel, vroeg
in de ochtend en laat in de avond. Ik was verbaasd dat ze er geen problemen mee
hadden dat ik de gesprekken op de band opnam. Ze wilden maar al te graag vertellen hoe ze waren begonnen met getypte nieuwsblaadjes en ingewikkelde be-
zorgroutes, hoe ze hadden besloten cassettes met nieuws over hun activiteiten
aan de arbeiders in de fabrieken te bezorgen, hoe ze heel voorzichtig druk hadden uitgeoefend om de waarheid in hun kranten te publiceren en hoe ze aan
krantenpapier waren gekomen. Hoewel het voor mij veel moeilijker was geweest
om Pools te leren dan Russisch, voerde ik de meeste gesprekken in het Pools –
met hier en daar een Tsjechisch woord ertussendoor.

Tijdens een interview met de openhartige hoofdredacteur van *Gazeta Kra-
kowska* in zijn kantoor kreeg hij een telefoontje dat Wałęsa zou spreken op
Nowa Huta, een van de grootste staalfabrieken. Of ik mee wilde? Ik griste mijn
taperecorder mee en het lukte me aanwezig te zijn toen Wałęsa een van de
meest indrukwekkende redevoeringen hield die ik ooit gehoord heb. Hij leidde
een arbeidersbeweging, maar op dat moment probeerde hij de arbeiders ervan
te overtuigen niet te staken omdat hij ervoor wilde zorgen dat Solidariteit niet
lamgelegd zou worden. Wałęsa had lang haar en een donkere, volle snor; hij
droeg een blauw spijkerjasje. Hij was op en top een arbeider, maar hij sprak met
overtuiging en gevoel. Ik vergelijk graag de foto die ik toen van hem nam met de
foto die jaren later van ons gemaakt is, waarop hij staat in een driedelig grijs pak,
met keurig kortgeknipt haar. De verantwoordelijkheden van het ambt hadden
zijn stijl getemd maar zijn charisma niet verminderd.

Ik was in Gdańsk toen de stad besloot een van zijn scheepswerven om te dopen
ter ere van de eerste president van Polen, Józef Piłsudski. Er waren priesters en
hoogwaardigheidsbekleders en de menigte loeide toen een spreker hen eraan

herinnerde dat Piłsudski zijn troepen naar het oosten had gestuurd. Hij hoefde niet te verduidelijken dat Piłsudski tegen de bolsjewisten had gevochten.

In Warschau logeerde ik bij de moeder van mijn leraar Pools. Het appartement was duidelijk ooit heel comfortabel geweest. Er lag een mooie parketvloer en ik leerde al snel mijn schoenen uit te trekken en rond te lopen op lapjes zachte wol van een oude deken, zodat de vloer gewreven in plaats van beschadigd werd. Mevrouw Stypułkowska deelde haar eten met mij en liet me haar badkuip gebruiken, die ik maar met een paar centimeter heet water durfde te vullen. Ik las bij het licht van een lamp van 40 watt om elektriciteit te besparen. Toen ik haar een deel van mijn voorraad aanbood, weigerde ze. Het was wel interessant hoe ik de spullen die ik had meegebracht kwijtraakte. De Nescafé vond gretig aftrek en ook de chocola die ik voor de kinderen meegenomen had. De ham gaf ik aan een school. De sigaretten waren een ander verhaal. Ik rookte niet, maar omdat ik mensen niet in verlegenheid wilde brengen door ze zomaar sigaretten aan te bieden, nam ik er zelf een en liet dan het pakje op tafel liggen. Later begreep ik dat ik door het pakje aan te breken alles in het honderd gooide: volle pakjes konden voor praktisch alles geruild worden.

Ik had de hele tijd dezelfde taxichauffeur en we praatten veel over mijn project. Ik vroeg een paar keer of hij iemand kende die een complete verzameling had van de krant van Solidariteit, *Tygodnik Solidarność*, een blad dat vanaf april 1981 was verschenen. De krant had verslag gedaan van de doelstellingen en de ideeën van de beweging, die streefde naar een vrije vakbond, tot hij acht maanden later werd verboden. Inmiddels had hij de hoogste oplage van alle Poolse weekbladen. Na een paar dagen vertrouwde de taxichauffeur mij kennelijk voldoende om te bekennen dat hij een complete verzameling had. Ik betaalde hem er een paar honderd dollar voor, waar hij erg gelukkig mee was en wat mij een goudmijn aan studiemateriaal opleverde.

Het werd al gauw tijd om weer naar huis te gaan. Toen de douaniers mijn koffers openmaakten, waren ze onmiddellijk achterdochtig. Er lagen stapels kranten in en wat keramiek, maar mijn meeste kleren had ik aan mijn gastvrouw en een paar vrouwelijke journalisten gegeven. Ik had meer dan twaalf microtapes op diverse plekken verstopt, onder andere in een bierpul. Omdat ik altijd zuinig ben, had ik gesprekken opgenomen op een stel oude tapes van Joe. Toen de grenspolitie me ernaar vroeg, zei ik dat ze van mijn man waren die mij een paar boodschappen had gestuurd. Als door een wonder was de tape die de man me vroeg te spelen nog niet gebruikt en de uiterst Amerikaanse stem van Joe stelde hem gerust.

Mijn twee weken afwezigheid waren de langste tijd die ik ooit bij mijn gezin vandaan was geweest. Ik maakte me zorgen dat ze zich misschien ongerust maakten. Tijdens de eerste week trotseerde ik een felle, koude wind om naar een telegraafkantoor te gaan om Joe te laten weten dat alles in orde was. Toen ik in Krakau aankwam, ging ik kijken of er boodschappen waren. Toen ik in Gdańsk aankwam, ging ik kijken of er boodschappen waren. In Warschau deed ik hetzelfde. Vergeefs. Er waren geen boodschappen.

HOOFDSTUK 7

Tot de dood ons scheidt

O P WOENSDAG 13 JANUARI 1982 werd Washington door een sneeuwstorm lamgelegd. Op National Airport vormde zich een rij vliegtuigen die wachtten op toestemming om op te stijgen. Om 16.01 uur steeg Air Florida vlucht 90 aarzelend op van de startbaan, had problemen met ijs op de vleugels voor het hoogte verloor en neerstortte op de noordelijke overspanning van Fourteenth Street Bridge. Het getroffen vliegtuig verpletterde auto's voor het in tweeën brak en door de ijslaag van de rivier de Potomac zakte. De stad keek hulpeloos toe terwijl een handjevol overlevenden worstelde om lang genoeg boven te blijven om door reddingswerkers uit het ijskoude water getrokken te worden. Terwijl dit chaotische tafereel zich afspeelde, ramde een metrotrein een betonnen pilaar tussen de haltes Federal Triangle en Smithsonian, waarbij drie passagiers gedood en vijfentwintig gewond werden. Niemand die deze middag in de stad was zou die dag ooit vergeten. Washington verkeerde in staat van shock.

Ook ik. Maar mijn shock was uren eerder begonnen, met mijn eigen verwoestende ramp. Er waren geen doden gevallen, maar er was herrie en verlamming en een totale ontzetting van het normale leven. Joe en ik hadden duizenden keren koffiedrinkend in de comfortabele leunstoelen van onze huiskamer gezeten. Die ochtend was anders. Joe was al een paar weken, sinds mijn reis naar Polen en de daaropvolgende kerstvakantie, afwezig en humeurig geweest, maar in elk huwelijk komen momenten voor die minder dan fantastisch zijn, zeker in een huwelijk dat al drieëntwintig jaar duurt. Joe, die net terug was van een opdracht in het buitenland, zei dat we moesten praten. Toen zei hij zonder enige inleiding: 'Dit huwelijk is dood en ik ben verliefd op iemand anders.'

Mijn echtgenoot zei dat hij die middag zou vertrekken en in Atlanta ging wonen, waar de vrouw van wie hij hield verslaggever was. Afgezien van de mededeling dat ze een stuk jonger was en mooi, gaf Joe uit zichzelf geen informatie. Hij zei dat hij zich al een tijdlang ongelukkig voelde. Ik probeerde terug in de tijd te denken om te zien of er signalen waren geweest die ik had gemist. Het sloeg allemaal nergens op. Ik had lange dagen gemaakt toen ik op het Witte Huis werkte, maar dat was al meer dan een jaar geleden. De laatste tijd was het, afgezien van mijn reis naar Polen, vooral Joe geweest die reisde. Ik kon niet geloven dat dit gebeurde; ik zocht wanhopig naar een alternatieve verklaring. Terwijl Joe doorpraatte, bedacht ik als een gek dat hij misschien edelmoedig en dapper probeerde te zijn. Misschien had hij gehoord dat hij een hersentumor had en wilde hij zijn gezin het verdriet van zijn lijden besparen. Of misschien meende hij niet echt wat hij zei. Misschien zat mijn opmerkelijke echtgenoot in een heel gewone midlifecrisis en zou hij morgen alles terugnemen wat hij vandaag zei. Misschien was het vals alarm, net als die avond in Williamstown bijna een kwarteeuw geleden.

Ik weet niet wat mij het meest schokte – dat Joe me confronteerde met een voldongen feit en niet bereid was om te praten over hoe we samen konden blijven, of dat hij zei dat ik er te oud uitzag of dat hij niet begreep waarom ik zo geschokt was. 'Maar ja', zei hij, 'andere mensen gaan ook scheiden'.

Terwijl Joe's aankondiging voor mij een donderslag bij heldere hemel was, had hij kennelijk de tijd genomen om onderzoek te doen. Volgens de wet van het District of Columbia, zei hij, kon hij na een jaar automatisch een scheiding krijgen, of binnen zes maanden als ik meewerkte. Terwijl ik naar hem luisterde dacht ik aan toneelstukken waarin de heldin opstandig schreeuwt: 'Je krijgt een scheiding over mijn lijk!' Ik had me nooit kunnen inleven in een dergelijk personage. Nu schreeuwde ik niet, maar ik kon me wel identificeren met de heldin. Er was nog meer. Joe wilde dat ik tegen de kinderen zou zeggen dat het een wederzijds besluit was. Ik zei: 'Absoluut niet.' We werden het eens dat we het voorlopig allemaal geheim zouden houden en tegen onze dochters en vrienden zouden zeggen dat Joe een opdracht buiten de stad had. Toen ging Joe naar boven om zijn koffers te pakken.

Ik had een lunchafspraak met Brzezinski, waar ik me onbegrijpelijk genoeg aan hield. Het sneeuwde zo hard dat lopen de enige manier was om in het centrum te komen, dus trok ik mijn laarzen aan, deed mijn schoenen in een grote zak en liep weg door de sneeuw. Ik neem aan dat Zbig en ik over mensen en beleidspunten spraken, maar ik herinner me er geen woord van. Ik ging terug de sneeuw in, voelde me verloren, een emotioneel dakloze vrouw die maar wat rondzwierf.

Joe vertrok later die middag. De maanden die volgden waren een bijzonder soort marteling. Kennelijk had Joe zich voorgenomen om besluitvaardig op te treden, maar toen hij eenmaal in Atlanta was voelde hij zich duidelijk of minder zeker over wat hij aan het doen was of minder op zijn gemak over de manier waarop hij het gedaan had. Dus belde hij me dagelijks. Hij hield van me, hij hield niet van me. Hij beschreef zijn gevoelens zelfs in percentages. 'Ik hou zestig procent van jou en veertig procent van haar', of, de volgende dag: 'Ik hou zeventig procent van haar en dertig procent van jou.' Ik had beurtelings medelijden met mezelf en met hem. Hij was duidelijk een goed mens in gewetensnood. Ik vertelde het slechts tegen de kleinst mogelijke groep vrienden – Danny Gardner, Christine Dodson en een vriendin uit de periode van Beauvoir en Muskie, Dale Loy. Ze had jarenlang veel met me gedeeld, van kinderen tot politiek werk, van

Chinese kooklessen tot yoga. Nu was zij degene die me troostte na Joe's telefoontjes.

Ik geloof niet dat mijn dochters argwaan hadden. Waarom zouden ze? Er waren geen duidelijke tekenen van onvrede geweest. Alice was derdejaars op Williams. Anne was thuis voor een werksemester op Dartmouth, maar ze had twee vriendinnen van de universiteit die ook bij ons logeerden en had het drukker dan ooit. Katie werd ook geheel in beslag genomen door studie en vrienden. In de loop van de jaren had Joe vaak opdrachten buiten de stad gehad, dus het was goed voorstelbaar dat hij ook nu voor werk op pad was. Iedere keer als hij lang weg was, belde hij de meisjes op, vertelde wat hij aan het doen was en dat hij ze miste. Nietsvermoedend had Katie Joe en mij opgegeven als chaperonnes voor een skitrip met school. Omdat hij haar niet wilde teleurstellen, kwam Joe daarvoor terug. Omdat ik nog steeds hoopte dat hij van gedachte zou veranderen, was ik daar blij mee.

Na de skivakantie ging hij terug naar Atlanta tot maart, toen hij besloot om te zien of we ons leven misschien weer konden oppakken. We gingen in het voorjaar altijd naar Aspen om te skiën, dus waarom nu niet? Het viel Joe op dat ik afgevallen was en hij gaf me een compliment. Het is verbazingwekkend wat een dieet en de dreiging van een scheiding teweeg kunnen brengen. Ik skiede beter dan ooit, misschien omdat het me eigenlijk niet zoveel kon schelen als ik mijn nek brak. We gingen terug naar Washington, niet op ons gemak. Joe was het ene moment de man die ik kende en het andere een vreemdeling wiens gedachten ik niet kon peilen. Om lange discussies in het huis te vermijden, maakten we 's avonds grote wandelingen in Georgetown.

Een vriendin die niet wist wat er gaande was, hield me op een dag bij het boodschappen doen staande. 'Ik heb jullie tweeën zien wandelen,' zei ze. 'Wat enig. Ik wou dat mijn man en ik dat deden.' Ik glimlachte en dacht: Nee, dat wil je helemaal niet.

We spraken met een huwelijksadviseur wiens enige bijdrage was dat wij het er samen over eens konden zijn dat hij nutteloos was. Inmiddels was het april, weer tijd voor de aankondiging van de Pulitzerprijzen. Joe had veel prijzen voor zijn journalistieke werk ontvangen, maar sinds zijn droom uitgever te worden in rook was opgegaan, had hij zijn zinnen gezet op de Pulitzerprijs, de belangrijkste onderscheiding die een journalist kan krijgen. Hij had al eens eerder de eindronde bereikt, maar dit jaar dacht hij dat hij een serieuze kans maakte met een reeks artikelen (over revolvers met afgezaagde loop) die een prijs had gekregen van de White House Correspondents' Association.

Naarmate de datum van de bekendmaking dichterbij kwam, werd het winnen van die prijs steeds meer een obsessie voor Joe. Op een dag kwam hij met een verbazingwekkend voorstel: als hij de Pulitzer won, zou hij bij me blijven. Zo niet, dan zou hij vertrekken en zouden we scheiden. Ik wist niet hoe ik moest reageren. Ik begreep in ieder geval niet hoe het al dan niet winnen van de prijs zijn gevoelens voor mij moest beïnvloeden. Het enige dat ik kon bedenken was dat mijn echtgenoot zijn zelfvertrouwen kwijt was en dat als hij niet op de een of andere manier in zijn waarde bevestigd werd, hij een nieuw leven voor zichzelf zou moeten opbouwen.

Laat in de middag van 12 april ging de telefoon. Het was Joe. 'Ik heb niet gewonnen,' zei hij, 'dus ik ga terug naar Atlanta.' Dat was dat. De onzekerheid was tenminste voorbij. Ik heb nooit kunnen bevatten dat mijn huwelijk mogelijk gered had kunnen worden als de jury van de Pulitzerprijzen een andere beslissing genomen had.

Joe had zijn moeder verteld over onze scheiding en ze schreef me een heel aardige brief. We hadden elkaar in de loop van de jaren leren waarderen en ze kende het verdriet van een scheiding uit eigen ervaring. Ik kon het niet opbrengen om het mijn moeder te vertellen. Ze voelde zich steeds minder goed en eerlijk gezegd was ik zelf emotioneel niet sterk genoeg om te zorgen dat ze zich over wat dan ook beter voelde. Ik zei het wel tegen mijn zus Kathy, die ook gescheiden was. Als mijn verdriet iets opleverde, was het wel dat zij en ik veel nader tot elkaar kwamen. Ik was blij dat John en zijn vrouw Pam in Washington woonden en deden wat ze konden. Ik vond het bijna het moeilijkst om het te vertellen aan mijn vriendin Wini Freund, omdat ze me zo vaak gewaarschuwd had dat het ongeluk bracht om hardop te zeggen dat ik zo geboft had.

Toen de scheiding eenmaal in gang gezet was, konden we het niet langer uitstellen het aan de meisjes te vertellen. Toen Alice voor de zomer terugkwam van de universiteit, kwam Joe uit Atlanta en gingen we met de meisjes in de woonkamer zitten. Joe vertelde ze dat hij al lange tijd ongelukkig was, dat hij verliefd was op iemand anders en zou vertrekken. Ik kon de meisjes nauwelijks aankijken. In het begin staarden ze alleen maar voor zich uit, terwijl de tranen over hun wangen stroomden. Toen begonnen ze, tussen de snikken door, vragen te stellen. Tot mijn verbazing werkten ze heel systematisch, terug naar het verleden om vast te stellen wanneer Joe's ongelukkige gevoel begonnen was. Bedoel je dat je niet gelukkig was toen we vorig jaar in Georgia gingen jagen? En hoe zat het toen we in Puerto Rico waren voor Thanksgiving Day? En toen we door Europa reisden? Ze waren verbijsterd, in de war en boos. Ik zweeg. Wat kon ik zeggen? Dat alles wel goed zou komen? Dat het niet goed was om kwaad te worden? Dat onze verwachtingen om voor altijd als gezin samen te leven zomaar overboord konden worden gezet? Nee.

Katie ging op kamp, Anne vertrok naar Dartmouth en Alice wat later naar Nantucket voor een vakantiebaantje als serveerster. Ik was opgelucht dat ik alleen was, dat ik niet meer hoefde te doen alsof ik functioneerde. Ik dacht veel na. De tumortheorie over Joe moest ik duidelijk vergeten, maar de oprecht aardige, attente en ondersteunende Joe die ik zo lang had gekend kon niet zomaar verdwijnen. De kwetsende dingen die hij had gezegd moesten het gevolg zijn van zijn persoonlijke pijn. En wat betreft kwetsende dingen had ik zeker mijn eigen parels bijgedragen toen ik sprak over wat hij gedaan had en over 'die andere vrouw'.

Ondertussen was de wereld blijven doordraaien. Ik moest een mondelinge presentatie over mijn werk houden op het Woodrow Wilson Center. Toen ik eenmaal terug was uit Polen had ik me verheugd op het voortzetten van mijn onderzoek, in de hoop dat ik een boek af zou hebben tegen de tijd dat ik die zomer het centrum zou verlaten. Ik had echter geen rekening gehouden met de mogelijkheid dat ik van de kaart zou raken, om nog maar te zwijgen van het aannemen van dagelijkse telefoontjes van een echtgenoot die niet wist of hij bij mij weg zou gaan of niet. Ik probeerde te doen alsof alles in orde was; met hersens die zich in geen enkele taal konden concentreren, kostte het me veel moeite om de Poolse kranten te begrijpen. Dag na dag staarde ik uit het raam van mijn kantoor op het Smithsonian en wandelde over de Mall.

De dag van mijn presentatie brak onverbiddelijk aan – een drukkend hete dag in augustus. Ik kwam de gelambriseerde vergaderzaal in en ging zitten aan een lange tafel met een groen laken eroverheen. Voor me zat een publiek van ongeveer honderd wetenschappers en journalisten, mensen die absoluut in staat waren uit te maken of ik wat stond te kletsen of nieuwe inzichten bood. Ik begon te praten, maar moest het publiek blijven aankijken om te zien of ik zinnige dingen zei. Niemand keek verbaasd, dus ging ik door. Evengoed kostte het me nog een jaar om mijn materiaal in een boek om te zetten.

De scheiding werd uitgesproken op 30 januari 1983. Ik was vijfenveertig en had meer dan de helft van mijn leven met Joe samengeleefd. Ik had nog nooit alleen gewoond: zelfs de drie dagen tussen het afstuderen van Wellesley en de bruiloft had ik met Mary Jane in het studentenhuis doorgebracht. Volgens de voorwaarden van de schikking behield ik het huis in Georgetown en de boerderij. Financieel had ik niets te klagen. Psychologisch moest ik helemaal overnieuw beginnen.

Ik was een volwassen ongetrouwde vrouw. Dat was een geheel nieuwe eraring voor me. Ik had drie kinderen en Katie woonde nog thuis. Ik ben wel een alleenstaande moeder genoemd, en in praktisch alle opzichten was ik dat ook, maar niet in de klassieke betekenis. Mijn kinderen waren financieel niet afhankelijk van mij; Joe was royaal. En als er in die periode iemand afhankelijk was van iemand anders was ik het die afhankelijk was van de meisjes: zij zorgden ervoor dat ik een basis had. Het enige dat ik hoefde te doen was naar ze te kijken of ze telefonisch te spreken om te weten dat ik – wij – iets goed gedaan moest hebben. Ze waren alle drie liefdevol, hadden een diepgeworteld arbeidsethos, waren zorgzaam voor iedereen om zich heen en hanteerden de juiste normen. In de periode dat we als de meisjes-Albright groepsgewijs de wereld tegemoet traden ontwikkelden we een speciale band.

Ik begon mezelf uit het moeras omhoog te werken, maar het ging langzaam. Ik merkte dat het moeilijk was om als 'ik' in plaats van 'wij' over wat dan ook te beslissen. Ik was niet in staat om een uitnodiging af te slaan: mijn besluitvormingsvermogen was grotendeels ingesteld op de vraag of Joe ergens naartoe wilde. Ik kon zelfs geen besluiten nemen over de boodschappen: Joe's smaak was de mijne geworden. Ik stond in het gangpad met de ontbijtspullen en kon niet kiezen. Ik kwam er opnieuw achter dat ik echt niet van rundvlees hield, hoewel we dat jaren bijna elke avond gegeten hadden.

Ik geloof niet dat er iemand is die me tot dan toe had gekend die me zou hebben beschreven als besluiteloos of kwetsbaar, maar ze hadden ongelijk. Misschien had ik altijd, zonder het zelf te beseffen, iemand nodig gehad die mijn eigenwaarde bevestigde, of het nu mijn vader was, Joe of een baas. Ik herinner me dat ik, toen ik voor mezelf begon te zorgen, bedacht dat ik niet de persoon wilde worden die ik volgens mijzelf moest worden om te overleven. Ik wilde niet cynisch of gelaten of verbitterd worden, of ophouden me af te vragen of wat ik aan het doen was iemand anders een plezier deed. De komende tien jaar zouden bepalen of ik mezelf kon blijven en kon slagen.

Uiteindelijk vond ik op twee plaatsen een toevluchtsoord, ten eerste als hoogleraar en ten tweede als deelnemer aan de politiek. Tijdens die verschrikkelijke lente, na Joe's aankondiging, maar voor het nieuws over de Pulitzer, moest ik een beslissing nemen over een baan. Walter Mondale trof al voorbereidingen om zich presidentskandidaat te stellen en ik werd gevraagd om mee te doen als plaatsvervangend campagneleider. Ik had ook de mogelijkheid om te doceren aan Georgetown University.

Hoewel de keus tussen wetenschap en politiek moeilijk was, koos ik voor Georgetown. Het idee om in mijn vaders voetsporen te treden trok mij aan. Dat was tenslotte de reden waarom ik zo hard aan mijn promotie gewerkt had. Ik had ook een aantal persoonlijke overwegingen. Als Joe mij verliet omdat mijn werk op het Witte Huis mij een status verschaft had waar hij zich aan stoorde – bewust of onbewust – zou mijn werk voor een opvallende verkiezingscampagne het alleen maar erger maken. Ik hoopte nog steeds dat hij terug zou komen. Aan de andere kant, als hij echt wegbleef, zou ik de stabiliteit van een vaste baan nodig hebben.

Destijds dacht ik dat ik voor het een of het ander moest kiezen, maar dat was niet het geval. In Washington zijn er altijd mogelijkheden om deel te nemen aan de politiek, in deeltijd of fulltime. Uiteindelijk zou ik het beste van beide werelden ervaren.

Mijn taak op Georgetown was drieledig: doceren, het opzetten van het Donner-vrouwenprogramma* en als rolmodel te dienen voor de daar studerende jonge vrouwen. Ik vond dat als vrouwen op het internationale terrein met mannen moesten concurreren, ze een opleiding moesten krijgen die hen voorbereidde op elke uitdaging, ook uitdagingen waar geen enkele vrouw tot dan toe mee was geconfronteerd.

---

* Allan E. Goodman, decaan van het postdoctorale programma van de opleiding voor de diplomatieke dienst, had geld verkregen van de Donner Foundation om een programma op te zetten om vrouwen aan te moedigen de wereld van internationale betrekkingen te betreden.

Ik doceerde over internationale kwesties aan zowel vrouwen als mannen, en baseerde me op wat ik had geleerd in het Witte Huis van Carter. Ik was overtuigd van de waarde van rollenspellen, dus liet ik mijn studenten opnieuw onderhandelen over het Panamakanaal-verdrag en liet ze de voordelen van wapenbeheersing beargumenteren vanuit het perspectief van hoge regeringsfunctionarissen. Ik kon ze vaak voorzien van net vrijgegeven stukken waarmee ze hun argumenten konden onderbouwen. Ik liet vrouwelijke studenten rollen spelen die ze destijds niet in de regering zouden kunnen hebben gehad en ik liet mannelijke studenten aan hen rapporteren. Ik nodigde vrouwelijke deskundigen uit om te spreken over hun afwisselende en grillig verlopende carrières om te illustreren dat de kortste afstand tussen twee punten niet altijd een rechte lijn is.

Ik gebruikte ook mijn eigen ervaringen. Ik zei dat ik vaak geaarzeld had om tijdens vergaderingen een punt te maken uit angst dat het, en daarmee ik, als dom afgedaan zouden worden, om vervolgens een man hetzelfde punt te horen maken en te merken dat hij als slim beschouwd werd. 'Laat je horen!' zei ik tegen de studenten. 'Interrumpeer!' Mijn lessen waren misschien ietwat rumoerig, maar de vrouwen leerden ervan en de mannen raakten eraan gewend. Ik herinner me echter nog één geval waar mijn planning een averechtse uitwerking had. Bij het toewijzen van rollen om een imaginaire internationale crisis op te lossen, koos ik een vrouw als voorzitter van de Joint Chiefs of Staff. Ik benoemde een zwijgzame jonge mannelijke student, David Hale, tot de lagere functie van staatssecretaris van de luchtmacht. Hale was ongelooflijk slim en helaas had hij de voorzitter van de Joint Chiefs of Staff van de machtigste krijgsmacht ter wereld binnen een paar minuten, onbedoeld, aan het huilen gebracht.*

Toen mijn vader hoogleraar was, had ik hem vaak geplaagd door te zeggen dat hij een luizenbaantje had: een paar uur lesgeven, een paar gesprekken met studenten en dan lekker met zomervakantie. Wat had ik me vergist. Elk uur college werd voorafgegaan door tientallen uren voorbereiding. Bovendien moet je het werk in je eentje doen. Je hebt geen staf om je te helpen en er is niets afschrikwekkender dan een zaal vol intelligente jonge mensen die graag willen leren, maar betwijfelen of er iets is wat ze niet al weten. Je moet overal bovenop zitten. Als je één keer in gebreke blijft, is het afgelopen met je.

En toch, hoe moeilijk het onderwijs ook was, ik vond het nog moeilijker om me voor te stellen dat ik voldeed als rolmodel. Ik besprak de moeilijke keuzes waarmee vrouwen geconfronteerd worden en drukte mijn studenten op het hart om anderen niet te laten zien wat hun zwakke kanten waren – vooral niet tijdens sollicitatiegesprekken. Ik sprak met hartstocht over hoe vrouwen moesten zorgen de ladder van het succes niet weg te duwen van het gebouw nadat ze naar boven waren geklommen, maar elkaar moesten helpen om verder te komen. Ik had het volste vertrouwen in de logica van dit alles, maar mijn veranderde bur-

---

* Jaren later, toen ik minister van Buitenlandse Zaken was en Hale beroepsdiplomaat, werd hij mijn directieassistent.

gerlijke status maakte mij volgens mijzelf minder geloofwaardig. Als mijn studenten vroegen hoe ik het had klaargespeeld om tegelijkertijd getrouwd te zijn en kinderen te hebben en te werken, voelde ik me een bedrieger omdat ik er niet in geslaagd was.

Ik vond het opwindend om op Georgetown aan een topfaculteit te werken. We hielden fantastische seminars, we organiseerden en bezochten conferenties en we mochten elkaar gewoon erg graag. Tegelijkertijd moet ik zeggen dat veel van wat er geschreven wordt over de jaloezie en kleinzieligheid van het faculteitsgekonkel waar is. Zelfs al liepen mijn colleges over van de studenten, toch deden een paar collega's alsof ik dankbaar moest zijn dat ik me in hun gezelschap mocht bevinden. Ik had het etiket 'politieke' hoogleraar gekregen. Toen ik geselecteerd werd voor een vaste aanstelling, klaagden een paar van de niet-geselecteerden dat ik alleen vanwege mijn relaties benoemd was. Nadat ik voor het vierde achtereenvolgende jaar op de School of Foreign Service tot professor van het jaar was gekozen, heb ik bijna een van mijn collega's een klap verkocht toen deze zei: 'Weet je, de enige reden waarom dit gebeurt is omdat je groepen zo groot zijn.'

Ik beleefde veel plezier aan het werken met studenten, maar was absoluut niet van plan de politiek op te geven. Ik hield van politieke kwesties en het uitzoeken hoe ze de levens van mensen beïnvloedden. Ik deelde zeker niet de algemene afkeer van politici. Mensen in de politiek moeten compromissen sluiten, besteden te veel tijd aan het verwerven van geld en gaan vaak te ver in hun toezeggingen; maar ze stellen zich ook persoonlijk kwetsbaar op, werken hard, nemen risico's en de beste politici bereiken dingen van echte en blijvende waarde.

Terwijl ik in het onderwijs zat vond ik ook nog de tijd om als adviseur op te treden op het gebied van buitenlands beleid voor de campagne van Mondale. Nadat hij zich verzekerd had van de Democratische nominatie voor 1984, kwam de voormalige vice-president naar het partijcongres in San Francisco waar een aantal keuzes moest worden gemaakt. Een daarvan was om in zijn acceptatierede aan te kondigen dat hij van plan was de belastingen te verhogen om het gigantische begrotingstekort dat Reagans economisch beleid had gecreëerd, te beperken. Mondales eerlijkheid bleek tactisch een slechte zet. Zijn tweede keus was om geschiedenis te maken door een vrouw als zijn kandidaat voor het vice-presidentschap te selecteren. De afgevaardigde Geraldine Ferraro was een rijzende ster in de partij. Ik had in 1978 kennis met haar gemaakt, toen ze, net gekozen, slim en pittig, kennis kwam maken met president Carter. We leerden elkaar kennen tijdens het schrijven van het Democratische partijprogramma, toen ze voorzitter was van de programmacommissie en ik deelnam als afgevaardigde van Mondale als deskundige op het gebied van buitenlandse beleid. Ik voelde me gevleid toen de campagne me vroeg om naar Lake Tahoe te gaan, waar zij en Mondale me opwachtten, om onze stellingname op het gebied van buitenlands beleid met haar door te nemen.

Toen ik de kamer inkwam, rende de kandidaat naar me toe en sloeg haar armen om me heen. Ik was verbaasd dat ik uitverkoren werd waar al die politieke zwaargewichten, voornamelijk mannen, bij waren. 'Fijn je te zien, Madeleine,' fluisterde ze. 'Heb je een onderrok voor me te leen?'

De mannen die voor de campagne werkten, kregen al snel een voorproefje van hoe het zou zijn om met een vrouwelijke kandidaat te werken. Gerry ondervroeg de campagne-experts over een aantal kwesties toen haar drie kinderen binnenliepen. Zonder onderbreking veranderde Gerry de richting van haar vragen. 'Heb je je sinaasappelsap opgedronken?' vroeg ze. 'Je denkt toch zeker niet dat ik je in die gekreukte jurk naar de kerk laat gaan?' Een paar mannen mopperden toen we in het busje terug naar het hotel reden. 'Hoe gaan we ons hier doorheen slaan als ze zich zorgen maakt over wat haar kinderen aan hebben?'

De rillingen liepen over mijn rug en over die van vele andere vrouwen toen Gerry Ferraro op het congrespodium verscheen om haar nominatie voor het vice-presidentschap te aanvaarden. Ze had een stralende glimlach en ze schitterde in een wit pak. Ze was mooi maar zakelijk. 'Mijn naam is Geraldine Ferraro.' Dat was voldoende om het congres te laten uitbarsten in applaus. Haar kandidatuur was een mijlpaal, weer 'een eerste keer' in de geschiedenis van de deelname van vrouwen aan de Amerikaanse politiek.

Het was mijn taak om met Ferraro mee te reizen en haar te adviseren op het gebied van buitenlands beleid. Ik vond het heerlijk om deel uit te maken van de politieke promotietoer, maar de logistieke kant vond ik minder leuk. Ik had geen tijd gehad om verlof van de universiteit te regelen, dus moest ik twee dagen per week terug naar Washington. Hoewel we tijd doorbrachten aan de oostkust en in het middenwesten hadden de reisgoden van de campagne het voor elkaar gekregen dat we op de dinsdagen, als ik terug moest, altijd aan de westkust of in een of andere kleine plaats zaten. Ik moest, waar ik op dat moment ook was, de veilige omgeving van de campagne, waar voor alle basisbehoeften van voedsel, vervoer en bagage werd gezorgd, verlaten voor de kwellingen van het openbaar vervoer, waar ik me moest haasten om op merkwaardige plekken op merkwaardige tijdstippen mijn aansluitingen te halen. Ik was niet echt een makkelijke passagier en ik propte mijn campagne-instructies en handbagage in de bagagevakken boven mijn hoofd en liet me vallen in een stoel waarin je – in tegenstelling tot in het campagnevliegtuig – ook echt verondersteld werd te gaan zitten.

Zoals typerend bleek te zijn voor mijn ervaring met campagnes, was ik een van de oudste aanwezigen. Ik wilde echter graag deel uitmaken van de groep en gaf nooit toe dat ik moe was. Het was spannend om klaar te moeten staan om elke vraag over nationale veiligheid te beantwoorden, aan speeches te werken en praktisch elke staat van de Verenigde Staten op het vasteland te zien.

Alle kandidaten worden tijdens een campagne op de proef gesteld. Maar als eerste vrouw op een nationale kandidatenlijst werd Ferraro onderworpen aan wel bijzonder diepgravende vragen. Marvin Kalb vroeg haar in *Meet the Press* of ze sterk genoeg was om op de knop van de atoombom te drukken. Hij vroeg dat nooit aan haar tegenstander, George Bush. En in *Nightline* nam Ted Koppel een lijst met de meest gedetailleerde vragen over wapenbeheersing door die we ooit op televisie gehoord hadden.

Enige tijd na de verkiezing kwam Koppel spreken op Georgetown. Niet wetend dat ik mij onder het publiek bevond, herinnerde hij aan het voorval en merkte op dat zijn optreden was beschreven als aanklagersgedrag, pedant en professoraal. 'Ja!' riep ik vanaf mijn stoel. 'Dat was het alle drie.' Vervolgens vroeg ik: 'Vindt u dat u, net als andere commentatoren, het Congreslid Ferraro op het gebied van buitenlands beleid moeilijker maakte dan haar tegenstander omdat ze een vrouw is?'

'Ja,' gaf Koppel toe. 'Dat klopt.'

Ondanks alles was Gerry niet klein te krijgen. Ongeacht hoe moeilijk de zaken waren, stapte ze elke ochtend in het vliegtuig en had het hoogste woord. Dat had invloed op mij. Elke politieke deskundige in het land dacht dat we zouden worden ingemaakt. Ik dacht dat we zouden winnen. Naarmate de verkiezingsdag naderde, werden de menigtes groter en enthousiaster. De resultaten waren volgens mij duidelijk in ons voordeel. Gerry deed het goed in haar debat met Bush, en Mondale had het in zijn eerste debat met Reagan goed gedaan.

Het zou natuurlijk niet zo gaan. De Democratische kandidatenlijst werd weggevaagd. Ik haat verliezen, maar de campagne hielp me een nieuw leven te beginnen. Ik maakte nieuwe vrienden en bleek in staat me staande te houden in de hoogste kringen van de Democratische partij. Tot mijn grote vermaak begonnen dezelfde hoogleraren en decanen die me ooit kritisch 'politiek' hadden genoemd, nu mijn achtergrond en standpunten onder de aandacht te brengen als ze de conferenties die ze organiseerden extra cachet wilden geven. Ze vonden het interessant om me te zien redetwisten met andere 'politieke' hoogleraren als Chester Crocker, die net acht jaar als onderminister voor Afrikaanse Zaken op het ministerie van Buitenlandse Zaken had gewerkt. Ze kwamen ook als ik ze thuis uitnodigde voor de regelmatige discussies over buitenlands beleid die ik begon te organiseren.

Ik begon die avondbijeenkomsten in een poging de verdeeldheid te voorkomen die tijdens de voorverkiezingen van 1984 tussen Mondale en Gary Hart was ontstaan over het beleid op het gebied van nationale veiligheid. Ik dacht dat als Democratische deskundigen elkaar zouden kennen en de punten van tevoren diepgaand zouden doornemen, het de partij meningsverschillen tijdens de campagne zou schelen. Dus begon ik mensen uit het Congres, van denktanks en advocatenfirma's voor diners uit te nodigen, waarbij één deskundige ideeën presenteerde waarover de anderen vervolgens discussieerden. Later zou men zeggen dat ik 'salons' hield in mijn 'elegante' huis in Georgetown. In werkelijkheid is mijn huis gezellig, niet elegant, en mijn diners waren eenvoudige lopend buffetten – salade, broodjes en een plakje van het een of ander. Zoals een van de deelnemers anoniem tegen een verslaggever zei: 'We gingen er zeker niet naartoe voor het eten.'

Een van de ingewikkelder overwegingen is het bepalen van het juiste moment om jezelf aan te sluiten bij een bepaalde kandidaat. Als je vroeg besluit, heb je meer kans om bij de kring van vertrouwelingen te horen als je kandidaat wint. Als je laat besluit, heb je meer kans de kandidaat te kiezen die genomineerd wordt, maar kan het moeilijk worden om tot de vertrouwelingen door te dringen. In 1987 besloot ik vroeg. Ik had Michael Dukakis, de gouverneur van Massachusetts, in actie gezien tijdens de programmabijeenkomsten in 1976 en was onder de indruk geraakt van zijn kennis van zaken en zijn vermogen om mensen op één lijn te krijgen. Hij had sindsdien de reputatie als een van de beste gouverneurs van het land opgebouwd en ik kende hem als een oprecht fatsoenlijke en door en door eerlijke man. Ik bewonderde ook de mensen die hij om zich heen had verzameld. Zijn campagneleider, John Sasso, had ook de Ferraro-campagne geleid. Susan Estrich, die ik had leren kennen toen ze in 1984 stafdirecteur was voor de programmacommissie, was Sasso's plaatsvervanger en later zijn opvolger. Dukakis' speechschrijver, Bill Woodward, zou jaren later de mijne worden, en bovendien een van mijn naaste adviseurs.

Ik voegde me in maart 1987 bij het relatief kleine Dukakis-team. Er waren veel mensen die het waanzin vonden dat ik me zo vroeg aansloot, maar naarmate de campagne vorderde en andere kandidaten afvielen, veranderden de deskundigen van mening. Plotseling was ik de belangrijkste adviseur op het gebied van buitenlands beleid voor de vermoedelijke Democratische kandidaat. Mijn telefoon stond vooral op woensdagochtenden na een zegenrijke voorverkiezing op dinsdag niet stil. Tegen de tijd dat Dukakis zijn nominatie op het congres van 1988 in Atlanta accepteerde, kreeg ik tientallen telefoontjes per dag.

Dat congres is vooral in de herinnering blijven hangen door de speech van de gouverneur van Texas, Ann Richards, waarin ze grappen maakte over de toenmalige vice-president Bush, Bill Clintons veel te lange nominatiespeech en de triomfantelijke binnenkomst van Dukakis, een kind van immigranten, op de klanken van Neil Diamonds 'America'. Mijn eigen herinnering is meer hightech. Het was mijn taak om rond te lopen in de congreszaal en te zorgen dat we meningsverschillen over programmapunten aangaande buitenlands beleid wonnen. Congreszalen zijn altijd chaotisch en het is er moeilijk communiceren. Elk gerucht moet worden nagelopen, dus werden mijn bewegingen door middel van portofoons geregisseerd door Susan Brophy, een ervaren campagneassistent, vanuit een trailer die buiten de congreszaal stond. Om de een of andere reden had ik een blauwe zijden jurk aan en mijn geel met turkooizen gymnastiekschoenen. Ik had ook een blauw nylon vest aan en een koptelefoon op. De staf gaf me een bijnaam uit Star Wars: R2D2. Terwijl ik rondliep kreeg ik herhaaldelijk camera's tegen mijn hoofd en ik struikelde vaker dan ik kon tellen over benen, enkels, voeten, kabels en pizzadozen. Het was een chaotische toestand, maar ik was in mijn element, vechtend over buitenlands beleid en ik had het gevoel dat ik de congreszaal in mijn macht had. Bovendien wonnen we alle geschilpunten.

Terug in Washington ontdekte ik dat mijn samenwerking met Dukakis mijn status had beïnvloed. Dit is wat ik mijn 'Brooke Shields'-fase noem. Een artikel in de *National Journal* beschreef een cocktailparty waar een vrouw onmiddellijk werd omringd door mannen: 'Dat moet Brooke Shields zijn, dacht een toeschouwer. Niet helemaal, maar naar Washington-begrippen was het iemand met nog meer aantrekkingskracht – Madeleine K. Albright, de belangrijkste adviseur op het gebied van buitenlands beleid van de Dukakis-campagne.' Zelfs mensen die nog nooit hadden laten merken dat ze me mochten, vonden me nu charmant. Ze dachten kennelijk ook dat ik intelligenter was geworden. Voordien kwam ik, zelfs bij mijn eigen dinerdiscussies, nauwelijks aan het woord. Nu werd iedere lettergreep die ik uitsprak verwelkomd door knikkende hoofden. Ik werd elke dag in de kranten geciteerd, terwijl dat niet gold voor de grote jongens. Het ging zelfs zo ver dat ik me tijdens een bijeenkomst in mijn huis excuseerde, naar de badkamer ging, in de spiegel keek en mijn spiegelbeeld toesprak: 'Je bent niet slimmer dan je een maand geleden was en als we verliezen luistert er weer niemand naar je.'

En gelijk had ik! Vrij kort na Dukakis' nederlaag ging ik naar een toneelstuk in het Kennedy Center. Tijdens de pauze wandelde ik de foyer in. Niemand keek zelfs maar naar me. Uiteindelijk botste een jurist uit Washington, die zichzelf in een positie had gemanoeuvreerd voor een regeringsbaan als we hadden gewonnen, per ongeluk tegen me op. 'Dat heb je mooi verkloot,' zei hij.

Hoewel de Democraten opnieuw hadden verloren, was de Dukakis-campagne een goede leerschool en het opende deuren naar andere mogelijkheden. Ik was vooral dankbaar voor de nieuwe vrienden in mijn leven, omdat ik – misschien ten onrechte – teleurgesteld was over een paar oude vriendschappen. Ik dacht op de een of andere manier dat ze hadden moeten proberen Joe uit het hoofd te praten wat hij aan het doen was nadat we onze plannen bekend hadden gemaakt. Later, toen er steeds meer mensen om mij heen gingen scheiden, realiseerde ik me dat ik het onmogelijke had verwacht.

Net als de meeste net gescheiden mensen, moest ik mijn sociale leven opnieuw organiseren – moeilijk, gezien het feit dat ik sinds mijn twintigste niet meer naar een andere man had gekeken, dat ik geen zelfvertrouwen had dankzij Joe's afscheidswoorden over mijn uiterlijk, en dat ik preuts ben. Mijn laatste afspraakje had ik ergens in de jaren vijftig gehad. We schreven nu de jaren tachtig. Omdat ik geen idee had hoe de nieuwe regels waren, voelde ik me als een vijfenveertigjarige maagd. Als je iemand ontmoet als je een tiener of twintiger bent, heb je niet zoveel verleden om over te praten. Als veertiger en vijftiger hebben de mensen die je ontmoet een lange geschiedenis, gecompliceerde familieverhalen, speciale interesses en persoonlijke gewoontes die zowel eigenaardig als vastgeroest kunnen zijn.

Als Joe en ik in de jaren zestig gasten hadden, werden de kinderen voorgesteld en naar hun kamers gestuurd of ze gingen elders in huis iets doen. Als ik nu met een man met wie ik uitging naar het huis van een modern stel ging, stonden de kinderen de hele avond in het middelpunt van belangstelling. Als ik uitging met

iemand die jonger was dan ik, moest ik mezelf eraan herinneren om aan te bieden de rekening te delen. Als ik uitging met een oudere buitenlander, bijvoorbeeld mijn flamboyante nieuwe vriend Ricardo Dell' Orto uit Argentinië, moest
ik eraan denken hem te laten bestellen, nooit met mijn rug naar de ingang van
het restaurant te zitten en doen alsof ik beledigd was als andere mannen niet opstonden als ik de tafel verliet. Als ik 'intiemer bevriend' was met iemand, werd ik
geconfronteerd met het schrikbeeld van herpes en later aids. Ik werd opnieuw
kwaad op Joe dat hij mij dwong om dit soort kwesties op mijn leeftijd op te lossen. Toen ik mijn dochters over veilig vrijen had toegesproken, had ik moeite
met die gesprekken gehad.

Ondanks dat alles probeerde ik de leegte die Joe had achtergelaten, te vullen.
Ik maakte kennis met Barry Carter tijdens de Mondale-campagne. Hij was hoogleraar rechten aan Georgetown, had onder Kissinger voor de NSC gewerkt, maar
hij was ook een expert op het terrein van wapenbeheersing en een Democraat
die van politiek hield. We hadden veel gemeenschappelijk en brachten samen
zoveel tijd door dat hij uiteindelijk bij mij introk. Ik weet niet of dit een goed
voorbeeld was voor Katie, maar hij was zo aardig tegen alle drie de kinderen dat
we ons een tijdlang een gezin voelden. Na een paar jaar gingen Barry en ik als
vrienden uit elkaar. Hij was jonger dan ik en wilde eigen kinderen. Hij was een
fantastische vriend in een moeilijke periode. Ik realiseerde me uiteindelijk dat ik
het enorme gat in mijn leven niet kon vullen. Toen ik die zoektocht opgaf, werd
ik tevredener.

Ik vond het nog steeds niet prettig om alleenstaand te zijn, maar met de hulp
van vriendinnen begon het te lukken. Nadat ik een aantal jaren een van de weinige vrouwen in het academische wereldje was geweest, begon ik in mijn politieke werk allerlei vrouwen in hoge functies te ontmoeten. De meesten waren in
de dertig, tien jaar jonger dan ik. Vriendschappen en gesprekken tijdens campagnes kunnen oppervlakkig zijn, maar soms zijn ze juist het tegendeel. Het is
laat in de avond en je bent uitgeput en je zit in een verduisterde bus te praten. Je
gaat samen lekker eten, klaagt eerst over iets dat overdag misging en gaat snel
over op interessantere en vaak persoonlijke onderwerpen.

Op een avond, tegen het eind van de Dukakis-campagne, gingen we met zijn
zessen eten. Het gesprek ging vooral over het feit dat, hoewel er tijdens de campagne veel vrouwen op hoge posities zaten, ze als het erop aan kwam terzijde geschoven werden. Voor mij was het gespreksonderwerp erna echter belangrijker.
We waren ieder op onze eigen manier karakteristiek. Een van ons was eind dertig, was veel uitgegaan, maar ze had nooit de juiste persoon gevonden om mee te
trouwen. Een ander woonde samen met een oudere man en wilde kinderen,
maar hij had al kinderen uit zijn eerste huwelijk en wilde niet voor een tweede
keer door het ouderschap heen. Een derde vrouw stond op het punt om haar ge-
settelde leven aan de oostkust op te geven om naar het westen te verhuizen en
met haar nieuwe echtgenoot een gezin te stichten. Een vierde was gelukkig getrouwd en had kinderen, maar woonde in Oklahoma, ver van de landelijke poli-

tieke actie. Ze nam elke vier jaar vrijaf van haar normale leven om naar Washington te gaan en daar aan haar politieke trekken te komen. Weer een ander had al een kind en wilde er meer, maar was niet zeker of ze dat moest of kon doen.

Ik luisterde gefascineerd en een beetje jaloers naar de problemen van deze vrouwen – vooral van degenen die getrouwd waren. Toen wendde een van mijn vriendinnen zich naar mij en zei: 'Madeleine, jij bent degene die alles heeft. Je bent getrouwd geweest, je hebt drie schitterende dochters, een fantastische baan. Hoe heb je dat voor elkaar gekregen?' Ik was verbijsterd. Ik realiseerde me toen dat ik vol zelfmedelijden was, door me niet te concentreren op wat ik had, maar op wat ik kwijt was. Ik ben die avond nooit vergeten. Vóór dat voorval had ik het gevoel dat ik jongere vrouwen geen advies kon geven omdat ik mislukt was. Dit gesprek maakte daar een eind aan.

In 1989 was ik van plan naar de dertigste reünie van Wellesley te gaan. Een van mijn klasgenoten vroeg of ik wilde spreken over of mijn carrière de reden was van mijn scheiding. Ik weigerde kortaf. Ik besloot ook dat als dat was wat mensen van me wilden weten, ik helemaal niet naar de reünie zou gaan. Pas na de gezamenlijke inspanningen van Emily, Wini en Mary Jane om me te overtuigen, besloot ik de reis toch te maken. Degene die de reünie organiseerde, had een blootliggende zenuw geraakt.

Was mijn carrière de oorzaak van mijn scheiding? Ik heb me altijd aan die vraag gestoord; ik vind het kwetsend voor vrouwen die carrière willen maken en ik wijs de implicatie dat ik egoïstisch was van de hand. Ik stoor mij ook aan de vraag omdat ik het antwoord niet weet. Mijn gevoelens zijn heel tegenstrijdig. Toen ik minister van Buitenlandse Zaken werd, realiseerde ik me dat, hoewel anderen dat misschien wel was gelukt, ik nooit zo ver gekomen zou zijn als ik nog steeds getrouwd was geweest. Toch doet het feit dat ik gescheiden ben mij veel verdriet. Ik weet dat ik destijds elke gedachte aan een carrière zou hebben opgegeven als het betekend had dat Joe van gedachte veranderd was.

Het duurde lang voor ik wist wat ik deed. Sinds ik met vrijwilligerswerk begonnen was, in die eerste jaren na onze terugkeer naar Washington, was ik stap voor stap via stenen in een rivier vooruitgekomen. Het deed er niet toe dat die stenen willekeurig geplaatst waren en dat ze soms glad waren. Ik was vastbesloten om niet in de rivier te vallen. Ik concentreerde me op het goed uitvoeren van elke baan. En toen de oversteek het moeilijkst werd, waren er vrienden om me te helpen mezelf in balans te houden.

Naarmate de jaren tachtig vorderden veranderde mijn gevoel van eenzaamheid langzaam en gestaag in een gevoel van vrijheid. Mijn vermogen om besluiten te nemen kwam weer terug. Ik kon het huis op mijn eigen manier gebruiken. Als ik 's ochtends vroeg een college moest geven, nodigde ik de studenten uit voor een ontbijt in mijn huiskamer. Ik had mijn politieke diners. Diverse Oost-Europese gasten die Washington aandeden, logeerden bij mij, in wat we de Albright Herberg gingen noemen.

In de zomer reisde ik wekenlang, naar congressen die Georgetown ergens organiseerde, of als deelnemer aan een programma dat Amerikaanse deskundigen op het gebied van hun buitenlandse specialismen sponsorde, of als vice-voorzitter van het National Democratic Institute for International Affairs (NDI), een organisatie die zich de verspreiding van de democratie over de hele wereld ten doel stelde.* Ik ging naar het Midden-Oosten, het Verre Oosten, naar Afrika en Europa.

Ik leerde op mezelf te vertrouwen. Ik was nooit een eenling geweest, maar nu kon ik een hele zaterdag doorbrengen zonder tegen iemand te praten. Ik was ook in staat alleen op de boerderij te slapen. Ik ging alleen naar concerten en opera's. Ik kon naar een restaurant gaan, alleen met een boek, hoewel ik dat nog steeds liever in het buitenland dan in Washington deed. Ik voelde me niet langer een ei zonder schaal.

Ik stond ook open voor nieuwe mogelijkheden. Toen Ed Muskie me vroeg om directeur te worden van het Center for National Policy (CNP), een denktank, stemde ik toe, al betekende het dat ik alleen nog in deeltijd kon doceren. Ik had genoeg geld en had geen vaste aanstelling nodig; ik kon ook zonder dat op Georgetown blijven doceren. Ik hoefde het mezelf niet meer moeilijk te maken. En terwijl ik mijn leven op orde bracht, was de communistische wereld bezig in te storten. Er was zoveel nieuws te ontdekken en te leren. Ik wilde klaar zijn om, als het moment daar was, naar de volgende steen te springen.

---

* De NDI is een van de meest effectieve non-profitorganisaties die de democratie steunen en propageren. Onder leiding van eerst Brian Atwood en daarna Kenneth Wollack en vice-president Jean Dunn hebben NDI-programma's miljoenen over de hele wereld geholpen om blijvende en succesvolle democratische instellingen te ontwikkelen. Ik was zeer vereerd dat ik voorzitter van hun raad van bestuur mocht worden na de beëindiging van mijn ambtstermijn als minister.

HOOFDSTUK 8

De Fluwelen Revolutie

MIJN TELEVISIE STOND BOL VAN DE BEELDEN. Op het historische Wenceslasplein in Praag scandeerde de menigte leuzen en zwaaide met borden waarop stond 'poslední zvoňení', 'de laatste bel'. Demonstranten lieten de sleutels in hun zakken rinkelen, in een poging het geluid van een klok te imiteren die het eind van vier decennia communistisch regime inluidde. Op een balkon met uitzicht over de immense en bruisende menigte stonden Alexander Dubček, de held van de kortstondige Praagse Lente van 1968, en Václav Havel, een dissidente toneelschrijver die op het punt stond een van de meest gerespecteerde mensen ter wereld te worden. Een maand eerder was Havel gearresteerd. Een maand later zou hij worden geïnstalleerd als president van het nieuwe Tsjecho-Slowakije. We schrijven 24 november 1989. 'Nou is het gebeurd,' zei ik hardop tegen mezelf, verbaasd, blij en opgelucht. 'Goddank.'

Oost-Duitsland had de controleposten bij de Berlijnse Muur op 9 november verlaten. Op 10 november zetten de vermeend onverstoorbare Bulgaren de communistische dictator af die zo lang het land geregeerd had. Tegen die tijd bereidde Hongarije zich al voor op verkiezingen en Polen werd geregeerd door Solidariteit. Hoe zat het met Praag? Een paar dagen later schreef ik somber in een ingezonden stuk in de *Washington Post*: 'Tsjecho-Slowakije, het land dat zoveel heeft bijgedragen aan de intellectuele basis [voor de omverwerping van het communisme]... verbergt zich [nog steeds] achter een zichzelf opgelegd ijzeren gordijn en bekritiseert degenen die de vrijheden in praktijk brengen die de Tsjechen en Slowaken eenentwintig jaar geleden zelf korte tijd genoten.'

Binnen een week was mijn mistroostigheid voorbij. Op 17 november weken protesterende studenten af van de toegestane route en liepen dapper het centrum van Praag in. De politie stortte zich op hen en deelden rake klappen uit. In plaats van zich te verspreiden hergroepeerden de studenten zich. Vervolgens sloten hun ouders – ontzet over de wreedheid van het gezag en verbaasd over de moed van hun kinderen – zich bij hen aan op straat. Er ontstond een sfeer van verzet. Het hele Tsjechische Filharmonisch Orkest verscheen om te spelen voor de demonstranten wier aantal dagelijks groeide, totdat er driehonderdduizend Tsjechoslowaken op het plein gepropt stonden. Enthousiaste studenten wezen erop dat als je '68' omdraaide, er '89' stond. Er werden snel coalities gevormd van mensen die de democratie voorstonden, zowel door de Tsjechen (het Burgerforum) als door de Slowaken (Publiek Tegen Geweld), en beide eisten het aftreden van president Gustáv Husák en andere partijfunctionarissen. Ten slotte werd Dubček, twee dagen voor het eind van 1989, gekozen tot voorzitter van de Federale Vergadering en Havel tot president van het nieuwe Tsjecho-Slowakije. Het communisme van het oude Tsjechoslowakije was dood. De Fluwelen Revolutie – zo genoemd vanwege het vreedzame karakter – had gezegevierd.

Hoewel ik duizenden kilometer verder weg was, in Washington, abonneerde ik me op een persdienst die gedetailleerde beschrijvingen gaf van de dagelijkse gebeurtenissen in heel Midden- en Oost-Europa, gebeurtenissen die ik gretig volgde. Ik hield ook discussies tijdens mijn colleges op Georgetown. Ik kende alle betrokkenen en had het gevoel dat ik erbij was, zij het niet fysiek.

Het IJzeren Gordijn was tegen het eind van de jaren veertig opgetrokken in Centraal en Oost-Europa. Bijna overal werden dissidente meningen onderdrukt en werden ze, in het Westen, niet gehoord; maar een of twee keer per decennium stak er een wind op die het IJzeren Gordijn net lang genoeg op een kier zette om de hoop levend te houden dat op een dag de vrijheid zou terugkeren. In 1948 brak Tito met Stalin. In 1953 waren er rellen in Oost-Duitsland. In 1956 probeerden eerst de Polen, daarna de Hongaren in opstand te komen. In 1968 was het de beurt aan de Tsjechoslowaken. Tegen het eind van de jaren zeventig lanceerden Poolse havenarbeiders de beweging van Solidariteit, die leidde tot het in 1981 uitroepen van de staat van beleg. En dan was er Nicolae Ceauşescu in Roemenië, wiens regime in 1965 begon en bijna vijfentwintig jaar duurde. In het begin was hij een verademing, omdat hij de Russen trotseerde en hervormingen voorstelde, totdat hij in een vernietigende wervelstorm veranderde.

Het cement dat het sovjetrijk bijeen hield stond onder druk, maar het begon pas in 1985 te scheuren, toen Michail Gorbatsjov secretaris-generaal van de Communistische Partij van de Sovjet-Unie werd. Gorbatsjov zette een programma van economische herstructurering (*perestrojka*) op, dat in combinatie met een nieuwe sociale en intellectuele aanpak (*glasnost*) de aannames waarop het sovjetsysteem was gebouwd aan de kaak stelde. Hij maakte duidelijk dat de satellietstaten niet langer bevelen van Moskou hoefden te gehoorzamen. Plotseling was de keizer vooruitstrevender dan zijn prinsen. De ouder wordende, op het verleden georiënteerde leiders van de satellieten werden ontmaskerd als onbekwame amateurs; de verandering in de houding van de Sovjet-Unie leidde tot veranderingen in heel Oost-Europa. De dissidentenbewegingen bloeiden op. De Hongaren voerden economische en politieke hervormingen door en ontwikkelden daarmee hun eigen 'goulashcommunisme'. In Polen werd het gezag onder druk gezet om de staat van beleg op te heffen en Solidariteit een tweede kans te geven.* Oost-Duitse functionarissen meenden dat ze alles onder controle hadden tot Gorbatsjov, die aanwezig was om de viering van de tweeënveertigste verjaardag van het regime mee te maken, waarschuwde dat er een massale volksopstand zou ontstaan als er geen veranderingen doorgevoerd werden.

Er werd relatief weinig aandacht besteed aan Tsjechoslowakije en ik begreep waarom. De sovjetinvasie van 1968 had velen gedemoraliseerd. De mensen sloten zich op in zichzelf en besteedden zo min mogelijk tijd aan hun werk. In plaats daarvan ging hun energie naar het bouwen van weekendhuizen, of *chatas*, op het platteland waar ze op vrijdag zo vroeg mogelijk naartoe gingen. Maar de loten van de Praagse Lente, die niet geheel vernietigd waren, begonnen langzaam weer boven de grond te komen.

Vreemd genoeg bood Amerikaanse rockmuziek een voedingsbodem. Een groep met de naam Plastic People of the Universe, naar een nummer van Frank Zappa, werd een maand na de Russische invasie opgericht. Hun concerten trokken zoveel publiek dat de overheid de groep verbood om nog op te treden. In het geheim bleef de band optreden tot de leden werden gearresteerd. Hun werd verstoring van de openbare orde en het spelen van muziek met 'antisocialistische en antisociale invloed' ten laste gelegd. De rechtszaak tegen de groep werd door intellectuele dissidenten beschouwd als een belangrijk proefproces. Kort na hun veroordeling, op 1 januari 1977, tekenden meer dan 250 schrijvers, hoogleraren en mensenrechtenactivisten een manifest – Charta '77 – waarin de Tsjechoslowaakse regering werd opgeroepen om de burger- en politieke rechten te respecteren zoals die neergelegd waren in het Handvest van Helsinki dat de leden van het Oostblok zestien maanden eerder hadden ondertekend. Een van de leiders van Charta '77 was Václav Havel, die verschillende malen gearresteerd werd en meer dan vier jaar in de gevangenis doorbracht.

Religie speelde ook een rol. Zelfs voor jonge mensen die als atheïst waren opgegroeid, werden uit het ambt ontzette priesters helden. De priesters, die gedwongen werden ongeschoold werk te doen, zoals het schoonmaken van latrines, gingen voor in clandestiene missen. Maar tot 1989 leken deze en andere voorbeelden van verzet niet opgewassen tegen het verpletterende gewicht van de communistische staat.

Ik was natuurlijk nieuwsgierig naar de gebeurtenissen in mijn geboorteland en in 1986 greep ik de kans om daaraan een bezoek te brengen als lid van een onderwijsproject van het US Information Agency. Voor de veiligheid logeerde ik bij de Amerikaanse zaakgelastigde Carl Schmidt en zijn vrouw Rika, beiden enorme bronnen van informatie over wat er gaande was. Ik wist dat ik discreet moest zijn, omdat de Tsjechoslowaakse overheid, nerveus over het niet afla-

* Ik heb jarenlang een voortdurende discussie met Zbig Brzezinski gehad over de verschillende karakteristieke kenmerken van de Tsjechoslowaken en de Polen. Ondanks zijn huwelijk met een Tsjechische verweet hij mijn landgenoten regelmatig dat ze niet zo moedig waren als de zijne. De enige keer dat ik daarvan terughad was toen de Poolse generaals de staat van beleg afkondigden. 'Zbig,' zei ik, 'de Tsjechoslowaken hebben in ieder geval niet zichzelf aangevallen.'

tende activisme van Charta '77, onder grote druk stond, maar ik hoopte desondanks met enkele dissidenten te kunnen praten. Toevallig was de Amerikaanse senator Larry Pressler van South Dakota op dat moment ook in Praag en hij had gehoord over de ontmoeting – waarover hij iets te enthousiast was. Toen we eerder die dag samen in een auto zaten vroeg hij: 'Komen er echt dissidenten naar deze bijeenkomst?'

Omdat de auto vrijwel zeker was voorzien van afluisterapparatuur, gaf ik hem een teken om te zwijgen.

'Welke dissidenten komen er?'

Ik gaf hem opnieuw een teken.

'Waarom wil je niets zeggen over de dissidenten?'

Ik legde mijn vinger op mijn mond, schudde mijn hoofd en wees op mogelijke microfoons.

Die avond hoorden we dat de mensen die we zouden ontmoeten niet konden komen omdat ze in de gaten werden gehouden, dus bleef Pressler weg. Maar een van de leiders van Charta '77, Martin Palouš, kwam toch opdagen omdat hij nog niet naar huis was geweest, waar de politie surveilleerde. Met zijn tweeën spraken we bijna vier uur lang. Ongeveer halverwege kregen we een telefoontje van Pressler. 'Hallo Madeleine,' zei hij over de open lijn, 'ik hoor dat er toch een paar dissidenten gekomen zijn. Zijn ze er nog?' Ik zei snel: 'U moet een verkeerd nummer hebben gedraaid,' en hing op. Even later werd er op de deur geklopt. Het was Pressler. Hij liep rechtstreeks naar Palouš en prikte een paar keer met zijn vinger in zijn borst. 'Bent u echt een dissident?' vroeg hij. Ik wist niet of ik moest lachen of huilen.

Destijds vierden Amerikaanse ambassades in communistische landen de 4de juli met festiviteiten waarbij vaak ook lokale dissidenten te gast waren. Ik was te gast op het feest van dat jaar in Praag, maar vanwege het politieoptreden waren er maar weinig dissidenten aanwezig. Toen ik de kleine groep aanwezigen overzag, kwam er een jonge vrouw naar me toe die haar hand uitstak. 'Hallo,' zei ze, 'ik ben de vrouw van Jiří Dienstbier.'

Dienstbier was de Tsjechoslowaakse journalist die mij meer dan tien jaar geleden met mijn promotie had geholpen. Ik had niet verwacht hem ooit nog te zien. Zijn vrouw legde uit dat Jiří niet naar het feest kon komen, maar mij de volgende dag graag wilde ontmoeten in het Savarin Café, een populaire plek vlakbij het Wenceslasplein. Ik ging direct akkoord, maar toen ik het aan ambassadefunctionarissen vertelde, zeiden zij: 'Bent u helemaal gek geworden? Begrijpt u niet wat er aan de hand is? Ze houden hem in de gaten en ze houden u – als Josef Korbels dochter – ook in de gaten. U kunt hem niet zomaar in het openbaar ontmoeten. Trouwens, u bent hier onder bescherming van de Amerikaanse regering en we willen geen problemen.' Dus ging ik niet. Dienstbier werd inderdaad opgepakt toen hij in het restaurant op mij zat te wachten.

Het jaar daarop ging ik weer naar Praag en deze keer was zowel de ambassade als ik ondernemender. Een functionaris van de ambassade regelde een ontmoeting met een andere dissident voor me. Maar deze keer was het allemaal net een spionageverhaal. Ik kreeg te horen dat ik op een zeker tijdstip, voor een bepaald gebouw, vlakbij een kerk op een bekend plein met een monument moest wachten op een man in een regenjas. Ik was er inderdaad op tijd en hoewel ik heel erg mijn best deed om er heel ontspannen uit te zien, kon ik het niet laten om zenuwachtig om me heen te kijken. Ik weet niet precies van welke kant hij kwam, maar opeens verscheen er een man in een regenjas. 'Volg mij,' zei hij in het Tsjechisch. 'We gaan met de metro naar een halte een paar minuten hiervandaan. Vraag me niet waar.'

Toen we op de trein stapten, zei hij: 'Kom dicht bij me staan. We doen alsof we minnaars zijn, dan vallen we niet op.' Vervolgens kreeg ik een lieve kus op mijn mond van een man die ik niet kende, terwijl ik onderweg was naar een bestemming waar ik slechts naar kon gissen. We arriveerden, liepen een paar blokken verder naar een onopvallend gebouw en gingen naar de kelder. Daar lagen op eenvoudig in elkaar gezette planken de gekoesterde bezittingen van de groep die de man vertegenwoordigde, exemplaren van het tijdschrift *Rolling Stone*. Hij was lid van de Jazz Section, een groep die in 1971 alleen was opgericht om muziek te maken, maar zich had ontwikkeld tot een belangrijk gezelschap van dissidenten. We praatten urenlang over hun problemen, de strategieën die de dissidenten gebruikten en hun hoop. Voor ik vertrok gaf ik hem het geld dat ik bij me had en bood aan hem tweehonderd dollar te sturen, en later meer als het aankwam. Hij vertelde waar ik de postwissel naartoe moest sturen, wat ik meteen na aankomst in Washington deed. Toen ik mijn moeder vertelde wat ik had gedaan, werd ze woedend, omdat ze er zeker van was dat het geld zou worden getraceerd. Ik zei dat ze zich geen zorgen moest maken. Mijn begunstigde schreef en bedankte me voor de tweehonderd kussen, maar toen hij om een andere reden werd gearresteerd, hield mijn moeder vol dat ze gelijk had gehad.

Tijdens mijn volgende bezoeken aan Praag voelde ik me meer op mijn gemak en liep ik in mijn eentje door de straten en ging met de metro. Hoewel mijn kleren van betere kwaliteit waren, viel ik verder niet op omdat veel van de mensen ook klein en gezet waren. Ik bestelde in restaurants mijn favoriete dikmakende gerechten, bezocht bioscopen en theaters en verstond de taal zonder enig probleem. Maar mijn Amerikaanse paspoort maakte een groot verschil. Ik kon met dissidenten praten en vervolgens op een vliegtuig stappen en vertrekken. Ik hoefde niet de keuzes te maken die zij elke dag van hun leven opnieuw moesten maken.

Terwijl ik door Praag liep, een zowel mooie als treurige stad, stelde ik mezelf een paar moeilijke vragen. Wat zou er gebeurd zijn als mijn ouders besloten hadden niet te vertrekken toen de communisten de macht overnamen? Ik wist zeker dat ik politiek gesproken dissident zou zijn geworden, maar ik wist niet of en hoe ik me zou hebben gedragen. Zou ik de moed hebben gehad om te protesteren? Of zou ik mijn mond gehouden hebben zodat ik een academische opleiding had kunnen volgen? Hoe zou ik me gedragen hebben als ik aan een verhoor onderworpen zou zijn? Hoe zou het in de gevangenis zijn geweest? Al piekerend dacht ik aan het verhaal over de dissidentenleider die een oude vriend tegenkomt en hem om hulp vraagt. 'Ik zou je graag helpen,' zei zijn vriend, 'maar dat kan niet, begrijp je, want ik heb kinderen.' De dissident antwoordt: 'Ik zou ook graag, net als jij, mijn mond houden, maar dat kan niet, begrijp je, want ik heb kinderen.'

Mijn volgende bezoek aan Praag was in 1989. Ik ging dineren op de ambassade en deze keer verscheen Jiří Dienstbier inderdaad. Hij had nu wild grijs haar en een weelderige snor; heel knap. We omarmden elkaar als vrienden die elkaar lang niet gezien hebben. Hij kon niet bij het hele diner zijn omdat hij werkte als ovenstoker en die avond dienst had. In januari 1990 hoorde ik weer van hem. Tegen die tijd was Havel president en Dienstbier zijn minister van Buitenlandse Zaken.

Toen ik het ministerie van Buitenlandse Zaken belde, was Jiří in een paar seconden aan de lijn. Ik vroeg wat ik kon doen. Hij zei: 'Help de studenten. Zij hebben dit voor elkaar gekregen.'

Ik was verrukt dat ik, midden in die historische maand januari, een NDI-delegatie naar Tsjecho-Slowakije mocht leiden. Toen ik aankwam, belde ik Jiří, die me uitnodigde om met hem een toneelstuk, *Publiek*, geschreven door Havel, te gaan zien. Het toneelwerk van de nieuwe president was in zijn geboorteland lang verboden geweest, maar er waren wel uitvoeringen geweest in New York en elders. *Publiek* vertelt het verhaal van een arbeider in een brouwerij die weigert om een communistische verklikker te worden, ondanks de dreigende verzoeken van zijn dronken baas. Het is gebaseerd op Havels eigen ervaringen, gecombineerd met zijn overtuiging dat effectief verzet tegen totalitarisme mogelijk is door middel van zelfdiscipline en vertrouwen. Toen het doek viel, barstte het publiek uit in applaus, voor Havel en, denk ik, voor Tsjecho-Slowakije.

De volgende dag ontving Jiří me in zijn kantoor. Het was ongelooflijk te zien hoe mijn oude vriend zich als minister van Buitenlandse Zaken geïnstalleerd had. Ik had kippenvel toen ik binnenkwam. Drieënveertig jaar eerder was mijn vader deze zelfde kamer ingelopen als kabinetschef van Jan Masaryk. Ik huiverde toen Jiří me meenam naar zijn privé-appartement in het ministerie en me de witbetegelde badkamer liet zien van waaruit Masaryk op 10 maart 1948 zijn dood tegemoet was gesprongen – of geduwd. Om te 'bewijzen' dat Masaryk gesprongen was, hadden de communisten de eenvoudige houten stoel bewaard om te laten zien hoe de minister van Buitenlandse Zaken die had kunnen gebruiken om op de vensterbank te klimmen. De nieuwe regering zou hem ook enige tijd bewaren, opdat ze niet zouden vergeten hoe de vrijheid verloren ging.

Jiří regelde voor mijn NDI-delegatie een ontmoeting met Havel op de Praagse Burcht. Het meubilair in het presidentiële kantoor was nog steeds 'log communistisch', maar de nieuwe president was geen van beide. Hij was een betrekkelijk kleine man die opvallend aanwezig was. Hij droeg een zwarte spijkerbroek en een zwarte coltrui. Ik had als cadeau een exemplaar bij me van mijn vaders laatste boek, *Twentieth-Century Czechoslovakia*. Havel had zich voorbereid op een ontmoeting met een Amerikaanse delegatie en had geen Tsjecho-Slowaakse connecties verwacht, dus toen ik hem het boek gaf, was hij enigszins in verlegenheid gebracht. 'O ja,' zei hij, 'Mrs Fulbright.' 'Nee,' zei ik, 'ik ben Mrs Albright, Josef Korbel was mijn vader.' Zo begon een van de waardevolste vriendschappen van mijn leven.

Havel was op dat moment net een paar weken aan de macht. Onze delegatie bood aan een nieuwe kieswet voor hem op te stellen, wat hij onmiddellijk accepteerde. Al gauw hadden we een groep deskundigen bij elkaar, onder wie niet alleen Amerikanen maar ook mensen uit landen zoals Portugal dat vrij recent de overstap naar een democratie had gemaakt. Toen ik vertrok zei ik tegen een van Havels adviseurs dat ik op het Witte Huis gewerkt had en het een genoegen zou vinden om een structuur voor hun nieuwe presidentschap op te zetten. Ze nodigden me uit in een restaurant vlak achter de donkere torens van de St. Vituskathedraal binnen de muren van de burcht, en daar zaten we urenlang te werken aan flowcharts en grafieken met pijlen die her en der wezen, en we analyseerden hoe de nieuwe regering zou moeten functioneren. Ze vertelden me ook dat Havel binnenkort de Verenigde Staten zou bezoeken en dat ze hulp nodig hadden om een en ander te regelen. Ik wierp me opnieuw op als vrijwilliger.

Er lag sneeuw toen ik die avond het restaurant uitkwam, maar er was een heldere en volle maan. Ik liep de steile treden van de burcht af, over de kronkelige Nerudovástraat, langs de oude barokke St. Nicolaaskerk, naar de kleinere, smallere straten die leiden naar de veertiende-eeuwse Karelsbrug met de zwarte heiligenbeelden. Ik dacht aan mijn vader die me had verteld dat de brug zo lang was blijven bestaan omdat de metselspecie was vermengd met eieren. Terwijl ik uitkeek over de Moldau had ik het mysterieuze gevoel dat ik Tsjecho-Slowakije nooit verlaten had. Vreemd. Hoe had ik de Tsjechoslowaken kunnen helpen hun presidentschap te organiseren als ik niet uit de eerste hand ervaring had gehad met het Amerikaanse presidentschap?

Terug in mijn hotel vond ik een briefje van een vrouw, Rita Klíimová geheten. 'We kennen elkaar nog niet,' schreef ze, 'maar we zullen elkaar leren kennen – binnenkort en goed.' Ze was net benoemd tot ambassadeur in de Verenigde Staten en nodigde me uit om diezelfde avond een paar van haar vrienden te ontmoeten. Toen ik arriveerde was haar appartement gevuld met leden van de nieuwe regering, terwijl zij druk aan het koken was. Toen zij en ik met elkaar spraken, zowel in als buiten de keuken, werd duidelijk dat onze persoonlijke verhalen elkaars spiegelbeeld waren.

Onze families waren tijdens de Tweede Wereldoorlog beide buiten Tsjechoslowakije, de mijne in Londen, die van Rita in New York. Ze keerden beide na de nederlaag van de nazi's terug naar Praag. In tegenstelling tot mijn vader was Rita's vader een communist, dus bleef haar familie in Tsjechoslowakije nadat het IJzeren Gordijn viel. Ze doceerde economie aan de Karelsuniversiteit en concludeerde op den duur dat het communisme onzin was. Bij de zuiveringen die op het onderdrukken van de Praagse Lente volgden, raakte ze haar baan kwijt. Zij had dus echt de vragen moeten beantwoorden die ik mijzelf retorisch had gesteld. Jarenlang worstelde ze om geld te verdienen als tolk, meestal bij ontmoetingen tussen Amerikanen en dissidenten. Tijdens de Fluwelen Revolutie was ze Havels Engelstalige stem, zij het in volmaakt Brooklyns Amerikaans. Vanaf onze eerste ontmoeting waren we bondgenoten. Later, in Washington, spraken we vaak af om te praten en te lachen terwijl ze pastrami op witbrood bestelde omdat ze zo van het Amerikaanse brood hield dat ze in Praag niet kon krijgen, terwijl ik me altijd verheugde op de zure roggebroodsmaak van het brood dat ik alleen maar op haar ambassade kon krijgen.

Het bezoek van president Havel aan Amerika in februari 1990 was deels een feest en deels een circus. Het gaspedaal van de geschiedenis was volledig ingedrukt en de wereld stond opeens op zijn goede kant. Er was geen totaalscenario aan te pas gekomen. Havel was net zo verbaasd als iedereen om plotseling een staatshoofd en een wereldwijde democratische held te zijn die op het punt stond de gezamenlijke vergadering van het Amerikaanse Congres toe te spreken. Ik maakte van mijn huis een voorpost van het hoofdkwartier van Havel, mobiliseerde vrienden van eerdere politieke campagnes en rekruteerde een aantal van mijn studenten van Georgetown om te helpen.

Ik ging naar Rita's residentie om Havel voor te bereiden op de dagen die komen zouden. Na mijn ervaringen met de Senaat en het Witte Huis en de campagnes voor Ferraro en Dukakis was ik in mijn element. Het enige probleem was ademhalen. Havel was een voortdurend hoestende kettingroker die omringd werd door assistenten die dezelfde gewoonte hadden. Ik hield gewoon mijn adem in en gaf Havel de memo's die ik had voorbereid, samen met bladzijden vol mogelijke vragen en antwoorden voor de pers. Ik was verrukt toen hij in het Tsjechisch tegen zijn staf zei: 'Nou, dát is pas een adviseur.'

Havel had zijn speech uitgeschreven op een lang geel schrijfblok dat hij aan Rita gaf, met de vraag de tekst in het Engels te vertalen. Ze had mijn hulp niet nodig, maar ik deed toch graag een paar suggesties. Ik had ook geregeld dat media-adviseur Frank Greer Havel tips zou geven voor zijn redevoering. Sommige mensen hebben een aangeboren talent om op te treden voor televisie of publiek, maar de meesten van ons zijn in het begin niet zo goed. Havels eigen mensen zeiden dat hij op televisie niet goed overkwam omdat hij niet direct in de camera keek. Hij las zijn teksten langzaam voor en maakte geen gebruik van een autocue omdat hij vond dat het er onecht uitzag. Hij vermeed zelfs oogcontact met verslaggevers, een gewoonte die hij had ontwikkeld om herhaalde kruisverhoren in de gevangenis te verhinderen. Ondanks alle repetities en tips was Havels presentatie tijdens zijn belangrijke speech op Capitol Hill nog steeds vlak.* Maar het kon niemand iets schelen: de boodschap was belangrijk.

---

* Havel werd een handje geholpen door de geanimeerde vertaling van Michael Žantovský, de latere Tsjechische ambassadeur in de Verenigde Staten.

De kern van de boodschap was een paradox. 'U kunt ons het beste helpen,' zei Havel tegen het verraste Congres, 'door de Sovjet-Unie te helpen op haar onomkeerbare, maar enorm ingewikkelde weg naar democratie... Hoe eerder, hoe sneller en hoe vreedzamer de Sovjet-Unie zich op weg naar een waarachtig pluralisme begeeft,' vervolgde Havel, 'hoe beter het is, niet alleen voor de Tsjechen en Slowaken, maar voor de hele wereld.'

In deze en andere speeches uitte Havel ook zijn zorg over het feit dat dezelfde menselijke neigingen die de holocaust en het sovjetrijk mogelijk hadden gemaakt – waaronder de zelfingenomenheid van het Westen – in een nieuwe vorm weer de kop zouden kunnen opsteken. Dat is de reden waarom Havel er bij zijn publiek op aandrong om 'het onmogelijke' na te streven, terwijl anderen spraken over politiek als 'de kunst van het mogelijke'. Op een bepaalde manier is hij geen praktische man. Hij is een lastige man, een idealist met kennis van de zwaktes van de maatschappij en van de fouten van de menselijke aard, maar een die benadrukt dat cynisme dodelijk is. Hij stelt dat, tenzij politiek gedrag wordt geleid door het geweten, we niet alleen een slechte regering zullen hebben, maar ten dode opgeschreven zijn.

Ik was natuurlijk verrukt om Havel Washington te laten zien en hem te begeleiden bij ontmoetingen met studenten in Georgetown en elders. Toen hij me uitnodigde om met hem mee te gaan om president George Bush te ontmoeten, was ik – als bekende Democraat – slim genoeg om te weigeren. Havel was zeer tevreden met zijn bezoek en toonde me de vulpen die hij van de president gekregen had, waarvoor ik hem later vullingen stuurde.

Vervolgens begeleidde ik Havel naar New York, waar hij zijn artistieke kant kon uitleven. Bij de Actors Studio ontmoette hij Paul Newman, die hem vertelde over de Slowaakse afkomst van zijn moeder. Er werd een gala met veel bekende sterren gehouden in de kathedraal van Saint John the Divine. En Robert Silvers van de *New York Review of Books*, die de werken van Havel had gepubliceerd in de dagen van de Koude Oorlog, organiseerde een feest op het toneel van het Vivian Beaumont Theatre, waar ik tolkte voor het informeel verzamelde kwartet bestaande uit William Styron, Edward Albee, Norman Mailer en Václav Havel. Ongelooflijk.

Later dat voorjaar, toen ik opnieuw naar Tsjecho-Slowakije ging, nodigde Havel me uit om te logeren op de Praagse Burcht.* Ik kreeg een enorme stalen sleutel voor een gigantische houten deur en kreeg te horen dat ik om 11 uur 's avonds binnen moest zijn, als de ijzeren hekken gesloten werden. Mijn slaapkamer lag tegenover Hradčanské Náměstí, en dus zag ik, vanuit een andere hoek, hetzelfde plein, park en dezelfde kinderkopjes die ik als kind gezien had. Vanuit mijn hoge positie keek ik uit mijn raam naar het wisselen van de paleiswachters, die in

---

* De fundamenten voor de Praagse Burcht dateren van de negende eeuw. In tegenstelling tot andere presidenten werkte Havel wel op het kasteel, maar woonde hij er niet. Hij had een appartement aan de overkant van de rivier en bouwde later een eigen huis.

nieuwe uniformen gestoken waren, ontworpen door Theodor Pištěk, de kostuum-
ontwerper van de film *Amadeus*. Ik reikhalsde om de trompetters te kunnen zien
die vanaf een hoog balkon de marcherende erewacht begeleidden.

Het hele tafereel was vooral erg ontroerend omdat mijn broer John ook in
Praag was en het met me kon delen. De burcht was de plek waar Tomáš Masaryk
had gewoond tijdens de eerste gouden tijd van Tsjechoslowakije, toen mijn ouders elkaar ontmoetten en begonnen te dromen over het leven dat ze gezamenlijk zouden gaan leiden. Hier verpletterde Hitler de dromen van een hele generatie toen hij door de poorten van de burcht marcheerde en het land tot het zijne
bombardeerde. Tijdens de Koude Oorlog waren communistische potentaten zoals Brezjnev, Ceaușescu en de Oost-Duitser Honecker hier in dezelfde kamers
geweest, met hun zitvlakken op de afschuwelijke sociaal-realistische meubels
die er nog steeds stonden.

Ik kwam in juni opnieuw terug in Praag, als medevoorzitter van het NDI-team
dat als waarnemer de verkiezingen zou volgen. De euforie was voelbaar. De kieswet die we in januari hadden helpen opzetten stond op het punt uitgevoerd te
worden. De stemlokalen waren versierd met rood-wit-blauwe vlaggetjes. Toen de
stemmen waren geteld, bleken de democratisch gezinde partijen Burgerforum en
Publiek Tegen Geweld de winnaars te zijn. Ik bezocht een feest van voormalige
dissidenten in het Toverlantaarn Theater. Samen huilden we van vreugde toen
we 'We shall overcome', de Amerikaanse hymne van de mensenrechten, zongen.
's Avonds was het oude stadsplein gevuld met mensen die zich verdrongen rond
het enorme gedenkteken voor de Tsjechische martelaar Jan Hus. De feestelijkheden werden luister bijgezet door de aanwezigheid van Paul Simon, wiens muziek
en teksten – ondanks de taalverschillen – door iedereen werden begrepen.

In de jaren onmiddellijk na de revolutie waren mijn ontmoetingen met Tsjechen
en Slowaken zowel talrijker als ingewikkelder dan daarvoor. Ik had in huiska-
mers in Washington en Praag, tijdens diners, in academische instellingen en tijdens televisie-interviews intensieve discussies met oude en nieuwe kennissen
over wat democratie werkelijk betekende. We debatteerden over de waarde van
politieke partijen, de rol van de pers, het belang van buitenlandse investeringen
en manieren om de economie voor het volk te laten werken. De Tsjechen en
Slowaken hielden van hun nieuw verworven vrijheid en waren grote bewonde-
raars van de Verenigde Staten, maar ze hadden ook wat klassieke kritiek op
Amerika's rol in Vietnam, ons veronderstelde gebrek aan cultuur, ons materia-
lisme. Dus moest ik een beetje lachen als ik een paar vrienden meenam naar een
winkelcentrum of een warenhuis in Washington en zij het moeilijk vonden om
niet alles wat ze zagen te kopen. Voor Amerikanen is de vrijheid om te kiezen
tussen een tiental verschillende merken van bijna alles vanzelfsprekend. Voor
iemand die gewend is om wanhopig te staren naar de lege planken van een rege-
ringswinkel in communistisch Midden-Europa was het alsof het elke dag sinter-
klaas was.

Mijn nieuwe vrienden stonden versteld van mijn Tsjechisch en ik was vooral heel tevreden toen ze zeiden dat ik geen merkbaar buitenlands accent had. Ik moest echter wel een nieuw vocabulaire leren. Ten eerste had ik nooit echt politieke discussies in het Tsjechisch gevoerd; sommige woorden die ik gebruikte maakten mijn toehoorders aan het lachen. Maar de taal was niet het belangrijkst. Mijn manier van denken was bepaald door het feit dat ik volwassen was geworden in een vrij Amerika. Als ik uitlegde hoe een democratische regering moet functioneren, wat het betekent om je eigen bedrijf te hebben, hoe belangrijk de rechten van het individu zijn en waarom de media geen beperkingen opgelegd mogen worden, probeerde ik niet bevoogdend te klinken. Dat lukte me niet altijd en soms zei een van mijn vrienden scherp: 'We zijn niet net uit een boom gevallen, hoor.'

De grotere openheid in Tsjecho-Slowakije gaf mij ook de gelegenheid om mijn nichtje Dáša op te zoeken. Ik had haar sinds wij in 1948 waren vertrokken nog maar één keer gezien. In de zomer van 1967 hadden Joe en ik een rondreis door Midden-Europa gemaakt en Praag bezocht. Ik was toen nerveus, al was ik in het land met een Amerikaanse naam, paspoort en echtgenoot. Bepaalde vrienden van mijn ouders vertelden me dat mijn vader bij verstek terecht had gestaan en ter dood was veroordeeld. Ik wilde Dáša niet in problemen brengen met de autoriteiten, dus hadden zij en ik elkaar slechts een uur tijdens een nogal gespannen ontmoeting in een Praags café gesproken.

In 1990 konden we met elkaar praten zonder ons zorgen te hoeven maken. Het was echter nog steeds niet gemakkelijk. Familie van elkaar zijn betekent niet automatisch dat je op elkaar lijkt. Zij had een veel moeilijker leven gehad dan ik, wat nog verergerd werd door het feit dat ze mijn vaders nicht was. Ze was eerder berustend dan bitter. Hoewel Dáša over mijn gezin wilde horen, voelde ik me niet op mijn gemak bij het noemen van de details van alles waar wij van genoten. Ik was zelfs opgelucht dat ik haar kon vertellen dat niet alles volmaakt was: mijn echtgenoot had mij verlaten.

Tijdens een van mijn bezoeken zag ik Josef Marek, die in Belgrado mijn vaders perschef was geweest. Hij was ook de peetvader van mijn broer. Hij vertelde me dat hij vanwege deze banden met mijn familie in de gevangenis was gegooid. Het contrast tussen de vreugde die ik voelde om de bevrijding van mijn geboorteland botste voortdurend met het verdriet dat ik voelde als ik op zo'n persoonlijke manier hoorde over het lijden van zijn volk – soms als straf voor het democratische activisme van mijn vader.

De meest intellectuele gesprekken die ik voerde waren met Václav Havel. We waren ongeveer van dezelfde leeftijd en zijn levenservaringen en creatieve geest zorgden voor veel gespreksstof. In de zomer van 1990 voegde ik me op Bermuda bij hem en zijn eerste vrouw Olga. We bezochten het volgstation van de NASA en zaten 's avonds onder de sterren te praten over hoe Tsjecho-Slowaken, misschien wel omdat hun land nergens aan zee grenst, veel tijd besteden aan het kijken naar de sterren en zich voor te stellen hoe het zou zijn om met hun hulp te navigeren.

Ondertussen knaagde er de hele tijd een ernstiger vraag aan mij. Ik wilde weten of Havel kritiek had op de mensen die vertrokken waren toen de communisten de macht overnamen. Hoewel hij zijn antwoord diplomatiek formuleerde, geloof ik dat hij vond dat ze niet hadden moeten vertrekken. Havel had een aantal
kansen gehad om naar het Westen te vertrekken; hij had naar Hollywood kunnen
gaan om te schrijven en er een goed leven te leiden. Ik vroeg hem waarom hij dat
niet gedaan had. Hij zei eenvoudig dat hij zich verplicht voelde te blijven. Ik vroeg
me opnieuw af of ik alles wat hij had meegemaakt zou hebben overleefd.

Terwijl de democratie in 1991 en 1992 vorm kreeg, herleefde het oude Praag.
Net als in de jeugd van mijn ouders waren er overal concerten. Galerieën openden, vol wilde moderne kunst. In het verleden verboden foto's van de Masaryks
en Edvard Beneš verschenen in overheidsgebouwen. Toeristen stroomden door
de straten met kinderkopjes. Havel werd een icoon in zijn eigen land en daarbuiten. Hoewel hij zich begon te kleden en ging lopen als een president, fotografeer-
den Amerikaanse tijdschriften hem liever in een T-shirt van de Rolling Stones of
een zwart leren jack, waarmee hij eruit zag als een Tsjechische versie van Bob
Dylan. Hij was een serieuze wereldleider en ook een morele en intellectuele
kracht – en speels op een manier die duidelijk maakte dat hij zijn eigen roem niet
al te serieus nam. Als hij een handtekening uitdeelde, gebruikte hij meestal een
groene pen om te signeren en een rode om een hartje onder zijn naam te zetten.

Maar vervolgens brandde Tsjecho-Slowakije te snel op, net als een gevangene
die tientallen jaren in een gevangenis zonder licht heeft doorgebracht. De euforie
begon weg te sterven. Havel had zich zelfs in zijn inaugurele rede afgevraagd of
de idealen die de Fluwelen Revolutie hadden gedragen het zouden overleven. Hij
was vooral bezorgd dat de lang onderdrukte negatieve etnische gevoelens – 'het
gevoel dat de geschiedenis ons onrechtvaardig behandeld heeft' – weer de kop op
zouden steken. In 1992 hielp ik, in samenwerking met Andrew Kohut en het
Times Mirror Center for People and the Press, met een onderzoek naar standpunten in het Europa van na de Koude Oorlog. Het goede nieuws was dat Tsjecho-
Slowakije deel wilde uitmaken van West-Europa en de voorkeur gaf aan een vrije
markt. Het slechte nieuws was dat de geest van samenwerking tussen verschillende bevolkingsgroepen, die Masaryk had voorgestaan en die Havel predikte,
aan het verdwijnen was. Van alle volkeren in de regio waren de Tsjecho-Slowaken het meest negatief in hun mening over de Roma of zigeuners. Nog ernstiger
was dat veel Slowaken hun eigen weg wilden gaan. We vroegen aan leden van
een Slowaakse groep of ze liever Slowaken als leden van een Tsjecho-Slowaaks
ijshockeyteam wereldkampioen zagen worden of achtste als puur Slowaaks team.
Ze kozen voor de Slowaakse optie.

Het nationalistische debat werd feller. Er waren mensen in de Slowaakse
hoofdstad Bratislava die niet enthousiast waren over de economische plannen
die uit Praag kwamen. De Slowaken waren ook in het nadeel bij de privatisering
omdat veel enorme fabrieken uit de sovjettijd in hun regio stonden en niemand
erin wilde investeren. Nationalistische politici buitten het gevoel dat de Slowa-

ken werden gediscrimineerd uit en er werden herinneringen aan oude meningsverschillen tussen Tsjechen en Slowaken opgehaald. Op 31 december 1992 werd
om middernacht de eenheid ontbonden. In tegenstelling tot de scheiding in Joegoslavië verliep het einde van de Tsjecho-Slowaakse staat vreedzaam. Het werd de
Fluwelen Scheiding genoemd. De scheiding bedroefde mij, want ik had mijzelf
altijd als Tsjechoslowaak beschouwd, net als mijn ouders. Ik was toen van mening dat de twee landen samen sterker waren en dat vind ik nog steeds, hoewel
ik blij ben dat de betrekkingen sinds de scheiding zijn verbeterd.

Zelfs voor de scheiding werd het politieke leven in beide republieken door een
andere geest uit het verleden bemoeilijkt. Toen de archieven van de geheime politie, daterend van de Koude Oorlog, werden geopend, ontdekten velen dat hun
vrienden tientallen jaren verslag over hen hadden gedaan. Anderen die bekend
stonden als dissidenten bleken in feite dubbelagenten. In 1991 was een proces
begonnen, dat 'reiniging' werd genoemd, een zorgvuldig onderzoek naar de achtergronden van mensen om te bepalen wie wat wanneer had gedaan. Ik had me
vaak afgevraagd hoe dissidenten wisten wie ze tijdens de communistische periode moesten vertrouwen. Nu had ik mijn antwoord: dat wisten ze niet.

Helaas leefde mijn moeder niet lang genoeg om het vrije Tsjecho-Slowakije mee
te maken. Ze stierf op 4 oktober 1989, zes weken voor de studenten begonnen
met hun protesten. Haar sclerodermie verslechterde en ze was altijd afhankelijk
van extra zuurstof. De hoogte van anderhalve kilometer in Denver, die zo lang
goed voor haar was geweest, maakte het nu extra moeilijk. We probeerden haar
zover te krijgen dat ze naar Washington zou verhuizen om in de buurt te zijn van
John en Pam, hun kinderen Josef en Peter, en mijn gezin, maar ze verzette zich.
Ze wilde blijven op de plek waar ze zo gelukkig was geweest met mijn vader en
zei: 'Het leven is meer dan ademen. Jožka en mijn vrienden zijn hier. Kom maar
bij mij op bezoek.'

Pas in 1987 gaf ze toe en in de tijd die haar nog restte maakte ze deel uit van
ons leven in Washington. Ze woonde er in een prachtig appartement. We brachten samen veel tijd door, gingen naar de boerderij, keken naar films, speelden
met de kinderen. Ik had gewild dat ze veel eerder bij ons in de buurt was komen
wonen. Toen Joe van onze dochters hoorde over de toestand van hun grootmoeder, belde hij om te vragen of hij langs mocht komen, wat hij ook attent deed.

Mijn moeder werd een verstokte krantenknipster ('Dit moet ik doen, want op
een dag wil je misschien een boek schrijven,' zei ze dan) en was gefascineerd
door wat er speelde in Midden- en Oost-Europa. Ik denk dat het volgen van de
gebeurtenissen daar haar dichter bij mijn vader bracht. Hoe hard ze ook haar
best deed, mijn moeder was nooit helemaal over de dood van mijn vader heen
gekomen. Telkens als ik haar zag, zei ze: 'Je vader voorspelde dat er een verenigd Europa zal komen. Hij zei dat gisteravond weer.' Ze was geërgerd over de
Tsjechoslowaken vanwege hun traagheid, maar zei vlak voor ze stierf: 'Je vader
zei tegen me dat Tsjechoslowakije bevrijd zou worden. Hij heeft altijd gelijk.'

Het grootste deel van de jaren tachtig gaf ik colleges over de betrekkingen tussen de VS en de Sovjet-Unie. Toen Gorbatsjov aan de macht kwam, moest ik mijn aantekeningen weggooien. Nadien was er geen enkel semester dat ik hetzelfde materiaal kon gebruiken als het semester ervoor. Ik startte eveneens een reeks colleges over Midden-Europese politiek, maar moest ook die elk semester aanpassen. Ik was ooit een deskundige op het gebied van het communistische systeem geweest. Nu voelde ik me meer een archeoloog die in het verleden groef.

Ik zei tegen mijn studenten dat we een zeldzaam moment in de geschiedenis hadden bereikt, waarop alle oude aannames opnieuw moesten worden bekeken en de bestaande instellingen moesten worden aangepast of opgeheven. De rivaliteit tussen de supermachten leek voorbij, maar dat was nauwelijks het eind van de geschiedenis. Er ontstonden alweer nieuwe uitdagingen. Het sovjetrijk zou worden vervangen, maar het was nog niet duidelijk door wat. Zoals Havel voorspelde creëerde het weer oplevende nationalisme een vruchtbare bodem voor conflicten. De traditionele aanpak van buitenlands beleid zou ten voor- of nadele worden verzwakt door de groeiende macht van niet-gouvernementele actoren, waaronder multinationale bedrijven, groepen die ijveren voor de publieke zaak, de georganiseerde misdaad en terroristen. De Koude Oorlog was voorbij, en sommige mensen zeiden dat het Westen een blijvende overwinning had behaald, maar ik was bezorgd dat het wijdverbreide overwinningsgevoel zou leiden tot zelfgenoegzaamheid en een gevaarlijke terugtrekking door Amerika van zijn verantwoordelijkheden. Ik verbaasde mijn studenten met de voorspelling dat de nieuwe wereld zelfs nog gevaarlijker zou kunnen zijn dan de oude.

Op persoonlijk vlak had mijn weg een zigzagkoers gehad, maar ik had veel geleerd sinds mijn eerste echte baan in 1976. Naast mijn omgang met Tsjechische en Slowaakse leiders had ik gereisd en in heel Midden- en Oost-Europa en in de voormalige Sovjet-Unie functionarissen en burgers ontmoet. Ik had congressen in China, Afrika en Latijns-Amerika bijgewoond. Ik gaf les, schreef artikelen, stak speeches af, verscheen op televisie en legde getuigenissen af voor het Congres. Ik leidde een progressieve denktank en een groep van voormalige functionarissen van de regering-Carter die nog steeds actief en zichtbaar waren in Washington, en die regelmatig bijdroegen aan discussies over buitenlands beleid.

Ik was ook bijzonder geïnteresseerd in de uitslag van de presidentsverkiezing van 1992. De Democraten waren al twaalf jaar niet meer aan de macht geweest. Ik was vijfenvijftig. Als er ooit een kans was dat ik het buitenlands beleid vorm kon geven in plaats van er alleen maar over te praten, was het nu. Vanwege mijn betrokkenheid met een non-profitorganisatie, het Center for National Policy, kon ik niet dezelfde fulltimerol spelen in de presidentiële campagne die ik eerder had gespeeld, maar ik deed wat ik kon. Toen de stemmen werden geteld, had ik een goed voorgevoel. Ontevreden over onze inzakkende economie gaven de kiezers de Democraten een kans. Er kwam een nieuwe president en een van zijn eerste taken zou het samenstellen van een team voor buitenlands beleid zijn.

DEEL TWEE

Veertien pakken en een rok

HOOFDSTUK 9

Een bordje met alleen maar 'Verenigde Staten' erop

D E BEWAKER VAN DE noordelijke ingang van het Witte Huis bestudeerde mijn rijbewijs. 'Ik ken u,' zei hij. 'U heeft hier eerder gewerkt, is het niet?'

'Ja, en we zijn terug,' zei ik opgetogen.

Er waren bijna twaalf jaar voorbijgegaan, maar de wandeling over de oprijlaan naar de ingang van de westelijke vleugel voelde heerlijk vertrouwd. Het was half november, twee weken na de verkiezingen van 1992 en ik was een van de eerste leden van het Clinton-team die het Witte Huis inkwam. Ik moest de overdracht van verantwoordelijkheden bij de National Security Council coördineren.

Ik werd verondersteld mijn NSC-contact van het Bush-team te treffen vlakbij de met computersloten beveiligde deuren die de ingang van de legendarische Situation Room afsluiten – exact dezelfde plek waarvandaan ik het Witte Huis op 20 januari 1981 had verlaten. Ik liep via de kleine trap naar de kantoren van de NSC. Overal zag ik foto's van Bush en Quayle. Toen ik de ruimtes net buiten de Situation Room voor het laatst zag, was het een doolhof van kleine kantoortjes met niet bij elkaar passende bureaus en grote archiefkasten. Nu waren veel van de kleinere kamers samengetrokken en in de grotere kantoren stonden ingebouwde mahoniekasten en bijpassende bureaus. Het voelde alsof ik mijn huis aan onbekenden had verhuurd en het bij terugkomst geheel heringericht en gedecoreerd met portretten van onbekende kinderen en huisdieren aantrof.

Ik wist dat de portretten binnenkort vervangen zouden worden door foto's van Clinton en Gore. Ik voelde me opgetogen maar ook gespannen. Ik was de contactpersoon tussen de nieuw gekozen president en de vertrekkende NSC-staf, wat inhield dat ik moest bepalen welke kwesties snel om beslissingen vroegen, me door stapels samenvattingen heen moest werken en informatiemappen moest samenstellen voor de aanstaande president en de adviseur nationale veiligheid.

Als coördinator deed ik aanbevelingen voor de organisatie van de activiteiten ten behoeve van de nationale veiligheid van de nieuwe regering, bij een waarvan ik later betrokken zou raken, hoewel ik op dat moment geen reden had om dat te vermoeden. Ik stelde voor dat de Amerikaanse permanente vertegenwoordiger bij de VN lid moest zijn van de Principals Committee, de hoogste presidentiële adviesgroep met betrekking tot buitenlands beleid.*

Ik wilde mijn tijdelijke opdracht goed uitvoeren vanwege de opdracht zelf, maar ook omdat ik wist dat ik geëvalueerd werd met het oog op een positie in de regering. Ik had Bill Clinton niet op dezelfde manier geadviseerd als de Democratische kandidaten in voorgaande verkiezingen. Maar ik was hem tijdens de campagne verschillende malen tegengekomen en had op verzoek van zijn staf stukken geschreven. Ik ontmoette hem voor het eerst in 1988, toen hij naar Boston kwam om Dukakis te helpen bij de voorbereiding op een debat. We waren met een groepje mensen uit eten gegaan en ik had daarna contact met hem gehouden, hem zelfs aanbevolen voor het lidmaatschap van de Raad voor Buitenlandse Betrekkingen.

Na de overwinning bij de verkiezingen van 1992 schreef Nancy Soderberg, een staflid van Clinton en een voormalige student van mij, een memo voor de president over kandidaten voor functies. Ze stuurde me een kopie van zijn antwoord. Mijn naam was de enige die onderstreept was en in de marge ernaast stond 'goed'. Dat gaf mij het idee dat ik een aanbod zou krijgen, maar ik wist niet wat het zou zijn.

Gezien mijn ervaring in de regering-Carter, had ik verwacht dat als ik terug zou keren bij de overheid, het bij de NSC zou zijn, naar ik hoopte in een van de twee hoogste posities. Dat nu leek echter onwaarschijnlijk. Twee van mijn vrienden – Anthony Lake en Samuel ('Sandy') Berger – waren zeker voorgedragen voor de functies. Tony had leiding gegeven aan de beleidsplanning van het ministerie van Buitenlandse Zaken in de regering-Carter, met Sandy als zijn plaatsvervanger. Beiden waren vaak aanwezig bij de diners die ik later in Georgetown organiseerde en waar het buitenlands beleid werd doorgenomen. In 1988 was ik de adviseur buitenlands beleid die het dichtst bij de Democratische presidentskandidaat stond. In 1992 waren dat Berger en Lake. Sandy was een prominente advocaat, met gespierde schouders, een ietwat engelachtig gezicht en een bescheiden manier van optreden. Hij was een eersteklas denker, schrijver en strateeg, en was soms kortaf maar meestal geduldig. Als oude vriend van de gekozen president had hij de functie van adviseur nationale veiligheid kunnen krijgen. In plaats daarvan deed hij iets dat in Washington ongehoord was en liet hij de eer aan Lake. Tony was zijn loopbaan begonnen als functionaris in de diplomatieke dienst, maar had ontslag genomen uit protest tegen de invasie van Cambodja door de regering-Nixon tijdens de Vietnamoorlog en was hoogleraar geworden op Mount Holyoak College. Hij was bijzonder intelligent, had sterke humanitaire

---

* In de regering-Clinton bestudeerde de Principals Committee belangrijke kwesties van buitenlands beleid en formuleerde aanbevelingen die vervolgens werden doorgegeven aan de president. Andere leden van de commissie, die werd voorgezeten door de adviseur nationale veiligheid van de president, waren onder anderen de ministers van Buitenlandse Zaken en Defensie, de directeur van de CIA, de voorzitter van de Joint Chiefs of Staff en de adviseur nationale veiligheid van de vice-president.

standpunten en wist bijzonder veel van Afrika. Nu zou het team Lake en Berger herenigd worden bij de NSC – met Tony als de baas en Sandy opnieuw als zijn plaatsvervanger.

Ik richtte mijn aandacht op het ministerie van Buitenlandse Zaken. Mijn meest ambitieuze hoop was daar de eerste vrouw in de functie van plaatsvervangend minister te worden. Ik was niet geïnteresseerd in een ambassadeurspost en dacht geen moment aan de VN. Richard Gardner had de functie van ambassadeur bij de VN geambieerd sinds we elkaar voor het eerst ontmoet hadden tijdens de regering-Kennedy. Dick was buitengewoon goed gekwalificeerd en had Clinton en Gore vanaf het begin gesteund. Het leek een uitgemaakte zaak dat hij die baan zou krijgen.

Kort na Thanksgiving Day vroeg Sandy me op zijn kantoor te komen om over banen te praten. Ik stond versteld toen hij vroeg: 'Hoe zou je het vinden om ambassadeur bij de VN te worden?' In plaats van het juiste antwoord: 'Dat zou ik fantastisch vinden', zei ik: 'Dick Gardner vermoordt me.' Sandy antwoordde: 'Maak je geen zorgen, dat is jouw probleem niet.' Hij herhaalde de vraag en dit keer zei ik: 'Graag, maar mijn echte ambitie is om plaatsvervangend minister van Buitenlandse Zaken te worden.' Daar reageerde Sandy niet op en het gesprek was al snel voorbij.

Dagenlang gebeurde er niets. Ik dacht dat ik het verknoeid had. Natuurlijk wilde ik niet dat iemand wist hoe zenuwachtig ik was, dus raakte ik alleen maar opgewondener, en vertelde mezelf dat ze me toch wel tot iets zouden benoemen. Ik begon 's nachts al mijn schoenen te poetsen en mijn werkkamer thuis te reorganiseren, al mijn papieren van de ene kant naar de andere verplaatsend en dan weer terug. Op 20 december, een zondag, besloot ik dat ik niet langer kon zitten wachten op een telefoontje, dus ging ik naar mijn kantoor en werkte aan memo's, terwijl ik om de haverklap mijn antwoordapparaat controleerde. Toen ik om zes uur 's avonds thuis kwam, ging de telefoon. Het was Warren Christopher, de voormalig plaatsvervangend minister van Buitenlandse Zaken die de leiding had van de hele overdracht van de regeringsverantwoordelijkheid van Bush naar Clinton. Hij belde uit Little Rock om te zeggen dat de president van plan was om me de VN-baan aan te bieden, maar dat hij eerst met me wilde praten. Christopher zei dat ik de volgende middag bij hem moest komen. Ik mocht tegen niemand iets zeggen over het gesprek of dat ik naar Arkansas ging. 'Zoals je weet, Madeleine,' zei hij, 'kan er tussen lepel en mond veel pap op de grond vallen. Breng je belastingaangiftes en andere papieren naar de advocaten om de doorlichtingsprocedure te starten en kom dan naar me toe als je aangekomen bent. En neem een tandenborstel mee voor het geval het laat wordt.' Dankzij al het opruimwerk dat ik had gedaan, had ik alle papieren bij de hand, waaronder het bewijs dat de Albrights keurig de benodigde sociale lasten voor de kindermeisjes van hun kinderen hadden betaald.

Ik stapte op het vliegtuig naar Little Rock en was opgewonden, uitgeput en maakte me zorgen dat ik gezien zou worden. Toen zag ik Tunky, de vrouw van

Richard Riley. Riley was een goede vriend van Clinton en werd verondersteld kandidaat te zijn voor een kabinetsfunctie. Tunky vertelde me dat Dick ook ontboden was en de dag ervoor de hele tijd op een hotelkamer had zitten wachten op een telefoontje, zich afvragend wat er mis was gegaan. Uiteindelijk kwam alles goed; ze vloog naar Arkansas voor de officiële bekendmaking van haar mans benoeming tot minister van Onderwijs.

Toen er niemand op het vliegveld stond om me op te halen, werd ik weer zenuwachtig, en het werd nog erger toen ik op Christophers kantoor kwam en iemand vroeg: 'Wat doet u hier?' Uiteindelijk kreeg ik te horen dat ik naar het Excelsior Hotel moest gaan, me daar moest inschrijven en moest vermijden dat iemand me zag. Ik sloop naar mijn kamer en sloot snel de deur, er zeker van dat ik niet ontdekt was. Binnen een paar seconden ging de telefoon: 'Dit is CNN en we weten dat u er bent.' Ik gooide de hoorn neer alsof het een slang was.

Het was nog maar halverwege de ochtend en ik was bang een volgend telefoontje te beantwoorden, naar buiten te gaan of zelfs maar iets bij roomservice te bestellen. Dus zat ik daar maar en wachtte en keek televisie, die alleen maar reclame over eten leek uit te zenden. Ten slotte, tegen vijf uur 's middags, brak ik mijn eed van stilzwijgen en belde Nancy Soderberg. 'Wat is er aan de hand?' vroeg ik. 'Alles is in orde,' zei ze, voordat ze de woorden eraan toevoegde die ik de komende acht jaar vaak zou horen: 'Hij loopt alleen wat achter op schema.'

Nancy vroeg of ik had geregeld dat mijn dochters zouden komen. Ik zei dat ik niet zeker had geweten of ik onderwerp zou zijn van welke aankondiging dan ook en had moeten beloven niets te zeggen. Ik meldde dat CNN had gebeld en zwoer dat ik tegen niemand iets had gezegd. 'Oké, blijf rustig waar je bent,' zei Nancy, 'je hoort van ons.'

Christophers kantoor belde al snel om te zeggen dat mijn afspraak met de nieuwe president pas tegen tienen die avond zou zijn. Ze nodigden me uit voor het diner met Mr Christopher. Ik nam de uitnodiging graag aan, in de verwachting dat ik eindelijk zou horen wat er aan de hand was.

Ik ging naar het restaurant en werd naar een tafel in een uithoek van een enorme, lege, zwak verlichte zaal geleid. Warren Christopher arriveerde een paar minuten later. Ik had Christopher, of Chris zoals hij genoemd werd, leren kennen tijdens de regering-Carter. We voelden ons op ons gemak bij elkaar, misschien zelfs vertrouwd. We waren net in gesprek toen Christopher zichzelf onderbrak en heel zachtjes zei: 'Madeleine, ik moet je iets vertellen. Ik word minister van Buitenlandse Zaken.'

Ik legde mijn hand op zijn arm en zei: 'Chris, dat is fantastisch – en zeer verdiend.' Hoewel we de enige aanwezigen waren, vervolgde hij met een uitgestreken gezicht: 'Toon geen emoties.' Toen er even later een serveerster kwam, begon hij over het weer te praten. Zo gauw ze weer weg was, keek hij om zich heen voor hij zei: 'Ik heb Clifton Wharton gevraagd mijn plaatsvervanger te worden en de president gaat jou vragen om ambassadeur bij de VN te worden. Maar denk eraan – geen woord, tegen niemand.'

Ik arriveerde een paar minuten voor tien bij het gouverneurshuis. Mij werd gevraagd te wachten. Ik zat op een half afgesloten terras terwijl mensen binnen heen en weer renden tijdens de gelijktijdige voorbereidingen voor kerstmis, de invulling van de nieuwe regering en de verhuizing van de Clintons naar Washington. Overal stonden verhuisdozen. Plotseling kwam er een meisje met lang, blond krulhaar uit een zijkamer schieten die in de dozen begon te kijken. Dat was Chelsea. Een paar minuten later liep James Woolsey, die zou worden benoemd tot directeur van de CIA, voorbij en zei dat hij net klaar was met zijn gesprek; Bill Clinton wachtte op me in zijn werkkamer.

Meteen nadat ik binnen was gekomen, bood de president me de VN-baan aan die ik accepteerde. We bleven tot bijna middernacht met elkaar in gesprek. Hoewel we op het punt stonden dat onze levens drastisch gingen veranderen, hadden we een ontspannen en open gesprek. Bill Clinton zat in een leunstoel, met zijn benen omhoog, en we dwaalden over de wereld in ons gesprek over zijn plannen voor het buitenlands beleid. Hij vertelde mij enthousiast over zijn plannen om de VN efficiënter te maken, een opmerking die ik me later vaak zou herinneren als ik steun zocht voor allerlei initiatieven. Hij vertelde me over de andere benoemingen op het gebied van nationale veiligheid, die de volgende ochtend tegelijk met mijn benoeming bekend zouden worden gemaakt. Hij zei dat hij de VN-functie terug wilde brengen naar kabinetsniveau, wat onder president Bush niet het geval was geweest. Hij merkte ook op: 'Ik ben er zeer van onder de indruk dat je vier jaar achter elkaar benoemd bent tot beste hoogleraar op de School of Foreign Service.' Het kon kennelijk geen kwaad dat hij afgestudeerd was aan Georgetown. Uiteindelijk waren we klaar en ik ging, vermoeid maar opgewonden, terug naar mijn hotel. Nancy, de goeierd, had een boodschap achtergelaten dat ze contact had gehad met mijn dochters, die inmiddels onderweg waren naar Little Rock. Pas op dat moment had ik er zoveel vertrouwen in dat ik een blocnote pakte en opschreef wat ik de volgende dag zou gaan zeggen.

De volgende ochtend verzamelde het nieuwe nationale-veiligheidsteam zich in het gouverneurshuis.* Ondanks de enigszins sentimentele toon van mijn verklaring had ik mezelf bezworen dat ik niet zou huilen. Toen keek ik naar het publiek. Anne, Alice en Katie waren al in tranen en sommige van de keiharde vrouwelijke journalisten die voor mij zaten veegden in hun ogen. Toen ik klaar was, draaide ik me om en omhelsde de president en zag dat zelfs hij rode oogjes had.

Toen mijn dochters mij feliciteerden, zeiden ze: 'Mam, we kennen de meesten van deze mensen. Ze hebben bij ons thuis gegeten.' Dat klopte. De leden van ons team kenden elkaar goed en hadden zin om met elkaar aan het werk te gaan. Die avond, toen we allemaal op het punt stonden om onze eigen weg te gaan, hoor-

---

* De aanwezigen bij de bijeenkomst waren onder anderen de aanstaande functionarissen Warren Christopher (die minister van Buitenlandse Zaken zou worden), Clifton Wharton (plaatsvervangend minister van Buitenlandse Zaken), Les Aspin (minister van Defensie), Tony Lake (adviseur nationale veiligheid), Sandy Berger (plaatsvervangend adviseur nationale veiligheid), Jim Woolsey (directeur van de CIA) en ik.

den we dat het vliegveld van Little Rock helemaal dicht zat door de mist en dat
we moesten blijven overnachten. Ik ging met de andere toekomstige functionarissen mee naar een feestelijk diner. Na afloop was ik zo opgewonden dat ik
moeite had om in slaap te vallen. Toen ging, midden in de nacht, de telefoon.
'Ambassadeur Albright?'

Zo was ik nog nooit genoemd. 'Ja?' antwoordde ik voorzichtig.

'Dit is de ambassadeur van Bangladesh. Ik sta aan de overkant van de straat en
ik wilde de eerste zijn om u te feliciteren.'

'Maar het is één uur,' protesteerde ik.

Hij zei: 'Ik wil er alleen maar zeker van zijn dat u mij nooit meer vergeet.'

Dat is gelukt.

Ik had nu een nieuwe baas. De benoeming van Warren Christopher als minister
van Buitenlandse Zaken was een logische keus en werd goed ontvangen. Hij had
tijdens de regering-Carter persoonlijk de onderhandelingen gevoerd die hadden
geleid tot de vrijlating van de Amerikaanse gegijzelden in Iran. Hij had ook be-
middeld tijdens felle, raciaal getinte stedelijke onlusten, zoals tijdens de nasleep
van de beruchte mishandeling van Rodney King in Los Angeles in 1991.

Christopher was een keurige advocaat, die de nadruk legde op voorbereiding,
nauwgezetheid en vasthoudendheid. Zijn lichaam was al even dun als zijn verklaringen sober waren. Door op hem te letten leerde ik een opgetrokken wenk-
brauw te beschouwen als een teken van heftige emotie. Hij zag er keurig uit en
was enigszins kieskeurig, zijn perfect gesneden marineblauwe streepjespakken
waren met rood paisley gevoerd. Tijdens zijn eerste buitenlandse reis als minister stopte zijn vliegtuig om te tanken in Shannon, Ierland – een enorm populaire
bestemming voor pers en staf, gedeeltelijk omdat in de bar sterke Irish coffee,
gemaakt met eigengestookte whisky, verkrijgbaar was. Christopher wilde bij
zijn positieven blijven zonder afstandelijk te doen, dus bestelde hij een cafeïne-
vrije Irish coffee zonder alcohol, een compromis dat al gauw legendarisch werd.
President Clinton grapte ooit dat Chris de enige man in de hele wereld was die
M&M's met mes en vork at.

Ik zou al snel inzien hoezeer ik geboft had door met Chris te kunnen werken.
Zijn ervaring en zijn vele prestaties hadden er kennelijk voor gezorgd dat hij
niet in staat was tot kleingeestigheid of jaloezie. We waren het niet altijd eens en
onze temperamenten waren totaal verschillend, maar hij was de absolute teamspeler. Ik had vaak een bespreking met hem voor de vergadering van de
Principals Committee, om de verschillen in standpunten op te lossen. Als ik het
niet geheel eens was met de stellingname van het ministerie van Buitenlandse
Zaken, drong hij erop aan dat ik zei wat ik dacht, een royaal gebaar wat hem betreft, aangezien ik goedbeschouwd voor hem werkte. Over het geheel genomen
gaf hij veel steun en was hij misschien redelijker tegenover mij dan zijn opvolger ten opzichte van de mijne zou zijn tijdens de volgende presidentiële ambtstermijn.

Er was nog een maand te gaan voor de Senaat zou stemmen over mijn benoeming. Ik ging met kerstvakantie, gestimuleerd door mijn nieuwe baan, en nam enorme ordners mee om te bestuderen ter voorbereiding op de hoorzittingen die zouden voorafgaan aan de bevestiging van mijn benoeming. De klappers puilden uit van de feiten over VN-vredesmissies, voorstellen voor hervorming van de VN, de begroting, en de standpunten van de aanstaande regering over van alles, van het Midden-Oosten tot de mensenrechten in China. Mijn nieuwe portefeuille omvatte de hele wereld en ik moest weten wat ik over elk onderwerp moest zeggen en *niet* moest zeggen – en ervoor zorgen dat ik geen antwoorden zou geven die me later zouden achtervolgen.

Dan was er ook nog het inaugurele bal, geen kleinigheid. Wat moest ik aan? Ik kon in ieder geval niet aankomen met het goudbrokaten geval dat ik nog in mijn kast had hangen uit de Muskie-periode. Ik ging winkelen in een van Washingtons chiquere zaken en ik moet toegeven dat ik er afschuwelijk uitzag: helemaal in het zwart, zonder make-up. Het was geen wonder dat de piekfijn verzorgde verkoopster met opgetrokken neus toekeek terwijl ik de paar jurken in de rekken bekeek. Ik ben nooit goed geweest in het bij de slager vragen om precies de juiste stukken vlees of winkelen in kledingwinkels waar ze de goede spullen achterin bewaren.

'Ik zoek iets voor het inaugurele bal,' zei ik tegen haar.

'Zo, zo, en wat denken wij daar te gaan doen?' vroeg ze vinnig.

Heel toevallig passeerde op datzelfde moment de beroemde verslaggever Helen Thomas en ze groette me: 'Hallo, mevrouw de ambassadeur.'

Het effect op de verkoopster was bijna komisch. De hele winkel kwam in actie. Ik werd meegesleurd naar een grote kamer en de betere jurken werden te voorschijn gehaald.

Terwijl ik een van de nieuwe ontwerpen uitprobeerde, kwam er een andere verkoopster binnen die zei dat dr. Hanan Ashrawi, de bekende Palestijnse woordvoerster, in de paskamer ernaast zat en me wilde begroeten. Een van mijn voorgangers, Andrew Young, was ooit gedwongen af te treden omdat hij een afspraak had gehad met een Palestijnse afgevaardigde, en trouwens, ik stond in mijn onderjurk. Dus maakte ik bezwaar – maar te laat. Ashrawi liep binnen en al gauw waren we volop in gesprek.

Ik was tevreden over mijn nieuwe jurk en genoot enorm van de inaugurele festiviteiten, maar bleef niet te lang, want de hoorzitting voor de bevestiging van mijn benoeming zou de volgende dag plaatsvinden. Ik was vereerd dat ik werd voorgesteld aan de leden van de Commissie Buitenlandse Betrekkingen van de Senaat door mijn voormalige baas, senator Muskie, die daarop door de voorzitter van de commissie, Claiborne Pell, werd uitgenodigd om zitting te nemen aan zijn kant van de getuigentafel. Pell was de belangrijkste voorvechter van de VN in de Senaat en had altijd een beduimeld exemplaar van het Handvest van de Verenigde Naties bij zich. Ik had mezelf voorbereid op het beantwoorden van veel meer vragen dan de commissie ooit had kunnen stellen, dus verliep de hoorzitting soepel. Ik herinner het me vooral omdat het mijn eerste officiële kennismaking was met senator Jesse Helms, de onnavolgbare, rechtse senator uit North Carolina.

Helms zat in de Senaat in de tijd dat ik voor Muskie werkte, maar ik was altijd uit zijn buurt gebleven omdat hij tegen alles leek te zijn waar ik in geloofde, van vergaande wapenbeheersing tot actief Amerikaans leiderschap in de VN. Ondanks dat stond hij ook bekend om zijn zuidelijke hoffelijkheid, met name tegenover vrouwen.

Voor ik getuigenis aflegde, vroeg Helms me om mijn gezin voor te stellen. Alice, Anne en Katie stonden gehoorzaam op. Helms concentreerde zich op Katie, die toen zesentwintig was maar er veel jonger uitzag. 'Wat een mooi meisje ben jij,' zei hij, en voegde eraan toe dat hij een kleindochter had die ook Katie heette. Ik zag dat Katie haar vuisten balde omdat ze voor een kind werd aangezien en bad dat ze niets onfatsoenlijks zou zeggen. Gelukkig liet ze zich niet kennen. Later nam ik haar mee naar een diner op het Witte Huis, waar ze opnieuw de aandacht van de senator trok. Hij zei tegen Katie dat hij zich haar herinnerde en vroeg hoe het op school ging. Katie antwoordde dat ze advocaat was. Hij antwoordde: 'O, een advocatendame.' Opnieuw beheerste Katie zich, maar onderweg naar huis lachten we om wat Helms' reactie zou zijn geweest als ze gezegd had: 'Een advocaat, maar geen dame.'

Op 1 februari vloog ik naar New York. Ik ging Amerika vertegenwoordigen in de organisatie waarvoor mijn vader gewerkt had toen ons gezin net in Amerika was. Bij de Veiligheidsraad zou ik achter een bordje zitten waarop alleen maar 'Verenigde Staten' stond. En ik arriveerde bij de VN op een keerpunt in de geschiedenis.

De organisatie was verrezen uit de ruïnes van de Tweede Wereldoorlog en deed de hoop op wereldvrede herleven die eerder was belichaamd en vervolgens gebalsemd door de Volkenbond. De oorlog in Korea en de uitbreiding van de invloedssfeer van de Sovjet-Unie hadden helaas elke illusie dat de VN zelfstandig de vrede konden garanderen, snel de grond in geboord. Velen in de Verenigde Staten en de rest van de wereld bleven de wereldorganisatie waarderen om de hooggestemde idealen, en ook vanwege het unieke platform waarin het voorzag en het werk van organisaties als de Wereldgezondheidsorganisatie (WHO) en UNICEF. Tijdens de Koude Oorlog gebeurde het echter slechts zelden dat de VN optraden om de internationale veiligheid te garanderen. Omdat de Sovjet-Unie en China, permanente leden van de Veiligheidsraad, van hun vetorecht gebruik konden maken, ondernamen de VN alleen actie in het geval Oost en West het met elkaar eens waren, wat niet vaak en over weinig onderwerpen het geval was.

Nu was de Koude Oorlog voorbij, bestond de Sovjet-Unie niet meer en waren de mogelijkheden voor gecoördineerde actie van de Veiligheidsraad groter geworden. Dit werd het duidelijkst geïllustreerd door de toestemming van de raad

De avond voor Kerstmis, 1943, met mijn vader in ons bakstenen huis in Walton-on-Thames. Hoewel er een oorlog woedde, deden mijn ouders hun best om ons leven zo veilig en normaal mogelijk te maken.

Mijn ouders, Josef en Mandula Korbel tijdens de Tweede Wereldoorlog. Zij gaf hem een draai om zijn oren omdat hij haar het meest praatgrage meisje in Bohemen noemde, maar mijn moeder heeft er nooit spijt van gehad dat ze zeven jaar heeft gewacht voor ze met haar Jožka trouwde.

Jan Masaryk, later minister van Buitenlandse Zaken van Tsjechoslowakije, met zijn vader, Tomáš Masaryk, de stichter van het moderne Tsjechoslowakije. Het verschil tussen de twee tijdperken komt tot uiting in hun kleding en schoeisel en de weelderige snor van de oude Masaryk. Toen hij de foto bekeek herinnerde Jan Masaryk zich hoe prettig het was om rustig bij zijn vader te zitten, wat hij veel prettiger vond dan het zinloze gebabbel tijdens officiële bijeenkomsten.

Arnošt Körbel, mijn grootvader, tussen mijn vader (l) en diens oudere broer John (r).

Ik ben dol op deze oude foto van mijn ouders. Mijn moeder ziet eruit als een modieuze vrouw uit de jaren twintig; mijn vader was al begonnen met pijproken.

In Berkhampstead, Engeland, met mijn neef George en nicht Alena (vooraan), tante Ola, mijn nicht Dáša en mijn ouders.

Deze foto werd door mijn vader in mei 1948 gemaakt, toen mijn ouders naar Zwitserland kwamen om me te vertellen dat we niet teruggingen naar Praag, dat door de communisten overgenomen was. Op de achtergrond het Meer van Genève.

Als negenjarige verdiende ik wat bij als bloemenmeisje bij de Tsjechoslowaakse ambassade in Belgrado. Blanka, mijn gouvernante, houdt een oogje in het zeil. Ik word geholpen door mijn zusje Kathy en een kennis.

Als voorzitter van de club voor internationale betrekkingen op Kent School in Denver. Ik richtte de club op en benoemde mezelf tot voorzitter.

Middelbareschoolfoto, 1955.

Poserend in de witte jurk met de rode sjerp die ik van miss Fackt had geleend. Ik vond dat hij eruitzag als een lampenkap.

Mr. en Mrs.
Joseph Medill
Patterson Albright,
11 juni 1959.

COLLECTIE JAN DE AUTEUR

COLLECTIE VAN DE AUTEUR

Mijn armen vol van Anne en Alice, of is het Alice
en Anne?

Dochter Katie, vlak na haar doop.

COLLECTIE VAN DE AUTEUR

Joe, keurig en enthousiast, met de man die ons afwisselend charmeerde en intimideerde, Harry Guggenheim, eigenaar van *Newsday*.

Joe's oom en tante. Zowel Harry Guggenheim als zijn vrouw, Alicia Patterson, hadden de eer om op het omslag van *Time* te worden afgebeeld.

Drie generaties Pattersons. Joe's zuster, Alice (l), moeder Josephine en grootmoeder Alice Higinbotham Patterson, de lieftallige en formidabele 'Gaga'. Dina, Joe's jongere zusje, gluurt over mijn schouder.

Senator Edmund Muskie bij het diner dat ik ten behoeve van zijn presidentiële campagne in 1972 organiseerde. Republikeinen saboteerden het diner maar ik was zelf verantwoordelijk voor mijn pruik, waarvan ik op de een of andere manier dacht dat die mij zou transformeren in een lange, geraffineerde blondine. Andere steunpilaren van de Muskie-campagne waren (v.l.n.r.) Enud McGiffert, Dale Loy, Jane Muskie, June Isaacson en Madzy Beveridge.

BRON ONBEKEND

Ingeklemd tussen twee van de mannen die ik het meest bewonderde, senator Muskie en president Jimmy Carter, tijdens een feest voor de vijfenzestigste verjaardag van de senator.

THE WHITE HOUSE

THE WHITE HOUSE

Plezier tijdens een gesprek met mijn baas, Zbigniew Brzezinski, adviseur nationale veiligheid, in zijn kantoor in de westelijke vleugel van het Witte Huis.

President Václav Havel ontspant in Bermuda. Let op het T-shirt van de Rolling Stones en de karakteristieke handtekening van Havel.

Campagnes hebben alles te maken met vliegtuigen. De eerste vrouw die genomineerd werd voor het vice-presidentschap, Geraldine Ferraro, plaveide de weg die anderen binnenkort kunnen volgen.

Voormalig vice-president Walter Mondale was de Democratische kandidaat in 1984. Hij was zo moedig een vrouw als mede-kandidaat te kiezen, hij was eerlijk over de belastingen, werd alom gerespecteerd om zijn intelligentie en fatsoen – en werd bij de verkiezingen afgestraft.

Onderweg naar een volgende tussenstop tijdens de verkiezingen van 1988 bekijkt gouverneur Michael Dukakis het werk van Bill Woodward, die destijds zijn speechschrijver was en nu de mijne.

om 'met alle noodzakelijke middelen' de invasie van Koeweit door Irak in 1990 terug te draaien, een resolutie die de regering-Bush in staat stelde een brede coalitie voor operatie Desert Storm te smeden.

Helaas werd de wereld van na de Koude Oorlog geboren met een gespleten persoonlijkheid. Miljoenen mensen waren verlost van autoritaire regimes. Er ontstonden mogelijkheden om 'lokale oorlogen' die werden gevoed door spanningen tussen Oost en West te beëindigen in Cambodja, Mozambique, Angola en Midden-Amerika. Maar de ineenstorting van het sovjetrijk ontketende ook een nieuwe ronde van 'etnische oorlogen', veroorzaakt door onopgeloste nationalistische en territoriale kwesties in Midden-Afrika, de Balkan en de Kaukasus.

In het verleden waren VN-vredesmissies slechts zelden betrokken geraakt bij 'hete' oorlogen. De VN wachtten gewoonlijk tot een wapenstilstand overeengekomen was, en stuurden dan lichtbewapende troepen om de strijdende partijen met hun toestemming uit elkaar te houden en om diplomaten de tijd te geven een complete vrede te bereiken – een proces dat weken of decennia kon duren. Deze operaties stonden informeel bekend als 'praat en kijk'-missies. De aanwezigheid van de VN werkte stabiliserend en de troepen zelf liepen slechts zo nu en dan risico.

Nu, door de groeiende noodzaak tot het stichten van internationale vrede, naast het feit dat de Veiligheidsraad niet langer lamgelegd was, breidde de rol van de VN zich uit. Tijdens de laatste vier jaar van de regering-Bush en de eerste jaren van Bill Clintons ambtstermijn gaf de raad toestemming voor meer vredesmissies dan in de voorgaande vijfenveertig jaar. In 1990 waren er minder dan veertienduizend maanschappen in de VN-vredestroepen. In 1993 zou het aantal een top bereiken van meer dan achtenzeventigduizend. Decennialang vergaderde de Veiligheidsraad slechts onregelmatig. Tijdens mijn vier jaar vergaderden we bijna dagelijks.

Voor mij en mijn VN-collega's betekende al deze activiteit een soort vuurproef. We waren opgewonden dat we bij zoveel kwesties in het middelpunt van de belangstelling stonden, maar tegelijkertijd moesten we proberen de opnieuw populair geworden organisatie ervoor te behoeden niet onder de nieuwe verantwoordelijkheden te bezwijken. De VN, de ultieme commissie, waren nooit een toonbeeld van efficiëntie geweest. Tijdens de Koude Oorlog was de organisatie uit zijn voegen gegroeid en uit vorm geraakt. In mijn speeches schertste ik dat de bureaucratie van de VN tot olifantenproporties was uitgegroeid en dat de wereld opeens vroeg om gymnastiekoefeningen. 'Laat de VN het maar doen,' waren in Washington en andere hoofdsteden de sleutelwoorden geworden. Deze verandering was gedeeltelijk het gevolg van de hoop dat de VN eindelijk de droom van hun oprichters zouden verwezenlijken. Maar het was ook het gevolg van de wens van veel regeringen, waaronder die van de Verenigde Staten, om de moeilijke taken niet zelf te hoeven uitvoeren.

Mijn werk werd nog verder bemoeilijkt door de ambivalente houding die velen in de VS ten opzichte van de VN hadden. Voor iedere senator Pell die het instituut koesterde, was er een senator Helms die het bespottelijk vond. Vanwege

de samenstelling waren de VN gevoelig voor verwijten dat ze een vrijwel nutteloos praathuis waren, vol diplomaten die parkeerbonnen van de stad New York
verzamelden die ze nooit betaalden. In de loop van de jaren hadden scepsis van
het Congres en detaillisme ervoor gezorgd dat de Verenigde Staten een paar
honderd miljoen dollar achter waren in hun bijdrage aan de VN. Dit gegeven
was een voortdurende zorg. Elke keer als ik eiste dat andere landen hun internationale verplichtingen nakwamen, werd ik eraan herinnerd dat mijn land zijn eigen toezeggingen niet nakwam. Zelfs de gewoonlijk meelevende Britten begonnen een zinsnede te gebruiken waarop ze waarschijnlijk tweehonderd jaar
hadden moeten wachten om hem te gebruiken, en verweten de Verenigde Staten
dat ze naar 'vertegenwoordiging zonder belastingbetaling' streefden.

Het kantoor van de Amerikaanse delegatie bij de VN (USUN) ligt recht tegenover het VN-hoofdkwartier aan First Avenue. Het is een toplocatie, maar het gebouw is een lelijke doos van zo'n twaalf verdiepingen hoog van kaal beton. Mijn
kantoor was op de tiende verdieping, met wat een prachtig uitzicht over de rivier
en Queens zou zijn geweest als het niet verstoord werd door een betonnen tralie-
werk. Ik had een foto van mijn vader meegenomen, waarop hij afgebeeld staat
met leden van de VN-commissie voor Kasjmir in de zomer van 1948. Ik vroeg ook
of er een buste van mijn illustere voorganger Adlai Stevenson op mijn kantoor
geplaatst kon worden. Later, toen ik een blauwe VN-helm kreeg, plaatste ik die
op Adlais kale hoofd. De foto en de buste gaven me het gevoel dat ik altijd vrienden uit mijn verleden bij me in de buurt had.

Mijn eerste officiële dag als ambassadeur had Warren Christopher me naar
New York begeleid, waar ik mijn geloofsbrieven overhandigde aan secretaris-generaal Boutros Ghali, die ik direct graag mocht. Omdat hij ook voormalig hoogleraar was, spraken we over de overstap van het wetenschappelijke naar het
diplomatieke leven. Ik had hem in 1986 in Afrika ontmoet, toen hij Egypte vertegenwoordigde op een congres over democratie dat georganiseerd was door de
NDI. Ik vond hem toen indrukwekkend; hij was gezegend met hersens, zelfvertrouwen en stijl. Op de terugweg naar de Verenigde Staten had ik zijn vrouw Leia
ontmoet en hun prachtige appartement in Caïro, met uitzicht over de Nijl, bezocht.

Boutros Ghali was een geboren diplomaat. Zijn grootvader was premier van
Egypte geweest, en een van zijn ooms minister van Buitenlandse Zaken. Boutros
Ghali zelf had veertien jaar de tweede positie ingenomen op het ministerie van
Buitenlandse Zaken, en kreeg volgens de geruchten alleen de hoogste positie
niet omdat hij lid was van de christelijke koptische minderheid in Egypte en omdat zijn vrouw joods was. Uiteindelijk werd hij benoemd tot vice-premier belast
met buitenlandse zaken en dook hij op als compromiskandidaat voor het secre-
taris-generaalschap van de VN. Hij kreeg die functie vanwege zijn diplomatieke
ervaring en zijn belofte om maar één ambtstermijn van vijf jaar aan te blijven.

Tijdens onze etentjes en bijeenkomsten bespraken wij tweeën in het begin
hoe we het beeld dat Amerika van de VN had konden verbeteren; we namen een

lange lijst van specifieke kwesties door. Hij was eindeloos beleefd. Ik was enthousiast en vriendelijk. Het duurde maanden voordat ik me realiseerde dat onze relatie op een hoogtepunt was begonnen en daarna alleen nog maar zou afzakken.

Ik had verwacht dat mijn eerste bijeenkomst van de Veiligheidsraad zou plaatsvinden in de enorme zaal met de hoefijzervormige tafel die we altijd op televisie zien, maar die zaal wordt alleen gebruikt voor officiële sessies. De zaal die voor informele vergaderingen wordt gebruikt – waar het meeste van het echte werk plaatsvindt – was niet groter dan de werkgroepkamers van Georgetown die ik net achter me had gelaten. Toen ik binnenkwam was de kleine ruimte al gevuld met allerlei ambassadeurs en hun stafleden. Ik wurmde me naar binnen en ging zitten. De andere veertien permanente vertegenwoordigers, allemaal mannen, gingen ook zitten en deden hun armen over elkaar. Ik bedacht meteen dat ik, als ik lang genoeg zou leven om mijn memoires te schrijven, het boek *Veertien pakken en een rok* zou noemen. Ik merkte dat mijn instinct en plichtsgevoel met elkaar in strijd waren. Als vrouw wilde ik weten wie wie was en hoe de onderlinge verhoudingen lagen voordat ik het woord nam, maar ik wist dat ik direct duidelijk moest spreken als ik wilde dat het standpunt van mijn land gehoord werd. Na een paar minuten haalde ik diep adem en stak mijn hand op.

Kort nadat ik permanent vertegenwoordiger bij de VN was geworden, kwam ik tijdens het winkelen Helen Thomas weer tegen en ze vroeg of ik het jaarlijkse officiële diner van de Gridiron Club wilde toespreken. De club heeft niets met sport; hij bestaat alleen bij de gratie van het jaarlijkse diner waar leden van de Washingtonse pers de nieuwsmakers die ze volgen hekelen met een programma van liedjes en sketches. Elk jaar worden de president en een vertegenwoordiger van de Democraten en van de Republikeinen gevraagd te spreken, in de hoop dat ze of geestig zijn (wat goed is) of zichzelf in het openbaar belachelijk maken bij hun poging om geestig te zijn (nog beter).

Helen, de eerste vrouwelijke voorzitter van de Gridiron Club, was vastbesloten om een vrouwelijke spreker te strikken. Hillary Clinton en Elizabeth Dole hadden al geweigerd, dus vroeg ze mij. Veel presidenten konden moeilijk nee tegen Helen zeggen en mij verging het niet beter. Nadat ik geaccepteerd had, was ik verlamd van schrik, want hoewel dergelijke festiviteiten vertrouwelijk zijn, doet de *Washington Post* de volgende dag verslag van wie flopte en wie goed was. Ik wist van mezelf dat ik verhalen kon vertellen, maar ik was nooit goed geweest in het vertellen van moppen en ik vond dat ik mezelf niet vrijwillig in verlegenheid moest brengen.

Helen zei: 'Maak je geen zorgen. De sprekers schrijven hun eigen teksten niet. Ik vind wel iemand om je te helpen.' Ze deed vast haar best, maar ik was er niet gerust op toen er inderdaad een schrijver belde. Hij begon met de vraag wat voor soort gevoel voor humor ik had, ging verder met de mededeling dat zijn honorarium tienduizend dollar was en besloot met te zeggen dat hij geen idee had wie ik was.*

Deze schampere opmerking bracht me op een idee. Net als admiraal James Stockdale, de running mate van de onafhankelijke presidentskandidaat Ross Perot in 1992, besloot ik het podium op te lopen en het publiek te vragen: 'Wie ben ik en wat doe ik hier?' Ik vroeg andere voorstellen aan stafleden en vrienden en probeerde een verhaal te ontwikkelen dat mezelf belachelijk maakte zonder te overdrijven en anderen zonder ze echt af te maken. Op de Gridiron Club staat dit bekend als het 'schroeien, niet verbranden'-principe.

Die avond warmde senator Robert Dole het publiek van zeshonderdvijftig koppen op met de tekst: 'De prachtige jurk die Helen Thomas vanavond aanheeft, is afkomstig uit de nieuwe collectie van J. Edgar Hoover.' Er volgde een gemêleerd programma van liedjes en sketches over Nannygate, Albert Gore, het Hooggerechtshof en presidentiële huisdieren die boeken schreven. Een aantal van de leukste stukjes werden opgevoerd door Washingtons meest behaarde journalisten in vrouwenkleding. Geen wonder dat er geen fotografen werden toegelaten.

Toen het mijn beurt was keek ik uit over een publiek waaronder het halve kabinet van de president, de moeder van de president en praktisch de hele *Who's Who* van Washington, van Ethel Kennedy en Pamela Harriman tot opperrechters William Rehnquist en Sam Donaldson. Er is niets griezeliger dan geestig moeten zijn. Ik wist niet of het publiek zou reageren of op zijn handen zou blijven zitten terwijl ik op mijn gezicht ging.

Tijdens mijn speech werd er gelachen en – tot mijn opluchting – op de juiste momenten. Ik bedankte Helen Thomas voor het verhogen van de status van vrouwen binnen de Gridiron Club en zei dat ik haar persoonlijk had gefeliciteerd terwijl ze hors-d'oeuvres in de foyer presenteerde. Ik nam een risico door Warren Christopher te vergelijken met de Egyptische sfinx die hij net had bezocht, en beschreef hem als 'zeker een staatsman, praktisch een wijs man en bijna een mens'. Ik zei dat Bob Doles geestigheid zovelen het bloed onder de nagels vandaan had gehaald dat zijn vrouw daarom wel voorzitter van het Rode Kruis had moeten worden. En ik zei dat ik George Stephanopoulos had gekend tijdens de Dukakis-campagne, toen hij beter bekend stond als George Stuffingenvelopes [enveloppenvuller].

Na de grappen word je verondersteld met een ernstig woord te besluiten. Ik sloot af met een verwijzing naar president Clintons woonplaats in Arkansas, die tijdens zijn campagne 'een plaats die Hope heet' werd genoemd. Ik zei: 'Ik was elf jaar toen ik in Amerika arriveerde vanuit een wijk in Praag die *Smíchov* heet, wat toevallig het Tsjechische woord voor gelach is. Ongeacht hoe ernstig de wereld wordt, blijf ik geloven in een plek die *Smíchov* heet.'

---

* Uiteindelijk betaalde ik een symbolisch bedrag aan Mark Katz, een jonge schrijver van komedies die ik had ontmoet tijdens de Dukakis-campagne. Ik was ook Bob Shrum dankbaar voor zijn waardevolle – en gratis – adviezen.

Washingtonse humor is uiterst actueel en, zoals uit de 'hoogtepunten' hierboven blijkt, doorstaat die de tand van de tijd niet echt. Een grap die die avond veel succes had maar waar ik later spijt van kreeg was de volgende: 'Ik ben erg gelukkig bij de VN; het enige probleem is dat we steeds opnieuw hetzelfde en nog eens hetzelfde lijken te doen. Dat kan erg, erg monotoon worden – althans dat zegt Boutros Boutros Ghali vaak tegen me.' Het publiek lachte, maar mijn poging tot geestigheid heeft wellicht bijgedragen tot de Republikeinse pogingen om uit te halen naar de VN door grappen te maken over de naam van de secretaris-generaal.

De volgende ochtend zocht ik zenuwachtig naar de rubriek 'Style' in de *Washington Post*. Daar vond ik een uitgebreid verslag van de gebeurtenissen in de Gridiron, de sfeer, de kleding, de sketches, de president en de liedjes. Ik dacht: 'Wat kan mij dat schelen? Hoe zit het met mij?' Ik stond op het punt het op te geven toen ik de volgende magische zin las: 'De sprekers eindigden met een homerun. Ambassadeur Albright, die niet bekendstaat als de leukste thuis, bracht het publiek in verrukking met een stel oneliners die ze met uitgestreken gezicht bracht.'

De in Washington al lange tijd succesvolle Vernon Jordan zei later dat mijn optreden grote invloed had gehad op de manier waarop ik gezien werd. Het leek mij ironisch dat je, als je als beleidsmaker serieus genomen wilt worden, eerst grappig moet zijn.

Nu de Koude Oorlog voorbij was, was het spel van de werelddiplomatie niet langer een kwestie van twee partijen, met aan de ene kant de goeden en aan de andere kant de slechteriken, in rechtstreekse concurrentie, zoals het bijna mijn hele volwassen leven was geweest. Nu waren er veel meer dan twee ploegen; de uniformen liepen door elkaar heen en het scorebord was op hol geslagen. En het publiek – de burgermaatschappij – liep in groten getale op het veld. Terwijl ik mij inwerkte als ambassadeur, bedacht ik dat we, als we deze nieuwe wereld wilden leren begrijpen, moesten beginnen een nieuwe manier te vinden om erover te praten. Mijn plek in New York, tussen afgevaardigden van vrijwel elk land, gaf mij een ideale voorsprong. Al snel begon ik wat mijn staf de 'vier voedingsgroepen' noemde te formuleren, mijn manier om de wereld te verklaren bij afwezigheid van verdelingen die door de Koude Oorlog waren ingegeven.

Volgens deze analyse bestond de eerste groep uit landen die volledig lid waren van het internationale systeem. Ze hadden regeringen die verdragen ondertekenden en bondgenootschappen sloten met elkaar, officiële instellingen die functioneerden, privé-sectoren die handel dreven, burgers wier rechten werden gerespecteerd en wettelijke systemen die er over het algemeen in slaagden de wet te handhaven.

De tweede groep was in veel opzichten een product van de democratiseringsgolf van na de Koude Oorlog. Dit waren landen die de moeizame overgang van autocratisch naar democratisch bestuur maakten. Zij concentreerden zich op

het opzetten van functionerende instellingen in eigen land en werden lid van instellingen in het buitenland die hen konden helpen te floreren en hun veiligheid
boden.

De derde groep bestond uit landen met zwakke of niet-bestaande regeringen,
vaak gehandicapt door armoede of binnenlandse conflicten. Zij hadden hulp nodig om het hoofd boven water te houden.

De vierde groep bestond uit regeringen die, om de een of andere reden, vijandig stonden tegen de regels van het internationale systeem en ernaar streefden
die te omzeilen of te ondermijnen. Het Irak van Saddam Hoessein en het Noord-
Korea van Kim Il Sung waren daar schoolvoorbeelden van.

Dit was nauwelijks een wetenschappelijke manier om naar de aardbol te kijken en veel landen pasten niet precies in een van de categorieën, terwijl andere
in meer dan een vielen. De indeling hield ook geen rekening met de toenemende
invloed van spelers die geen staten waren, variërend van internationale terroristen, tot multinationale bedrijven en mondiale belangenorganisaties. Evengoed
vond ik het model bruikbaar omdat de vier groepen direct verband hielden met
vier taken van het buitenlands beleid van de Verenigde Staten en hun bondgenoten. Samen moesten we zo sterk mogelijke banden smeden in de eerste groep,
zodat er een solide basis ontstond waarop we konden bouwen; we moesten de
tweede groep helpen slagen, zodat de democratisering zich zou voortzetten; we
moesten hulp bieden aan de landen in de derde groep die het meest bereid waren zichzelf te helpen, zodat de conflictgebieden en de wetteloosheid werden teruggedrongen; en ten slotte moesten we ernaar streven onszelf te beschermen
door de landen in de vierde groep te hervormen, te isoleren of te verslaan.

Het onderliggende idee van al deze beleidstaken was 'integratie' – geen opwindend begrip, maar wel een begrip dat vorm gaf aan een proces om landen
bijeen te brengen rond de basisprincipes van democratie en vrije markt, wettelijk bestuur en een streven naar vrede. Uiteindelijk is het streven alle landen in
de eerste groep te krijgen. Mijn stafleden en ik hadden, en dat is misschien onvermijdelijk, onze eigen bijnamen voor de verschillende categorieën die we
hadden vastgesteld en begonnen – voorbijgaand aan alle politieke correctheid –
de derde groep de 'hopeloze gevallen' te noemen. Ik zou al snel bijna al mijn tijd
besteden aan een aantal van die gevallen.

Gedurende mijn tijd bij de VN leefden er twee tegengestelde gevoelens in mij.
Op optimistische momenten dacht ik: 'Is het niet bijzonder dat de Veiligheidsraad zich actief inzet om het lijden te verlichten en conflicten te beëindigen,
waaronder conflicten die niet eens internationaal zijn, maar in de landen zelf
spelen, in uithoeken van de aarde?' Op slechte dagen dacht ik: 'Waarom zitten
we hier over komma's te discussiëren terwijl er mensen sterven?' Zoals de gebeurtenissen zouden aantonen, hadden beide gevoelens hun basis in de realiteit.

HOOFDSTUK 10

De nieuwe wereld(wan)orde

PRESIDENTEN BEGINNEN NIET MET EEN SCHONE LEI. In het begin betwijfelden critici van het buitenlands beleid van president Clinton of het wijs was om zoveel aandacht te schenken aan delen van de wereld die niet belangrijk waren voor de strategische belangen van Amerika, maar dat was onredelijk en bovendien nauwelijks zijn eigen keus. De nieuwe regering hield zich druk bezig met het versterken van de banden met onze Europese en Aziatische bondgenoten, het opbouwen van een nieuwe relatie met Rusland, vrede stichten in het Midden-Oosten, steun zoeken voor een vrijhandelsverdrag met Canada en Mexico en de andere 'dure' kwesties. Maar het Clinton-team kon nauwelijks om het feit heen dat er al snel na de start een burgeroorlog gevoerd werd in Bosnië, meer dan twintigduizend Amerikaanse militairen in Somalië levens aan het redden waren, in het Midden-Afrikaanse Rwanda de etnische spanning onheilspellend steeg, en duizenden wanhopige migranten een wreed en onwettig regime in Haïti ontvluchtten.

Zittend aan mijn bureau in New York of op het ministerie van Buitenlandse Zaken las ik elke ochtend over nieuwe gevechten, moorden, gewelddaden en bedreigingen. Ik deed dat in de wetenschap dat overal mensen oplossingen verwachtten van de Verenigde Staten en de Veiligheidsraad. We kregen geen kans om op adem te komen. Alles was dringend en dus namen we onze besluiten gebaseerd op de beste informatie die elke dag beschikbaar was, onvermijdelijk beïnvloed door de gevolgen van beslissingen die de dag, de week of het jaar daarvoor genomen waren. We zochten ons tastend een weg, stap voor stap, soms stapten we mis en moesten terug. In Somalië probeerden we te veel te doen. In Rwanda deden we te weinig. In Haïti en Bosnië deden we het, na een paar valse starts, uiteindelijk goed.

Zeg vandaag 'Somalië' tegen een Amerikaan en de beelden die dat oproept zijn waarschijnlijk die van een neerstortende helikopter, een moedige bemanning die onder vuur ligt, en het lichaam van een Amerikaanse soldaat dat door een menigte door de straten wordt gesleurd. Maar in de jaren die voorafgingen aan de verkiezing van president Clinton werden de Amerikanen en de rest van de wereld belaagd door een ander beeld: Somalische kinderen met armen zo dun

als latjes, holle ogen en lege, uitpuilende magen. Het land was altijd arm geweest, maar werd in het begin van de jaren negentig verscheurd door rivaliserende facties, waaronder een onder leiding van een flamboyante voormalige
generaal, Mohammed Farah Aidid. Internationale inspanningen om humanitaire hulp te geven werden gedwarsboomd door gewapende bendes. Een VN-
missie die opgezet was om de levering van hulp te versoepelen, slaagde daar
niet in. De regering-Bush dropte voedselpakketten die vervolgens werden ge-
stolen. De hongersnood breidde zich uit en naar schatting 350.000 Somaliërs
stierven.

Rond Thanksgiving Day 1992 zei waarnemend minister van Buitenlandse
Zaken Lawrence Eagleburger tegen Boutros Ghali dat de Verenigde Staten bereid waren leiding te geven aan een multinationale poging om Somalië hulp te
bieden, waarna ze de verantwoordelijkheid weer zouden overdragen aan de VN.
De secretaris-generaal accepteerde het voorstel, maar vroeg of de Verenigde
Staten tegelijkertijd militaire leiders als Aidid wilden ontwapenen. Hij stelde dat
anders de veilige omstandigheden niet blijvend zouden zijn. Eagleburger wees
dat af en zei dat de Verenigde Staten Somalië zo snel mogelijk in en uit wilden.

De door de Verenigde Staten geleide operatie Restore Hope startte in december en ondervond praktisch geen tegenwerking. De toevoerlijnen werden her-
opend en de actie redde vele levens. Zoals gepland deden de VS-troepen geen
moeite de militaire leiders te ontwapenen, maar bemiddelden wel bij het organiseren van bijeenkomsten waar Aidid en andere leiders beloofden een wapenstilstand in acht te nemen.

Toen ik begin 1993 in New York arriveerde had ik de opdracht de snelle overdracht van de voornaamste verantwoordelijkheid van de Verenigde Staten aan
de VN te regelen. Het Pentagon wilde de missie graag een succes kunnen noemen en onze soldaten naar huis halen. Boutros Ghali verzette zich en stelde dat
de wereldorganisatie noch het personeel noch het materieel had om nog een
grote nieuwe operatie op zich te nemen.

De NSC hield aan en belde me elke dag met de vraag: 'Waarom duurt het zo
lang?' Het werk was nieuw voor mij en ik wilde graag mijn plek als volwaardig
lid van ons team voor buitenlands beleid verdienen, dus zei ik de secretaris-generaal dat hij geen keus had: de Amerikaanse troepen zouden vertrekken, ongeacht of de VN bereid waren hun plaats in te nemen of niet. Tegen het eind van
maart bereikten we een compromis. De VN zouden een eenheid van 28.000
peacekeepers samenstellen. De Verenigde Staten hielden ongeveer 4000 manschappen in het gebied, waaronder een snelle-reactiemacht van 1300 man, onder Amerikaans bevel, als bescherming in noodgevallen. De VN werden verondersteld de militaire leiders te ontwapenen, veiligheid te bieden, regionale
raden op te zetten en op langere termijn een politieke procedure gebaseerd op
samenwerking tussen de lokale leiders te initiëren. Dat was een ambitieus mandaat, dat de VN verplichtte om meer te doen dan de Verenigde Staten hadden bereikt, maar met minder en veel minder krachtige troepen. Het compromis leidde

ook tot verwarring over de respectieve rollen van de VN en de Verenigde Staten, vooral omdat de speciale afgevaardigde van de VN in Somalië een Amerikaan was, Jonathan Howe, een marineadmiraal buiten dienst.

Op het moment dat de omvang van de VS-troepen in Somalië werd beperkt, laaiden de spanningen hoog op. Generaal Aidid begon felle anti-Amerikaanse en anti-VN propaganda uit te zenden en saboteerde pogingen om tot verzoening te komen. Op 5 juni lokten Aidids gewapende strijders Pakistaanse VN-soldaten in een hinderlaag, en vermoordden en verminkten er ruim twintig. Aangespoord door de Pakistaanse permanente vertegenwoordiger, Jamsheed Marker, reageerde de Veiligheidsraad woedend, vanuit de gedachte dat als leden van een VN-vredesmissie straffeloos vermoord konden worden, ze overal doelwit zouden worden. Aidids aanval was een test die moest aantonen of de vredehandhaving van de VN inderdaad aan een nieuwe fase was begonnen.

Dus veroordeelde de Veiligheidsraad, na kort overleg en unaniem, de aanval en riep op tot arrestatie van de verantwoordelijken. De Amerikaanse snelle-reactie-macht deed spoedig invallen in de geheime wapenopslagplaatsen van Aidid. De VN-troepen waren ook actief – maar met tragische gevolgen. Pakistaanse peace-keepers, die kennelijk bang waren voor een herhaling van de aanval op 5 juni, openden het vuur op een menigte ongewapende Somalische burgers. Het gevolg was een negatieve reactie van de bevolking waar Aidid onmiddellijk misbruik van maakte.

Ik volgde de gebeurtenissen op de voet door middel van telegrammen, rapporten van mijn staf en de media, maar ik had niet het gevoel dat ik een volledig beeld kreeg. Ik had altijd mijn werk zo goed mogelijk gedaan. Nu was ik vastbesloten een praktijkgerichte ambassadeur te zijn.

In juli 1993 reisde ik met een groep adviseurs naar Somalië, allereerst naar de zuidelijke havenstad Kismaayo. Toen we van het vliegveld wegreden, zagen we de gevolgen van de felle gevechten die een paar maanden eerder hadden plaatsgevonden. Er stonden nog maar een paar gebouwen overeind. Aan beide zijden van de weg bevond zich een turkooizen zee – niet van water, maar van plastic dat gebruikt was om hutten te maken voor de daklozen. De lokale stamhoofden die ik sprak, wilden zich graag organiseren en de normale economische activiteiten hervatten. Ze onderschreven de maatregelen om Aidid te elimineren of te marginaliseren volledig. Net als in de meeste andere delen van Somalië had hier de overdracht van de verantwoordelijkheid van de Verenigde Staten aan de VN succes gehad.

Dat was echter niet echt het geval in Mogadishu, onze volgende stop. De hoofdstad was niet zozeer een stad als wel oorlogsgebied. De wegen waren zo gevaarlijk dat we een Blackhawk helikopter van het vliegveld naar het hoofdkantoor van de VN namen. Toen de helikopter opsteeg wist ik niet of ik gerustgesteld of gealarmeerd moest zijn door de machinegeweren die rond het platform waren ingezet en die uit de helikopter staken om aanvallen af te weren. Vanuit de lucht zocht ik tevergeefs naar zelfs maar één gebouw dat nog een dak en vier muren had. Praktisch alle woningen, winkels en bedrijven waren uitgebrand. Elektriciteitsleidingen waren neergehaald, waterleidingen waren losgerukt en de winkels waren mèt luiken afgesloten. Eenmaal weer op de grond zagen we dat de Amerikaanse ambassade was vernield: het marmer van de buitentrappen was weggehaald en de bedrading hing los uit de muren. VN-troepen trokken onder zwaarbewapende escorte door de stad.

Toen ik admiraal Howe de laatste keer gezien had, was hij plaatsvervangend adviseur nationale veiligheid van president Bush, en werkte hij in een brandschoon kantoor op het Witte Huis, met rechtstreekse telefoonverbindingen met belangrijke functionarissen over de hele wereld. In Mogadishu zat hij als VN-afgevaardigde op een klapstoel achter een eenvoudige houten tafel omringd door kartonnen dozen. Hij was gefrustreerd omdat de VN-missie niet functioneerde als een samenhangende militaire eenheid. Nationale contingenten bleven op hun eigen manier functioneren. Hij zei dat het van vitaal belang was om Aidid gevangen te nemen, maar hij vond dat hij niet voldoende slagkracht had. Hij had het Pentagon om tanks, pantserwagens, aanvalshelikopters en een eenheid van de Amerikaanse Special Forces gevraagd, en hij verzocht mij dringend om druk uit te oefenen op Washington om op te treden – wat ik deed. Het ministerie van Defensie wees zijn verzoeken in eerste instantie af omdat het de situatie niet nog meer wilde 'veramerikaniseren'. Begin augustus ging het ministerie echter overstag en stuurde een groep van vierhonderd Rangers, plus een contingent Special Forces en wat extra materiaal.

Toen ik naar New York terugkeerde was ik optimistischer dan ik had moeten zijn. Op verzoek van de president schreef ik een ingezonden stuk in de *New York Times*, waarin er bij de internationale gemeenschap op aan werd gedrongen om 'stand te houden' in Somalië. Minister van Defensie Les Aspin verwoordde in een speech op 27 augustus hetzelfde idee in nog krachtiger termen. We wilden geloven dat onze inspanningen vrucht zouden afwerpen en kregen van degenen die ter plekke waren te horen dat Aidid de enige was die succes in de weg stond. We kregen ook rapporten dat Aidids eigen stam zou meewerken om de rebellerende generaal zover te krijgen dat hij Somalië zou verlaten. Aidids gevangenneming zou in ieder geval het politieke proces versneld hebben en de samenhang binnen de VN-troepen hebben hersteld.

Ondanks toegenomen militaire druk bleef Aidid zich echter onttrekken aan gevangenneming. Tegen half september verminderde de steun van het Congres voor ons beleid. We waren in de val gelopen van het verpersoonlijken van het gevecht met Aidid om er vervolgens niet in te slagen hem in te rekenen. Onder de Amerikaanse troepen waren bij verschillende incidenten slachtoffers gevallen en de druk om te vertrekken werd groter. De Afrikaanse leiders drongen ook aan op een diplomatieke in plaats van een militaire oplossing voor het probleem Aidid. Het werd tijd om onze aanpak te wijzigen. Op 22 september ging de Veiligheidsraad, op aandringen van de VS, akkoord met een resolutie die het belang van voortzetting op basis van een politieke en economische strategie benadrukte. In overeenstemming met onze wens het conflict te depersonaliseren, noemde ik in mijn verklaring Aidid niet eens.

Resoluties van de Veiligheidsraad voeren zichzelf niet uit en deze resolutie was geen uitzondering op die regel. We hadden tot een nieuwe strategie besloten, maar de coördinatie tussen de functionarissen in New York, Washington en Somalië was niet al te best. Er werd geen diplomatieke oplossing gevonden en Aidids aanvallen werden er niet minder op. De staande opdracht aan de eenheid van de VS-Rangers in Mogadishu bleef hetzelfde: vang Aidid. Op zondagmiddag 3 oktober bestormden Amerikaanse troepen een gebouw in de buurt van het Olympic Hotel in Mogadishu. Aidid was er niet, maar de Amerikanen namen meer dan twintig van zijn helpers gevangen en stonden op het punt om hen weg te voeren toen een Blackhawk helikopter werd neergeschoten.

De Amerikanen kwamen zwaar onder vuur te liggen toen ze probeerden de verongelukte bemanning te redden. Somalische strijders richtten barricades op om hun terugtocht te verhinderen. Een reddingshelikopter werd getroffen door lichte wapens en was gedwongen naar de basis terug te keren. De grotere en zwaarder bewapende Blackhawks konden niet landen in de smalle straten in de buurt van de plaats van het ongeluk. Rond schemertijd probeerde een konvooi van Humvees en vrachtwagens vergeefs de ingesloten manschappen te bereiken. Er werd nog een Blackhawk neergeschoten. Manschappen en een medisch team zaten vast op de plaats van het eerste ongeluk. Andere troepen werden beschoten toen ze door de stad reden met de gewonden en gevangenen. Een derde contingent probeerde de plek van het tweede ongeluk te bereiken. Het was na middernacht voor een Amerikaanse infanterie-eenheid, met hulp van Maleisische en Pakistaanse troepen, de grootste groep omsingelde mannen bereikte. De Amerikaanse militairen keerden pas tegen de ochtend terug naar hun basis. Tegen de tijd dat de redders bij de plek van het tweede ongeluk kwamen, waren de lichamen weggehaald. De enige overlevende was piloot Michael Durant, die elf dagen gegijzeld werd. Televisie-uitzendingen toonden 's avonds beelden van het lichaam van een lid van Durants bemanning dat door de straten werd gesleept terwijl Somaliërs schopten en jouwden. Tijdens deze gewelddadige opstand stierven achttien Amerikanen en raakten er drieënzeventig gewond. Ik was ontzet. Tijdens onze vergaderingen bespraken we wat er was gebeurd en waarom. Thuis, 's nachts, twijfelde ik aan elk aspect van wat we hadden gedaan. Ik had deel uitgemaakt van het besluit dat hiertoe had geleid. Wat hadden we verkeerd gedaan? Het was een nachtmerrie.

Geshockeerd en diep triest belde ik een paar van de familieleden van de militairen die waren omgekomen. Ik was een van degenen die de regering bij *Nightline* en andere televisieprogramma's vertegenwoordigden. Ik dacht dat ik had geleerd hoe ik moest omgaan met moeilijke momenten op televisie, maar dit was een menselijk drama; woorden alleen waren niet voldoende. De interviewers toonden de afschuwelijke filmbeelden en vroegen vervolgens: 'Wat zegt u tegen de ouders van degenen die gestorven zijn? Waarvoor hebben zij precies hun leven gegeven?'

Er waren antwoorden, maar geen enkel antwoord was goed genoeg om de families te helpen. Hadden we meer tijd gehad, dan hadden we misschien het middel gevonden om de Somalische crisis te bezweren, maar in alle eerlijkheid was het zo dat we niet in de middelen hadden voorzien die het doel dat we onszelf gesteld hadden konden verwezenlijken, en een aantal moedige Amerikanen sneuvelde.

Tijdens de volgende zes maanden gingen de Verenigde Staten verantwoordelijk en bekwaam om met de slotfase in Somalië. De president kreeg kritiek omdat hij niet toegaf aan de druk om onmiddellijk te vertrekken, terwijl het Pentagon veiligheid regelde of leverde aan niet alleen onze eigen troepen, maar ook aan die van andere deelnemende landen, waarvan er vele op ons verzoek waren gekomen. Het Congres steunde onze plannen en de terugtrekking van de VS was tegen eind maart 1994 voltooid.

Over het geheel genomen was de Amerikaanse betrokkenheid in Somalië zowel een succes als een mislukking. Operatie Restore Hope slaagde erin op de korte termijn de omstandigheden voor de hervatting van humanitaire hulp te herstellen. Hij maakte een eind aan de hongersnood en redde levens. De troepen onder Amerikaans bevel weigerden echter beslist om de moeilijker opdracht van de ontwapening van de militielegers uit te voeren, een taak die aan de VN werd overgelaten, die daartoe niet waren uitgerust.

In het Congres, de media, zelfs het Witte Huis, werd grote ophef gemaakt over het 'falen van de VN', maar dat was niet het hele verhaal. De vertegenwoordiger van de secretaris-generaal in Somalië was een Amerikaan, evenals de waarnemend militair bevelhebber. De Verenigde Staten hadden elke resolutie van de Veiligheidsraad over Somalië gesteund en er was weinig interne discussie geweest over mijn instructies. De Rangers waren onder Amerikaans commando in een ramp terechtgekomen.

Bovendien hadden de andere betrokken landen hun eigen agenda gevolgd in plaats van als team op te treden. De Italianen waren het openlijk oneens geweest met de VN-strategie en werden ervan verdacht Aidids troepen te hebben omgekocht om hun eigen manschappen te beschermen. De Saoedi's zeiden dat hun bijzondere status binnen de islam hun verbood om deel te nemen aan offensieve operaties. De Fransen hadden soms meegewerkt, andere keren niet. India had een legereenheid toegezegd, maar weigerde vervolgens om deze in Mogadishu in te zetten. De Pakistanen hadden begrijpelijk genoeg angst voor schietpartijen ontwikkeld.

Somalië was een test om te zien of de VN een vredesmissie kon volbrengen waarbij geweld werd gebruikt tegen een tegenstander die vastbesloten was die missie te saboteren. De VN zijn slechts zo sterk als hun leden en de VN-leden waren voor de test gezakt. De oorspronkelijk humanitaire missie was om duidelijke redenen uitgebreid, maar zonder voldoende voorbereiding of hulpmiddelen. De relatie tussen de Verenigde Staten en de VN werd nooit duidelijk geregeld. De vuurkracht van de VN was onvoldoende om een geslepen tegenstander, die een thuiswedstrijd speelde, te verslaan. Gezien de omstandigheden had het de missie erg mee moeten zitten om te slagen en het zat absoluut niet mee.

De Verenigde Staten realiseerden zich, lang voor Somalië, dat we, als we de VN vaker gingen inzetten als handhaver van de vrede, moesten zorgen dat de VN beter gingen functioneren. Tijdens de algemene vergadering van de VN in september 1992 had president Bush voorstellen gedaan voor het verbeteren van de positie van de VN. Tegen de tijd dat ik in functie kwam, waren de beleidsmakers van het Pentagon, de NSC en het ministerie van Buitenlandse Zaken druk bezig een gedetailleerd beleid te ontwikkelen. Het voorstel, dat te boek zou komen te staan als Presidential Decision Directive 25 (PDD-25), onderschreef het standpunt dat VN-vredesmissies mogelijk waren en stelde criteria vast om te zorgen dat ze in het buitenland succesvoller zouden zijn en door het thuisfront gesteund konden worden.

Zowel Bush als Clinton begreep dat de VN niet uitgerust waren om alle zich uitbreidende verantwoordelijkheden op zich te nemen. Toen ik in New York aankwam, waren er slechts zo'n tien mensen in het VN-hoofdkantoor die zich met vredesmissies bezighielden. Er was geen 24-uurs missiecentrum en vrijwel geen controle op de logistiek. Bij elke nieuwe operatie moest het wiel opnieuw worden uitgevonden, bevelhebbers en troepen aangetrokken en alles aangeschaft, van blauwe helmen tot potloden en vrachtwagens. Ik zei tijdens lezingen dat het wereldalarmnummer of in gesprek was of alleen maar bereikbaar tussen negen en vijf, en dat de secretaris-generaal veel tijd moest besteden aan bedelend rondgaan om deelnemers en geld te verzamelen.

Hoewel de VN met hulp van de Verenigde Staten en andere grote mogendheden geleidelijk hun mogelijkheden vergrootten, moesten ze nog veel inhalen. Zoals bleek uit de ervaring in Somalië was er dringend behoefte aan een systeem om mandaten voor vredesmissies op te stellen, vooral in situaties waar gewapend verzet te verwachten was. Dit moest van de Veiligheidsraad komen.

De ontwikkeling van PDD-25 werd bemoeilijkt door perslekken, partijgebonden politiek en de onrust van de dagelijkse gebeurtenissen. De basis van het document veranderde tijdens het langdurige overleg echter nauwelijks. De bedoeling was dat Amerika duidelijk deel zou nemen aan de versterking van de VN-vredesmissies, met dien verstande dat we voortaan de hiërarchie duidelijker zouden maken, erop aandrongen dat dergelijke missies zorgvuldig gepland en efficiënt uitgevoerd moesten worden en dat ze werden voorafgegaan door een aanzienlijke periode van overleg met het Congres. We waren vastbesloten geen tweede Somalië te creëren.

De PDD, het product van ruim anderhalf jaar werk, werd officieel bekendgemaakt op 3 mei 1994. Tegen die tijd werd de centrale stelling al zwaar op de proef gesteld in een ander deel van Afrika.

Ik hoorde niet bij de weinigen die al heel snel zagen dat de meest schokkende misdaden van het decennium het kleine Rwanda zouden overspoelen. Van al mijn jaren in overheidsdienst betreur ik het het meest dat de Verenigde Staten en de internationale gemeenschap niet in staat waren om eerder op te treden om die misdaden te stoppen. President Clinton heeft later zijn excuses aangeboden voor ons gebrek aan actie, net als ik. Er is veel geschreven over die gebeurtenissen. Sommige verslagen zijn vrij accuraat, andere simplistisch en op zijn best voor de helft juist. Ik kan ook niet de hele geschiedenis beschrijven; ik zal in plaats daarvan proberen precies te beschrijven hoe het er vanuit mijn gezichtspunt uitzag.

De Rwandese crisis ontstond vanuit rivaliteit tussen de Hutu's en de Tutsi's in Midden-Afrika. De meeste recente geschiedschrijving verwijt het koloniale België dat het de spanning gevoed heeft door een kastensysteem te scheppen waarin de Tutsi-minderheid een bevoordeelde positie innam. Nadat de Belgen in het begin van de jaren zestig waren vertrokken en Rwanda zelfstandig werd, werd extremistisch geweld gewoon, zowel in Rwanda als in de buurstaat Burundi. De Veiligheidsraad was daarom opgelucht toen er in augustus 1993 een vredesakkoord was getekend door de etnische Hutu-president van Rwanda, Juvénal Habyarimana, en leiders van het oppositionele Front Patriotique Rwandaise, dat uit een Tutsi-meerderheid bestond.

Op 5 oktober 1993, net twee dagen nadat de Rangers in Somalië gedood waren, nam de Veiligheidsraad een VN-vredesmissie voor Rwanda (UNAMIR) aan, met een mandaat om toezicht te houden op de wapenstilstand en verkiezingen voor te bereiden. In tegenstelling tot de VN-troepen in Somalië was dit bedoeld als een traditionele missie, die afhankelijk was van de bereidheid van de Hutu's en de Tutsi's om zich aan hun overeenkomst te houden. Er werd toestemming gegeven voor een legereenheid van 2500 man, onder bevel van brigadegeneraal Roméo Dallaire uit Canada. De opdracht was om geen partij te kiezen en niet te vechten. De best bewapende en meest deskundige troepen zouden bestaan uit Belgen, die er door de Hutu's nog steeds van verdacht werden een voorkeur voor de Tutsi's te hebben.

De VN-legereenheid die in november arriveerde, trof weinig vrede aan om te handhaven. Etnische gewelddaden laaiden op en uitzendingen van de radio, die onder invloed van de regering stond, zetten de Hutu-boeren aan tot het onthoofden van Tutsi's. Pogingen om politieke verzoening tot stand te brengen leken nauwelijks effect te hebben.

Op 11 januari 1994 stuurde Dallaire een telegram naar het hoofdkantoor van de VN met beschuldigingen van een informant dat extremistische Hutu-milities in het geheim bewapend werden. De informant onthulde ook plannen om de Belgische troepen aan te vallen, en politici van de oppositie en Tutsi's te vermoorden.

VN-functionarissen in New York gaven Dallaire opdracht de Rwandese president op de hoogte te brengen van de beschuldigingen en erop aan te dringen dat hij onderzoek zou laten uitvoeren. Ook de Amerikaanse, Franse en Belgische ambassades werd verzocht de regering te waarschuwen voor het gevaar dat de extremisten vormden. De Amerikaanse ambassadeur in Rwanda, David Rawson, bracht verslag uit aan Washington dat het leek dat president Habyarimana 'de boodschap had begrepen'. Op 23 februari waarschuwde Dallaire het VN-hoofdkwartier dat Hutu-milities zich voorbereidden op massaal geweld. Ook een vertegenwoordiger van het Hoge Commissariaat voor Vluchtelingen uitte zijn bezorgdheid. Helaas moesten deze alarmsignalen het opnemen tegen een lawine van andere informatie uit crisisgebieden over de hele wereld. Destijds waren er conflicten en grote spanningen in Bosnië, Somalië, Haïti, Georgië, Azerbeidzjan, Angola, Liberia, Mozambique, Sudan, Cambodja, Afghanistan en Tadzjikistan, en ook aanhoudend verzet van het Irak van Saddam Hoessein tegen resoluties van de Veiligheidsraad. In deze hele periode las ik door inlichtingendiensten geschreven samenvattingen van gebeurtenissen in landen waar VN-vredesmissies of humanitaire organisaties werkzaam waren. Rwanda werd niet opvallend of vaak genoemd.

Op 14 maart begon ik aan reis van twee weken door Europa, Afrika, de Balkan en Zuid-Amerika. Tijdens mijn afwezigheid vergaderde mijn plaatsvervanger, ambassadeur Edward Walker, met de nieuwe voorzitter van de Veiligheidsraad om de agenda voor april vast te stellen. Er passeerden niet minder dan tien onderwerpen de revue, waaronder vier die te maken hadden met Afrika. Rwanda stond niet op de lijst.

Op 5 april, de dag voor ik terugkwam, gaf de Veiligheidsraad toestemming voor een korte verlenging van de VN-vredesmissie en sprak tegelijkertijd zijn bezorgdheid uit over het gebrek aan vooruitgang. De volgende dag werd het vliegtuig van president Habyarimana bij de nadering van Kigali, de hoofdstad van Rwanda, neergeschoten. Alle inzittenden kwamen om. Weinig tot geen buitenstaanders realiseerden zich in de verwarring van het moment wat de dood van de president op gang bracht: een plan van Hutu-radicalen om gematigde Hutu's en alle Tutsi's te vermoorden. Binnen een paar uur waren er wegbarricades opgezet en werden leidende gematigde politici opgespoord en vermoord.

Het zou weken duren voor de aard en de omvang van het geweld tot de meesten van ons zou doordringen. In het begin zagen we alleen dat de Rwandese president vermoord was en dat de Hutu-beveiligingstroepen een coup organiseerden tegen het burgerlijk gezag. Op 7 april hoorden we dat de premier vermoord was en dat tien Belgische leden van de vredesmissie – die de opdracht hadden haar te bewaken – in stukken waren gehakt. Dezelfde dag vroeg de lokale VN-bevelhebber toestemming om wapens te gebruiken. Uit vrees voor een tweede Somalië wilde het VN-hoofdkwartier niet partijdig lijken, dus werd de toestemming geweigerd. Bovendien waren de militaire mogelijkheden van Dallaires troepen beperkt. Zijn eenheden uit Tunesië en Ghana hadden niet eens kogelvrije vesten. De voorraden water, voedsel, brandstof, ammunitie en medicijnen waren klein.

Nu ik de verslagen van de vergaderingen die we die eerste week hielden na-loop, valt het mij op hoe weinig informatie we over de moorden op Rwandese burgers hadden, in tegenstelling tot de informatie over de gevechten tussen Hutu- en Tutsi-milities. Veel westerse ambassades waren geëvacueerd, waaronder die van ons, dus was de officiële rapportage beperkt. Dallaire stuurde af-schrikwekkende rapporten aan het VN-hoofdkwartier, maar aan de mondelinge samenvattingen die de Veiligheidsraad kreeg, ontbraken details en ze deden geen recht aan de werkelijke omvang van de ramp. Met als gevolg dat de raad elke dag opnieuw naïef verwachtte dat er een wapenstilstand tot stand zou komen.

Er ontstond ook verwarring over wie de schuld had. De Fransen, die van ouds-her een voorkeur hadden voor de Hutu's, veronderstelden in het begin dat Tutsi-extremisten het vliegtuig van de president hadden neergeschoten om de Hutu's tot aanvallen te provoceren en daarmee tegenaanvallen van de Tutsi's te rechtvaardi-gen. Amerikaanse analisten gaven aan alleen radicale Hutu's, gematigde Hutu's en Tutsi's als schuldigen te zien, waar we niet veel mee opschoten, want dat bete-kende vrijwel iedereen. Ondertussen produceerden degenen die het bevel tot de moorden gaven een gestage stroom leugens over wat ze deden en waarom.

Om de zaken nog ingewikkelder te maken had de VN-bevelhebber, net als in Somalië, niet de volledige controle over zijn troepen. België, geschokt door de moord op de leden van de vredesmissie, kondigde het besluit tot terugtrekking aan en beroofde Dallaire daarmee van zijn best uitgeruste troepen. Het gezag in Brussel had als NAVO-bondgenoot een beroep gedaan op de Verenigde Staten om de beëindiging van de VN-missie te steunen, maar ik telegrafeerde Washington dat de meeste leden van de Veiligheidsraad tenminste een aantal onderdelen wilden handhaven. Desondanks kreeg ik op 15 april opdracht om de VN te laten weten dat de Verenigde Staten voorstander waren van 'de zo spoedig mogelijke volledige, ordelijke terugtrekking van al het UNAMIR-personeel'. 'Wij zijn felle te-genstanders van het handhaven van de aanwezigheid van UNAMIR in Rwanda,' stond er in mijn instructies. 'Het is gebaseerd op onze overtuiging dat de Veiligheidsraad de verplichting heeft om te zorgen dat de vredesmissies uitvoer-baar zijn... en dat het personeel van VN-vredesmissies niet bewust in een on-houdbare situatie wordt geplaatst of gehouden.'

Net als anderen was ik zowel afhoudend als voorzichtig over VN-vredesmis-sies in het algemeen en zag ik niet hoe de VN op dit moment op een praktische manier de orde in Rwanda konden herstellen. Met de gesprekken met de ouders van de Amerikanen die in Somalië waren gedood in het achterhoofd, was ik bang dat er meer slachtoffers zouden vallen onder de lichtbewapende leden van de VN-vredesmissie. Tegelijkertijd was ik het met mijn collega's van de Veiligheids-raad eens dat de VN zich niet volledig moesten terugtrekken. Luisterend naar het informele debat dat geleid werd door de Nigeriaanse permanente vertegen-woordiger Ibrahim Gambari, raakte ik er steeds meer van overtuigd dat we de kwestie van de verkeerde kant benaderden. Ik vroeg mijn plaatsvervanger om mijn plaats in te nemen en ging naar een van de telefooncellen in de hal. Zelfs ondanks het feit dat mijn instructies afkomstig waren van het ministerie van Buitenlandse Zaken, dacht ik dat we snellere actie konden krijgen via de NSC, die wat vredesmissies betreft een belangrijke coördinerende rol speelt en waar Tony Lakes kennis van zaken over Afrika van wezenlijk belang was. Ik beschreef aan een van zijn belangrijkste assistenten wat er in de raad speelde en vertelde dat de Amerikaanse stellingname als obstructief werd beschouwd. Eerst vroeg ik om soepeler instructies, vervolgens schreeuwde ik in de telefoon dat ik ze eiste. Ik kreeg te horen dat ik moest kalmeren. De NSC zou opnieuw bekijken wat er moest gebeuren.

Tijdens de bijeenkomsten van de raad die week citeerde ambassadeur Colin Keating van Nieuw-Zeeland een verslag van Artsen Zonder Grenzen waarin beschreven werd hoe Hutu-milities een ziekenhuis waren binnengevallen en alle lokale personeelsleden hadden vermoord, om de volgende dag terug te komen om de patiënten te vermoorden. Naar aanleiding van dit grimmige verslag keek ik snel even opzij naar de ambassadeur van Rwanda, het land dat toevallig dat alles bepalende jaar aan de beurt was om zitting te nemen in de Veiligheidsraad. Ik stak mijn hand op en stelde voor dat we de Rwandees om uitleg zouden vragen: het was tenslotte in de raad gebruikelijk om een beroep te doen op de permanente vertegenwoordiger van landen die bij een conflict betrokken waren. Dit was aanleiding tot een lange, ongemakkelijke stilte. Uiteindelijk hervond de Rwandees zijn spraak en antwoordde slechts dat de bereidheid van zijn regering om deel te nemen aan vredesonderhandelingen door de Tutsi's niet gedeeld werd. Ik vond het schandalig dat Rwanda's wetteloze regime nog steeds zitting mocht hebben in de Veiligheidsraad.

Op 20 april had ik een ontmoeting met de secretaris-generaal die me zijn dilemma beschreef. De Afrikaanse leden van de raad wilden dat UNAMIR versterkt werd. De Belgen wilden dat de VN zich geheel terugtrokken als dekmantel voor hun eigen terugtrekking. De Afrikaanse leiders probeerden vredesonderhandelingen op gang te brengen. Het besluit over Rwanda zou wezenlijk zijn voor het image van de VN en dus wilde Boutros Ghali dat de VN-vredesmissie zou blijven.

Die dag diende hij bij de raad een rapport met drie opties in. De eerste was onmiddellijke en massale versterking van UNAMIR. De tweede was het terugbrengen van de legermacht van ongeveer 2500 tot 270 man, met een mandaat om een wapenstilstand na te streven. De derde was volledige terugtrekking. Van deze drie opties was de tweede de enige die serieus besproken werd. De optie tot versterking leek illusoir, aangezien er geen voldoende uitgeruste troepen bereid waren te gaan.

De instructies die mij kwaad hadden gemaakt waren om de derde optie te steunen – volledige terugtrekking. Nu kreeg ik nieuwe instructies met de flexibiliteit die ik had gevraagd. Op 21 april stemde de raad unaniem voor de tweede optie. Het is ironisch dat de geplande verdere 'inperking' van de VN-missie nooit plaatsvond. De eenheden van België en Bangladesh waren al vertrokken, maar de resterende 540 man uit Ghana en Tunesië zouden nog maanden blijven, tot de gevechten eindelijk ophielden.

Tijdens de laatste tien dagen van april realiseerde ik me, samen met praktisch de rest van de wereld, dat wat er gebeurde niet alleen verschrikkelijk geweld was, maar volkerenmoord. De persverslagen waren vollediger geworden en ik stak veel op van een bespreking met Monique Mujawamariya, een mensenrechtenactiviste uit Rwanda, die overtuigend stelde dat het doel van de Hutu's was om de Tutsi's voor altijd uit te roeien. Ondertussen meldde het Internationale Comité van het Rode Kruis aan onze VN-missie in Genève dat het zijn ramingen van het aantal doden had bijgesteld naar 300.000 tot 500.000 mensen.

In een laat stadium werd de doelstelling van Washington en New York gewijzigd naar wat hij vanaf het begin had moeten zijn: meer moorden voorkomen. Minister Christopher stuurde de grote Europese en Afrikaanse hoofdsteden een telegram waarin met klem werd gevraagd om een gezamenlijke inspanning om de Rwandese overheid te bewegen een eind te maken aan het geweld. Prudence Bushnell, plaatsvervangend onderminister van Buitenlandse Zaken voor Afrikaanse zaken, belde de Rwandese leiders rechtstreeks en waarschuwde dat zij persoonlijk verantwoordelijk zouden worden gesteld als het moorden doorging.

Op 29 april keurde de Veiligheidsraad een presidentiële verklaring goed waarin Rwanda's interimregering de schuld kreeg van de meeste gruwelijkheden. De verklaring gebruikte bewoordingen van het Genocide-Verdrag om te waarschuwen dat dergelijke daden volgens de internationale wetten strafbaar waren. Maar harde woorden waren niet voldoende. Waar het om ging was of en hoe de internationale gemeenschap levens kon redden. Door een macabere samenloop van omstandigheden hing de schaduw van Somalië over beide vragen.

Op 3 mei maakte het Witte Huis het nieuwe Amerikaanse beleid ten aanzien van VN-vredesmissies bekend, gebaseerd op PDD-25. Diezelfde dag nam de Veiligheidsraad een vergelijkbare reeks principes aan, en voegde eraan toe dat de raad voor de start van een missie moest overwegen 'of de voornaamste partijen of facties redelijke garanties ten aanzien van de veiligheid en bescherming van VN-personeel konden geven'. De VN-onderzoekscommissie voor Somalië had ook haar werk voltooid en verklaarde dat 'de VN zouden moeten afzien van verdere acties ten behoeve van vredeshandhaving bij interne conflicten van staten'. Ondertussen rapporteerde het gezaghebbende Stimson Center: 'Als de Veiligheidsraad een vredesmissie met een onduidelijk of onmogelijk mandaat eenvoudig als politiek "gebaar" goedkeurt... schaadt het de VN als instituut en beperkt het hun vermogen op te treden.'

De deskundigen hadden dus geconcludeerd dat de VN zouden moeten afzien van tussenkomst in omstandigheden zoals in Rwanda, waar geen veiligheidsgaranties, geen samenwerking tussen de partijen en geen redelijk haalbaar mandaat waren. De enige oplossing zou misschien een grote en zwaarbewapende coalitie onder leiding van een grote mogendheid geweest zijn, maar vanwege Somalië zou de Amerikaanse krijgsmacht dat niet op zich nemen. De Fransen zouden op grote bezwaren van de Tutsi's zijn gestuit. De Belgen waren niet van plan terug te komen. De Britten hadden duizenden manschappen in Bosnië zitten. Dan bleef er slechts de mogelijkheid van een gemengde eenheid over, te organiseren door de VN of de Organisatie van Afrikaanse Eenheid (OAE), die beide hoopten dat de ander eerst zou gaan. Om een beslissing te versnellen vroeg de Veiligheidsraad Boutros Ghali een plan de campagne op te zetten. Helaas vond het plan waar hij mee kwam geen genade in de ogen van de Amerikaanse militaire strategen die gevraagd zouden worden een dergelijke missie te transporteren en te bevoorraden. Ze ontwikkelden hun eigen voorstel.

Dagen achter elkaar moest ik in mijn stoel in de Veiligheidsraad zitten en vragen om meer tijd terwijl de Amerikaanse en VN-deskundigen ruzieden over tactiek en strategie. VN-functionarissen wilden een eenheid die in Kigali gelegerd zou zijn, die op de een of andere manier 'veilige omstandigheden zou creëren', en alleen geweld zou gebruiken in geval van zelfverdediging maar zonder te wachten op een wapenstilstand. Het Pentagon verwachtte niet dat de VN landen zover kon krijgen dat ze mee zouden doen aan een dergelijk plan, dat een humanitaire operatie genoemd werd maar dat zou plaatsvinden te midden van een nog steeds woedende burgeroorlog. De Amerikaanse krijgsmacht maakte ook bezwaar tegen de logistieke problemen en risico's van het per vliegtuig vervoeren van zwaar materieel en troepen naar de omsingelde Rwandese hoofdstad en zei kortweg niet bereid te zijn dat te doen. In plaats daarvan stelde het Pentagon voor een veiligheidszone net binnen de Rwandese grens in te stellen om de bedreigde burgerbevolking te beschermen en de levering van voorraden te beveiligen.

Na lang ruziën werden we het op 17 mei eens over een resolutie die voorzag in een uitgebreide VN-missie, met een mandaat om 'waar doenlijk' veilige humanitaire gebieden te creëren.

Helaas bleken onze twijfels over de bereidheid van landen om deel te nemen aan een dergelijke missie gerechtvaardigd, waaruit eens te meer bleek dat resoluties van de raad weinig betekenden tenzij ze uitgevoerd werden. Wekenlang probeerde Boutros Ghali landen over te halen om zich te melden. Sommige deden toezeggingen die ze daarna terugnamen. Andere, bijvoorbeeld Canada, verzochten om verduidelijking van het verband tussen het mandaat van de missie en de beperkte hulpmiddelen. Gareth Evans, de minister van Buitenlandse Zaken van Australië, zei dat zijn land bereid was deel te nemen, maar wilde geen troepen toezeggen tot de VN hun basisproblemen hadden opgelost. 'Er kan alleen een vredesmissie worden gestuurd als er een vrede is die gehandhaafd moet worden. Je kunt alleen de vrede handhaven als je de middelen hebt om het goed te doen.' Australië meende dat er een internationaal leger van 30.000 tot 40.000 man nodig was om de rust te herstellen. Eerlijk gezegd deden de Verenigde Staten – niet enthousiast over de vooruitzichten van de missie zoals opgezet door de VN – niet echt hun best om andere landen zover te krijgen dat ze meededen.

Terwijl de zoektocht naar een groter VN-leger eindeloos doorging, gold dat ook voor het moorden. Halverwege juni boden de Fransen uiteindelijk aan om 1500 manschappen te sturen, die zouden worden vergezeld van 500 Senegalezen. Het plan werd gepresenteerd door de overtuigende Franse permanente vertegenwoordiger Jean Bernard Mérimée. Hoewel de Tutsi's bezwaar maakten en vijf leden van de Veiligheidsraad zich onthielden van stemming, zegevierde Mérimée. Operatie Turqoise stelde een veiligheidszone in Zuidwest-Rwanda in die meer dan 15.000 levens zou redden.

Eind juli stuurde Amerika ook troepen om te zorgen voor de vluchtelingen die Rwanda verlieten. Omdat daardoor het uitbreken van cholera kon worden voorkomen zou deze inzet nog eens duizenden levens redden. Vergeleken met de omvang van de volkerenmoord, waarbij ongeveer 800.000 mensen omkwamen, waren de Franse en Amerikaanse inspanningen te beperkt en kwamen ze te laat. Bovendien dienden de vluchtelingenkampen als een tijdelijke veilige haven voor veel van de Hutu-extremisten die aan de slachtingen hadden deelgenomen voor ze voor de Tutsi-milities wegvluchtten.

Sommige commentatoren hebben voornamelijk Amerika verantwoordelijk gesteld voor het feit dat er niet effectief werd gereageerd op de Rwandese volkerenmoord. Hun argument is dat we in april de versterking van UNAMIR hadden moeten steunen, in plaats van te besluiten de omvang te beperken, maar het standpunt van de raad op dat punt was unaniem en het vooruitzicht van aanzienlijke versterking een illusie. Een ander argument is dat we in mei onmiddellijk Boutros Ghali's plan voor een vredesmissie hadden moeten steunen, ook al dachten onze militaire leiders dat het niet zou werken.

Veel van de kritiek is zeker terecht, maar de omstandigheden waren veel ingewikkelder dan degenen vinden die achteraf makkelijk praten hebben. Geschiedenis wordt achterwaarts beschreven maar voorwaarts geleefd. Tijdens de kritische dagen tussen 15 en 22 april kreeg Mike McCurry, woordvoerder van het ministerie van Buitenlandse Zaken, tijdens zijn dagelijkse persconferenties slechts één vraag over Rwanda en die ging over de veiligheid van de deelnemers aan de VN-vredesmissie. De moorden vonden op dat moment plaats, maar de waanzin van de werkwijze viel pas later op, vooral tegen de achtergrond van andere gebeurtenissen in de wereld.

Wekenlang dachten we dat we te maken hadden met een tweede Burundi, waarin de herfst van het jaar daarvoor vreselijke moordpartijen hadden plaatsgevonden – verschrikkelijk geweld, maar dat was opgehouden voor het dezelfde omvang bereikte. We hadden net een jaar de tijd gehad om lessen te leren van Somalië. We hadden voor eenstemmigheid in de Veiligheidsraad gevochten en het was ons gelukt, en we hadden iets wat leek op overeenstemming met het Congres bereikt over een omzichtige en weloverwogen aanpak van VN-vredesmissies.

Toen het geweld losbarstte probeerden we de situatie in Rwanda in te passen in het raamwerk dat we hadden gecreëerd. We spraken met VN-functionarissen en Afrikaanse collega's over hoe we het vredesproces weer op de rails konden krijgen. We probeerden onpartijdig te blijven en veroordeelden het geweld van alle kanten. Van begin tot eind van deze crisis was er geen enkel land dat aanbood troepen naar Rwanda te sturen om er daadwerkelijk te vechten.*

Tragisch genoeg waren de lessen die we net geleerd dachten te hebben van Somalië niet van toepassing in Rwanda. Somalië kwam dichtbij anarchie; Rwanda was geplande massamoord. Somalië eiste voorzichtigheid; Rwanda eiste actie. Het versterken van UNAMIR, als we de juiste troepen hadden kunnen vinden, zou veel beter zijn geweest dan niets. Werkelijk effectieve actie zou een zwaarbewapende, vrijwel zeker door de VS geleide coalitie hebben vereist, die snel ingezet had kunnen worden, extremisten had afgeschrikt, leiders had gearresteerd en bescherming had geboden. Ik betreur het ten zeerste dat ik die gang van zaken niet heb bepleit. Veel mensen zouden me voor gek hebben verklaard en we zouden nooit de steun van het Congres hebben gekregen, maar ik zou gelijk gehad hebben en misschien zou mijn stem toch gehoord zijn.

Ik kan deze uiteenzetting niet afsluiten zonder eer te bewijzen aan degenen die inderdaad gelijk hadden, niet achteraf toen het gemakkelijk te zien was, maar destijds, toen hun waarschuwingen – als we ons er iets van aangetrokken hadden – verschil gemaakt zouden hebben. Dat zijn onder anderen UNAMIR-bevelhebber Roméo Dallaire en vertegenwoordigers van non-gouvernementele organisaties zoals het Rode Kruis, Artsen Zonder Grenzen en Human Rights Watch. Ik bid dat de wereld de volgende keer zal luisteren en optreden, maar ik ben er lang niet zeker van dat dat zal gebeuren.

Met de mogelijke uitzondering van het oude Rome heeft geen enkele maatschappij zich ooit opgeworpen voor de rol van wereldpolitieagent. De Verenigde Staten hebben in ieder geval – tenminste tot het eind van de twintigste eeuw – die rol nooit geambieerd. Wat de VN betreft, deze organisatie heeft bewezen dat ze de nachtwaker van de wereld kan zijn. Ze kan toezicht houden en alarm slaan, maar ze kan niet garanderen dat er op het alarm ook wordt gereageerd.

De wereld zou waarschijnlijk reageren als zich andermaal een situatie voordeed die duidelijk herkenbare gelijkenis vertoonde met die in Rwanda, maar elke volkerenmoord heeft zijn eigen vorm en elke dag vallen er verpletterende hoeveelheden informatie op de bureaus van wereldleiders. Sinds 1994 zijn er nieuwe en beangstigende dreigingen ontstaan die ook om onze aandacht vra-

---

* 'Het onvermogen van de VN om de volkerenmoord in Rwanda te voorkomen en vervolgens te beëindigen was een falen van het systeem van de Verenigde Naties als geheel. De basis van het falen was een gebrek aan hulpmiddelen en politieke betrokkenheid bij de ontwikkelingen in Rwanda en de aanwezigheid van de Verenigde Naties aldaar. De lidstaten vertoonden een aanhoudend gebrek aan politieke wil om op te treden, of om voldoende assertief op te treden.' Uit: *Report of the Independent Inquiry into the Actions of the United Nations during the 1994 Genocide in Rwanda*, opgenomen in een bijlage bij een brief van secretaris-generaal Annan aan de voorzitter van de Veiligheidsraad, S/1999/1257, 1999, 15 december 1999, blz. 1.

gen. Er is geen reden om ervan uit te gaan dat het volgende vermoeden van vol-kerenmoord op tijd zal worden ontdekt of dat er vrijwilligers zijn die massa-slachtingen kunnen voorkomen als het eenmaal begonnen is.

De wereld heeft een aantal stappen genomen om toekomstige Rwanda's min-der waarschijnlijk te maken, maar bij elkaar opgeteld zijn die niet zo belangrijk als de fundamentele kwestie van politieke wil. Als het alarm opnieuw afgaat, zul-len dan eerst de lessen van Rwanda of die van Somalië bij onze leiders opkomen?

De voortijdig afgebroken missie in Somalië wierp ook een schaduw over gebeur-tenissen dichter bij de Amerikaanse kusten. Op 11 oktober 1993, minder dan een week nadat er Rangers in Mogadishu waren vermoord, bereidden Amerikaanse en Canadese legeringenieurs en instructeurs aan boord van de uss *Harlan County* zich voor om in de hoofdstad van Haïti, Port-au-Prince, te landen. Het was hun taak te helpen bij bouwprojecten en Haïti's haveloze leger te hervormen. In plaats van het verwachte hartelijke welkom kreeg het schip geen toestem-ming om af te meren en werd het geconfronteerd met een menigte mensen die met stokken zwaaiden, hun vuisten opstaken en borden droegen met teksten als 'Denk aan Mogadishu'. Na twee dagen keerde de *Harlan County* terug. Vooral na Somalië was het tafereel van het Amerikaanse leger dat zich na de confrontatie met een woedende menigte terugtrok een dieptepunt in het buitenlands beleid van de regering-Clinton.

De *Harlan County* was naar Haïti gestuurd als onderdeel van een overeen-komst met Haïtiaanse militaire leiders, die in juli daarvoor op Governors Island, New York, was bereikt. In het verdrag was een procedure opgenomen om de de-mocratisch gekozen president, de priester Jean-Bertrand Aristide, weer aan de macht te brengen. Aristide was door een militaire junta onder leiding van luite-nant-generaal Raoul Cedras afgezet.

Ik had in het begin van de jaren zestig voor het eerst kennis gemaakt met de terreur en armoede op Haïti, toen Joe Albright van daaruit verslag deed over de omstandigheden onder het wrede regime van François 'Papa Doc' Duvalier, een dictator die later opgevolgd werd door zijn al even corrupte zoon, Jean-Claude of 'Baby Doc'. Op het moment van Joe's verblijf was Haïti het armste land op het westelijk halfrond. Dat is het nog steeds. Ongeveer 75 procent van het volk is on-dervoed, slecht behuisd, slecht gekleed of gewoon ziek. Er zijn zeven miljoen in-woners en dat aantal groeit; deskundigen zeggen dat het land een bevolking van drie miljoen kan voeden. De meeste bomen zijn allang geleden verbrand om houtskool te verkrijgen.

Haïti is net zo verdeeld als het arm is. Het eind van het regime van Duvalier in 1986 bracht een nieuwe grondwet, verkiezingen en de oppervlakkige uiterlijk-heden van een democratie, maar het maakte geen eind aan de spanningen op het eiland. Twee procent van de bevolking bezit de helft van de welvaart van het eiland en de elite staat bekend om zijn corruptie en hebzucht. Politiek vonden ze echter hun gelijke in de priester Aristide, een briljante spreker die als leider van een opportunistisch alternatief voor de gewone katholieke kerk tegen het eind van de jaren tachtig verscheen. Aristide stelde dat politieke macht gebruikt moest worden om het volk te dienen, niet te exploiteren – een nieuwe gedachte in Haïti. Hij werd de held van de armen en in december 1990 werd hij met bijna 68 procent van de stemmen gekozen tot president.

Aristides streven naar radicale veranderingen leidde nog geen jaar na zijn machtsovername tot zijn afzetting door het leger; de coup ging gepaard met wijdverbreide onderdrukking. In juli 1993 brachten de VN het Governors Island Agreement tot stand, waarin generaal Cedras beloofde 'zichzelf het recht op vervroegde pensionering te gunnen' en Aristide toestemming gaf terug te keren. De overeenkomst betekende ook de opheffing van economische sancties die ten tijde van de coup waren uitgevaardigd. Helaas hadden de militaire leiders, zoals het incident met de *Harlan County* illustreerde, geen enkel voornemen zich aan hun woord te houden. Als ze moesten vertrekken, zouden ze geduwd moeten worden.

Dat duwen begon in de Veiligheidsraad met een resolutie die de economische sancties opnieuw oplegde en een gezamenlijk team van toezichthouders van de VN en de Organisatie van Amerikaanse Staten (OAS) stuurde om te rapporteren over de schending van de mensenrechten. In de eerste maanden van 1994 nam de druk gestaag toe. Het embargo schaadde Haïti's toch al zwakke economie en verplichtte de VN om elke dag een miljoen mensen te voeden. Onze inspanningen om een diplomatieke oplossing te bereiken werden gedwarsboomd. De mensen die toezicht hielden op de mensrechten deden regelmatig verslag van de martelingen van en moord op Haïtianen die van trouw aan Aristide verdacht werden. Ondertussen probeerden duizenden eilandbewoners over de zee naar de Verenigde Staten te vluchten.

Het was ons beleid – geërfd van de vorige regering – om bootvluchtelingen tegen te houden, ondanks de vreselijke omstandigheden op Haïti. Door migranten te ontmoedigen de zee op te gaan op lekkende vlotten en in te volle boten, redden we levens, maar het beleid werd door Aristide veroordeeld als racistisch en stuitte op fel verzet van de vergadering van zwarte afgevaardigden in het Congres, meestal een bondgenoot van de president. De regering was verdeeld. Velen in het Witte Huis, het bureau van de vice-president en de NSC geloofden niet dat de status quo – sancties, lijden en Cedras – kon of moest worden gehandhaafd. Maar het ministerie van Defensie en veel topfunctionarissen op het ministerie van Buitenlandse Zaken voelden weinig voor een beleidsverandering. De mensen in het leger en de inlichtingendienst wantrouwden de radicale Aristide en wilden geen Amerikaanse levens riskeren bij een poging hem terug aan de macht te brengen. Onze speciale afgezant in Haïti, ambassadeur Lawrence Pezzullo, was van mening dat de diplomatieke aanpak uiteindelijk vruchten af zou werpen en dat het alternatief – ingrijpen door het Amerikaanse leger – op het totale halfrond op verzet zou stuiten.

Ik gaf de voorkeur aan actie. Zowel de VN als de OAS hadden opgeroepen tot de terugkeer van Aristide. Afgevaardigden van de Caribische Eilanden in New York vertelden mij dat hun regeringen een multinationale militaire operatie zouden steunen. Ik was ervan overtuigd dat we, als we het diplomatiek slim speelden, het leger konden bedwingen en de junta in korte tijd konden verjagen, zonder te worden beschouwd als Yankee-bemoeials. We moesten de les van Somalië in ons voordeel laten werken. Onze nederlaag daar betekende niet dat we nooit meer ergens tussenbeide moesten komen; het betekende dat we ons beter moesten voorbereiden.

Op 8 mei 1994 kondigde de president nieuw beleid aan. Om Haïti's elite in het nauw te brengen verboden we hun topfunctionarissen van het leger, de politie en de bureaucratie naar het buitenland te reizen. Om kritiek aan het thuisfront te voorkomen maakten we een eind aan de onmiddellijke terugkeer van Haïtiaanse migranten. Als reactie groef het Haïtiaanse leger zich nog dieper in, en maakte vervolgens de fatale fout om de VN/OAS-mensen die toezicht hielden op de mensenrechten het land uit te zetten. Dit was een rechtstreekse uitdaging aan de internationale gemeenschap en voor de Haïtiaanse autoriteiten het begin van het eind.

Ik besteedde het grootste deel van juli 1994 aan het overhalen van de Veiligheidsraad om toestemming te geven tot het gebruik van 'alle benodigde middelen' – codetaal voor geweld – om de Haïtiaanse democratie te herstellen door Cedras te verjagen en Aristide terug te brengen.

Het eerste probleem was om het eens te worden met Boutros Ghali. Hij was niet enthousiast over ons oorspronkelijke voorstel voor een grote VN-macht omdat de wereldorganisatie blut was (gedeeltelijk omdat het Congres weigerde onze rekeningen te betalen) en het moeilijk was om troepen voor andere missies te vinden. Ook omdat de operatie die wij in gedachten hadden onder Amerikaans bevel zou staan, vlakbij de Amerikaanse grens zou plaatsvinden en voor een groot deel zou bestaan uit Amerikaanse manschappen. Zoals de secretaris-generaal opmerkte, had Rusland peacekeepers naar Georgië gestuurd en wilde nu dat de raad hen tot een officiële VN-eenheid benoemde, zodat Moskou 90 procent van de kosten kon declareren. Omdat hij nee tegen Moskou had gezegd, vond Boutros Ghali dat hij tegen ons geen ja kon zeggen.

Halverwege de maand juli kwam ik terug met een herzien plan. In plaats van te beginnen met een VN-missie, konden we de raad vragen goedkeuring te verlenen aan een coalitie onder leiding van de VS om de onwettige leiders af te zetten, stabiliteit te brengen en de basis te leggen voor nieuwe verkiezingen. Daarna zou een kleinere VN-eenheid het overnemen. Boutros Ghali vond dit een beter idee, maar vroeg mijn garantie dat de VN niet de zware klus van het ontwapenen van de milities zouden hoeven uitvoeren. 'Ik wil geen tweede Somalië.'

'Wij wel zeker?' vroeg ik hem, en voegde eraan toe: 'Maakt u zich geen zorgen, deze keer zullen we het samen goed doen.' Aarzelend stemde de secretaris-generaal in.

Mijn volgende probleem was om van de Veiligheidsraad een zo krachtig mogelijk mandaat te krijgen. Hoewel een aantal landen bezwaren opperde, waren de

landen met de meeste problemen Brazilië en Rusland. Er is geen grotere diplomatieke uitdaging dan het overhalen van een Latijns-Amerikaanse leider tot het
openlijk steunen van een Amerikaans militair initiatief op ons halfrond. Zoals
medestander Emilio Cárdenas, ambassadeur van Argentinië, me hielp herinneren, hadden de VS in de loop van de voorafgaande decennia tientallen malen ten
zuiden van onze grenzen ingegrepen, soms met treurige en ondemocratische
gevolgen. De Brazilianen hadden het niet begrepen op de Haïtiaanse junta maar
aarzelden om militair ingrijpen te steunen. Als compromis besloten we te benadrukken hoe uniek de huidige omstandigheden waren, zodat als er geweld werd
gebruikt, het niet als een precedent beschouwd zou worden.

De Russen kon het niet veel schelen wat wij in Haïti deden, maar ze waren
vastbesloten om er een politiek pokerspelletje van te maken. Yuli Vorontsov, de
ambassadeur van Moskou, legde me een aantal vragen voor over onze missie, en
liet doorschemeren dat Russische steun aan de actie in Haïti afhing van Amerikaanse steun voor Russische voorstellen over Georgië. Vorontsov en ik konden
goed met elkaar opschieten. Onze dialogen tijdens raadsvergaderingen over
Haïti deden echter vermoeden dat de Koude Oorlog nooit echt afgelopen was.

En ander obstakel was Aristide. Tijdens zijn ballingschap in Washington had
hij de beschikking over overigens bevroren tegoeden van de Haïtiaanse regering. Hij was het slachtoffer van onderdrukking en glorieerde in het internationale medeleven dat hem toeviel. Hij leek ook te wennen aan de materiële ge-
makken van een leven in Amerika. Er waren cynici die het idee hadden dat hij
niet terugwilde naar Port-au-Prince. Bovendien voelde Aristide weerzin tegen
het idee dat hij op de schouders van de 'imperialistische' Verenigde Staten weer
aan de macht geholpen zou worden.

Als Aristide, de rechtmatige president, ons plan niet steunde, hadden we geen
wettelijke basis voor uitvoering. Maar de positie van de verbannen leider was
onduidelijk. In juni zei hij dat hij 'nooit, nooit en nooit meer' zou instemmen met
een Amerikaanse invasie die hem weer aan de macht zou brengen. Op andere
momenten verzocht hij Amerika om 'de boeven operatief te verwijderen'.

Uiteindelijk kregen we een brief van Aristide waarin hij zijn steun uitsprak
voor de resolutie die we opgesteld hadden. Nadat Vorontsov mij het leven zo
moeilijk mogelijk gemaakt had, gaf hij knarsetandend aan dat Rusland onze
plannen niet in de weg zou staan. Op 30 juli, met de officiële raadsvergadering
gepland voor die avond, werkten we de hele dag om alles klaar te hebben. Ik had
met iedere afgevaardigde persoonlijk gesproken en wist wat ieders stellingname
was. Dit was detaildiplomatie. Als iedereen zich aan zijn woord hield, zouden we
winnen. Ik was uitgeput en zag er vreselijk uit, dus ging ik tijdens een pauze
naar mijn appartement, waste mijn haar, deed nieuwe make-up op, deed een
blauwe linnen jurk aan en liep terug de raadskamer in om mijn afgetobde en on-
geschoren tegenhangers te confronteren.

De sessie duurde tot laat in de nacht. Diverse Latijns-Amerikaanse ambassadeurs spraken zich tegen het voorgestelde ingrijpen uit, met het traditionele ar-

gument van de bescherming van de nationale soevereiniteit. Aristides afgevaardigde gaf blijk van zijn steun. Iedere permanente vertegenwoordiger in de
Veiligheidsraad nam het woord. Ik stelde:

> De status quo in Haïti is noch houdbaar noch aanvaardbaar. Er moeten keuzes
> gemaakt worden[...]. De raad maakt vandaag de juiste keuze – ten gunste van de-
> mocratie, de wet, de waardigheid en het verlichten van langdurig en onverdiend
> lijden. En de boodschap van de raad voor generaal Cedras [...] is simpel. U hebt
> ook een keus. U kunt vrijwillig en snel vertrekken; of u kunt onvrijwillig en snel
> vertrekken.

Toen de stemming plaatsvond, hield ik mijn adem in. De raad stemde met 12-0-2
voor onze resolutie. Zelfs Rusland stemde voor, en Brazilië en China onthielden
zich.* Voor de eerste keer in de geschiedenis had de Veiligheidsraad de Verenigde Staten expliciet toestemming gegeven om geweld te gebruiken bij ingrijpen
in een ander land op ons halfrond. We hadden ons mandaat. De vraag was nu of
we het karwei konden klaren.

Terwijl Labor Day kwam en ging, ging onze militaire planning door, maar we
hoopten dat de dreiging met geweld voldoende zou zijn om de junta te ontmoedigen en te doen aftreden. In een laatste poging tot diplomatie vroeg president
Clinton voormalig president Carter, senator Sam Nunn en generaal b.d. Colin
Powell om een bespreking met de Haïtiaanse militaire leiders te houden en hen
over te halen af te treden. Om langdurige onderhandelingen te voorkomen,
stelde hij een strikt tijdschema vast voor militaire actie. Pas op het moment dat
de vliegtuigen van de 82ste Airborne Division op bevel van de president in de
lucht waren op weg naar Port-au-Prince gaf Cedras toe dat vroegtijdige pensionering misschien niet zo'n slecht idee was. Het Amerikaanse leger zou toch nog
naar Haïti gaan als de grootste vertegenwoordiging in een coalitie die bestond
uit afgevaardigden van achtentwintig landen, maar het werd een invasie zonder
verzet – de beste soort. Tegen half oktober was Aristide weer in functie.

Dat jaar reisde ik met Thanksgiving Day met generaal Jack Sheehan, hoofd
van het Amerikaanse Atlantic Command, naar Haïti en at kalkoen, aardappelen
en taart met een aantal manschappen. De militairen vertelden over de uitzinnige
ontvangst die ze hadden gekregen van een bevolking die verzwakt was door ont-
bering en angst. Ze zeiden dat ze het een eer vonden naar Haïti gestuurd te zijn
en bedankten me door me mijn eigen groene baret te geven, die ik later op de
blauwe helm op de buste van Adlai Stevenson in mijn kantoor zette.

---

* China heeft grote afkeer van elke VN-actie die het land, vanuit zijn eigen glazen huis,
beschouwt als inmenging in de binnenlandse zaken. Tijdens een bepaalde raadszitting
over een andere kwestie zag ik de Chinese zaakgelastigde zijn spieren oefenen door in
een harde rubberbal te knijpen. Ik stuurde hem een briefje met de tekst: 'Wat is er met
dat balletje?' Hij antwoordde dat hij zijn kracht aan het opbouwen was omdat hij die dag
zijn arm omhoog zou steken om ja te stemmen.

Er zijn weinig landen die zoveel pech gehad hebben met hun leiders als Haïti. In het verleden was dat omdat eerlijke, democratische figuren niet konden overleven. In de jaren sinds onze tussenkomst werd Haïti nog steeds gekweld door leiders die of te zwak waren, of, zoals in het geval van president Aristide, verdeeldheid zaaiden. Tegenwoordig is er een structuur waarin gedegen leiderschap Haïti kan verheffen, en ondertussen voldoende buitenlandse hulp en investering kan aantrekken. We weten dat de capaciteiten voor een dergelijk leiderschap aanwezig zijn, omdat we die zien binnen de Haïtiaans-Amerikaanse gemeenschap. Ik hoop alleen maar dat er een dag komt waarop Haïti eindelijk een regering krijgt die het land verenigt.

Het begin van de jaren negentig was een tijd van experimenteren en het leren van harde lessen over de mogelijkheden en de grenzen van multilaterale vredeshandhaving. Een van de meest fundamentele lessen die onze ervaringen in Somalië, Rwanda en Haïti ons geleerd hebben, was dat een willekeurig rigide of panklare aanpak niet werkt. Elke situatie was anders, met een unieke mengeling van geschiedenis, karakter, cultuur en politiek. Voor mij was de doorslaggevende les duidelijk. De internationale gemeenschap had, met behulp van de VN of anderszins, de verantwoordelijkheid om samenlevingen die bedreigd werden door natuurlijke of door mensen veroorzaakte rampen, te helpen. Het was in Amerika's belang om ervoor te zorgen dat die verantwoordelijkheid werd nagekomen, omdat het de wereld stabieler en vreedzamer zou maken en omdat het juist was.

HOOFDSTUK 11

Veelvlieger

IN DE JAREN ZESTIG, toen ik op Long Island woonde en voor colleges op en neer reisde naar Columbia University, dacht ik dat ik het onder de juiste omstandigheden heerlijk zou vinden om in New York te wonen. Nu was dat precies wat ik deed. De residentie van de Amerikaanse permanente vertegenwoordiger bij de VN is een penthouse in de Waldorf Astoria Towers, op de eenenveertigste verdieping. Er hangt een gouden adelaar boven de voordeur van het appartement, van binnen is het ruim en er zijn ansichtkaartachtige uitzichten op Manhattan te bewonderen, waaronder mijn favoriet – de enorme Saint Patrick's Cathedral die tussen de wolkenkrabbers bijna de indruk van een speelgoedkerk maakt.

Nadat ik net een paar maanden in het appartement woonde, besloot ik dat wat ik het hardst nodig had een eigen 'echtgenote' was, dus was ik blij toen mijn zus Kathy lang verlof nam van haar baan in het openbaar onderwijs in Los Angeles om me te helpen. De eisen die het hoofd bieden aan Somalië, Rwanda en andere crises, het leiden van een diplomatieke missie, het heen en weer vliegen naar Washington en het leiden van twee huishoudens aan mij stelden, zorgden ervoor dat mijn dagelijks leven tot een soort waas werd. Meestal ging het goed, hoewel ik nooit zeker wist welke kleren zich waar bevonden. Als ik iets niet kon vinden, was het altijd in het andere huis. Ik vergat soms zelfs waar ik was. Op een nacht in New York viel ik zelfs uit bed, omdat ik dacht dat ik in Washington was waar ik aan de andere kant sliep.

Volgens een oud gezegde is een ambassadeur iemand die naar het buitenland gestuurd wordt om voor zijn land te liegen. Ik dacht soms dat ik naar New York gestuurd was om voor mijn land te eten. Ik was voortdurend als gastvrouw of gast aanwezig bij diners, lunches en zakenontbijten. Ik hield ervan om mensen te ontmoeten en koetjes en kalfjes af te wisselen met zakelijke onderwerpen, maar mijn status als alleenstaande vrouw veroorzaakte een probleem met het protocol. Voor mijn scheiding had ik talloze malen meegemaakt dat mijn positie in gezelschap in eerste instantie bepaald werd door de status van mijn echtgenoot. Als ambassadeur wilde ik niet dat de partners van andere belangrijke gasten dachten dat ik hen onheus bejegende of me arrogant opstelde. Van de andere kant zijn mannen geneigd zich tijdens de gesprekken voor en na het diner af te zonderen van de vrouwen – niet voor cognac en sigaren zoals vroeger – maar om over zaken te praten. En de zaak waarover zij spraken was de diplomatie. Het was mijn werk om aan die gesprekken deel te nemen, wat ik echter niet kon doen zonder de vrouwen alleen te laten. Met als gevolg dat ik heen en weer liep tussen de twee groepen, soms onhandig, soms soepel, om iedereen maar tevreden te stellen.

Er waren veel moeilijke – zelfs traumatische – dagen, maar ik hield nog steeds van mijn baan. Voor het eerst had ik het idee dat ik de woorden 'glamorous' en 'mijn leven' zonder ironie in dezelfde zin kon gebruiken. Die eerste meimaand was de president toevallig in New York en kwam hij op mijn verjaarsfeest. Mijn hoogzwangere dochter Alice was er ook en in antwoord op zijn vraag zei ze: 'Elk ogenblik kan het gebeuren.' De president zei: 'Maak je geen zorgen, ik ben een Lamaze-vader.' Naar de uitdrukking op het gezicht van Alice te oordelen had ze onmiddellijk de mogelijkheid dat de president van de Verenigde Staten haar baby ter wereld zou brengen verwerkt en besloot: 'Nooit van mijn leven.' Gelukkig doorstond ze het feest en schonk ze pas de volgende dag het leven aan David – mijn onstuitbare eerste kleinkind.

Omdat ik in New York woonde en een erg in het oog lopende baan had, liep ik het risico iemand te worden die ik niet uit kon staan – een snob. Maar er klopt iets van de gedachte dat mensen in het openbare leven en de kunsten tot elkaar aangetrokken worden. Er is wederzijds jaloezie. Veel kunstenaars willen invloed hebben op het beleid en politici kunnen net zo onder de indruk zijn van sterren als andere mensen.

Het duurde even voor ik eraan gewend was, maar ik merkte dat ik beroemde mensen voor etentjes kon uitnodigen en dat ze accepteerden. Deel van mijn strategie was om buitenlandse hoogwaardigheidsbekleders samen te brengen met topjournalisten zoals Tom Brokaw, Dan Rather en Peter Jennings. Ik nodigde ook filmsterren uit die belangstelling hadden getoond voor internationale zaken, zoals Richard Dreyfuss, die goed op de hoogte was van de situatie in het Midden-Oosten, en Michael Douglas, tegen wie ik zei dat ik van mijn werk hield omdat het me de kans gaf mijn 'basic instincts' te volgen. Douglas en veel andere acteurs stonden welwillend tegenover het werk dat de VN deden en wilden de steun van Amerika bevorderen. Toen de fantastische zangeres Judy Collins de officiële goodwillambassadeur voor UNICEF werd, werden zij en haar beeldhouwende echtgenoot Louis Nelson goede vrienden van me. Bij een bepaalde gelegenheid zong Judy 'Amazing grace' terwijl iedereen aan mijn eettafel pogingen deed zijn tranen in te houden.

Soms was ik gewoon egoïstisch en nodigde mensen alleen uit omdat ik ze graag wilde ontmoeten. Operadiva Jessye Norman kwam en zong ook, wat me deed denken aan het gezegde 'Muziek is het geluid van het in- en uitademen van God'. Ik was zeer onder de indruk geweest van Frank McCourts *Angela's Ashes*, dus toen ik ontdekte dat hij in New York woonde, probeerde ik hem meteen te bereiken. Hetzelfde gold voor Walter Mosley, de geestige en bescheiden auteur van *Devil in a Blue Dress* en andere Easy Rawlins-thrillers – favoriete lectuur van president Clinton en mij.

Van alle beroemde mensen die ik heb ontmoet, heb ik de meeste tijd met Barbra Streisand doorgebracht. In het begin van 1993 zat ik midden in een speech voor de politieke vrouwengroep van Hollywood toen een tengere vrouw met een zwarte baret, die haar halve gezicht bedekte, binnenkwam en ging zitten. Toen ze de baret afzette, was ik zo verrast dat ik bijna ophield met praten. Toen we na afloop met elkaar spraken, vertelde ze dat ze vaak in New York was, dus bij de eerste de beste gelegenheid nodigde ik Streisand op de lunch. Ze vertelde toen dat een van de eerste toneelstukken waarin ze had gespeeld een stuk van Karel Čapek was, de Tsjechische toneelschrijver die mijn vader zoveel jaar geleden had bewonderd. Ik mag Barbra graag omdat ze gepassioneerd en vechtlustig is en zegt wat ze denkt. Daarna hebben we vaak met elkaar afgesproken voor etentjes, winkelen, films en toneelvoorstellingen. Een van de leuke dingen van het optrekken met Streisand is dat je, als je met haar naar een musical van Stephen Sondheim gaat, na afloop aan tafel komt te zitten met mr. Sondheim zelf.

Ik was dol op Barbra's gezelschap en ik denk dat zij genoot van de mogelijkheid om me te ondervragen over gebeurtenissen in de wereld, om haar sociale bewustzijn te onderbouwen met degelijke informatie. Voor een van haar laatste concerten, in Madison Square Garden, gaf Barbra me een kaartje voor de eerste rij en was zo vriendelijk mij te laten delen in haar aandacht door me aan het publiek voor te stellen als haar goede vriendin.

Omdat Washington maar een paar uur reizen is en ik vaak ontboden werd bij vergaderingen van de Commissie van Hoofden Buitenlands Beleid, was ik vaak niet in New York. Dat irriteerde sommige andere ambassadeurs bij de VN. Ze ergerden zich ook omdat ik zowel lid van de regering als Amerikaanse was en daarom, als ik in hun land op bezoek was, meestal een ontmoeting had met hun minister van Buitenlandse Zaken. Als ik terugkwam naar New York lieten sommigen weten dat ze het niet waardeerden dat ik hen passeerde. Ik voerde aan dat mijn deelname aan beleidsbesprekingen in Washington van belang was voor ons allemaal, omdat het garandeerde dat de Verenigde Staten het standpunt van de Veiligheidsraad in overweging namen. En ik zei, volstrekt naar waarheid, dat het eerste wat ik iedere keer deed als ik een buitenlandse minister ontmoette was zijn permanente vertegenwoordiger bij de VN prijzen.

Het is een feit dat de meeste landen hun meest bekwame en ervaren diplomaten naar New York sturen. Het zijn mensen die of hun sporen verdiend hebben op andere diplomatieke posten of die hebben getoond uitzonderlijk veelbelovend te zijn. Velen van hen zijn ministers van Buitenlandse Zaken geweest of zullen het worden. Met als gevolg dat de discussies over internationale kwesties bij de VN beter geïnformeerd, gevarieerd en hoogstaand zijn dan waar dan ook. In het begin was ik echter een diplomatieke beginneling, wat sommige collega's me maar al te graag lieten weten. Mijn reactie was om mijn ogen en oren open te houden en er wat van op te steken.

Omdat de Veiligheidsraad een wetgevend lichaam is, is weten hoe je een resolutie moet opstellen een noodzakelijke vaardigheid. Hoewel de staven de eerste concepten schrijven, hebben de 'perm reps' [permanente vertegenwoordigers], zoals we genoemd werden, de eindredactie – soms in de vorm van fel verbaal gevecht. De voorganger van mijn voorganger, Tom Pickering, was een meester in diplomatieke taal. Hij was iemand die in vele functies van de buitenlandse dienst geschitterd had en een leidende rol gespeeld had bij het opstellen van de resoluties voor, tijdens en na de Golfoorlog. Bij afwezigheid van Tom was Sir David Hannay, de ervaren Britse ambassadeur met zijn droge humor, degene die veel werk verzette bij het opstellen van resoluties. Hannay beschikte over alle Latijnse termen, zoals *inter alia*, en wist waar alle komma's moesten staan. Hij had ook de gewoonte elke zin te beginnen met 'Sorry, maar de juiste manier om dit te stellen is...' Op een bepaald moment, toen hij voortdurend iedereens grammatica verbeterde, zei ik tegen hem, '*Sorry*, maar Engels is niet mijn moedertaal'.

Als diplomatieke woordensmeder was ik geen Tom Pickering. Ik kon echter putten uit mijn evaring in de Senaat, had bekwame adviseurs in mijn staf en moest het voorbeeld van mijn collega's in acht nemen. Ik leerde snel hoeveel je kunt doen met interpunctie of de vervanging van 'en' door 'of'. Ik nam de VN-truc over van het subtiel inhoud toevoegen aan de ene resolutie door te verwijzen naar een andere. Toen ik mijn collega's beter leerde kennen, ontdekte ik manieren om eenstemmigheid te bereiken zonder het uitgangsprincipe geweld aan te doen en ik begon duidelijk te zien – wat ik het 'biljartbaleffect' ben gaan noemen – hoe de ene beslissing leidt tot de andere. Ik leerde ook wanneer ik openhartig moest zijn en wanneer ik anderen mijn punt moest laten maken terwijl ik achter de schermen bleef. Tegen de tijd dat de controversiële resolutie over Haïti halverwege 1994 bediscussieerd werd, had ik niet alleen het gevoel dat ik wist hoe de Veiligheidsraad werkte, maar ook hoe ik de Veiligheidsraad moest laten werken.

Deel van mijn aanpak was om af en toe bij wijze van verrassing zelfkritiek te uiten in een wereld waar die methode zelden gebruikt werd. Tijdens een bepaald debat zei ik tegen de raad dat hij actie zou moeten opschorten tot ik mijn instructies uit Washington had ontvangen. 'De kwestie zal niet worden opgelost,' verklaarde ik plechtig, 'tot de dikke dame zingt.' Gezien het feit dat ik niet bepaald mager was, geloofde niemand dat ik dat echt gezegd had, maar ze konden ook niets zeggen. Het waren tenslotte diplomaten.

Omdat de VN in zoveel kwesties verwikkeld waren, was ik in belangrijker mate dan veel van mijn voorgangers betrokken bij het vormgeven en uitvoeren van Amerikaans buitenlands beleid. Dat was een uitdaging – en frustrerend. Als lid van de Principals Committee had ik een plaats aan de tafel waar de beslissingen

genomen werden, maar ik was op twee punten ook in het nadeel. Ten eerste omdat ik als lid van het kabinet verantwoording verschuldigd was aan de president,
maar als ambassadeur onder de minister van Buitenlandse Zaken viel. In het officiële organisatieschema van het ministerie van Buitenlandse Zaken stond ik
aan het eind van een stippellijn die uit het oor van Warren Christopher kwam.
Dus was mijn status niet dezelfde als van de andere leden van de commissie.
Gelukkig ging mijn dagelijkse contact met het ministerie van Buitenlandse
Zaken meestal via de onderminister voor Politieke Zaken, Peter Tarnoff – altijd
een welwillend luisteraar.

Ten tweede: de andere leden van de commissie werden ondersteund door
enorme bureaucratische apparaten, terwijl ik gesteund werd door een enkele diplomatieke missie en een piepkleine staf in Washington. Mijn team werkte kei-
hard om me voor vergaderingen voor te bereiden, maar bij bepaalde kwesties
misten we de middelen om zelfstandige inbreng te ontwikkelen.

Vooral in het begin moest ik hard werken om indruk te maken. Dit was deels
mijn eigen schuld. Omdat ik geaccepteerd wilde worden, vergat ik vaak het advies dat ik zelf aan jonge mensen had gegeven: laat je stem snel horen en onder-
breek zo nodig. Ik was te geremd. Als ik mijn stem liet horen, werd ik van mijn
stuk gebracht door de manier van doen van Tony Lake, die de vergaderingen
voorzat. De verantwoordelijkheid van de baan had Tony minder makkelijk in de
omgang en minder geduldig gemaakt dan toen hij nog de slimme vriend was die
ik al zo lang kende. Ik stoorde me eraan als hij, terwijl ik sprak, met zijn vingers
op de tafel trommelde of op zijn horloge keek. Ik verbaasde me daarover, want ik
monopoliseerde de vergaderingen absoluut niet en meestal hadden hij en ik dezelfde mening. Ik dacht vaak dat we elkaar voor de vergadering hadden moeten
spreken, maar dat was Tony's stijl niet. Ik wist niet zeker of geslacht een rol
speelde, maar ik vond het vervelend om behandeld te worden alsof ik een van
zijn studenten was.

Ik besloot al snel dat ik beslissingen niet kon beïnvloeden door gewoon dis-
cussiepunten te herhalen die voorbereid waren. Over veel onderwerpen had
Christopher dezelfde tekst voor zich als ik. Mijn bijdragen maakten meer indruk
als ze gebaseerd waren op informatie uit de eerste hand, dus was ik blij met de
kans om de Verenigde Staten te vertegenwoordigen bij buitenlandse missies. Ik
bracht bezoeken aan de VN-vredesmissies omdat ze een wezenlijk onderdeel
uitmaakten van mijn werk, maar ik was vooral verheugd toen de president mij
vroeg een niet-VN-missie op zeer bekend terrein te ondernemen.

In het begin van de jaren negentig werd Midden-Europa door veel Amerikanen nog beschouwd als een geheimzinnige collectieve eenheid die getypeerd
werd door middeleeuwse kastelen, gekruide worstjes en onvoldoende klinkers.
In werkelijkheid had elk van deze landen zijn eigen geschiedenis, cultuur en
taal; elk een erehal voor zijn eigen helden en tegenstanders; en elk zijn eigen gevoel dat het op enig moment verraden was. Deze landen werden eeuwenlang be-
vochten, verdeeld en ondergeschikt gemaakt aan machtige buren. Na de Eerste

Wereldoorlog hadden Woodrow Wilsons 'veertien punten' hen onafhankelijk gemaakt. Na de Tweede Wereldoorlog had het imperialisme van de Sovjet-Unie die onafhankelijkheid ongedaan gemaakt. Tussen de jaren veertig en tachtig schermde het IJzeren Gordijn het licht zodanig af dat er niets groeide.

Nu was het licht terug en kon de vrijheid floreren, maar dat gold ook voor de wortels van wrokgevoelens uit het verleden. Er was een risico dat de oude breuklijnen door de hele regio zich weer zouden openen, wat demagogen zou aantrekken, angst zou opwekken en aanleiding zou zijn voor inspanningen om de veiligheid met geweld te bereiken. Toen de Berlijnse Muur viel, raakten de verwachtingen hoog gespannen. De net bevrijde landen die zich snel bij het Westen wilden aansluiten, raakten teleurgesteld door het lage tempo van de veranderingen.

Sommige landen hadden verwacht dat ze zich vrijwel meteen konden aansluiten bij de Europese Gemeenschap (nu de Europese Unie) en de NAVO. Sommige hadden op een nieuw Marshallplan gehoopt om hun economische overgang te versoepelen. Amerika en zijn bondgenoten hadden hulp geboden, maar niet voldoende om te voorkomen dat de werkloosheid steeg en de levensstandaard daalde. De Midden-Europeanen voelden zich in de steek gelaten en klaagden dat alleen Oost-Duitsland – herenigd met zijn andere helft –werkelijk tot het Westen was toegelaten, terwijl de rest van de regio was veroordeeld tot de wachtkamers van diverse instellingen.

In juni 1993 gaf de regering-Clinton toestemming voor een nieuw beleid ten opzichte van Midden- en Oost-Europa, met als doel de democratie te versterken, handelsbarrières te slechten en landen te belonen voor economische hervormingen. We ontwikkelden vier principes om ons beleid ten opzichte van de NAVO richting te geven – de organisatie waar de landen in de regio het liefst lid van wilden worden.

Ten eerste vonden we dat de NAVO de kern van het Europese veiligheidssysteem moest blijven. Geen enkele andere organisatie had zoveel gezag.

Ten tweede was het alleen maar redelijk dat de NAVO haar deuren zou openstellen voor de nieuwe democratieën, mits ze voldeden aan dezelfde politieke en militaire eisen die aan andere leden gesteld werden.

Ten derde zouden we het vooruitzicht van het lidmaatschap van de NAVO moeten gebruiken als stimulans voor de landen in de regio om hun krijgsmacht onder burgerbevel te stellen, hun economie te liberaliseren en de rechten van minderheden te respecteren.

Ten slotte zou de uitbreiding van de NAVO geleidelijk plaats moeten vinden. De nieuwe democratieën konden niet van de ene dag op de andere de verantwoordelijkheden van de organisatie op zich te nemen en ze zouden niet allemaal in hetzelfde tempo voortgang maken. Een open en doelbewuste procedure zou Moskou mede het geruststellende gevoel geven dat de uitbreiding van de NAVO naar het oosten een stap richting Rusland was, niet tegen.

Om deze principes in de praktijk te brengen, verleende president Clinton zijn

goedkeuring aan een idee van generaal John Shalikashvili, de opvolger van Colin
Powell als voorzitter van de Joint Chiefs of Staff. Generaal 'Shali', zoals we hem
noemden, was geboren in Polen, dat hij in 1944 in een veewagen was ontvlucht,
net voor de oprukkende Russische troepen uit. Hij vertelde ons dat hij Engels had
geleerd door in Peoria naar films van John Wayne te kijken. Shali droeg door zijn
positieve houding bij aan ons team voor buitenlands beleid, hij had een scherp
verstand, was vlug van begrip en had veel kennis over Europa uit de eerste hand.
Toen ik hoorde dat hij benoemd was, belde ik hem meteen om hem – ook een
Slaaf en Midden-Europeaan – welkom te heten in de commissie. Het was Shali's
idee om de nieuwe democratieën in Europa en de voormalige Sovjet-Unie uit te
nodigen zich op te geven voor een nieuw lichaam, het Partnerschap voor Vrede
(*Partnership for Peace*, PFP), waarvan de leden zouden deelnemen aan militaire
oefeningen met de NAVO-landen. Dat betekende dat de voormalige vijanden van
de organisatie zouden leren hoe ze er nu mee konden werken, terwijl oude rivalen als Roemenië en Hongarije zouden samenwerken. De landen die het meest
deden aan de verbetering van hun krijgsmacht, vreedzame betrekkingen met
hun buren ontwikkelden en hun democratische instituten versterkten, zouden in
aanmerking komen voor volledig lidmaatschap van de alliantie.

Het plan stelde een nieuwe Europese veiligheidsstructuur in het vooruitzicht,
die de NAVO levend zou houden en zou versterken, en alle landen, inclusief
Rusland en Oekraïne, tevens een zinvolle rol zou geven. De Midden-Europese
landen waren in eerste instantie echter niet onder de indruk. Lech Wałęsa
keurde het PFP af omdat hij het 'chantage' en 'te weinig' vond. Leiders in Litouwen drongen aan op onmiddellijke toelating tot de NAVO. Om steun te krijgen besloot president Clinton direct voorafgaand aan de NAVO-top van januari 1994, die
hij zou bijwonen en waar het PFP besproken zou worden, een diplomatieke missie naar Midden- en Oost-Europa te sturen. Ik was verheugd toen hij generaal
Shalikashvili en mij vroeg de missie te leiden.

We arriveerden in de eerste week van januari en merkten dat de landen in de
regio erg gevoelig waren voor een beetje persoonlijke belangstelling. Onze eerste stop was Polen, waar Wałęsa ons met veel scepsis ontving. We overtuigden
hem er omzichtig van dat het PFP de weg naar de NAVO was en niet de omweg die
hij vermoedde. Hij stemde erin toe om tijdens onze persconferentie te zeggen
dat hoewel hij er de voorkeur aan gaf om de NAVO in te 'springen' hij bereid was
tevreden te zijn met 'kleine stapjes'. Bij onze volgende halte waren de Hongaren
de eersten die het PFP van ganser harte verwelkomden. In Praag zeiden de
Tsjechen dat ze bereid waren het risico van een begrotingstekort te lopen om
hun krijgsmacht te verbeteren.

Tijdens elk bezoek adviseerden we geduld te hebben en legden er de nadruk
op dat de NAVO een militair bondgenootschap is, geen sociale vereniging. Zij
stelde hoge eisen en daarom wilden landen zich aansluiten. Als het een regering
ernst was met de kandidatuur, zou zij ook ernst moeten maken met het voldoen
aan de gestelde eisen. De leiders die we spraken waardeerden mijn garantie dat

het PFP de eerste stap was op weg naar het lidmaatschap van de NAVO. Ze waren minder onder de indruk van mijn sportvergelijkingen. Ik zei tegen ze: 'Het PFP is te vergelijken met een footballwedstrijd. De bal is misschien niet precies waar u hem zou willen hebben, maar hij is wel in het spel. U moet zorgen dat u hem oppakt en ermee wegrent' – een beeld dat in Dallas of Detroit op zijn plaats zou zijn, maar als je in Warschau 'football' zegt denken ze aan voetbal. Als je dan de bal oppakt, krijgt het andere team een vrije trap.

In het begin twijfelden Shali's team en het mijne over hoe ze zich tot elkaar verhielden. Ik had nog nooit een reis gemaakt met de voorzitter van de Joint Chiefs of Staff. Het leger was er niet aan gewend om te reizen met hooggeplaatste burgervrouwen. Hoewel onze culturen soms met elkaar in botsing kwamen, werkten onze teams uiteindelijk prima samen en hadden onderweg de nodige pret. Shali en ik beschouwden het allebei als een historische toevalstreffer dat we onze functies vervulden op een moment dat onze geboortelanden toenadering tot het Westen zochten. We waren voor Midden-Europeanen het levende bewijs dat er hoge overheidsfunctionarissen waren in de VS die hun problemen in het verleden en hun hoop voor de toekomst begrepen.

De leiders die we spraken wilden de bescherming van NAVO-veiligheidsgaranties omdat ze bezorgd waren dat de Russische beer niet lang mak zou blijven. Garanties voor Amerikaanse militaire actie kunnen echter niet zomaar gegeven worden. Ik had alleen toestemming om te zeggen dat de veiligheid van elk land 'van direct en materieel belang' was voor de Verenigde Staten. Dit stelde gerust zonder ons op iets specifieks vast te leggen. Nadat ik had uitgelegd wat 'direct en materieel belang' was, schetste Shali in grote lijnen wat deelnemers aan het PFP konden verwachten. 'U komt naar Brussel,' zei hij, 'en we geven u een bureau, een archiefkast en een telefoon. Er zullen daar mensen zijn met wie u kunt overleggen en plannen. We zullen leren hoe we samen als militair team kunnen opereren. En we zullen communicatielijnen en andere apparatuur ontwikkelen die op elkaar zijn afgestemd.'

Gezien de jaloezie tussen de verschillende hoofdsteden durfden we tijdens onze reis de presentatie en diplomatieke procedure niet te wijzigen. Als we een maaltijd gebruikten of aan een diner aanzaten in land A, moesten we dat ook doen in landen B, C en D. De reis was een unieke kans voor mij om de leidende functionarissen van Polen, Hongarije, Tsjechië, Slowakije, Roemenië, Slovenië, Bulgarije en Albanië te ontmoeten – allemaal binnen een paar dagen. Maar halverwege de reis wist ik als ik net uit het vliegtuig stapte nauwelijks meer waar ik was en moest ik me beperken tot de tekst: 'Het is heel prettig om in uw land te zijn.' We waren al snel oververmoeid en overvoerd. Ik gaf aan dat ik een 'direct en materieel belang' had in doorreizen naar de volgende halte. Shali beloofde me 'een bureau, een archiefkast en een telefoon' voor mijn kantoor. En we werden beiden het slachtoffer van de hang van het Pentagon naar acroniemen; we noemden onze reis niet langer een 'historische toevalstreffer' [*Accident Of History*] maar een 'AOH'.

Op 10 januari 1994 gaven de NAVO-leiders in Brussel officieel hun goedkeuring aan het PFP, daarna zou president Clinton naar Praag vliegen. Ik sloot me in België bij hem aan, zodat ik tijd had om hem over mijn besprekingen te informeren, maar ook om een opdracht uit te voeren die president Havel me bij mijn bezoek aan de Tsjechische hoofdstad had gegeven. Nadenkend over hoe hij de Amerikaanse president tijdens zijn bezoek moest onthalen, had Havel besloten hem een in Tsjechië gemaakte saxofoon te geven en hem mee te nemen naar een jazzclub. De moeder van president Clinton was de week ervoor echter aan de complicaties van borstkanker overleden en de vooruitgestuurde medewerkers wisten niet in wat voor stemming hij zou zijn. Het was mijn taak om de president rechtstreeks te vragen wat hij wilde doen en, als we eenmaal geland waren, het antwoord in Havels oor te fluisteren als ik hem zag in het welkomstcomité op het vliegveld.

Toen we in Praag landden en ons klaarmaakten om uit te stappen, werden we opgesteld door de mensen van het protocol. Minister Christopher stond achter de president en ik stond daarachter. Chris, attent als altijd, liet mij voorgaan. Aankomen met de Air Force One is overal spannend. De trap afgaan met de leider van de vrije wereld, begroet worden door Havel, een vriend en een democratische held in mijn geboorteland, was helemaal spannend. Halverwege de trap zei ik tegen de president: 'Veel beter kan het niet worden.' Hij kneep even in mijn hand. Ik bereikte het platform, kuste Havel en gaf het antwoord van de president door: de jazzclub was akkoord.

We gingen van het vliegveld naar de Praagse Burcht voor de welkomstceremonie. De erewacht passeerde en daarna speelde de band het Tsjechische volkslied 'Waar is mijn thuis?' en 'The star spangled banner', dat eindigt met die prachtige zin 'het land van de vrije mensen en het thuis van de dapperen'. Twee volksliederen, twee plaatsen waar ik thuis was, één ik. Een ongelooflijk begin en de dag zou al snel nog mooier worden.

We gingen naar Havels privé-kantoor, dat opvallend veranderd was sinds ik daar vier jaar geleden was geweest. Het lelijke meubilair was verdwenen en aan de muren hing bijzondere moderne kunst, waaronder een enorm schilderij van twee naakten. President Clinton wierp er één verbaasde blik op en zei tegen Havel: 'Kunt u zich voorstellen wat de mensen zouden zeggen als ik dat schilderij in mijn kantoor had hangen?' Daarna begonnen we aan de officiële bijeenkomst, met de twee delegaties tegenover elkaar aan een lange tafel. Volgens mij doet het er niet toe wat voor werk je hebt, maar is het altijd prettig als iemand je werk prijst tegenover je baas. Toen president Havel tegen president Clinton zei dat het feit dat hij het PFP steunde grotendeels te danken was aan mijn diplomatie en eraan toevoegde: 'U zult wel trots zijn dat ze een Amerikaanse is,' moest ik glimlachen. Toen president Clinton antwoordde: 'U zult wel trots zijn dat ze van Tsjechische afkomst is', grijnsde ik van oor tot oor.

De volgende uren waren een voor de televisie geschikte spectaculaire show, met als sterren twee charismatische leiders en één elegante dame van een bepaalde leeftijd – Praag. Na de bijeenkomst op Havels kantoor gingen de presidenten naar de rivier de Moldau en wandelden over de Karelsbrug die ontdaan was van de gebruikelijke verkopers. De dertig barokke beeldhouwwerken die op de rand van de brug staan waren verlicht, en wierpen lichtcirkels in de vallende schemer. Het geluid van duizenden Tsjechen die 'Clin-ton, Clin-ton' brulden, echode tegen de gebouwen en door de smalle straten.

Ik voegde me in een café, de Gouden Tijger, weer bij de twee leiders. Terwijl we daar genoten van schnitzels en bier kwam er een ouder Tsjechisch echtpaar naar ons toe dat Bill Clinton te gast had gehad tijdens een bezoek aan Praag vele jaren eerder, toen hij in Oxford studeerde. De president zei: 'Geef die mensen wat te eten,' in een taal die Daniel Williams van de *Washington Post* beschreef als 'vloeiend Arkanswaaks'.

Vervolgens gingen we naar de Reduta Jazzclub, waar de president zijn nieuwe saxofoon kreeg en uitgenodigd werd hem uit te proberen. Hij speelde 'My funny Valentine' en 'Summertime' en ik vond dat het vrij goed klonk. Toen hij weer aan tafel kwam zei hij: 'Je hebt geen idee hoe moeilijk het is om een splinternieuw instrument te bespelen.' Later speelde hij een duet met een schitterende Tsjechische saxofonist, terwijl Havel, die geen enkel ritmegevoel heeft, hen – min of meer – begeleidde met *maraca* en een tamboerijn. Inmiddels stond de ruimte zo vol met Tsjechische politici en rook dat ik nauwelijks nog iets kon zien. Toen we vertrokken hoorden we op straat een knal die misschien afkomstig was van een voetzoeker. De geheime dienst haastte zich in ieder geval om de president snel naar zijn hotel te brengen. Alles bij elkaar was het een gedenkwaardige dag.

Vanwege de aard van de onderwerpen op de agenda van de VN gingen de meeste reizen die ik maakte naar de haarden van onrust in de wereld. Tijdens de herfst van 1994 maakte ik een reis van een week naar de Kaukasus, het thuisland van kleine, ruige republieken, elk met een uitgesproken eigen identiteit, weggestopt tussen de Zwarte en de Kaspische Zee. Mijn doel was om te getuigen van de Amerikaanse steun aan de soevereiniteit van de pas bevrijde landen en Rusland te waarschuwen tegen ongerechtvaardigde bemoeizucht of tegen behandeling van het gebied als 'belangensfeer'.

Eerst ging ik naar het kleine Moldavië en arriveerde er met humanitaire hulpgoederen in reactie op recente overstromingen. Mijn opmerkingen ter ondersteuning van de Moldavische soevereiniteit ontlokten boos commentaar van de Russische krijgsmacht, die het Veertiende Leger nog lang nadat het had moeten vertrekken daar had gehouden. De Moldavische autoriteiten onthaalden onze delegatie in een enorme wijnkelder op een maaltijd van vele uren en vele gangen, en tijdens het eten toastten we op de betrekkingen tussen de VS en Moldavië, onze ambassadeurs, de toekomst, de democratie, het eten, het drinken, het dappere Moldavische volk en het edele Amerikaanse volk. Bij een toast op mij werd ik vergeleken met Margaret Thatcher ('de IJzeren Dame') en kreeg ik de titel 'de Titanium Dame'.

De volgende halte was Tbilisi, de hoofdstad van Georgië, waar we in een oud Russisch vliegtuig stapten op weg naar Zugdidi, een stad in het noorden. Het Russische idee van gescheiden afdelingen voor rokers en niet-rokers is om het gangpad als scheidslijn te gebruiken. Daar kon ik nog wel aan wennen, maar de aanblik van machinegeweren die overal lagen en bungelde handgranaten aan de riemen van de soldaten die ons begeleidden, maakte dat ik wilde dat we nooit opgestegen waren.

Toen we eenmaal aangekomen waren, werd het alleen maar erger. In het begin van de jaren negentig had een separatistische beweging veel Georgiërs uit hun vertrouwde omgeving verdreven. Ze waren nu gehuisvest in geïmproviseerde kampen, niet ver van een door de VN bedongen staakt-het-vuren-lijn. Ik werd geconfronteerd met een grote groep boze mensen en ik zei tegen ze dat we bezig waren een manier te vinden om hen naar huis te laten gaan, maar dat ik geen concrete vooruitgang kon melden. In een poging om de sfeer te verlichten ging ik het volle gebouw in waar de ontheemde gezinnen gehuisvest waren. Als ambassadeur had ik geen recht op een omvangrijke staf die met me meereisde. Ik werd vergezeld door twee diplomatieke beveiligingsagenten en mijn stafchef Elaine Shocas, maar Elaine en ik raakten al snel onze agenten kwijt en we werden bedolven onder schreeuwende en duwende mensen. De lokale bewakers staken geen hand uit om iemand tegen te houden. Elaines ribben werden flink gekneusd bij een botsing met een geweerkolf. Ik gebruikte mijn ellebogen om een pad de trap af en naar buiten te openen, waar onze dappere mannelijke 'beschermers', persvoorlichter James Rubin en speechschrijver Bill Woodward, sigaretten stonden te roken. Het was een van de weinige keren dat ik me niet veilig voelde.*

De president van Georgië was Edvard Sjevardnadze, die eerder de minister van Buitenlandse Zaken van Gorbatsjov was geweest en toen een belangrijke rol had gespeeld bij het beëindigen van de Koude Oorlog. Sjevardnadze werd beschouwd als een bekwame man van de wereld, wat maar goed was ook, want de uitdaging om Georgië aan een democratische regering te helpen is afschrikwekkend. Tijdens mijn bezoek spraken we over alle problemen die hem te wachten stonden, waaronder misdaad, corruptie, terrorisme en etnische conflicten. Daarna hadden we een langdurig diner dat opnieuw herhaaldelijk onderbroken werd voor een heildronk.

Later op de avond kon ik niet nalaten de Georgische leider een verhaal te vertellen dat tegen het eind van de regering-Bush de ronde deed. Volgens die grap

---

* Shocas, Rubin en Woodward waren mijn naaste adviseurs gedurende de hele tijd dat ik ambassadeur en minister van Buitenlandse Zaken was. Ik leerde Elaine Shocas in de jaren tachtig kennen via de NDI. Ze had als advocaat op het ministerie van Justitie gewerkt en als raadsvrouw van senator Robert Kennedy in de gerechtelijke commissie van de Senaat. Jamie Rubin ontmoette ik in 1988 toen hij in dienst was van de Arms Control Association. Later was hij een hoge assistent buitenlands beleid van senator Joseph Biden. Zoals al eerder vermeld, had ik Bill Woodward ontmoet tijdens de Dukakis-campagne, waarna hij had gewerkt voor afgevaardigde Gerry Studds en senator John Kerry.

had president Bush Gorbatsjov gevraagd hoe hij Sjevardnadze had kunnen vinden. Gorbatsjov antwoordde dat hij 'Sjevvie', wat zijn bijnaam was, gekozen had omdat hij de juiste oplossing had voor het raadsel 'Het is de zoon van je vader en het is niet je broer.' Sjevardnadze had gezegd: 'Dat ben ik natuurlijk', en werd dus aangenomen. Bush besloot vice-president Quayle te ontbieden en stelde hem dezelfde vraag. Quayle zei dat hij erover na moest denken en ging het vragen aan Dick Cheney, die toen minister van Defensie was. Cheney zei: 'Nou, dat ben ik.' Quayle ging terug naar Bush en zei: 'Vraag me dat raadsel nog eens.' Dat deed Bush en Quayle antwoordde: 'Dick Cheney.' Bush zei: 'Nee, idioot, het is Sjevardnadze.' Sjevvie vond het een goede grap en stelde vervolgens nog diverse heildronken voor.

Armenië en Azerbeidzjan zijn oude landen, buren die door geschiedenis en cultuur gescheiden zijn. Armenië is hoofdzakelijk christelijk en bewaart de traumatische herinnering aan de vervolging door de Turken tijdens de nasleep van de Eerste Wereldoorlog. De bevolking van Azerbeidzjan is voornamelijk van Turkse afkomst. Een van Stalins trucs was geweest om de voornamelijk Armeense regio Nagorno Karabach in Azerbeidzjan op te nemen. Op het moment dat de Koude Oorlog eindigde, braken de gevechten uit. De Armenen grepen al snel naar de macht in Nagorno Karabach en openden een landcorridor erheen. Tijdens mijn reis probeerde ik vooruitgang te boeken met onze poging een uitonderhandelde resolutie over de status van Nagorno Karabach tot stand te brengen. Helaas zou dit initiatief de hele periode dat ik in de regering zat geen resultaat opleveren. Iedere keer als we in de buurt kwamen, lokten extremisten aan de ene of de andere kant een crisis uit.

Baku, de pittoreske haven en hoofdstad van Azerbeidzjan, beschikt over vele oliebronnen, die wijzen op de historische rol van het land als bron van petroleum. Toen ik er op bezoek was wemelde het in de stad van zakenmensen die met het accent van het zuidwesten van Amerika spraken en cowboylaarzen droegen. In de restaurants hingen borden dat de klanten hun wapens bij de deur af moesten geven. Ik verbleef in het presidentiële gastenverblijf, dat weer een monument van de esthetiek van het communistische regime in de sovjettijd was. Aan het plafond van de lobby hing een vijf meter lange kroonluchter van paars en groen glas in de vorm van druiventrossen. President Gaider Alijev vertelde mij trots dat zijn zoon die had gekocht. Na onze officiële bijeenkomsten nodigde de zeer spraakzame president me uit mee te gaan naar de kelder, waar we op krukken zaten die met witte berenhuiden waren overtrokken, naar een nachtclub, De Grot geheten, waar ze nep-stalactieten en -stalagmieten, een bioscoopzaaltje, een zwembad, een sauna en harde slechte muziek hadden. Hoewel Alijev bij officiële bijeenkomsten Azeri sprak, maakte hij zich elders verstaanbaar in het Russisch, een herinnering aan het feit dat hij ooit KGB-functionaris was geweest. Mij werd verteld dat De Grot een favoriete plek was geweest van Leonid Brezjnev en zijn genodigden.

Als ambassadeur bij de VN bezocht ik Afrika drie keer. Er zijn veel prachtige plekken in dat werelddeel, maar die stonden niet in mijn reisschema. Ik ging naar landen die leden onder oorlogen die de wereldorganisatie trachtte te beëindigen. Het ging om uiterst belangrijke zaken. In Burundi benadrukte ik het belang van de lessen die we in het naburige Rwanda geleerd hadden over de gruwelen van etnisch geweld en sprak met een groep Hutu- en Tutsi-vrouwen die actief waren om een herhaling van die volkerenmoord te voorkomen.

In Angola liep ik door verlaten velden met Britten die nauwgezet landmijnen verwijderden. Gezinnen die in de buurt woonden moesten hun kinderen uit de buurt houden door ze aan stokken vast te binden. Ik ging naar een ziekenhuis van Artsen Zonder Grenzen, waar ze zorgden voor kinderen die ledematen kwijtgeraakt waren. Die ervaring maakte me een hartstochtelijk pleitbezorger van de verwijdering van landmijnen. Ik kreeg in de VN resoluties goedgekeurd die opriepen tot een verbod op het transport of de verkoop van mijnen aan welk land dan ook. Later startte ik, met steun van onder anderen de president en Patrick Leahy, senator voor Vermont, een campagne om het risico dat landmijnen waar dan ook tegen burgers worden gebruikt, tegen het jaar 2010 te elimineren. Ik had het geluk dat ik een plaatsvervanger had, ambassadeur Karl 'Rick' Inderfurth, die bij dit initiatief het voortouw nam.* Als een van zijn vele projecten werkte Rick samen met DC Comics om speciale uitgaven van *Superman*, *Wonder Woman* en *Batman* samen te stellen die kinderen in hun eigen taal waarschuwden voor landmijnen.

Bij mijn bezoeken aan Afrika was ik geschokt over de jonge leeftijd van de soldaten, van wie velen nog niet eens tieners waren. Ik was ook gefrustreerd dat toen de VN regelde dat de soldaten zich vrijwillig zouden ontwapenen, ze slechts een 'rehabilitatiepakket' kregen met als inhoud een paar dollar, wat kleren en een tandenborstel – nauwelijks voldoende om een normaal leven mee op te bouwen. Het bezit van een wapen had een man – of een jongen – zijn identiteit gegeven. Een tandenborstel had niet echt hetzelfde effect. Ze hadden een opleiding en werk nodig. Waar moesten ze die vinden?

Gedurende mijn jaren bij de VN was ik persoonlijk getuige van twee schijnbaar tegengestelde trends. Sommige gebieden van de wereld sloten zich bij elkaar aan, in een mate die nooit eerder vertoond was; andere vielen juist uit elkaar. Europa was gewikkeld in een historisch proces om tot een economische unie en nauwere politieke samenwerking te komen. Latijns-Amerika en Oost-Azië sloten nieuwe handelsovereenkomsten en onderzochten manieren om beter te kunnen samenwerken op het gebied van veiligheid. Maar de Balkanlanden, de Kaukasus en delen van Afrika waren bezig zich op te splitsen, gingen gebukt onder hevige strijd, en in sommige gevallen ontbrak het er geheel aan regeringsinstellingen.

* Ik leerde Rick Leahy kennen in de tijd dat we samen voor Brzezinski's NSC werkten. Later werkte hij als mijn plaatsvervanger tijdens de overgangstijd, vervolgens als onze ambassadeur voor speciale politieke zaken bij de VN. Met het oog op Ricks toewijding en vaardigheden breidde ik die functie uit met verantwoordelijkheden voor de Veiligheidsraad en vredesmissies. In 1997, toen ik minister van Buitenlandse Zaken werd, vroeg ik Rick als onderminister voor Zuid-Aziatische zaken.

De ellende die door deze omstandigheden werd veroorzaakt deed me denken aan de politici thuis die overheidsdienst minachtten en onze eigen regeringsinstellingen uitholden. Ik dacht bij mezelf: laten ze hier, naar de rafelige randen van de wereld komen en het leven zonder 'grootschalige overheid' ervaren. Er waren tenslotte geen inkomstenbelastingen in Liberia, geen verbod op aanvalswapens in Angola, geen meelevende rechters in Rwanda, geen welzijnszorg in Soedan en geen lastige milieuwetgeving in de Kaukasus.

In het begin van 1995 betekende de politieke opstand onder leiding van Newton Gingrich, de voorzitter van het Huis van Afgevaardigden, het eind van vier decennia Democratische controle over dat orgaan en het bracht een zwerm nieuwe leden naar Washington. In een poging tot open overleg organiseerde het Witte Huis een instructiebijeenkomst over buitenlands beleid voor de voorzitter en de nieuwelingen. Op een middag in februari liepen minister Christopher, Tony Lake, generaal Shalikashvili, de minister van Defensie en ik in een rij naar het Rayburn House kantoorgebouw. In al mijn jaren met senator Muskie en later bij de NSC kon ik me niet herinneren dat het hele team voor buitenlands beleid voor een algemene gedachte-uitwisseling Capitol Hill had bezocht. We werden verwelkomd door een lege zaal. Gingrich en de Republikeinse afgevaardigden waren elders, voor een vergadering over andere onderwerpen. We werden verzocht te wachten, wat we deden, veertig minuten. Tegen die tijd was ik geïrriteerd. Shali vertoonde diverse kleuren, er kwam stoom uit Lakes oren en Christophers linkerwenkbrauw stond op het punt te gaan bewegen. Na drie kwartier kregen we te horen dat de andere vergadering van de voorzitter nog onbepaalde tijd door zou gaan, dus gingen we terug.

De president gaf niet op: hij besloot een klein diner te geven voor leiders van het Congres en het team voor nationale veiligheid. Die avond kwam een andere kant naar voren van de voorzitter, die bij deze gelegenheid op tijd kwam, voor het diner met een paar van ons in de Blauwe Kamer zat en meer dan een halfuur over geschiedenis, de architectuur van het Witte Huis en verdedigingskwesties praatte. Toen de president arriveerde, breidde de reeks gespreksonderwerpen zich uit naar vrijwel alles. De aanblik van de president en Gingrich samen in een sociaal kader was alsof je twee vijandige generaals zag armworstelen voor ze het slagveld opgingen om elkaars hersens in te slaan. Het waren allebei geboren bevelhebbers, en bevelhebbers hebben hun eigen leger nodig. Gingrich kon hoffelijk, complimenteus, stimulerend, geleerd en provocerend zijn, maar hij was niet van plan om zijn artillerie onze kant van het veld op te rollen. Wij waren de vijand en hij was op aarde gekomen om ons te bestrijden.*

---

* De opkomst van Gingrich ging gepaard met veel overdreven retoriek over de veronderstelde 'irrelevantie' van president Clinton en de voorzitter zelf als een 'overgangsfiguur'. Ik moest denken aan een roman uit 1936 van de Tsjechoslowaakse schrijver Karel Čapek. *War with the Newts* gaat over een soort uit zijn krachten gegroeide salamanders [newts] die de macht over de wereld grijpen.

Hoewel Gingrich mij persoonlijk regelmatig complimenten maakte, was hij ook een meester op het gebied van politieke streken en het neerhalen van de VN was de favoriete sport van de rechtervleugel geworden. Aangemoedigd door haar eigen politiek geïnspireerde 'Contract met Amerika' leek de nieuwe meerderheid eropuit om de VN te vernietigen. Er werd wetgeving voorgesteld die VN-vredesmissies als mogelijkheid zou hebben geëlimineerd. Er werden steeds zwaardere voorwaarden gesteld aan de betaling van onze VN-rekeningen. Sommige nieuwe afgevaardigden riepen de Verenigde Staten op om zich geheel uit de organisatie terug te trekken en tijdens een bepaalde hoorzitting van het Congres werd mij een vraag gesteld die ik in eerste instantie als retorisch beschouwde: 'Wat doen de VN eigenlijk?' Tot ik me realiseerde dat de vragensteller echt geen idee had.

Mijn inspanningen om met het Congres samen te werken werden bemoeilijkt door twee zelf toegebrachte wonden. Ten eerste had ik, toen ik getuigde over de noodzaak voor de Verenigde Staten om de VN-rekeningen te betalen, gezegd: 'Het is niet gemakkelijk om een klaploper te vertegenwoordigen.' Congreslid Harold Rogers (voorzitter van de subcommissie die over mijn begroting ging) ging onmiddellijk in de aanval: 'Hoe kunt u ons land zo beledigen?' Ik zei oprecht: 'Ik had het niet zo moeten formuleren. Ik ben trots Amerikaans te zijn. Ik bied mijn verontschuldigingen aan.' Na de hoorzitting belde ik het Congreslid en we sloten vrede, maar vanaf dat moment lette ik op mijn woorden.

Een paar maanden later maakte ik mijn tweede fout, dit keer tijdens een getuigenis voor de Senaat. In een poging om uit te leggen waarom het zo belangrijk is om partners te hebben bij het regelen van binnenlandse conflicten, zei ik: 'Amerikaans leiderschap binnen organisaties behoeft wat ik "assertief multilateralisme" zou willen noemen.' Daarmee bedoelde ik dat als Amerika samen met anderen optrad, wij het voortouw moesten nemen bij het vaststellen van doelstellingen en het verzekeren van succes. Ik sloot absoluut niet uit dat we mogelijkerwijs uit zelfverdediging of om andere wezenlijke belangen te beschermen zelfstandig zouden moeten optreden. Helaas werd 'assertief multilateralisme' de soundbite die mij beet. Vaderlandslievende critici gaven een verkeerde voorstelling van zowel mijn bedoeling als van de betekenis van de woorden, door te suggereren dat ik het Amerikaanse buitenlands beleid ondergeschikt wilde maken aan dat van de VN. Multilateralisme heeft uiteraard een plek bij buitenlands beleid, maar het begrip zelf is onaantrekkelijk, vooral voor Amerikanen. Het woord bestaat uit zeven lettergrepen, heeft een Latijnse basis en eindigt op 'isme'. Ik had iedereen die de regering wilde bekritiseren een prachtige kans op een schot voor open doel gegeven.

Een groter probleem waarmee we geconfronteerd werden was dat we probeerden een instrument van het buitenlands beleid – VN-vredesmissies – aan te scherpen, een instrument dat velen in het Congres niet op prijs stelden. We hadden tenslotte het Amerikaanse leger. Wat wilden we nog meer? Als samenlevingen explodeerden was dat hun probleem. Het punt dat ik trachtte te maken was dat de president het meest voor ons land kon doen als hij een compleet instrumentarium had – waaronder onze krijgsmacht, sterke bondgenoten, economische invloed en de mogelijkheid, indien nodig, om via de VN en andere internationale organisaties te werk te gaan. Ik erkende de tekortkomingen van de VN, maar stelde dat vele ervan te verbeteren waren en al verbeterd werden – een proces dat aangemoedigd moest worden, in het belang van Amerika zelf. Hoe effectiever de VN waren, hoe beter zij ons konden helpen door de kosten, de risico's en verantwoordelijkheden van het streven naar vrede te delen. Als we de VN niet voldoende steunden, zouden ze niet slagen. En als de VN niet slaagden, zouden we daar een prijs voor moeten betalen. Dat hadden we gezien in Somalië en Rwanda. En tijdens mijn eerste dagen in New York hadden we het ook gezien in Bosnië.

HOOFDSTUK 12

Gruwelen in de Balkan

TOEN IK NET AMBASSADEUR BIJ DE VN WAS bracht ik een bezoek aan een massagraf in de buurt van de Kroatische stad Vukovar. Ik zag een afvalhoop, een vlakte vol verroeste koelkasten en onderdelen van landbouwmachines, omringd door prikkeldraad en bewaakt door Russische leden van een vredesmissie. Onder een dun laagje aarde lagen meer dan tweehonderd lichamen. De slachtoffers hadden in geen enkele oorlog gevochten, maar waren ziekenhuispatiënten die 's nachts door Servische troepen waren meegenomen. De lokale Servische autoriteiten ontkenden het bestaan van het massagraf niet, maar vroegen zich af waar ik me zo druk over maakte. Ze zeiden dat ik de geschiedenis van de regio niet begreep.

Tijdens mijn bezoek dacht ik aan foto's die ik had gezien van vluchtelingen die uit hun huizen overal op de Balkan waren gezet, in plaatsen als Bihać, Brčko en Mostar. Voor de meeste Amerikanen zijn dit onbekende namen, moeilijk te onthouden en moeilijk te spellen. Ik werd toen herinnerd aan andere gezichten, die gefotografeerd waren op weg naar andere onbekende, moeilijk te spellen plaatsen, zoals Auschwitz, Treblinka en Dachau.

De gruwelen van de holocaust werden tijdens het conflict dat in het begin van de jaren negentig in Bosnië woedde niet herhaald, maar er waren overeenkomsten. In 1939, toen naziveldmaarschalk Wilhelm Keitel de zuivering van Polen verordonneerde, noemde hij het 'politieke schoonmaak'. In de jaren negentig noemden wij het 'etnische zuivering'. De context en de omvang waren anders, maar de keus was voor de internationale gemeenschap in feite hetzelfde. In een van zijn boeken had mijn vader de Tsjechoslowaakse grondlegger Tomáš Masaryk geciteerd: 'Liefde voor de naaste, het land en de mensheid verplicht iedereen voortdurend en altijd en bij alles zichzelf te verdedigen en zich te verzetten tegen het kwaad.' Die verplichting was in mijn geval het gevolg van de wreedheden die de Servische president Slobodan Milošević in gang zette.

Als functionaris van de regering-Carter had ik in 1980 de begrafenis bijgewoond van maarschalk Tito, die lang dictator van Joegoslavië was geweest. In de jaren die daar onmiddellijk op volgden begon de Joegoslavische federatie uiteen te vallen. Er waren grote economische problemen en veel onrust onder de etnische groepen waar het land uit bestond. Toen duidelijk werd dat de Koude

Oorlog afliep en de communistische regimes hadden afgedaan, ontstonden er kansen voor een nieuw soort leiders. Helaas was de nieuwe soort niet noodzakelijkerwijs beter.

Milošević was een Joegoslavische zakenman die zich na Tito's dood via de rangen van de communistische partij had opgewerkt. Hij werd in 1989 tot president gekozen door het Servische parlement en won aan populariteit door te appelleren aan de etnische angst en haat. Hij was een meedogenloze opportunist en nam Tito's harde stijl over terwijl hij de conflicten tussen Serviërs en een groot deel van de rest van Joegoslavië uitbuitte. Met zijn brede, ongerimpelde gezicht, hartelijke manier van doen en modieuze garderobe zag hij er niet uit als een schurk. Zijn redevoeringen waren niet doorspekt met haat, al waren ze fel nationalistisch. Zijn wreedheid bleek uit zijn manipulatieve acties, die de Servische troepen aanmoedigden tot terreur, verkrachtingen en willekeurig geweld tegen zijn vijanden op de Balkan.

De verschillende soorten uitdagingen die mij in Somalië, Rwanda en Haïti wachtten waren nieuw voor mij, maar de toestand in Joegoslavië was mij bekend. Na Tsjechoslowakije en de Verenigde Staten had ik de nauwste banden met dat land. Ik had er gewoond, mijn broer was er geboren en mijn vader had er twee keer gewerkt. Als wetenschapper die zich bezig had gehouden met de veranderingen in het communisme had ik vrij veel tijd besteed aan de bestudering van het land.

Ik gebruikte in New York, tijdens vergaderingen met ons buitenlandsbeleidteam, in vertrouwelijke memo's aan de president en in speeches over de hele wereld zo krachtig mogelijke bewoordingen om op te roepen tot steun voor harde actie tegen Milošević. Het gevolg was dat ik vaak door etnische Serviërs werd beschuldigd van verraad aan de nalatenschap van mijn familie. Ik antwoordde: 'Ja, het is waar dat mijn vader zijn boek over Tito heeft opgedragen aan het Joegoslavische volk, en hij hield van de Serviërs. Hij heeft zelfs gezegd dat als hij geen Tsjechoslowaak was, hij graag Servisch wilde zijn. Maar mijn vaders voornaamste verplichting was die aan de idealen van vrijheid en tolerantie. Als hij vandaag nog in leven zou zijn, zou hij zich tegen Milošević keren en die idealen minstens zo hartstochtelijk verdedigen als ik.'

De bittere strijd die plaatsvond in de twee jaar voor ik ambassadeur bij de VN werd verscheurde Joegoslavië. Na kortdurende gevechten werd eerst Slovenië zelfstandig. Toen scheidde Kroatië zich af – maar pas na een meedogenloze oorlog waar het massagraf in de buurt van Vukovar van getuigde. Macedonië scheidde zich zonder geweld af, maar Bosnië en Herzegovina raakten verwikkeld in een door Milošević gesteund conflict met de Bosnische Serviërs die de overhand kregen. Elke dag opnieuw was de wereld getuige van de moord op burgers, het in brand steken van dorpen, het beschieten van woningen, de vernietiging van kerken en moskeeën en verslagen van groepsverkrachtingen.

In het begin werd de crisis door zowel Europeanen als de regering-Bush sr. beschouwd als een Europees probleem dat zou moeten en kunnen worden opgelost door Europeanen. Europese diplomaten reisden gespannen heen en weer om wapenstilstanden te regelen die geen stand hielden en voorspelden een eind aan het geweld dat maar niet wilde komen. Deze inspanningen werden ondermijnd door de theorie – die in heel Europa opgang deed – dat Serviërs, Kroaten en Bosniaks* er zodanig op uit waren elkaar te vermoorden dat pogingen om hen te stoppen zinloos waren. Deze bevoogdende en harteloze houding werd ingegeven door het verleden van etnische rivaliteit in de regio, maar hield geen rekening met de eeuwen waarin deze zelfde volkeren in vrede hadden samengeleefd en de onderlinge huwelijken die de pretentie van etnische zuiverheid van velen hadden afgezwakt. In een groot deel van Europa bestond ook een historische tendens om zich in eerste instantie met de katholieken te identificeren (onder wie de Kroaten), vervolgens met de orthodoxen (onder wie de Serviërs) en ten slotte, heel misschien, met de 'Turkse' moslims. Het was niet moeilijk om tussen de regels door te lezen van degenen die het geweld op de Balkan 'filosofisch' benaderden, die stelden dat hoewel de huidige manier van orde op zaken stellen misschien wel slordig was, de verdwijning van Bosnië-Herzegovina wellicht geen ramp was.

Als aanvulling op de diplomatie stuurden president Bush en zijn trans-Atlantische bondgenoten een lichtbewapende VN-vredesmissie naar Bosnië, met mandaten om een wapenstilstand af te dwingen, de strijders te ontdoen van zware wapens en de hulpvoorziening te verzekeren. Het was alsof je David tegen Goliath inzette, alleen zonder de katapult of een ander teken van goddelijke hulp. Verplicht tot de traditionele neutraliteit van vredesmissies moesten de VN-troepen vragen: 'Moeder, mag ik?' voor ze konden optreden. Ze werden al snel passieve getuigen van buitensporige misdaden. Zelfs nog voor ik in New York arriveerde had de Veiligheidsraad meer dan twintig verklaringen goedgekeurd die eisten dat de gevechten ophielden. Het werkelijke falen was ook in dit geval niet het falen van de VN als instituut maar dat van de raadsleden die hun gevoelens niet door de juiste daden lieten volgen.

Een van de eerste stappen van de raad was geweest om een embargo op wapenleveranties aan Joegoslavië goed te keuren. Dit zou het geweld moeten beperken, maar het was onzin dat het op Bosnië werd toegepast. In tegenstelling tot Belgrado had de regering in het net zelfstandig geworden Sarajevo niets gedaan dat VN-sancties rechtvaardigde. Bovendien was de invloed van het embargo ongelijk. De Serviërs in Bosnië hadden voldoende wapens en konden zo nodig vanuit Belgrado opnieuw bevoorraad worden. De Kroaten kregen hulp van Zagreb bij de omzeiling van het embargo. De moslims waren betrekkelijk weerloos.

Tijdens de eerste maanden van de regering-Clinton hield ons buitenlandsbeleidteam talloze wijdlopige en onbesliste vergaderingen over de crisis die we hadden geërfd, zonder tot overeenstemming te komen. Minister van Defensie

---

* 'Bosniak' is het woord voor een islamitische inwoner van Bosnië-Herzegovina.

Les Aspin dreigde verscheurd te worden tussen zijn neiging tot ingrijpen en de aarzeling van het leger om betrokken te raken. Minister Christopher had moeite een optie te vinden die hij kon aanbevelen. Tony Lake, die bij zijn komst opgeladen was door de stoere retoriek van de Clinton-campagne, had al snel last van het Vietnamvirus. Hij wilde begrijpelijk genoeg de Amerikaanse troepen geen niet te winnen oorlog laten voeren. Anderzijds deelde hij mijn mening dat het geweld in Bosnië de Europese veiligheid bedreigde en daarmee onze eigen belangen. Mijn standpunt werd bekrachtigd door mijn positie bij de VN, waar ik dagelijks meer buitenlandse functionarissen zag dan de andere leden van ons team. Bosnië hield ons voortdurend bezig en ik vond dat ik een goed antwoord gereed moest hebben voor de afgevaardigden van islamitische landen die veel druk op mij uitoefenden om de slachting van hun broeders een halt toe te roepen.

Een andere belangrijke deelnemer aan onze discussies was vice-president Al Gore. Ik had hem eerder ontmoet als concurrent van Mike Dukakis voor de Democratische presidentiële nominatie in 1988 en als deskundige op het gebied van wapenbeheersing en senator van Tennessee met grote belangstelling voor het milieu. Nadat ik ambassadeur was geworden zat ik vaak naast hem bij vergaderingen en we wisselden meningen uit over zowel beleid als personen. Ondanks zijn 'stijve' imago, vond ik Gore geestig en vol zelfvertrouwen. De president behandelde hem tijdens discussies over beleid als volwaardig partner, dus was er gevoelsmatig weinig verschil in rang. Vooral in het begin had Gore een stabiliserende invloed op de rest van ons team. Net als zijn adviseur nationale veiligheid, Leon Fuerth, had hij grote belangstelling voor kwesties van rechtvaardigheid en mensenrechten. Ze waren beiden voorstanders van hard ingrijpen.

Tijdens onze bijeenkomsten drongen de vice-president, Tony, Leon en ik aan op een aanpak die we 'opheffen en aanvallen' noemden. Volgens dit plan zouden we het embargo op wapentransporten naar Sarajevo opheffen en tegelijkertijd dreigen met luchtaanvallen. We zouden daarmee de Bosniaks de mogelijkheid geven zichzelf te verdedigen en de Serviërs duidelijk maken dat ze moesten afzien van verdere agressie.

De president was het met dit voorstel eens en stuurde Christopher naar Europa voor overleg. De minister deed op 8 mei 1993 verslag en zijn nieuws was niet gunstig. 'Ons basisplan om het wapenembargo op te heffen stuitte op felle tegenstand,' liet Christopher weten, 'deels omdat de bondgenoten vrezen voor de veiligheid van hun peacekeepers als het lijkt of we partij kiezen.' Hij voegde eraan toe dat we hen waarschijnlijk zover konden krijgen om ermee in te stemmen als we gewoon zeiden dat we van plan waren om het door te zetten, maar die aanpak zou hen niet overtuigen van de verdienste van onze aanpak. Christopher zei dat een dergelijke beslissing een grootscheepse diplomatieke campagne zou vereisen, waar hij niet echt enthousiast over was en waarbij de geloofwaardigheid van de regering op het spel zou komen te staan. Hij waarschuwde dat een mislukking ons zowel internationaal als aan het thuisfront zou schaden. Anderzijds betekende de 'overlegaanpak' die hij tijdens zijn reis had gebruikt, dat de president zich niet openlijk vastlegde. 'Het staat u vrij om andere opties te overwegen,' zei hij tegen de president, 'maar geen enkele is aantrekkelijk.'

Het was niet bepaald een nuttige briefing, maar het leerde ons een les. Overleg met de bondgenoten was essentieel, maar het zouden geen onbesliste discussies moeten zijn over wat er vervolgens moest gebeuren. We konden niet verwachten dat we anderen konden overtuigen als we niet minstens onszelf overtuigd hadden. In dit stadium, met een nieuwe president, een behoedzame minister van Defensie, een negatief Pentagon, nerveuze bondgenoten en oplaaiende crises in Somalië, Rwanda en Haïti, waren we er niet op voorbereid om eventueel het leiderschap over Bosnië over te nemen. En daardoor ontstonden er nog grotere risico's.

Gedurende de volgende twee jaar was onze doelstelling een oplossing door onderhandeling, maar we hebben nooit een geloofwaardige dreiging met geweld geuit die nodig was om dat te bereiken. In plaats daarvan pasten we een combinatie van halfslachtige maatregelen en intimidatie toe die niet werkte. We bereikten bij onderhandelingen overeenkomsten tot wapenstilstand die binnen een paar dagen geschonden werden. We dienden een resolutie in bij de Veiligheidsraad om het wapenembargo op te heffen, maar werden tegengehouden toen negen leden, waaronder Groot-Brittannië, Frankrijk en Rusland zich onthielden van stemming. We beloofden plechtig zes 'veilige gebieden' voor moslims te creëren, maar de versterkingen konden niet naar die gebieden reizen zonder toestemming van de Bosnische Serviërs. We beloofden plechtig om wapentransporten naar de Bosnische Serviërs vanuit Belgrado tegen te houden, maar Milošević weigerde de VN-grenswachten op Joegoslavisch grondgebied toe te laten. We stemden ervoor om *no-fly* zones in te stellen, maar de Serviërs schonden die honderden keren zonder er echt voor gestraft te worden.

Vanaf het begin vroegen we Colin Powell, die toen voorzitter van de Joint Chiefs of Staff was, om ons militaire opties te bieden. De aanblik van Powell die naar vergaderingen kwam met zijn kaarten en mappen met instructies was indrukwekkend. Tijdens de Golfoorlog had Powell een meer dan levensgrote held geleken, die uiting gaf aan Amerikaanse vastbeslotenheid op een moment van een algemeen geprezen, zij het incomplete, overwinning. Powells knappe uiterlijk, humor en onmiskenbare fatsoen maakten hem in combinatie met zijn militaire voorkomen tot een enorm aantrekkelijk mens. De rest van het buitenlandsbeleidteam van president Clinton was nieuw, maar Powell was een restant van de vorige regering, met nog negen maanden te gaan onder de nieuwe president voor zijn ambtstermijn als voorzitter afliep.

Tijdens onze bijeenkomsten in de Situation Room in het Witte Huis gebruikte Powell een rood laseraanwijslicht en kaarten van het lastige Balkangebied om te laten zien waar bombardementen konden worden uitgevoerd en troepen konden manoeuvreren als we een militaire optie nastreefden. Toen we vroegen wat er moest gebeuren om het vliegveld van Sarajevo te bevrijden uit handen van de omringende Servische artillerie, antwoordde hij in overeenstemming met zijn geloof in de leer van verpletterend geweld, dat het tienduizenden manschappen zou vergen, miljarden dollars zou kosten, waarschijnlijk talloze slachtoffers tot gevolg zou hebben en een lange en onbepaalde inzet van Amerikaanse troepen zou vereisen.

Iedere keer weer leidde hij ons de heuvel van alle mogelijkheden op en liet ons aan de andere kant naar beneden vallen met het praktische equivalent van 'Vergeet het maar'. Nadat ik dat voor de tigste keer gehoord had, vroeg ik geïrriteerd: 'Waarom ben je zo zuinig op dit fantastische leger, Colin, als we het niet kunnen inzetten?' Powell schreef in zijn memoires dat mijn vraag hem bijna een 'aneurysma' gaf en dat hij mij 'geduldig' de rol van het Amerikaanse leger had uitgelegd.*

Gezien al zijn medailles en zijn prestige vond ik het moeilijk om met Powell te ruziën over de beste manier om het Amerikaanse leger in te zetten. Ook al was ik dan lid van de Principals Committee, ik was nog steeds slechts een vrouwelijke burger. Ik vond toen en vind nog steeds dat de lessen van Vietnam ook te ver doorgetrokken kunnen worden. Het was begrijpelijk dat Powell duidelijkheid over de missie eiste en zeker wilde zijn van een kans op succes voor hij onze troepen inzette, maar 'geen moerassen meer' was niet voldoende strategie in een slordige en ingewikkelde wereld. Mits nauwgezet gepland kon beperkt geweld effectief gebruikt worden om beperkte doelen te bereiken. Het was hoogst noodzakelijk om dat in Bosnië te doen, maar Powell wilde niet dat het Amerikaanse leger die verantwoordelijkheid op zich zou nemen.

Tijdens mijn eerste jaar in New York gaf de Veiligheidsraad toestemming voor het opzetten van een Internationaal Strafhof voor voormalig Joegoslavië (Joegoslavië-tribunaal). Het hof, gevestigd in Den Haag, is het eerste in zijn soort sinds de commissies die na de Tweede Wereldoorlog in het leven werden geroepen. De obstakels die het hof en de eerste hoofdaanklager, de onverschrokken Richard Goldstone uit Zuid-Afrika, te wachten stonden waren schrikbarend. In tegenstelling tot de beklaagden in Neurenberg waren degenen die verdacht werden van oorlogsmisdaden in de Balkan niet de gecapituleerde leiders van een onderworpen mogendheid. Integendeel, velen oefenden nog gezag uit. Dit belemmerde het hof getuigen en begraafplaatsen in gebieden die onder gezag van vijandelijke troepen stonden te bereiken, gebieden waar de meeste misdrijven

---

* Eind 1995, nadat de luchtaanvallen van de NAVO hadden geholpen de oorlog in Bosnië te beëindigen, vroeg een verslaggever me naar het citaat van Powell en ik antwoordde eerlijk dat we het oneens waren geweest. Ik belde Powell om hem gerust te stellen over het interview en plaagde hem met zijn gebruik van het woord 'geduldig'. Powell stuurde me meteen een exemplaar van zijn boek, met de opdracht 'in bewondering en vriendschap, geduldig de uwe, Colin Powell'. Ik stuurde hem een bedankbriefje dat eindigde met 'in bewondering en vriendschap, krachtig de uwe, Madeleine Albright'.

hadden plaatsgevonden. Het tribunaal kon geen rechtszaken aanspannen zonder dat de verdachten in hechtenis waren en lange tijd waren er geen rechtszaken. Bovendien was het, zonder eigen leger of politie, geheel afhankelijk van de medewerking van regeringen.*

Er leek een gerede kans te bestaan dat het tribunaal zou mislukken en dat de wereldgemeenschap er andermaal van beschuldigd zou worden veel te beloven maar weinig te doen. Maar de regering-Clinton, de voornaamste financiële sponsor, stond pal. We deelden onze technische deskundigheid, en onze vrijwilligers hielpen bij de interviews met getuigen en vluchtelingen. We maakten van samenwerking met het tribunaal een belangrijk onderwerp in al onze bilaterale betrekkingen met regeringen zowel binnen als buiten de regio. Ik was trots op de rol die mijn bureau speelde, met name mijn raadsman David Scheffer, die honderden uren aan het project besteedde en later de functie kreeg van Amerikaans ambassadeur in algemene dienst voor kwesties met betrekking tot oorlogsmisdrijven, een post die ik creëerde toen ik minister van Buitenlandse Zaken werd.

Ons vertrouwen bleek van essentieel belang. In de loop van de jaren bouwde het tribunaal een sterk dossier van jurisprudentie op waarop toekomstige vervolging van misdaden tegen de menselijkheid, oorlogsmisdrijven en genocide zich kan baseren. Het stelde bijvoorbeeld vast dat verkrachting en seksuele onderwerping moeten kunnen worden beschouwd als oorlogsmisdaden. Tot op heden zijn er meer dan veertig verdachten berecht, onder wie etnische Serviërs, Kroaten en Bosniaks. Zoals ik later zal beschrijven zou het tribunaal uiteindelijk ook de grootste vis vangen.

In maart 1994 had ik het voorrecht om de toekomstige locatie van de Amerikaanse ambassade in Sarajevo in te wijden. De gebeurtenis stond symbool voor de Amerikaanse betrokkenheid – in woorden, nog niet in daden – bij een verenigd en soeverein Bosnië. Ik was nog nooit eerder in Sarajevo geweest, maar toen ik over de brede boulevard reed die naar de stad leidt, raakte ik steeds geëmotioneerder. Overal stonden vernietigde gebouwen en lagen glasscherven. De bergen, waar in 1984 een internationaal publiek had genoten van de Olympische Winterspelen, wemelden van de Servische artilleristen. Sluipschutters en brandstoftekorten hadden een eind gemaakt aan het openbaar vervoer. Flatgebouwen waren geplunderd en er gaapten grote gaten waar vroeger ramen zaten. Elke dag werden er inwoners van Sarajevo vermoord in hun woningen, bij het boodschappen doen, bij het sleeën of gewoon bij het oversteken. Op het platte-

---

* Wat het werk van het tribunaal nog verder bemoeilijkte was het feit dat verkrachtings-slachtoffers zich niet vaak meldden om te getuigen. De vrouwen die in Bosnië het slachtoffer waren geworden, van wie velen arme moslims waren die uit hun huizen waren verdreven, moesten niet alleen de druk van sociale taboes weerstaan maar ook economische en lichamelijke ellende verduren. Het is verbazingwekkend dat de aanklagers op den duur toch zovelen wisten over te halen om te getuigen.

land was de toestand nog erger. De dorpen waren voor voedsel afhankelijk van lukrake droppings of onbetrouwbare konvooien. De mensen leden honger en er stierven veel baby's. Artsen opereerden zonder verdoving, bij kaarslicht.

Jaren daarvoor had ik door de regio gereisd en was diep onder de indruk geweest van hoe relatief modern Joegoslavië was. Haris Silajdžić, de premier van Bosnië, vertelde me trots hoe hij als kind uit een en hetzelfde raam de torenspits van een katholieke kerk, het kruis van een orthodoxe kerk en de minaret van een islamitische moskee kon zien. Nu waren vele van die gewijde plaatsen beschadigd en was de nationale bibliotheek uitgebrand en verwoest.

De toekomstige ambassade die ik kwam inwijden was in verval. Het gebouw keek uit op wat een park was geweest maar nu een kerkhof was. In mijn rede zei ik dat ik blij was in 'de onverdeelde hoofdstad van de onafhankelijke en soevereine staat Bosnië-Herzegovina' te zijn. Ik kreeg applaus toen ik verklaarde 'Ik ben een Sarajevoër', wat ik toen een dramatische verklaring vond, maar wat ik achteraf pretentieus vind. Het gaf echter wel aan hoe ik me voelde.

Terwijl de tijd verstreek en de strijd doorging, werkten we hard om aan de fundamentele dilemma's van ons beleid te ontsnappen. We konden het wapenembargo niet opheffen omdat we de stemmen van de Veiligheidsraad niet kregen en we konden geen permanente wapenstilstand tot stand brengen omdat dat onacceptabel was voor de Bosniaks en een beloning betekende voor etnische zuiveringen. We konden ook nauwelijks geweld gebruiken om de Bosnische Serviërs te straffen omdat leden van de VN-vredesmissie dan misschien in gijzeling zouden worden genomen en de humanitaire missie zou ontsporen.

Onze economische sancties gaven ons echter wel enige invloed. Milošević wilde dat ze opgeheven werden en wij op onze beurt wilden dat hij de Bosnische Serviërs, die hun hoofdkwartier in de stad Pale hadden, onder druk zette om naar de onderhandelingstafel te komen. Ons doel was om een overeenkomst te bereiken waarbij de onafhankelijkheid van Bosnië-Herzegovina werd erkend en het grondgebied zou worden verdeeld tussen de Moslim-Kroatische Federatie en een semi-autonome Bosnisch-Servische eenheid. Als Milošević Bosnië zou erkennen en de Serviërs uit Pale kon overhalen om de kaart die we hadden getekend te accepteren, zouden wij de sancties opschorten.

In de herfst van 1994 wonnen onze inspanningen aan stootkracht toen de ervaren diplomaat Richard Holbrooke de functie van onderminister voor Europese Zaken aanvaardde en onderhandelaar voor het Balkanconflict werd. Zijn komst zorgde voor een opleving; ik had eindelijk het gevoel dat ik echte steun kreeg. We zeiden toen vaak dat we wat het beleid met betrekking tot Bosnië betreft twee handen op één buik waren.

Tegen het eind van het jaar werden de onderhandelaars het eens over een wapenstilstand van vier maanden. Dit leek een enorme prestatie. Maar het sneeuwde en er werden toch al minder militaire aanvallen uitgevoerd. In de Balkan is de lente de gevaarlijkste tijd. Natuurlijk volgden er weken van bureau-

cratische activiteiten terwijl de onderhandelaars zochten naar de juiste combinatie van opheffing van sancties, kaartaanpassingen en voorwaarden voor wederzijdse erkenning die de Serviërs uit Pale naar de ene kant van de bank zouden verleiden zonder dat de Bosnische Federatie er aan de andere kant afviel.

Toen werd het mei en brak de hel weer los.

De Bosnische Serviërs vierden het eind van de wapenstilstand met de start van
de zwaarste beschietingen die Sarajevo in maanden had meegemaakt. Generaal
Rupert Smith, de resolute nieuwe bevelhebber van de VN-vredesmacht, vroeg
om luchtaanvallen, die door Yasushi Akashi, de fanatiek neutrale burgerafge-
vaardigde van de secretaris-generaal, werden geweigerd.

De NAVO kon zelfstandig geen luchtaanvallen ondernemen vanwege het 'tweesleutelssysteem', waarbij de leiders van de VN en het bondgenootschap het eens
moesten worden voor militaire actie werd ondernomen. Akashi was bang dat
luchtaanvallen zouden leiden tot represailles tegen VN-peacekeepers. Het gesprek waarin ik bij Boutros Ghali protesteerde tegen dit gebrek aan actie was
een van de minst prettige die ik met hem gehad heb. Ik zei hem dat het alleen
zou leiden tot meer aanvallen van de Bosnische Serviërs. Mijn argumenten hadden invloed. Toen de beschietingen doorgingen, verzocht Smith opnieuw om
luchtaanvallen en deze keer gaf Akashi toe.

Op 26 mei bombardeerden NAVO-vliegtuigen munitiedepots in de buurt van
Pale. Zoals Askashi al vreesde gingen de Serviërs uitzinnig tekeer: ze beschoten
vijf van de zes islamitische enclaves in Bosnië en namen meer dan 340 VN'ers in
gijzeling. Sergej Lavrov, de scherpzinnige nieuwe Russische permanente vertegenwoordiger, vond mijn zwakke plek en begon over de lessen die we van Somalië geleerd hadden. Een week later werd een F-16 van de Amerikaanse luchtmacht die het voor vliegtuigen verboden gebied patrouilleerde neergeschoten.
Toen ik hoorde dat de piloot, kapitein Scott O'Grady, vermist werd, voelde ik me
verschrikkelijk. Ik dacht bij mezelf: ik heb wél gelijk met de bombardementen,
maar wat kan er nog meer misgaan?

Toen ik een vergadering van de Veiligheidsraad verliet en langs de altijd aanwezige journalisten liep, riep een verslaggever: 'Hoe denkt u er nu over, mevrouw de ambassadeur? Bent u blij met de luchtaanvallen?' Ik antwoordde met
schijnbaar zelfvertrouwen, maar ik stond te trillen. De luchtaanvallen hadden
plaatsgevonden en nu stonden de VN – aan de vooravond van hun vijftigste verjaardag – voor gek. De Bosnische Serviërs hadden peacekeepers aan bruggen,
luchtverdedigingsinstallaties en andere potentiële doelen geketend en nodigden
de internationale media uit om te komen kijken. En dagenlang voor zijn redding
dachten we dat O'Grady dood of gevangengenomen was. We moesten een betere
strategie bedenken.

De kernvraag was wat er moest gebeuren met de VN-vredesmacht. Boutros
Ghali stond klaar om de troepen terug te trekken. Generaal Smith stelde dat we
moesten besluiten om al dan niet te vechten; we konden niet blijven doen alsof
er een tussenweg was. Ik was het met hem eens, maar er waren ook gegronde

redenen om de VN te laten blijven. De peacekeepers speelden een essentiële humanitaire rol. Al was het maar omdat ze getuigen waren en daarmee de strijders van ergere wandaden weerhielden. En een terugtrekking zou ongetwijfeld tot chaos leiden. NAVO-planners voorzagen dat vertrekkende VN-troepen een aantrekkelijk doelwit voor alle kanten zou zijn. Ze schatten dat er een leger van zestigduizend man, waaronder twintigduizend Amerikanen, nodig zou zijn om hen veilig terug te trekken. De Verenigde Staten hadden tijdens een NAVO-planningsvergadering het jaar daarvoor toegezegd dat ze aan een dergelijke actie zouden bijdragen.

Dit betekende in feite dat we hadden beloofd onze bondgenoten te helpen terugtrekken, maar niet om ze te helpen winnen – een absurde situatie. Tijdens een vergadering van ons buitenlandbeleidsteam eind juni 1995 stelde ik: 'Als het leiderschap van de VS in een bepaald gebied in twijfel wordt getrokken, beïnvloedt dat ons leiderschap in andere gebieden. De recente verklaring van de Franse president Chirac dat "de positie van leider van de vrije wereld vacant is" heeft mij wekenlang beklemd. De strategie die we nu toepassen maakt dat de president zwak overkomt. We moeten een voorsprong nemen.'

Ik zag wel in hoe moeilijk de keuze was, maar ik adviseerde dat we de onvermijdelijkheid van de terugtrekking van de VN moesten accepteren. Nu de peacekeepers niet langer in gevaar waren, konden onze bondgenoten geen bezwaar meer hebben tegen het bewapenen van de Bosniërs om ze voor zichzelf te laten vechten. De NAVO kon luchtaanvallen uitvoeren om hen te beschermen terwijl ze zich voorbereidden. We zouden erop moeten aandringen dat Milošević Bosnië erkende en de banden met de Serviërs in Pale verbrak in ruil voor opheffing van de sancties. Tegelijkertijd zouden we Pale duidelijk moeten maken dat er nog steeds een overeenkomst mogelijk was en de andere Bosniërs dat ze een redelijk en onderhandeld resultaat moesten accepteren of geen hulp van het Westen zouden krijgen.

De president zei dat hij 'waardering had voor de basis' van mijn voorstel en dat het 'die kant op moest'. Lake was het ermee eens, wat mij plezier deed, en moedigde ons aan om eens door te fantaseren hoe het Bosnische conflict kon worden beëindigd. In de dagen erop vielen de elementen voor een nieuwe strategie inderdaad op hun plek, maar niet voordat een hele stad overleden was.

Op een ochtend in juli 1995 liep Stuart Seldowitz, een politieke functionaris in mijn VN-staf, het kantoor binnen van de tweede secretaris van de VN, generaal Shashi Tharoor. Tharoor was de ultieme diplomaat, welbespraakt, analytisch en hoffelijk. Ik had hem nooit zijn stem horen verheffen of blijk zien geven van emotie, maar die ochtend, vertelde Stu, keek de diplomaat geschokt en bedroefd. Seldowitz vroeg hem wat er aan de hand was. Tharoor antwoordde: 'Ik denk dat we geconfronteerd worden met een humanitaire ramp van ongehoorde omvang. Er zijn rapporten over massamoorden in Srebrenica.'

Seldowitz rende naar de overkant van de straat om mij verslag uit te brengen.

Ik pakte de telefoon om Washington te bellen. Een andere telefoon ging over en mijn politiek adviseur Cameron Hume nam hem op. Terwijl ik met D.C. praatte, hoorde ik Cameron zeggen: 'Ik begrijp het, Mo, ik begrijp het.' Ik legde mijn hoorn op de haak. Hume gaf mij zijn toestel. 'Het is Sacirbey,' zei hij, doelend op de ambassadeur van Bosnië bij de VN, 'en hij huilt.'

Srebrenica was een van de drie resterende moslimenclaves in het oosten van Bosnië. Ze waren opgezet als een door de VN beschermd gebied en zaten propvol vluchtelingen. De Bosnische Serviërs hadden op alle hun zinnen gezet en de gebieden maakten grote kans aangevallen te worden.

Aangemoedigd door het gijzelingsfiasco vond de Bosnisch-Servische generaal Ratko Mladić dat de tijd gekomen was om aan te vallen. Op 6 juli begonnen zijn troepen beschietingen op Srebrenica, wat prijsschieten werd omdat het in een dal ligt. Vijf dagen later bezetten ze de stad, zetten de meeste vrouwen en kinderen eruit en hielden de mannen gevangen, die werden afgemaakt. Volgens de cijfers die het Internationale Rode Kruis later verzamelde werden er tussen 12 en 16 juli meer dan zevenduizend Bosnische moslims vermoord. De meeste lichamen verdwenen in massagraven.*

Tijdens een emotionele vergadering op het Witte Huis deed de vice-president een bezielde oproep om niet 'in genocide te berusten'. Ik was het eens met de noodzaak om streng op te treden tegenover onze bondgenoten. Met onze eerdere mislukkingen in gedachten zei ik: 'We moeten tegen ze zeggen dat het nu genoeg is.' De president knikte. 'We moeten er bij de Fransen en Britten op aandringen ons voorstel aan te nemen.' Dat betekende geen tweesleutelsnonsens meer van de VN en niet langer aarzelen om de NAVO-luchtmacht in te zetten om volgende Servische aanvallen te beletten. In de weken die daarop volgden werd een geheim NAVO/VN-memo opgesteld dat een gezamenlijke verplichting inhield om met geweld te reageren op een eventuele Servische aanval op een van de resterende enclaves.

Net als in Rwanda waren we niet meteen op de hoogte van de omvang van de slachting. De eerste berichten waren vaag en degenen die verantwoordelijk waren voor de wreedheden logen. We hadden sterke vermoedens, maar het ontbrak ons aan harde bewijzen. De Bosnische Serviërs zeiden dat er geen massamoord had plaatsgevonden. Milošević in Belgrado opperde dat de vermiste mannen in paniek waren geraakt en geleidelijk aan uit de bossen te voorschijn

---

* Het onbrak de Nederlandse VN-eenheid in Srebrenica aan vuurkracht om de Serviërs tegen te houden. Dertig vredeshandhavers werden tijdens de Servische aanval in gijzeling genomen. De bevelhebbers hadden de belofte van generaal Mladić dat hij de mannen van Srebrenica niets zou doen kritiekloos geaccepteerd. Tegen de tijd dat de moorden plaatsvonden was de vredesmissie al teruggetrokken. In april 2002 concludeerde een onafhankelijk onderzoek dat de Nederlanders hadden ingesteld, dat hun regering verantwoordelijk was voor het inzetten van de Nederlandse eenheid bij een 'slecht opgezette en praktisch onmogelijke missie' om Srebrenica te verdedigen zonder voldoende voorbereiding en ondersteuning.

zouden komen. Misschien, dacht hij, waren ze al terug bij hun gezinnen en weigerden de Bosniaks om dat toe te geven, alleen maar om de Serviërs in verlegenheid te brengen.

Vastbesloten om de waarheid te ontdekken vroeg ik de CIA om hulp. Als de vermiste mannen gevangen werden gehouden, waar dan? Als ze vermoord waren,
konden we dat dan bewijzen? Er was een kans dat er nog levens gered konden
worden en het was essentieel dat degenen die verantwoordelijk waren voor de
moorden – als er moorden waren gepleegd – ter verantwoording zouden worden
geroepen.

De inlichtingendiensten begonnen te zoeken, maar ontdekten twee weken
lang niets. Toen zag een toegewijde analist toevallig foto's van twee gevangenen
in een veld. In foto's van hetzelfde veld die twee weken later waren gemaakt zag
hij grote stukken omgewoelde aarde en vele sporen van voertuigen. Eerst gaven
we de foto's vrij en vergeleken daarna de informatie met gegevens uit andere
bronnen. Binnen een paar dagen hadden we een verhaal dat we aan de wereld
konden vertellen.

De Veiligheidsraad kwam op de ochtend van 10 augustus informeel bijeen. Ik
beschreef twee gebeurtenissen op basis van een combinatie van inlichtingen,
luchtfoto's en gesprekken met overlevenden. Een vluchteling uit Srebrenica vertelde dat hij en andere islamitische mannen naar een veld in de stad Nova Kasaba
waren gebracht. De mannen werden in rijen opgesteld en met machinegeweren
doodgeschoten. De vluchteling had het overleefd door zich onder lichamen te laten vallen en later te ontsnappen. Ik liet een foto rondgaan die op 13 juli was gemaakt, waarop het voetbalveld van Nova Kasaba stond. Pijlen wezen naar de twee
donkere vlekken die volgens analisten bestonden uit ongeveer zeshonderd mensen die dicht bij elkaar stonden. Vervolgens liet ik een foto rondgaan van 27 juli
waarop het terrein van de eerste foto zichtbaar was, maar iets verder langs de
weg, met witte pijlen die op drie gebieden wezen waar het gras omgespit was en
de lichtergekleurde aarde eronder toonden. Er waren bandensporen zichtbaar.

Een tweede vluchteling, een jongen, vertelde dat hij een van de vierhonderd
mannen uit Srebrenica was geweest die op vrachtwagens waren gezet en die
naar een school in de buurt van Bratunac gereden waren. Toen ze allemaal bij
elkaar waren, werden er kleine groepjes mee naar buiten genomen. Degenen
die binnen waren hoorden schoten. Toen het de beurt van de jongen was, was hij
door een vrachtwagen naar een naburig veld gereden dat bezaaid was met lijken. Hoewel hij gewond was, wist hij zich dood te houden en vervolgens te ontsnappen.

Terwijl de foto's rondgingen werd het stil in de zaal – de plek van zoveel luid-
ruchtige discussies. Ik hoorde vingers over het stijve papier van de foto's gaan
terwijl ze van hand tot hand gingen. Beelden van de Amerikaanse inlichtingendienst zijn normaal gesproken hoogst geheim en er is een deskundige nodig om
te zien wat er is afgebeeld. Maar de kernboodschap die deze foto's te melden
hadden was duidelijk. De vluchtelingen spraken de waarheid.

Die middag kwam de raad opnieuw bijeen tijdens een officiële vergadering om te eisen dat de Serviërs uit Pale het Rode Kruis onmiddellijk toegang verleenden tot Srebrenica en de omringende gemeenten. Zoals meestal bij eisen van de raad reageerden de Bosnische Serviërs beschuldigend, strijdlustig, obstructief en traag.

Drie factoren maakten een eind aan de Bosnische oorlog. De eerste was het feit dat de Bosnische Serviërs hun hand overspeelden. Ze hadden zich jarenlang met succes verlaten op de lamlendigheid van het Westen, maar ze wisten niet tot hoever ze konden gaan. De tweede was de veranderende militaire situatie. Begin augustus lanceerde Kroatië een aanval om gebied terug te krijgen dat de etnische Serviërs hadden bezet. De aanval had snel succes en gaf daarmee de Bosnische Serviërs de boodschap dat ze niet onoverwinnelijk waren en bij een crisis niet konden rekenen op de hulp van Milošević. De derde factor was Bill Clintons bereidheid het voortouw te nemen.

Na Srebrenica was de irritatie van de president tot grote hoogte gestegen en Tony Lake had gevraagd om stukken die zich zouden concentreren op het soort Bosnië dat we na afloop van het conflict zouden willen zien. De stukken werden besproken tijdens een belangrijke vergadering in de Cabinet Room van het Witte Huis, in dezelfde week als mijn presentatie bij de Veiligheidsraad over Srebrenica. Zoals vanaf het begin waren de adviseurs van de president verdeeld.

Ik stelde dat de Amerikaanse troepen vroeg of laat naar Bosnië zouden gaan, dus dat het verstandig was om ze op onze eigen voorwaarden en volgens ons eigen tijdschema te sturen. Europa was er niet in geslaagd de crisis op te lossen en had al doende zowel de NAVO als de VN verzwakt. Onze aarzeling om de leiding te nemen had onze eigen aanspraak op leiderschap ondermijnd. De Bosnische Serviërs moesten gedwongen worden om akkoord te gaan met redelijke voorwaarden of het terugschroeven van hun militaire veroveringen aanvaarden. Als er geen onderhandelde regeling bereikt kon worden, zouden we aandringen op het terugtrekken van de VN-missie, en het Bosnische leger onder bescherming van de NAVO-luchtmacht trainen en uitrusten.

Tony, die een vergelijkbare aanpak voorstond, stelde voor een delegatie op hoog niveau naar Europa te sturen om van de bondgenoten steun te krijgen voor de nieuwe harde lijn. Noch het ministerie van Buitenlandse Zaken noch het ministerie van Defensie had een voorstel dat afweek van wat we al deden, terwijl het Pentagon een 'realistische' aanpak aanbeval waarbij we de realiteit van de Servische militaire macht zouden accepteren en een permanente wapenstilstand zouden nastreven, gebaseerd op de status quo.

Lake vatte samen: 'Madeleine vindt dat de inzetten zo hoog zijn dat ze het leiderschap van de regering zowel thuis als in het buitenland beïnvloeden, en dat we geen andere keus hebben dan een aanzienlijk risico te lopen. De grootste angst van Buitenlandse Zaken en Defensie is dat we ons in een politiek moeras begeven. Zij staan een meer beperkte aanpak voor.'

Terwijl Tony aan het woord was, kon ik het niet laten om naar de president te kijken. Bill Clinton kon zeer goed luisteren. Hij had de gewoonte om poppetjes te tekenen of notities te maken, terwijl zijn andere hand zijn gezicht ondersteunde, of als hij hoofdpijn had een koud blikje cola light tegen zijn slaap hield. Soms dacht ik dat hij er met zijn gedachten niet bij was, om me pas later te realiseren dat hij niets gemist had. Tijdens mijn jaren als ambassadeur bij de VN had ik het idee dat de president mij met meer respect behandelde dan de meeste leden van het buitenlandsbeleidteam deden. Terwijl anderen mij soms laatdunkend behandelden was hij altijd attent en luisterde hij naar me. Ik heb het altijd gemakkelijker gevonden om te gaan met mensen die zelfvertrouwen hebben, en dat is bij Bill Clinton zeker het geval.

Ik wachtte nu gespannen af tot Tony zijn samenvatting beëindigde en we wendden ons allemaal naar de president om zijn reactie te zien. Voor mij persoonlijk was dat het moment van de waarheid. Ik had de beste argumenten in de zaak die voor mij het belangrijkst waren gepresenteerd. Normaal begon de president na een presentatie met een serie vragen. Deze keer was het vanaf het moment dat hij begon te spreken duidelijk dat hij een besluit genomen had. 'Ik ben het eens met Tony en Madeleine,' zei hij. 'We moeten onze uiterste best doen om binnen de komende paar maanden een akkoord te bereiken. We moeten ons hard maken voor een verenigd Bosnië. En als we dat niet aan de onderhandelingstafel kunnen bereiken moeten we de Bosniërs op het slagveld steunen.'

Op een van de volgende dagen vertrok Lake naar Europa om het plan voor te leggen aan onze bondgenoten en Rusland. Een ander team, onder leiding van Dick Holbrooke, reisde naar de Balkan om onderhandelingen te voeren met alle partijen. De Europese reactie was gunstig en ik raakte bemoedigd, maar de besprekingen in de regio waren nog nauwelijks begonnen toen op 19 augustus drie leden van Holbrookes onderhandelingsdelegatie in Bosnië verongelukten op een verraderlijke bergweg. De slachtoffers waren ambassadeur Robert Frasure, luitenant-kolonel Nelson Drew van de NSC en Joseph Kruzel van het ministerie van Defensie. Ik bewonderde hen alle drie, maar kende Bob Frasure het best. Ik was opgelucht dat Holbrooke en generaal Wesley Clark, mijn voormalige liaison met de gezamenlijke stafchefs, die beiden deel uitmaakten van het noodlottige konvooi, in veiligheid waren. Ik zal nooit vergeten hoe droevig hun terugkomst in aanwezigheid van de lichamen van onze collega's was.

Onze onderhandelaars keerden pas op 28 augustus terug naar Europa. De Bosnische Serviërs kozen dat moment om hun hand opnieuw te overspelen. Op een zonnige maandagochtend, om 11.10 uur, werden er vijf mortiergranaten uit de heuvels rond Sarajevo afgeschoten die midden in de drukke markt van Markale landden en zevenendertig mensen doodden en vijfentachtig verwondden. Ik overlegde met Kofi Annan, de tweede secretaris-generaal voor vredeshandhaving van de VN, en hij was het met me eens dat de gezamenlijke afspraak van de VN en de NAVO zoals die na de slachting in Srebrenica was gemaakt, moest worden nageleefd. Op 30 augustus bombardeerden meer dan zestig vliegtuigen, afkomstig van bases in Italië en het vliegdekschip USS *Theodore Roosevelt* in de Adriatische Zee, Bosnisch-Servische stellingen rond Sarajevo. De Franse en Britse artillerie deden ook mee. Het was destijds de omvangrijkste militaire actie die de NAVO ooit ondernomen had.

Het psychologische evenwicht had zich gewijzigd. De Bosnische Serviërs konden niet langer ongestraft optreden en het was de NAVO niet langer verboden om haar macht te gebruiken. Het Amerikaanse diplomatieke leiderschap was volop in volle actie. Belgrado wachtte wanhopig op het opheffen van de sancties, terwijl Milošević expliciet toestemming kreeg om namens de Serviërs uit Pale te onderhandelen.

Op 8 september werden de ministers van Buitenlandse Zaken van Bosnië, Kroatië en Joegoslavië het erover eens dat Bosnië als aparte staat verder zou gaan, maar dat het gebied tussen Bosniak-Kroaten en Serviërs verdeeld zou worden op een basis van ongeveer 51 tegen 49 procent. Tegen het eind van de maand had onze onderhandelingsdelegatie een overeenkomst over de algemene principes bereikt, waaronder de erkenning van Bosnië-Herzegovina als soevereine en democratische staat.

Op 5 oktober stemden de partijen in met een wapenstilstand in het hele land. In het begin van november werden ze in Dayton, Ohio, verwacht voor besprekingen die moesten leiden tot een slotakkoord. Toen het aftellen naar de bijeenkomst was begonnen, eiste Milošević dat de sancties tegen Belgrado werden opgeschort op het moment dat de onderhandelingen begonnen en geheel opgeheven werden als de overeenkomst werd getekend. Ons standpunt was altijd geweest dat de sancties alleen zouden worden opgeschort op het moment dat het akkoord werd bereikt en pas opgeheven zouden worden na uitvoering ervan.

Holbrooke waarschuwde dat Milošević misschien zou weigeren te komen als hij zijn zin niet kreeg en drong er zeer op aan dat we zouden toegeven. Tijdens een vergadering van de Principals Committee op 27 oktober stelde ik dat het afzwakken van de sancties een te waardevol hulpmiddel was om te versnipperen: we zouden al onze invloed nodig hebben om te zorgen dat Milošević zijn verplichtingen nakwam. Ik wist dat de president er ook zo over dacht, want weken eerder, tijdens een speciale sessie van de algemene vergadering van de VN, had ik hem alleen aangetroffen en er met hem over gepraat. Ik vertelde dat er bij de VN voorstellen de ronde deden om de sancties vóór het bereiken van een overeenkomst op te heffen. Hij kon zijn oren niet geloven en zei: 'Geen sprake van' – of eigenlijk iets wat een krachtiger inhoud had. We besloten bij ons standpunt te blijven.

Ik was in Chicago toen ik een telefoontje kreeg van Holbrooke. Hij wist dat ik tegen opheffing van de sancties was. Diplomatie kan beoefend worden tussen diplomaten van verschillende landen, maar de regels tussen diplomaten van hetzelfde land zijn anders. Wij voerden een hoogst ondiplomatieke conversatie.

Zoals Holbrooke al voorspeld had, dreigde Milošević niet te komen. Zoals de rest van ons al verwacht had, kwam hij toch.*

Na drie weken aanhoudende besprekingen, waarbij Holbrooke onvermoeibaar onderhandelde en Christopher een essentiële overeenkomst sloot, werden op 21 november 1995 de Akkoorden van Dayton op de luchtmachtbasis Wright-Patterson geparafeerd. Het was de week van Thanksgiving Day. De oorlog in Bosnië was voorbij.

Voor mij was het resultaat het bewijs van een aantal principes. Het toonde aan dat het beperkte gebruik van geweld – zelfs alleen het potentieel van de luchtmacht – het doorslaggevende verschil kon maken. Het toonde het belang aan van eensgezindheid van de bondgenoten en van het Amerikaans leiderschap. Het toonde de mogelijkheden van dit nieuwe tijdperk, in de zin dat Russische troepen uiteindelijk samen met NAVO-troepen de akkoorden zouden uitvoeren. En het toonde aan hoe belangrijk het was om verzet te bieden tegen mensen als Milošević en Mladić.

In 1938 onthulde Neville Chamberlain de gedachte achter het Verdrag van München, dat Hitler het groene licht gaf om Tsjechoslowakije te bezetten. Hij zei: 'Hoe vreselijk, onvoorstelbaar, ongelooflijk is het, dat we hier loopgraven graven en gasmaskers passen vanwege een ruzie in een ver verwijderd land, tussen mensen van wie we niets weten.' Een jaar later was Chamberlains eigen land in oorlog, deels omdat hij niets gedaan om dat 'ver verwijderde land' en zijn vrijwel onbekende volk te helpen. Amerika en zijn bondgenoten kunnen trots zijn dat we, beter laat dan nooit, het volk van Bosnië te hulp zijn gekomen – in hun eigen voordeel, en het onze.

Op nieuwjaarsdag 1996, slechts een paar weken na de ondertekening van de Akkoorden van Dayton, zag ik toevallig een artikel** in de *New York Times* dat illustreerde waarvoor we al die moeite hadden gedaan. Het was een illustratie van wat ik 'het Bosnië-idee' noem, de eenvoudige premisse dat elk mens waarde heeft en dat buren hun buren niet moeten beschouwen als Serviërs, Kroaten of moslims, maar als individuen.

Het ging over een Bosniak-boer, Fadil Fejzic, die in de voornamelijk islamitische stad Goražde woonde in de jaren dat die belegerd werd, en een Servisch gezin, de heer en mevrouw Drago Sorak, dat ook in Goražde woonde en lange tijd weigerde te vertrekken, ondanks de toenemende spanningen.

---

* De VN-sancties tegen Joegoslavië (Servië en Montenegro) werden opgeheven toen de verkiezingen in Bosnië, een jaar nadat de Akkoorden van Dayton werden getekend, gehouden werden. De regering-Clinton handhaafde echter bilaterale sancties als een pressiemiddel tegen Milošević om zich aan Dayton te houden, samen te werken met het Joegoslavië-tribunaal en zich te onthouden van geweld in Kosovo. Milošević hield zich nooit aan al die voorwaarden en de Amerikaanse sancties werden pas opgeheven nadat hij in 2000 door het Servische volk was afgezet.

** Van de journalist Chris Hedges die al een aantal prijzen had gewonnen.

In juni 1992 had de moslimpolitie de oudste zoon van de Soraks, Zoran, mee-genomen en hij was nooit teruggekeerd. Hun tweede zoon, die tegen de Bosniaks had gevochten, was dood. Niet lang daarna bracht Zorans weduwe een meisje ter wereld, maar er was weinig te eten en de moeder was niet in staat het kind te voeden. Het gezin gaf het kind thee, maar het was duidelijk dat de baby snel zou sterven. De heer Fejzic had toevallig een bruinwitte koe, die hij buiten de stad hield vanwege Servische sluipschutters.

Op de vijfde dag na de geboorte van het kind van de Soraks, hoorde het gezin voetstappen op de trap. Een man die ze nauwelijks kenden bracht een halve liter melk naar hun kleine appartement. Op de zesde dag gebeurde hetzelfde, en ook op de zevende dag, enzovoort, 442 dagen achter elkaar, tot de Soraks naar Servië vertrokken. Ondanks kou en sneeuw en voedseltekorten sloeg de heer Fejzic nooit een dag over en nam nooit iets aan in ruil. Toen de oorlog afgelopen was, vond de verslaggever van de *Times* Fejzic, samen met andere Bosniak-vluchte-lingen opeengepakt in een kamer: zijn huis was verwoest en zijn koe allang dood. Toen hij van zijn bezoeker hoorde dat hij de heer en mevrouw Sorak had gesproken, lichtten Fejzics ogen op. 'En de baby?' vroeg hij. 'Hoe gaat het met haar?'

HOOFDSTUK 13

De kracht van mijn
eigen stem

MIJN ROL IN HET DEBAT OVER BOSNIË en het succes van het beleid dat ik had verdedigd, in combinatie met successen in de Veiligheidsraad over Haïti en andere kwesties, deden mijn zelfvertrouwen toenemen. Ik voelde me steeds beter op mijn gemak als ik onze stellingnames voor het Congres moest verdedigen, resoluties voor de raad moest opstellen en het woord moest voeren in de Principals Committee. Ik was gewend geraakt aan het werk als ambassadeur en verwelkomde de kans om Amerika te vertegenwoordigen in situaties waar ik gebruik kon maken van mijn persoonlijke ervaringen en overtuigingen – zowel bij de VN als in forums over de hele wereld. Een van die gelegenheden had te maken met het ultieme persoonlijke gegeven – geslacht. Mijn rol als voorzitter van de Amerikaanse delegatie naar de Vierde Wereldvrouwenconferentie gaf me de kans bij te dragen aan een historische gebeurtenis, terwijl ik vriendschap sloot met een vrouw wier plaats in de geschiedenis alleen maar belangrijker wordt.

Hillary Clinton was al heel bekend voor haar man tot president werd verkozen. Zo was er de opwinding over het feit dat zij, toen hij gouverneur van Arkansas was, haar meisjesnaam wilde blijven gebruiken, en waren er de verhalen over hoe intelligent ze was. Ze kwam vrij regelmatig naar Washington om bij bestuurlijke of politieke evenementen te spreken. Ik maakte kennis met haar tijdens een liefdadigheidsvoorstelling voor een van mijn favoriete organisaties, het Children's Defense Fund, waarvan ze in het bestuur zat en op een bepaald moment voorzitter was. Ik stelde me voor als iemand die ook op Wellesley was afgestudeerd en zei dat ik onder de indruk was van haar speech. Ze reageerde hartelijk.

Ik zag haar een paar keer tijdens de campagne van 1992 en opnieuw in Camp David tijdens een retraite van het kabinet na de inauguratie. Dat was een bizarre gebeurtenis, waarbij mensen die elkaar nauwelijks kenden bij elkaar in huisjes werden gestopt en gedwongen werden een portie relaties bouwen in new-agestijl tot zich te nemen. In de drukkende atmosfeer was de first lady pure zuurstof. Opgewonden over wat er in het verschiet lag, stond ze boven alle kwesties en was ze een overtuigende deelnemer aan de discussies. In de maanden erop merkte ik hoe goed ze op de hoogte was en hoe geïnteresseerd ze was in buitenlands beleid.

De Amerikanen waren gefascineerd door Hillary Clinton, maar de meningen waren verdeeld. Velen bewonderden haar passie, medeleven en intelligentie; anderen waren het niet eens met haar uitgesproken ideeën. Degenen die haar niet mochten, vonden haar kil. Degenen die haar wel mochten, hadden oog voor haar betrokkenheid. Net als een andere bijzondere first lady, Eleanor Roosevelt, werd ze zowel bewonderd als belasterd. De vergelijking werd nog treffender tegen het eind van de eerste ambtstermijn van de president, toen Hillary schertste dat ze gesprekken hield met haar al lang geleden overleden voorgangster.

De relatie die ik met de first lady had, ontwikkelde zich geleidelijk. Omdat ze vaak naar New York moest, werkte mijn bureau samen met het hare om afspraken te regelen waarbij ik haar op de hoogte kon brengen van VN-kwesties. Ik nodigde haar uit om officieel enkele buitenlandse afgevaardigden te ontmoeten, die zonder uitzondering onder de indruk waren van haar. Op een keer leende ik haar, haar moeder en Chelsea rond de kerstdagen mijn appartement in New York, een andere keer kwam ze logeren en kletsten we in onze nachtponnen. Als de president een buitenlandse leider te gast had op het Witte Huis, zat het bezoekende staatshoofd naast haar; Hillary plaatste me vaak aan de andere kant van de eregast, met het idee dat er vanwege mijn VN-portefeuille dan geen gebrek aan gespreksonderwerpen zou zijn. Onze samenwerking bloeide in de zomer en de herfst van 1995 op, toen we ons voorbereidden op de Vierde Wereldvrouwenconferentie die in Peking gehouden zou worden.

De positie van vrouwen is duidelijk een onderwerp dat mijn belangstelling heeft. Toen ik net in New York was gearriveerd, wilde ik een netwerk met de andere vrouwelijke permanente vertegenwoordigers opzetten. Er waren destijds meer dan 180 landen lid van de VN, dus ging ik ervan uit dat er enkele tientallen vrouwen zouden zijn die ik voor een werklunch kon uitnodigen. Ik had het mis. Toen ik mijn appartement binnenkwam voor de maaltijd was er slechts één tafel gedekt en waren er maar zes andere landen aanwezig: Canada, Jamaica, Kazachstan, Liechtenstein, de Filippijnen, en Trinidad en Tobago.

Als Amerikaanse stelde ik vanzelfsprekend voor dat we een gespreksgroep zouden vormen, wat we deden, en dat we zouden beloven altijd elkaars telefoontjes aan te nemen. Sommige mannelijke afgevaardigden waren geïrriteerd door onze afspraak waarmee we elkaar onmiddellijk konden bereiken, omdat ze het niet logisch vonden dat de ambassadeur van Liechtenstein de ambassadeur van de Verenigde Staten sneller kon bereiken dan zij. Ik zei dat de oplossing was om hun functie aan een vrouw over te dragen, waarop ze meteen zwegen. Onze groep – die we de G7 noemden – kwam eens per maand bij elkaar. We wisselden verhalen uit en praatten over het feit dat het VN-gebouw waarschijnlijk het enige gebouw in New York was waar geen rij voor de vrouwen-wc stond, maar we ontwikkelden ook belangrijke projecten. Toen het internationale Joegoslavië-tribunaal werd opgezet, drongen we aan op vrouwelijke rechters omdat veel van de slachtoffers vrouwen waren. We slaagden erin twee vrouwelijke rechters benoemd te krijgen, onder wie de zeer bekwame Amerikaanse juriste Gabrielle

Kirk McDonald, die later president van de rechtbank werd.* We brachten een bezoek aan de secretaris-generaal en drongen aan op meer benoemingen van vrouwen op hoge posities binnen de organisatie. We bereidden ook onze respectievelijke landen voor op de conferentie in Peking. In de Verenigde Staten was dat geen eenvoudige klus.

Voor de tegenstanders van de regering in het Congres was de Vrouwenconferentie in die gepolitiseerde dagen een aantrekkelijk doelwit. De conferentie werd tenslotte gesponsord door de VN van Boutros Boutros Ghali, was gewijd aan de rechten van vrouwen, zou plaatsvinden in Peking en waarschijnlijk zou de first lady een van de deelnemers zijn. Dit was aanleiding tot veel hyperventilatie. Conservatieve activisten stelden dat deelname van de VS goedkeuring van het beleid van China ten aanzien van mensenrechten zou inhouden. Columnisten suggereerden dat de Amerikaanse delegatie eropuit was om moederschap, vaderschap, gezin en geslacht te herdefiniëren. Presentatoren van talkshows beweerden dat de first lady streefde naar absolute gelijkheid tussen mannen en vrouwen in elke werkomgeving in elke bedrijfstak. Er deed zelfs een gerucht de ronde dat ik eropuit was om wettelijke erkenning voor vijf geslachten te krijgen, waarop ik antwoordde dat ik altijd na twee de tel was kwijtgeraakt.

China was gekozen om als gastheer op te treden vóór president Clinton zelfs maar in functie was. De leiders in Peking hadden waarschijnlijk belang bij de status van de conferentie, want ze hadden de problemen duidelijk onderschat. Ze realiseerden zich pas toen ze plannen gingen maken dat bij zulke bijeenkomsten vrijheid een belangrijke rol speelt. Non-gouvernementele organisaties (NGO's) komen met vele, elk met zijn eigen kwesties en stijl. Hun afgevaardigden mengen zich vrijelijk onder de officiële afgevaardigden en beïnvloeden vaak het resultaat van onderhandelingen en bepalen soms de hele agenda. Er zijn onvermijdelijk pogingen om aandacht te trekken door middel van demonstraties, marsen en provocerende plakkaten. Onafhankelijke kranten verschijnen als sprinkhanen.

Zoals gebruikelijk bij een VN-conferentie stond er in Peking naast de officiële vrouwenvergadering een NGO-forum op het programma. Er werden meer dan veertigduizend NGO-afgevaardigden verwacht. Een paar maanden voor het evenement bepaalde China echter dat het stadion dat bedoeld was voor het NGO-forum 'structureel onveilig' was en kondigde aan dat het forum in Huairou moest worden gehouden, een stad op een uur rijden afstand van Peking. De NGO's waren woedend, deels omdat het 'structureel onveilige' stadion wel nog steeds werd gebruikt voor sportwedstrijden en ook omdat het in Huairou aan goede fa-

* De tweede was Elizabeth Odio Benito uit Costa Rica. In november 1999 werd rechter McDonald opgevolgd door een andere goede Amerikaanse rechter, Patricia Wald. De tweede hoofdaanklager van het tribunaal was ook een vrouw, de volhardende Louise Arbour uit Canada, die werd opgevolgd door de even onverzettelijke Carla del Ponte uit Zwitserland.

ciliteiten ontbrak. Maanden van onderhandelingen resulteerden in een aantal concessies van de Chinezen, maar de basis voor de strijd was gelegd. De NGO's waren van plan zich als NGO's te gedragen. De Chinezen waren van plan om 'beschamende incidenten' te voorkomen. Ze deelden zelfs lakens uit aan taxichauffeurs om over naakte vrouwen te gooien. Ze verwachtten dat die door de straten zouden rennen.

Congresleden van beide partijen drongen er bij de regering op aan om de conferentie te boycotten. Ik bracht daar tegenin dat het mogelijk was om deel te nemen zonder elk onderdeel van het beleid van het gastland te omarmen. China kon alleen maar voordeel hebben bij de aanwezigheid van veertigduizend afgevaardigden die de status van vrouwen wilden verbeteren. Mijn pleidooi was geloofwaardiger door mijn reputatie als anticommunist, die voor het Congres belangrijker was dan mijn feministische kwalificaties.

De controverse schiep een dilemma voor de first lady. Ze wilde naar Peking, maar adviseurs van het Witte Huis vroegen zich af of dat het politieke risico waard was. Er zou veel publiciteit zijn en als ze iets verkeerds zei of deed zouden de tegenstanders van de president er onmiddellijk op springen. Wekenlang speelden de experts het spelletje 'Doet ze het of doet ze het niet?' De situatie werd nog gecompliceerder door de gevangenneming door China van Harry Wu, een Chinees-Amerikaanse activist die dapper vocht voor de mensenrechten. Uiteindelijk werd de kwestie geregeld door de vastbeslotenheid van de first lady in combinatie met de vrijlating van Wu. Ze zou gaan.

Ik had ondertussen mijn eigen dilemma. Mijn dochter Katie ging trouwen met een studiegenoot rechten, Jake Schatz, maar niemand van ons had bij het bepalen van de datum de internationale agenda geraadpleegd. Het huwelijk zou twee dagen voor het begin van de Vrouwenconferentie, aan de andere kant van de wereld, worden gehouden. Ik moest iets bedenken. De normale overstappen en tijdzones waren in mijn nadeel. Op het moment dat het dansen voorbij was – om middernacht – haastte ik me naar huis om nog een paar uur te slapen voor ik moest inpakken en een vlucht vroeg in de ochtend naar Hawaï moest nemen. Ik miste de normale roddels en feestelijkheden van 'de dag na de bruiloft', waaronder een feest op de boerderij, maar bekortte mijn reistijd doordat ik van Honolulu naar Peking een lift kon krijgen van de first lady. Hillary en ik besteedden de tijd in de lucht aan het coördineren van onze speeches en aan slapen.

We arriveerden om ongeveer vier uur 's ochtends. Het goot van de regen, wat vrijwel gedurende de hele conferentie zo zou blijven. Elke dag werden groepen jonge Chinese vrouwen ingezet bij de ingangen van de hotels om plastic tassen uit te delen waar druipende paraplu's in konden. Een van de mooiste scènes in Peking waren de alom aanwezige fietsers in gele, paarse, lichtgroene, marineblauwe en rode poncho's, die een ware regenboog vormden tegen de achtergrond van de modderige straten en de grijze lucht, en de vluchtige indruk gaven van een impressionistisch schilderij. Ik kocht een tiental poncho's in verschillende kleuren voor mijn familie. Het effect op de plattelandswegen van Virginia was uiteraard niet hetzelfde, maar ze hebben ons droog gehouden voor minder dan een dollar per stuk.

We logeerden in het China World Hotel, waar de lobby het toneel werd voor een wervelende show van sari's, sjaals, lange gewaden, burkha's en jurken, naast de meer traditionele zakelijke kleding. Terwijl de vrouwen druk rondliepen, hingen er Chinese mannen in de hoeken en fluisterden in kleine microfoontjes die in hun manchetten verstopt zaten. 's Avonds zong een Thais trio traditionele oosterse balladen als 'Moon river' en 'New York, New York'.

De eerste dag na onze aankomst moest Hillary haar speech houden. Omdat ik zelf flink wat ervaring heb met spreken in het openbaar, weet ik hoe moeilijk het is om een publiek enthousiast te krijgen. Op een conferentie waar een lange rij ervaren sprekers optreedt is het extra moeilijk. Ik hield het voor onmogelijk om in Peking een publiek dat bestond uit mensen afkomstig uit alle mogelijke culturen, die moesten luisteren naar tolken die de woorden van de first lady monotoon vertaalden, enthousiast te krijgen.

Maar Hillary's speech was een klapstuk. Hij was goed geschreven en werd met overtuiging gebracht. Ze sprak over het belang dat ze aan het gezin hechtte, tikte de Chinezen op hun vingers omdat ze geen vrijheid van meningsuiting toestonden en legde de nadruk op de zin die de hele conferentie zou kenmerken – 'Mensenrechten zijn vrouwenrechten en vrouwenrechten zijn mensenrechten'. Tijdens de speech van Hillary verstomde het veeltalige gebabbel in de zaal. Toen ze klaar was kwam het applaus in golven opzetten. Later, tijdens de persconferentie, zag ik dat onze meest volhardende persmuskiet, George Archibald van de *Washington Times*, de speech van de first lady had beschreven als een 'homerun tot ver buiten het stadion'. Geen wonder dat de Chinezen de speech niet in hun verslagen opnamen.

De volgende dag gaf ik mijn speech, waarin ik de toezeggingen uiteenzette die de Verenigde Staten hadden gedaan om de levens van vrouwen in Amerika en de wereld te verlichten. Hoewel er veel ophef werd gemaakt over het feit dat we in China waren, zou de boodschap van zowel de first lady als van mijzelf op elke andere plaats waar de conferentie zou zijn gehouden hetzelfde zijn geweest. Die boodschap was simpel en universeel: geweld tegen vrouwen moet ophouden; meisjes moeten op dezelfde manier als jongens worden beoordeeld; en vrouwen moeten alle mogelijkheden hebben om gebruik te maken van onderwijs, gezondheidszorg, en economische en politieke macht.

Afgevaardigden en deelnemers waren zich de hele week bewust van de aanwezigheid van de Chinese beveiliging, op manieren die over het algemeen benauwend waren maar soms ook amusant. Er was bijvoorbeeld een lid van de Amerikaanse delegatie dat moeite had met het beeld van haar televisie. Ze draaide aan de knoppen tot haar beeld scherp werd en toen zag ze heel duidelijk zichzelf proberen haar televisie bij te stellen. Een andere afgevaardigde probeerde een jurk te strijken – tegen de regels van het hotel. Ze was nog niet begonnen of de hotelstaf viel binnen en greep haar kleren, haar achterlatend in haar onderjurk. Uren later kwamen ze terug met haar kleren, vers geperst en keurig opgevouwen. Tijdens het NGO-forum werd gedemonstreerd voor vrouwenrechten in praktisch alle delen van de wereld, van Afghanistan tot de Verenigde Staten. Toen er een bepaalde groep voorbijliep met hun borden in de hoogte, vroeg een verbijsterde Chinese functionaris aan een Amerikaan in zijn buurt: 'Kunt u mij helpen? Waar ligt dat Lesbia eigenlijk?'

Helemaal in het begin werd ik opgebeld door Marie Wilson van de Ms. Foundation. Haar groep had honderden gehandicapte vrouwen in staat gesteld het NGO-forum bij te wonen. Alleen had ze nu een probleem. De Chinese organisatoren hadden, ongelooflijk genoeg, een workshop voor de gehandicapten geregeld op de vierde verdieping van een gebouw zonder lift en waren geïrriteerd geraakt toen de vrouwen begonnen te scanderen dat ze naar binnen wilden. Ze hadden de tent voor de gehandicapten ook ver van de weg geplaatst. Omdat het onmogelijk was om met de rolstoelen door de modder te rijden, moesten veel afgevaardigden naar de locatie gedragen worden. Hun reis dreigde een ramp te worden.

Op verzoek van Marie stemde ik erin toe om mijn speech voor de NGO's in de tent voor de gehandicapte vrouwen te houden. Toen we daar aankwamen, merkte ik zelf hoe moeilijk het moet zijn geweest voor vrouwen die problemen hadden met lopen. We liepen heuvels op, heuvels af, door hekken, langs een smal pad en een veld op. Ik verweet in mijn speech de organisatie dat ze er niet op had toegezien dat alles toegankelijk was voor gehandicapten. Vervolgens zei ik dat vrouwen over de hele wereld, ondanks recente vorderingen, nog steeds als ondergewaardeerd en onderontwikkeld menselijk kapitaal werden beschouwd. Dat wilde niet zeggen dat vrouwen moeite hadden om werk te vinden. In veel maatschappijen deden ze het grootste deel van het werk, maar ze bezaten geen land, ze leerden niet lezen, konden geen schulden maken en werden niet betaald. Dat was belangrijk, zei ik, omdat als vrouwen de macht hadden om economische en sociale keuzes te maken, de ketens van de armoede zouden worden doorbroken, de gezinnen sterker zouden worden, de verspreiding van seksueel overdraagbare ziektes zou worden teruggedrongen en sociaal opbouwende waarden sneller aan de jongeren zouden worden doorgegeven.

Na dit onderdeel van het programma gingen we terug naar Peking, via een uitstapje naar de Chinese Muur. Niemand heeft ooit een betere eerste reactie gehad dan president Nixon ('Dit is inderdaad een grote muur'). Ik had de muur eerder gezien, tijdens de regering-Carter, en was deze keer verbaasd over de duizenden verkopers die voor de ingang identieke T-shirts, handdoeken en snuisterijen verkochten. Ze waren allemaal bereid te onderhandelen, maar ze hadden allemaal dezelfde minimumprijs voor alles. Dit was het vrije ondernemerschap ten voeten uit, alleen zonder de vrijheid.

De speech van Hillary Clinton was het hoogtepunt van de conferentie, maar buiten de schijnwerpers moest veel zwaar werk worden verzet, waaronder het aannemen van een actieprogramma om het leven van vrouwen in elk wereld-

deel te verlichten. In de jaren daarna heb ik veel vrouwen uit veel plaatsen ontmoet die me vertelden dat ze in Peking waren geweest, of vriendinnen hadden
die er waren geweest, of die door de conferentie waren geïnspireerd om bepaalde initiatieven te nemen. In alle gevallen voelden ze zich gesteund door het
feit dat hun regering in Peking ten overstaan van de wereld had beloofd de rechten van vrouwen en meisjes te respecteren.

Iedereen heeft zijn eigen helden. Sommige van mijn helden heb ik nooit ontmoet, zoals Eleanor Roosevelt en Mahatma Gandhi. Sommige helden zijn overleden, zoals mijn vader en Ed Muskie. Maar een van mijn helden, Aung San Suu
Kyi, is nog zeer levend en leidt de democratische beweging in het Zuidoost-
Aziatische land Birma (of Myanmar). Birma is zowel adembenemend pittoresk
als – onder de huidige leiding – verschrikkelijk arm, een land dat nog steeds op
ossen draait.

Een van George Orwells eerste boeken is *Burmese Days*, maar Birma deed me
denken aan een andere roman van Orwell, *1984*. De militaire junta die de macht
heeft in het land heeft elk vrij instituut geannexeerd of de kop ingedrukt, dwangarbeid ingesteld, politieke oppositie het zwijgen opgelegd en universiteiten
gesloten. Aung San Suu Kyi leidde de Nationale Democratische Bond en hun
kandidaten kregen meer dan 80 procent van de stemmen bij de Birmese parle-
mentsverkiezingen in 1990. De junta had beloofd de verkiezingen te respecteren, maar dat was een leugen. Veel parlementsleden werden gearresteerd voor
de 'misdaad' dat ze waren verkozen. Anderen werden gedwongen tot ballingschap. Omdat ze weigerde zich neer te leggen bij deze onderdrukking, kreeg
Aung San Suu Kyi meer dan vijf jaar huisarrest opgelegd. In 1991 kreeg ze de Nobelprijs voor de Vrede.

Ik had Aung San Suu Kyi nog nooit ontmoet maar kende haar Britse echtgenoot, Michael Aris. In 1992 vroeg Aris of ik Václav Havel wilde vragen om een
korte inleiding te schrijven bij een bundel artikelen van zijn vrouw. Ik belde
Havel die met plezier meewerkte. Dus voelde ik een band.

Op weg terug naar huis van Peking bracht ik een bezoek aan Rangoon en werd
daarmee de eerste functionaris op kabinetsniveau die Birma bezocht sinds de
politieke onlusten waren uitgebarsten en de eerste buitenlander die Aung San
Suu Kyi zag sinds haar huisarrest was opgeheven. Mijn eerste bezoek was aan de
leider van de junta, die toen bekend stond als de SLORC (Staatsraad voor Herstel
van Orde en Gezag). Generaal Khin Nyunt verzekerde me dat het leger Birma
redde door vrede af te dwingen van een etnisch heterogene bevolking. Hij hield
vol dat de regering door het volk niet alleen gerespecteerd werd maar ook be-
mind. Hij zei: 'Tenslotte zien onze mensen er tevreden uit.'

Omdat ik zijn onzin graag wilde weerleggen antwoordde ik dat ik mijn leven
lang onderdrukkende regimes bestudeerd had en wist dat dictators zichzelf vaak
voor de gek houden. Mensen glimlachen soms uit angst, niet omdat ze tevreden
zijn. Ik drong er bij de generaal op aan dat hij een dialoog met Aung San Suu Kyi

zou aangaan over hoe het land kon terugkeren tot een democratisch bestel. Hij antwoordde minzaam dat de junta Aung San Suu Kyi beschouwde als een jongere zuster die zij moesten beschermen. Wat betreft democratische veranderingen zei hij alleen: 'Die dingen hebben tijd nodig.'

De volgende ochtend verwelkomde Aung San Suu Kyi me in haar huis, dat midden in een tuin staat die omringd wordt door een muur. Ze stond in het kleine portiek en droeg traditionele Birmese kleren in de kleuren paars en lavendel, met een bloem in haar haar. Terwijl we elkaar omhelsden zei ze dat ze zo opgewonden was geweest over mijn bezoek dat ze zelfs de muren schoongemaakt en de gordijnen gewassen en gestreken had. Ze ging voor me uit naar binnen, waar aan de muur een enorm portret hing van Aung San Suu Kyi's vader, generaal Aung San, de stichter van het onafhankelijke Birma, die in 1947 door politieke rivalen was vermoord.

Tijdens ons gesprek vertelde Aung San Suu Kyi me dat ze haar man had ontmoet toen ze in Engeland studeerde en dat ze in 1988 naar Birma was teruggekeerd voor wat ze dacht dat een korte periode zou zijn, om voor haar stervende moeder te zorgen. In plaats daarvan raakte ze betrokken bij een ontluikende democratische beweging die al snel de populairste beweging in het land werd. Ze was nu vijftig jaar oud, maar leek leeftijdloos: alleen in haar ogen was het lijden zichtbaar. Ik verbaasde me over haar discipline in het omgaan met huisarrest en zei dat ik me niet kon voorstellen dat ik maand na maand in mijn eigen huis opgesloten zou zijn. Ze zei dat ze kracht had ontleend aan lezen en mediteren en aan de incidenteel toegestane bezoeken van collega's en haar zoons.

Ze vroeg me haar Suu te noemen en benadrukte dat de internationale gemeenschap niet op haar vrijlating had aangedrongen opdat ze ontbijtgasten kon ontvangen, hoe prettig dat ook was. Ze was van plan om actie te blijven voeren voor democratie.

Tijdens ons gesprek werd ik getroffen door het contrast tussen haar etherische schoonheid en haar stalen vastberadenheid. In het buitenland zou ze een comfortabel leven kunnen leiden. Als ze zweeg zou ze een veilig leven hebben. In plaats daarvan had ze gekozen voor de moeilijke weg van principiële en geweldloze oppositie tegen een gewetenloos en wreed regime. Na het ontbijt stonden we samen op de trap van haar huis, hielden een affiche van de conferentie in Peking omhoog en zeiden een paar woorden tegen de pers en hielden – achter onze rug – elkaars hand vast.

Voor mijn vertrek uit Rangoon hield ik een persconferentie waarbij ik me niets gelegen liet liggen aan diplomatieke subtiliteiten. Ik zei dat de Birmese leiders stappen konden ondernemen op weg naar democratie en daarmee hun isolatie konden verkleinen, of konden doorgaan op het pad van onderdrukking en uiteindelijk zowel zichzelf als hun land zouden vernietigen. Terwijl ik sprak zag ik een paar van mijn Amerikaanse collega-diplomaten gekweld kijken. Onze zaakgelastigde, de hoogste in rang van onze ambassade, vond mijn verklaring te hard en ze zei eerlijk tegen me: 'Nu moeten wij de rommel die u gemaakt hebt opruimen.' Ik had geen spijt en mijn assistent Stuart Jones wees erop dat ze de verklaring zelf gefiatteerd had. Het verschil zat hem volgens mij niet in de woorden maar in de kracht waarmee ik ze uitgesproken had. Ik begon de kracht van mijn eigen stem te ontdekken. In de jaren daarna heb ik wegen gevonden om Suu te laten weten dat ze nooit echt uit mijn gedachten is. In 1999 kreeg Michael Aris kanker. We deden een beroep op de Birmese autoriteiten om hem zijn vrouw voor zijn dood te laten bezoeken. Het verzoek werd afgewezen. Aung San Suu Kyi durft nog steeds haar land niet te verlaten omdat ze weet dat ze geen toestemming zal krijgen om terug te keren. Ze verlaat zich op video's om haar boodschap aan de wereld te laten horen. Ik heb vele ervan in de loop van de jaren gezien en bestudeer ze altijd nauwkeurig op zoek naar aanwijzingen. Terwijl de tijd voortschrijdt is het duidelijk dat de spanning zijn tol eist omdat de druk op haar voortdurend toeneemt, hoewel haar stem en boodschap net zo krachtig zijn als voorheen.

Het is ongebruikelijk om iemand die je maar één keer persoonlijk ontmoet hebt als vriendin te beschouwen. Toch weet ik dat ze mijn vriendin is en ik heb reden om aan te nemen dat zij er net zo over denkt.

Een paar minuten voor drie uur 's middags op 24 februari 1996 liet een piloot aan de Cubaanse vluchtleiding weten dat hij van plan was om met een onbewapend Amerikaans burgervliegtuig begeleid door twee andere toestellen ten zuiden van de vierentwintigste breedtegraad, ongeveer halverwege Florida en Cuba, te blijven doorvliegen. Het controlecentrum waarschuwde de piloot dat niet te doen, omdat het gebied ten zuiden van de breedtegraad 'actief en gevaarlijk' was. De piloot, José Basulto, kaatste de bal zelfverzekerd terug en zei: 'We weten dat we iedere keer als we over het gebied ten zuiden van de vierentwintigste komen gevaar lopen, maar we zijn bereid dat als vrije Cubanen te doen.' De drie vliegtuigen hielden hun koers aan.

Om ongeveer tien minuten over drie ontdekte de Amerikaanse douane op de radar twee Cubaanse MiG-gevechtsvliegtuigen in de lucht ten noorden van Havana. Tien minuten later meldde een van de MiG-piloten aan de Havaanse vluchtleiding (GRC): 'Oké, het doelwit is in zicht. Het is een klein vliegtuig... wit en blauw.' Na een paar seconden voegde hij eraan toe: 'We blijven het automatisch volgen. Geef ons toestemming... het is een Cessna 337.'

GRC: Toestemming te vernietigen.
MiG-29: Ik ga erop schieten.
GRC: Toegestaan.
MiG-29: Eerste lancering. We hebben hem geraakt! *Cojones* [ballen]! We hebben hem geraakt! We hebben hem bij de *cojones*!
MiG-23: Deze zal ons niet langer lastigvallen.
GRC: Gefeliciteerd.

Er gingen een paar minuten voorbij.

> MiG-29: Ik heb een ander vliegtuig in het vizier.
> GRC: U hebt toestemming het te vernietigen.
> MiG-29: De andere is vernietigd! De andere is vernietigd! Het vaderland of de
> dood! De andere is ook neer!

Honderden meters lager, in internationale wateren, waren de passagiers van een Noors cruiseschip en de bemanning van een Amerikaans vissersschip de geschokte getuigen van de moorden in de lucht.

Het was zaterdag. Ik was in New York toen het campagnecentrum van het ministerie van Buitenlandse Zaken me bereikte. Men vertelde me dat twee Amerikaanse vliegtuigen van een Cubaans ballingencentrum in Miami waren neergeschoten door Castro's krijgsmacht. Vier mensen, namelijk drie Amerikaanse burgers en iemand met een verblijfsvergunning, waren dood.* Het derde vliegtuig was veilig teruggekeerd.

De kranten van de volgende dag vertelden een uitgebreider verhaal. Aan boord van de noodlottige Cessna zaten vier leden van de Brothers to the Rescue. De groep was in 1991 opgericht en de leden vlogen met kleine vliegtuigen tussen de VS en Cuba, op zoek naar Cubaanse vluchtelingen op vlotten. Het was een humanitaire groep met een politieke agenda. Vóór februari 1996 waren er al minstens twee keer piloten van de groep over Havana gevlogen om anti-Castro-folders af te werpen. De Federal Aviation Association (FAA) had naar aanleiding van een illegale vlucht over Cubaans gebied in juli van het jaar ervoor een onderzoek ingesteld naar José Basulto, de leider van de groep en de piloot van het vliegtuig dat terugkeerde. Ondanks dit verhaal zei het ministerie van Buitenlandse Zaken dat de schietpartij had plaatsgevonden in het internationale luchtruim. De autoriteiten in Havana waren het daar niet mee eens. De wereld wachtte op onze reactie.

Nog voor ik de krant uit had, belde ik Washington. Ik was aan de beurt om de Veiligheidsraad voor te zitten en besloot een spoedvergadering bijeen te roepen. We moesten de waarheid achterhalen voor Castro de feiten kon verdoezelen. We regelden snel dat er technische experts naar New York zouden vliegen om de raad in te lichten over waar, wanneer en hoe het neerschieten precies had plaatsgevonden. De voorlopige bewijzen aan de hand van radar, getuigen en de wrakstukken bevestigden de positie van de VS. Ik gaf mijn collega's een chronologie van de gebeurtenissen en liet een conceptverklaring van de voorzitter rondgaan waarin de moorden werden veroordeeld en werd opgeroepen tot een onderzoek door de International Civil Aviation Organization (ICAO).

Tijdens onze informele sessie de volgende dag stelde de Chinese ambassadeur

---

* De slachtoffers waren Pablo Morales, Carlos Costa, Mario de la Peña en Armando Alejandre jr.

voor dat we zouden wachten tot de Cubaanse minister van Buitenlandse Zaken
zou arriveren om de lezing van zijn regering te laten horen. Ik zei nee. De minister van Buitenlandse Zaken was in Europa op het moment van de moorden en
vloog later naar Mexico-Stad. De Chinese diplomaat zei vervolgens dat hij het
niet eens kon zijn met de verklaring – die door iedereen gefiatteerd moest worden – omdat hij geen instructies uit Peking ontvangen had.

De Chinezen en hun instructies waren een voortdurende bron van irritatie.
Het was waar dat ze last hadden van de twaalf uur tijdsverschil en dat hun VN-
delegatie gezien hun stelsel onder strenge controle stond, maar soms wilden ze
alleen maar vertragen. Ik zei dat we zouden pauzeren en terugkeren om 23.00
uur, zodat er tijd genoeg was voor het ontvangen van instructies. Toen we weer
bijeenkwamen zei de Chinese ambassadeur dat hij nog steeds niets gehoord
had, kennelijk in de hoop dat de andere ambassadeurs, die geïrriteerd en moe
waren, ook uitstel zouden willen. Ik dacht er niet over om dat te laten gebeuren.
In plaats daarvan zei ik: 'Misschien moeten we van deze verklaring een resolutie
maken en officieel stemmen.' Onmiddellijk, als door een wonder, verschenen de
Chinese instructies, waarin stond dat ze het eens waren met de voorzittersverklaring. De Chinezen wilden alleen dat ik de Cubaanse ambassadeur bij de
Verenigde Naties toestond een eigen verklaring af te leggen. Daar had ik geen
problemen mee. Omdat ik het idee had dat ik mijn collega's al te lang had opgehouden, was ik ook bereid mijn verklaring als Amerikaanse afgevaardigde te laten schieten, en las ik alleen de voorzittersverklaring van veroordeling voor.

Het was 3.30 uur in de ochtend voor de Cubaan klaar was met zijn woeste anti-
Amerikaanse tirade. Ik hoorde hoe hij me beschreef als intrigerende imperialistische leugenaar, maar kon niet reageren omdat ik mijn recht op spreektijd als
nationale afgevaardigde had opgegeven. Uiteindelijk gaf het VN-protocol mij
een mogelijkheid om terug te slaan, zij het met honing en niet met azijn. De eerste keer dat de voorzitter van de raad met gelukwensen wordt toegesproken door
een andere ambassadeur, voorziet de procedure die is opgesteld door de VN-staf
in een gepaste reactie. Toen mijn aanklager klaar was, werd het stil in de zaal. Ik
keek naar het voorgeschreven antwoord en zei: 'Ik dank de Cubaanse afgevaardigde voor zijn verklaring en voor de vriendelijke woorden die hij aan mij heeft
gewijd.' De raadsleden die nog niet in slaap waren, lachten om dit bizarre stukje
theater en we gingen allemaal naar huis om te slapen.

De voorzittersverklaring was belangrijk omdat die vastlegde dat de raad had
gezegd dat de Cubaanse actie een misdaad was. De schaamteloosheid van die
misdaad werd de volgende dag nog duidelijker. We ontvingen uit Washington ra-
darkaarten van de douane waaruit bleek dat de twee vliegtuigen ruim ten noorden van de Cubaanse territoriale grenzen waren neergeschoten. We ontvingen
ook transcripties van de gesprekken tussen de twee MiG-piloten en de vluchtleiding in Havana voor en na de schietpartij. Mijn woede nam toe toen ik de transcripties doornam. De MiG-piloten wisten heel goed dat ze burgervliegtuigen ver-
nietigden en toch hadden ze geen enkele poging gedaan om de Brothers te

"MADELEINE ALBRIGHT KICKED BUTT IN THAT SUIT."

waarschuwen door radiocontact te maken, met hun vleugels signalen te geven of te proberen hen in een andere richting te begeleiden. Ze hadden eenvoudig – en sadistisch – het vliegtuig uit de lucht geschoten.

Het leek mij niet dat er veel testosteron voor nodig was om een onbewapend vliegtuig met behulp van raketten neer te halen. Ik zei tegen Jamie Rubin: 'Ik denk niet dat ze *cojones* hebben; ik denk dat het lafaards zijn.' Nadat Elaine Shocas, die mijn teksten nakijkt op 'wilde uitlatingen', de tekst had bekeken, gaf ik een verklaring uit die in nog geen duizend jaar door het ministerie van Buitenlandse Zaken zou zijn goedgekeurd als ze hem van tevoren hadden gelezen. Na een overzicht van de feiten verwees ik naar de getapete gesprekken en zei: 'Ik was verbijsterd over de vreugde die deze piloten beleefden aan het in koelen bloede plegen van moorden. Eerlijk gezegd is dit geen kwestie van *cojones*. Dit is lafheid.'

Er vielen monden open in de perskamer. CNN zond de persconferentie uit, maar de samenvatting van verslaggever Richard Roth verloor iets in de vertaling: 'Ambassadeur Albright zei, verwijzend naar het gebruik van een vulgaire uitdrukking, dat "dit geen vulgariteit is, maar lafheid".'

Mijn gebrek aan tact stortte me in een wespennest van kritiek van Latijns-Amerikaanse deskundigen, onder wie mijn vriend Diego Arria, de permanente vertegenwoordiger van Venezuela. Arria zei tegen de pers: 'Ik zou dat woord nooit gebruiken, zelfs niet op mijn boerderij.' Later trok Arria bij, misschien aangemoedigd door zijn vrouw. Anderzijds kreeg mijn commentaar veel steun van Amerikaanse burgers, onder andere van de ballingengemeenschap in Miami. Het gevolg was dat mij gevraagd werd om de regering te vertegenwoordigen bij een her-denkingsbijeenkomst die in Miami werd gehouden voor de overleden Brothers. Functionarissen van het Witte Huis adviseerden me om me behoudend te kleden en somber te kijken. 'Dit is een gemeenschap in rouw,' zeiden ze tegen me.

Ik kreeg een vermoeden dat het geen gewone gebeurtenis zou worden toen we onderweg van het vliegveld naar Miami vast kwamen te zitten in het verkeer. We hadden veel Cubaanse en Amerikaanse vlaggen uit autoraampjes zien steken en kregen te horen dat de Orange Bowl al helemaal vol zat. Terwijl ik zat te kijken naar de mensen in de andere auto's, merkte ik dat ze terugkeken. Vervolgens kwamen ze uit hun auto's naar ons toe, lachten, wuifden en sloegen met hun handen op het autodak terwijl ze riepen: 'Señora Cojones!' 'Mevrouw Cojones!'

Uiteindelijk bereikten we de Orange Bowl en gingen naar het kantoor van het stadion om de familie van de slachtoffers te ontmoeten. Ze waren diepbedroefd en zeiden dat de Brothers alleen maar hadden geprobeerd hun mede-Cubanen te helpen. Mijn beveiligingsteam wilde me het stadion in dirigeren, maar de va-der van een van de slachtoffers vroeg of ik hem wilde begeleiden. Ik zei meteen ja. Ik nam de arm van de waardige heer en wandelde het veld op door de tunnel die normaal door de Miami Dolphins wordt gebruikt.

We werden verwelkomd door een muur van geluid. Ik moest in het begin moeite doen om te horen wat de menigte scandeerde. Toen drong het tot me door. 'Libertad, Madeleine,' 'Libertad, Madeleine,' steeds opnieuw. De herden-king begon en ik luisterde naar de getuigenissen en het eerbetoon van degenen die van de overleden mannen gehouden hadden. Ik stapte op de microfoons af. Mijn doel was tweeledig. Ik wilde het publiek duidelijk maken dat we Castro niet de kans zouden geven zijn verantwoordelijkheid te ontlopen, maar ik wilde ook elke mogelijke actie die nog meer geweld zou uitlokken ontmoedigen.

Omdat ik nog nooit in een stadion gesproken had, was ik niet voorbereid op de echo. De woorden die over mijn lippen kwamen, keerden enkele seconden later terug. Ik ging daarom langzamer spreken, wat alleen maar betekende dat het langer duurde voor de woorden terugkaatsten. Jamie Rubin, die net onder het platform stond, bleef me signalen geven dat ik sneller moest spreken. Ik deed mijn best om wat ik als een belangrijke boodschap beschouwde over te brengen. Op de een of andere manier werd ik kennelijk gehoord, want praktisch elke zin werd met applaus en voetengestamp begroet, ook mijn conclusie: 'De fout die ti-rannen maken is dat ze de macht om het bevel te voeren over legers verwarren met de macht om de menselijke ziel te overheersen. Castro kon de zielen van de vier dappere mannen die we hier vandaag eren niet overheersen. Hij kan de hang naar democratie die zich over de hele wereld uitbreidt niet uitbannen. [En] hij kan zich niet teweerstellen tegen de macht van de liefde en de liefde voor de vrijheid die op dit moment in dit stadion bestaan.'

In de weken die volgden ging de woordenoorlog tussen Cuba en de Verenigde Staten door. De Cubanen beschuldigden de Brothers van terrorisme. Ze herin-nerden aan de Varkensbaai-invasie van 1962 en spraken van zevenendertig jaar agressie van de Yankees. Ze bleven 'feiten' – waaraan al geen geloof meer werd gehecht – aanhalen over waar en wanneer de tragedie had plaatsgevonden. Tot op de dag van vandaag hebben de Cubaanse autoriteiten nooit hun spijt betuigd over het verlies aan levens of erkend dat ze een fout gemaakt of de wet overtreden hebben.

In juli onderschreef de ICAO de Amerikaanse stellingname in haar onderzoek. Niet uit het veld geslagen door de ramp bleven de Brothers to the Rescue nog zeven jaar vliegen. Ondertussen ging het *cojones*-citaat een eigen leven leiden. Het verscheen in Miami op bumperstickers. Tony Lake zei dat hij, iedere keer dat hij hoorde dat eraan gerefereerd werd, zijn benen over elkaar wilde leggen. President Clinton zei in het openbaar dat het 'waarschijnlijk de meest effectieve oneliner was in het hele buitenlands beleid van de regering'.

Naarmate ik mij zekerder voelde in de VN, groeide ook mijn bereidheid om initiatieven te nemen. In 1996 is dat precies wat ik deed toen ik de verkiezing van Boutros Boutros Ghali voor een tweede termijn van vijf jaar als secretaris-generaal probeerde te voorkomen. Van maand tot maand waren onze meningsverschillen met de secretaris-generaal toegenomen. In Somalië was Boutros Ghali de eerste geweest om de strategie van confrontatie met Aidid te omarmen en de laatste om die op te geven, de strategie mislukte totaal. In Rwanda had hij zich in de periode voorafgaand aan de volkerenmoord niet betrokken getoond, een verzuim dat hij nooit heeft erkend. In Bosnië waren zijn aandringen op het 'tweesleutelssysteem' en het terzijde schuiven als 'een rijkeluisoorlog' niet te verdedigen. Hij was ook uitermate statusgevoelig en gaf de indruk administratieve taken beneden zijn niveau te vinden.* In de loop van de tijd werd hij steeds kritischer over Amerika, wat hem misschien elders punten opleverde maar het voor mij nog moeilijker maakte om op Capitol Hill steun voor de VN te krijgen.

Dit was van belang, omdat met de Republikeinen aan de macht in het Congres, elke VN-kwestie een gevecht was en de secretaris-generaal zelf een probleem was geworden. Hij hield vol dat hij parlementsleden kon overtuigen door persoonlijk met ze te spreken, maar als hij het probeerde maakte hij het alleen maar erger. Zijn hooghartige manier van doen vond geen weerklank en onze meer partijgebonden tegenstanders wilden helemaal niet naar hem luisteren omdat ze er te veel plezier aan beleefden om de VN de bekritiseren. De woorden waarvan de Republikeinse presidentskandidaat Bob Dole zeker wist dat ze hem applaus zouden opleveren waren grappen over de leider van de VN, wiens naam hij langzaam en minachtend uitsprak.

Ik betreurde dit alles omdat ik persoonlijk de secretaris-generaal en zijn

---

* Nog voor ik in New York arriveerde beschreef mijn directe voorganger bij de VN, ambassadeur Edward Perkins, de Egyptische diplomaat in een memo als 'ijdel, humeurig en impulsief', met 'wcrkgewoontes en een manier van doen die het moreel binnen het secretariaat tot een absoluut dieptepunt hebben gebracht'.

vrouw Leia – een sterke persoonlijkheid die op een keer een kamer vol hoge functionarissen binnenliep en geestig zei: 'O! Een harem van mannen' – bewonderde. Boutros Ghali en ik hadden vaak levendige discussies tijdens diners, onder andere in 1995 toen hij me een verhaal vertelde over een Nigeriaanse waarzegger die op bezoek was geweest en had gezegd: 'Ik zie een vrouw en zij zal u verraden. Haar naam is Madeleine.' We hadden allebei gelachen.

Toen de secretaris-generaal in 1991 was gekozen, beloofde hij slechts één termijn te blijven. Nu was hij zich echter, net als sommige Amerikaanse politici die akkoord gaan met eindige functietermijnen om die afspraken daarna te vergeten, aan het voorbereiden om zich opnieuw kandidaat te stellen, reisde overal naartoe en deelde benoemingen uit met de zorg en deskundigheid van een corrupte partijbons. Zijn activiteiten betekenden dat ik moest besluiten of ik niets zou doen en zou toestaan dat hij genomineerd zou worden voor een tweede termijn of de drastische stap moest nemen te proberen hem tegen te houden.

Ik besloot dat, als de relaties tussen de VN en de VS beter moesten worden, de secretaris-generaal moest verdwijnen. Dat betekende oorlog. We begonnen met één groot voordeel. Als wij niet voor hem stemden, kon hij niet winnen. Een secretaris-generaal moet de stemmen van alle vijf permanente vertegenwoordigers van de Veiligheidsraad krijgen. Maar toch waren er risico's. Frankrijk, ook een permanente vertegenwoordiger, zou ons tegenwerken; we zouden worden beschuldigd van arrogant gedrag; en de schulden die we nog steeds aan de VN hadden zouden tegen ons worden gebruikt. Het zag er niet naar uit dat Boutros Ghali zich vrijwillig terug zou trekken en er was altijd de mogelijkheid dat we, als het stof eenmaal was opgetrokken, vastzaten aan iemand die nog slechter was.

Bij mijn bezoeken aan Washington legde ik aan Christopher en Lake uit hoe ik erover dacht. Ze hadden hun twijfels, maar ze hadden nog meer klachten over de secretaris-generaal dan ik. Tijdens een vlucht naar Bosnië in januari 1996 stelde ik de kwestie aan de orde bij de president die zei dat hij het met me eens was.

Christopher vroeg me mijn argumenten op papier te zetten. In het memo dat daaruit resulteerde zette ik de redenen uiteen voor het afdwingen van een verandering en stelde diverse vervangers voor, onder wie mijn favoriete kandidaat, de Ghanees Kofi Annan – een VN-employee die daar carrière had gemaakt, met brede ervaring in de moeilijkste functies.* Annan had in de vuurlinie gelegen tijdens de strijd om vredeshandhaving door de VN professioneler te maken en had niet – in tegenstelling tot zijn bureaucratische broeders – getracht om de verantwoordelijkheid voor mislukkingen te ontlopen. Hij is de zoon van een stamhoofd

---

* 'De redenen voor verzet tegen BBG zijn zwaarwegend, op inhoudelijke, wettelijke en politieke gronden. Hij zet zich niet in voor onze dringende hervormingsdoelstellingen, noch is hij in staat ze te bereiken. Het verhinderen van zijn tweede termijn zal onze kansen aanzienlijk doen toenemen om geld te krijgen van het Congres, onze schulden af te betalen en onze verplichtingen na te komen. Ten slotte zullen de kansen om binnenlandse eensgezindheid te bereiken voor steun aan toekomstige VN-acties enorm toenemen als hij het toneel verlaat.' Memo van de auteur aan de president, maart 1996.

en lijkt een geboren leider. Hoewel hij fysiek geen grote man is, gedraagt hij zich zo dat hij respect afdwingt. Hij heeft een vriendelijke stem, met iets zangerigs erin, en is innemend – een welkome verandering na de norse Boutros Ghali. Het was een voordeel dat Annan Afrikaans is, omdat Boutros Ghali was gekozen als een Afrikaanse afgevaardigde en hij anders zou zeggen dat onze pogingen om hem af te zetten een belediging van het hele werelddeel was. Kofi Annan sprak ook de taal van Molière goed genoeg om onmiddellijke diskwalificatie door de Fransen te voorkomen. Ik waarschuwde echter dat we pas tegen het einde een openlijke voorkeur voor een kandidaat moesten laten blijken. We wisten dat mensen waarschijnlijk boos op ons zouden zijn en wilden niet dat ze hun woede koelden op Annan.

We hielden ons besluit maandenlang geheim terwijl Christopher probeerde de secretaris-generaal over te halen om zich waardig terug te trekken en een verlenging van zijn ambtstermijn van één jaar, tot zijn zevenenvijftigste verjaardag, te accepteren. Boutros Ghali eiste minstens nog een halve termijn – tweeënhalf jaar. De Egyptische president Moebarak deed een vergeefse poging onze meningsverschillen bij te leggen. Ondertussen bleef de secretaris-generaal campagne voeren.

Half juni besloot Warren Christopher het nieuws over onze stellingname te lekken naar de *New York Times*. De openbaarmaking was om een aantal redenen verstandig, maar het lukte ons niet om de diplomatieke coördinatie op de juiste wijze te regelen. Ik hoorde dat de beslissing genomen was terwijl ik per auto van San Diego naar Los Angeles reed. Ik wist dat ik mijn collega's in de Veiligheidsraad in New York moest bereiken, die woedend zouden zijn dat ze niet geraadpleegd waren. Mijn mobiele telefoon deed het niet goed, dus gingen we naar een telefooncel voor een eetcafé met de naam Bubba's Hundred Sandwiches. Terwijl ik de automaat kwartjes voerde, verspreidde ik het bericht. Zoals ik al had verwacht, waren de andere ambassadeurs niet gelukkig.

Onze campagne, die toch al niet soepel van start was gegaan, trof al gauw een volgend struikelblok. We hadden gehoopt de Organisatie van Afrikaanse Eenheid (OAE) over te kunnen halen geen kandidaat te steunen, maar we hadden te lang gewacht. Onder druk van Frankrijk en Egypte legden de drieënvijftig Afrikaanse landen tijdens hun jaarlijkse bijeenkomst hun steun vast voor de man die wij ons voorgenomen hadden te vetoën.

We intensiveerden onze diplomatie en benadrukten ons idee dat een verandering van leiding de VN effectiever zou maken. We deelden gespreksonderwerpen uit voor gebruik tijdens officiële bijeenkomsten. Wij legden de nadruk op onze wens om gekwalificeerde alternatieven te vinden, vooral uit Afrika. Hoewel weinig regeringen enthousiaste aanhangers waren van de secretaris-generaal, wilden nog minder zich openlijk samen met ons tegen hem keren. De meeste waren voorzichtig en kozen ervoor om af te wachten. Ondertussen gaf Boutros Ghali niet op. Zijn adviseurs verzekerden hem dat onze motieven politiek van aard waren en dat ons standpunt na de verkiezingen van november zou veranderen. Koppig als altijd weigerde hij de verschillende plannen die we voorstelden om hem op waardige wijze te laten vertrekken, in overweging te nemen. Op verschillende momenten stelde ik voor dat de secretaris-generaal zou moeten worden benoemd bij het Internationaal Gerechtshof, de leiding zou krijgen van de mondiale Francophone Group (een functie die hij uiteindelijk zou gaan bekleden), of een nieuwe rol zou krijgen als 'emeritus secretaris-generaal', met een kantoor en ceremoniële verplichtingen. Ik wilde erg graag een persoonlijke confrontatie vermijden, maar ik was niet van plan dit gevecht te verliezen.

In oktober hadden Boutros Ghali en ik weer een werkdiner in zijn ambtswoning. Hij begon met te zeggen dat hij niet kwaad op me was. 'Ik zit al heel lang in de politiek,' zei hij, 'en ik weet dat het kan vriezen of dooien zonder ooit de ware reden te weten.' Hij voorspelde slechte tijden voor de VN en zei dat de volgende secretaris-generaal het moeilijk zou krijgen. Ik sprak opnieuw over onze wens een waardig afscheid voor hem te organiseren en hij vroeg of ik hem *baksheesh*, een omkoopsom, aanbood. Ik ontkende dat uiteraard.

Na ongeveer vijfenveertig minuten verplaatsten we ons naar de eetkamer. De butler bracht ons dampende kommen erwtensoep. Ik nam één hap en begon het erg warm te krijgen. Terwijl we spraken over Irak en Burundi zei ik niets over de temperatuur, omdat de secretaris-generaal er kennelijk geen last van had. Ik had bovendien allang geleden besloten niets te zeggen over de temperatuur in een kamer, want het kon zijn dat ik een opvlieger had.

Tegen het nagerecht bracht de butler me een briefje op een zilveren presenteerblad. Er stond in het Frans op: 'John Whitehead zegt dat alles in orde komt.' Ik was in verwarring. Waarom was het briefje in het Frans? Waarom zou Whitehead – een vriend die hoofd was van de VN Association en een paar deuren verderop woonde – mij een briefje schrijven? Hoe wist hij dat ik bij Boutros was? Mijn gastheer had zijn eigen vragen. 'Is dat een briefje van je staf? Zijn ze bang dat ik je vergiftigd heb?' Op dat moment stormde Leia de eetkamer in en riep uit: 'Wat doen jullie hier in deze hitte, jullie moeten het wel bloedheet hebben!'

Haar man zei: 'Godzijdank, ik transpireerde, maar omdat Madeleine niets zei dacht ik dat ik een hartaanval kreeg en ik wilde niet dat ze het wist.' Toen vertelde ik hem waarom ik niets over de warmte had gezegd. We moesten allemaal lachen – geamuseerd maar ook gegeneerd dat we na al die tijd nog te verlegen waren om eerlijk te zijn over zoiets simpels. Tot het laatste moment lukte het de secretaris-generaal en mij niet om te communiceren. Later kwam ik Whitehead tegen en vroeg ik hem naar het briefje. Hij zei dat hij Leia op een cocktailparty was tegengekomen en zij had hem verkeerd begrepen. Het briefje was kennelijk van haar aan haar echtgenoot en per ongeluk door de butler aan mij gegeven. Ik vroeg me af wat Leia en Boutros na afloop tegen elkaar zeiden.

Hoewel wij de wereld bleven vertellen dat Boutros Ghali niet zou zegevieren, kwamen nieuwe kandidaten niet enthousiast naar voren. Ondertussen verliep de strijd in de media niet goed. Op de VN speelde de getergde secretaris-generaal de rol van de schlemiel tegen een pestkop die ver achter was met zijn betalingen. De internationale pers beukte op ons los, net als de critici in ons eigen land. Door de logica van onze eigen strategie konden we de keuze niet aantrekkelijker presenteren, de charismatische Kofi Annan tegen de aristocratische Boutros Ghali.

Al gauw begon ik gemor te horen binnen onze eigen regering over 'de moeilijkheden waarin we onszelf gebracht hadden'. Op een keer had ik in New York vreselijke ruzie met Tony Lake in de studeerkamer van mijn ambtswoning. Tony zei dat hij altijd getwijfeld had of het de juiste beslissing was om Boutros Ghali tegen te werken en dat ik alleen stond. Ik wierp tegen dat we de juiste keuze hadden gemaakt, zij het een lastige, en dat we een andere baan moesten zoeken als we niet bereid waren kritiek te incasseren. Het meningsverschil liep zo hoog op dat Richard Clarke en Michael Sheenan van de NSC en Elaine Shocas van mijn staf – geen van allen voor een kleintje vervaard – de kamer verlieten om ons onder elkaar onaardigheden te laten uitwisselen. Later die avond breide ik, om te kalmeren, twee rode mutsen in de vorm van tomaten voor mijn kleinzonen David en de pasgeboren Jack.

De herfst van 1996 werd beheerst door onze campagnes voor de herverkiezing van Bill Clinton en de niet-verkiezing van Boutros Ghali. Om de spanning rond beiden te verlichten wedde ik met mijn buurman in de Veiligheidsraad, Joseph Legwaila, de permanente vertegenwoordiger van Botswana. Tijdens de Democratische conventie had vice-president Gore een grapje gemaakt over het dansen van de macarena, een tamelijk lichamelijke Latijns-Amerikaanse dans. Dus wedde ik met Legwaila dat als de Democraten de verkiezing wonnen, ik met hem in de raadszaal de macarena zou dansen. Bij de eerste de beste gelegenheid nadat Clinton en Gore gewonnen hadden, deden Joe en ik onze dans. Omdat ik hen vaak onder druk gezet had, neem ik aan dat de ambassadeurs er plezier aan beleefden om te zien hoe ik mijn eigen lichaamsdelen nu – zij het kort – onder druk moest zetten.

Toen de directe confrontatie naderde, zette mijn team in New York alles op alles, vergaderend met andere delegaties, telefoontjes plegend, strategieën uitzettend en stemmen tellend. Helaas bleek het tellen van de stemmen van diegenen in de Veiligheidsraad die het met ons eens waren geen erg moeilijke bezigheid.

Op 19 november vetode ik een resolutie die de secretaris-generaal een tweede termijn zou hebben bezorgd. De stemming was 14-1 tegen ons. De confrontatie die we hadden willen vermijden was nu voor iedereen duidelijk en we stonden kennelijk alleen. Ik was niet tevreden, maar ik beschouwde de ogenschijnlijke nederlaag als een keerpunt. Ja, we hadden een klap gekregen, maar we stonden nog overeind – en hadden bewezen dat de herverkiezing van de president onze vastbeslotenheid om een nieuwe secretaris-generaal te kiezen niet had aangetast. Als Boutros Ghali dacht dat we op het laatste moment zouden terugschrikken, had hij ongelijk. Bovendien was veel van de internationale steun die hij leek te hebben slechts oppervlakkig. Ons veto gaf veel landen die de waarde van onze argumenten inzagen diplomatieke dekking en zij waren nu openlijk bereid om op een minder vermoeid paard te wedden.

De Ethiopische president Meles Zenawi schreef een brief aan de Kameroense president Paul Biya, die tevens hoofd van de OAE was, om hem dringend om Afrikaanse vervangers te verzoeken. Biya zelf was altijd lauw geweest in zijn steun aan de zittende functionaris. Zijn prioriteit was te garanderen dat een Afrikaan de baan kreeg. Al gauw leek het alsof heel New York informele gesprekken hield met Afrikaanse delegaties om uit te zoeken of er kandidaten waren die in staat waren een massale organisatie te leiden en die beantwoordden aan de specifieke eisen van de Verenigde Staten (voor hervorming), de Fransen (vloeiend hun taal spreken) en de Chinezen (geen betrekkingen met Taiwan). Ten slotte stuurde Biya op de dag na Thanksgiving een brief rond aan de leden van de OAE waarin hij hen ontsloeg van de verplichting om de secretaris-generaal te steunen.

Nu Boutros Ghali verslagen was, zat ik vrijwel voortdurend in vergaderingen waarin ik steun voor kandidaten over wie we twijfelden ontmoedigde en ondertussen bescheiden reclame maakte voor Kofi Annan. Dit was makkelijk omdat Annan duidelijk de best gekwalificeerde persoon was. Niemand, van geen enkel werelddeel, was deskundiger of beter voorbereid. De Fransen wachtten tot het laatste moment, enerzijds om ons te laten zweten en anderzijds om onze steun te verkrijgen voor de vervanging van Annan als hoofd van de VN-afdeling voor vredeshandhaving door een Fransman. Op 13 december nomineerde de Veiligheidsraad eindelijk unaniem Annan als de zevende secretaris-generaal van de VN.*

Het besluit van de regering om te proberen Boutros Ghali te vervangen bleek in de jaren daarna juist te zijn geweest. In 1998 stemde het Congres ermee in de betalingsachterstand van de VS weg te werken, terwijl men extra hervormingen bij de VN aanmoedigde. Hoewel ik het niet in alles met Annan eens was, bleek hij een populaire, creatieve en hard werkende secretaris-generaal, die geen tegenstand ontmoette toen hij zich in 2001 opnieuw kandidaat stelde en vervolgens – samen met de VN – de Nobelprijs voor de Vrede ontving.

In zijn memoires, *Unvanquished*, onthult Boutros Ghali veel over zijn houding die collega's vaak irritant vonden. Hij erkent slechts één fout gemaakt te hebben in de vijf jaar dat hij bij de VN aan het roer stond (Italië toestemming geven om peacekeepers naar Somalië te sturen). Wat er verder misging, was de schuld van de Verenigde Staten of het Westen. Hij geeft mij er ook flink van langs, wat best is. Ik heb de Egyptische diplomaat sindsdien niet meer gezien, maar op een dag ontmoette ik Leia toevallig op straat in New York. Ik wist niet goed wat ik moest doen, maar ze omhelsde me meteen en zei: 'Schat, we missen je zo.' Gedurende mijn jaren in New York leerde ik van secretaris-generaal Boutros Ghali veel over diplomatie. Ik denk dat ik van zijn vrouw zelfs nog meer had kunnen leren.

* Boutros Ghali had beweerd dat ik dit alles begonnen was omdat ik graag minister van Buitenlandse Zaken wilde worden. Dat is niet waar. Pas tegen het eind raakten de twee kwesties met elkaar verbonden. Ik wist dat men, als ik deze uiterst belangrijke diplomatieke strijd verloor, zou zeggen: 'Ze krijgt haar zaakjes niet voor elkaar.' Natuurlijk werd alles gemakkelijker toen ik eenmaal benoemd was. Wie zou zich nog verzetten tegen de volgende minister van Buitenlandse Zaken?

DEEL DRIE

Mevrouw de minister

HOOFDSTUK 14

'Ik wil dat je mijn minister van Buitenlandse Zaken wordt'

'**D**E JONGENS ZIJN PERPLEX,' meldde Thomas Oliphant. 'Ze dachten niet dat het ooit zover zou komen. Half Washington is in shock.' Het was de middag van 5 december 1996 en ik kreeg veel boodschappen met gelukwensen van collega's en goede vrienden zoals Tom, een columnist van de *Boston Globe*. De 'schok' werd veroorzaakt door president Clintons besluit eerder die dag om me voor te dragen voor de functie van minister van Buitenlandse Zaken.

De gebeurtenissen die voorafgingen aan dat moment werden bepaald door een merkwaardige traditie in Washington. In tegenstelling tot kandidaten die gekozen moeten worden en die fel moeten wedijveren voor hun positie, trots pronkend met hun eigen deugden terwijl ze hun tegenstanders bespottelijk maken, hebben aspirant-kabinetsleden een passieve rol, als in een ouderwetse vrijage, toebedeeld gekregen. Het wordt als onfatsoenlijk beschouwd om op te scheppen, anderen te kleineren of openlijk je belangstelling te tonen. Subtiliteit is verplicht. Campagne voeren gebeurt niet – althans niet openlijk.

Het grootste deel van mijn leven zou ik de mogelijkheid om ooit leiding te geven aan het ministerie van Buitenlandse Zaken niet als realistisch hebben beschouwd. Tijdens de Dukakis-campagne in 1988 speculeerde de pers dat ik hoofd van de NSC zou worden als we wonnen. Ik kon me mezelf voorstellen als een beleidscoördinator achter de schermen, maar niet in een zo opvallende functie als minister van Buitenlandse Zaken. Na die verloren verkiezing antwoordde ik, iedere keer als ik werd voorgesteld als iemand die adviseur nationale veiligheid had kunnen zijn, met mijn favoriete zin voor oprecht hypothetische situaties: 'Ja, en als mijn moeder wielen had, zou ze een fiets zijn.'

Mijn jaren bij de VN hadden mij echter veel praktische ervaring en een fikse portie publiciteit opgeleverd. Tegen het eind van 1994, toen minister Christopher overwoog ontslag te nemen, zei zijn plaatsvervanger Strobe Talbott dat ik een logische opvolger zou kunnen zijn. Dat was voor het eerst dat ik het idee serieus nam. Christopher nam toen geen ontslag, maar er werd algemeen verwacht dat hij aan het eind van de eerste ambtstermijn van de president, twee jaar later, zou terugtreden.

Tegen de tijd dat die datum naderde bracht senator Patrick Leahy van Vermont een avond in New York door om me ervan te overtuigen dat ik een realistische kans had om te worden gekozen. Melanne Verveer, plaatsvervangend stafchef van de first lady, verzekerde me dat mijn vooruitzichten zeker zo goed waren als van wie dan ook. Judith Lichtman en Marcia Greenberger, gerespecteerde leiders van nationale vrouwengroepen, moedigden me aan 'ervoor te gaan'. Televisie- en krantenverslaggevers gaven me privé het advies om het een kans te geven, net als Bill Moyers, voormalig presidentiële perschef en uitgever van *Newsday*. Het leek me de meest onvoorstelbare eer en grootste uitdaging om de president te helpen de juiste manier te vinden om Amerikaanse invloed uit te oefenen op een veranderende wereld. Dus toen Leon Panetta, stafchef van het Witte Huis, sprak met de kabinetsleden over hun plannen voor de toekomst, zei ik iets waarvan ik tot op dat moment niet wist dat ik de moed zou hebben om het te zeggen: 'Ik blijf heel graag bij de VN werken, maar ik heb belangstelling voor de functie van minister van Buitenlandse Zaken.'

Op de dag van de herverkiezing van de president bevestigde Christopher dat hij van plan was om te vertrekken. Inmiddels werd er al druk gespeculeerd over zijn vervanging. Het voorspellen van presidentiële benoemingen is een geliefde hobby in Washington. De telefoonlijnen en dineetjes in de hoofdstad gonzen van de laatste nieuwtjes over wie in is en wie uit. Elke nieuwsronde levert een nieuwe voorraad namen, commentaar en roddel op. Iedereen speelt het spel, dat zowel onweerstaanbaar is als in hoge mate zinloos, aangezien de enige spelers die ertoe doen de president en een kleine groep adviseurs zijn.

Die november concentreerden de geruchten over wie er tot minister benoemd zou worden zich op vijf namen. De favoriet was George Mitchell, voormalig voorzitter van de Senaat, wiens succes als speciale afgezant naar het vredesproces in Noord-Ierland zijn toch al formidabele politieke kwalificaties op het gebied van buitenlands beleid extra luister had bijgezet. Ik kwam weer even met beide benen op de grond toen een paar van mijn beste vrienden tegen me zeiden wat een fantastische minister Mitchell zou zijn. Nog belangrijker was dat Tony Lake en misschien ook Christopher hoorden bij degenen die Mitchells nominatie steunden.

Richard Holbrooke werd geacht Mitchells voornaamste concurrent te zijn. Hij was onderminister voor Oost-Aziatische zaken tijdens de regering-Carter en had over China geruzied met de NSC en mijn baas, Zbig Brzezinski. Gedurende de presidentiële campagne van 1988, toen ik adviseur van Dukakis was, was Holbrooke adviseur van Al Gore. Ik had altijd respect gehad voor zijn intelligentie die zo duidelijk gebleken was tijdens de onderhandelingen in Dayton en heb bij diverse gelegenheden geprobeerd een goede relatie met hem op te bouwen. Hij kon als hij wilde heel charmant zijn en sinds Bosnië waren we het meestal eens over beleidskwesties. We waren echter geneigd om dingen verschillend aan te pakken. Holbrooke stond erom bekend dat hij erg agressief was, een karaktertrek die soms zowel effectieve diplomatie als persoonlijke relaties in de weg stond.

Twee andere gegadigden waren senator Sam Nunn van Georgia en ambassadeur Tom Pickering. Nunn werd algemeen gerespecteerd om zijn integriteit en deskundigheid op het gebied van defensiebeleid, maar had geen persoonlijke relatie met president Clinton en had op belangrijke momenten oppositie tegen hem gevoerd. Pickering werd terecht beschouwd als een van de beste Amerikaanse beroepsdiplomaten maar had het nadeel dat hij niet over een politiek netwerk beschikte. Er was slechts één keer eerder een beroepsdiplomaat (Larry Eagleburger) benoemd tot minister van Buitenlandse Zaken en dat was om de ambtstermijn van James Baker af te maken. Het was niet eerlijk, maar Pickerings kansen waren afhankelijk van de eliminatie van de kandidaten met meer steun.

De laatste naam op het lijstje was de mijne, meestal voorafgegaan door de woorden 'nog een mogelijkheid' of 'een heel kleine kans'. Hoewel ik het prettig vond dat ik genoemd werd, kon ik mijn mogelijkheden op geen enkele manier inschatten. Ik wist dat de president het op kernpunten met me eens was en vertrouwen had in mijn vermogen om onze boodschap op het gebied van buitenlands beleid diplomatiek dan wel botweg over te brengen. Ik had het idee dat hij mij beschouwde als een goede teamspeler maar wist niet of ik zelfs maar op zijn lijstje van eventuele kandidaten voorkwam. Ik kreeg hoop toen verslaggever Elaine Sciolino van de *New York Times* het Witte Huis vroeg of ik beschouwd werd als een mogelijke kandidaat en woordvoerder Michael McCurry een positieve reactie overbracht, volgens zeggen van de president zelf.

Een aantal van de invloedrijkste 'wijze mannen' van de Democratische partij gaven mij al in het begin het advies om geen 'campagne te voeren' voor de functie. Ik dacht, *hmmm*. Ik zou uiteraard geen campagnebuttons laten maken, maar ik betwijfelde of George Mitchell en Dick Holbrooke rustig thuis op een telefoontje zaten te wachten. Ik was ervan overtuigd dat ze alles zouden doen om het netwerk van aanhangers en vrienden dat ze elk hadden opgebouwd, te activeren.

Voor mannen in het officiële Washington is het terugvallen op een dergelijk netwerk een tweede natuur. Banden worden al vanaf high school en college gesmeed, of later in beginposities op advocatenkantoren of op Capitol Hill. Naarmate de carrières vorderen breiden de netwerken zich uit. Vriendschappen ontwikkelen zich bij borrels, met sigaren, biefstukken, wedstrijden van de Redskins en rondjes golf. Gunsten voor vrienden en familieleden worden uitgewisseld, problemen worden opgelost en zaken geregeld door middel van onopvallende telefoontjes en gesprekken, waar buitenstaanders niets over te horen krijgen.

De vrouwen in Washington hebben ook netwerken, maar tot voor kort waren die voornamelijk sociaal of filantropisch. De mannen concentreerden zich op macht. De vrouwen concentreerden zich op alles behalve macht. In de jaren zestig begon dat – heel langzaam – te veranderen. Kay Graham, de overleden uitgever van de *Washington Post*, was de wegbereider. Belangrijke journalisten als Meg Greenfield, Helen Thomas en Mary McGrory kregen invloed. Pamela Harriman verscheen op het toneel, in het begin naast de mannen in haar leven, vervolgens op eigen kracht als inzamelaar voor politieke fondsen als strateeg en later als ambassadeur in Frankrijk. Er werden steeds meer vrouwen in het Congres verkozen of in functies in de uitvoerende en wetgevende macht benoemd. Buiten de overheid zetten vastberaden vrouwen organisaties op om openbaar beleid te beïnvloeden en de reikwijdte van het intellectuele en politieke debat te vergroten.

Toen de non-campagne voor het ministerschap begon, was mijn eigen netwerk klein vergeleken bij dat van Mitchell of Holbrooke, maar er hoorden enkele intelligente en vastberaden mensen bij. Geraldine Ferraro, senatoren Leahy en Mikulski, afgevaardigde Barbara Kennelly en Wendy Sherman (voormalig onderminister voor Legislatieve Zaken) gaven aan allen die het horen wilden de positieve boodschap door over mijn vermogen om met Capitol Hill te werken. Jamie Rubin, die tijdelijk mijn staf had verlaten om voor de presidentiële campagne te werken, bleef zijn best voor mij doen. Bovendien nam Elaine Shocas elke dag de informatie door die we van medestanders kregen die op de juiste plaatsen inlichtingen verzamelden, suggesties deden en brandjes blusten.* Ze hadden uitstekende bronnen en daarom waren we vaak in staat iedereen een stap voor te blijven. We hoorden bijvoorbeeld dat een van de concurrerende kampen van plan was om tegen de pers te zeggen dat een vrouwelijke minister van Buitenlandse Zaken niet in staat zou zijn om effectief samen te werken met conservatieve Arabische leiders. We verwezen journalisten onmiddellijk naar Arabische diplomaten bij de VN, die zeiden dat de bewering beledigend was en dat geslacht geen rol speelde in hun diplomatie.

Ik wist dat een groot deel van de gemeenschap in Washington en New York die zich bezighield met buitenlands beleid, koos voor Mitchell of Holbrooke. Ik dacht dat ik echter wel enige steun had. Toen meldden twee leden van mijn netwerk dat een van de naaste adviseurs van de president tegen mijn nominatie was en had gezegd dat ik geen kans maakte op de baan.

Ik begreep uiteraard dat Mitchell en Holbrooke al lange tijd meedraaiden, zeer gekwalificeerd waren en vele vrienden hadden die wilden dat ze minister werden. Ik was echter verontrust over het feit dat de mannen de mannen steunden en dat mijn aanhang voornamelijk uit vrouwen bestond. Veel van mijn medestanders waren ervan overtuigd dat het verzet van de mannen een vorm van dis-

---

* Dat waren o.a. Judith Lichtman, Marcia Greenberger, Sally Painter, Anne Reingold, Susan Brophy, Elaine Kamarck, Lula Rodriguez, Barbara Larkin, Meg Donovan, Ertharin Cousin, Jean Dunn, Rachelle Horowitz en Tom Oliphant. Ook waren er veel mensen die adviezen gaven en contact opnamen met belangrijke functionarissen, onder anderen John Cooke, Ellen Malcolm, Marylouise Oates, Bob Shrum, Elaine Jones, Irene Natividad, Kate Michelman, Eleanor Smeal, Patricia Ireland, Pat Reuss, Nikki Heidepriem, Carol Foreman, Sammie Moshenberg, Audrey Tayse Haynes, Carmen Delgado Votaw, Nancy Zirkin, Elizabeth Bagley, Harriet Babbitt, Anne Wexler en Michael Berman. Ik hoorde later ook dat er moeite was gedaan om mijn naam in beeld te houden door verschillende stafleden van de president, de vice-president en de first lady. Ook veel leden van de Senaat en het Huis van Afgevaardigden boden hulp. Ik dank hen allen en het spijt me dat ik niet iedereen met name kan noemen.

criminatie was, maar dat woord wilde ik niet gebruiken. Ik dacht dat het een combinatie van factoren was, onder andere het historische mannelijk monopolie van de functie, het gevoel dat mannen zich beter op hun gemak voelen met mannen en twijfels aan mijn kwalificaties, waarvan ik hoopte dat die ten onrechte waren. Deze punten waren niet nieuw voor me: iedere 'eerste' vrouw of minderheid heeft ermee te maken. Het excuus was altijd geweest dat er nooit genoeg 'gekwalificeerde' kandidaten waren. Tot je het werk doet, denkt niemand dat je het kunt. Wat ook de reden was, het resultaat bracht me van mijn stuk.

Ik wilde niet dat de president me zou afwijzen omdat zijn adviseurs zich geen vrouwelijke minister van Buitenlandse Zaken konden voorstellen. Anderzijds, als hij me wel uitkoos, wilde ik dat dat gebeurde op basis van verdienste, niet op basis van geslacht. Ik dacht in ieder geval dat ik, als mijn benoeming werd beschouwd als een lakmoesproef van de betrokkenheid van de president bij rechten van vrouwen, vrijwel zeker niet gekozen zou worden. Bill Clinton had zijn betrokkenheid op dat punt al vele malen bewezen en zou niet positief reageren op mensen die suggereerden dat hij nog steeds iets te bewijzen had. Het gevolg was dat mijn bondgenoten vrouwengroepen vroegen om zich in te houden en plannen tegenhielden om een brief ten gunste van mij rond te sturen aan de vrouwelijke leden van het Congres.

Natuurlijk waren er mensen die twijfelden of ik de baan wel aankon. Sommige zeiden dat mijn achtergrond te Europees was, ondanks de mondiale portefeuille die ik bij de VN had beheerd. Andere uitten hun twijfels over mijn intelligentie. Als puntje bij paaltje kwam was er niemand kritischer over mij dan ikzelf. Ik had de neiging kritiek te internaliseren, vooral als ik vond dat er een kern van waarheid in zat. Ik was oprecht kwaad op mezelf dat ik tegen de journalist Elaine Sciolino had gezegd: 'Ik ben niet zo slim, maar ik werk erg hard', een citaat dat in grote letters in de *New York Times* verscheen. Vrienden spraken me bestraffend toe dat een man zoiets nooit gezegd zou hebben, hoewel een van de redenen dat ik het zei was omdat ik mijn vader vaak precies hetzelfde over zichzelf had horen zeggen. Ik vroeg me af of de mannen die in aanmerking kwamen ook hun eigen privé-angsten hadden of net zo twijfelden aan zichzelf als ik. Jaren later, toen ik rechter Sandra O'Connor van het Hooggerechtshof geïnterviewd zag worden door Katie Couric van NBC werd ik daaraan herinnerd. Toen haar gevraagd werd of ze angst had gehad om de eerste vrouw in het Hooggerechtshof te worden, zei O'Connor: 'Ja, ik vroeg me af of ik het werk goed genoeg kon doen om ja te mogen zeggen' tegen het aanbod van president Reagan.

Er is veel gespeculeerd over de rol van de first lady bij mijn benoeming. Na de conferentie in Peking had onze vriendschap zich verdiept. Als we elkaar ontmoetten, praatten we altijd eerst over beleidskwesties en vervolgens over meer persoonlijke onderwerpen. Ik vond het heerlijk om over mijn dochters te praten en zij over Chelsea.

In de zomer van 1996 maakten we allebei apart een officiële reis en ontmoetten elkaar in Praag. Hillary had tijdens Havels bezoeken aan Amerika een band met hem opgebouwd en dus vormden we een trio dat goed met elkaar op kon schieten. De Tsjechische president, die net naar zijn nieuwe ambtswoning was verhuisd, ontving ons daar. Ik bood aan om Hillary de stad te laten zien. We wandelden over het Wenceslasplein met Havel, die ons het balkon wees waar hij tijdens de Fluwelen Revolutie had gestaan. We bezochten de oude joodse begraafplaats, maakten ter gelegenheid van 4 juli een bootreis over de Moldau en struinden door winkels vol geslepen kristal, fantastische glazen dieren en antieke juwelen.

Sommige bezienswaardigheden en geuren waren succesvoller dan andere. Ik nam haar mee naar het restaurant binnen de muren van de burcht waar ik eerder was geweest met Havels vrienden. Ik besloot dat Hillary een typisch Tsjechisch gerecht moest proeven, in het bijzonder mijn eigen favoriete gerecht – *zelí*, een soort warme zuurkool die een rode en witte versie heeft. Toen de kelners het brachten, wierp ik er één blik op en zei: 'Deze porties zijn te klein om echt een goed idee te krijgen van het gerecht. Kunnen we alstublieft wat meer krijgen?' De chef leefde zich uit en al gauw werden er enorme bergen van het spul voor ons neergezet, ook al was het vanaf de eerste hap duidelijk dat het niet Hillary's favoriet was. Ik ben ervan overtuigd dat ze daarna alle vertrouwen in mijn oordeel over eten verloren heeft.

Het was niet gemakkelijk om met Hillary over straat te lopen, want er waren steeds mensen die haar aanspraken, maar we gaven niet op. We waren zelfs zo koppig dat, toen we op een gegeven moment in een waanzinnige regenbui terechtkwamen, we met onze kapot gewaaide paraplu's doorliepen terwijl de agenten van de geheime dienst probeerden ons terug te leiden naar de auto's. Tijdens onze wandelingen spraken we over hoogleraren die we op Wellesley hadden gehad en over de gang van zaken in het Witte Huis en met name over het buitenlandsbeleidteam. Hoewel mijn naam inmiddels was genoemd als mogelijke opvolger van Christopher, hebben we het er nooit rechtstreeks over gehad.

Het enige dat ik echt weet over Hillary's invloed op de keuze voor minister van Buitenlandse Zaken hoorde ik maanden na mijn benoeming, tijdens een plechtigheid op de Amerikaanse ambassade in Barbados. Hillary was er, en ook de president. In zijn speech zei de president complimenteuze dingen over mij en citeerde Hillary's advies over mijn benoeming: 'Alleen als je Madeleine kiest, krijg je iemand die dezelfde waarden heeft als jij, die een welbespraakt voorstander is van je buitenlands beleid en op wie alle meiden trots zullen zijn.'

Op een ochtend in november belde Elaine Shocas me om zes uur 's ochtends en zei dat ik de *Washington Post* van die dag moest openslaan. 'Ze hebben het gepresteerd,' zei ze, 'ze hebben het zichzelf aangedaan.' Verstopt in een artikel met speculaties over kabinetsbenoemingen stond de zin: 'VN-ambassadeur Madeleine K. Albright, van wie velen vinden dat ze bij de beste gegadigden voor de functie hoort, behoort in feite tot het "tweede garnituur" van waarschijnlijke kandidaten, zo zei een adviseur van Clinton gisteren; een oordeel dat werd bevestigd door twee regeringsfunctionarissen.' Hoewel de zin vrij ver in het verhaal stond, viel hij op als ketchup op wit linnen. Sommige mensen in de buurt van de president waren er kennelijk op uit om mij te stoppen, en deden dat op een onhandige, neerbuigende manier.

Het citaat prikkelde mijn medestanders en leidde tot verzoeken van vrouwengroepen aan het Witte Huis om het te ontkennen. Het citaat had kennelijk een blootliggende zenuw geraakt. Een eerder geplande bijeenkomst van de vice-president met leiders van de vrouwengroepen vond de week daarop plaats en Gore verzekerde iedereen dat ik een serieuze kandidaat was. Het citaat over het 'tweede garnituur' heeft uiteindelijk misschien niet de doorslag gegeven, maar het maakte het voor degenen in de omgeving van de president die tegen mijn benoeming waren moeilijker om mij stilletjes te begraven. Als ik niet gekozen werd, zou iemand moeten uitleggen waarom.

Gedurende deze periode ontboden de president en vice-president mij ieder apart voor een sollicitatiegesprek. Uit de gesprekken bleek het grote verschil in stijl van de twee mannen. Gore was ernstig en gedetailleerd, ondervroeg me eerst over belangrijke kwesties en daarna over minder belangrijke. Wat vond ik dat er in de Maghreb moest gebeuren? Wat was mijn mening over de problemen op Sachalin?

Mijn gesprek met de president was veel meer ontspannen, maar dat wist ik niet van tevoren. Ik dacht dat ik het zou verprutsen als ik zenuwachtig was. Toen ik bij het Oval Office aankwam, kreeg ik te horen dat de president me wilde ontvangen in de studeerkamer in zijn ambtswoning op de eerste verdieping. Ik werd naar binnen geleid en kreeg thee aangeboden en keek terwijl ik wachtte rond in de kamer naar de diverse memorabilia en een enorm schilderij van een groep mannen die over een stuk papier gebogen stonden. Toen de president binnenkwam, legde hij uit dat we in de Verdragzaal waren; op het schilderij was de Spaans-Amerikaanse wapenstilstand afgebeeld die hier in 1898 getekend was. De tafel die de president als bureau gebruikte was gebruikt om dat verdrag en andere verdragen daarna te ondertekenen, inclusief de Camp David-akkoorden.

Nadat hij me dat stukje geschiedenis verteld had gingen we tegenover elkaar zitten in oorfauteuils, met een salontafel tussen ons in. Hij zei dat ik de eerste was die hij sprak en dat we het niet over mijn kwalificaties hoefden te hebben – ik had mijn werk onder moeilijke omstandigheden uitstekend gedaan – dus zouden we het alleen maar over ideeën hebben. Toen volgde er een diepgaande discussie over hoe de president zich zijn tweede ambtstermijn voorstelde, een visie die hij bracht met aanstekelijk enthousiasme, en over zijn wens om een aantal moeilijke gevallen op te lossen, zoals China, Iran, het Midden-Oosten en de betrekkingen met de islamitische wereld. De president nodigde me meer uit om mijn ideeën te laten horen dan dat hij vragen stelde. Bij de vice-president had ik het gevoel gehad dat ik toelatingsexamen moest doen. Mijn sessie met de president was te vergelijken met het onderdeel opstel van een examen – wat voor mij altijd het makkelijkst was. Ik ontspande me en vond dat het gesprek goed verliep. Op weg naar buiten passeerde ik George Mitchell – kennelijk de volgende die aan de beurt was. We zeiden alleen hallo, en waren ons allebei bewust van de situatie. Ik kreeg ook opdracht om met advocaten van het Witte Huis te spreken, die me ondervroegen over mijn verleden. Tot slot vroegen ze me of er iets aan mij was wat hen zou kunnen verrassen. Ik zei dat ik de laatste tijd een paar brieven had ontvangen die me de indruk gaven dat mijn ouders van joodse origine waren geweest. De advocaten haalden hun schouders op: 'Nou en?'

In de middag van 3 december was ik in mijn huis in Georgetown met Elaine en Suzanne George, een intelligente en energieke jonge advocaat die duizend verschillende dingen deed in mijn staf in Washington.* Samen snuffelden we in dozen, op zoek naar artikelen die ik tijdens mijn wetenschappelijke loopbaan had geschreven. Tijdens mijn gesprek met degenen die voor de president grondig onderzoek deden hadden ze gevraagd om een kopie van alles wat ik ooit geschreven had.

De telefoon ging. Het was de telefoniste van het Witte Huis die vroeg of ik een telefoontje van de president wilde aannemen. Ik moest zeven minuten wachten. Terwijl ik daar ingespannen stond te luisteren maar niets hoorde, voelde ik mijn maag bewegen alsof ik in een achtbaan zat. Ik zei tegen Elaine en Suzy: 'Ik moet overgeven. Hij belt nu vast degenen die afgewezen zijn. Het is allemaal voorbij. Ik ben de pineut.'

Eindelijk kwam de president aan de lijn. Hij zei hallo en verontschuldigde zich voor zijn stem, die hees was als gevolg van een allergieaanval. Toen vroeg hij naar de recente gezondheidsproblemen van Václav Havel, besprak de situatie met Boutros Ghali en maakte een paar algemene opmerkingen over Europa. Ik reageerde zoals het hoorde en de president hing op. 'Hij belde om nee te zeggen,' gokte ik, 'en op het laatste moment durfde hij niet. Wacht maar, hij gaat nu Panetta of Erskine Bowles [Panetta's plaatsvervanger] het vuile werk laten opknappen.'

Zoals altijd stelde Elaine mij gerust. Of het nu kwam door bovennatuurlijke gaven of politiek instinct, ze had al maanden daarvoor gezegd dat ik uitgekozen zou worden. Ik kende al haar argumenten. Ik had bij de VN de allerbeste opleiding gehad. Ik kon met het Congres samenwerken. Ik had getoond dat ik taai was. Ik kon goed speechen en deed het prima op de televisie. Ik was op de hoogte van de onderwerpen en had gelijk op de punten waar de president belangstelling voor had. Hij hield ook van theater en de benoeming van een vrouw zou spectaculair zijn. Ondanks dat kon ik diep in mijn hart niet objectief zijn. Ik vond het fantastisch dat ik een kans maakte op de functie, wist dat die kans maar één keer langs zou komen en wilde mijn uiterste best doen om gekozen te worden. Maar noch in mijn hart, noch in mijn hoofd dacht ik ook maar één moment dat de president mij zou kiezen.

De volgende dag, terug in New York, belde Bowles inderdaad. Gelaten nam ik

---

* Suzy werkte achtereenvolgens als mijn plaatsvervangend stafchef en reisorganisator. Ik zal haar altijd dankbaar zijn voor haar loyaliteit, energie, humor en creativiteit bij het uitvoeren van de meest ingewikkelde opdrachten.

de hoorn aan en wachtte op het slechte nieuws. Hij stelde me toen twee vragen. 'Als de president u zou vragen om minister van Buitenlandse Zaken te worden, zou u dan ja zeggen?' En: 'Bent u morgenochtend om negen uur beschikbaar voor een telefoontje van de president?' Terwijl ik ingespannen luisterde en probeerde kalm te blijven, dacht ik bij mezelf: verwacht je dat er ook maar iemand nee zou zeggen op deze vragen? Hardop zei ik: 'Ja, natuurlijk, absoluut, ja.'

Elaine, Jamie en ik namen de laatste shuttle terug naar Washington. Er gingen geruchten dat ik zou worden benoemd, dus vertrok Jamie op het moment dat we landden om een groot aantal telefoontjes van de pers af te handelen. Ik vroeg Elaine om bij mij in Georgetown te blijven logeren en gaf haar een van mijn flanellen nachtponnen zodat ze niet naar huis hoefde te gaan. 's Ochtends zaten we in mijn huiskamer in dezelfde roze badstoffen ochtendjassen en durfden niet te gaan douchen uit angst dat we het telefoontje zouden missen. Het werd negen uur en kwart over. De telefoon ging. Het was Wendy Sherman die wilde weten of ik al van het Witte Huis gehoord had. We zeiden haastig: 'Nee, nog niet, dag.' Om halftien ging de telefoon weer. Het was een andere vriendin, Susan Berger, Sandy's vrouw, die wilde weten of we al van het Witte Huis gehoord hadden. We zeiden nog gehaaster: 'Nee, nog niet, dag.'

Het was kwart voor tien. Ik nipte aan mijn koffie, maar mijn lichaam maakte inmiddels zijn eigen cafeïne aan. Ik stond mezelf nog steeds niet toe om het te geloven. Ik zei tegen Elaine: 'De president heeft zich bedacht. Hij blijft altijd zo laat op, iemand heeft het hem midden in de nacht uit zijn hoofd gepraat. Misschien laat hij me zelfs niet eens bij de VN blijven.' Uiteindelijk kwam het telefoontje om 9.47 uur. Elaine nam op, luisterde een seconde en gaf me toen zwijgend de hoorn.

'Ik wil dat je mijn minister van Buitenlandse Zaken wordt.' Dat waren zijn eerste woorden. Ik kon het eindelijk geloven. Mijn eigen woorden kwamen traag: 'Ik ben vereerd en dankbaar. Natuurlijk accepteer ik de functie en ik zal alle energie geven waarover ik beschik.' De president feliciteerde me hartelijk en begon afscheid te nemen, maar ik onderbrak hem. 'Nogmaals dank, meneer de president. Ik wou dat mijn ouders nog leefden. Ik zal u nooit teleurstellen.'

Ik hing op, omhelsde Elaine en ging een paar minuten zitten om te proberen te verwerken dat mijn leven net een enorme wending had genomen. Het was werkelijk gebeurd. Ik vroeg me af of ik de president wel behoorlijk had bedankt en bedacht toen dat daar nog ruimschoots de tijd voor zou zijn. Ik pakte de telefoon en belde mijn dochters, zus, broer, en zoveel vrienden als ik kon. Daarna nam ik een bad, liet mijn haar doen, deed een rode jurk en jasje aan en een parelketting met een adelaarshangertje om en vertrok richting Witte Huis, waar de aankondiging zou plaatsvinden. Terwijl ik naast de president en mijn nieuwe collega's*

---

* Kandidaat-adviseur nationale veiligheid Sandy Berger, kandidaat-minister van Defensie William Cohen en Tony Lake, die directeur van de CIA zou worden, maar wiens nominatie werd ingetrokken als gevolg van de partijgebonden oppositie van een handvol Republikeinse senatoren.

stond, zei ik, doelend op minister Christopher: 'Ik hoop dat mijn hakken in zijn schoenen kunnen staan.'

De volgende dag werd ik wakker, deed mijn roze badjas weer aan en ging de ochtendkranten uit de bus halen – en vond daar mijn foto op de voorkant van zowel de *Washington Post* als de *New York Times*. Na het ontbijt vertrok ik naar Union Station om de Amtrak-trein van 9 uur naar New York te nemen. Dat deed ik vaak als het slecht weer was en de vliegtuigen vertraging hadden. Meestal was ik gestrest omdat het besluit om de trein te nemen op het laatste moment werd genomen en ik bang was dat ik ergens te laat zou komen. Op de ochtend van 6 december was ik misschien wel gestrest, maar ook opgetogen.

Ik was in mijn hoofd druk bezig met wat er in het verschiet lag, maar ik had nog heel veel werk te doen bij de VN, dus installeerde ik me in mijn stoel met de bedoeling zoveel mogelijk te lezen tijdens de reis van drie uur. Op het moment dat de trein zich in beweging zette kwam de conducteur om onze kaartjes te controleren. Hij verontschuldigde zich voor het feit dat hij ook een jong meisje bij zich had die me vroeg om haar exemplaar van de *Post* te signeren. Ik schreef: 'Je kunt alles worden wat je wilt zijn. Succes en beste wensen', en ging toen door met lezen.

Een minuut of wat later kwam de conducteur terug. 'Mevrouw de minister, dat meisje liet de handtekening zien aan de mensen in de volgende wagon en nu willen ze u allemaal komen groeten. Als we ze hier binnenlaten, wordt het een chaos. Zou u het erg vinden om in plaats daarvan daarheen te gaan?'

Toen ik de volgende wagon binnenkwam, zag ik de forensen met hun rug naar mij toe zitten, elk met een exemplaar van de *Post* voor zich, en ik zag een zee van foto's van een glimlachende president en ik stond er glimlachend naast. Ik liep door het gangpad en werd omhelsd en gekust, terwijl er opgevouwen kranten naar mij uitgestoken werden om te signeren. Het duurde zo lang voordat ik me door de trein gewerkt had dat de *Washington Posts* plaatsmaakten voor *Baltimore Suns* en *Philadelphia Enquirers* en *New York Times*, maar de foto en het enthousiasme bleven hetzelfde. Ik kende dan wel niemand in die trein persoonlijk, maar die ochtend had ik het gevoel dat ik ze allemaal kende. Iemand riep: 'Ga d'r voor, Madeleine!' Toen begon het tot me door te dringen hoe bijzonder het besluit van de president was geweest en hoe gedenkwaardig de komende jaren zouden worden.

Terwijl we door de vlaktes van New Jersey reden, voorbij de haven van New York de stad in, keerde ik terug naar mijn plaats en staarde uit het raam. Hoe goed ik ook wist dat dingen onverwachts kunnen gebeuren, ik was toch verbaasd. In die haven was ik een halve eeuw eerder gearriveerd als elfjarige immigrant uit Praag die opkeek naar het Vrijheidsbeeld. Het was verbijsterend dat dat meisje nu op het punt stond om de vierenzestigste minister van Buitenlandse Zaken en daarmee de hoogstgeplaatste vrouw in de Amerikaanse geschiedenis te worden.

In de dagen die daarop volgden werd ons kantoor overstroomd met boeketten, gelukstelegrammen, telefonische boodschappen en allerlei brieven.* Ik belde veel mensen om advies, onder anderen alle nog levende voormalige ministers van Buitenlandse Zaken. Henry Kissinger sprak me bestraffend toe omdat ik hem het enige dat hem uniek maakte, zijn buitenlandse afkomst, had afgenomen. Ik sprak hem op mijn beurt bestraffend toe omdat hij nog steeds de enige minister was die met een accent sprak.

Een nieuwe benoeming betekende een nieuwe hoorzitting voor de senaatscommissie voor buitenlandse betrekkingen en een nieuwe ontmoeting met Jesse Helms. Het is moeilijk om een man te verdedigen die er prat op gaat dat hij *niet* naar het buitenland reist en die vaak onredelijk is in zijn kritiek op de Amerikaanse diplomatieke dienst. Als ik Helms alleen aan de hand van televisieoptredens en krantenartikelen had gekend, zou ik waarschijnlijk niet zo'n hoge dunk van hem hebben gehad. In levenden lijve heeft Helms echter belangrijke kwaliteiten die veel goedmaken. Hij is wat vroeger een *square* genoemd werd, een burgerlijke man. De meeste politici zouden graag hun zondagochtend opgeven voor een ogenblik zendtijd in de wekelijkse nieuwsprogramma's. Helms niet, omdat een optreden op televisie hem zou verhinderen naar de kerk te gaan. Zijn vaderlandsliefde, geloof en betrokkenheid bij zijn gezin zijn oprecht. Helms hecht ook veel waarde aan eer in persoonlijke relaties en hij vertelde mij vaak dat hoewel we op belangrijke punten van mening verschilden, we niet onaangenaam tegen elkaar hoefden te worden in onze gesprekken. 'Mevrouw de minister, we gaan iedereen een verrassing bezorgen en samen geschiedenis schrijven.'

Degenen die dat samen met ons zouden gaan doen waren de gerespecteerde oudere Democraten van de commissie, onder leiding van Joseph Biden uit Delaware – een opvliegende senator wiens hartstochtelijke oppositie tegen etnische zuiveringen in Bosnië een weerspiegeling en bekrachtiging was van de mijne – met onder meer Paul Sarbanes, John Kerry, Christopher Dood, Dianne Feinstein en later Barbara Boxer.

Hoewel ik veel vrienden in de commissie had en er alle reden was om te verwachten dat mijn benoeming goedgekeurd zou worden, betekende dat niet dat ik van plan was om te ontspannen. Dezelfde werkgewoontes die me door Wellesley en mijn doctoraat hadden geholpen, waren weer aan de orde. Ik zat thuis zonder make-up, met spelden in mijn haar, en las memo's, maakte notities en krabbelde vragen op geeltjes. 's Ochtends arriveerde ik in mijn kantoor met de verzameling geeltjes en vroeg mijn staf de antwoorden te vinden. Daarna stelden functionarissen van het ministerie van Buitenlandse Zaken, die deden of ze senatoren waren, mij urenlang vragen. Deze 'moordexamens' waren georgani-

---

* Bij de brieven die ik ontving was er een die bijzonder opviel. Robert Strauss, een instituut in Washington, een Democratische leider van oudsher en de voormalige ambassadeur in Rusland, feliciteerde me en gaf toe dat hij geen voorstander van mijn benoeming was geweest. Weinig anderen waren zo direct – of eerlijk.

seerd door Barbara Larkin, onderminister voor Legislatieve Zaken, en haar plaatsvervanger Meg Donovan. Zij informeerden me over de specifieke belangstelling op het gebied van beleid van elke senator en welke vragen mij waarschijnlijk gesteld zouden worden. De sessies waren een goede oefening voor me, en gaven mijn collega's de kans om met elkaar te wedijveren wie hun toekomstige baas het meest in het nauw kon brengen door zo moeilijk mogelijke vragen te stellen.

Net als vier jaar eerder, voordat ik aan de VN-baan begon, vertrok ik voor de feestdagen naar Colorado met enorme aantekenboeken en bracht de tijd tussen familieaangelegenheden door met huiswerk. Ik droomde elke nacht dat ik bezig was met de voorbereidingen voor een hoorzitting ter goedkeuring om minister te worden. Elke dag werd ik wakker en deed ik het echt. Er was geen ontsnappen mogelijk. De enige pauze was Kerstmis zelf, een dag die ik langlaufend doorbracht met veiligheidsagenten die me op de hielen zaten.

Mijn hoorzitting was op 8 januari in het ruime maar ongezellige Hart Senate Office Building. Traditioneel wordt een voorgedragen kandidaat voorgesteld door de senator van zijn of haar thuisstaat. Helaas kon ik als inwoner van Washington D.C. die traditie niet in ere houden. Minister Christopher was zo vriendelijk om een nieuw precedent te scheppen en mij zelf voor te stellen. Hij vatte mijn loopbaan charmant en geestig samen en zei dat hij vertrouwen had in mijn capaciteiten. Daarna, en nadat hij me voorover leunend gekust had, vertrok hij onder waarderend applaus van iedereen in de zaal.

In mijn verklaring schetste ik de onderwerpen die ik als minister aandacht wenste te schenken. Ik zei tegen de senatoren dat we een speciaal punt hadden bereikt, halverwege de desintegratie van de Sovjet-Unie en het begin van een nieuwe eeuw. De wereld kende meer vrijheid dan ooit tevoren, maar we mochten er niet van uitgaan dat blijvende vooruitgang vanzelfsprekend was. Het was van wezenlijk belang dat Amerika de leiding nam. Een halve eeuw eerder was het niet genoeg geweest om de nazi's te verslaan. De generatie van Truman en Marshall had met bondgenoten gewerkt om een reeks instellingen op te zetten die bedoeld waren om blijvende vrede te verzekeren.

'Vandaag de dag,' getuigde ik, 'is het niet voldoende om te zeggen dat het communisme gefaald heeft. We moeten een nieuwe structuur opbouwen – aangepast aan de eisen van een nieuwe eeuw' – om de dreiging die de massavernietigingswapens en terreur vormen in te perken; om gevaarlijke regionale conflicten te regelen; om te zorgen dat Amerika het centrum van een zich uitbreidende mondiale economie blijft; en om de gekoesterde principes van democratie en wetgeving te verdedigen. 'Onze belangrijkste bondgenoten en relaties bevinden zich in het centrum van die structuur. Dat zijn de banden die niet alleen ons eigen buitenlands beleid bijeen houden maar het hele internationale systeem. Als we in staat zijn om goed samen te werken met de andere grootmachten, dan creëren we een dynamisch web van principes, macht en doelstelling dat de normen verhoogt en over de hele wereld aanzet tot vooruitgang.' Ik eindigde met te zeggen dat we om de kansen te grijpen en de gevaren waarmee we geconfronteerd zouden worden te overwinnen 'meer dan toeschouwers moesten zijn, meer nog dan deelnemers, we moesten de schrijvers van onze eigen geschiedenis worden.'

Na al mijn koortsachtige voorbereidingen leek de hoorzitting een fluitje van een cent. Voorzitter Helms was op zijn hoffelijkst. De senatoren waren bemoedigend. De vragen die gesteld werden gingen diep maar waren redelijk. Dit alles verheugde mij en verveelde de pers, die veel liever bloed ziet dan hoffelijkheid. Iedere senator kwam aan de beurt en de hoorzitting duurde tot laat in de middag. Senator Richard Lugar van Indiana, die zowel bedachtzaam als degelijk is, besloot met een reeks vragen over de achteruitgang van het milieu in Afrika, de bevolkingsgroei in het Midden-Oosten, regionale initiatieven voor vredeshandhaving, internationale financiële crises, de gevaren van islamitisch fundamentalisme, een eventueel vrijhandelsverdrag met Chili, de vooruitzichten voor democratie in Servië, Amerikaans beleid ten aanzien van Oekraïne, wapenbeheersing, de diplomatieke vertegenwoordiging van Amerika in Moskou, de Filipijnen als voorbeeld van Aziatische democratie en de economische implicaties van de stijgende energieconsumptie in China. Tegen de tijd dat ik klaar was met mijn antwoorden waren zelfs mijn dochters opgehouden te luisteren, maar het was het waard toen Helms beloofde een speciale vergadering van de commissie te houden op de dag van de inauguratie van de president om mijn nominatie in overweging te nemen. Hij kwam zijn belofte na.

Op 22 januari stemde de complete Senaat met 99-0 voor goedkeuring van mijn benoeming.* Het was twintig jaar geleden dat ik aan mijn eerste overheidsfunctie begon, veertien jaar geleden dat ik gescheiden was en vier jaar dat ik voor het eerst grootmoeder was geworden. Mij werd een functie toevertrouwd die praktisch al die tijd mijn meest ambitieuze dromen ver te boven was gegaan. Ik had studenten tijdens mijn colleges geleerd om rollenspellen te doen, om zich voor te stellen wat ze zouden doen in hoge functies op een moment van crisis. Nu zou ik die gelegenheid in werkelijkheid krijgen, in het besef dat niet een of andere hoogleraar maar de geschiedenis, de strengste maar eerlijkste rechter, cijfers zou geven.

Beëdigd worden als minister van Buitenlandse Zaken is iets wat ik graag elke dag van mijn leven zou doen. Had ik het moment maar kunnen vasthouden om het steeds opnieuw te kunnen beleven. Ik was al eerder in het Oval Office geweest maar nog nooit als onderwerp van de vergadering. De kamer is verrassend klein, dus is het aantal aanwezigen beperkt. De stoelen die normaal door de president gebruikt worden als hij buitenlandse hoogwaardigheidsbekleders ontvangt, wa-

---

* Senator Jay Rockefeller van West-Virginia was niet in het land en miste de stemming. We kennen elkaar al heel lang, maar, zoals blijkt uit deze voetnoot, ik draag het hem nog altijd na.

ren opzij gezet om meer ruimte te maken voor toeschouwers. Ik was blij dat behalve mijn familie ook de senatoren Helms en Mikulski aanwezig waren, samen
met de leiding van mijn staf. De president stond voor zijn bureau. Zijn inleiding
was eloquent en hartelijk. Naast hem stond de vice-president, die mij vroeg mijn
hand op de bijbel te leggen en de ambtseed te herhalen. Mijn dochters hielden
samen de bijbel vast terwijl ik de historische woorden herhaalde.

Het was een paar minuten voor twaalf op 23 januari 1997. Nu was, na 207 jaar,
voor 't eerst een vrouw de baas op het ministerie van Buitenlandse Zaken. Vanaf
dat moment hebben mensen mij voortdurend gevraagd hoe ik me voelde. Het
antwoord is dat een deel van mijn brein verdoofd was door het idee dat ik een
functie erfde die Thomas Jefferson als eerste had vervuld, een ander deel probeerde zich erop te concentreren geen fout te maken bij het uitspreken van de
eed, en weer een ander deel was bang dat mijn broche zou losraken en vallen.
Maanden daarvoor had ik toevallig een mooie en erg dure, antieke adelaarsbroche
gevonden. Ik had mezelf beloofd dat ik de broche zou kopen als president Clinton mij uitkoos, ervan uitgaand dat het erg onwaarschijnlijk zou zijn dat ik die
rekening ooit zou betalen. Dus had ik de broche gekocht en droeg ik hem tijdens
de plechtigheid, maar de speld was losgeraakt. Ik wilde niet dat iemand anders
of ikzelf ermee geprikt werd of dat hij op de bijbel zou vallen. Gelukkig gebeurde
dat allemaal niet, maar de adelaar was omgedraaid en na al die inspanningen
stond hij niet eens op de foto's.

In mijn speech dankte ik de president hartelijk en gaf uitdrukking aan mijn
dankbaarheid voor de kans die hij mij gaf. Daarna bedankte ik de anderen die
het moment mede mogelijk gemaakt hadden:

> Terwijl ik hier vandaag in dit kantoor sta, dat symbool staat voor de macht en de
> doelstelling van de Verenigde Staten, denk ik vooral aan [...] mijn moeder en va-
> der, die mij hebben geleerd de vrijheid lief te hebben; aan president Václav Havel,
> die mij heeft geholpen de verantwoordelijkheden van de vrijheid in te zien; aan
> Edmund Muskie, die mij het vertrouwen heeft gegeven dat geen hindernis of pla-
> fond mij ervan zou moeten weerhouden om in mijn eigen leven de vrijheid te die-
> nen.

Toevallig was mijn eerste afspraak als minister van Buitenlandse Zaken met de
president en Kofi Annan. De nieuwe secretaris-generaal feliciteerde me met
mijn promotie en ik feliciteerde hem met de zijne. We merkten op dat er nooit
eerder een dergelijke nauwe professionele en persoonlijke relatie was geweest
tussen degenen in onze twee functies. We spraken over het belang van verdere
VN-hervormingen en over plannen om een regeling te treffen met het Congres
waardoor onze VN-rekeningen betaald konden worden. Daarna keerde ik terug
naar het ministerie van Buitenlandse Zaken voor een vergadering over China en
om mijn nieuwe kantoor te bekijken.

Van buiten ziet het ministerie van Buitenlandse Zaken eruit als een doos

Mei 1993, in het Oval Office met president Clinton en minister van Buitenlandse Zaken Warren Christopher. De opdracht van de president luidt: 'Voor Madeleine – Hier staan we met een exemplaar uit 1801 van het boek van Thomas Jefferson – Je bent wat diplomatie betreft een waardige opvolger van hem – en zoveel jonger, zelfs op je verjaardag.'

Ik breng mijn stem uit namens de Verenigde Staten. Het bordje 'President' geeft aan dat het mijn beurt was om de Veiligheidsraad van de VN voor te zitten. Aan mijn rechterhand zit secretaris-generaal Boutros Ghali, die ik als diplomaat respecteerde maar tegen wiens herverkiezing ik me verzette.

Toen ik Kofi Annan voor het eerst ontmoette was zijn haar zwart. Tegen de tijd dat hij verkozen werd tot de zevende secretaris-generaal van de VN zaten er – zo plaagde ik hem – veel grijze haren tussen. Het haar van de secretaris-generaal is inmiddels helemaal wit geworden, maar de hartelijkheid en toewijding van deze man die de Nobelprijs won, zijn altijd hetzelfde gebleven.

Ik zet het kruis recht op het graf van een slachtoffer van de volkerenmoord in Rwanda. Wat mij het meest spijt van alles wat ik als overheidsdienaar heb gedaan, is dat we niet meer en eerder iets hebben gedaan om de moorden te stoppen.

In 1996 kregen first lady Hillary Clinton en ik een rondleiding over het gewijde terrein van de joodse begraafplaats naast de Pinkas synagoge in Praag. Een jaar later zou ik naar de synagoge terugkeren, vol van schokkende nieuwe informatie over het verleden van mijn familie. Achter mij staat Jenonne Walker, de Amerikaanse ambassadeur in Tsjechië.

*To Madeleine-who leads fearlessly where others may fear to tread-
with great pride and affection from your friend in the "Girls Room"-
Hillary 1996*

Tijdens een wandeling
over het Wenceslasplein
met de first lady en
president Havel, die
wijst naar het balkon
waarvandaan hij de
menigte toesprak tijdens
de Fluwelen Revolutie. Ik
wijs naar een restaurant
waar ze mijn favoriete
Tsjechische gerechten
serveren.

Paus Johannes Paulus II beschouw ik als een held vanwege zijn steun aan de democratische beweging in Polen. Ik wenste dat zijn bezoek aan Cuba in 1998 vergelijkbare kracht zou geven aan de Cubaanse tegenstanders van het communistisch regime.

Ik nam elke kans waar om mijn steun voor het beleid dat het religieuze en culturele erfgoed van het volk van Tibet eerbiedigde tot uiting te brengen. Een van de manieren om dat te doen was om de bezwaren van China te negeren en de Dalai Lama persoonlijk te ontmoeten.

Nelson Mandela bracht zijn land vrijheid en de wereld nieuwe hoop. Hij zegevierde ook op grootse wijze over zijn gevangenbewaarders – niet door hen te straffen maar door hen te vergeven.

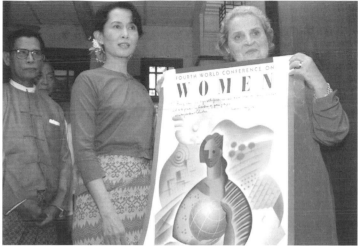

Het was een eer om Aung San Suu Kyi, de leider van de onderdrukte democratische beweging in Birma, een gesigneerd affiche van de Wereldvrouwenconferentie van Peking te mogen overhandigen. Onder Suu's tere schoonheid schuilt een vastberaden hart, een heldere geest en een grote betrokkenheid bij de rechten van haar volk.

Op de basisschool van Hillsboro, vlak bij mijn boerderij in Virginia, spreekt professor Albright een klas toe die wat jonger is dan normaal. Iedere keer als ik naar een school ging, nam ik een globe mee en vertelde de leerlingen dat het belangrijk is om aandacht te besteden aan mensen aan de andere kant van de wereld.

Aankomst in Moskou met Strobe Talbott, mijn onvermoeibare en intelligente onderminister van Buitenlandse Zaken. Ik droeg vaak mijn zwarte stetsonhoed, vooral op dagen dat ik niets met mijn haar kon beginnen.

In Bosnië, omringd door de diplomatieke veiligheidsdienst en Amerikaanse militairen. Achter mijn rechterschouder staat – met zonnebril – Elaine Shocas, mijn onmisbare stafchef.

In het gebouw van de VN, vergezeld van de duizendmegawatt glimlach van mijn plaatsvervangend stafchef, Suzy George.

De aankondiging van mijn aanstelling als vierenzestigste minister van Buitenlandse Zaken. De president zei later dat de first lady hem had geadviseerd: 'Alleen als je Madeleine kiest, krijg je iemand die dezelfde waarden heeft als jij, die een welbespraakt voorstander is van je buitenlandse beleid en op wie alle meiden trots zullen zijn.'

Het voorstellen van mijn dochters (v.l.n.r.) Katie, Alice en Anne voorafgaand aan de hoorzitting over mijn benoeming als minister van Buitenlandse Zaken. In de rij tegenover hen zitten (v.l.n.r.) Witte-Huis-functionaris Jeffrey Liss en een aantal van mijn belangrijkste adviseurs: David Scheffer, Bill Woodward, Meg Donovan, Elaine Shocas, Jamie Rubin en Barbara Larkin. Het overzicht op de achtergrond was gemaakt door de staf van de voorzitter van de commissie, Jesse Helms, en toont zijn vooringenomenheid tegen de VN.

Het kroost komt bijeen voor Katies bruiloft. Van links naar rechts: Greg Bowes (met David in zijn armen), Alice, Katie, Jake Schatz, de trotse moeder, Anne (in verwachting van Jake), Geoff Watson.

Mijn broer John Korbel, met zijn altijd beschermende arm om mij heen.

Kathy Silva, mijn zuster en beste vriendin, die mij op duizenden manieren geholpen heeft.

Mijn Wellesley-groep, druk doende mooi ouder te worden: aan mijn rechterhand Susan Dubinsky Terris; aan mijn linkerhand Wini Shore Freund en Emily Cohen MacFarquhar.

waarin misschien een gebouw is verzonden. Het zijn twee massale betonnen rechthoeken zonder enige bijzondere kenmerken. De schrijver Ward Just heeft het eens vergeleken met een gevangenis. Binnen zijn er witte plafonds, einde- loze gangen met wit linoleum en op de witte muren gekleurde strepen die ervoor moeten zorgen dat mensen niet verdwalen. Ik heb vaak gedacht dat je, als er geen zwaartekracht zou zijn en je over het plafond zou kunnen lopen, het ver- schil niet zou opmerken.

Het kantoor van de minister ligt in een beveiligde gang aan de zuidkant van de zesde verdieping. De gang onderscheidt zich van de rest van het gebouw door muren van mahonie waaraan de portretten van voormalige ministers hangen. Ik vertraagde mijn pas terwijl ik liep. Dit was een ervaring om nooit te vergeten. Ik keek weer naar de portretten. Veel van de voormalige ministers hadden bakke- baarden en ze droegen allemaal een pak.

Ik liep onder de doorgang door waarboven 'minister van Buitenlandse Zaken' staat en ging linksaf, het ruime kantoor van de ministeriële staf binnen. Die ruimte heeft een open haard en wordt soms gebruikt om buitenlandse hoogwaardig- heidsbekleders te ontvangen. Ik liep verder door naar mijn eigen kantoor, dat de komende vier jaar mijn basis zou zijn. Net als in het Oval Office was ik al eerder in deze fraaie kamer geweest, maar nu zag ik hem met nieuwe ogen. Ik zweefde toen ik voor het eerst in de stoel van de minister ging zitten. Volgens de legende is het mogelijk om met een vliegend tapijt te blijven zweven zolang je maar niet twijfelt aan het vermogen van het tapijt om in de lucht te blijven. Ik was op dat moment zo opgewonden over de uitdagingen die komen gingen, dat mijn twij- fels verdwenen. Ik hing al snel een litho op van een vrouw die in de tijd van

Lincoln met een triomfwagen door de straten van Washington rijdt, met een sjerp waarop 'emancipatie' staat over haar borst.

Toen ik erin trok stond in het midden van de ministerssuite het bureau van Liz Lineberry, een gedreven vakvrouw die mijn privé-secretaresse zou zijn, zoals ze dat eerder voor Christopher, Larry Eagleburger en Jim Baker geweest was. De rechterhelft van de suite was het kantoor van de ministeriële staf, zowel voor de diplomatieke dienst als voor de ambtenaren, die werd geleid door vier uitmuntende functionarissen: algemeen secretaris William Burns, later opgevolgd door Kristie Kenney* en hoofdassistent David Hale, later opgevolgd door Alex Wolff. Ik zou zelfs de geduldigste lezer vervelen als ik probeerde een lijst op te stellen van al degenen die hebben bijgedragen tot de resultaten van het ministerie van Buitenlandse Zaken in de tijd dat ik er minister was. Uit elk verdrag, initiatief, reis, hoorzitting, verklaring en taak bleken de inspanningen van een team, dat vaak uitgeput was maar altijd professioneel bleef, van de meest ervaren ambassadeur tot de nieuwste uitzendkracht. Ons land is terecht trots op zijn leger, het beste ter wereld. Maar de mannen en vrouwen die onze diplomatieke missies steunen en bemannen zijn net zo wezenlijk voor onze veiligheid en verdienen net zo hard onze dankbaarheid en steun.

Op de eerste maandag van mijn werk ging ik naar het Dean Acheson Auditorium om het personeel van het ministerie van Buitenlandse Zaken te begroeten en hen te danken voor het harde werken dat ze deden en nog gingen doen. Ik beloofde dat ik zou zorgen dat ze de middelen zouden krijgen die ze nodig hadden om ons land te dienen en hun werk te doen en drong er bij iedereen op aan om samen met anderen het Amerikaanse volk duidelijk te maken hoe belangrijk onze diplomatie was.

Ik benadrukte dit laatste punt omdat het mijn bedoeling was om het Amerikaanse volk weer te interesseren voor ons buitenlands beleid. Tijdens de Koude Oorlog besteedden de meeste Amerikanen aandacht aan gebeurtenissen in de wereld omdat ze wisten dat de raketten van de Sovjet-Unie op hun huizen gericht waren. Eén foutje en we waren er allemaal geweest. Nadat de Sovjet-Unie uiteenviel (en vóór 11 september 2001) leek er veel minder reden voor interesse voor internationale zaken, hoewel ik het persoonlijk niet minder belangrijk

---

* Ik ben er trots op dat ik Kenney als eerste vrouwelijke algemeen secretaris heb kunnen benoemen. Tot het team behoorden ook privé-assistent John Crowley, die voor elke minister sinds Kissinger had gewerkt; Suzanne McPartland, mijn secretaresse bij de VN die ik naar Washington gelokt had; Linda Dewan, die belast was met het opstellen van mijn programma; computerwonder Lynn Sweeney; en Nichole Tucker, assistent van Elaine en degene die mijn reizen regelde. Functionarissen van het Operations Center hielden mij op de hoogte en medewerkers bezorgden mij informatief materiaal en gegevens over aanstaande reizen. Directeur Richard Shinnick, George Rowland en hun collega's zorgden dat mijn kantoor – en ik – op volle toeren bleven draaien. Charles Duncan, liaison met het Witte Huis, een meester in anticipatie, zorgde voor geslaagde evenementen op reis. Ik dank hen allen voor hun toewijding en hulp.

vond. Ik hoopte het boemangeluid van het ministerie van Buitenlandse Zaken te kunnen gebruiken om de Amerikanen – vooral de jonge mensen – weer warm te laten lopen voor buitenlands beleid.

Ik streefde ook naar een heropleving van de tweepartijentraditie op Buitenlandse Zaken. Ik was optimistisch omdat er sinds het einde van de Koude Oorlog geen natuurlijke scheidslijn meer bestond tussen Democraten en Republikeinen met betrekking tot de meeste kwesties van buitenlands beleid. De etiketten van weleer – havik, duif, conservatief, progressief – hadden niet veel betekenis meer. Contact zoeken met de Republikeinen was ook pragmatisch, want we hadden hun stemmen nodig. De Republikeinen hadden de meerderheid in beide huizen van het Congres en alle belangrijke commissies. Dus schertste ik dat ik, toen ik in de regering kwam, mijn partij-instincten operatief had laten verwijderen. En ik concentreerde me op het opbouwen van goede werkrelaties. Ik getuigde al snel voor de commissie voor internationale betrekkingen van het Huis van Afgevaardigden onder voorzitterschap van afgevaardigde Benjamin Gilman uit New York. Ik trad op in de thuisstaat van en met elk van de vier voorzitters van subcommissies die delen van onze begroting moesten goedkeuren. In Alabama noemde afgevaardigde Sonny Callahan mij 'een flamingo op het boerenerf van de politiek', wat ik opvatte als een compliment aan mijn adres, zij het niet aan dat van de politiek.

Ik reisde ook naar North Carolina met senator Helms. Voor zijn fans werden we hand in hand gefotografeerd en ik gaf hem een nachthemd met daarop de woorden 'Iemand op het ministerie van Buitenlandse Zaken houdt van je'. Dat leverde allemaal leuke taferelen op, maar vanuit mijn optiek was het nog belangrijker wat het opleverde voor het beleid. Helms verzekerde me tijdens dit bezoek dat hij niet zou proberen de goedkeuring van het Congres van de Amerikaanse deelname aan het Chemische-Wapensverdrag te blokkeren. Goedkeuring van de Senaat was een van mijn eerste prioriteiten en als Helms ervan afzag om dat in de weg te staan boekten we een belangrijke overwinning.

De meest zichtbare verandering in mijn bestaan in die periode was het zeg maar elftal aan diplomatieke beveiligingsagenten dat mij nu vrijwel overal waar ik ging begeleidde. De Diplomatic Security Service (DS) is voor de minister van Buitenlandse Zaken wat de geheime dienst voor de president betekent.* Toen ik bij de VN werkte, beschikte ik over een kleine eenheid beveiligingsmensen. Ze

---

* Ik ben het hoofd van mijn DS-eenheid, Larry Hartnett, en de mannen en vrouwen van zijn team nog steeds erg dankbaar voor de duizenden uren die ze eraan hebben besteed om te zorgen dat ik (codenaam FIREBALL) beschermd werd en voor de constante professionaliteit die ze tentoonspreidden. In periodes van spanning over kwesties zoals Irak en Koeweit werd ik vaak bedreigd. Dankzij DS maakte ik me nooit zorgen en kon ik me concentreren op mijn werk. Al waren er momenten dat ik verlangde naar meer privacy, toch accepteerde ik hun aanwezigheid en beschouwde ik hen, naarmate ik hen beter leerde kennen, niet alleen als mijn beschermers maar ook als mijn vrienden.

zijn met mij meegegaan naar vredesmissies over de hele wereld, om maar te zwijgen over de lingerieafdeling van diverse warenhuizen.

Vrij snel nadat ik voor mijn nieuwe functie was genomineerd lieten DS-functionarissen mij weten dat ze een werkplek moesten opzetten in mijn huis. Ik heb een aparte garage aan het einde van de tuin die heel geschikt was, afgezien van het feit dat die vol lag met schriften uit de middelbareschooltijd van mijn dochters, oude koffers, rugzakken, ski's, documenten van mijn ouders en een heleboel oude rommel. We sloegen dat allemaal op, inclusief een deel van de oude rommel, en toen besloten de beveiligingsmensen dat ze mijn achtertuin moesten omspitten om telefoonkabels te leggen (ondanks mijn enorme magnoliabomen). Ze parkeerden hun bestelwagens in een steeg aan de overkant van de straat. Mijn buren doorliepen verschillende fases. In het begin vonden ze het allemaal erg spannend. Daarna zeiden ze tegen zichzelf dat ze blij waren dat ze in een veiliger buurt woonden. Uiteindelijk zakte de opwinding en begonnen ze de dagen af te tellen tot ik vertrok.

Een van mijn eerste uitdagingen was om een doeltreffend team samen te stellen. Er werd geroddeld in Washington dat ik geen sterke mannen zou durven inhuren omdat ik me dan bedreigd zou voelen. In werkelijkheid had ik George Marshall zelf er met zijn haren bijgesleurd als hij beschikbaar was geweest.

De president en ik wilden allebei graag dat Strobe Talbott aanbleef als onderminister en hij stemde toe. In mijn periode als ambassadeur bij de VN had ik vaak met Strobe samengewerkt. Als ik in Washington was, kwam ik soms uiteindelijk op zijn kantoor terecht om te praten over vredesmissies of om hem uit te horen over Rusland. Ik wist dat hij mijn beste partner zou zijn en ik had gelijk.

Ik koos Tom Pickering voor de belangrijke functie van onderminister voor Politieke Zaken. Het is de gewoonte van Amerikaanse ambassades om portretten van voormalige ambassadeurs op te hangen. Ik had soms het gevoel dat Pickerings foto op *elke* muur hing. Zijn curriculum vitae omvatte ambassadeursposten in Rusland, India, Israël, El Salvador, Nigeria en bij de VN. Ondanks zijn enorme staat van dienst was Pickering bescheiden en vriendelijk. Ik kijk tegen hem op, deels omdat hij ongeveer vijfenveertig centimeter langer is dan ik, maar vooral vanwege zijn deskundigheid, zowel op het gebied van beleid als van management.

Voor onderminister van Internationale Economische Zaken wendde ik mij tot Stuart Eizenstat, die ambassadeur bij de Europese Unie en onderminister van Handel tijdens de eerste ambtstermijn van Clinton was geweest. Ik kende Stu al sinds de regering-Carter en bewonderde zijn arbeidsethos, goede hersens en warme hart. Niemand was beter gekwalificeerd voor moeilijke opdrachten. Hij werd in 1999 opgevolgd door Alan Larson, een zeer getalenteerd diplomaat.

Een van de belangrijkste prestaties tijdens mijn ambtstermijn is wel de reorganisatie van de bureaucratie rond het buitenlands beleid geweest, zodanig dat ook daar het einde van de Koude Oorlog zichtbaar werd. Anticiperend daarop vroeg ik John Holum, directeur van het Arms Control and Disarmament Agency

(ACDA) om ook de functie van onderminister van Wapenbeheersing en Internationale Beveiligingszaken op zich te nemen. John beheerste alle details van zijn ingewikkelde portefeuille, en was in staat om kalm en helder te discussiëren over de meest afschrikwekkende scenario's met betrekking tot mogelijke verspreiding en gebruik van massavernietigingswapens.

Ik gaf gevolg aan een suggestie van Strobe door Bonnie Cohen als mijn onderminister voor Management te vragen. Tijdens haar jaren op het ministerie van Binnenlandse Zaken had Bonnie zich een reputatie verworven als iemand die snel door de bureaucratie heen werkte en resultaat kreeg. Dat is ook precies wat ze deed in haar jaren op het ministerie van Buitenlandse Zaken, door met nieuwe ideeën te komen en de efficiëntie en de veiligheidsvoorzieningen te verbeteren.

Onderminister voor Mondiale Zaken was Timothy Wirth, een toegewijde en energieke voormalige senator voor Colorado en iemand die was blijven zitten na de eerste ambtstermijn van de president. Frank Loy, een milieudeskundige, voormalig hoofd van het Duitse Marshallfonds, volgde Wirth in 1998 op. Hij had de volmaakte kwalificaties voor de baan.

De functie van raadsman van het ministerie van Buitenlandse Zaken is van speciaal belang, want zij heeft geen formele plek in de bureaucratische hiërarchie en beschikt over weinig personeel. Om van nut te zijn moet de functionaris de minister betere adviezen geven dan hij of zij elders kan krijgen en vervolgens voldoende doorzettingsvermogen hebben om te zorgen dat dat advies wordt geïmplementeerd in geval het beleid wordt. Mijn keus viel op Wendy Sherman, een pientere en veerkrachtige oudgediende van talrijke gevechten in Washington, die elk onderwerp eerder onder de knie had dan wie ook. Ik was al lang bevriend met Wendy en wist dat ik kon rekenen op haar loyaliteit en haar talent om het kaf van het koren te scheiden.

Als directeur van het bureau voor Beleidsplanning koos ik Gregory Craig, een vindingrijke en resolute Washington-advocaat die vol zat met creatieve ideeën over de juiste vorm van Amerikaans leiderschap. Hij was tegelijkertijd de Amerikaanse speciale coördinator voor Tibet. Mijn juridisch adviseur was ook een heel intelligente en ervaren advocaat, namelijk David Andrews, bereid en in staat om de meest ingewikkelde opdrachten aan te pakken. Voor de functie van directeur-generaal van de Diplomatieke Dienst wendde ik me tot ambassadeur Edward 'Skip' Gnehm, die mijn plaatsvervanger in New York was geweest en die een kalme rots zou blijken te zijn in een vaak ondankbare baan.*

Er waren twee mensen in mijn team die in het bijzonder onmisbaar waren. Ze waren er in goede tijden, als er iets gevierd kon worden, en in slechte tijden, als

---

* In 1999 fuseerde het Amerikaanse Inlichtingenbureau als gevolg van reorganisaties met het ministerie van Buitenlandse Zaken. Voor de functie van onderminister voor Diplomatie en Openbare Zaken slaagde ik erin Evelyn Lieberman te rekruteren, een wijs en sprankelend leider. Evelyn begeleidde de fusie met succes en slaagde erin de diplomatie tot de kern van ons buitenlands beleid te maken.

er steun nodig was. Er bestond nooit enige twijfel over het feit dat mijn vertrou-welinge, Elaine Shocas, mijn stafchef zou blijven. Ze was in staat om een dui-zendtal projecten tegelijkertijd in haar hoofd bij te houden, beschikte over de volmaakte politieke babbel en kon gezag uitoefenen. Jamie Rubin, die alle be-trekkingen met de pers voor me had geregeld bij de VN, was de beste keus als plaatsvervangend onderminister voor Openbare Zaken en zou ook een wezen-lijke rol als adviseur blijven spelen. Toen Nicholas Burns, de officiële woord-voerder van het departement, vertrok om ambassadeur in Griekenland te wor-den, nam Jamie ook die functie over en deed dat uitstekend.

Terwijl mijn team werd opgebouwd ging ik aan het werk. Mijn eerste bezoek als minister had ik aan Capitol Hill gebracht. Mijn tweede reis was niet naar een of andere buitenlandse hoofdstad, maar ging min of meer met opzet niet verder dan het eigen land – naar Houston, waar ik, tijdens een evenement dat georgani-seerd was door voormalig minister van Buitenlandse Zaken James Baker, op Rice University een speech gaf met de titel 'Het opbouwen van tweepartijdig bui-tenlands beleid'. De volgende dag at ik eieren met spek bij George Bush en zijn vrouw, de weergaloze Barbara. We hielden een persconferentie waarbij de voor-malige president het Chemische-Wapensverdrag, waar zijn regering oorspron-kelijk over had onderhandeld, ten sterkste aanbeval. Toen ik een jong meisje was in Denver, was ik dol geweest op cowboyhoeden. Die liefde herleefde toen ik in Texas was. Dus ging ik winkelen en kocht er drie, een rode, een zwarte en een bruine.

Mike Dukakis probeerde vroeger zijn imago te verlevendigen met de grap 'De toekomst is zo stralend dat ik een zonnebril moet dragen'. Omdat ik stond te trappelen van ongeduld had ik gehoopt dat ik me die eerste dagen als minister van Buitenlandse Zaken net zo zou voelen. In plaats daarvan voelde ik me gees-telijk en emotioneel verscheurd door onverwacht, vollediger inzicht in het verle-den.

HOOFDSTUK 15

Namen op de muur
van de synagoge

O P DE OCHTEND VAN 4 FEBRUARI 1997 opende de *Washington Post* met de kop: 'Albrights familietragedie komt aan het licht.' In iets kleinere letters stond eronder: 'Minister zegt dat ze niet wist dat drie grootouders joodse slachtoffers van de holocaust waren.' Die avond, een paar minuten voor Bill Clinton zijn eerste 'State of the Union'-speech van zijn tweede ambtstermijn zou houden, schreed de zaalwachter door de deuren van het Huis van Afgevaardigden en kondigde met galmende stem aan: 'Meneer de voorzitter, het kabinet van de president.' Voor het eerst liep een vrouw voorop in de rij door het middenpad, tussen de applaudisserende Congresleden en senatoren door, terwijl ze handen schudde en zoenen uitwisselde met zowel Democraten als Republikeinen. Het had een moment van onverdeelde vreugde moeten zijn. Dat was het niet. Ik had bereikt wat geen enkele vrouw voor mij had bereikt, maar op dat moment dacht ik dat ik alles kwijt zou raken omdat ik niet eerder in mijn leven had ontdekt dat ik van joodse afkomst was en dat drie van mijn grootouders in concentratiekampen gestorven waren.

Mijn onwetendheid werd voorgesteld als een misdaad. Men kon niet geloven dat ik mijn familiegeschiedenis niet kende. In plaats van dat ik in afzondering de tragische feiten die ik pas had gehoord tot me door kon laten dringen, werd mij het gevoel aangepraat dat ik een leugenaar was en dat mijn vader, die ik aanbad, een harteloze bedrieger was.

Ik droeg een marineblauw pak, mijn adelaarsbroche – dit keer goed vastgemaakt – en glimlachte plichtmatig. Als hoogste lid van het kabinet stond ik voor mijn stoel terwijl mijn collega's achter mij aankwamen. Direct daarna begon de president aan zijn speech. Ik deed mijn best om te luisteren, in de wetenschap dat ik degene was van wie verwacht werd straks als eerste op te staan om het applaus in te zetten. Ik moest ook achterom kijken om ervoor te zorgen dat ik opstond als degenen achter mij eerder opstonden. Ik moest heel even denken aan de bruiloft van Alice en Greg, waar alle aanwezigen de hele tijd hadden gestaan omdat de moeder van de bruid – ik – vergat te gaan zitten. Ik zei tegen mezelf dat ik een manier moest vinden om met mijn gevoel en alle publiciteit over mijn familie om te gaan, want ik had een boel te doen en veel te bewijzen.

Ik herinner me heel goed hoe ik me die avond voelde, met de president goed op dreef terwijl mijn emoties op de rand van de afgrond wankelden. Het is veel moeilijker om mijn gedachten in de dagen voorafgaand aan die krantenkop en de weken erna te beschrijven. Het verhaal van mijn joodse afkomst en van het lot van mijn grootouders en andere familieleden was een uiterst persoonlijke zaak, ook al had ik het op een ongewoon publieke manier te horen gekregen. Net als zoveel andere dingen die ons in het leven gebeuren, heeft het verhaal geen duidelijk begin, midden en eind. Sommige stukken blijven onbekend, andere zijn niet te achterhalen. Tot op de dag van vandaag vraag ik me af wat er anders gegaan zou zijn als ik het verhaal eerder gehoord had. Hoe ga je in het zesde decennium van je leven om met een dergelijk belangrijk gegeven?

Toen ik ambassadeur bij de VN was, kreeg ik brieven van mensen uit de hele wereld, correspondentie die op het ministerie van Buitenlandse Zaken, bij mijn huis in Washington en op mijn kantoor bij de VN in New York werd bezorgd. Onder de duizenden boodschappen waren handgeschreven brieven in het Tsjechisch en andere Slavische talen die niemand van mijn staf kon ontcijferen, en ik had helaas geen tijd om ze allemaal persoonlijk door te nemen. Officieel uitziende brieven werden gewoonlijk doorgestuurd naar het ministerie van Buitenlandse Zaken voor vertaling en beantwoording. Veel van de moeilijk leesbare brieven bleven gewoon liggen tot iemand ze waarschijnlijk in een la stopte waar ze werden vergeten. Natuurlijk kwamen er ook veel brieven in het Engels. Over het algemeen bevatten de brieven verzoeken, complimenten, beledigingen en af en toe een bedreiging.

Een zeer klein deel van de post bevatte informatie over mijn familie, waaronder enkele brieven die stelden dat mijn voorouders joods waren. Het was lastig om die serieus te nemen omdat ze vaak vergezeld gingen van racistische opmerkingen. Ik werd er bijvoorbeeld van beschuldigd een 'joodse teef' te zijn omdat ik het Amerikaanse beleid in het Midden-Oosten en de Balkan verdedigde. In andere gevallen beweerden mensen mijn familie te kennen, maar dan klopten de details in hun brieven niet. Iemand zei bijvoorbeeld dat hij mijn vader van de middelbare school kende, maar op dat genoemde moment was mijn vader pas zes jaar. Of iemand beweerde mijn moeder gekend te hebben, maar noemde namen van haar ouders en haar geboortestad die niet klopten. Ik ontving sieraden die zogenaamd aan een familielid zouden hebben toebehoord, maar ik herinnerde me geen familielid van die naam. In een paar brieven stond dat mijn familie de schrijvers geld schuldig was en men liet weten waar ik een cheque naartoe kon sturen. Ik had geen brieven ontvangen die mij noodzaakten te twijfelen aan mijn visie op mijn familiegeschiedenis.

Naast deze post waren er hier en daar verhalen verschenen, vooral in de Arabische pers, die antisemitische argumenten gaven tegen mijn benoeming als minister. De verhalen waren voor een aantal verslaggevers aanleiding om Jamie te vragen of mijn familie joods was. Omdat hij toen niet meer wist dan ik, zei hij nee. Dit ging door tot november 1996. Tegen die tijd was de pers volop aan het speculeren wie Warren Christopher zou vervangen en ik kreeg overal vandaan allerlei correspondentie.

Op een van onze vele pendelvluchten tussen New York en Washington gaf Elaine me een brief in het Tsjechisch, zonder te weten of hij belangrijk was of niet. Toen ik de brief las, realiseerde ik me dat de brief anders was dan alle andere. Hij kwam van een vrouw die mijn familie inderdaad leek te kennen en de meeste details – maar niet alle – die ze noemde waren correct, onder andere waar en wanneer mijn ouders geboren waren. Ze schreef ook dat mijn familie joods was. Ik vond voor het eerst dat ik die mogelijkheid serieus moest nemen. Het bleef echter moeilijk, want als ik de brief geloofde, betekende het dat ik mijn ouders niet geloofde.

Ik maakte in december plannen om wat dieper te graven, maar dacht in mijn onnozelheid dat er geen haast bij was. Ik had mijn gedachten al voorgelegd aan de juristen op het Witte Huis; ik zei het nu ook tegen Sandy Berger, die zei: 'Nou en? Onze president is niet antisemitisch.'

Ik besloot mijn dochters tijdens onze jaarlijkse kerstbijeenkomst in Aspen op de hoogte te brengen van de informatie die ik had ontvangen. Zelfs daar was het moeilijk een goed moment te vinden. Ik zei dat ik hun iets te vertellen had. Ze keken me met grote angstogen aan, alsof ik op het punt stond te vertellen dat ik een of andere dodelijke ziekte had. Ik vertelde dat ik een paar brieven had gekregen waarin gesuggereerd werd dat onze familie van joodse afkomst was. Ik zei dat ik het nog niet zeker wist, maar dat het waar zou kunnen zijn. Na het dramatische samenroepen was hun reactie er vooral een van opluchting en verwondering. 'Dat is verbazingwekkend,' zeiden ze. 'Waarom hebben je ouders je dat niet verteld?' 'Weten onze neven en nichten het?' 'We moeten dit allemaal uitzoeken.'

Mijn zus Kathy was bij ons in Aspen en we hadden ook met onze broer John en zijn vrouw Pam gesproken. We waren gefascineerd door het vooruitzicht een familiegeheim uit te gaan zoeken. Tegelijkertijd piekerden we over hoeveel we kennelijk niet wisten. In 1990 waren John en Pam met vakantie gegaan naar Tsjecho-Slowakije en hadden de geboorteplaatsen van onze ouders bezocht. Ze hadden in de lokale katholieke kerk vergeefs naar mijn vaders geboorteaangifte gezocht, maar parochiefunctionarissen hadden hen desondanks geholpen het huis te vinden waar mijn vader geboren was. Ze hadden ook gepraat met mensen die de families van mijn ouders kenden. Niemand had er iets over gezegd of een van beide families joods was en John had natuurlijk geen reden ernaar te vragen.

Kathy, John en Pam hadden alle drie fulltimebanen, maar hadden meer mogelijkheden om privé te reizen dan ik. We besloten dat we, misschien in de zomer van 1997, naar Tsjechië zouden gaan om te zien wat we konden ontdekken. Het bleek echter dat we niet zo lang hoefden te wachten. Tijdens de periode van mijn overgang van de VN naar Buitenlandse Zaken vertelde Jamie me dat een verslaggever van de *Washington Post* een verhaal aan het schrijven was over mijn persoonlijke geschiedenis en hulp vroeg. Ik was altijd bereid geweest over mezelf te praten, dus belde ik de verslaggever, Michael Dobbs. Hoewel de traditie voorschreef dat ik hem geen officieel interview mocht geven voordat ik geïnstalleerd was, praatten we een tijdje informeel en ik zei dat ik hem graag zou spreken nadat ik officieel beëdigd was. Ik gaf hem ook met plezier adressen van mensen in Belgrado en Tsjechië met wie hij wellicht zou willen spreken, onder wie mijn nicht Dáša. Ik kende Dobbs van naam als degelijk journalist, maar kende hem niet persoonlijk.

De overgangsweken waren al snel voorbij en waren, voor mij, een wervelwind van voorbereidingen, gecombineerd met inaugurele festiviteiten, optochten, feesten en mijn eigen beëdiging. Vrijdag 24 januari was mijn eerste volledige dag als minister. Mijn hersens voelden alsof ze op honderd plekken tegelijkertijd aanwezig waren. Ik hield een persconferentie en bereidde me voor op een aantal interviews, zocht kandidaten voor functies en was gastvrouw op twee recepties. Te midden van dit alles kreeg ik een telefoontje van mijn dochter Anne. Ze huilde. Ze zei dat Michael Dobbs gebeld had met de vraag: 'Wist je dat drie van je overgrootouders in concentratiekampen van de nazi's zijn omgekomen?' Ik vond het ongelooflijk, maar probeerde haar ondertussen te troosten. Anne zei verdrietig: 'Nu begrijp ik waarom oma ons altijd zo beschermde en zich altijd zoveel zorgen over ons maakte. Arme oma en bumpa, dit is vreselijk.'

Ik was geschokt, woedend op Dobbs omdat hij mijn dochter gebeld had en in verwarring door zijn informatie. Ik wist natuurlijk dat een van mijn grootouders voor de oorlog overleden was en de andere drie terwijl wij in Engeland waren, maar niemand had ooit iets gezegd over concentratiekampen. Als er ook maar iets van dit verschrikkelijke verhaal waar was, had ik degene moeten zijn die het nieuws aan mijn kinderen vertelde. Woedend belde ik Jamie. 'Waarom belt Dobbs Anne met dit soort informatie? Waarom praat hij niet met mij? En waar komen deze zogenaamde feiten vandaan?' Jamie herinnerde me eraan dat we Dobbs een interview beloofd hadden en stelde voor om zo snel mogelijk een afspraak met hem te maken om een en ander uit te zoeken.

Ik wou dat ik alles terzijde had kunnen schuiven om dit verbijsterende nieuws zelf uit te zoeken, maar er was geen tijd. Interviewers van CNN en *Meet the Press* ondervroegen me over onze lange lijst met beleidspunten. Ik had een bijeenkomst met mijn nieuwe collega's, Sandy Berger en minister van Defensie Bill Cohen, om prioriteiten te stellen, indrukken uit te wisselen en plannen te maken. Ik sprak met de minister van Financiën Robert Rubin over samenwerking op het gebied van economische kwesties. Er kwamen felicitatietelefoontjes binnen van buitenlandse ministers. Ik bracht beleefdheidsbezoeken aan Capitol Hill en lunchte met George Tenet, waarnemend directeur van de CIA. Er waren ook sociale verplichtingen – het jaarlijkse diner van de Alfalfa Club, de begroeting van het Congres door de Washington Press Club, en een receptie voor de persafdeling van het ministerie van Buitenlandse Zaken. Onder al deze muziek klonk een hardnekkige drumroffel. Ik belde vaak met mijn dochters, mijn zus en mijn broer. Een verslaggever beweerde dat hij informatie had die onze kijk op onze familiegeschiedenis drastisch zou veranderen. In de voorafgaande weken waren we begonnen met het onderzoeken van de mogelijkheid van een joodse afkomst. Nu werden we geconfronteerd met de volle implicatie van die mogelijkheid. Het was één ding dat mijn grootouders joods waren, maar dat ze joods waren in een tijd en op een plaats waar Adolf Hitler de macht over leven en dood had, was iets heel anders.

Op 30 januari kwamen Dobbs en zijn collega Steve Coll om kwart voor zes 's middags naar mijn kantoor. Ze zaten met de deadline voor hun stuk dat in het magazine van de *Washington Post* zou verschijnen. Elaine en Jamie waren ook aanwezig. Het interview begon goed. De verslaggevers installeerden hun bandrecorder en we begroetten elkaar. Vervolgens kwamen ze ter zake. Vanwege Dobbs' telefoontje naar Anne en een telefoongesprek dat hij met Jamie had gevoerd,* wist ik ongeveer wat me te wachten stond, maar ik was niet voorbereid op hoe moeilijk de sessie zou blijken te zijn.

Nadat hij me had bedankt voor mijn medewerking vertelde Dobbs me over de mensen die hij had gesproken die iets over mijn familie wisten. Hij haalde lijsten te voorschijn van mensen die in nazikampen waren omgekomen, in Theresienstadt (Terezín) en in Auschwitz, onder wie mijn grootouders van vaderskant, Arnošt en Olga Körbel, en mijn moeders moeder, Růžena Spieglová.** Hij stelde me een reeks vragen over wat ik wist en sinds wanneer ik het wist. Daarna legde hij een foto voor me neer van drie meisjes van verschillende leeftijden. 'Ik herken iedereen,' zei ik: de oudste was mijn nicht Dáša, ik was het kleine meisje dat naast haar stond en mijn zusje was de baby in de kinderwagen. Dobbs corrigeerde me en zei dat ik de baby was en het middelste meisje was Dáša's zusje Milena. 'Milena,' zei hij, 'is ook naar Auschwitz afgevoerd.'

Ik probeerde deze afgrijselijke informatie tot me door te laten dringen en kalm te blijven, terwijl ik tegelijkertijd verpletterd was door wat ik te horen kreeg en me afvroeg wat me nog meer te wachten stond. Ik voelde me ook ongemakkelijk omdat de toon van het interview sinds het vriendelijke begin vijandiger was geworden. Uiteraard was het de taak van de verslaggevers om vragen te stellen, maar ik voelde me als een getuige in een rechtszaak die een kruisverhoor ondergaat van een advocaat die alle feiten kent terwijl ik van niets wist. Op een be-

---

* Er staat een lang stuk over deze episode in Dobbs' boek, *Madeleine Albright, A Twentieth-Century Odyssey*. Het enige punt waarover we van mening verschillen is dat de verslaggever zegt dat hij Jamie Rubin op 21 januari, drie dagen voor zijn telefoontje aan Anne, op de hoogte stelde van de omstandigheden van de dood van mijn grootouders. Jamie bevestigt dat ze elkaar gesproken hebben, maar zegt dat het gesprek erg vaag was en dat hij uiteraard informatie over het lot van mijn grootouders onmiddellijk zou hebben doorgegeven. In ieder geval denk ik dat Dobbs niet met opzet heeft willen kwetsen. Hoewel ik destijds erg kwaad was, ben ik Dobbs inmiddels al heel lang dankbaar voor het uitgebreide onderzoek naar mijn afkomst dat hij heeft gedaan.

** Dobbs gaf mijn grootmoeder in zijn artikel de verkeerde voornaam, Anna in plaats van Růžena.

paald moment zei Dobbs' collega zelfs: 'Dit waren onze bewijzen.' Bewijzen voor wat? De *Washington Post* wist meer over mijn familie dan ikzelf, en om die reden leek het alsof mij werd verweten dat ik of iets verborgen hield of gek was. Ik walgde ook van Dobbs' onthullingen over het verschrikkelijke lot van mijn grootouders, de mensen die mijn ouders hadden opgevoed en gekoesterd en indirect mij het leven geschonken hadden. Omdat het een interview was, moest ik praten – niet eenvoudig als je sprakeloos bent.

Ik maakte gebruik van een moment na een vergadering op het Witte Huis om het nieuws over mijn grootouders te bespreken met de president en de vice-president. We bevonden ons in het Oval Office en Bill Clinton omarmde me en zei: 'Het spijt me zo. Je moet er meer over uitzoeken.' 's Avonds belde Hillary me thuis. 'Ik begrijp dat dit afschuwelijk nieuws moet zijn om te verwerken,' zei ze. 'Ik zal alles doen om je te helpen. Wees sterk. We houden van je.'

De eerste reacties van het publiek toen het nieuws bekend werd, was een mengeling van medeleven en fascinatie. Ik ontving brieven en telefoontjes van veel medestanders in het Congres en raadpleegde leiders van de joodse gemeenschap, zoals Arthur Schneier, de rabbijn van New York, en Elie Wiesel. Een aantal mensen meldde zich met ervaringen die vergelijkbaar waren met de mijne, onder wie schrijver en journaliste Kati Marton, die ook rooms-katholiek was opgevoed en pas over haar joodse afkomst had gehoord toen ze als negentwintigjarige haar geboorteland Hongarije bezocht. 'Het geeft je een enigszins verward en bedreigd gevoel,' schreef ze, 'ook een beetje kwetsbaar.' Abraham Foxman, nationaal directeur van de Anti-Defamation League, zei tegen de *New York Times*: 'In Polen komen nog elke dag joden boven water die hun hele leven hebben gedacht dat ze rooms-katholiek waren.' Er verschenen artikelen waarin vooraanstaande psychologen geciteerd werden die vaker voorbeelden van hetzelfde verhaal hadden gezien en zeiden dat veel mensen die waren ontsnapt aan de holocaust of het overleefd hadden, niet spraken over hun verleden omdat ze zich concentreerden op het opbouwen van een nieuw leven in een nieuw land.

Hoewel ik inmiddels niet meer twijfelde aan de waarheid van de kern van het verhaal van de *Post*, was dit geen zaak waarover ik verder door de media op de hoogte wilde worden gehouden. Onze familie moest haar eigen onderzoek doen. John en Kathy dachten er net zo over. Ik belde mijn vriend Mark Talisman, die ons in contact bracht met Tomáš Kraus, directeur van de Federatie van Joodse Gemeenschappen in Tsjechië. In februari vertrokken mijn zus, broer en schoonzus naar Praag.

Het feit dat ik werk te doen had en mijn familie probeerde het volledige verhaal boven tafel te krijgen, maakte geen eind aan de opwinding. Integendeel, de media werden overvoerd met artikelen, commentaren en brieven. Als ik me voordien overspoeld voelde, had ik nu het gevoel dat ik verdronk. Ik had er geen bezwaar tegen dat de pers mijn familiegeschiedenis als nieuws beschouwde: dat is deel van de prijs die je betaalt als je een publiek persoon wordt. Ik gaf talloze interviews en de meeste verslaggevers stelden redelijke vragen en schreven eerlijke artikelen. Maar daar hield het niet mee op.

Sommige commentatoren gingen verder dan de tragedie van mijn grootouders en andere familieleden en trokken zowel mijn eerlijkheid als mijn vaders karakter in twijfel. Professoren en zelfbenoemde deskundigen die mij nooit hadden ontmoet zeiden dat het 'onmogelijk' was dat ik niet van mijn afkomst geweten had. Anderen, onder andere columnisten die ik goed kende, zeiden dat het 'merkwaardig' was dat ik het niet wist en 'vreemd' dat het geheim niet van moeder op kind was doorgegeven, en dat het erop leek dat ik het 'niet had willen weten' en 'een gebrek aan nieuwsgierighcid' had getoond. Een andere schrijver vroeg zich af waarom ik niet naar de graven had gevraagd toen ik als achtjarige te horen kreeg dat mijn grootouders dood waren. De insinuatie was duidelijk: ik was een leugenaar.

Van mijn beste vriendinnen van Wellesley waren er twee joods: Wini Shore Freund en Emily Cohen MacFarquhar. Ze zeiden tegen mensen die vragen stelden dat ze me bijna veertig jaar kenden en zeker wisten dat ik niet op de hoogte was geweest van de waarheid. Helaas betekent de getuigenis van vrienden voor sceptici niet veel.

Ik was geïrriteerd omdat het onmogelijk was mijn ontkenning te bewijzen. Ik wist niet wat ik niet wist en ik had nooit bedacht dat mijn ouders iets dergelijks voor mij geheim zouden houden. Voor anderen was het gemakkelijk om te zeggen dat ik meer vragen had moeten stellen, maar ik leefde in de veronderstelling dat ik al een compleet familieverhaal had. Het ontbrak noch mij, noch John noch Kathy aan een duidelijke identiteit of een gevoel van wie we waren en waar we vandaan kwamen. Het was altijd heel duidelijk voor ons geweest dat onze moeder haar eigen moeder verschrikkelijk miste, maar het verlies deed haar kennelijk zoveel verdriet dat we nooit om details vroegen. Wat onze vader betreft, hij was simpelweg niet het soort mens aan wie je twijfelde. Wij beschouwden hem als de bron van de waarheid en als degene die bepaalde wat waarheid was.

Ik had het nieuws over de dood van mijn grootouders gehoord toen ik acht jaar was, nadat ons gezin na de Tweede Wereldoorlog was teruggekeerd naar Praag. Ik had medelijden met mijn ouders maar had zelf geen verdriet, want ik wist eigenlijk niet echt wat grootouders waren. Ik kon me hun gezichten niet voor de geest halen of me hun glimlach herinneren of hun armen om me heen voorstellen. Ik was nog geen twee jaar toen ik hen voor het laatst gezien had, dus was ik niet echt nieuwsgierig naar ze. Ik wist dat oude mensen doodgaan.

Later had ik geen reden om te twijfelen aan het verslag van mijn ouders over het verleden, want ze deden er nooit geheimzinnig of aarzelend over. Integendeel, we praatten voortdurend over die tijd. Het document dat ik na mijn moeders dood vond, ademt de sfeer waarin ze altijd tegen ons gesproken hadden. Ze zinspeelde op een verwikkeling rond onze reis van Praag via Belgrado naar Londen in maart 1939 maar schreef niets over het joods-zijn. Als gezin van een regeringsfunctionaris hadden we alle reden om de Gestapo op politieke gronden te ontvluchten. Eenmaal aangekomen in de Verenigde Staten vertelden mijn ouders graag over hun vrienden van de middelbare school, hun verkeringstijd, hun families en hun leven in Tsjechoslowakije tussen de twee wereldoorlogen. Mijn broer, zus en ik kregen verhalen te horen over familievieringen ter gelegenheid van Kerstmis en Pasen. Vooral toen ik op de middelbare school Europese geschiedenis studeerde, spraken we vaak over de opkomst van Hitler, de verdeling van Tsjechoslowakije en de gruwelen van de holocaust. Mijn ouders benadrukten met grote hartstocht de noodzaak van tolerantie en het belang van verzet tegen het kwaad, maar ik heb nooit het persoonlijke verlies en verdriet gezien die aanleiding waren tot die hartstocht.

Zou ik wensen dat ik eerder van de waarheid op de hoogte was geweest? Ja. De omstandigheden rond het verlies van mijn grootouders zouden een vreselijke schok hebben betekend, maar het zou mij in een eerder stadium aangemoedigd hebben om meer over hun leven te weten te komen, een voordeel dat ik gewaardeerd zou hebben en het zou me de kans gegeven hebben om hun de eer te bewijzen die zij verdienden.

De waarheid is dat ik, hoewel ik mij ergerde aan sommige dingen die over mij geschreven werden, boos was over de kritiek op mijn ouders. Een paar schrijvers plaatsten vraagtekens bij het besluit van mijn ouders om met ons gezin Tsjechoslowakije te verlaten. Anderen impliceerden dat het daaropvolgende besluit van mijn ouders om onze joodse afkomst geheim te houden het gevolg was van of mijn vaders ambities ten aanzien van een carrière of van een soort snobisme of schaamte. Die aantijgingen spoorden helemaal niet met mijn herinnering aan de ouders die ik bewonderde en liefhad.

Wijsheid achteraf is een prachtige gave, vooral als die wordt getoond door degenen die geen vergelijkbare ervaringen hebben doorgemaakt. Ik kan niet weten hoe het besluitvormingsproces bij mijn ouders is verlopen. Hoewel de waanzin van de holocaust in het begin van 1939 nog onvoorstelbaar was, was er wel sprake van onderdrukking en bezetting. Omdat de nazi's aan de macht waren en mijn vader een aanhanger van president Beneš was, was zijn carrière in Tsjechoslowakije afgelopen en kon hij niet langer effectief en openlijk in Praag werken voor het land waar hij van hield. Maar hij had wel de mogelijkheid om zich bij Beneš en andere Tsjechoslowaakse leiders in Londen te voegen om internationale steun te vergaren voor het streven van zijn land. Hij en mijn moeder hadden ook een dochter van peuterleeftijd te beschermen.

Ik kan me de gesprekken die mijn ouders met hun ouders moeten hebben gehad vlak voor ze uit elkaar gingen slechts voorstellen. Mijn moeder had een heel nauwe band met haar moeder en haar oudere zus Marie, die Máňa werd genoemd. De rillingen lopen over mijn rug als ik denk aan de keuze die ze moest maken tussen bij haar man en jonge kind of bij haar moeder en zus blijven. Ik vermoed dat mijn grootmoeder van moederskant, die net weduwe was geworden, niet weg wilde omdat Máňa, die een nierziekte had, te ziek was om te reizen. Ik weet niet waarom mijn grootouders van vaderskant niet vertrokken zijn of zelfs of ze wel de kans hadden voor het te laat was. Mijn vaders broer was eer- der dan hij naar Londen vertrokken, maar hun zus en familie bleven daar, alleen Dáša kwam later bij ons.*

Wat betreft het besluit van mijn ouders om onze joodse afkomst niet te onthul- len, ook daar kan ik alleen maar over speculeren. Ik vermoed dat ze onze af- komst associeerden met lijden en ons wilden beschermen. Ze waren naar Amerika gekomen voor een nieuw begin. De opkomst van het McCarthyisme in de jaren vijftig kan hun het gevoel gegeven hebben dat ze niet wisten wat hun te wachten stond. Misschien hebben ze overwogen het me te vertellen, maar was het nooit het juiste moment.

Ik wilde persoonlijk reageren op elk artikel, elke beschuldiging en elk commen- taar op onze familie, maar de dagen in mijn nieuwe baan waren zo druk dat ik niet eens de tijd had om alles te lezen, laat staan erop te reageren. Het was alsof ik eindelijk aan de Olympische Spelen mee mocht doen en mijn land in een wed- strijd moest vertegenwoordigen, maar vlak voor de start een zwaar pak overhan- digd kreeg dat ik al rennend uit moest pakken.

Terwijl dit allemaal speelde, had ik het gevoel dat ik niet alleen persoonlijk ui- terst kritisch bekeken werd, maar dat ik moest bewijzen dat ik met succes als mi- nister van Buitenlandse Zaken kon functioneren. Ik was woedend toen een aantal Arabische kranten zei dat de onthullingen over mijn afkomst ertoe zouden leiden dat Tel Aviv in plaats van Washington de hoofdstad van het buitenlands beleid van Amerika zou worden. Onze persafdeling weersprak die beschuldiging onmiddel- lijk, en sympathiekere schrijvers herinnerden er nadrukkelijk aan dat Henry Kissinger, die joods is, een zeer bekwame minister was geweest.

Binnen een paar weken kwamen Kathy, John en Pam terug uit Tsjechië, beladen met video's, cassettebandjes en informatie. Behalve Praag hadden ze ook Kos- telec nad Orlicí bezocht, mijn moeders geboorteplaats; Letohrad, mijn vaders geboorteplaats**; Poděbrady, een kleine stad waar mijn grootmoeder van moe- derskant had gewoond; en Theresienstadt (Terezín), het concentratiekamp ten noorden van Praag.

In het joodse raadhuis in Praag hadden ze de originele oorlogsarchieven van de nazi's gevonden, waarin zich de kaarten bevonden met de namen van mijn grootouders.

---

* Dáša kon vertrekken dankzij *Kindertransport*, een reddingsoperatie van vrijwilligers die tussen 1938 en 1940 negen- tot tienduizend kinderen uit Duitsland en door Duitsland bezette gebieden in staat stelde naar Groot-Brittannië te gaan. De kinderen, die onder de zeventien moesten zijn en niet door hun ouders of verzorgers begeleid konden wor- den, reisden per trein en vliegtuig naar Engeland en mochten het land binnenkomen op gewone reisvisa.

** Ten tijde van mijn vaders geboorte heette Letohrad Kyšperk.

Arnošt en Olga Körbel waren op 30 juli 1942 op een goederentrein uit Praag in het doorgangskamp in Terezín aangekomen, samen met nog 936 andere joden. Arnošt stierf twee maanden later aan bronchiale longontsteking, waarschijnlijk veroorzaakt door tyfus. Olga werd op 23 oktober 1944 op transport gesteld naar Auschwitz, waar ze al snel stierf. Uit de transportkaart van mijn grootmoeder van moederskant, Růžena Spieglová, blijkt dat ook zij in Terezín geweest is. Er is geen bewijs dat ze het overleefde, maar wanneer en waar ze gestorven is, is onbekend. Ook andere familieleden, een oom en tante, een van mijn nichten en diverse oudooms en oudtantes stierven in Auschwitz, Treblinka en Terezín. Mijn broer zei: 'Het was alsof je een ui pelde. Elke laag bracht nieuwe tranen en drama.' Alles bij elkaar werden meer dan tien van onze familieleden slachtoffer van de holocaust.

John en Kathy werden hartelijk verwelkomd bij hun bezoek aan de geboorteplaatsen van onze ouders. Oudere ingezetenen bevestigden een aantal van de verhalen waarmee wij opgegroeid waren. Grootvader Körbel was eigenaar van een luciferfabriek die veel mensen in het dorp van drieduizend mensen aan werk hielp. Onze grootvader van moederskant had een groothandel in voedingsmiddelen gedreven. Mijn vader had mijn moeder altijd geplaagd omdat ze te veel boodschappen kocht, en zei dat ze was opgegroeid in een 'groothandelsfamilie'.

Toen mijn broer op de middelbare school football speelde, had mijn vader dat aangegrepen als aanleiding om verslag te doen van zijn eigen prestaties op het sportveld. 'We hoorden van een van papa's vrienden dat hij inderdaad de aanvoerder van het plaatselijke voetbalelftal was,' zei John, voor hij er droogjes aan toevoegde, 'dat was natuurlijk deels omdat hij de enige was die een bal had.'

Ze werden begeleid door Tomáš Kraus, de ideale persoon om hen te introduceren in de plaatselijke joodse gemeenschap. Terwijl ze door het land reden, hadden ze gepraat over het belang van traditie en gedeelde jeugdherinneringen. Na een maaltijd zei John: 'Ik vertelde Tomáš hoe we, na een diner op een feestdag, met elkaar wedijverden om de volgende ochtend de eerste te zijn die het gestolde kalkoenvet van de bodem van de sauspan schraapte om op een vers stuk roggebrood te smeren.' Op het moment dat hij dat zei, herinnerde John zich, 'hapte Kraus naar adem en zei: "Nou zeg, dat is zo typisch joods." Dus, Madeleine, de sleutel tot het geheim bevond zich al die tijd onder onze neus, en het was vet'.

Natuurlijk was het doel van de reis meer dan alleen feiten, en ging het om de algemenere vraag over de houding van mijn ouders ten opzichte van religie. Als ze joods waren, waarom hadden ze ons dan verteld over vieringen in het verleden van christelijke feestdagen? Waarom stond er op hun huwelijksakte dat ze 'bez vyznání' ofwel 'zonder geloof' waren?

Tomáš Kraus leverde een paar belangrijke aanwijzingen. Hij legde uit dat de Tsjechische joodse gemeenschap altijd al meer niet-kerkelijk was geweest dan joodse gemeenschappen elders. In de periode tussen de twee wereldoorlogen beschouwden de meeste families zich in de eerste plaats als Tsjechisch of Tsjechoslowaaks en daarna pas als joods. Sommige meer geassimileerde joden hielden eenvoudig op de joodse religieuze tradities na te leven. Anderen vierden het joodse paasfeest en de hoogtijdagen Rosh Hashanah en Jom Kippoer, maar ook Kerstmis en Pasen. Kraus zei dat zijn eigen familie, met overlevenden van Terezín, meestal de kerstboom kocht op de laatste dag van Chanoeka. En John herinnerde zich: 'Een van de schilderijen van kinderen in het museum in Terezín stelt een kerstboom voor.'

John en Kathy bedachten dat de familie van onze moeder misschien meer tradities naleefde dan die van onze vader, deels omdat haar gemeente een synagoge had en die van hem niet. In ieder geval leek het ons redelijk te concluderen dat de verhalen die we over feestdagen in het verleden hadden gehoord klopten en niet verzonnen waren om ons voor de gek te houden. Mijn ouders waren echter nooit rigide in hun denken, en evenmin godvruchtig. Dat verklaarde de opmerking 'zonder geloof' toen ze trouwden. Ik hoorde ook van mijn nicht Dáša dat veel leden van onze naaste familie gedoopt zijn. Om kort te gaan, mijn ouders waren vrij typerend voor hun woonplaats, gemeenschap en tijd.

Een van de belangrijkste doelen van de reis van Kathy, John en Pam was een ontmoeting met onze nicht Dáša. Het artikel dat verschenen was in het magazine van de *Washington Post* had geprobeerd een aangrijpende vergelijking tussen Dáša's en mijn leven te maken. Ik had een goed leven gehad, terwijl zij geleden had. Dat was waar, maar het artikel deed het ook voorkomen alsof mijn vader verantwoordelijk was voor Dáša's besluit om niet naar de Verenigde Staten te komen met de rest van ons gezin. Dáša zou volgens het artikel gezegd hebben: 'Ik vind dat hij [Josef Korbel] me onrechtvaardig behandeld heeft. Hij had me hier niet moeten achterlaten. Als hij voorgesteld had dat ik met hen mee zou gaan, zou ik gegaan zijn. Hij had zich bewust moeten zijn van de risico's om hier te blijven.'

Deze beschuldigende woorden schokten me toen ik ze voor het eerst las, omdat ik wist dat ze niet juist waren, maar door duizenden lezers voor waar zouden worden aangenomen. Wij hebben altijd geloofd dat mijn vader, toen hij in 1948 voor Jan Masaryks begrafenis naar Praag ging, Dáša, die toen twintig jaar was maar wettelijk nog steeds zijn pupil, gevraagd had om mee te gaan. Ze had geweigerd omdat ze verliefd was op de man met wie ze later zou trouwen en omdat ze in Tsjechoslowakije naar de universiteit wilde. Nu zou ze gezegd hebben dat mijn vader haar in de steek gelaten had en hij had uiteraard geen enkele manier om zich te verdedigen. Ik kon niet geloven dat Dáša zoiets zou zeggen.

John vertelde dat ze zich een weg hadden moeten banen door de televisiecamera's die stonden te wachten voor het 'privé-bezoek' aan Dáša. Kathy herinnerde zich dat niemand zich in het begin op zijn gemak voelde. Toen ze het hadden over mijn vaders laatste bezoek aan Praag, zei Dáša, en dat was veelzeggend: 'Hij had mij een draai om mijn oren moeten geven en tegen me moeten zeggen dat ik mee moest gaan. Ik kon me niet voorstellen wat het leven onder een communistisch regime zou betekenen.' Ze voegde eraan toe dat mijn moeder haar regelmatig had geschreven, foto's van ons allemaal had gestuurd en ook het eigendomsrecht van een of ander familiebezit aan haar had overgedragen, wat ze later had verkocht, en met de opbrengst ervan had ze een weekendhuisje gekocht. John vertelde dat Dáša geschokt en kwaad was over de ophef die het interview met haar had veroorzaakt.

Het kwaad was echter geschied. Naast de beschuldigingen dat mijn vader onze afkomst had ontkend, dacht iedereen nu voortaan dat hij zijn 'pupil' in de steek had gelaten.

In 1997 reisde ik zelf twee keer naar Tsjechië, de eerste keer in functie, de tweede keer privé. Na afloop van de NAVO-top in Madrid ging ik in juli naar Praag om een prijs in ontvangst te nemen en om te vieren dat mijn geboorteland net was uitgenodigd om lid te worden van de verdragsorganisatie.

Mijn schema gaf me maar een paar uur vrije tijd en ik kon niet alle plekken bezoeken die mijn broer en zus hadden bezocht, maar ik wilde in ieder geval naar de Pinkas synagoge – een gewijde en melancholieke plek. Als je binnenkomt zie je op de muren iets wat op heel dun behangpapier lijkt, maar als je dichterbij komt kun je zien dat het patroon in feite bestaat uit keurige zwarte letters die een namenlijst vormen van de 77.297 Tsjechoslowaakse joden die in de holocaust gestorven zijn. Op de geëigende plekken staan in rode letters de plaatsen waar de slachtoffers vandaan kwamen met hun achternamen en de initiaal van hun voornaam. Gescheiden van de volgende naam door een klein oranje sterretje wordt elke naam gevolgd door de geboorte- en sterfdatum. Een jaar daarvoor had ik de synagoge bezocht met Hillary Clinton. Alles zag er toen hetzelfde uit als nu. Ik was degene die veranderd was.

De joodse functionarissen die me begeleidden wezen de namen van Arnošt en Olga Körbel aan in de eerste rij die ik zag. We moesten twee trappen op om Růžena Spieglová's naam te vinden. Ik sloot en opende en sloot mijn ogen om het beeld in mijn geheugen op te slaan. Ik had verwacht me overweldigd en verdrietig te voelen. Ik ben naar veel gedenktekens voor de holocaust geweest, waaronder Yad Vashem in Israël en het Holocaust Museum in Washington. Elke keer word ik eraan herinnerd dat er in de hele geschiedenis niets vergelijkbaars, niets dat zo elk begrip te boven gaat, niets zo vreselijk om te overdenken en niets zo wezenlijk is om je te herinneren.

Ik was nu ook op dergelijke gevoelens voorbereid, maar wist niet zeker wat ik nog meer zou voelen. Een van de dingen die me dwarszaten was dat mijn grootouders toen ik opgroeide nooit werkelijkheid voor me waren geweest. Nu pas, nu ik zelf grootmoeder was, kon ik me voorstellen hoe ons samenzijn geweest had kunnen zijn. Ik dacht aan mijn kleinkinderen met een overvloed aan liefde en dacht: 'Dat is hoe de ouders van mijn ouders mij al die jaren geleden moeten hebben gezien.'

Wat mijn verwachtingen ook waren, ik had niet voorzien dat ik me mijn grootouders in gestreepte concentratiekampuniformen zou voorstellen en hun uitge-

mergelde gezichten naar mij zou zien kijken. Ik realiseerde me terwijl het gebeurde dat ik geen duidelijk beeld had van hoe mijn grootouders er tijdens de
oorlog moeten hebben uitgezien, omdat de paar foto's die we hadden jaren eerder waren genomen. Ik dacht eraan hoe ze moeten hebben geleden, aan hun
strijd om te overleven, de marteling van hun laatste uren. Ik dacht ook aan het
grote verdriet dat mijn ouders hebben gevoeld en dat ze zo goed voor me verborgen hadden gehouden: de pijn van het afscheid nemen, de kwelling van het niet
weten, het verdriet van het nieuws en hun onwrikbare vastbeslotenheid ons te
beschermen.

Toen ik me van de namen op de muren afwende, voelde ik me zowel diep triest
als dankbaar. De aanwezigheid van mijn familie op die muren had een persoonlijk aspect toegevoegd, maar niet mijn kijk op de holocaust en de gruwelen ervan
fundamenteel gewijzigd. Ik wist nu echter dat als mijn ouders niet besloten hadden Praag te verlaten, hun namen en de mijne ook op die synagogemuur zouden
hebben gestaan, en dat mijn zus en broer helemaal niet zouden hebben bestaan.
Mijn ouders hadden mij niet één maar twee keer het leven geschonken.

Eind augustus keerde ik terug naar Tsjechië, dit keer met vakantie. Mijn dochters en hun echtgenoten en Kathy reisden mee. Hun gezelschap en het ontspannen
programma maakten het onmogelijk somber te worden. Het was de eerste keer
dat ik met mijn dochters in Tsjechië was. Ik had gehoopt dat ze verrukt zouden zijn
en dat waren ze. Er was zoveel van wat ze in hun grootouders hadden liefgehad
aanwezig op de plekken die we bezochten en in de dingen die we deden. In Praag
speelde ik de rol van gids toen we de route namen die mijn vader en ik volgden als
hij me naar school bracht. Ik liet ze de ramen van het appartement zien waar we
hadden gewoond en zij stelden zich mij voor als Madlenka die op het plein voor
het huis speelde. We aten alle kruidige gerechten die mijn ouders ze in de zomers
in Denver hadden voorgezet; volgden de route die Kathy, John en Pam genomen
hadden en bezochten de plaatsen waar mijn ouders waren opgegroeid; we gingen
naar de middelbare school waar ze op gezeten hadden en zagen de klaslokalen
waarin ze gezeten hadden. We gingen ook naar Theresienstadt.

Eén erfenis van de Tweede Wereldoorlog is een lijst van namen die synoniem is
aan onbeschrijfelijke gruwelen: Auschwitz, Buchenwald, Treblinka, Mauthau-
sen, Bergen-Belsen, Majdanek en andere plaatsen. Theresienstadt is iets minder
berucht omdat het niet als dodenkamp was opgezet, maar als doorgangskamp
voor Tsjechoslowaakse en andere joden. Desondanks stierven er 33.000 joden en
werden er daarvandaan nog eens bijna 87.000 naar dodenkampen en getto's verder oostelijk gedeporteerd. Tussen 1942 en 1944 kwamen er ruim 10.000 kinderen naar Terezín; 8000 werden doorgestuurd naar vernietigingskampen; minder
dan 150 kinderen overleefden het.

De gemeente Terezín ligt in het noordwesten van Tsjechië, gunstig gelegen
vlakbij de Duitse grens. Het werd in de jaren tachtig van de achttiende eeuw gebouwd als fort, waar de soldaten van het Oostenrijks-Hongaarse rijk veilig met

hun gezinnen konden wonen. Er waren vestinggrachten en dikke muren, die het later tot een voor de hand liggende keus als gevangenis maakten. Tegen de jaren tachtig van de negentiende eeuw werden er politieke en militaire gevangenen naartoe gestuurd. In november 1941 werd het stervormige fort een afgesloten nederzetting voor joden. Tegenwoordig is het een museum gewijd aan herdenking en vastbeslotenheid.

We reden door het groene platteland naar Terezín en arriveerden op een enorme parkeerplaats. Er waren die dag niet veel bezoekers, maar we kregen te horen dat er mensen uit de hele wereld kwamen om het museum te bezoeken. Hoewel het kamp een belangrijke rol had gespeeld in Hitlers plan om alle joden uit te roeien, bleef destijds die bedoeling geheim. Nazipropagandisten noemden het een 'kuuroord' waar joden zelfbestuur hadden, medische verzorging kregen en 'zich konden terugtrekken'. Men kreeg sommige mensen zelfs zo gek dat ze toegang betaalden.

Dit vermeende 'paradijs' was echter een hel. In de zomer van 1942, toen Arnošt en Olga Körbel, en Růžena Spieglová er arriveerden, was het aantal gevangenen gestegen van ongeveer 20.000 tot bijna 60.000. Mannen sliepen in stapelbedden van drie boven elkaar, terwijl de vrouwen bij elkaar op met stro bedekte vloeren sliepen. De mensen leden honger. Gezonde gevangenen moesten het spoor aanleggen voor een spooruitbreiding die de deportatie naar de dodenkampen in het oosten moest versnellen en vergemakkelijken. De hygiënische omstandigheden waren slecht, wat leidde tot het uitbreken van tyfus. Het aantal doden per dag steeg en velen, waaronder mijn grootvader, stierven aan de ziekte. Tijdens ons bezoek werden ons de ovens getoond waarin de nazi's de lichamen verbrandden van degenen die stierven als gevolg van de onmenselijke omstandigheden.

Ik kende nu in ieder geval de grote lijnen van het totale vreselijke verhaal. Niet alleen mijn grootouders, maar ook veel andere familieleden waren tijdens de holocaust omgekomen. De feiten waren aldoor aanwezig geweest – niet eens diep begraven of moeilijk te vinden. Ik had alleen maar niet gekeken. Het was als een schilderij zonder duidelijk patroon of beeld totdat iemand zegt: 'Kun je het gezicht van een man in het midden niet zien?' Dan kijk je nog eens en zie je het duidelijk, en vraag je je af waarom je het niet meteen hebt gezien.

Het is verbijsterend te weten dat drie van mijn grootouders in concentratiekampen stierven en dat mijn ouders met dat verdriet leefden. Ik ben trots dat ik nu mijn complete achtergrond ken. Ik vond het altijd al een heel verhaal, maar ik voel me nu nog rijker dankzij de wetenschap dat ik deel uitmaak van een dapper volk dat heeft overleefd en gefloreerd ondanks eeuwen van vervolging.

Sinds 1997 wordt mij gevraagd of ik het joodse geloof ga belijden. Ik denk niet dat dat zal gebeuren. Ik ben opgegroeid en word oud als christen en, zoals ik al eerder heb gezegd, het is moeilijk om een geloof af te leren. Ik ga niet meer zo vaak naar de kerk als ik vroeger deed, maar ik ga wel af en toe en bijna altijd met

Kerstmis en Pasen. Dat eerste paasfeest nadat ik de waarheid wist, voelde ik me slecht op mijn gemak tijdens mijn bezoek aan de kathedraal. Het is niet gemakkelijk om ouder te worden en je onzeker te voelen over je geloof.

Nadat het nieuws over mijn familie bekend was, werd mij herhaaldelijk gevraagd hoe ik het vond om joods te zijn. Ik weet dat sommige mensen, onder wie kennissen die ik al heel lang ken, van mening waren dat ik al veel eerder over mijn afkomst wist en geprobeerd had die te ontkennen of te verbergen. Dat is niet waar. Als volwassene heb ik mezelf altijd eerst als Amerikaanse en vervolgens als Tsjechoslowaakse beschouwd, maar voor mij is identiteit, net als voor mijn ouders, primair een kwestie van nationaliteit en normen, niet van bloed. Ik realiseer me echter heel goed dat Hitler bloed wel belangrijk vond en dat feit gaat ons allemaal aan, want dat is de reden waarom zes miljoen joden stierven.

Van alles wat er over mijn familie geschreven is, werd ik het meest geroerd door wat A.M. Rosenthal in de *New York Times* schreef: 'Arnost Korbel, Olga Korbel, Anna [Růžena] Spieglova werden bijna een halve eeuw geleden vermoord. Nu krijgen ze eindelijk wat de levenden de doden van de holocaust verschuldigd zijn – dat hun namen in herinnering worden gebracht en dat we nooit vergeten dat ze naar de gaskamers werden gedwongen omdat ze joods waren. Er is geen les te trekken uit de holocaust behalve deze: Er werd meer dan kwaad gepleegd en dat kan opnieuw gebeuren, tenzij de levenden niet vergeten.'

HOOFDSTUK 16

Bouwen aan een verenigd en vrij Europa

O P HET HOOGTEPUNT VAN DE BEROERING over het verleden van mijn familie stond er in een krant een cartoon met een kamer vol psychiaters naast een lege sofa. Daarop lag een briefje met de woorden: 'Ben aan het werk, M.A.' De tekenaar kan mijn gemoedstoestand niet hebben gekend, maar had het bij het rechte eind dat ik me ondanks dat gedoe energiek op mijn werk als minister stortte. Ik was vastbesloten onze vlag overal waar Amerikaanse belangen in het geding waren te laten zien, en ik had voor ieder werelddeel doelstellingen in mijn hoofd. In Europa had ik drie prioriteiten: het tot een goed einde brengen van de uitbreiding van de NAVO, zodat er geen twijfel zou bestaan aan de blijvende waarde van het doeltreffendste militaire bondgenootschap in de wereld; het bevorderen van de integratie van Rusland in het Westen, om de kans op terugkeer van de verdeeldheid van de Koude Oorlog zo klein mogelijk te maken; en het zorgen voor volledige naleving van de Akkoorden van Dayton, om het gevaar van oplaaien van het geweld in Bosnië volledig teniet te doen. Ik begon mijn ambtstermijn met initiatieven op alle drie de fronten.

Toen de Tsjechoslowaakse minister van Buitenlandse Zaken, Jan Masaryk, in 1948 zijn dood tegemoet sprong (of werd geduwd) was het duidelijk dat Stalin van plan was Midden- en Oost-Europa te overheersen. Deze uitdaging bracht Washington tot het smeden van een militair transatlantisch bondgenootschap (de NAVO), als verdediging tegen verdere communistische expansie, en om de aan de grond zittende westerse economieën een schild te verschaffen voor een ongestoorde wederopbouw. Het bondgenootschap hielp de voormalige fascistische landen, eerst Italië, daarna Duitsland en Spanje, binnen de familie van Europese democratieën, het stabiliseerde de betrekkingen tussen Griekenland en Turkije, en het hielp de Berlijnse Muur neer te halen. Alles zonder een schot te lossen.

Toen president Clinton aan het bewind kwam was er een voor de hand liggende vraag gerezen: waar diende de NAVO nog voor, zonder vijandelijke supermacht? Het antwoord van de president luidde dat ze de hoeksteen bleef van de veiligheid van Europa. De sovjetdreiging was verdwenen maar andere dreigingen, zoals terrorisme, de verspreiding van kernwapens en etnische zuiveringen waren ervoor in de plaats gekomen.

PSYCHOANALYZING MADELEINE ALBRIGHT

Een tweede vraag was, hoe het veiligheidsvacuüm op te vullen, ontstaan door de opheffing van het Warschaupact. Het gebied tussen Duitsland en Rusland was eeuwenlang omstreden geweest. De grote mogendheden hadden het gebied als slagveld gebruikt om de grenzen van hun machtsbereik te bepalen, door het voortdurend in belangensferen te verdelen. President Clinton en de andere regeringsleiders hadden het vaste voornemen een ander model te creëren.

Samen gingen ze aan de slag om voor Oost-Europa hetzelfde te doen als wat de NAVO voor West-Europa had gedaan. Hun doel was het creëren van een invloedssfeer van gemeenschappelijk belang, waarin alle naties veilig konden zijn. Daartoe legden ze via het Partnerschap voor Vrede verbindingen tussen de NAVO en andere Europese democratieën. Ze vormden de Organisatie voor Veiligheid en Samenwerking in Europa (OVSE) om van een duffe praatclub tot een arena ter ondersteuning van de mensenrechten in de drieënvijftig lidstaten. En president Clinton verklaarde in 1994 in Brussel dat de VS achter een geleidelijk proces van uitbreiding van de NAVO stonden, en dat er uitnodigingen moesten uitgaan voor de NAVO-top in juli 1997.

Hoewel ik voor deze uitbreiding was sprak ik me indertijd niet uit, omdat ik niet de indruk wilde wekken dat ik speciaal in het belang van de Tsjechische Republiek, Slowakije of andere mogelijke NAVO-kandidaten pleitte. Naarmate er schot in het debat kwam werd ik echter een vurig pleitbezorger, en toen het besluit tot uitbreiding eenmaal was genomen was ik opgetogen bij het vooruitzicht dit als minister van Buitenlandse Zaken te helpen uitvoeren.

Men hoefde geen inwoner van deze regio te zijn om de logica van dit voornemen in te zien. Na vier decennia communistische overheersing wilden de volken van Midden- en Oost-Europa maar al te graag deel uitmaken van een NAVO die zich steeds verder uitbreidde. Ik vond dat ze welkom moesten zijn, omdat als hun NAVO-bescherming werd onthouden, ze politiek geen kant op zouden kunnen en

wel eens via andere middelen veiligheid konden nastreven, met als gevolg onvoorspelbare bondgenootschappen, pogingen tot herbewapening, en mogelijk
het gebruik van geweld om geschillen uit te vechten.

Mij leek dit allemaal zonneklaar, maar velen in de gevestigde orde van het buitenlands beleid dachten er anders over. Hoe sterk het verzet was wordt gemakkelijk vergeten. George Kennan bijvoorbeeld, het leeftijdloze boegbeeld van de
Amerikaanse diplomatie, verklaarde uitbreiding van de NAVO tot 'de grootste fout
van het westerse beleid in het hele tijdperk van de Koude Oorlog'. Columnist
Thomas Friedman van de *New York Times* betitelde het als 'onverantwoord', en
senator Sam Nunn kwam met een door vijftig vooraanstaande politici en deskundigen ondertekende brief, waarin de regering ervan werd beschuldigd 'een fout
van historische omvang te maken'. Een informele enquête van de raad voor buitenlandse betrekkingen gaf aan dat tweederde van de deskundigen tegen uitbreiding van de NAVO was.

Dit waren serieuze mensen met een gewettigde bezorgdheid. Boris Jeltsin en
zijn landgenoten waren fel tegen uitbreiding, omdat ze die als een strategie zagen
om hun kwetsbaarheid uit te buiten en de scheidslijn in Europa naar het oosten te
verschuiven, wat hen in een isolement bracht. En Rusland was iets geworden wat
de wereld nog niet eerder had gezien: een zwak en potentieel instabiel land met
duizenden kernwapens. Jeltsin begreep de behoefte van Rusland aan goede betrekkingen met het Westen, maar indien weerzin tegen uitbreiding van de NAVO
zou betekenen dat de macht in Moskou naar extreem nationalistische krachten
verschoof, zou er een nog gevaarlijkere Koude Oorlog kunnen volgen.

We moesten behoedzaam balanceren om ons woord te houden tegenover de
nieuwe democratieën van Europa, zonder onze oude vijand te reanimeren. Onze
critici meenden dat we ons evenwicht niet zouden weten te bewaren. Wij dachten van wel.

In februari 1997, slechts een paar weken na mijn aantreden, deed ik Moskou
aan op een rondreis langs tien landen. Mijn reputatie was me al vooruitgesneld.
Sinds mijn benoeming had de Russische pers me als een ouderwetse havik afge-
schilderd, op grond van mijn Midden-Europese afkomst en het feit dat ik me
sterk maakte voor uitbreiding van de NAVO. De media noemden me *Gospozha*
Stal, of 'Mevrouw Staal'. Amerikaanse journalisten hadden zich in soortgelijke
bewoordingen uitgelaten over de nieuwe Russische minister van Buitenlandse
Zaken, Jevgeni Primakov, voormalig hoofd van de Buitenlandse Inlichtingendienst, de opvolger van de KGB. Sinds zijn aantreden had hij zich ingezet om de
wereldwijde Russische invloed opnieuw te doen gelden, dikwijls ten koste van
de banden met Washington. Aangenomen werd dat bij ons overleg de vonken
eraf zouden vliegen.

Bij mijn aankomst in het gastenverblijf van het ministerie van Buitenlandse
Zaken in Moskou ging Primakov voor onze officiële bespreking met me naar
een gerieflijke zitkamer. Na wat vriendelijke woorden over en weer vertrouwde
hij me toe: 'Door mijn vroegere loopbaan weet ik alles over u. Bent u net als uw

oude professor Brzezinski anti-Russisch?' 'Ik sta dichtbij dr. Brzezinski,' antwoordde ik, 'en ik respecteer hem zeer. Maar ik heb mijn eigen opvattingen en u zou me niet op grond van vroegere associaties met wie dan ook moeten beoordelen. Ik weet dat u zich fanatiek voor Russische belangen inzet. U moet begrijpen dat ik me voorneem me net zo fanatiek voor Amerikaanse belangen in te zetten. Als we dat allebei erkennen, moeten we het prima met elkaar kunnen vinden.'

We besloten elkaar bij de voornaam te noemen en kwamen te spreken over de uitbreiding van de NAVO. Jevgeni, een forse man met indrukwekkende wenkbrauwen en een lepe glimlach, zei dat Rusland niet met de uitbreiding kon instemmen en hij nam de mogelijkheid dat Rusland ooit zou worden uitgenodigd tot toetreding niet serieus. Ik antwoordde: 'De VS en Rusland hebben in het verleden vele kansen gemist. We moeten beiden op nieuwe en creatieve manieren denken. U zou uitbreiding van de NAVO als een manier moeten zien om voor stabiliteit in Midden-Europa te zorgen. Dat is in het belang van Rusland.'

Primakov antwoordde dat Rusland de garantie nodig had dat er op het grondgebied van nieuwe lidstaten geen kernwapens zouden komen, en ook geen uitbouw van militaire infrastructuur. Zonder toezeggingen te doen zei ik dat er diverse kwesties waren die ik kwam bespreken. Die avond brachten we onze teams samen voor een werkdiner met *borsjtsj*, steur en heel smakelijke ingelegde pruimen. Voor ik vertrok gaf ik Primakov een foto van president Clinton en mezelf, als geschenk voor zijn kleindochter, die de dag daarvoor het levenslicht had aanschouwd. Op deze foto schreef ik in het Russisch: 'Kleine Mary, toen jij werd geboren probeerden je grootvader en ik iets te doen om de wereld voor jou tot een beter oord te maken om in te leven.'

De volgende morgen had ik een gesprek met Boris Jeltsin, die nog herstellende was van een zware herverkiezingscampagne, een hartoperatie en een dubbele longontsteking, en die een maand later in Helsinki een ontmoeting met president Clinton zou hebben. Ondanks zijn toevallige gelijkenis met W.C. Fields speelde de Russische president een cruciale rol bij de invoering van democratie in zijn land. Die morgen leek hij echter wel een wassen beeld, bleek en ontstellend vermagerd. Om hem de hand te schudden moest ik onder het oog van camera's over een uitgestrekte, blinkend gewreven houten vloer naar hem toelopen. Ik deed mijn best om niet te vallen en bedacht dat hoge hakken niet zo geschikt waren voor diplomatiek koorddansen.

Ondanks zijn kwalen was Jeltsins stem krachtig en zijn blauwe ogen sprankelden. Ik voelde me gevleid toen hij zijn tolk wegstuurde, omdat hij vond dat ik geen hulp nodig had om Russisch te verstaan.* Daarna waarschuwde hij dat uit-

---

* Tolken spelen in de diplomatie een zeer belangrijke maar onopvallende rol. De beste kunnen niet alleen woorden vertalen, maar ook punten van nadruk of toon, en waken er zorgvuldig voor dat idiomatische uitdrukkingen verkeerd worden begrepen. Ik raakte verknocht aan degenen die geregeld voor me tolkten, en ook aan enkelen van de oude buitenlandse tolken, van wie ik de stemmen goed leerde kennen.

breiding van de NAVO tot een nieuwe verdeling van Europa in twee kampen zou leiden, en dat het Westen van het 'Nieuwe Rusland' niets te vrezen had. Ik antwoordde: 'Meneer de president, als er zoals u zegt een nieuw Rusland is, dan is er ook een nieuwe NAVO, niet een van wij tegen jullie of jullie tegen ons, maar een waarbij we aan dezelfde kant staan.' Jeltsin kwam toen met wat een steeds terugkerend thema zou blijken. 'Rusland en de VS hebben problemen te bespreken die alleen door de presidenten zijn op te lossen. Willen we tot overeenstemming over de NAVO komen, dan wordt dat beslist door Bill Clinton en mij.' Voor Jeltsin was alles mogelijk als hij maar onder vier ogen met zijn vriend kon spreken, wiens naam hij als 'Biel' uitsprak.

Het doel van de regering van de VS was verder te gaan met de uitbreiding, met zo min mogelijk pijn voor de Russen. Ons plan was een samenwerkingsovereenkomst tussen de NAVO en Rusland te ontwerpen die Moskou een stem zou geven in Europese veiligheidskwesties, maar geen vetorecht. Het onderhandelen over de overeenkomst was een taaie aangelegenheid. De Russen wilden een blijvend verbod op de plaatsing van NAVO-strijdkrachten en militaire infrastructuur op het grondgebied van onze beoogde nieuwe bondgenoten. Maar dit zou deze bondgenoten degraderen tot een tweederangsstatus, we zouden in noodsituaties niet kunnen ingrijpen, en we zouden een akkoord moeten zien te bereiken met betrekking tot de veiligheid van andere landen, zonder hun instemming.

Tijdens een verwoede bespreking in Washington zei ik tegen Primakov: 'Noch de president, noch ik ben van plan over de hoofden van de Midden-Europeanen heen te onderhandelen over hun veiligheidsregelingen. Dat is in het verleden gebeurd, maar dat gebeurt wat mij betreft niet weer.'

'Madeleine,' antwoordde Primakov, 'waarom ben je niet bereid ons halverwege tegemoet te komen?'

'Halverwege? Halverwege?' protesteerde ik. 'Je blijft maar teruggaan naar af.'

Primakov zuchtte. 'Volgens mij zit een overeenkomst er niet in.'

'Mij best, die hebben we niet nodig,' zei ik.

Het behoorde natuurlijk tot onze strategie de Russen ervan te overtuigen dat de NAVO-uitbreiding met of zonder hun instemming door zou gaan. We hoopten dat de leiders in het Kremlin zouden inzien dat ze bij een overeenkomst net zo veel te winnen hadden als wij. Maar we wisten niet of Jeltsin dat besefte, of dat hij meer voordeel zag in het luchten van verontwaardiging over Amerikaanse 'aanmatiging'.

Half maart 1997 kwam er een test, toen de leiders van de VS en Rusland in Finland bijeenkwamen voor wat voor de grap 'de invalidentop' werd genoemd. Jeltsin herstelde nog van zijn operatie. President Clinton had een peesscheuring in zijn been opgelopen, toen hij voor het huis van golfer Greg Norman in Florida struikelde. Bij aankomst op de luchthaven van Helsinki werd het geblesseerde staatshoofd met behulp van een cateringwagen naar het platform geholpen en daarna overgebracht naar de Wheelchair One. Toen de discussies naderhand heftig werden zei de president: 'Doe een beetje rustig met me, ik sukkel met mijn knie,' waarop Jeltsin deed of hij zijn overhemd wilde losknopen om zijn operatielittekens te tonen.

Beide leiders waren net voor een tweede termijn herkozen, en waren zich ongetwijfeld bewust van de geschiedenis. Ze hadden verscheidene kwesties op hun agenda, maar begonnen met de NAVO. Jeltsin herhaalde zijn bewering dat het opnemen van nieuwe leden in het bondgenootschap zowel onlogisch als gevaarlijk was, maar ook uitte hij zijn bereidheid om samen met de Verenigde Staten te trachten de, zoals hij dat noemde, 'negatieve consequenties' te verzachten. Toen vroeg hij om de persoonlijke verzekering dat de NAVO geen voormalige onderworpen sovjetrepublieken (Estland, Letland en Litouwen) zou opnemen. De president wees dat af en voerde aan dat Rusland door zo'n overeenkomst zwak zou lijken, dat Europa opnieuw werd verdeeld, dat het Partnerschap voor Vrede zou worden gefrustreerd, en dat de Baltische staten razend zouden zijn.

Toen Jeltsin bleef drammen raakte president Clinton geïrriteerd en zei met stemverheffing: 'Kom nou, Boris, al zou ik met je in een kast gaan om je te zeggen wat je wilt horen, dan nog zou het Congres erachter komen en een resolutie aannemen die de samenwerkingsovereenkomst tussen de NAVO en Rusland onderuit haalt. Ik kan het gewoon niet doen. Ik kan geen toezeggingen namens de NAVO doen. Ik zal niet in de positie zijn om de kandidatuur van een land tegen te houden, en dat zal ik zeker niet door jou of iemand anders laten doen.'

Jeltsin bond in maar wilde het niet opgeven. Hij vroeg ons de verzekering dat voormalige sovjetrepublieken niet 'bij de eerste ronden' zouden worden toegelaten. De president zei dat hij niets zou doen om oude stereotypen te doen herleven, of het te doen lijken alsof Rusland en de NAVO niet waren veranderd. Na wat een heftige woordenwisseling leek tussen Jeltsin en zijn team keerde de Russische leider zich naar president Clinton en zei schouderophalend: 'Oké Bill, ik heb het geprobeerd.'

Voorafgaand aan het diner uitten functionarissen van beide landen hun bezorgdheid over hoeveel Jeltsin zou drinken. President Clinton beloofde daarop te zullen letten en hij zou beslist de rem erop houden. De president deed dit als zodanig goed en het hoofdgerecht – rendierbiefstuk – viel zeer bij hem in de smaak. 'Dit moeten we op het Witte Huis hebben,' zei hij, erop aanvallend. 'Hier zit heel weinig cholesterol in.' Kijkend naar wat ikzelf op mijn bord had kon ik niet nalaten te zeggen: 'Meneer de president, met alle respect, u zou zich tot uw werk moeten bepalen. Wilt u dat de hele wereld weet dat u zo lekker schranst?'

De Helsinki-top dreef ons voort, maar we worstelden nog twee maanden over de details van de samenwerkingsovereenkomst. Strobe Talbott vergeleek de Russische onderhandelingsstrategie met een wortelkanaalbehandeling en zei dat Moskou de beproeving zo pijnlijk wilde maken dat we af zouden zien van verdere uitbreidingsronden van de NAVO. Wij van onze kant gingen de Russen in golven te lijf. Eerst zocht Strobe naar de geringste veranderingen in de standpunten van Moskou, vaak met suggesties hoe compromissen voor het Russische volk te rechtvaardigen waren. Vervolgens voerde ik dan moeizame gesprekken met

Primakov, die altijd tot het laatste moment wachtte met bijdraaien. Daarna bouwde de secretaris-generaal van de NAVO, Javier Solana, voort op wat wij hadden bereikt en maakte de Russen duidelijk dat ze niet konden krijgen wat ze het liefst wilden: een officiële rol bij de besluitvorming van het bondgenootschap.

De inspanningen van Solana waren essentieel omdat de onderhandelingen over de overeenkomst officieel tussen Rusland en alle zestien NAVO-bondgenoten liepen, en niet alleen met de Verenigde Staten. Ik maakte indertijd kennis met Solana toen hij de Spaanse minister van Buitenlandse Zaken was en ik bij de VN werkte. Deze baardige, intelligente man is een meesterdiplomaat. Hoewel hij tevens fysicus is had onze relatie chemie. De ironie wil dat de NAVO-chef ook een Spaanse socialist is, die zich vijftien jaar eerder tegen toetreding van zijn land tot de NAVO had verzet.

Bij het voortduren van de onderhandelingen was onze uitdaging het overbruggen van de kloof tussen onze aanpak en de Russische. Wij zagen Europese veiligheid in termen van na de Koude Oorlog. Ons model was Bosnië, waar de NAVO, het Partnerschap voor Vrede en andere landen al samenwerkten, met Rusland aan onze zijde. Hun model was het oude strategische wapenbeheersingsproces, waarbij voor beide partijen een bepaald aantal raketten, kernkoppen en lanceerinrichtingen was afgesproken, en zorgvuldig het evenwicht tussen het Oostblok en het Westen werd bewaard. Bijgevolg drongen de Russen aan op limieten voor wat op het grondgebied van de nieuwe lidstaten toelaatbaar zou zijn. Wij weigerden op die basis te onderhandelen, maar zeiden dat we 'geen behoefte, geen plan en niet de bedoeling' hadden om kernwapens of nieuwe troepenmachten van betekenis in het oosten te stationeren.*

Begin mei reisde ik weer naar Moskou voor een ontmoeting met Primakov. Eerder, bij zijn bezoek aan Washington, had ik hem bij mij thuis te eten willen vragen, maar dat ging niet omdat termieten de vloer van mijn eetkamer hadden aangevreten. Daarom waren we te gast bij Strobe Talbott en zijn vrouw, Brooke Shearer. Deze keer nodigde Primakov ons bij hem thuis uit om kennis te maken met zijn vrouw en huiselijk te dineren. Het eten was lekker en de conversatie levendig. We spraken over de neiging van onze bureaucratieën om overeenkomsten te beperken die wij met rechtstreekse besprekingen voor elkaar wisten te krijgen. Bureaucratieën, vonden we beiden tijdens de wodka, werkten in hoge mate als termieten. Van toen af gaven we altijd als er wrijving tussen ons was 'termieten' de schuld.

Uiteindelijk kregen we de Russen plat. Uit het patroon van onze besprekingen – het hard spelen en dan inbinden – was duidelijk dat Jeltsin een akkoord wilde. Welnu, op 13 mei konden president Clinton en secretaris-generaal Solana be-

---

* Ook wezen we erop dat in Wenen werd onderhandeld over aanpassing van het Verdrag over Conventionele Strijdkrachten in Europa, met beperking van de omvang van nationale strijdkrachten, met inbegrip van die van de huidige en toekomstige Europese NAVO-lidstaten. Dat was voor Moskou het juiste forum voor de nagestreefde beperkingen.

kendmaken dat we er een hadden – de Stichtingsakte voor wederzijdse betrekkingen, samenwerking en veiligheid. Dit document bood Rusland een institutio-
neel middel om deel te nemen aan transatlantisch veiligheidsoverleg, zonder de
door ons gestelde voorwaarden geweld aan te doen. We hadden de koorddans tot
een goed einde gebracht.

Op 27 mei kwamen we in Parijs bijeen voor de officiële ondertekening. Ik had
een lavendelkleurig ensemble aan en vond dat ik er tiptop uitzag. Tijdens een
lunch voor de ministers van Buitenlandse Zaken zat ik gezellig met Klaus Kinkel
van Duitsland te keuvelen toen ik toevallig naar mijn rok keek. Die zat onder de
saladedressing. Mijn eerste gedachte was: 'Verdorie, al die mannen in donkere
pakken – als die knoeien merkt niemand het.' Voor mij was dit een ramp. Erger
nog, de Franse minister van Buitenlandse Zaken Hervé de Charette kondigde
aan dat we meteen na de lunch allemaal op de foto moesten, met mij als de enige
vrouw pontificaal in het midden.

Ik raakte de draad van mijn gesprek met Kinkel kwijt toen ik probeerde te bedenken wat ik moest doen. Ik had nooit meer een handtas bij me omdat ik die
steeds ergens vergat, en ik overwoog een menukaart mee te nemen om die voor
de vlekken te houden. Toen kreeg ik een inval. Als ik opstond zou ik mijn rok
omdraaien. Ik ging even na of de tailleband los genoeg was. Gelukkig was de rok
niet zo'n chique geval met van achteren een hoge split. Zo gezegd zo gedaan en
alles lukte prima. Dit had Henry Kissinger me niet nagedaan.

Twee dagen na de ceremonie in Parijs kwamen de NAVO-ministers van Buitenlandse Zaken weer bijeen in Sintra, Portugal, om te bespreken hoeveel landen bij
de eerste uitbreidingsronde moesten worden uitgenodigd voor toetreding tot de
NAVO. De Verenigde Staten hadden nog geen officieel standpunt ingenomen, maar
neigden sterk naar een groep van drie en niet van vier of vijf, zoals wel was voorgesteld. We hoopten echter juist deze omelet te bakken zonder eieren te breken.
We trachtten Europa te verenigen, niet te verdelen, en we wilden niet dat de uitnodigingen voor de NAVO als schoolrapporten werden gezien die de nieuwe Europese democratieën in winnaars en verliezers verdeelden.

Een kleine eerste ronde leek de beste optie omdat we verwachtten dat ieder
met de uitbreiding samenhangend probleem moeilijker zou worden als we vijf
leden uitnodigden in plaats van drie. De kosten zouden hoger zijn, de risico's
voor uitholling van de NAVO groter, en het zou een grotere toer worden om de uitbreiding door de Senaat te krijgen.

We verwachtten geen verzet tegen de drie kandidaten die we van plan waren
te steunen – Polen, Hongarije en de Tsjechische Republiek – maar wisten wel dat
er onvrede zou ontstaan door het niet steunen van andere landen. Een daarvan
was Roemenië, naar voren geschoven door de Franse president Jacques Chirac.
Roemenië had nieuwe leiders die economische hervormingen invoerden en
aansluiting zochten bij hun historische rivalen in de regio. Het Roemeense volk
liep openlijk warmer voor het NAVO-lidmaatschap dan, het spijt me het te zeggen,

de Tsjechen. Helaas was Roemenië na de Koude Oorlog zeven jaar achter de startstreep blijven staan. Tussen 1989 en 1996 was de economie gestagneerd. In 1997 deed Roemenië alleen maar goede dingen, maar nog niet lang genoeg.

Was Roemenië een laatbloeiende kandidaat, Slowakije was een kwijnende. Premier Vladimír Mečiar had zijn land in het slop gebracht door extreem nationalisme, economisch wanbeheer en een autoritaire houding. Een van zijn minder geslaagde ideeën was de roep om vrijwillige repatriëring van de etnische Hongaarse minderheid van Slowakije. Dit was niet het soort denken dat het in het nieuwe Europa goed zou doen. Tijdens de NAVO-top in Madrid zou ik Mečiar in zijn gezicht zeggen dat hij persoonlijk de kans van Slowakije had verspeeld.

Tijdens een informele lunch op 30 mei met de ministers van Buitenlandse Zaken van de NAVO-leden in Sintra legde ik het Amerikaanse standpunt uit. Om discussies te vermijden noemde ik geen namen van landen waar we voor of tegen waren. Mijn collega's waren echter minder discreet. Kennelijk was vooral Chirac druk aan het lobbyen geweest. De meerderheid van de zestien ministers verklaarde zich voor het opnemen van meer dan drie landen. De krantenkoppen over Sintra gaven aan dat de Verenigde Staten alleen stonden, wat zo op het oog waar leek. Alleen Groot-Brittannië en IJsland namen hetzelfde standpunt in als wij.

We vermoedden echter dat een aantal lidstaten – die Frankrijk niet voor het hoofd wilden stoten – feitelijk op de Verenigde Staten rekende om discipline op te leggen. Solana vertelde me persoonlijk dat het bondgenootschap fifty-fifty verdeeld leek. Hij zei dat hij stilletjes naar alle hoofdsteden zou gaan om wat hij noemde 'biecht af te nemen' en te trachten tot een consensus te komen.

Medio juni gaven we het proces van bouwen aan consensus een duwtje door ons standpunt openbaar te maken. Deze zet weerspiegelde het belang van timing in de diplomatie van de VS. We hadden gewacht om ondersteuners van de andere kandidaten het gevoel te geven dat hun argumenten redelijk waren overwogen, maar dat we nu een besluit moesten nemen. Zolang we 'misschien' bleven zeggen zouden anderen 'oui' blijven zeggen.

Aangezien de NAVO bij consensus handelt was de kwestie in wezen door onze verklaring geregeld. Maar Chirac, die nooit een gelegenheid voorbij laat gaan om het Franse beleid van dat van de Verenigde Staten te onderscheiden, was vastbesloten zijn verliezende hand tot het einde toe uit te spelen. Toen de top in Madrid bijeenkwam zetten Chirac en de Italiaanse premier Romano Prodi zich in voor het toelaten van vijf nieuwe leden. President Clinton schetste onze redenen voor het beperken van de eerste ronde. De stellingen waren betrokken tot de Duitse kanselier Helmut Kohl iedereen overreedde het zware geschut op te bergen.

Voorheen ontzagen de Duitsers Frankrijk en andere landen zorgvuldig. Nu pleitte Kohl welsprekend voor consensus. Hij zei dat het 'een wonder' was dat de NAVO het erover eens was geworden om Polen, Hongarije en de Tsjechische Republiek uit te nodigen. 'Twee of drie jaar geleden was zo'n overeenkomst geen eenvoudige zaak geweest', maar het was duidelijk dat 'er geen overeenstemming voor meer dan drie landen zou zijn'. De NAVO moest zich concentreren op de publieke boodschap die ze zou uitdragen. De Roemenen moesten weten dat wanneer ze bleven hervormen, ze als serieuze kandidaten werden beschouwd, net als de Baltische staten, Slovenië en andere landen. Onder leiding van Kohl beperkte het communiqué van Madrid de uitnodiging tot drie landen, maar het zette de deur open voor het overwegen van toekomstige kandidaten.

De top was tevens de gelegenheid voor de eerste bijeenkomst van de NAVO-Oekraïne Commissie en een inaugurele lunch voor leiders van de Euro-Atlantische Partnerschapsraad. De oprichting van deze nieuwe groepen hoorde gewoon bij de institutionele reorganisatie die het hele decennium kenmerkte. Het einde van de Koude Oorlog was als een gigantische verwisseling in de Europese wasserij geweest. Alle oude etiketten vielen weg en ieder land kreeg de kans om kleren van een ander merk te passen. 'Satellieten' waren opkomende democratieën geworden, oude tegenstanders bondgenoten en partners, en duffe oude instellingen waren kleurige nieuwe sokken aan gaan trekken. We hoopten dat de uitwerking het creëren zou zijn van een eenentwintigste-eeuws aanzien, dat met alle nationale verschillen gekenmerkt zou zijn door het algemeen aanhangen van democratie, wederzijdse veiligheid, gedeelde welvaart en vrede.

Na Madrid ging de president naar Warschau om Polen met de uitnodiging te feliciteren, en vervolgens naar Boekarest om Roemenië gerust te stellen. Dit waren verbluffende bezoeken. In samenwerking met de Poolse gastheren bracht een team van het Witte Huis Amerikaanse campagnetoestanden naar het Kasteelplein van Warschau. Dertigduizend juichende 'rouwenden' waren aanwezig bij wat was aangekondigd als 'de begrafenis van Jalta'. Er waren muziekkorpsen, rode lopers, ballonnen en vlaggen. Net toen de president begon te spreken over de kansen en verplichtingen van het NAVO-lidmaatschap brak zelfs een zonnetje door.

Als Polen geweldig was, dan was Roemenië ongelooflijk. Het besluit van de president om daarheen te gaan was een risico. De Roemenen hadden met wrok kunnen reageren op de beslissing van de NAVO. Maar de menigten waren groter en nog geestdriftiger dan in Polen. We voelden ons allemaal schuldig. Ik wist dat we voor het moment de goede inschatting hadden gemaakt, maar ik hoopte vurig dat Roemenië in een vroeg stadium tot het bondgenootschap zou toetreden.*

Terwijl de president naar huis reisde zocht ik in Sint-Petersburg contact met Primakov. Onze officiële bespreking was ruzieachtig als altijd: Primakov waarschuwde voor het einde van de wereld als de Baltische staten ooit bij de NAVO kwamen. Naderhand gingen we naar een chique restaurant in een park voor een

---

* In november 2002 liet de NAVO haar tweede reeks uitnodigingen uitgaan aan Roemenië, Slowakije, Slovenië, Bulgarije en de drie Baltische staten. Die topontmoeting was heel toepasselijk in Praag.

diner, zo besloten als dat zijn kan met een tolk erbij. Zowel officieel als informeel hadden Primakov en ik een tolk, maar die gebruikten we alleen als we ergens niet uitkwamen. Jevgeni sprak altijd Russisch en ik Engels, en gewoonlijk verstonden we elkaar behoorlijk goed. De tijd die we uitspaarden door rechtstreeks te spreken maakte het ons mogelijk heel wat onderwerpen te bespreken. Ik zei op zeker moment dat we elkaar al acht keer hadden gesproken, hoewel ik pas een half jaar in functie was. Hij zei dat we aan de pers moesten vertellen dat we acht 'publieke' ontmoetingen hadden gehad, en hen laten raden wat we verzwegen.

Na het eten begeleidde hij onze hele delegatie bij een speciale rondleiding door de Hermitage, het eeuwenoude winterpaleis dat beroemd is geworden door Catharina de Grote. We waren in het jaargetijde van de witte nachten, met een zilverachtig blauwe schemering over de oude hoofdstad. Het wordt dan nooit helemaal donker en de avondschemer gaat heel geleidelijk over in de dageraad. Het was een unieke ervaring onder die omstandigheden de schitterende kunstcollectie van het paleis te bekijken. Primakov en zijn staf lieten ons allemaal – ook de pers, de administratieve staf en de vliegtuigbemanning – deelnemen aan de rondleiding. De volgende morgen bezochten we het Zomerpaleis van Catharina, waar we werden verwelkomd door een twaalfkoppig hoempaorkest in historische uniformen met epauletten. Alleen Marlene Dietrich op een wit paard ontbrak er nog aan.*

Sinds mijn komst naar de Verenigde Staten was ik in Tsjechoslowakije of de Tsjechische Republiek teruggeweest als toerist, goodwillambassadeur, opiniepeiler en permanente vertegenwoordiger bij de VN. President Clinton had de uitnodiging van de NAVO aan Polen bekendgemaakt, minister van Defensie Cohen was naar Boedapest gegaan, en ik had Praag als opgave. Het was op zijn zachtst gezegd een enigszins emotionele reis, die begon met een bezoek aan de Pinkas synagoge. Daarna verleende president Havel mij de Orde van de Witte Leeuw. Toen hij een roodwitte sjerp over mijn hoofd deed moest ik denken aan de lampenkapjurk die ik in Denver had gedragen.

Mijn officiële doel was echter de toespraak die ik in de Smetana-zaal van het stadhuis zou houden, waar in 1918 de eerste Tsjechoslowaakse Republiek was uitgeroepen, parallel met de verklaring van Thomáš Masaryk in de Verenigde Staten. Het gebouw was ontworpen door de art-nouveaubouwmeester Alphonse Mucha, om de Duitse invloed te pareren met Slavische cultuur. Elke ruimte is anders en opgedragen aan een plaats waar Slaven leven. Ik was er nooit binnengeweest omdat het gebouw lange tijd werd gerestaureerd. Iedere luchter, muurschildering, sculptuur en glas-in-loodraam was in zijn oorspronkelijke luister hersteld.

Op het podium waar ik zou spreken hingen de Tsjechische en de Amerikaanse

---

* Om Marlene Dietrich echt op een wit paard te zien moet u de klassieke film uit 1934 van Josef von Sternberg over Catharina gaan zien, *The Scarlet Empress*.

vlag. Ik liep met mijn ambtgenoot Josef Zieleniec over het middenpad, en naar het podium om de presidentiële fanfare af te wachten. Ten slotte kwam Havel en was het geheel compleet.

Zieleniec leidde me welbespraakt in en ik ging het podium op om te spreken. Ik zag vele vrienden in de zaal zitten; mijn nicht Dáša op de voorste rij. In vieren-eenhalf jaar in een openbaar ambt had ik veel toespraken gehouden, maar nooit met zoveel persoonlijks erin. Mijn woorden gaven blijk van de trots die ik voor het volk van mijn geboorteland voelde.

'De communistische leiders onthielden jullie de waarheid en toch spraken jullie de waarheid,' zei ik, denkend aan de Praagse Lente en Charta '77. 'Ze brachten jullie een inhoudsloze cultuur en toch gaven jullie ons kunstwerken die ons leven met intelligentie, humor en warmte vervullen. Ze trachtten jullie loyaliteiten, jullie geloof en jullie inzet te smoren, en toch leerden jullie de wereld de betekenis van solidariteit en sociale beschaving. Ze verbanden jullie beste leiders en toch gaven jullie ons Václav Havel.'

Eerste minister Václav Klaus vertelde me later dat een Tsjechische leider zo'n toespraak niet had kunnen houden, omdat deze zo optimistisch en zo Amerikaans was. Na afloop kreeg ik weer te maken met de emoties bij het aanhoren van het Tsjechische en het Amerikaanse volkslied. Veel later liep ik met tranen in mijn ogen door de straten, wuivend naar oude Tsjechische vrouwtjes met tranen in hun ogen, en ik zag in hen allemaal mijn moeder.

Wat de uitbreiding van de navo betrof hadden we met de Russen de juiste overeenkomst gesloten en in Madrid het juiste resultaat bereikt. Nu moesten we nog in de Senaat winnen. Naderhand, nadat we hadden gewonnen, meenden mensen dat het resultaat onontkoombaar was geweest. Daar leek het op dat moment zeker niet op. We moesten tweederde van de Senaat ertoe bewegen de bescherming van het bondgenootschap uit te strekken over drie nieuwe kandidaten. Hoewel we sterk stonden, vreesden we dat zich mogelijk een coalitie zou vormen tussen progressieve en conservatieve senatoren. We wisten dat sommige senatoren van links tegen uitbreiding waren vanwege het risico van het radicaliseren van Rusland; sommige senatoren van rechts meenden dat we te veel rekening hielden met bezwaren van de Russen.*

---

* Ter voorbereiding van het debat las ik de uitstekende biografie die James Chace over Dean Acheson schreef, met een beschrijving van het complexe gevecht van de regering-Truman om instemming van de Senaat te verwerven voor het oorspronkelijke navo-verdrag. Ik was onder de indruk van het succes van de regering bij de verwerving van steun bij oud-strijders, zakenmensen en vakbonden, en door het uitputtende beraad met het Congres, en vond dat we een soortgelijke campagne moesten voeren. We hadden Ronald Asmus, de voornaamste navo-expert van Rand Corporation als onderminister van Buitenlandse Zaken geworven voor Europese aangelegenheden, en belastten hem met de coördinatie van onze inspanningen. Ook haalden we Jeremy Rosner erbij, een voormalig hoofd wetszaken bij de nsc, om steun bij het publiek en het Congres los te maken.

Onze strategie was consoliderende steun te verwerven van goed ingevoerde senatoren met doorsnee-opvattingen en we deden veel moeite om alle leden zo volledig mogelijk uit te leggen waarom ons beleid zinnig was.

Alvorens de volledige Senaat zich over het verdrag boog moest het door de commissie voor buitenlandse betrekkingen worden goedgekeurd. Dus door Jesse Helms. Hij stond aanvankelijk aan onze kant, maar de Stichtingsakte NAVO-Rusland bracht hem ertoe me de cartoons in zijn kantoor te tonen, die hem beschreven als 'senator NEE'. Hij hield niet van tegemoetkoming aan Moskou. Als voormalig staflid bij de Senaat begreep ik heel goed de waarde van het wetgevend theater. Eenvoudig akkoord gaan in de politiek is saai. Daarom stellen zelfs gunstig gezinde senatoren eisen en voorwaarden waaraan in ruil voor hun steun moet worden voldaan. Hierdoor kunnen ze de eer opeisen dat ze de regering van domme dingen hadden weerhouden, zelfs wanneer de regering dat nooit van plan is geweest.

In het geval van de NAVO-uitbreiding stelde Helms drie voorwaarden. Ten eerste wilde hij van ons een specificatie van de militaire dreigingen waar de NAVO in de nieuwe eeuw voor kon komen te staan. Op die manier bracht hij ons ertoe publiekelijk te zeggen dat we Rusland nog steeds als een gevaar beschouwden. Ten tweede wenste hij vooraf overeenstemming over de kosten van de uitbreiding, en over wie die zou betalen. Dit was om zijn reputatie te beschermen als fiscaal conservatief die geen verspilling van belastinggeld kon dulden aan zaken waar North Carolina geen rechtstreeks voordeel van had. Ten derde wilde hij dat we de Russische schijnrol bij de besluitvorming van de NAVO in detail beschreven. Dit was om de bij Kissinger en anderen gerezen vrees weg te nemen dat we Boris Jeltsin de sleutels van NAVO-vliegtuigen en -tanks hadden gegeven.*

De voorwaarden van Helms waren precies van de soort die een senator zou voorleggen als hij van plan is uiteindelijk ja te zeggen. Aangezien ik wist dat hij maar al te zeer in staat was voorwaarden te stellen waaraan onmogelijk was te voldoen, was ik opgelucht toen ik de voorzitter tijdens een nauwgezet voorbereid debat voor zijn commissie gerust kon stellen.

Hoewel er meer voorstanders kwamen en we het debat wonnen, was de klus nog niet geklaard. In het Congres is de laatste stemming vaak niet de belangrijkste. We moesten verminkende amenderingen vermijden. Er kwamen er tijdens het eindspel verscheidene, waaronder een van John Ashcroft van Missouri, om de rol van de NAVO te beperken tot collectieve verdediging en toekomstige 'buitengebiedse' missies te beletten. Dit amendement kwam voort uit de bij rechtse critici van de regering populaire mythe dat we de NAVO in een wereldwijde vredesmacht wilden veranderen. Ashcroft wilde ons de andere kant doen opgaan door de NAVO-macht alleen beschikbaar te maken waar deze het minst nodig was

---

* Met voor hem ongewone slordigheid had Kissinger ons beschuldigd van wat we nu juist niet hadden gedaan: Rusland het vetorecht geven bij besluiten van het bondgenootschap.

en te beletten dat deze op mondiaal terrorisme en andere eventuele dreigingen reageerde. De senator beweerde vast te houden aan de opzet van de oprichters van de NAVO, maar minister van Buitenlandse Zaken Acheson verkondigde een halve eeuw eerder al dat het bondgenootschap buiten de geografische reikwijdte van zijn leden gemeenschappelijke belangen kon gaan verdedigen – zoals de NAVO in Bosnië al deed en in Kosovo zou doen.

Op 30 april 1998 stemde de Senaat uiteindelijk. Terwijl andere amenderingen werden behandeld wenste Ashcroft dat de meerderheidsleider in de Senaat, Trent Lott, vier uur vergadertijd zou uittrekken voor zijn voorstel tot beperking van NAVO-missies. Maar Lott stelde voor het amendement zonder debat van tafel te vegen, welke motie met ruime meerderheid werd aangenomen. Daarop ging de Senaat met 80-19 akkoord met de NAVO-uitbreiding, met vijfenveertig Republikeinen en vijfendertig Democraten voor.

Iets minder dan een jaar na die stemming in de Senaat had ik de eer het NAVO-verdrag te zien ondertekenen door de ministers van Buitenlandse Zaken van de Tsjechische Republiek, Hongarije en Polen, respectievelijk Jan Kavan, János Martonyi en Bronisław Geremek. Dit gebeurde in de Truman Presidential Library in Independence, Missouri. Ceremoniemeester was Larry Hackman, de directeur van de bibliotheek, die me voor zich innam door te vertellen dat Katie Albright voor haar examenscriptie over het Korea-beleid van Truman en Acheson weken in de bibliotheek had doorgebracht.

De plechtigheid, waar de wereld bij toekeek en waarvoor tegelijkertijd in Warschau, Praag en Boedapest vuurwerk werd afgestoken, deed me denken aan mijn jaren als hoogleraar. Ik doceerde Midden-Europese politiek en geschiedenis in een tijd dat de meeste mensen aannamen dat geschiedenis alles was wat de mensen daar ooit zouden hebben, omdat hun toekomst voor altijd was ingevroren in het ijs van de Koude Oorlog. Maar nu de Verenigde Staten, de NAVO en Midden-Europa als bondgenoten en vrienden verenigd waren, waren de grenzen van het mogelijke verschoven naar een nieuwe en schijnbaar grenzeloze horizon.

Toen het mijn tijd was om te spreken wees ik op de ommekeer in de vooruitzichten van Midden-Europa, waarbij ik toegaf dat de Amerikanen de regio niet altijd voldoende aandacht hadden gegeven. Om dit te illustreren kwam ik met een verhaal dat Jan Masaryk ooit vertelde over een bezoek aan de VS, lang geleden. Toen een senator hem vroeg: 'Hoe gaat het met uw vader en speelt hij nog steeds viool?' antwoordde Jan: 'Meneer, ik vrees dat u een beetje abuis bent. Misschien verwart u me met Paderewski. Paderewski speelt piano, niet viool, en was geen president van Tsjechoslowakije, maar van Polen. Van onze presidenten was Beneš de enige die speelde, geen viool of piano echter, maar voetbal. Voor het overige is uw informatie juist.'

Door Midden- en Oost-Europa dichter bij het Westen te brengen was het aanpassingsproces van de NAVO een vitaal onderdeel van onze inspanning om een verenigd en vrij Europa te bouwen. De dringende vraag waar ik voor stond luidde of ook de Balkanstaten dichter bij het Westen waren te brengen. Het antwoord, zo was mijn overtuiging, zou afhangen van het slagen of mislukken van de Akkoorden van Dayton. Die overeenkomst had de oorlog in Bosnië beëindigd door de deur naar een vredesmacht onder NAVO-leiding open te zetten. Terwijl pistolen in de holster gingen en tanks in de opslag, werden water- en elektriciteitsleidingen hersteld, trams gingen weer rijden, kinderen namen de straten over van sluipschutters en de wederopbouw begon. Maar er bleven ernstige problemen bestaan. Dayton had het beginsel van een verenigd Bosnië bevestigd, maar om dat doel te verwezenlijken was veel meer nodig dan een stuk papier.

Toen ik een paar maanden na de ondertekening van de overeenkomst de regio bezocht zag ik tekenen van de niet-ontladen spanningen. Als ambassadeur bij de VN wilde ik steun verlenen bij inspanningen om vluchtelingen te repatriëren. In dit geval trachtte de VN Kroaten te helpen terugkeren naar een tijdens de oorlog door etnische Serviërs veroverd gebied, een doel dat bij de laatsten niet populair was. Bij de rondrit van onze delegatie over het marktplein van Vukovar wilde niemand me een hand geven. Opeens werden er eieren op de grond gesmeten en er werd *kurva en kuçka* geroepen. Mijn Servisch kwam me goed van pas. Terwijl mijn collega's zich afvroegen wat er gebeurde wist ik dat ze me een kreng noemden. Vlug zei ik tegen mijn beveiligers: 'Wegwezen hier.' Toen onze auto's optrokken werd er eerst met kluiten gegooid en toen met stenen, waardoor de ruit van de stafwagen aan diggelen ging.

Een paar uur later werd ik gebeld door een nerveuze maar strenge dochter. 'Mam,' zei Anne, 'CNN meldde zojuist dat je door een stenen gooiende menigte was ingesloten. Wat bezielde je? Je moet geen onverantwoorde dingen doen. Je had wel dood kunnen zijn.' De rollen waren nu omgedraaid. Behalve dat ze mijn uitgaven nagingen en vroegen waarom ik zoveel geld aan kleren uitgaf namen mijn kinderen nu de taak over van zich zorgen maken. Naderhand gaf ik hun T-shirts met een tekst van een van mijn reisgezellen.* Die luidde: 'I got stoned with Madeleine Albright in Vukovar.

De Akkoorden van Dayton stelden ambitieuze doelen voor het houden van verkiezingen, de terugkeer van vluchtelingen en hereniging van het land. Helaas waren anti-Dayton-extremisten invloedrijk binnen alle drie de etnische gemeenschappen, en de eerste verkiezingsronde legitimeerde hun macht. Plaatselijke leiders, vooral onder de Serviërs, waren openlijk vijandig tegen de akkoorden. Zoals mijn onthaal in Vukovar illustreerde, was de in de oorlogsjaren ontketende haat nog steeds levend.

De vooruitzichten werden nog meer overschaduwd door de eerste verklaring van de regering-Clinton dat de vredesmacht zijn missie in één jaar zou volbrengen. Warren Christopher benadrukte deze termijn in zijn opmerkingen na Dayton. Tony Lake verhief in een toespraak in maart 1996 de 'aftochtstrategie'

---

* Jacques Klein, een Amerikaanse overgangsbestuurder van de VN voor de regio.

tot de status van beleidsdoctrine. Deze uitspraken waren bedoeld om het Congres en het Pentagon gerust te stellen dat Bosnië geen nieuw Vietnam zou worden, maar al gauw was duidelijk dat ze uitermate irreëel waren. Van de voor-oorlogse bevolking van Bosnië was tien procent tijdens het conflict gedood of ge-wond. Van de overlevenden had vijftig procent geen huis meer, tachtig procent was voor voedsel afhankelijk van de VN, en negentig procent was werkloos. Herstel zou duidelijk meer dan een jaar vergen.

In november 1996 verwisselde de regering de ene onhaalbare deadline voor de andere. Een vervangende NAVO-geleide stabilisatiemacht, SFOR, zou in het leven worden geroepen. De president zegde toe dat de nieuwe eenheid zijn missie in juni 1998 zou voltooien. Helaas bleef de uitvoering van Dayton achter in de periode na-dat ik de VN verruilde voor het ministerschap van Buitenlandse Zaken. SFOR was verwikkeld in wat ik achterwaartse kruipgang noemde, door geen risico's te nemen en weinig bij te dragen aan voor de burgers bedoelde zaken. Noch Joegoslavië, noch Kroatië voldeed aan zijn verplichtingen. Onze Europese bondgenoten zetten zich totaal niet in. Steeds meer deskundigen zeiden dat de enige reële optie een ver-deling van Bosnië was, waarbij een deel aan Servië toeviel, een ander deel aan Kroatië, en het derde deel zou een internationaal protectoraat worden.

Voor zover ik het kon bekijken zou een deling geen stabiliteit brengen, maar slechts een nieuw gevecht om grenzen. We moesten eraan vasthouden dat het nieuwe Europa op beginselen van democratie en respectering van mensenrech-ten werd gebouwd, en niet op etnische zuiveringen en bruut geweld. De Verenig-de Staten, de NAVO, Rusland, de PFP, de OVSE, de EU en de VN hadden allemaal toe-gezegd te zullen helpen Dayton tot een succes te maken. Dit was bepaald geen kinderachtige test.

Ik had nog steeds steun nodig van mijn collega's in de regering. Het grootste vraagteken vormde de nieuwe minister van Defensie Bill Cohen, die tegen het Bosnië-beleid van de president was geweest. In de Senaat en in publieke uitspra-ken ventileerde hij de mening dat SFOR zich volgens afspraak moest terugtrek-ken, zelfs wanneer dat tot hervatting van de oorlog zou leiden. Het kostte weken van discussie, maar uiteindelijk kwamen we overeen dat we publiekelijk niet de nadruk moesten leggen op het wanneer van de terugtrekking van SFOR, maar op wat de hele internationale gemeenschap, SFOR inbegrepen, de Bosniërs kon hel-pen bereiken.

Op 22 mei 1997 onthulde ik onze opnieuw bezielde aanpak in een toespraak in het *Intrepid* Sea-Air-Space Museum in New York. Mijn opmerkingen waren aan vier soorten gehoor gericht. Ik wilde mijn collega's laten weten dat ik me als dat nodig mocht zijn zou inzetten voor verlenging van de Amerikaanse militaire aanwezigheid. Het Congres legde ik uit waarom het ons moest kunnen schelen of Bosnië vreedzaam bijeen werd gehouden, of bij een nieuw conflict uiteen zou vallen. Ik droeg de boodschap uit dat volledige medewerking van Europa werd verwacht en nodig was. En ik stelde de Bosniërs en hun buren in Kroatië en Joegoslavië voor een keuze: ze konden Dayton verwerpen en sancties opgelegd krijgen, of zich inzetten voor de uitvoering van Dayton, hulp van ons krijgen en beginnen zitting te nemen in westerse organisaties.

Om die keuze te benadrukken bezocht ik na deze rede meteen de regio, te beginnen met Kroatië. Ik bezichtigde huizen die waren platgebrand toen etnische Servische vluchtelingen ze wilden terughebben, en ik sprak met families van gemengde afkomst die door plaatselijke geweldplegers in elkaar waren geslagen. Deze families beschouwden zich niet als behorend tot een bepaalde etnische groep. Ze waren Joegoslaven en waren daar trots op; toch werden ze grof bejegend omdat hun bloed niet 'zuiver' genoeg was. Onder hen was een witharige grootmoeder die was mishandeld. 'Hoe kon u dit soort dingen toelaten?' Ik voer uit tegen de Kroatische minister van Huisvesting. 'U zou zich moeten schamen.'

Wat ik van Kroatië vroeg was niet eenvoudig. Door de reeks oorlogen in het gebied waren bevolkingsgroepen ontheemd. Het kwam me voor als een groteske stoelendans, maar dan met huizen. Iedereen zat in het huis van een ander, en er waren er te weinig voor iedereen. Het was onoverzichtelijk en lastig, maar als wij niet het recht van vluchtelingen bekrachtigden om hun huizen terug te eisen, zouden we in etnische zuiveringen berusten en de voorstanders van deling steunen.

In Zagreb, de hoofdstad van Kroatië, had ik een bespreking met Franjo Tudjman, de zilverharige, zelfverklaarde vader van zijn land. Jaren eerder, bij de VN, had ik prettige jeugdherinneringen met hem opgehaald aan een zomervakantie van mij op het eiland Brioni voor de Dalmatische kust. Maar nu had ik in Tudjman een extreme nationalist voor me. Als geslepen politicus had hij iedere Kroatische instelling van enig belang in zijn greep gekregen, terwijl hij de greep op zijn ego verloor. Hij schilderde Kroatië af als een stabiele westerse democratie, maar heerste daarover met een ijzeren vuist en een corrupte ziel.

Ik vertelde hem dat de Verenigde Staten het Kroatische volk een warm hart toedroegen en er goede betrekkingen mee wilden, maar dat we medewerking moesten hebben. Hij antwoordde dat Kroatië de betrekkingen met ons ten zeerste waardeerde, en 'volledig' achter de Akkoorden van Dayton stond. Toen kwamen de bezwaren: Kroatië kon slechts een klein percentage opnemen van de etnische Servische vluchtelingen die recht hadden op terugkeer. Kroatië kon geen medewerking beloven aan het Joegoslavië-tribunaal als Servië dat niet ook deed, en Kroatië kon het concept van een verenigd Bosnië niet steunen, omdat het een basis zou worden voor moslimfundamentalisme. Voorts werd Kroatië door het Westen genegeerd.

Ik herinnerde Tudjman eraan dat ik met stenen was bekogeld omdat ik opkwam voor de rechten van Kroatische vluchtelingen in Vukovar. Ik zei dat er in het Westen geen plaats was voor landen die etnische zuiveringen bedreven of goedpraatten, en ik waarschuwde hem dat Amerikaanse steun voor internationale leningen van zijn medewerking zou afhangen.

Daarop kwam Tudjman, kennelijk met de bedoeling een rationele discussie te verhinderen, met een uitvoerig, chauvinistisch verhaal over de geschiedenis van de Balkan. Hij sprak over de noodzaak van een rooms-katholiek Kroatië om de 'groene halve maan' van moslims te breken die zich van de Balkan tot het Midden-Oosten uitstrekt, en het 'orthodoxe kruis' van Slaven, dat zich over de hele regio uitbreidde. Traditionele Europese waarden, zei hij, hielden in dat we achter hem moesten staan bij de vorming van een etnisch zuivere 'westerse' staat.

Weerwoord had geen zin: hij luisterde niet. Toch kwam ik met een laatste verzoek. 'Bosnië,' zei ik, 'heeft handelsroutes naar het noorden nodig. Morgen bezoek ik de stad Brčko, en dan zou ik graag bekendmaken dat u instemt met openstelling van de brug daar. Is dat mogelijk?' Tudjman ging akkoord – een positieve stap.

Die middag reisde ik naar Belgrado voor een ontmoeting met Slobodan Milošević. Dat zou ons vierde persoonlijke gesprek worden. Ondanks zijn reputatie had Milošević enkele diplomaten weten te overtuigen van de geloofwaardigheid van zijn woord. Het hielp dat hij Engels sprak en hij veroordeelde fanatiek zijn tegenspelers onder de Bosnische Serviërs. Hoewel hij een goede zwendelaar was, had hij geen verfijnd inzicht in het Westen, en hij onderschatte zeker de vastberadenheid van de regering-Clinton.

Ik vertelde hem dat ik net een veelbewogen week in Europa achter de rug had, met de ondertekening van de Stichtingsakte NAVO-Rusland, de oprichting van de Euro-Atlantische Partnerschapsraad, en de vijftigste verjaardag van het Marshallplan. Ik wees erop dat Joegoslavië hier allemaal buiten stond, maar dat dat kon veranderen als Belgrado aan zijn verplichtingen voldeed. Milošević antwoordde – zoals vijandige Serviërs doorgaans deden – dat ik niet goed geïnformeerd was over de geschiedenis of de huidige situatie in de regio. Hij zei dat Joegoslavië deel zou moeten uitmaken van Europa, maar dat de internationale gemeenschap het de voet dwarszette.

Ik viel hem beleefd maar resoluut in de rede: 'Ik ben heel goed geïnformeerd over de regio; mijn vader schreef er een boek over en ik heb sindsdien met aandacht de gebeurtenissen gevolgd. U hoeft me niet te beleren over de geschiedenis van hier.' Ik gaf toe dat zijn land billijk moest worden behandeld en voerde aan dat ik eerder die dag in Kroatië was geweest om tegen de behandeling van etnische Servische vluchtelingen te protesteren; benadrukkend dat we een goede relatie wilden, maar concrete daden moesten zien. Ik vroeg hem drie verdachten van oorlogsmisdaden, die volgens ons bij de Joegoslavische strijdkrachten dienden, aan Den Haag over te dragen. Milošević trok een grimas en zei dat hij de van mij ontvangen beschuldigingen zou bestuderen, en bij voldoende bewijs zou hij aanbevelen de verdachten ter plaatse te berechten. Van uitleveringen wilde hij niet weten.

Ten slotte drong ik er bij hem op aan dat hij ging praten met leiders van de Albanese etnische gemeenschap in Kosovo. Ik zei dat de Verenigde Staten of een ander land afgevaardigden naar zo'n bespreking konden sturen als dat zou helpen. Milošević zei dat hij het probleem Kosovo niet wilde internationaliseren, en dat zijn regering geen hulp van elders nodig had. Voor we afsloten hadden we een gesprek onder vier ogen, tijdens welk de Servische president me voor zich probeerde in te nemen, en ik probeerde zijn charme te weerstaan. Mijn opgaaf was verreweg de eenvoudigste. Toen we samen door fraaie deuren naar buiten liepen wachtte daar de pers. Ik voelde me beetgenomen, want we hadden afgesproken dat er geen camera's zouden zijn, maar ik kon geen manier bedenken om een handdruk te vermijden. Dat deed ik dus, met een star, uitdrukkingsloos gezicht, wat moeilijker is dan het klinkt.

In Belgrado wist ik tijd te maken voor een bezoek aan de woning van de Tsjechische ambassadeur. Daar had ik een halve eeuw eerder met mijn familie gewoond. Het gebouw was natuurlijk veel kleiner dan in mijn herinnering, en gedeeltelijk tot kantoor verbouwd. Toen ik door mijn vroegere kamer liep bedacht ik dat als het lot anders had beschikt, ik heel goed in mijn vaders voetsporen had kunnen treden, en dat ik met mijn eigen gezin als Tsjechoslowaakse ambassadeur in Joegoslavië in dit huis had kunnen wonen.

De volgende dag, in Sarajevo, had ik een ontmoeting met leden van het meervoudig Bosnische presidentschap om een commissie te inaugureren die voor militaire coördinatie tussen de etnische groepen moest zorgen. Dit was een belangrijke stap en een duidelijke breuk met de oorlogsmentaliteit van het verleden. Na de ontmoeting liep ik door een straat die ooit bekend was als *Sniper Alley*. Ik deed een met USAID-geld hersteld speelterrein aan, waar een klein meisje Amerika bedankte voor de reparatie van de schommels. Ik legde bloemen op de Grbavica-brug, ter nagedachtenis van Suada Dilberović, een studente medicijnen en slachtoffer van sluipschutters, de eerste van meer dan 150.000 Bosniërs die in de oorlog zouden omkomen. Ook had ik een ontmoeting met een afdeling van het nieuwe politiekorps. Daarna werd ik de eerste Amerikaanse bewindspersoon die naar de Servische enclave in Bosnië-Herzegovina zou reizen, de Republika Srpska (RS).

Ik begon in de noordelijke stad Brčko, waar ik munt wilde slaan uit de belofte van Tudjman van de vorige dag, door de openstelling van de brug naar Kroatië over de Sava aan te kondigen. Deze brug gaf Bosnië aansluiting op een snelweg naar het hart van Europa. Het herstellen van een normale grens zou een teken van genezing zijn. Brčko zelf was nog steeds een twistappel tussen Serviërs en moslims. Openstelling van de brug naar het Westen zou iedereen ten goede komen.

In de geest van verzoening zou ik voor een korte plechtigheid samenkomen met de drie leden van de verenigde ministerraad van Bosnië. Kitty Bartels, een jonge assistente van Jamie Rubin heeft toen laten zien wat ze waard was. Kitty is klein, heeft een engelachtig gezicht met ronde ogen en een onuitputtelijke creativiteit. Zij moest zien te regelen dat iedereen bij mijn aankomst op de goede plek stond.

Die middag kreeg ze te maken met een aantal wederzijds vijandige Bosnische politici die door elkaar liepen bij de toegang tot de brug, waar alleen de drie eerste ministers en ik behoorden te staan. Omdat niemand een naamplaatje droeg kon Kitty de premiers niet van de rest onderscheiden. In Bosnië zijn ze chauvinistisch en men sloeg weinig acht op haar smeekbeden. Toen de sirenes van onze auto's naderden begon Kitty verwoed mensen van het platform te duwen, maar toen ik in zicht kwam stonden er nog wel twintig of dertig. In haar wanhoop riep ze om stilte en zei: 'Als u een eerste minister bent, steek dan alstublieft uw hand op. Ik herhaal. Bent u een van de drie eerste ministers, steek dan alstublieft uw hand op. Alle anderen gaan nu van het platform af.' Wonderbaarlijk, maar daar ging één hand, toen nog een en toen nog een de lucht in. Toen mijn auto voorreed stonden de drie premiers op de voor hen bedoelde plaats.

Achteraf slaakten we een zucht van verlichting, niet alleen om het kordate optreden van Kitty, maar ook omdat incidenten waren uitgebleven. De avond ervoor had iemand van ons team over de brug gelopen om te kijken waar fotografen zich het beste konden opstellen. Vanwege het gevaar van sluipschutters wilde niemand van de mensen daar met haar mee. Op weg van en naar de plechtigheid was ik omringd door Amerikaanse militairen en mijn beveiligers droegen openlijk wapens. Ook moest ik een kogelvrije regenjas aan die warm was en onprettig zat. Hij was zo groot dat het materiaal boven mijn schouders uitstak. Ik bezag de fotografen met argwaan, vrezend voor het onderschrift: 'Madeleine Albright, de gebochelde dame.'

Het laatst deden we Banja Luka aan, waar ik RS-president Biljana Plavšić ontmoette, een felle Servische nationaliste, bekend als de IJzeren Dame van de Balkan. De ontmoeting was riskant voor ons beiden. Mijn populariteit bij de aanhang van Plavšić was minder dan nul, en ik wilde geen Amerikaanse steun voor haar extreme denkbeelden suggereren. Maar ik hoopte bij haar te bevorderen dat ze met het vroegere Servische beleid brak, door te pleiten voor naleving van de Akkoorden van Dayton.

Toen we met onze beide delegaties in het stadhuis van Banja Luka zaten, was Plavšić stug en star, dus stelde ik een gesprek met haar apart voor. In haar kantoor spraken we uitvoerig en ik vond haar denkbeelden zowel complex als veelbelovend. Servisch nationalisme vormde voor een groot deel haar identiteit, en ze was niet geneigd zich daarvoor te verontschuldigen. Tegelijkertijd was ze een bittere rivale geworden van Radovan Karadžić, een virulente hardliner die de Bosnische Serviërs tijdens de oorlog had geleid en wiens corruptheid een van de vele factoren was die de plaatselijke economie wurgden. Plavšić wilde dat haar volk profijt had van solide regeringsinstanties, en ze erkende toen tegenover mij en later publiekelijk dat medewerking aan het Dayton-proces de enige praktische manier was om verder te gaan en hulp van buiten aan te trekken. Haar pragmatisme speelde een enorme rol.*

* In 2001 werd bekendgemaakt dat Plavšić door het Joegoslavië-tribunaal werd aangeklaagd in verband met haar rol als Bosnisch-Servische leider tijdens de oorlog van 1992-1995. Plavšić meldde zich vrijwillig in Den Haag en bekende schuld aan 'vervolging op politieke, raciale en religieuze gronden'. In december 2002 getuigde ik op verzoek van zowel de aanklagers als de verdediging voor het tribunaal. Op de leeftijd van 72 kreeg ze elf jaar. Op het moment van schrijven blijft ze de hoogst geplaatste functionaris die verantwoording nam voor misdaden tegen de menselijkheid, en de eerste die dat combineerde met een oproep tot verzoening.

Al langer dan een jaar was Karadžić een voornaam doelwit van pogingen om mensen te arresteren die door het Joegoslavië-tribunaal waren aangeklaagd. We achtten hem verantwoordelijk voor veel van de ergste gruwelijkheden tijdens de oorlog, waaronder de massamoord van Srebrenica. Niet lang na mijn reis in de zomer van 1997 planden we een grote operatie. In samenwerking met vier andere landen wilden we heel Bosnië uitkammen om in één dag Karadžić en twintig andere verdachten van oorlogsmisdaden op te pakken. Ik was kwaad toen een voor de operatie onmisbaar land – welk blijft geheim – zich op het laatste moment terugtrok. Uiteindelijk werd het een veel kleinere actie die resulteerde in de arrestatie van één verdachte en het doodschieten van een andere. Karadžić bleef op vrije voeten.

In de herfst van 1997 richtte ons Balkan-team van Buitenlandse Zaken zich op twee doelen in de Balkan. Allereerst deden we wat we konden om de pro-Dayton-troepen te versterken, vooral onder de Bosnische Serviërs. In oktober overviel SFOR vier Bosnisch-Servische radiozenders die door Karadžić voor anti-Dayton-propaganda werden gebruikt. Deze gedurfde zet was georganiseerd door generaal Wes Clark, de nieuwe NAVO-opperbevelhebber. Clark had bij de onderhandelingen in Dayton een belangrijke rol gespeeld en wist hoe de strijdmacht de naleving van het akkoord doeltreffend kon ondersteunen, ook wat de civiele aspecten betrof. Zoals ik tegen de president zei was Clark de beste partner die we hadden kunnen hebben.

Ten tweede overtuigden we het Witte Huis en de rest van de regering ervan dat SFOR na de deadline van juni 1998 diende te blijven. Inmiddels hadden we aangetoond dat een vastberaden campagne voor naleving van Dayton het in zich had om de politieke dynamiek van de regio om te vormen. Medio december stuurde ik de president een persoonlijk memorandum waarin ik erop aandrong dat hij achter een voortgezette stationering in Bosnië zou staan, op het hoogste van de drie niveaus waar toen over werd gedacht. Een sterke Amerikaanse inzet zou een hefboomwerking hebben op betrokkenheid van Europa en ons leiderschap in stand houden. Dit was, zei ik tegen mijn chef, 'een van de belangrijkste beslissingen van de tweede ambtstermijn'.

Op een persconferentie op 18 december maakte de president zijn besluit bekend dat hij achter een nieuwe troepeninzet stond, deze keer voor onbepaalde tijd. De nieuwe troepenmacht zou zijn vorderingen meten in volvoerde taken en niet in verstreken maanden. De week daarop reisde hij naar Sarajevo om toezeggingen te doen, en aan het einde van het jaar dachten de meeste waarnemers dat Bosnië op de goede weg was.

Ik ben ervan overtuigd dat als het ministerie van Buitenlandse Zaken zich minder hard had ingezet om de Akkoorden van Dayton overeind te houden, de regering was gaan zwalken en de vredesmacht voortijdig zou zijn vertrokken. Na een periode van uitproberen zouden de vijandelijkheden zijn hervat en de nachtmerries van vroeger jaren hadden zich heel goed kunnen herhalen. Uiteindelijk hadden we genoodzaakt kunnen zijn om met een veel groter aantal militairen weer naar de regio te gaan, onder veel riskantere omstandigheden.

In de loop der jaren ontwikkelde ik mijn eigen maatstaf om vooruitgang in Sarajevo te bepalen – Holiday Inn. De eerste keer dat ik de Bosnische hoofdstad bezocht was het hotel een puinhoop waar geen mens logeerde. In 1996 mocht ik in het hotel verblijven, maar in het midden van het gebouw, waarvan de helft niet kon worden gebruikt, was een groot gat. In 1997 was het hotel geel geschilderd en alle kamers waren hersteld. Toen ik er in 2000 terugkwam was het etablissement het bloeiende middelpunt van een bedrijvige metropool. Sarajevo, de Olympische stad, kwam weer tot leven.

HOOFDSTUK 17

Hoofdpijn Hoessein

O P 12 SEPTEMBER 2002 SPRAK PRESIDENT GEORGE W. BUSH voor de algemene vergadering van de VN om te pleiten voor actie om het Irak van
Saddam Hoessein te ontwapenen. Onder het luisteren kon ik alleen maar
instemmend knikken. Dit was tenslotte vergelijkbaar met de vele toespraken die
ik in mijn tijd als VN-ambassadeur en minister van Buitenlandse Zaken had gehouden. Het verhaal van de Amerikaanse confrontatie met Saddam Hoessein
strekt zich over drie presidentschappen uit en weerspiegelt de continuïteit van
het basisbeleid, maar ook van scherpe contrasten in omstandigheden en aanpak,
voornamelijk teweeggebracht door de tragische terreuraanslagen van 11 september 2001. De invloed van deze confrontatie zal nog decennia in de Golf en
wereldwijd voelbaar zijn. Dit is wat gebeurde in de tijd van mijn betrokkenheid.

Van alle door de regering-Clinton geërfde hoofdpijnen was Saddam Hoessein de
hardnekkigste. We zouden acht volle jaren blijven worstelen met kwesties die
aan het einde van de Golfoorlog in 1991 onopgelost waren gelaten. Toen dat conflict eindigde namen VS-functionarissen aan dat Saddams carrière nog maar van
korte duur zou zijn.* Zelfs als hij niet door zijn gehavende strijdmacht of groeperingen van tegenstanders ten val werd gebracht verwachtte de regering-Bush sr.
dat Irak onschadelijk zou worden gemaakt door resoluties van de Veiligheidsraad, waarin opgave en vernietiging werd geëist van de Iraakse massavernietigingswapens (nucleair, chemisch en biologisch) en hun raketten. In ieder geval
dachten de Verenigde Staten in die tijd niet dat experimenten van Irak op deze
terreinen veelomvattend waren geweest. Het hele proces van inspectie en ontwapening, zo meende men, zou in enkele maanden achter de rug zijn.

Zoals de wereld weet zou het zo niet gaan. In plaats van te capituleren terrori-
seerde Saddam binnenlandse rivalen en voerde hij obstructie tegen de VN. De

---

* 'Het was onze verwachting in die tijd dat Saddam Hoessein in de nasleep van de oorlog
politiek niet zou kunnen overleven; dat vooral de terugkerende Iraakse militairen hem
zouden aanvallen en afzetten, en dat ze hem hoe dan ook een prijs zouden laten betalen
voor zijn strategische fiasco.' Richard Haass, voormalig functionaris bij de regering-
Bush sr., in een interview in *Frontline, Spying on Saddam*, Public Broadcasting System,
27 april 1999.

wapensystemen van Irak bleken omvangrijker dan oorspronkelijk aangenomen. Toen ik in 1993 bij de VN kwam, zagen we al in wat voor een lastig probleem Irak zou zijn.

Ik was nog geen drie maanden in functie toen autoriteiten in Koeweit een moordaanslag tegen voormalig president Bush verijdelden tijdens zijn bezoek ter herdenking van de Golfoorlog. De FBI concludeerde na onderzoek dat Iraakse geheim agenten erachter zaten. We maakten plannen voor vergelding met bommen op het hoofdkwartier van Saddams inlichtingendienst in Bagdad. Dit leidde tot een netelige taak voor mij op de dag van de aanval. Ik moest de Iraakse permanente vertegenwoordiger vertellen dat we bezig waren kruisraketten af te vuren op een doel in zijn hoofdstad.

Omdat het in het weekeinde was, en de VN-gebouwen gesloten waren, bezocht ik de Iraakse ambassadeur Nizar Hamdoen in zijn ambtswoning in de Upper East Side van Manhattan. Toen ik aankwam, werd ik naar een zaal met lambrisering begeleid en nam plaats op een sofa onder een enorm portret van Saddam Hoessein. De Iraakse ambassadeur kwam binnen, we deden vriendelijk tegen elkaar en hij bood me thee aan. 'Wel, wat voert u vandaag hierheen?' vroeg hij met een glimlach. Ik zei: 'Wel, ik ben hier om u te zeggen dat we uw land bombarderen omdat jullie hebben geprobeerd onze gewezen president Bush te vermoorden.'

Geen thee dus. Hamdoen sputterde: 'Dat is een flagrante leugen.'

'Het is geen leugen, en als u naar de Veiligheidsraad komt zal ik voor de hele wereld bewijzen overleggen.'

Hij keek me dreigend aan en even dacht ik dat hij me niet meer zou laten gaan. Vlug stond ik op, bedankte voor de ontvangst en vertrok. De volgende middag ging ik naar de Veiligheidsraad en presenteerde het volledige bewijs, compleet met foto's, dat Irak wel degelijk achter de moordpoging zat.

De confrontaties met Bagdad gingen in wisselende mate van intensiteit alle jaren van de regering-Clinton door. Tijdens mijn periode in New York luidden mijn instructies dat ik moest doen wat ik kon om de VN-sancties te handhaven om zo druk op Bagdad uit te oefenen om openheid van zaken te geven over de volle omvang van hun wapenprogramma's. Om de uitwerking daarvan op onschuldige Irakezen te verzachten verwierven we goedkeuring voor een plan dat Bagdad beperkte hoeveelheden olie mocht verkopen om voedsel en medicijnen te kopen – producten die buiten de sancties vielen. Jarenlang wees Saddam dit programma resoluut af en zelfs later liet hij zijn burgers er nooit volledig van profiteren. In de Koerdische delen van Noord-Irak, waar het programma door de VN werd uitgevoerd, hadden kinderen na de Golfoorlog onder de sancties beter te eten dan voor de oorlog. Als Saddam het geld van Irak aan hulpgoederen had besteed, dan had zijn volk veel minder geleden. Maar hij verkwistte de middelen van het land aan de herbouw van wapenfabrieken en weelderige paleizen voor hemzelf, zijn familie en trawanten.

Om Saddams arrogantie te illustreren maakten we luchtfoto's openbaar met daarop de naoorlogse bouw van paleizen en wapenfabrieken, en de aanleg van kunstmatige meren. In 1995 reisde ik naar verschillende hoofdsteden van landen met zetels in de Veiligheidsraad om de foto's voor te leggen, die uitermate veelzeggend waren. Op sommige was een paleiscomplex te zien, wel vijf keer zo groot als het Witte Huis. Toen ik de foto's aan een Arabische monarch toonde riep hij uit: 'Tsjonge, dat paleis is groter dan het mijne!'

Bij de beëindiging van de Golfoorlog kreeg de VN iets tot taak wat nog nooit eerder was gedaan – een land ontwapenen zonder het militair te bezetten. De uitvoering hiervan werd in handen gelegd van het Internationaal Atoomagentschap (IAEA) en de VN-ontwapeningscommissie (UNSCOM), een internationale groep experts. Hoewel ze met leugens, intimidaties en pesterijen te maken kregen brachten de inspecteurs veel tot stand. Ze ontmantelden fabrieken voor biologische en chemische wapens, verwijderden nucleaire materialen en zetten een uitgebreid regime voor wapencontrole op.

Saddam had tot doel de inspecteurs te stoppen en opheffing van de sancties te verkrijgen, zonder zijn overgebleven wapens op te geven. Zijn strategie was de nadruk te leggen op de noden van de Iraakse burgers, om medeleven te wekken bij Arabieren en in het Westen, waar hij tot op zekere hoogte in slaagde. Anti-Amerikanisme zal in bepaalde kringen altijd weerklank vinden.

Het spijt me te moeten zeggen dat ik in 1996, in het CBS-programma *60 Minutes,* onze imagoproblemen verergerde. Er was een reportage over Iraakse instellingen voor gezondheidszorg, met beelden van verhongerende kinderen en afkeuring van het VN-beleid door Iraakse functionarissen. Er werd weinig moeite gedaan om iets uit te leggen over de schuld van Saddam, zijn misbruik van Iraakse hulpbronnen of het feit dat ons embargo geen voedsel of medicijnen gold. Het ergerde me dat onze televisie iets toonde wat gelijk stond aan Iraakse propaganda. Tegen het einde van het programma vroeg Lesley Stahl me: 'We hebben gehoord dat een half miljoen kinderen zijn gestorven [als gevolg van de sancties]. Dat is meer dan er in Hiroshima omkwamen. Is het die prijs waard?'

Ik moet gek geweest zijn; ik had tegen de in de vraag besloten aanname, dat de sancties en niet Hoessein de oorzaak waren van de Irakese doden, moeten ingaan. Saddam had al het lijden van kinderen kunnen voorkomen, eenvoudig door zijn verplichtingen na te komen. In plaats daarvan zei ik het volgende: 'Ik vind het een heel moeilijke keuze, maar we denken dat het de prijs waard is.' Ik wenste onmiddellijk dat ik die woorden had kunnen inslikken, want ze waren ongevoelig en suggereerden een onverschilligheid ten aanzien van het harde lot van Iraakse kinderen die ik beslist niet voelde. Ik was in de val gelopen en iets gezegd dat ik eenvoudigweg niet meende. Dat was de schuld van niemand, alleen van mij. Vaak in je leven werkt je mond sneller dan je hersens, er was geen betreurenswaardiger voorbeeld in mijn eigen carrière dan deze ondoordachte reactie op de vraag van Lesley Stahl.

Toen ik minister werd verzocht het Witte Huis me een grote rede over Irak te houden. Ik stemde in, ervan overtuigd dat ons beleid van druk uitoefenen op Irak om te ontwapenen, met gelijktijdige inperking van hun strijdmacht juist was: elke keer dat Saddam ons op de proef stelde trokken we de teugels strakker aan. Geallieerde militairen handhaafden no-fly zones boven veertig procent van het land. Een internationale maritieme onderscheppingsmacht probeerde te beletten dat via de Perzische Golf ongeoorloofde ladingen Irak bereikten. VN-wapeninspecteurs hadden inmiddels meer mogelijke massavernietigingswapens vernietigd dan er tijdens de Golfoorlog waren uitgeschakeld. De Iraakse strijdkrachten raakten ieder jaar minder goed uitgerust.

Maar de voortgang in de toekomst liep gevaar. Irak was Rusland en Frankrijk geld schuldig van vroegere transacties en die landen wilden hun geld. Jevgeni Primakov zei tegen me: 'Zonder sancties zouden de Irakezen olie verkopen en ons betalen; mét sancties verkopen ze olie en gebruiken ze de sancties als excuus om ons niet te betalen.' Er heerste ook een algemeen gevoel van 'sanctiemoeheid', en hier en daar het gevoel dat Bagdad geen serieuze bedreiging meer vormde.

Ik wilde de zaak wakker schudden. Saddam was niet zomaar een dictator. Hij was zowel Iran als Koeweit binnengevallen en verlangde hevig naar de ontwikkeling van een kernbom om de Arabische wereld die hem verachtte te imponeren.

De hieruit voortvloeiende rede, uitgesproken aan Georgetown University, is sindsdien verkeerd omschreven als een wijziging in het beleid van de VS. In feite werd het beleid bevestigd. President Bush sr. had gezworen dat de sancties nooit zouden worden opgeheven zolang Saddam aan de macht bleef. Het probleem met die formulering was dat ze voor Irak iedere stimulans bleek weg te nemen om te voldoen aan resoluties van de Veiligheidsraad. De eerste regering-Clinton pakte het iets anders aan door te zeggen dat we ons tegen opheffing van de sancties zouden verzetten tot Irak onder alle van toepassing zijnde resoluties van de Veiligheidsraad zijn verplichtingen nakwam. We zeiden niet dat het onmogelijk was dat dit onder Saddam zou gebeuren, maar uitten wel onze twijfels. Ik persoonlijk geloofde niet dat Saddam ooit zou toegeven, maar door de combinatie van sancties, inspecties, militaire druk en mogelijke luchtaanvallen kon hij geen kant op.

Tijdens mijn jaren bij de VN werkte ik voortdurend en met succes aan het handhaven van een coalitie die Saddam in de tang hield. De vraag waar ik als minister voor stond was of we die solidariteit in stand konden houden, ondanks het verstrijken van tijd, de economische en menselijke prijs van de sancties, en de propaganda van Saddam.

De eerste grote test kwam in oktober 1997, toen de Iraakse leider besloot onze vastberadenheid te beproeven door wapeninspecties van de VN te weren en te eisen dat Amerikaanse inspecteurs werden ontslagen. De leden van de Veiligheidsraad verwierpen deze moties unaniem maar waren sterk verdeeld over wat te doen als Irak geen inspecteurs meer aan het werk liet gaan. Primakov was publiekelijk tegen iedere discussie over militair ingrijpen. Ik zei daarop dat iedere optie bespreekbaar moest zijn.

Saddams strategie was de verdeeldheid van de raad uit te buiten door schuld van zichzelf op het VN-inspectieteam te schuiven. De Irakezen betoogden dat UNSCOM door de Verenigde Staten en Groot-Brittannië werd overheerst en dat de sancties nooit zouden worden opgeheven, wat Bagdad ook deed. De leider van UNSCOM, Richard Butler, een bonkig sprekende Australiër die weinig op had met Saddams gebral, zette daar de waarheid tegenover. Zijn team bestond uit mensen uit bijna veertig landen, en zijn mandaat kwam van de hele Veiligheidsraad. Als Bagdad meewerkte konden de inspecteurs binnen een jaar klaar zijn. Het idee dat Irak oneerlijk werd behandeld was onzin; het deed me denken aan het verhaal van een schooljongen die thuiskwam met een bloedneus en een gescheurd shirt. Toen zijn moeder vroeg wie met vechten was begonnen antwoordde hij: 'Het begon toen die andere jongen terugsloeg.'

Het standpunt van president Clinton was duidelijk. UNSCOM moest weer aan het werk mogen gaan en overal vrije toegang krijgen. Om dat te onderstrepen gelastte de president de opbouw van een Amerikaanse troepenmacht in de Golf. Defensieminister Cohen hield op de televisie een zak met vijf pond suiker omhoog en zei dat de kijkers zich eens moesten voorstellen dat er antrax in zat – een bacterie die Irak volgens eigen zeggen vóór de Golfoorlog had geproduceerd. 'Als deze hoeveelheid antrax,' zei hij, 'over een stad ter grootte van Washington wordt verspreid, zou deze minstens de helft van de bevolking vernietigen.' Toen hield hij een reageerbuisje omhoog en zei: 'VX werkt op het zenuwstelsel. Eén druppel uit dit buisje, één druppel maar, doodt u binnen een paar minuten.' Wapeninspecteurs hadden in Irak vier ton VX gevonden.

Dit was griezelig spul. Opeens hadden we de aandacht van het publiek. De mensen maakten zich zorgen om Saddams wapens en vroegen wat we gingen doen. Het probleem was dat we geen volledig bevredigend antwoord hadden. We dreigden met luchtaanvallen op militaire doelen, maar hoe zwaar ook als straf, daarmee was de terugkeer van de inspecteurs in Irak niet gegarandeerd, en ook niet de blijvende vernietiging van het vermogen van Bagdad om massavernietigingswapens te maken. Een inval in Irak werd niet serieus overwogen. President Bush sr. deed geen inval toen hij daartoe de kans had toen er al honderdduizenden militairen in de regio gelegerd waren tijdens de Golfoorlog. Als president Clinton dit in 1998 had voorgesteld hadden vrienden in de Golf, onze bondgenoten en de belangrijkste functionarissen van onze strijdkrachten en leidende Republikeinen zich tegen hem gekeerd.*

---

* Duidelijk is dat bij velen de zienswijze veranderde door 11 september 2001. Op een vraag tijdens de verkiezingscampagne van 2000 over het met geweld vervangen van Saddam Hoessein antwoordde de Republikeinse kandidaat voor het vice-presidentschap Dick Cheney: 'Ik denk dat we onze huidige houding ten aanzien van Irak willen handhaven.' Even later voegde hij eraan toe dat de toenmalige regering-Bush had nagelaten de Iraakse dictator te verwijderen omdat men niet wilde dat de Verenigde Staten werden gezien als 'een imperialistische mogendheid die nolens volens hoofdsteden in dat deel van de wereld inneemt en regeringen afzet.' *Meet the Press*, National Broadcasting Company, 27 augustus 2000.

Daarom had een diplomatieke oplossing onze voorkeur. We verwachtten dat Rusland zou trachten zoiets te regelen, maar waren sceptisch over de eventuele voorwaarden. In zijn KGB-jaren had Primakov nauwe banden met Saddam Hoessein aangeknoopt. Deze relatie gaf Primakov in unieke mate toegang tot Bagdad, maar kleurde tevens de Russische visie. Toen ik Primakov naar de Irakese dictator vroeg zei hij dat we ons schuldig maakten aan overdrijving van de dreiging die Saddam vormde. Moskou wilde betrekkelijk milde inspectienormen stellen waaraan Bagdad kon voldoen en die opheffing van de sancties mogelijk maakten. Wij meenden dat de ergst denkbare afloop een schone lei zou zijn voor een Saddam Hoessein die nog steeds een bedreiging vormde. Daarom hielden we vast aan inspectienormen, streng genoeg om te zorgen dat Irak voor ieder element van zijn verboden wapenprogramma's verantwoording af moest leggen en ze elimineren.

Half november 1997 vertrok ik voor een lange reis naar Europa, de Golfstaten en Zuid-Azië, met Irak boven aan mijn agenda. (Al mijn jaren als minister zou ik merken dat reizen doelmatig gebruik van tijd is, omdat persoonlijke ontmoetingen tot actie nopen en het naderhand telefonisch zakendoen vergemakkelijkt.) Bij mijn eerste stop was ik in Schotland te gast bij Robin Cook. In de jaren die volgden zou ik nauw samenwerken met Cook en veel spannende momenten met hem beleven. Mijn Britse ambtgenoot heeft rood haar, sprekende wenkbrauwen, een kortgeknipte baard en een zeer verdiende reputatie als een briljant debater met humor. Tijdens onze gezamenlijke ambtstermijn hielp Cook de Britse positie van trouw bondgenoot die een gepaste harde lijn tegenover Bagdad steunde te verstevigen. We waren beiden vastbesloten druk te blijven uitoefenen tot Irak aan zijn verplichtingen tot ontwapenen voldeed. Ik verliet Edinburgh in het vertrouwen dat de Verenigde Staten en het Verenigd Koninkrijk samen Bagdad onder druk zouden zetten om VN-inspecteurs zonder beperkingen te laten terugkomen. Of we samen alleen zouden komen te staan wist ik niet zeker.

Van hoofdstad naar hoofdstad hoppend bleef ik voortdurend in contact met Cook en de Franse minister van Buitenlandse Zaken Hubert Védrine. Het was van vitaal belang dat de bondgenoten een eenheid vormden bij wat voor voorstel de Russen ook in elkaar draaiden. Ook hadden we steun nodig van Arabische staten, hoewel deze regeringen tot ambivalentie geneigd waren. Veelal spraken ze privé denigrerend over Saddam en zagen ze hem graag verdwijnen, maar het baarde hen zorgen dat onze dreigementen met luchtaanvallen verontwaardiging wekte in de Arabische wereld. Als gevolg daarvan waren de meeste moeilijk tot standpunten te bewegen, vooral publiekelijk.

In Qatar sprak de emir zijn bezorgdheid uit over de uitwerking van de VN-sancties op het Iraakse volk, met de woorden: 'We verliezen de volgende generatie' van dat land 'aan bitter radicalisme'. Ik had ook een ontmoeting met de emir van Bahrein, een zachtaardige oude man die herhaaldelijk zijn wens tot vrede uitsprak. Op de persconferentie vroegen journalisten of ik Bahrein tot steun had bewogen voor luchtaanvallen. Die vraag wilde ik niet beantwoorden, dus vertelde ik hun maar dat Bahrein volledig achter onze eis stond dat Irak weer inspecties moest toelaten. Toen we naar het vliegtuig teruggingen kregen we twee grote draagtassen met geschenken van de emir. Toen we die uitpakten zagen we tot onze verbazing Rolex-horloges voor iedereen aan boord, waaronder een met diamanten bezet exemplaar voor mij. Volgens de regels van het ministerie konden we die niet aannemen. Volgens de regels van Arabische diplomatie konden we ze niet afwijzen. Daarom namen we ze mee naar de States waar ze ten bate van de schatkist zouden worden geveild.

Vervolgens kwam Koeweit, waar ik net lang genoeg moest blijven voor een gezamenlijke persconferentie. Helaas had de Koeweitse minister van Buitenlandse Zaken eerder die dag in Caïro gezegd tegen militaire actie tegen Irak te zijn. Dat was iets anders dan Koeweit ons voorheen had gezegd, dus wilde ik de persconferentie gebruiken om een officiële correctie te verkrijgen. Uiteindelijk schreven de Koeweiti's een verklaring in het Arabisch die we in het Engels lieten vertalen. Toen de Koeweitse minister van Defensie deze aan de pers voorlas klonk het als een of andere tekst uit de oudheid: 'Het vasthouden van Irak aan escalaties opent de deur voor alle opties die mogelijk niet in het belang van Irak zijn.' Was dat steun voor het beleid van de VS? In zekere zin, dacht ik. 'Zonder meer,' zei ik tegen de pers.

Op het Arabisch schiereiland kreeg ik ook gelegenheid voor een ontmoeting met de buitengesloten UNSCOM-inspecteurs, die verbolgen waren, mismoedig, en maar al te graag terug wilden. Ze vertelden me dat naar hun oordeel het vermogen van Saddam om uranium voor wapens te produceren zo goed als vernietigd was, hetgeen het vermogen van Irak om een kernbom te ontwikkelen ernstig zou beperken, tenzij er van elders materialen werden betrokken. Chemische en biologische wapens waren echter eenvoudiger te maken – en te verbergen.

Van de Golf vloog ik naar Zuidoost-Azië, waar ik op 17 november aankwam. Ik wist dat duizenden kilometers noordelijker Iraakse kopstukken in Moskou bij Primakov en Jeltsin waren geweest. Waar waren ze op uit? De volgende nacht voerde ik in plaats van te slapen zesentwintig telefoongesprekken. Hubert Védrine vertelde me dat Primakov een geplande reis naar Zuid-Amerika had uitgesteld. Jevgeni wilde op de avond van de 19de in Genève een bijeenkomst van de belangrijkste ministers van Buitenlandse Zaken beleggen om een regeling met Irak te bespreken. Ik zei dat ik niet voor de morgen daarna in Genève kon zijn en dat we niets zouden moeten plannen tot we wisten of Irak met hervatting van de inspecties in zou stemmen.

Ik belde Primakov en zo begon een klassiek spel van elkaar de loef afsteken. Hij zei dat het hem speet dat ik niet in Genève kon zijn omdat hij meende dat er vooruitgang te melden zou zijn. Ik zei dat ik mijn Azië-reis al sterk had ingekort, maar dat ik niet kon vertrekken zonder Indiase leiders te spreken. Hij moest maar bereid zijn om twaalf uur van zijn bezoek aan Brazilië af te knabbelen. Hij zei dat dat onmogelijk kon en dat ik een plaatsvervanger moest sturen. Ik zei dat ik dat geen aanvaardbare manier van zakendoen vond, en dat ik om twee uur 's nachts in Genève zou zijn. Jevgeni zei: 'Best, maar ik ben dan al weg.'

Een paar uur later belde Primakov terug om te zeggen dat Irak bereid was UNSCOM toe te staan naar Bagdad terug te komen, zonder enige wijziging in de samenstelling van het team. Hij zei me om middernacht in Genève van de details op de hoogte te kunnen stellen. Ik antwoordde: 'Ik zal er om twee uur 's nachts zijn.'

'Uitgesloten. Ik kan niet langer dan tot twaalf uur blijven.'

'Jevgeni,' antwoordde ik, 'het zal voor de Russische minister van Buitenlandse Zaken heel raar staan als hij zijn Amerikaanse ambtgenoot om zo'n coördinatie-probleempje uitsluit van een bespreking over Irak. Vooral nu president Clinton zoveel steun geeft aan de toelating van je land tot de G8.'

Primakov zuchtte hoorbaar. 'Ik spreek je om twee uur in Genève.'

'Bedankt,' zei ik, en hing op.

Ik vond het pikant dat ik in India was, een vriend van de Sovjet-Unie tijdens de Koude Oorlog, terwijl Primakov trappelde om zijn bezoek aan Brazilië te beginnen, een oude vriend van de Verenigde Staten. Het spel van de supermachten van vroeger was duidelijk voorbij, maar we waren beiden op pad om te proberen punten te scoren in een nieuw spel, ook al stonden de regels nog niet vast.

Terwijl ik naar Genève vloog maakte ik me zorgen over wat voor regeling Primakov kon hebben bereikt. Ik wist dat Jevgeni ons zou vertellen dat Bagdad had besloten redelijk te zijn, maar ik wist niet onder welke voorwaarden de inspecteurs mochten opereren, of welke beloften Moskou had gedaan voor de toezegging van Bagdad.

Genève is mooi, maar om twee uur 's nachts in de motregen ziet elke stad er hetzelfde uit. Onze auto's reden naar het Palais des Nations, dat in 1936 was gebouwd om de Volkenbond te huisvesten, kort voordat deze organisatie instortte. Ik had het paleis als kind bezocht toen mijn vader voor de VN werkte, en wist nog dat er pauwen rondliepen. Maar voor pauwen was het nu te donker.

Vermoeid en op mijn hoede groette ik mijn collega's en nam plaats, klaar voor de show van Jevgeni. Hij begon met de mededeling dat Irak er inderdaad mee had ingestemd UNSCOM zonder voorwaarden toe te staan terug te komen. Daarna kwamen de zoete broodjes. Hij feliciteerde ons er allemaal mee dat we zo goed samenwerkten, en maakte een toespeling op 'positieve stappen' die na hervatting van de inspecties mogelijk waren te zetten. Ook had hij ter ondertekening een conceptverklaring voor ons klaar die Irak een beetje licht aan het einde van de sanctietunnel zou tonen.

Robin Cook vroeg of de Irakezen echt begrepen dat de terugkeer van UNSCOM zonder voorwaarden zou zijn en dat de samenstelling van de inspectieteams hetzelfde bleef. Primakov zei: 'Ja, maar er zijn kwesties waar we ons over moeten buigen als UNSCOM terug is.'

Ik complimenteerde Primakov en zocht onderwijl naar addertjes onder het gras. Waar was de conceptverklaring? Was het duidelijk begrepen dat UNSCOM

onafhankelijk moest blijven? Dacht Irak dat het een soort afspraak was over opheffing van de sancties? Had Moskou geheime beloften gedaan? 'Dit is geen
Russische valstrik,' verzekerde Primakov me, wat me het tegendeel deed vermoeden. Ik wist dat hij me niet de volledige waarheid over zijn besprekingen
zou vertellen, maar ik maakte duidelijk dat geen belofte, toezegging of consensus tussen Moskou en Bagdad voor de Veiligheidsraad ook maar in de verte bindend zou zijn. Primakov zei dat te begrijpen.

Intussen spitste de discussie zich vooral toe op de formulering van de gezamenlijke verklaring. Ik eiste dat in de tekst het Iraakse besluit om inspecties toe
te staan als 'onvoorwaardelijk' werd omschreven, en dat de resolutie van de
Veiligheidsraad werd vermeld waarin duidelijk stond dat UNSCOM het recht had
zo doortastend als nodig te zijn. Ook eiste ik dat we duidelijk maakten dat ieder
besluit tot wijziging van de samenstelling van UNSCOM of van procedures, door
de Veiligheidsraad moest worden goedgekeurd.

Toen ik van tafel opstond had ik het gevoel dat we een overwinning hadden
behaald, zij het slechts een tijdelijke. We hadden het dreigen met geweld doeltreffend gebruikt en Saddam belet meningsverschillen tussen onze bondgenoten, Rusland en ons uit te buiten. UNSCOM zou een nieuwe kans krijgen om de bedoelingen van Irak te testen. We hadden niets weggegeven, maar waren bijna
nog net zo ver als voorheen, en we hadden Saddam niet de macht ontnomen om
een nieuwe crisis uit te lokken.

De overeenkomst van Genève werkte ongeveer twee maanden. Eerst was er on-
enigheid over de toegang van UNSCOM tot zogeheten presidentiële complexen,
die bestonden uit paleizen en andere bestuurscomplexen waarvan werd vermoed dat ze geheimen herbergden. De Irakezen zeiden dat die verboden terrein
waren, terwijl UNSCOM vasthield aan de in Genève overeengekomen onvoorwaardelijke toegang. Half januari blokkeerde Bagdad een reeks verrassingsin-
specties, eiste vervolgens drie maanden opschorting van al dit soort activiteiten,
en opheffing van de sancties na zes maanden, ongeacht de ontwapeningsstatus
van Irak. Het resultaat was een herhaling van de vorige herfst.

Opnieuw werd de voortgezette haalbaarheid van UNSCOM betwijfeld. Opnieuw
eiste president Clinton krachtig dat Irak verantwoording aflegde en beval hij uitbreiding van de militaire aanwezigheid van de VS in de Golf. Opnieuw vloog ik
de oceaan over voor persoonlijk beraad met bondgenoten en vrienden, waarbij
ik mijn taak in de woorden omschreef die in latere jaren hun echo zouden krijgen: 'De komende dagen zal ik het Amerikaanse standpunt uitleggen aan leiders
in de landen die ik bezoek, waarbij ik duidelijk zal maken dat bij de aanpak van
het huidige, duidelijke gevaar dat de Iraakse wetteloosheid vormt, de diplomatieke rek eruit raakt.' In Europa aangekomen boden de Britten volledige steun,
en de Fransen in ongewone mate. Védrine zei in Parijs tegen de pers: 'Alle opties
staan open,' zijn krachtigste uitspraak tot dan toe.

Bij mijn terugkeer naar de Golf was mijn eerste prioriteit het verkrijgen van steun van Saoedi-Arabië, de invloedrijkste staat in de regio. Het staatshoofd was de oude en zwakke koning Fahd. De echte macht lag in handen van de jongere halfbroer van de koning, kroonprins Abdullah – een van zevenendertig zoons van zestien vrouwen van zijn vader, koning Ibn Sa'oed, grondlegger van het moderne Saoedi-Arabië. De kroonprins, die op traditionele bedoeïenenwijze in de woestijn was grootgebracht, ontving me in een uitgebreid kampement buiten de hoofdstad Riaad, waar hij nu en dan verbleef. We waren op weg geweest met een stoet luxe bussen en campers en kwamen aan in wat een kleine stad leek van tenten en caravans met airconditioning. We kregen dadelijk grote dozen woestijntruffels cadeau (een door kamelen opgespoorde variëteit), die we volgens de regels van het ministerie mochten houden omdat het bederfelijke waar betrof. Na een gezamenlijke lunch nam de kroonprins me voor een persoonlijk gesprek mee naar een van de caravans.

Hoewel fysiek imposant in zijn witte gewaad was de kroonprins, net als de meeste Arabische leiders die ik ontmoette, van begin tot eind innemend en warm. Ondanks de clichés werd ik naar mijn gevoel nooit uit de hoogte behandeld of niet serieus genomen. Zijn gunstige woorden over mij tegenover andere Arabische leiders zouden later mijn werk vergemakkelijken. Ten aanzien van Irak deelde de kroonprins de gemengde gevoelens van die leiders. Hij had niets met Saddam Hoessein op, maar was bezorgd over de reactie van Arabische volken op een aanval op een Arabische broederstaat. De zaak lag vooral voor de Saoedi's gevoelig, zei hij, vanwege hun bijzondere positie binnen de islam. Ik betoogde dat 'precies om die reden, die unieke rol in de islamitische wereld, Saoedi-Arabië ook een unieke verantwoordelijkheid heeft om die eerbiedwaardige godsdienst te beschermen. U en de hele wereld weten dat Saddam Hoessein een slecht mens is die een klap in het gezicht van de islam is.' De kroonprins trok duidelijke lijnen over wat wel en niet openbaar was te maken over het resultaat van ons gesprek, maar met wat we hadden weten te bereiken ging ik tevreden naar huis. Ik kon de president melden dat minstens vijftien landen bereid waren militair bij te dragen, en nog twaalf andere zouden ons toestaan in verband met militaire actie hun grondgebied of luchtruim te gebruiken.

Nu we ons van buitenlandse steun hadden verzekerd moesten we het bepleiten van onze zaak binnenslands beter aanpakken. Het communicatiebureau van de NSC kwam met het idee van een internationaal op televisie te brengen open gesprek met de adviseur nationale veiligheid en de ministers van Buitenlandse Zaken en Defensie. Als plaats werd het State House van Ohio gekozen, en als datum 18 februari 1998.

Er zijn vele manieren om tijdens een openbare gebeurtenis te protesteren zonder inbreuk te maken op de rechten van anderen. Je kunt een bord omhoog steken, iets of iemand de rug toekeren, onwelvoeglijke gebaren maken of een raar pak aantrekken. Maar als je schreeuwt maak je meer kans te worden opgemerkt. Er waren heel veel schreeuwers in Ohio. De onder het publiek verspreide actievoerders kwamen er steeds na elkaar tussen. Elke keer als een ordeverstoorder was verwijderd of tot zwijgen gebracht begon een andere. De gastheer van het evenement, CNN, deed er weinig aan. In negentig minuten werden Bill Cohen, Sandy Berger en ik negenentwintig keer onderbroken, waardoor het moeilijk was onze argumenten uiteen te zetten. We hadden ieder microfoons op ons lichaam zodat we niet onderling konden overleggen, maar we wisselden blikken met de vraag: wat doen we hier in godsnaam?

Ik had jammer genoeg nog niet geleerd hoe ik met actievoerders moest omgaan. Ik was nog steeds meer docent dan politicus en hoopte daarom altijd dat redelijke argumenten het zouden winnen. Bovendien heb ik geroep in de collegezaal nooit getolereerd. Ik was geneigd dingen persoonlijk op te vatten en raakte verontwaardigd als mensen bijvoorbeeld zeiden dat ik verantwoordelijk was voor de moord op miljoenen mensen. In Ohio trok een professoraal ogende heer in twijfel of de VS het morele recht hadden om met militaire actie tegen Irak te dreigen. Het leek me duidelijk dat het gezien de omstandigheden immoreel was geweest Saddam Hoessein níet aan te pakken.

De bedoelingen van de actievoerders waren nobel maar hun informatie was niet zo goed als hun longen. Ze wilden de Irakezen voor leed behoeden en meenden dat verzet tegen ons de manier daartoe was. Maar de meesten hadden niet de beelden gezien van Saddams aanval op het Koerdische dorp Halabja in 1988, waarbij vijfduizend mensen omkwamen; ook niet de beelden van vaders die trachtten hun kinderen tegen het uit de lucht vallende gif te beschermen, of van vrouwen die stierven terwijl ze water probeerden te drinken. Ze hadden de Koeweiti's niet gesproken van wie tijdens de Iraakse bezetting familieleden waren verdwenen en over wier lot Bagdad in alle talen zweeg, of in Saddams gevangenissen gemartelde Iraakse dissidenten, of Iraakse overlopers die verslag deden van Saddams bezeten streven naar steeds dodelijker wapens. Ze beschuldigden ons van ongevoeligheid maar leken geen inzicht te hebben in het leed dat het gedogen van een meedogenloze dictator kon veroorzaken. En ze hielden tegen de feiten in vol dat ons embargo ook medicijnen en voedsel gold.

Omdat de actievoerders de boventoon wisten te voeren was ons optreden in Ohio een fiasco en mijn moeilijkste dag als minister tot dan toe. Ik was ongelukkig met de NSC, de actievoerders en mezelf. Het hielp niet toen CNN me in een verheugde brief liet weten dat de uitzending een mogelijk kijkerspubliek van achthonderd miljoen mensen in meer dan tweehonderd landen had gehaald. Een cartoon gaf ons drieën weer, het Oval Office binnen strompelend om bij de president verslag te doen, er uitziend alsof we net van een oorlog terugkwamen. Wanneer voortaan iemand iets had wat een onbezonnen plan leek om onze boodschap uit te dragen, waren de woorden 'Ohio State' voldoende.

In november had Jevgeni Primakov het voortouw genomen bij het voorkomen van een confrontatie met Irak. Nu kwam Kofi Annan in actie. Medio februari reisde hij naar Bagdad en sloot een overeenkomst, bedoeld om Iraakse gevoeligheden te ontzien en tevens tegemoet te komen aan de belangrijkste eisen van UNSCOM. Het akkoord bevatte weer een toezegging op het laatste moment van

Irak om aan de resoluties van de Veiligheidsraad te voldoen en met UNSCOM samen te werken. Van zijn kant zou de secretaris-generaal diplomaten aanstellen om mensen van het IAEA en UNSCOM te begeleiden bij bezoeken aan presidentiële complexen, vermoedelijk om te zorgen dat de inspecteurs zich netjes gedroegen.

In Washington werd veel gemopperd op dit akkoord. Ik had de secretaris-generaal mede aan zijn baan geholpen; nu werd ik verantwoordelijk gehouden voor zijn handelwijze. Van zijn kant deed Annan wat hem het beste leek om de vrede te bewaren, maar zijn geneigdheid procedurele beloften gelijk te stellen met echte vooruitgang baarde me zorgen. Ook kreeg ik de kriebels toen hij op een persconferentie Saddam 'een man met wie ik zaken kan doen' noemde. Maar toch, het akkoord hield hervatting van de inspecties in, en we kregen goedkeuring voor een nieuwe resolutie van de Veiligheidsraad, die 'zeer ernstige consequenties' beloofde als Irak weer zou tornen aan de onvoorwaardelijke toegankelijkheid.

Het door de VN bereikte akkoord werkte enkele maanden. UNSCOM ging terug en de inspecties werden hervat. Begin augustus 1998 begonnen de problemen weer. Kwaad omdat UNSCOM nog niet zo ver was dat het een gezondheidsverklaring voor Irak af kon geven kreeg Saddam het weer op zijn heupen. Bagdad staakte zijn medewerking aan de inspecties, maar stond wel toe dat belangrijk controlewerk doorging.

Bijna tegelijkertijd trok een van de agressiefste Amerikaanse inspecteurs van UNSCOM zich terug, met de bewering dat ik persoonlijk het werk van het VN-bureau frustreerde. Hij zei dat ik meer inspecties had verhinderd dan Saddam. Dit was de gelegenheid voor de criticasters van de regering op Capitol Hill, die meenden dat ik op heterdaad was betrapt bij een poging de eigen politieke doelstellingen van de VS te ondermijnen.

De Republikeinse leider van de Senaat, Trent Lott, begeleidde de misnoegde inspecteur vergenoegd over het gangpad tijdens een hoorzitting van het Congres, waar ik bij verstek werd beschuldigd van verraad. Een tweede hoorzitting van de Senaat stond gepland, met mij als hoofdgerecht en Bill Cohen als ruwvoer. Deze kwam er niet omdat de senatoren al gauw inzagen dat de 'onthullingen' van de inspecteur het gevolg waren van zijn beperkte blikveld, en dat we niets verkeerds hadden gedaan.

Wat we hadden gedaan was stilzwijgend onze strategie aanpassen voor een betere kans op het handhaven van druk op Bagdad. Van eerdere confrontaties hadden we geleerd dat Saddam uit was op verdeeldheid in de Veiligheidsraad. Zijn tactiek was UNSCOM of de Verenigde Staten, of beide, arrogantie en onredelijkheid in de schoenen te schuiven. Dit was een goede opzet, want de Russen en de Fransen waren al kritisch ten aanzien van UNSCOM, net als enkele van de meer goedgelovige leden van de staf van Kofi Annan.

We verwachtten een nieuwe confrontatie en wilden er in dat geval zeker van zijn dat Irak de schuld zou krijgen, en niet UNSCOM. Daarom beraadslaagden we met de leider van de wapeninspecties Butler over inspectieplannen en bevalen in een klein aantal gevallen kort uitstel aan. In sommige gevallen had Butler al tot uitstel besloten, in andere ging hij vlot akkoord. In alle gevallen was de uiteindelijke beslissing aan hem. Bij al onze besprekingen was het ons doel te bevorderen dat UNSCOM uiteindelijk zijn mandaat zou kunnen vervullen.*

Rusland en Frankrijk bleven aanvoeren dat de Irakezen zouden meewerken als hun maar duidelijk te verstaan werd gegeven wat voor opheffing van de sancties vereist was. De VN reageerden door te werken aan het voorleggen van een 'allesomvattend overzicht' aan Irak van zijn verplichtingen, als het tenminste hervatting van de inspecties toestond. Als Saddam ooit de bedoeling had gehad zich te voegen, dan was dit de gelegenheid waarop hij gewacht zou moeten hebben. Maar op 31 oktober 1998 kapte Irak plotseling totaal met internationale activiteiten van inspectie en controle.

Daar hadden we weer een nieuwe confrontatie. Onze vroegere terughoudendheid verbeterde ons vermogen tot reageren. Saddams acties waren nu scherp in strijd met het akkoord dat hij met de VN had bereikt. Dit betekende dat de geloofwaardigheid van Kofi Annan in het geding was. De Russen en de Fransen waren publiekelijk verontrust en privé geschokt. 'Zijn logica is niet de onze,' zei Védrine tegen mij. 'Saddam heeft elke poging opgegeven om van de sancties af te komen.' De actieve betrokkenheid van president Clinton bij het vredesproces in het Midden-Oosten, en mijn eigen bezoeken aan de Golf, leverden ook diplomatieke winst op. Acht Arabische staten – waaronder Egypte en Syrië – verklaarden: 'Irak moet de resoluties van de VN-Veiligheidsraad in acht nemen en zich ernaar schikken om een militaire confrontatie te vermijden.'

De president keurde heimelijk een niet gering programma van bombardementen goed, te beginnen op 14 november, en gaf opdracht tot militaire manoeuvres, bedoeld om de indruk te wekken dat we tot later in de maand niet zouden toeslaan. Om de zaken ingewikkelder te maken zou ik op dezelfde dag in Malcisië zijn voor de jaarlijkse bespreking van het Asia Pacific Economic Cooperation Forum. Afzeggen van de reis zou problemen hebben veroorzaakt in Azië, dat midden in een financiële crisis verkeerde. Het zou onze plannen ook hebben verraden. In diezelfde tijd zou ik in Washington nodig zijn om tijdens en na de beoogde bombardementen leiding te geven aan onze diplomatie.

Om in Azië te komen en daarna weer snel terug te vliegen, heb ik de hand kunnen leggen op wat ooit bekend stond als een Laatste-Oordeelvliegtuig. De oude 747 was een van die vliegtuigen bedoeld om in geval van een kernoorlog als vliegend commando- en regelcentrum te dienen. Door in de lucht te tanken kon ik tijd besparen. We vertrokken op de middag van de veertiende en vlogen in oostelijke rich-

---

* 'Invloedrijke Amerikaanse functionarissen overschreden nooit de duidelijke lijn tussen zeggen wat volgens hen het beste was enerzijds, en me richtlijnen willen geven anderzijds. Ze aanvaardden mijn exclusieve verantwoordelijkheid als hoofd van UNSCOM voor de richtlijnen, politieke beslissingen en acties van deze instelling.' Richard Butler in zijn memoires *The Greatest Threat*, Public Affairs, New York, 2000, pp. 179-180.

ting over de Atlantische Oceaan, Noord-Afrika en het Midden-Oosten. Normaliter had het enorme vliegtuig uitstekende communicatiemiddelen, maar naar ik tijdens de vlucht zou merken hadden de militairen er veel apparatuur uitgehaald om in de Golf te gebruiken. Hoewel ik daar op zich niet tegen kon zijn werkte het zich af en toe voordoende verlies van contact met Washington op mijn zenuwen.

Tijdens de lange nacht belde Tom Pickering om te vertellen dat eerdere episodes van het Irak-verhaal zich herhaalden. Leiders in Bagdad hadden weer aan de secretaris-generaal geschreven met de belofte tot meewerken met UNSCOM en het Atoomagentschap.

'Van ons wordt binnen drie of vier uur een antwoord verwacht,' zei Tom.

'Hoeveel tijd nog tot we ermee moeten komen?'

'Twee uur en veertig minuten.'

'Jammer dat we niet meer tijd hebben.'

Voor ik kon zeggen dat we volgens mij de luchtaanvallen moesten doorzetten omdat Saddam duidelijk weer met zijn oude trucs bezig was, werd de verbinding verbroken en die kregen we niet meer hersteld. Bij gebrek aan nadere richtlijnen lieten Pickering en Strobe Talbott het Witte Huis weten dat Buitenlandse Zaken voor uitstel was.

Tegen de tijd dat we in Kuala Lumpur landden waren de luchtaanvallen uitgesteld, maar slechts voor een paar uur. Ik was woedend toen ik merkte dat mijn standpunt onjuist was doorgegeven, al gaf ik de communicatie de schuld en niet de boodschappers. Ik ging meteen naar het hotel, waar ik deel kon nemen aan een bespreking met de president en de rest van het buitenlandsbeleidteam. Ik was van mening dat we deze procedure al te vaak hadden meegemaakt en dat, als we nu geen geweld gebruikten, we binnen enkele weken weer in dezelfde positie zouden zijn.

De bespreking eindigde zonder conclusie. Nog steeds zonder slaap werkte ik in Kuala Lumpur mijn agenda af, sprak over de financiële crisis en drong bij de plaatselijke autoriteiten aan op eerbiediging van de mensenrechten. Tussen de besprekingen door sprak ik herhaaldelijk met de president en anderen in Washington. Ik hoorde dat de Iraakse brief inderdaad diplomatieke steun voor militaire actie had ondergraven en ook in het Witte Huis opvattingen had veranderd. De president meende dat we niet het risico konden nemen honderden Iraakse burgers te doden als hun regering publiekelijk aan onze eisen toegaf – zelfs als we dachten dat Bagdad loog. Militair ingrijpen werd dus weer uitgesteld.

In de dagen daarna keerden de VN-inspecteurs naar Irak terug, in de wetenschap dat de volgende inspectie die zou worden tegengehouden de laatste zou zijn. Op 15 december vertelde Richard Butler de Veiligheidsraad dat Irak had nagelaten documenten over zijn chemische en biologische wapenprogramma's te overhandigen en dat het weer een inspectie had belemmerd. Deze keer moest daar een prijs voor worden betaald.

Op 16 december 1998 kwamen we 's morgens bijeen in de Situation Room. Het VN-rapport was duidelijk: Irak werkte niet mee. Het team voor buitenlands beleid was unaniem voor luchtaanvallen. Het tijdstip was van belang omdat we de aanval wilden voltooien voor het begin van de ramadan, vier dagen later. Operatie Desert Fox ging die middag met Britse deelname van start. Ze duurde zeventig uur en bestond uit 650 aanvalsvluchten en raketaanvallen tegen een verscheidenheid aan met veiligheid samenhangende doelen. Zoals we hadden gehoopt brachten de aanvallen aanzienlijke schade toe aan de commando-infrastructuur van de Iraakse strijdmacht. De Republikeinse Garde van Saddam verspreidde zich en ging uit vrees voor een nieuwe aanval in tenten kamperen. Iraakse raketproductieprogramma's raakten volgens schattingen van onze militairen zo'n twee jaar achterop. Dankzij de precisie van onze strijdkrachten waren er weinig burgerslachtoffers.

Operatie Desert Fox was een keerpunt in wat een internationale soap opera was geworden met de Verenigde Staten, de Veiligheidsraad en Saddam Hoessein in de hoofdrollen. Met UNSCOM en het IAEA niet langer in Irak wijzigden we ons beleid tegenover Bagdad, van insluiting met inspecties in een benadering die we 'insluiting plus' noemden. We rekenden op geallieerde strijdkrachten in de regio om Saddam klem te zetten, terwijl we andere stappen ondernamen om hem te verzwakken. In de praktijk betekende dit strengere handhaving van de no-fly zones boven Noord- en Zuid-Irak. Bij provocaties aarzelden we niet radar- en luchtafweerinstallaties van Saddam te treffen. Om Arabische steun te behouden stonden we achter verdere uitbreiding van het olie-voor-voedselprogramma en werkten we plannen uit voor 'slimmere' sancties die Saddam meer schade zouden toebrengen en zijn volk minder. We zetten stappen om de Iraakse oppositie te verenigen en te versterken. En we stelden 'regimewisseling' als een expliciet doel van het VS-beleid. Niets van dit alles was verrassend, maar het beperkte wel Saddams opties, vergrootte zijn isolement, en het moedigde zijn Iraakse tegenstanders – buiten en binnen het land – aan tot samenwerking om zijn greep op de macht te doen verslappen. Tevens verzwakte het zijn strijdmacht aanzienlijk en was hij hierdoor steeds minder in staat een aanval van een superieure strijdmacht lang te overleven.

Ik blijf ervan overtuigd dat we Irak toen op de juiste manier aanpakten. Toen president George W. Bush president Clinton opvolgde gingen er in de nieuwe regering stemmen op voor een radicale verandering, maar de basiselementen van het Amerikaanse beleid werden tot na 11 september niet gewijzigd. Niettemin erkende president Clinton net als ik dat de mengeling van sancties, insluiting, het verzet van Irak en onze onzekerheden over Saddams wapens niet eindeloos kon doorgaan. Hoewel ik veel twijfels over de diplomatieke timing, tactiek en de plannen voor wat er na de oorlog moet gebeuren van de regering-Bush in de maanden voor en na de oorlog van 2003 heb uitgesproken, kon ik geen bezwaar maken tegen het doel van de actie, namelijk het verdrijven van Saddam Hoessein. Zoals president Clinton in 1998 zei bedreigde de Iraakse leider 'de veiligheid van de wereld', en 'het voor eens en altijd een einde maken aan die bedreiging gaat het beste met een nieuwe Iraakse regering'.

HOOFDSTUK 18

Welkom in het Midden-Oosten

DE MIDDAG VAN 13 SEPTEMBER 1993 leek een waar moment van wonderen en verwondering. Vanaf een stoel op de voorste rij op het gazon van het Witte Huis zag ik president Clinton zijn armen spreiden om de Israëlische premier Yitzhak Rabin en Jasser Arafat, voorzitter van de Palestijnse Bevrijdingsorganisatie (PLO) naar elkaar te duwen. Na een moment van aarzeling bij Rabin schudden de twee mannen elkaar de hand en schiepen daarmee een beeld dat op de voorpagina van praktisch elke krant ter wereld zou verschijnen. De ceremonie markeerde de ondertekening van het Beginselakkoord van Oslo, met de contouren van een plan om de veiligheid van Israël te verenigen met de hoop van het Palestijnse volk. Met het oog op de aanwezige jonge Israëli's, Palestijnen en Egyptenaren, die daar waren op uitnodiging van de organisatie Seeds of Peace, noemde president Clinton de verklaring een 'moedig gokspel om de toekomst beter te maken dan het verleden'. De volgende zeven jaren besteedden de Verenigde Staten immense hoeveelheden tijd, energie, middelen en prestige aan het helpen winnen van dat gokspel door de Israëli's en de Palestijnen. De poging was nobel en zal naar ik verwacht door de geschiedenis als de moeite waard worden beoordeeld. Maar noch de president, noch ik zou uit het ambt stappen met het beloofde land van een vreedzaam Midden-Oosten in zicht.

Ik leerde over het Midden-Oosten zoals ik Russisch leerde: eerst luisteren, dan spreken, daarna de grammatica onder de knie krijgen en literatuur lezen. Door in mijn jaren bij de VN met collega's te oefenen leerde ik het vocabulaire van het vredesproces en werd ik blootgesteld aan de standaardlitanie van argumenten van alle partijen. Toen ik minister werd moest ik meer te weten komen over de geschiedenis, de verslagen van vroegere onderhandelingen en de persoonlijkheden van degenen wier beslissingen de richting van de regio zouden bepalen.

Persoonlijk benaderde ik het Midden-Oosten niet onbuigzaam, behalve op één punt. Ik ben van mening dat Israël een bijzondere bondgenoot van de VS is en dat we moeten doen wat we kunnen om zijn veiligheid te waarborgen. Ik vond het besluit van president Truman om Israël meteen bij zijn ontstaan in 1948 te erkennen een van de moedigste. Ook bewonderde ik de democratische instelling van Israël. De blijvende aard van onze belangen had het Amerikaanse beleid ten aanzien van het Midden-Oosten tijdens Democratische en Republikeinse regeringen betrekkelijk constant gemaakt. Sinds de Israëlische overwinning in de Zesdaagse Oorlog van 1967 hadden we Israël geholpen zijn militaire overwicht in de regio te bewaren, opdat zijn vijanden het niet konden vernietigen. We boden royaal hulp aan Israëls partners in de vrede en onderschreven het beginsel van land voor vrede, vastgelegd in resoluties 242 en 338 van de Veiligheidsraad.

Arabieren protesteerden er dikwijls tegen dat de Verenigde Staten in de loop der jaren te weinig hadden gedaan om Israël te dwingen om aan die resoluties te voldoen. Ze vergeten hun eigen geschiedenis. Toen ze werd aangenomen werd resolutie 242 door de PLO woedend afgewezen. In 1967 verklaarde de Arabische Liga dat er geen erkenning, onderhandelingen of vrede met de joodse staat kon zijn. Tot het Israëlisch-Egyptische vredesverdrag van 1979 was praktisch ieder Arabisch land uit op de verdelging van Israël. Toen Anwar Sadat, de Egyptische leider die vrede met Israël had gesloten, werd vermoord lieten maar weinig Arabieren buiten Egypte daar tranen om. Het was veel eenvoudiger geweest Israël ertoe te bewegen zich uit in 1967 bezet gebied terug te trekken als een terugkeer naar de vroegere grenzen veiligheid had opgeleverd. Door de voortdurende Arabische vijandigheid en het extremisme moest zelfs de kleinste Israëlische concessie zorgvuldig worden afgewogen.

Anderzijds was verzachting van de Arabische vijandigheid eenvoudiger geweest als sommige Israëlische leiders het recht niet hadden opgeëist de Westelijke Jordaanoever en de Gazastrook geheel en blijvend te besturen. In de jaren zeventig en tachtig moedigden Israëlische premiers de uitbreiding van nederzettingen aan, om veiligheidsredenen en om de bewering kracht bij te zetten dat God al het land aan de joden had gegeven. Hoewel het woord 'nederzettingen' het beeld van tijdelijke onderkomens oproept, van tenten zelfs, was de werkelijkheid vaak heel anders. Sommige bestonden inderdaad uit een paar caravans, maar andere zagen eruit als Amerikaanse voorsteden, compleet met recreatiecentra in countryclubstijl en vrijstaande woningen. Binnen de omheiningen van de nederzettingen leefden mensen met geld er goed van. Daarbuiten waren krotten en hadden Palestijnen een ellendig, armoedig bestaan. De meer provocerende kolonisten – en deze groep bevatte Amerikaanse staatsburgers met een dubbel paspoort – leken rancune uit te lokken. Met deze extremisten voor ogen dacht ik wel eens: wat een schitterend verhaal is Israël, een woestijn die nu groen is, een innovatieve hightecheconomie en een levendige democratie. Maar waar blijft de veiligheid als je buren je haten?

Het Beginselakkoord van Oslo, bij die gedenkwaardige plechtigheid op het gazon van het Witte Huis ondertekend, was bedoeld om de Israëli's en Palestijnen van bittere vijanden in partners om te vormen. Het voorzag in een reeks wederzijdse stappen om vertrouwen op te bouwen, als voorbereiding op besprekingen tussen de twee partijen over de voornaamste kwesties.* Het eiste van de PLO be-

---

* De kwesties van definitieve of permanente status waren onder meer veiligheid, grenzen, nederzettingen, vluchtelingen en Jeruzalem.

vestiging van het afzweren van geweld en erkenning van het bestaansrecht van Israël. Israël was bereid te beginnen met het onder Palestijns bestuur brengen van gebied op de Westelijke Jordaanoever en in de Gazastrook. Voorzitter Arafat kwam uit ballingschap in Tunis terug om in Ramallah op de Westelijke Jordaanoever het hoofdkwartier van het Palestijns gezag op te zetten. Met internationale hulp zetten de Palestijnen instellingen op voor zelfbestuur. Regionale spanningen verminderden. In 1994 volgde Jordanië het voorbeeld van Egypte, dat als enig Arabisch land tot dan toe officieel vrede met Israël had gesloten. Ook knoopte Israël nieuwe banden aan met tientallen andere landen, wat ook contactbureaus met verscheidene Arabische staten inhield. Buitenlandse investeringen stroomden binnen en de economie van Israël groeide sterk.

Niets van dit alles had zonder het leiderschap van Yitzhak Rabin kunnen gebeuren. De Israëlische premier was een oorlogsheld die een Israëlische strijddoctrine had ontwikkeld op basis van beweging en verrassing, die in de oorlog van 1967 zo succesvol bleek. Israëli's die de waakzaamheid van andere leiders van de Arbeiderspartij in twijfel trokken, hadden vertrouwen in de taaiheid en kracht van Rabin. Anders dan sommige van zijn opvolgers meende Rabin dat onderhandelingen niet in het slop mochten raken door incidenten van anti-Israëlisch geweld, omdat hij vond dat terroristen niet de macht moesten krijgen om vrede te verhinderen. Hij zei vaak dat het gezond verstand was terrorisme te bestrijden alsof er geen onderhandelingen zijn, en te onderhandelen alsof er geen terrorisme is. Hij wantrouwde de Palestijnen en vooral Arafat, maar betoogde dat een zorgvuldig uitgedachte vrede voor beide partijen het enige praktische pad was, gezien hun lotsbeschikking om als buren in hetzelfde land samen te moeten leven.

Begin jaren zeventig maakte ik kennis met Rabin en zijn vrouw Leah toen hij ambassadeur was in de Verenigde Staten. Het echtpaar hield van Washington en kon het goed vinden met de diplomatieke gemeenschap. Toen ik twintig jaar later bij de VN werkte kwamen ze soms voor zittingen van de algemene vergadering naar New York. Bij een diner van de Israëlische delegatie toastte ik op Rabin en citeerde Leah over haar eerste ontmoeting met Yitzhak. Hij zag er toen uit als koning David met zijn krulletjeshaar en priemende blauwe ogen. Rabin 'mag dan wat van dat haar kwijt zijn', zei ik, 'maar hij heeft nog steeds de ogen van David'.

Op 4 november 1995 was ik in mijn huis in Georgetown toen ik door het ministerie van Buitenlandse Zaken werd gebeld. 'Mevrouw de ambassadeur, we hebben verschrikkelijk nieuws. Premier Rabin is vermoord.' Het was alsof ik een vuistslag kreeg en ik wist meteen dat de wereld ten kwade was veranderd. Zelden heeft een kogel, in dit geval van een rechtse Israëlische fanaticus, zoveel vernietigd. Terwijl ik dit schrijf, is de ruimte die Rabin ooit vulde nog altijd leeg.

De hele wereld keek toe – en was massaal aanwezig – bij Rabins begrafenis. Voor koning Hoessein van Jordanië was dit zijn eerste reis naar de joodse staat. De plechtigheid zelf was gedenkwaardig door de dapperheid van Leah Rabin, de warmte van president Clinton, de indrukwekkende oproep tot vrede van koning Hoessein, en de hartverscheurende getuigenis van Rabins zeventienjarige kleindochter Noa Ben Artzi-Pelossof. 'Anderen, groter dan ik, hebben je al geprezen,' zei ze, 'maar geen van hen beleefde ooit het fijne van het voelen van de strelingen van je warme, zachte handen, van het verdienen van je warme omhelzing die alleen voor ons was, van het zien van die glimlach die me altijd zoveel zei, diezelfde glimlach die niet meer is, verstild met jou in het graf.'

Het slagingspercentage van de uitvoering van Oslo was zelfs toen Rabin nog leefde ontmoedigend laag. De Palestijnen wilden land, de Israëli's veiligheid. De vraag was hoeveel land Israël zou teruggeven en wat voor veiligheidsgaranties de Palestijnen zouden bieden. Eerder in 1995 hadden de partijen een Interimakkoord getekend, bekend als Oslo II, dat voor Israël voorzag in terugtrekking uit zeven Palestijnse bevolkingscentra, in drie fases over een periode van achttien maanden. Hoeveel land zou worden overgedragen was niet gespecificeerd, en dat was een grote bron van ergenis. De Palestijnen meenden dat hen voor de besprekingen over de definitieve status de hele Westoever en Gaza was beloofd, op Jeruzalem, nederzettingen en steunpunten na. Dit kon wel zo'n negentig procent van het betwiste gebied beslaan. De Israëli's waren het daar hevig mee oneens, zeiden dat de kwestie geheel aan hen was en wezen erop dat de minister van Buitenlandse Zaken van Rabin, Sjimon Peres, Arafat ertoe had bewogen een pact zonder nader aangeduid percentage te aanvaarden.

Peres was initiatiefnemer geweest van de onderhandelingen in Oslo, en ook was hij altijd optimistischer over vrede geweest dan Rabin. Als gewezen premier en leider van de Arbeiderspartij geloofde Peres oprecht dat Israël ooit door vrienden omringd zou worden. In een land van praters behoorde hij tot de inventiefste en bezielendste figuren, en dat hij Rabin na zijn dood opvolgde werd door velen toegejuicht. Als Rabin de Israëlische tegenhanger was van George Marshall, dan was Peres meer als Adlai Stevenson, een leider die werd bewonderd om zijn geloof in de menselijke natuur, door een bevolking die betwijfelde of deze eigenschap alleen voldoende was voor hun veiligheid.

In mei 1996 gingen de Israëli's naar de stembus. Peres was favoriet, maar bij een reeks terreuraanslagen aan het eind van de verkiezingscampagne kwamen tientallen Israëli's om en de verkiezing kwam in gevaar. De aanslagen brachten Arafat in verlegenheid en hij reageerde door hard tegen extremistische Palestijnse groeperingen op te treden. In Egypte was Moebarak gastheer van een internationale conferentie. Tijdens die bijeenkomst stonden preesident Clinton en meer dan twaalf Arabische leiders achter Peres bij het veroordelen van terrorisme. Het was een niet eerder voorgekomen vertoon van steun, maar niet voldoende om de kandidatuur van Peres te redden. Benjamin Netanyahu, de leider van de Likoedpartij in de oppositie, trok volledig profijt van de Israëlische angsten. Hij beschuldigde Peres van zwakte en beloofde een einde te maken aan de terreuraanslagen.

Bij zijn aantreden erfde Netanyahu – door vriend en vijand Bibi genoemd – een vredesproces dat hij had veroordeeld, en Israëlische toezeggingen die hem niet aanstonden, maar die hij niet expliciet kon weigeren. Hij begon met een harde lijn, nam ultraconservatieven in zijn kabinet op en weigerde met Arafat te spreken. In september opende Israël een archeologische tunnel bij een islamitische heilige plaats in de oude stad van Jeruzalem, waarmee hij botsingen ontketende die achttien Palestijnen en vijftien Israëli's het leven kostten. Voor het eerst schoten Palestijnse veiligheidseenheden op Israëlische soldaten. In maart 1997, toen ik twee maanden minister was, begonnen bulldozers aan een omstreden bouwproject in de wijk Har Homa in Oost-Jeruzalem (bij de Palestijnen bekend als Jebel Abu Ghneim). Voor de Palestijnen leek de bouw bedoeld om de aaneensluiting te doorbreken van Arabische wijken in Jeruzalem en Palestijnse bewoners in het zuiden en oosten. Dit was van grote betekenis, want Arafat had vastgehouden aan Jeruzalem als hoofdstad van een toekomstige Palestijnse staat, terwijl de Israëlische leiders vastbesloten waren Jeruzalem niet te delen. Op 21 maart kwamen bij een zelfmoordaanslag in Tel Aviv drie Israëlische vrouwen om. Netanyahu beschuldigde Arafat ervan 'groen licht' voor terreur te hebben gegeven. Het leek erop dat bij het vredesproces, dat sinds de dood van Rabin aan de beademing lag, nu de stekker eruit getrokken werd.

Vroeg in mijn ambtstermijn had ik het er met de president over hoeveel tijd Midden-Oostenbesprekingen in beslag namen. We kwamen overeen dat ik pas naar de regio zou reizen als er duidelijk bepaalde winst was te behalen. Reizen was in de eerste maanden toch niet nodig omdat er zoveel leiders uit het Midden-Oosten naar Washington kwamen. Bij onze besprekingen kwamen we tot de slotsom dat er tussen de Oslo-partners een duidelijke vertrouwenscrisis was gerezen. Netanyahu beweerde dat het centrale uitgangspunt van het Beginselakkoord werd weerlegd: de Palestijnen hadden wat land gekregen en eisten nu meer. Terwijl het terrorisme nog steeds een probleem was zei Netanyahu dat noch zijn kabinet, noch zijn geweten hem toestond nog meer land af te staan, behalve in ruil voor echte vrede. Hij stelde voor verder af te zien van verdere terugtrekking van het Israëlische leger, zoals het Interimakkoord vereiste, en meteen besprekingen te beginnen over de kwesties van definitieve status. Hij dacht zelfs aan een Camp David-omgeving, waar president Clinton Arafat kon uitleggen hoe alles werkte. Arafat beweerde intussen dat de Israëli's hun verplichtingen niet wilden nakomen en het voor hem moeilijker maakten extremisten in de hand te houden. Hij moest zijn volk iets tastbaarders bieden in ruil voor het aanvaarden van Israël als partner.

We wilden een manier vinden om het vertrouwen te herstellen, maar achtten het toen nutteloos met ons eigen plan te komen. Daarom moedigden we de twee partijen aan binnenskamers samen te werken om een basis te vinden voor hervatting van officiële besprekingen. Na weken van geheim overleg verklaarden ze zich bereid naar de onderhandelingstafel terug te keren.

In het Midden-Oosten lijkt het echter regel te zijn dat elke goede ontwikkeling door nieuwe problemen wordt gevolgd. Op 30 juli 1997 ontploften op de Mahane

Yehuda-markt in Jeruzalem twee bommen van terroristen, waarbij 14 Israëli's omkwamen en er 170 gewond raakten. Op de terugreis uit Azië belde ik Netanyahu om hem te condoleren, en Arafat om te eisen dat hij extremisten oppakte, wapens in beslag nam en groepen die voor geweld waren buitensloot. Arafat veroordeelde de aanslagen, maar zei na een jaar stagnatie in het vredesproces geen strafexpeditie te kunnen rechtvaardigen.

Na aankomst in Washington ging ik rechtstreeks naar het Witte Huis, waar we tot verscheidene stappen besloten. Ten eerste zouden we ambassadeur Dennis Ross* naar de regio sturen om erop aan te dringen dat de Palestijnen inzake veiligheid weer met de Israëli's gingen samenwerken. Ten tweede zou ik, als Ross vooruitgang boekte, mijn eerste reis naar de regio maken en proberen weer onderhandelingen over politieke kwesties van de grond te krijgen. Ten derde zouden we pogen zowel in Amerika als in het Midden-Oosten steun te krijgen voor het vredesproces.

Op 6 augustus verscheen ik voor de Nationale Persclub om het kader voor onze inspanning aan te geven. Omwille van de gevoeligheden woog ik zorgvuldig de woorden af om er zeker van te zijn dat niets verkeerd werd uitgelegd of uit het verband gerukt. Aangezien we weinig tijd hadden om de toespraak voor te bereiden bleef mijn team tot het laatst veranderingen aanbrengen. Toen ik naar het podium liep wist ik niet eens zeker of de vellen in de goede volgorde lagen.

Omdat ik me had gehaast voelde ik me verhit en toen ik begon te spreken waren de televisielampen verblindend. Even dacht ik dat ik flauw zou vallen. Ik bleef lezen met mijn aandacht half bij de woorden, terwijl de andere helft me voor de gevolgen waarschuwde als ik flauwviel. Een mannelijk lid van het kabinet kon flauwvallen – wat ook was gebeurd, vlak naast me toen we bij het begin van onze termijn aan de pers werden voorgesteld – maar ik zag de krantenkoppen al voor me als ik op het podium in elkaar zakte.

Ik ging me beter voelen toen duidelijk werd dat de papieren voor me in de juiste volgorde lagen. Het was met opzet een optimistische toespraak, maar ook openhartig bij het betoog dat vrede alleen mogelijk was als beide partijen bereid waren tot moeilijke keuzes. Via Oslo waren de Israëli's en de Palestijnen het eens geworden over een routekaart om dat wat een onoplosbare confrontatie was geweest om te zetten in politiek onderhandelen. Er was geen weg terug. Ik voorspelde dat de toenmalige crisis zou afnemen als de Palestijnen zich voor honderd procent zouden inzetten om terrorisme te bestrijden, en de Israëli's zich

---

* Ross, die adviseur voor het Midden-Oosten was voor de president en mij, is zowel intelligent, toegewijd als rechtschapen. Geen werkdag was hem te lang, geen reis te veel, geen mogelijkheid te ver weg als het de zaak van de vrede diende. Anders dan sommige speciale gezanten die hun eigen schijnwerpers leken mee te dragen cijferde Dennis zichzelf weg. Dezelfde beschrijving is van toepassing op zijn collega's Aaron Miller, Gamal Helal en Nicholas Rasmussen. Terwijl dit wordt geschreven is Ross bezig met de voltooiing van wat beslist het definitieve boek over het vredesproces van het Midden-Oosten wordt.

van eenzijdige stappen onthielden als het bouwen in Har Homa. Ook deed ik moeite om onderscheid te maken tussen terrorisme en het uitbreiden van nederzettingen, met de woorden: 'Er is geen gelijkwaardigheid tussen zelfmoordaanslagen en bulldozers, tussen het doden van onschuldige mensen en het bouwen van huizen.'

Specifieker werd ik toen ik de uitspraak van Netanyahu onderschreef dat de benadering van het vredesproces volgens het Beginselakkoord van Oslo niet langer voldoende was; ik maakte een toespeling op het feit dat de Verenigde Staten misschien voor versnelde besprekingen over definitieve status waren. Ook sprak ik over de verantwoordelijkheid van de Arabische wereld om Israël als lid van de internationale gemeenschap te aanvaarden, en van ieder land om het vredesproces te steunen.

De eerste regel voor een goede verstandhouding met het publiek is geen al te hoge verwachtingen wekken. Toen ik me voorbereidde op mijn vertrek naar het Midden-Oosten was dit geen probleem. Eind augustus was Arafat gefotografeerd toen hij een leider van de terreurbeweging Hamas omhelsde. Op 4 september waren er drie zelfmoordaanslagen tegelijk in dezelfde straat in West-Jeruzalem. Netanyahu sloot opnieuw de Westoever en de Gazastrook af, arresteerde militanten en onthield de Palestijnen miljoenen belastingopbrengst.

Bij mijn eerste bezoek aan de regio verwachtte ik geen doorbraken, maar ik streefde er wel naar Israël gerust te stellen dat het de VS aan zijn zijde had in de strijd tegen terreur, en Arafat ervan te overtuigen dat hij volledig aan die strijd moest deelnemen. Ook wilde ik een rechtstreeks beroep op het Israëlische en Palestijnse volk doen voor hun steun, en ik wilde een manier zoeken om vorm te geven aan onderhandelingen waaraan beide partijen konden deelnemen.

Op 10 september kwam ik bij zonsopgang op de Ben-Goerion luchthaven aan en maakte een rit van veertig minuten naar en door Jeruzalem. De stad is van een biologerende bedrijvigheid en zelfs voor atheïsten heilig. Het lijkt of elke steen betekenis heeft en op een andere manier wordt herinnerd. Zoals een diplomaat tegen me zei: 'Jeruzalem is zo gecompliceerd dat God drie verschillende boodschappers moest sturen.'

Geschiedenis is in het Midden-Oosten altijd aanwezig. Op de eerste dag bezocht ik het holocaust-herdenkingscentrum van Yad Vashem, de volgende morgen ging ik met Leah Rabin het graf van haar man bezoeken. Ik had een steentje bij me uit Theresienstadt, het naziconcentratiekamp waar drie van mijn grootouders heen waren gebracht. Volgens joodse traditie legde ik het steentje op de grafsteen van Rabin en zei een kort gebed voor hen allen. Eerder, in Washington, had Leah me een broche in de vorm van een duif gegeven, die ik als een stille groet aan haar droeg bij mijn toespraak over het Midden-Oosten in Washington. Ze gaf me nu een bijpassende halsketting, met op een briefje de boodschap dat soms zelfs een duif versterking nodig heeft.

Bibi Netanyahu was de jongste president van Israël. Hij was een vechtlustige, heel gladde partijman die me aan Newt Gingrich deed denken. Netanyahu had jaren in de Verenigde Staten doorgebracht en sprak perfect Engels, zonder merkbaar accent. Ik vertelde president Clinton dat ik mezelf steeds moest voorhouden dat Netanyahu geen Amerikaan was. Bij gesprekken met ons kon de Israëlische leider zowel ontwapenend als een beetje onoprecht zijn. Wij dachten dan dat we een overeenkomst hadden, terwijl dat helemaal niet zijn bedoeling was.

Ik had een boel psychologische prietpraat over Netanyahu gelezen. Volgens één theorie probeerde hij in de gunst te komen bij zijn vader, die meer zou hebben gezien in zijn oudere zoon, een held die als commandant van de befaamde actie in Entebbe werd gedood. Netanyahu senior was een toegewijd aanhanger van een hardlinersideologie die Revisionistisch Zionisme heet en die zijn zoon ook leek te omhelzen.

In Jeruzalem vroeg ik Netanyahu of hij het Oslo-proces als dood beschouwde. Hij antwoordde: 'Arresteer militante Hamas-leiders, pak alle wapens af, doek bommenwerkplaatsen op, neem iedere stimulans tot terreur bij iedereen weg, ook bij de imams. Als de Palestijnen dat allemaal doen, moeten we kwesties van definitieve status gaan bespreken, omdat het Interimakkoord met gefaseerde terugtrekkingen alleen maar conflicten en terreur bevordert.'

De Israëlische premier moest lachen bij het idee dat Arafat politiek te zwak was om zulke stappen te zetten; hij zei dat Arafat als hij wilde Hamas in twee maanden kon verpletteren. Ik sprak hem niet tegen, maar drong erop aan dat hij de verantwoordelijkheid van Israël erkende. Terreur was gemakkelijker te beëindigen als de Palestijnen concrete voordelen van het vredesproces konden zien. Netanyahu hield vol dat het terrorisme de enige kwestie was. 'Israëli's weten dat ze zonder vrede misschien moeten vechten. Maar ze denken dat ze hoe dan ook moeten vechten, en dan vechten ze liever tegen een zwak Palestijns gezag dan tegen een sterkere internationaal erkende Palestijnse staat.'

Arafat en Netanyahu woonden zo'n dertig kilometer en een heelal uit elkaar. In mijn acht jaren in het kabinet had Israël vier premiers. Al die jaren en de voorafgaande twintig waren de Palestijnen vertegenwoordigd door één enkele man, een feit dat getuigde van Arafats bekwaamheid als manipulator en overlever.

Voor een westers gehoor begon de Palestijnse leider met wat esthetische handicaps, waaronder zijn eeuwige stoppelbaard en hoge stem. Als gevolg van een vliegtuigongeluk in 1992 was zijn uithoudingsvermogen verminderd en kon hij minder lang zijn aandacht bij iets houden. Misschien om dat te compenseren maakte hij voortdurend notities in een opschrijfboekje dat hij uit zijn borstzak haalde. Tijdens gesprekken kon hij charmant zijn, maar meestentijds was hij moeilijk.

Vooral mijn eerste telefoongesprekken met hem waren moeilijk. We gebruikten tolken, ook al verstond Arafat Engels. Ik wilde gewoonlijk een uitspraak doen of een reactie over een bepaalde kwestie loskrijgen. Arafat wilde de geschiedenis van de hele Palestijnse worsteling uitleggen, dus hield hij toespraken in de telefoon, zo luid dat het apparaat bijna overbodig werd. Toch was hij de enige die bevoegd was om namens het Palestijnse volk te onderhandelen. Optimisten meenden dat Arafat in Oslo een strategische beslissing voor vrede had genomen. Pessimisten vreesden dat hij een cynisch spel speelde, Israëlische concessies in zijn zak stak terwijl hij toekomstig geweld plande. Ik wilde dat voor mezelf uitmaken.

Oslo maakte het noodzakelijk dat Arafat veranderde, van de leider van een nationalistische beweging die terreur bedreef in de leider van een autonome regering die terreur zou bestrijden. Ook vereiste het dat hij de Westoever en Gaza werkelijk *bestuurde*, in plaats van de wereld rond te reizen en over rode lopers te lopen. Opeens moest Arafat zich zorgen maken over riolen, telefoonrekeningen, de uitgifte van rijbewijzen, en moest hij omgaan met een parlement en een betrekkelijk vrije pers. Spoedig werd duidelijk dat Arafat niet zo geschikt was voor die functie. Zijn autocratische stijl liet geen ruimte aan democratische ontwikkeling. Dat hij er niet in slaagde economische hervormingen door te voeren vervreemdde beoogde internationale donoren, en zijn poging terroristische elementen binnen Hamas te annexeren en niet te elimineren vergrootte alleen maar de onbuigzaamheid van Israël.

De combinatie van corruptie, periodiek geweld en een bevolkingsexplosie zorgde ervoor dat de lage levensstandaard op de Westoever en in Gaza verder omlaag ging. Sinds Oslo was het inkomen per hoofd gedaald en de werkloosheid gestegen. Jonge mensen groeiden zonder hoop op – slecht nieuws voor de Palestijnen en geen beter nieuws voor de Israëli's.

Tijdens mijn eerste reis ontmoette ik Arafat in zijn hoofdkwartier in Ramallah, een sober, bescheiden gemeubileerd gebouw dat vijf jaar later door het Israëlische leger in puin zou worden gelegd. Gezeten voor een grote foto van de Rotskoepelmoskee in Jeruzalem had Arafat een betrekkelijk passieve houding. Hij klaagde over de afsluitingen door de Israëli's, en het achterhouden van belastinggelden. Hij zei dat Netanyahu te verwijten was dat hij zijn beloften van Oslo niet nakwam, maar zocht deze keer geen uitvluchten toen ik er botweg bij hem op aandrong dat hij iets deed voor de veiligheid. Ik zei dat we daden moesten zien, geen beloften, en dat terreur voor de Palestijnse zaak beslist net zo schadelijk was als voor Israël. Daarop stemde hij ermee in een plan te ontwikkelen voor ontmanteling van de terroristische infrastructuur van Hamas – een plan waarover we eeuwig over zouden blijven steggelen.

In die tijd had Hamas tienduizenden leden, van wie velen zich bezighielden met zuiver civiele doeleinden – scholen, moskeeën, zomerkampen en sociale diensten. Maar binnen het lichaam van Hamas woekerden netwerken die explosieven vervaardigden, hinderlagen en ontvoeringen voorbereidden en jonge mensen hersenspoelden om zelfmoordaanslagen te plegen. In de meeste Palestijnse bevolkingscentra waren terroristische cellen.

Over het algemeen waren Palestijnse autoriteiten bereid tegen Hamas op te treden als hun specifieke informatie werd geleverd over een bepaald gebouw of een geplande aanslag, maar dat was minder het geval als hun gewoon lijsten met te arresteren personen werden voorgelegd. Ook waren ze niet geneigd zelf met maatregelen te komen. Arafat zag liever dat de extremisten hun woede op Israël richtten en niet op hem. Het gevolg was dat zijn beloften minder dan geloofwaardig waren. En het vraagstuk van een doeltreffende reactie op terreur was en bleef de centrale kwestie bij het streven naar vrede in het Midden-Oosten.

Tijdens mijn bliksembezoek was ik in Ramallah in een school voor een ontmoeting met Palestijnse studenten. De vorige dag had ik vragen beantwoord van Israëlische studenten die zich zorgen maakten over terrorisme, en ik had hun verzekerd dat de Verenigde Staten hun bezorgdheid begrepen en hen bij zouden staan. Maar de Israëlische studenten waren economisch goed af, woonden in mooie huizen en hadden veel keuzemogelijkheden voor hun loopbaan.

In Ramallah woonden maar weinig van de jonge mensen in mooie huizen, of hadden greep op hun leven. Ze zagen zichzelf als slachtoffers en stelden vragen over hun toekomst waarvan ik niet verwachtte dat ik die naar tevredenheid kon beantwoorden. Een in Jeruzalem geboren student vroeg waarom hem al drie jaar niet werd toegestaan die stad zelfs maar te bezoeken. Een andere vroeg waarom Jeruzalem niet tegelijk de hoofdstad van Israël en een Palestijnse staat kon zijn. Een derde vroeg mijn mening 'over de terreur die voortkomt uit nachtelijke arrestaties van onschuldige mensen, wapens die op je gericht worden, vernederende opmerkingen en wegversperringen, aanvallen op onze godsdienst en het opblazen van huizen'.

Uit mijn antwoorden sprak ons beleid, maar dat beleid hield in dat we zwegen over de toekomstige status van Jeruzalem en die kwestie aan de onderhandelaars overlieten. Omdat we met zowel Arafat als Netanyahu moesten werken kon ik niet expliciet zijn over het wederzijds falen van leiderschap als oorzaak van het leed bij de Palestijnen. Ook moest ik zeggen wat ik geloofde, en wel dat Israëlische veiligheidsmaatregelen, hoe streng ook, terrorisme niet rechtvaardigden. Niets van wat ik zei verzachtte bij de studenten het gevoel van hulpeloosheid, wrok en onzekerheid over de toekomst. Na deze ontmoeting wilde ik meer te weten komen over de legitieme behoeften van het Palestijnse volk. Ik dacht bij mezelf: de jonge Palestijnen kunnen het niet helpen dat de geschiedenis hen zo onrechtvaardig heeft bedeeld; ze zullen nooit geheel bereiken wat in hun ogen rechtvaardig is, maar het vredesproces is het beste pad op weg naar het beste resultaat dat eruit te slepen valt.*

Binnen enkele dagen na mijn vertrek zetten beide partijen kleine stappen in de goede richting. Arafat pakte militanten op en sloot een tv-station waarmee

---

* Toen ik in 2002 niet meer in functie was sprak ik in Guilford College in North Carolina. Een jonge vrouw in het publiek zei dat ze me die bewuste dag in Ramallah had horen spreken. Ze herinnerde me daaraan en hield me voor dat alles sindsdien nog veel erger was geworden.

haat werd gepredikt. De Israëli's gaven de helft van het achtergehouden belastinggeld vrij. De afsluitingen werden geleidelijk minder naarmate de samenwerking voor veiligheid toenam. En onderhandelaars stemden in met een ontmoeting met mij tijdens de jaarlijkse zitting van de algemene vergadering van de VN, eind september in New York.

Bijna tegelijkertijd leed Netanyahu een kostbaar gezichtsverlies. Op 25 september werd Khaled Meshal, een Hamas-functionaris, door twee mannen overvallen toen hij in de Jordaanse hoofdstad Amman uit zijn auto stapte. De ene aanvaller drukte een loodkleurig instrument achter Meshals oor en spoot een gif in dat zijn ruggengraat verlamde. Binnen enkele minuten had de lijfwacht van Meshal de twee aanvallers in een bloedig gevecht bedwongen en droeg hen over aan de Jordaanse politie, die snel inzag dat de mannen Israëlische agenten waren.

Het gevolg was een zware, zelf toegebrachte klap. Koning Hoessein, waarschijnlijk de beste vriend van Israël in de Arabische wereld, verbrak bijna de betrekkingen. Netanyahu ging persoonlijk voor excuses naar Amman, maar de koning weigerde hem te ontvangen. Hij liet weten dat als Meshal mocht sterven, de Israëlische agenten publiekelijk zouden worden berecht en opgehangen. Uiteindelijk zorgde Netanyahu voor het tegengif, redde Meshals leven en was bereid zeventig Palestijnse gevangenen die wegens terrorisme vastzaten vrij te laten, onder wie de geestelijk leider van Hamas, sjeik Ahmed Yassin. Maandenlang hadden de Israëli's en ik bij Arafat gesoebat om terroristen te arresteren, en nu had Netanyahu geen andere keus dan een van de grootste boosdoeners vrij te laten – een feit dat Arafat in de maanden daarna herhaaldelijk in herinnering zou roepen.

De onderhandelingen gingen eind 1997 verder, maar er werd weinig vooruitgang geboekt. Met de komst van het nieuwe jaar concludeerden we dat van geen van beide partijen een voor de ander aanvaardbaar geheel aan voorstellen te verwachten was. We hadden winst geboekt in kwesties als de Palestijnse luchthaven en veilig reizen tussen steden voor Palestijnen, maar de kwestie van verdere terugtrekkingen van Israëlische troepen zat in een impasse. De beslissingen die we van de partijen vroegen waren buitengewoon moeilijk, maar tevens hard nodig, dus besloten we onze eigen voorstellen aan Netanyahu en Arafat afzonderlijk voor te leggen, in de hoop dat ze met een trilaterale ontmoeting met president Clinton zouden instemmen, waarbij een overeenkomst kon worden bekendgemaakt.

Op 19 januari 1998 kwam Netanyahu in Washington aan, waar hij sprak op een manifestatie van protestanten. Onder zijn gastheren was dominee Jerry Falwell, die zich toen roerde met een belachelijke video waarin werd beweerd dat president Clinton betrokken zou zijn bij drugshandel en moord. Al dan niet opzettelijk brachten de media het optreden van Netanyahu tijdens die manifestatie als een klap in het gezicht van de president.

De volgende dag kwamen we bijeen in het Oval Office. We hadden niets te winnen bij een ruzie met Netanyahu, dus begon de president met voor te stellen dat we 'de kwestie van onheuse bejegening en geringschatting achter ons laten. We hebben een positieve houding nodig.' Maar al gauw werd duidelijk dat Netanyahu niet bereid was op onze voorstellen in te gaan, en ook niet van plan was te blijven hangen voor een gesprek met drie partijen. Hij drong er bij ons op aan een plan te aanvaarden voor permanente veiligheidszones op de Westoever en in Gaza, in ruil voor gedeeltelijke terugtrekking van de Israëli's. Dit konden we niet doen, omdat de zones te maken hadden met kwesties van definitieve status en dus behandeld moesten worden bij besprekingen over permanente status. Steeds maar weer benadrukte Netanyahu de moeilijke politieke situatie waar hij thuis voor stond en zei dat zijn kabinet hem niet toestond flexibeler te zijn.

Voorafgaand aan het gesprek in het Oval Office had ik in het Mayflower Hotel met Netanyahu ontbeten. Na de bespreking in het Witte Huis trof ik de premier weer in zijn suite op de tiende etage, waarna ik naar het Witte Huis terugging om de pers voor te lichten, voor ik weer naar het Mayflower Hotel terugging. Om 21.40 uur gingen we allemaal weer naar het Witte Huis voor een nieuwe bespreking met de president, en bleven tot na twaalven. Het was inspannend werk, al vroeg ik me wel af hoe het mogelijk was dat zoveel intelligente mensen zoveel konden praten zonder iets nieuws te zeggen.

Vijf uur later zat ik met een kop koffie de *Washington Post* door te nemen. Maar ik las niet over het Midden-Oosten. Nee, ik nam een artikel door met de kop: 'Clinton beschuldigd van aanzetten tot liegen; Starr gaat na of president vrouw opdroeg vermeende relatie tegenover advocaten van Jones te ontkennen.' Mijn eerste reactie was kreunen. Er waren zoveel verhalen geweest over het eindeloze onderzoek van speciale aanklager Kenneth Starr naar Whitewater, en al of niet verband houdende zaken, dat ik dit verhaal over een Lewinsky geheten vrouw geheel wilde wegdraaien.

Nadat ik die avond met de pas aangekomen Arafat had gedineerd ging ik naar de Andrews Air Force Base om Netanyahu uit te zwaaien. Hij sprak zijn bezorgdheid uit over de steeds sensationelere berichten en zei dat ook hij had meegemaakt dat er in zijn privé-leven werd gewroet. Hij vroeg of hij de president zou opbellen om medeleven te betuigen, en ik zei te menen dat zo'n gebaar op prijs zou worden gesteld.

De volgende morgen hadden we een vergadering met Arafat. Voor we begonnen liet het Witte Huis de pers in het Oval Office toe om foto's te maken. Toen we bijeen zaten reageerden de president en de Palestijnse leider op enkele vragen over het vredesproces. Een persagent van het Witte Huis zei: 'Dank u, meneer de president,' aangevend dat het vragenstellen was afgelopen. Dit leidde tot groot tumult bij de pers, alsof rauw vlees opeens was weggehaald bij een stel uitgehongerde leeuwen. Ten slotte zei de president: 'Ga jullie gang,' en kreeg vragen over Monica Lewinsky. Ik vroeg me onwillekeurig af wat Arafat dacht. Hij was gekomen om het lot van zijn volk te bespreken, net als Netanyahu twee dagen eerder. De ogen van de wereld waren op Washington gericht, maar ze zagen geen debat over belangrijke kwesties van oorlog en vrede. Ze waren getuige van de schepping van een nieuw tijdperk – getiteld: 'Alleen maar Monica, altijd.'

Die dag wees Arafat zoals verwacht Netanyahu's aanbod van een kleine verdere terugtrekking van Israëlische troepen onder strenge voorwaarden af als 'peanuts' en waarschuwde dat bij voortduring van gebrek aan voortgang een 'explosie van geweld' kon ontstaan. Hij zei geen ja of nee op onze voorstellen maar haalde een brief te voorschijn waarin het schrappen van anti-Israël-uitspraken uit het Palestijnse Nationale Convenant werd toegelicht. Ook sprak hij zich uit voor een plan voor veiligheidsregelingen met onder meer: 1) het verbieden van de militaire vleugels van Hamas; 2) inbeslagneming van wapens; en 3) beraad vooraf bij de vrijlating van bepaalde categorieën gevangenen. Hij stemde ook in met ons voorstel dat latere Israëlische terugtrekkingen die het Interimakkoord verlangde konden plaatsvinden na het beginnen van besprekingen over de definitieve status. Dit was allemaal gunstig, maar toen Arafat aandrong op een grotere eerste terugtrekking antwoordde de president: 'Ik aanvaard niet wat Netanyahu biedt, maar ik kan ook niet aanvaarden wat u eist.'

's Middags lichtte ik de pers van het Witte Huis weer voor: zoals gewoonlijk zei ik dat we bezig waren 'de kloven te versmallen'. Hoewel het waar was, werd deze omschrijving afgezaagd. Die avond ontvingen we Arafat weer, maar deze keer in de werkkamer van de president in het woongedeelte van het Witte Huis, waar ik mijn gesprek had gehad voor ik tot minister van Buitenlandse Zaken werd benoemd. Toen Arafat en zijn delegatie weg waren vertelde de president aan Sandy Berger en mij dat er niets waar was van de tegen hem ingebrachte beschuldigingen en dat het geduvel gauw voorbij zou zijn.

De volgende morgen kwamen we rond elf uur bijeen voor een zeldzame vergadering van het voltallige kabinet. Ik kon het gezicht van de president alleen maar van opzij zien, maar er was niets in zijn lichaamstaal dat op aarzeling of onzekerheid wees. Hij vertelde ons dat de beschuldigingen tegen hem ongegrond waren en dat we door moesten gaan met ons werk. Er was niets om ons zorgen om te maken. We rommelden met onze papieren, waren verbijsterd en vonden het ongepast vragen te stellen.

Het kwam op dat moment niet bij me op de president niet te geloven. Ik dacht niet dat hij zou liegen, omdat ik meende dat hij slim genoeg was om te weten dat het uit zou komen als hij dat deed, waardoor de zaak nog erger werd. Dit was tenslotte de grote les uit Watergate en praktisch ieder later schandaal van het Witte Huis: meer dan de oorspronkelijke wandaad kost geheimhouden je hoogstwaarschijnlijk de kop. Ik was ervan overtuigd dat de president dit besefte. Ook had ik geen respect voor Starr en anderen die bezeten waren van het aanvallen van het Witte Huis. Het was duidelijk dat sommige mensen al jaren probeerden de president onderuit te halen.

In Washington en in de politiek in het algemeen zijn er tijden dat de stellingen worden betrokken en niemand neutraal kan blijven. Dit was zo'n moment. De president had gezegd dat de beschuldigingen onwaar waren, en dat was het dan.

Toen de vergadering werd beëindigd kwam er een assistent vertellen dat een paar van ons naar buiten zouden gaan om de pers verslag te doen. Hij vroeg of ik mee wilde. Ik zei ja. We gingen naar buiten waar de media bij de noordelijke deur van de westelijke vleugel stonden opgesteld. Ik zei: 'We komen net van een heel bijzondere kabinetsvergadering, die de president begon met te zeggen dat we ons op ons werk moeten blijven concentreren en dat hij het prima redt.'

In antwoord op een vraag zei ik: 'Ik geloof dat de beschuldigingen geheel on-waar zijn.' Minister van Handel William Daley viel me meteen bij met de woor-den: 'Daar sta ik volkomen achter.' 'Ik ook,' klonken minister van Gezondheid Donna Shalala en minister van Onderwijs Dick Riley. De volgende dag, voor een bespreking over buitenlands beleid, zei de president tegen me: 'Je was geweldig gisteren. Dank je. Ik waardeer het.'

Heel dat turbulente voorjaar, terwijl het Lewinsky-schandaal de krantenkoppen bleef beheersen, bleven wij druk houden op het Midden-Oosten. Er zou een Homerus nodig zijn geweest om het vermogen tot compartimentering van de president te boek te stellen.* Eind maart bereikten we een soort doorbraak toen Arafat 'in principe' zijn instemming met onze ideeën betuigde en er bij ons op aandrong 'met Gods zegen' door te gaan. Dit weerspiegelde de zwakheid van zijn positie, want onze voorstellen kwamen veel dichter bij de oorspronkelijke Israëlische ideeën dan bij de zijne. Zo had Arafat verlangd dat een extra dertig procent van de Westoever onder Palestijns bestuur zou komen als er besprekin-gen over de definitieve status gaande waren. De Israëli's boden in januari circa negen procent, en in maart zei Netanyahu privé tegen de president dat hij moge-lijk tot elf procent kon gaan. Wij stelden dertien procent voor, over het meeste waarvan Israël de uiteindelijke verantwoordelijkheid voor veiligheid zou behou-den. Ons plan vereiste dat de overdracht van land gelijke tred zou houden met veiligheidsmaatregelen, bedoeld om anti-Israëlische terroristische activiteiten te verhinderen. Tijdens een heftige reeks besprekingen in mei in Londen deed ik veel moeite om Netanyahu te bewegen tot een extra twee procent, maar dat deed hij niet.

Die zomer gingen de Israëli's en Palestijnen weer over tot geheime besprekin-gen. Uitgaande van Amerikaanse voorstellen verkleinden ze hun meningsver-schillen en legden zelfs de ruzie bij over hoeveel extra land Israël zou moeten overdragen. Het antwoord was dertien procent, waarvan drie procent natuurge-bied. Hierdoor konden de Palestijnen zeggen dat ze vast hadden gehouden aan het voorheen aanvaarde getal, terwijl Israël kon zeggen dat het slechts tien pro-cent aan de Palestijnen gaf en de rest aan moeder Natuur.

---

* Natuurlijk was de president niet de enige die kon compartimenteren. Bij het schrijven van deze passage kwam ik het volgende geheugensteuntje tegen van 28 januari 1998: '1) Senator Helms bellen; 2) Koning Hoessein bellen; 3) Minister van BuZa Moussa bellen; 4) Andere Congresleden bellen; 5) Voorbereiden op China-bespreking; 6) magere yog-hurt kopen.'

De grootste kwestie bleef veiligheid. De Palestijnen hadden maanden eerder beloofd met een plan te komen om terroristen in bedwang te houden. Op verzoek van de onderhandelaars begon het hoofd van de CIA, George Tenet, met Palestijnse autoriteiten samen te werken. Tenet had een zeer verdiende reputatie van openheid en eerlijkheid en werd door iedereen vertrouwd. Dit was van belang, want de Israëli's konden zich niet veroorloven te vertrouwen op algemene toezeggingen: ze moesten specifieke criteria hebben om het handelen naar af te meten, en ze meenden dat de CIA Palestijnse veiligheidsmaatregelen geloofwaardiger zoud maken. De Palestijnen geloofden dat hun veiligheids-inspanningen meer kans maakten om Israël en de wereldopinie tevreden te stellen als deze de goedkeuring van de CIA hadden. De CIA vreesde voor scheidsrechter te moeten spelen bij een dodelijke krachtmeting in een van de moeilijkste gebieden van de wereld, maar geen enkele andere instelling had het vermogen om met beide partijen te werken.

Een andere belangrijke kwestie betrof de Palestijnse Nationale Raad (PNC), een overkoepelende organisatie die in theorie het beleid voor Palestijnen waar dan ook bepaalde. Onder de Akkoorden van Oslo moest het convenant van de PNC worden gewijzigd door er oproepen tot de vernietiging van Israël uit te verwijderen. In januari had Arafat in New York brieven voorgelegd waarin werd beweerd dat het uitvoerend comité van de PNC de kwetsende tekst had geschrapt. Netanyahu vond dat een stemming van de hele PNC vereist was. De Israëlische wens tot duidelijkheid was legitiem, want het is moeilijk vrede te bereiken met een tegenstander die nog steeds officieel op je vernietiging uit is. Arafat verzette zich tegen zo'n stemming omdat hij niet wist of hij de uitkomst kon bepalen.

Begin september kwamen de contouren van een akkoord in zicht, maar het wederzijdse wantrouwen bleef voor de partijen te sterk om zelf de laatste stappen te zetten. We stonden voor de vraag of we het prestige van de president moesten riskeren door Arafat en Netanyahu uit te nodigen voor een top die deed denken aan de besprekingen van 1978 in Camp David, waar de vrede tussen Egypte en Israël uit voortkwam.

Ik was voor een top, maar met voorbehoud. Hoewel ik geduld leerde hebben irriteerde de Midden-Oostenstijl van onderhandelen. Omdat ik voor rechtstreeks onderhandelen was, wilde ik heel graag deze ronde van het vredesproces tot een climax brengen, maar tegelijk wist ik niet zeker of zelfs president Clinton Netanyahu en Arafat tot volledige verzoening zou kunnen brengen. Geen van beiden wilden ze de schuld krijgen van een mislukking in het proces, maar beiden schenen de binnenlandse politieke consequenties te vrezen van het echt bereiken van een akkoord. Daarom neigden ze ertoe op concessies te reageren door onbuigzamer te worden, in plaats van tegemoetkomender. Op die manier ging het proces door, maar verantwoording werd op de lange baan geschoven. Zowel Netanyahu als Arafat had publiekelijk harde standpunten verkondigd. Geen van beiden wilde worden beticht van toegeven onder Amerikaanse druk. Als we een top belegden die mislukte zouden we onmachtig lijken, en mensen zouden de minister van

Buitenlandse Zaken aanwrijven dat ze de kansen niet goed had ingeschat. We hadden echter niet veel alternatieven. Voor het eerst sinds de Akkoorden van Oslo in 1993 werden getekend lieten sommige opiniepeilingen een meerderheid van Palestijnen zien die dermate gefrustreerd was dat ze voor toepassing van terreur was om Israël te dwingen zich uit bezet gebied terug te trekken. Israël had ook ondubbelzinnige bewijzen dat de militaire vleugel van Hamas een nieuwe reeks aanslagen voorbereidde. Dus terwijl we praatten tikte de klok door.

Bij de zitting van de algemene vergadering van de VN in dat najaar wist ik Arafat en Netanyahu voor het eerst in elf maanden met elkaar in contact te brengen. Omdat iedereen een waanzinnig volle agenda had was de ontmoeting op twaalf uur 's avonds gesteld in mijn vroegere appartement in het Waldorf, dat toen door mijn zeer kundige opvolger, Bill Richardson, werd bewoond. Toen we wachtten betwijfelde ik of het knorrige tweetal uit het Midden-Oosten wel op zou komen dagen, maar dat deed het. Ik wilde hen samen zien om te beoordelen of een vis-à-vis topontmoeting kans van slagen had. Aanvankelijk zaten ze er stijf bij en keken naar de tolken, naar mij of naar de planten, maar niet naar elkaar. Ik drong erop aan dat ze een echt gesprek zouden beginnen, gericht op beslissingen over de moeilijke kwesties en nodigde hen voor de volgende dag uit bij de president. Ze zeiden ja en ik liet hen alleen om te zeggen wat ze op hun hart hadden. Ik zat in een aangrenzende kamer en het luchtte me op dat ik geen geschreeuw hoorde. De volgende dag maakte de president plannen bekend voor de top, met daaraan voorafgaand nog een reis van mij naar de regio.

Tijdens die reis kwamen Netanyahu, Arafat en ik bijeen op een militaire post aan de Israëlische kant van de controlepost tussen de joodse staat en de Gaza-strook. Na een paar uur praten stelde Netanyahu voor broodjes te bestellen. Arafat zei dat hij een lunch met mij had voorbereid in zijn gastenverblijf aan de andere kant van de controlepost. Hij vroeg vriendelijk of Netanyahu van de partij wilde zijn. Bibi deed ons versteld staan door 'natuurlijk' te antwoorden. Zo werd hij de eerste Israëlische premier die de Gazastrook binnenging. We lunchten rond een T-vormige tafel en aten onder andere een *denise*, een lokale vis die Arafat lachend 'Dennis' noemde, naar Dennis Ross. Netanyahu vroeg Arafat of hij een sigaar mocht opsteken, en de Palestijnse leider schonk hem een heel kistje Cubaanse Cohiba's. Wel twaalf mannen begonnen die dingen te roken en ik kreeg zin uit zelfverdediging mee te doen. Terwijl de conversatie opwarmde bracht ik een toast uit op de diplomatie, op Arafat en op Netanyahu, en drukte hen voor het oog van de wereldpers de hand.

Bij een van onze besprekingen was Ariel Sharon aanwezig, die op het punt stond tot minister van Buitenlandse Zaken benoemd te worden, en coördinator voor onderhandelingen over de definitieve status. De zeventigjarige Sharon was de prominentste mededinger van Netanyahu naar het hart en de geest van rechts Israël. Hij had Oslo 'nationale zelfmoord' genoemd en zei dat het hoogst haal-bare resultaat van onderhandelen met de Palestijnen een gespannen toestand van niet-oorlogvoeren was. Sharon werd door velen, vooral Arabieren, veracht vanwege zijn rol bij de Israëlische inval in Libanon in 1982, toen Israël-gezinde Libanese milities honderden ongewapende Palestijnse vluchtelingen afslacht-ten. De belangrijkste Hebreeuwstalige biografie van de beoogde nieuwe minis-ter van Buitenlandse Zaken was getiteld: *Hij stopt niet voor rood.*

Vijftien jaar lang had de Amerikaanse regering weinig met Sharon te maken gehad. Hij was voor sommige Israëli's een held omdat hij van de generatie van de grondleggers van Israël was. Net als Moshe Dayan en Yitzhak Rabin had hij in oorlogen meegevochten en het land helpen grootbrengen tot een machtige mo-derne staat. Netanyahu's besluit om Sharon tot zijn minister van Buitenlandse Zaken te benoemen betekende óf dat hij verwachtte dat de komende top zou mislukken en hij Sharons koppigheid als excuus wilde gebruiken óf dat hij ver-wachtte dat de top zou slagen en dan wilde hij dat Sharons aanwezigheid hem af-schermde van de verguizing door Israëlische haviken.

Het doel van een topontmoeting is opvoering van de druk op beide partijen, hetgeen het leiders vergemakkelijkt moeilijke beslissingen te rechtvaardigen. Er is niets routinematig aan zo'n gebeurtenis. Het op gang brengen van de par-tijen kostte duizenden uren en honderden besprekingen en telefoongesprekken van de kant van de president, mij en ons team. Maar dat was de enige manier waarop ooit voortgang naar vrede in het Midden-Oosten was bereikt. Toen we de laatste voorbereidingen voor de top troffen waren we ons er zeer van bewust dat ons werk maar net was begonnen.

HOOFDSTUK 19

'Palestijnen en Israëli's komen tot elkaar'

O P VERZOEK VAN HET WITTE HUIS stelde Buitenlandse Zaken een plan op om in te spelen op de verwachte ontwikkeling van het topoverleg. We waarschuwden de president dat een of beide partijen kon dreigen weg te lopen, en dat er geen doorbraak zou komen voordat de partijen ervan overtuigd waren dat de topontmoeting tegen het einde liep. Omdat Netanyahu werd gevraagd land op te geven – iets wat hij niet kon terugdraaien – zou hij de strengst mogelijke veiligheidsgaranties eisen. Voor hem was het belangrijk er prat op te kunnen gaan dat hij harder had onderhandeld en betere resultaten had behaald dan zijn voorgangers van de Arbeiderspartij. Het belang voor Arafat was de overdracht van land te bereiken zonder toe te geven aan wat de Palestijnen als vernederende Israëlische eisen zouden beschouwen. President Clinton kon met Netanyahu omgaan omdat hij zijn passie voor politiek deelde. Arafat reageerde goed op de president omdat deze hem respectvol behandelde en de behoeften van de Palestijnen begreep. De grote vraag was of Netanyahu en Arafat konden erkennen dat ze een verantwoordelijkheid jegens elkaar hadden. Zo niet, dan konden we op papier een overeenkomst bereiken die op straat meteen uiteen zou vallen.

Op de dag dat de top zou beginnen kwamen de president en de rest van ons team in het Witte Huis met de twee leiders bijeen. Zoals zijn gewoonte was noemde Arafat zichzelf de permanente vice-president van de Organisatie van de Islamitische Vergadering. Dit riep bij vice-president Gore de vraag op hoe het was om een permanente vice-president te zijn, en of dat iets gunstigs of ongunstigs was.

Daarop had president Clinton een korte verklaring voor de pers. Toen een verslaggever een vraag riep weigerde de president te reageren en zei vertrouwelijk: 'Wij drieën hebben besloten dat we op dit moment geen vragen moeten beantwoorden.' Even later verscheen Netanyahu op het gazon van het Witte Huis en stond open voor vragen in het Engels en het Hebreeuws. Mcteen toen hij klaar was ging Arafat naar de microfoon. Het overleg was nog niet eens begonnen en de regels werden al geschonden.

Voor de onderhandelingen hadden we gekozen voor het Wye River Conference Center in Maryland omdat het dichtbij Washington was en zoveel ruimte bood dat we in iedere samenstelling die zinnig was bijeen konden komen. We hoopten dat het idyllische oord van 440 hectare rustgevend zou werken. Wye zelf is een uitgestrekt landgoed met weilanden, maïsvelden en een 'wereldvermaarde' kudde Black Angus-koeien.

De door ons geregelde accommodaties waren gescheiden maar niet gelijk, vooral niet voor ons. Het oorspronkelijke landhuis, bekend als Houghton House, is prachtig antiek ingericht. Daar brachten we de Palestijnen onder. De Israëli's brachten we onder in River House, een gerieflijk modern gebouw met een hoog terras en rondom kleinere gebouwen en tuinen. Als goede gastheren betrokken wij bescheidener kamers.

Het voordeel van deze indeling was dat alle partijen op zichzelf konden zijn. Het nadeel was dat we op flinke afstand van elkaar zaten. Voor mij betekende dit in mijn officiële limousine met zwaailichten en volgauto's naar de verschillende locaties rijden. Daar op het platteland, te midden van zangvogels en ganzen, leek dit lachwekkend, maar de veiligheidsdiensten eisten het. Naderhand zou Arafat zijn eigen show maken door voor het eerst in decennia te gaan fietsen. Hij peddelde op een felrode fiets over het landgoed, met zijn kaffiya wapperend in de wind en zijn lijfwachten hollend ernaast.

Het overleg begon met een plenaire vergadering in het grote conferentiecentrum. Bij binnenkomst liep Netanyahu naar de Palestijnse kant en gaf alle delegatieleden een hand. Arafat deed hetzelfde. De stemming was goed – in bedrieglijke mate. Het overleg zou snel ontaarden in iets wat wel wat weg had van het bijeendrijven van katten.

Ons tijdschema was gemaakt op basis van hoop en niet van ervaring. We begonnen op een donderdag en dachten een week later tegen zondagavond klaar te zijn. We meenden dat deze termijn realistisch kon blijken omdat Netanyahu de dinsdag daarna in Jeruzalem moest zijn om de najaarszitting van de Knesset, het Israëlische parlement, te openen. In verband hiermee probeerden we enig gevoel van haast te creëren; de twee delegaties reageerden de volgende dag met te gaan winkelen.

We besloten dat niets overeen werd gekomen tot we het over alles eens waren. Dit betekende dat de partijen het over kleinere kwesties eens konden worden, zonder later in het nauw te komen als de onderhandelingen stukliepen. Als de president met de ene partij sprak, sprak ik gewoonlijk met de andere. Als de president terug naar Washington moest, zou ik de onderhandelingen gaande houden. We vormden werkgroepen om specifieke kwesties te behandelen. De Verenigde Staten zouden het akkoord opstellen, gebaseerd op discussies met de twee partijen.

Die eerste dag gingen de president en ik afzonderlijk een uur lang met Netanyahu en Arafat in bespreking, gevolgd door een genoeglijk diner met alleen ons vieren, in een privé-huis net buiten het conferentiecentrum. We hadden daar porselein van het Witte Huis en een diner met geelstaartsnapper en kip, gevolgd door de altijd aanwezige pepermunt in goudfolie van het Witte Huis. Meevoelend als hij is moedigde de president de twee leiders aan vrijelijk hun bezorgdheden te uiten. Arafat sprak rustig over Palestijnse aspiraties, de veiligheidsproblemen van de Palestijnen die veroorzaakt werden door gewapende kolonisten, en zijn eigen bezorgdheid om extremisten. Hij herinnerde ons er met klem aan dat Netanyahu sjeik Yassin, de leider van Hamas, had vrijgelaten. Netanyahu reageerde als een staatsman en zegde toe met de Palestijnen samen het terrorisme te zullen bestrijden. Goede onderhandelaars kennen het wezenlijke belang van zich in de positie van de ander verplaatsen. President Clinton was daar een meester in en trachtte nu Netanyahu en Arafat ertoe te bewegen erover na te denken hoe ze elkaar konden helpen omgaan met de reactie van radicalen op welk akkoord dan ook dat ze mogelijk bereikten. Dat was een inzichtelijke benadering, waarbij ervan uit werd gegaan dat de leiders gevoel hadden voor de politieke positie van elkaar.

Netanyahu en Arafat spraken de volgende morgen samen, met de oude vertrouwde Midden-Oostenexpert van ons ministerie, Gamal Helal, als tolk. Netanyahu was de gastheer en zat op het achterterras van de onderkomens van zijn delegatie, met uitzicht over de rivier. Maar toen Dennis Ross en ik met hen kwamen lunchen was de sfeer net zo ijzig als de oktoberzon helder was. Netanyahu zette Arafat onder druk met de kwestie van van terrorisme verdachte Palestijnen, onder wie dertien leden van de Palestijnse veiligheidsdiensten. Dit waren voor Arafat moeilijke kwesties, en hij was star. Het deed er geen goed aan dat de Israëlische premier de Westoever aanduidde als 'Judea en Samaria', over Arabische autodieven klaagde, en na afloop van de maaltijd naliet de protocolgevoelige Arafat uitgeleide te doen.

In de loop van de dag deden de door ons opgezette werkgroepen verslag aan de delegatiehoofden. Terwijl ik luisterde dacht ik: er zijn geen simpele kwesties. De Palestijnen moeten een luchthaven hebben, maar de Israëli's maken zich terecht zorgen om wat wordt ingevlogen. De Palestijnen moeten vrijelijk van de Westoever naar Gaza kunnen reizen, maar de Israëli's waren terecht bezorgd om de bewegingsvrijheid van criminelen en terroristen. De partijen waren over de meeste kwesties dichtbij overeenstemming, maar het zou niet meevallen hen ertoe te brengen de laatste kloof te overbruggen.

Die avond besloten de Israëli's hun sabbatmaal samen in River House te gebruiken, dus nodigde ik de Palestijnse delegatie bij ons uit in de grote eetzaal. Ondanks de hardheid van de onderhandelingen waren er vele momenten van warmte en vrolijkheid. Vooral deze gelegenheid werd gekenmerkt door veel toasten en ontspannen praten. Ik ging met Arafats plaatsvervangers Abu Ala en Abu Mazen op de foto, waar we later 'Madeleine en de Abu's' op schreven.* Ons vermogen tot het doorbreken van cultuurbarrières deed me genoegen, maar taal-

---

* In maart 2003 werd Abu Mazen (ook bekend als Mahmoud Abbas) de Palestijnse premier, als onderdeel van een poging het Palestijns gezag te hervormen en aan iemand anders dan Arafat macht te verlenen.

barrières zijn niet altijd zo gemakkelijk te overwinnen. Toen ik mijn plaatsvervangend stafchef Suzy George aan Arafat voorstelde dacht ze in het Arabisch 'mijn huis is uw huis' te zeggen, maar ze zei in feite tegen de Palestijnse leider: 'U maakt deel uit van mijn familie en ik ben een heel vruchtbare vallei.' Het Arabisch van Suzy kwam van Gamal, die toen binnenkwam en aan een glimlachende Arafat en een blozende Suzy lachend uitlegde wat voor grap hij had uitgehaald.

Na een hele nacht doorwerken meldde Dennis op zaterdagmorgen dat de Palestijnen hadden ingestemd met de essentie van de door ons voorgestelde veiligheidsbepalingen, maar beslist bepaalde verwijzingen in de tekst wilden afzwakken. Hun probleem was politiek. De Israëlische veiligheidseisen waren redelijk maar behoorlijk ingrijpend. Ze omvatten onder meer een lijst met bepaalde mensen – door Netanyahu de 'dertig moordenaars' genoemd – die gearresteerd moesten worden, een wapeninnameplan, en afspraken over hoe te voorkomen dat burgerinstellingen als moskeeën door terroristen werden gebruikt. Uiteraard wilden de Israëli's deze kwesties zo expliciet mogelijk behandeld zien, terwijl de Palestijnen de tekst liever vaag hielden.

De zondag moest de laatste dag van het topoverleg worden. 's Middags zei Netanyahu tegen de president dat hij niet geloofde dat een volledig akkoord mogelijk was. Als alternatief kwam hij met het idee van een gedeeltelijk pact met onder meer de dertien procent afgestaan land en Palestijnse medewerking inzake veiligheid, maar de meeste andere kwesties bleven onopgelost. Toen de president ons vroeg wat we van dit voorstel vonden was zowel Sandy Berger als ik ertegen. We hadden meer dan een jaar geworsteld om de leiders tot elkaar te brengen; we moesten uit deze gelegenheid halen wat erin zat.

Rond twaalf uur 's avonds had de president een gesprek alleen met Ariel Sharon die net in Wye was aangekomen. Hem meekrijgen was essentieel, want het was moeilijk te geloven dat Netanyahu een akkoord zou afwijzen dat Sharon aanvaardde – en het was onmogelijk aan te nemen dat de premier ja zou zeggen als Sharon zijn grote hoofd schudde en het tegendeel zei. De bespreking was niet prettig. Sharon hield vast aan de Israëlische wens van een gedeeltelijk akkoord en onderhield de president erover dat hij naliet de veroordeelde spion Jonathan Pollard vrij te laten.*

---

* Pollard was analist bij de Amerikaanse marine en werd in 1986 veroordeeld wegens het aan Israël verkopen van uiterst geheime gegevens over de infrastructuur van onze inlichtingendiensten. De Israëli's lobbyden al jaren voor zijn vrijlating. De kwestie hield geen verband met het vredesproces in het Midden-Oosten, maar leefde wel heel sterk in de Israëlische politiek. Pollard zou een trofee zijn die Netanyahu kon gebruiken om een akkoord voor rechts in Israël verteerbaar te maken. Toen ik echter George Tenet vertelde dat de Israëli's de kwestie opwierpen, was het hoofd van de CIA kwaad. Hij en de CIA waren faliekant tegen vrijlating van Pollard, omdat het de schijn zou wekken dat verraad aanvaardbaar was als je maar de juiste vrienden had. Ik was het met Tenet eens.

We besloten de zondag mismoedig. De Israëli's trachtten de halve overeenkomst van tafel te vegen, terwijl hun ontzagwekkende minister van Buitenlandse
Zaken met nieuwe complicaties kwam. De volgende middag echter was president Clinton creatief en optimistisch. Hij vertelde de twee partijen dat hij een
volledig akkoord nog steeds mogelijk achtte. Met kennis van de details en handig
de discussie sturend nodigde hij beide teams uit hun standpunt te verdedigen en
kwam hij met ideeën voor het oplossen van de meningsverschillen over de
kwesties die hij van tevoren op papier had gezet, in volgorde van gemakkelijk
naar moeilijk. Verwijzend naar een gele blocnote met alle punten netjes gerang-
schikt in zijn totaal onleesbare handschrift toonde de president zich optimistisch
over het werk dat aan het veiligheidsplan was verricht, gebruikmakend van voorbeelden van onderhandelingen met de verschillende partijen in Noord-Ierland.
Toen de Palestijnen om de vrijlating vroegen van gevangenen in Israëlische gevangenissen betuigde de president medeleven met de betrokken families, maar
ook sprak hij over zijn dilemma als gouverneur van Arkansas toen een door hem
vrijgelaten gevangene een moord pleegde.

's Avonds bij het diner kwam Sharon binnen net toen we wilden gaan zitten –
een netelig moment omdat hij niet werd verwacht. Ook was Sharon er trots op
dat hij altijd publiekelijk weigerde Arafat een hand te geven. Zich hier goed van
bewust maakte Arafat een groetgebaar, dat Sharon leek te negeren. Tijdens de
maaltijd was Sharon veel aan het woord en poogde hij onderhoudend te zijn. Ik
vond het echter raar dat Sharon met Arafat en diens delegatie in de derde persoon over Palestijnen sprak. Sharon zei dat hij een veeboer was die altijd goed
met Palestijnen overweg had gekund en hen bewonderde om hun productiviteit
als boeren. Toen Arafat klaagde dat de boeren in de Gazastrook verhongerden,
antwoordde Sharon: 'Meneer de voorzitter, dat doen ze niet.'

Na het eten ging president Clinton verder met zijn verkooppraatje. Ik dacht bij
mezelf: hij is als een psychiater die zijn patiënten ertoe probeert te brengen al
hun verdedigingsmechanismen te laten vallen en eerlijk te tonen wat ze denken
en voelen. Zelfs Netanyahu kon het niet van hem winnen. Voor het eerst had ik
het gevoel dat een akkoord mogelijk was. De president liet beide deelnemers
hard nadenken over de inzet. Tegenover Netanyahu benadrukte hij het belang
van het versterken van Arafats vermogen om radicale Palestijnse elementen aan
te pakken. Tegenover Arafat kwam hij weer terug op de veiligheidskwestie,
maar hij benadrukte het belang van het vinden van een manier om Israël in de
kwestie van de herziening van het Palestijnse Convenant tegemoet te komen.

We waren pas een paar dagen in Wye, maar dat was genoeg voor het ontstaan
van een ochtendroutine. Ondanks het late doorwerken stond ik vroeg op en
maakte een wandeling in mijn blauwe joggingpak. Als ik ging ontbijten kwamen
onze onderhandelaars erbij, onder aanvoering van Dennis Ross, Wendy Sherman,
mijn onderminister Martin Indyk, plaatsvervangend onderminister Toni Verstandig, Gamal Helal en de achtenswaardige Aaron Miller. Aaron doopte Wye
River 'Kamp Albright – een kamp voor heel, heel ondeugende jongens'.

Koning Hoessein en koningin Noor waren naar Wye River gekomen, en op dinsdag ging ik hen bezoeken. De koning, die met het Israël van Yitzhak Rabin in 1994 vrede had gesloten, had zijn ziekbed in de Mayokliniek in Minnesota verlaten om bij ons te zijn. Een paar maanden eerder was bij hem kanker geconstateerd. Toen hij de kamer binnenkwam was hij sterk veranderd sinds vorige gelegenheden waarbij ik hem had gezien. Als diplomaat is men dikwijls genoodzaakt zijn gevoelens te maskeren. Ik had alle beheersing nodig die ik had om niet geschokt te lijken bij de aanblik van de voorheen robuuste vorst. Zijn tint was verschrikkelijk en chemotherapie had hem zijn haar, baard en wenkbrauwen gekost. Ik kon wel huilen – en bidden. Aan de geest en de betrokkenheid van de koning was echter niets veranderd. Ik nam de verschillende standpunten bij de onderhandelingenmet hem door en hij bood aan te doen wat hij kon om te helpen.

Die avond spraken Dennis, Martin en ik met de voornaamste adviseur van Arafat, Saeb Erekat, en andere Palestijnse afgevaardigden om een akkoord over veiligheid vast te leggen, dat in wezen een lange lijst was van dingen die de Palestijnen moesten toezeggen. We maakten vorderingen – al waren er nog knelpunten – toen zoals afgesproken de president langskwam en aanbood voor foto's te poseren. Opeens waren de Palestijnen een en al glimlach. De fotografen maakten groepsfoto's, waarna Saeb Erekat apart op de foto wilde, en dat betekende natuurlijk dat iedereen dat wilde. Onderwijl vermengde de president zijn grappen met een ernstige boodschap: 'Jullie volk rekent op jullie. Over tien jaar zullen jullie vanuit de posities die jullie dan hebben hierop terugkijken en weten dat jullie het juiste deden.' Toen hij wegging keerde de president zich naar mij en zei zacht: 'Bezorg me dit akkoord nu, dan kan ik naar de Israëli's gaan.' Niet lang nadat de president was weggegaan kwamen we tot een overeenkomst, waarvan de Palestijnen zeiden dat die via Arafat moest gaan. 'Kunnen jullie hem niet even bellen?' vroeg ik. 'Nee, we moeten ermee naar hem toe,' zeiden ze. 'Uitstekend,' zei ik. 'Laten we samen gaan.' Aldus reden we naar Houghton House, waar Arafat wachtte. Ik sprak circa tien minuten alleen met hem en benadrukte het grote belang dat ik de president kon zeggen dat we het eindelijk eens waren over veiligheid. Toen kwam de delegatie binnen en lichtte de door ons bereikte overeenkomst toe; de voorzitter zei ja. Ik zei tegen Arafat: 'Meneer de voorzitter, als u handelt naar uw toezeggingen, dan hebt u een belangrijke stap gezet naar vrede en tegemoetkoming aan de basisbehoeften van uw volk.'

Nadat ik het goede nieuws aan president Clinton had gemeld spraken we met Netanyahu. We vertelden hem over de veiligheidsaanpak die de Palestijnen zouden toepassen. Ook verzekerden we de premier dat we bij het formuleren van de uiteindelijke tekst zorgvuldig alle Israëlische bezwaren zouden overwegen.

Daarna vertrok de president naar het Witte Huis en ik ging terug naar mijn kamer. Het was royaal na twaalven, dus al 21 oktober. Een uitstekend voorwendsel, dacht ik, om Netanyahu te bellen. Toen de premier opnam zei ik: 'Laat me alsjeblieft de eerste zijn die je met je negenenveertigste verjaardag feliciteert.' Bibi antwoordde: 'Dank u, mevrouw de minister, maar is dat de reden waarom u belt?' Ik zei: 'Ja, natuurlijk, en bekijk alstublieft nauwgezet het Palestijnse veilig-heidsplan en het ontwerpakkoord. We zullen proberen u de best mogelijke ant-woorden te bezorgen op uw bezwaren en op de tekst. Als we de bezwaren heb-ben bezien en u denkt dat een afspraak doenlijk is, dan komt de president terug om de resterende kwesties te bespreken. Als u uiteindelijk vindt dat het niet ge-noeg is, dan zij dat zo. Dan zeggen we dat het mooi is geweest. We zouden heel graag morgen tegen twaalven het commentaar hebben.'

Ons ontwerp beviel de Israëli's kennelijk niet, want de volgende dag besloten ze spelletjes te gaan spelen. Om te beginnen bleef Sharon weg bij een om elf uur geplande bespreking. Toen we hem opbelden zei hij nog te moeten douchen. Een paar uur later merkte Arafat op: 'Sharon is zeker in de badkuip verdronken.' Toen hoorden we van onze administratieve medewerkers dat de Israëli's om as-sistentie hadden gevraagd om naar de luchthaven te gaan; hun koffers stonden opgestapeld op het grasveld.

Ik belde Netanyahu en zei dat ik hem wilde spreken. Toen mijn rij auto's naar River House reed hielden diplomatieke veiligheidsagenten ons aan en zeiden dat de Israëlische delegatie met me wilde spreken. Ze wezen naar de Israëlische mi-nister van Defensie Yitzhak Mordechai, die over het terrein liep. Mordechai zei dat hij was gaan wandelen om mij onderweg te treffen.

'Ik heb niet gepakt,' zei hij. 'We moeten blijven en dit voor elkaar zien te krij-gen.' Dat vond ik ook: 'We mogen deze gelegenheid niet voorbij laten gaan. Als jullie team bezwaren heeft, dan moeten we doorgaan en er uit zien te komen.' Onder het oog van de 'wereldvermaarde' Black Angus-koeien omhelsden we el-kaar diplomatiek en gingen ieder ons weegs.

River House bood op dat moment een merkwaardige aanblik. De koffers van de delegatie waren bij de halfronde oprijlaan gezet, wat één reden was van ons idee dat de Israëli's bluften. Als ze hadden willen vertrekken had dat gekund. Ik liep langs de bagage, deed of ik die niet opmerkte, en begroette Netanyahu met: 'Laten we de ontwerptekst doornemen.' Hij zei: 'Uitstekend.' Tijdens de bespre-king kwam de premier niet met dreigementen of kuren. We spraken af dat Dennis Ross en George Tenet samen met de partijen de veiligheidstoezeggingen zouden bijvijlen. Netanyahu herhaalde zijn denkbeelden over het Palestijnse Convenant. We spraken beiden over de noodzaak dat de partijen hun verplich-tingen nakwamen.

Op dat moment kwam Sharon ertussen om te zeggen dat hij naar Wye was ge-komen om een akkoord te bereiken, ondanks het feit dat Arafat ieder door hem ooit ondertekend akkoord had geschonden. De Palestijnen vertegenwoordigden geen democratie. 'Het is een bende struikrovers,' zei hij. Ik antwoordde: 'Wij zien de Palestijnen noch als democratisch, noch als een bende, maar als een volk dat naast u leeft. Wij zijn uw beste vrienden. Als we hier niet slagen zal uw vei-ligheid verslechteren. Als u hen als een bende beschouwt is er geen hoop; dan zullen ze handelen als een bende.' Sharon antwoordde: 'Ik heb mijn leven lang met Arabieren geleefd en heb geen problemen met ze. Ik heb een probleem met deze leiders, of tenminste met enkelen van hen, die moordenaars zijn. Het is fout zaken met ze te doen.'

Omdat de tijd drong besloot ik in een kantoortje bij River House te gaan bivakkeren, waar ik alles wat er gebeurde kon volgen. Daar was ik toen Dennis kwam binnenstormen met een kopie van het persbericht dat de Israëlische delegatie dacht te vertrekken als de Palestijnen niet onmiddellijk instemden met nakoming van hun verplichtingen ten aanzien van 'de overdracht van gezochte terroristen en de herziening van het Palestijnse Convenant'.

Netanyahu had tijdens ons gesprek niet gedreigd met opstappen. Dat nu via een persbericht te doen was onaanvaardbaar. Terwijl we over onze reactie nadachten kwam de Israëlische ambassadeur Zalman Shoval excuses aanbieden: Netanyahu, zei hij, had niet van de verklaring afgeweten. Shoval leek oprecht gegeneerd; ik zei zijn excuses te aanvaarden. Op dat moment kwam Tenet met het nieuws dat de twee partijen over veiligheid tot overeenstemming waren gekomen. Als er iets vaart in de goede richting zette was dit het wel.

Terug naar Netanyahu. Ik zei de Israëlische leider dat ik wist dat hij onder druk stond, maar de tijd was gekomen om een beslissing te nemen: was hij serieus of niet? Morgen was absoluut de laatste dag. Het volledige ontwerpakkoord moest onverwijld naar de Palestijnen. Bibi knikte.

De laatste onderhandelingsdag was er een waar geen eind aan kwam. We begonnen om halfelf met een gesprek met de drie partijen in het conferentiecentrum van Wye. Er volgden besprekingen in iedere denkbare combinatie. President Clinton was terug uit Washington, geduldig maar vastberaden, bereid om naar echte argumenten te luisteren, maar doodziek van alle ijdelheid. Netanyahu liet de dreigementen van de vorige dag vallen en begon Israëlische standpunten over een aantal kwesties bij te stellen. Vroeg in de middag stelden de Israëli's zelfs voor dat de twee partijen alleen in bespreking gingen. Tijdens die bespreking werden ze het over een aantal kwesties eens, waaronder een slim idee om aan Netanyahu's eis tegemoet te komen dat Arafat de Palestijnse Nationale Raad (PNC) bijeenriep. Volgens dit plan zou Arafat de PNC en leden van andere organisaties uitnodigen voor een uitgebreide bespreking in Gaza. Naast Arafat zou ook president Clinton het gehoor toespreken, dat zou worden gevraagd zijn steun te bevestigen voor herziening van het Palestijnse Convenant en voor vrede, door middel van handgebaren, gestamp of applaus. Sandy Berger had meteen twijfels over het in deze positie brengen van de president, wat ook ik riskant vond. De president had echter het vertrouwen dat hij zelfs de roerigste menigte kon bewerken.

Om vijf uur kwamen we allemaal bijeen om notities te vergelijken. Eén onopgeloste kwestie was Arafats verzoek om vrijlating van bepaalde categorieën Palestijnse gevangenen. Netanyahu zei het belang hiervan voor de Palestijnen te begrijpen. Hij kon echter niet instemmen met vrijlating van Hamas-leden of mensen met bloed aan hun handen. Hij kon alleen gewone gevangenen vrijlaten, mensen die vastzaten door gebrek aan goede administratie, of om veiligheidsvergrijpen zonder moord – een paar honderd mensen in totaal. Arafat vond dat minstens duizend gevangenen in aanmerking kwamen.

Vijf uur lang werkten we ons door de kwesties. Het diner werd opgediend. Het ging duidelijk de goede kant op, maar niet per se naar een totaalakkoord. Er was zoveel spanning dat een gevecht om bijna ieder onderwerp alles kon blokkeren. Toen vertelde ik dat we een bezoeker hadden.

Mij was verteld dat koning Hoessein het stadium in zijn ziekte had bereikt waarin het voor hem een risico was met een grote groep mensen te verkeren. Een besmetting kon levensbedreigend zijn. Ik verzocht iedereen zijn of haar handen te wassen met een desinfecterende vloeistof die we rond lieten gaan. De koning kwam binnen en iedereen stond op. Ondanks onze schone handen waren we bijna bang om hem aan te raken.

De president zette koning Hoessein de stand van zaken uiteen. Het contrast tussen de geestdrift van president Clinton en de broosheid van de vorst had niet scherper kunnen zijn. Toen de koning begon te spreken viel de zaal stil. Hij zei dat de geschiedenis over ons allen zou oordelen, en dat de kwesties die de partijen nog scheidden klein waren in het licht van de belangen. 'Na een over-eenstemming,' vervolgde hij, 'zullen beide partijen terugkijken en zich deze kwesties niet eens herinneren. Nu is de tijd om het af te maken en de verant-woordelijkheid jegens uw volk en vooral uw kinderen waar te maken.' De toe-stand van de koning droeg bij aan de kracht van zijn woorden. Al luisterend dacht ik weer aan het verlies van Rabin, en aan hoeveel de dood van een andere moedige leider het Midden-Oosten zou kosten. Ook dacht ik eraan dat negentien maanden daarvoor een Jordaanse soldaat gek was geworden en zeven Israëli-sche schoolmeisjes had gedood. Anders dan andere functionarissen in het Mid-den-Oosten maakte koning Hoessein zich er niet met excuses vanaf: hij ging per-soonlijk naar Israël, naar de huizen van de slachtoffers, verontschuldigde zich namens zijn volk en gaf uiting aan zijn verdriet. Dat gebaar betekende veel om-dat er respect en liefde uit sprak voor ieder mensenleven, Arabisch of Israëlisch. Het was slechts een gebaar, maar het had de oplossing in zich voor alles wat het Midden-Oosten teisterde.

Voor de koning wegging ging hij de tafel rond om handen te schudden. Arafat, die normaliter de koning op de wang zou kussen, kuste hem nu op de schouder om de zieke niet te besmetten.

Het bezoek van de koning gaf ons allen een emotionele stimulans, maar toen de gesprekken doorgingen sloeg de vermoeidheid toe. De grote eetzaal diende als achtergrond voor uiteenlopende taferelen. Verschillende leden van de drie dele-gaties zaten voor pampus of slapend in stoelen, terwijl aan tafeltjes druk werd gepraat. Als een gesprek eindigde gingen de mensen met een andere groep ver-der. Het vuur knetterde in de haard en het geroezemoes duurde voort. Overal stonden kopjes, mandjes met versnaperingen en koekjes, en lege waterflessen.

De president wisselde het doornemen van zijn notities op zijn gele blocnote af met gesprekken met één of de beide leiders. Met zijn rode sweater, de bril op het puntje van zijn neus en een mengeling van vermoeidheid en vastberadenheid op zijn gezicht was Bill Clinton een en al geconcentreerde inzet. Rond halfdrie zag ik hem indringend in gesprek met Netanyahu en Arafat, terwijl Gamal Helal koortsachtig tolkte. Arafat stond plotseling op, liep naar zijn tafel en ging daar gewoon zitten. Een paar minuten later stond de president op en beende naar buiten, met de woorden: 'Dit is ongehoord. Dit is beneden peil. Dit is zwaar klote; dit soort gelul pik ik niet.'

Gamal kwam me vertellen wat er was gebeurd. De drie leiders hadden over de Palestijnse gevangenen gesproken. Netanyahu zei er vijfhonderd te kunnen vrij- laten, maar alleen als Arafat binnen twee weken 'de zorg op zich nam' voor een bijzonder prominente Palestijn en de dertig 'moordenaars' arresteerde. Arafat vroeg hoe hij 'de zorg op zich moest nemen' voor de Palestijn: 'Hem gewoon li- quideren?' Netanyahu antwoordde: 'Ik zal het niet vragen, u zult het niet zeg- gen.' Dit maakte dat Arafat opstond en de president in woede ontstak.

We waren allemaal beduusd van de uitbarsting van de president; hij had zo'n geduld gehad. Ook Netanyahu was verbaasd. Terwijl hij lichamelijk leek in te zakken vroeg hij of hij de president alleen kon spreken. Ik drong er bij president Clinton op aan om aan Bibi te vragen of hij in wilde stemmen met de vrijlating van 750 gevangenen, wat halverwege de twee standpunten was. De leiders spra- ken drie kwartier. Toen de president zich weer vertoonde zei hij dat Netanyahu was gezwicht.

We hadden nog uren zonder slaap voor de boeg. Als men het in principe eens was over kwesties sloegen de ontwerptekstteams moeizaam aan het formuleren. Hierbij kwamen dikwijls meningsverschillen over details aan het licht, die door de drie leiders moesten worden opgelost. Eindelijk, toen het al licht begon te worden, rond kwart voor zeven, waren de laatste kwesties geregeld. We waren allemaal te moe om goed te beseffen wat we voelden, maar minstens een paar minuten werden er handen geschud en waren er felicitaties. Toen we plannen gingen maken voor een plechtigheid op het Witte Huis merkten we dat Bibi in zijn eentje op een bank misnoegd zat te kijken. Dat kon niet goed zijn. De presi- dent kwam zeggen dat Netanyahu dreigde het akkoord te laten vallen als de Verenigde Staten Jonathan Pollard niet vrijlieten.

Ik zei tegen de president: 'Dit is chantage. Het is ook verkeerd beleid. We kun- nen niet akkoord gaan.' Ik ging naast Netanyahu zitten en zei hem dat hij een fa- tale fout maakte als hij besloot het akkoord te torpederen. Hij zei dat er wat hem betrof geen akkoord was, omdat hij de concessies nooit had gedaan als hij er niet op had gerekend dat de vrijlating van Pollard ertegenover stond. Zonder dat kon hij nooit Israëlische steun voor het akkoord krijgen.

Tot de dag van vandaag weet ik niet wat Netanyahu in de waan bracht dat we Pollard zouden vrijlaten. De president zei dat hij nooit zo'n toezegging had ge- daan. Het is echter mogelijk dat Bibi op een of andere manier tijdens de persoon- lijke gesprekken de intuïtieve empathie van de president verkeerd opvatte, of dat Sharon de Israëlische premier onbedoeld misleidde. Het alternatief is dat Netanyahu gewoon dacht de president te kunnen overbluffen. In elk geval was het resultaat een puinhoop. De hele morgen werkten we op een aantal fronten om Bibi te doen inzien dat hij ook zonder Pollard een goed akkoord had. Ik vroeg koning Hoessein zijn gewicht in de schaal te leggen en sprak toen met Arafat – die niet op de hoogte was van het probleem – om hem maar rustig te houden. Ik sprak ruim een uur met minister van Defensie Mordechai, die weer hulpvaardig was. Jamie Rubin moest de pers van zich afslaan, die van de Israëli's had gehoord dat het akkoord stagneerde omdat de president een belofte aangaande Pollard niet gestand deed. We moesten ons bezighouden met enkele mensen in ons eigen team die tegen de president zeiden dat het vrijlaten van Pollard misschien niet zo'n slecht idee was. Voorts kwamen we ook nog in tijdnood, want het was vrijdag en als we een plechtigheid op het Witte Huis wilden, dan moesten we klaar zijn voordat met zonsondergang de joodse sabbat begon. Alle hoop leek vervlogen; Sandy en ik hadden het gevoel lichamelijk ziek te worden.

Toen, tijdens een nieuw gesprek alleen met Netanyahu, bewoog de president hem ten slotte tot bijdraaien, maar tegen een prijs. De premier wilde de samenstelling van de vrij te laten groep Palestijnse gevangenen wijzigen: meer gewone criminelen en minder wegens veiligheidsvergrijpen gearresteerde mensen. De president vertelde ons wat was afgesproken; nu restte alleen nog Arafat tot aanvaarding van dit gewijzigde akkoord te bewegen. Dat moest ik doen. Terwijl voorbereidingen werden getroffen om naar Washington te verkassen stapten Dennis en ik voor het laatst in de auto om Arafat op te zoeken. Nadat we de voorgestelde wijziging hadden uitgelegd en gezegd dat dit het beste was dat de president kon bereiken knikte Arafat. Op dat moment konden we de goodwill incasseren die de president en ik bij de Palestijnen hadden opgebouwd. Nu hadden we eindelijk een akkoord.

Ik haastte me naar mijn kamer om me te verkleden en naar Washington te vertrekken. Het probleem was alleen dat ik in tien dagen in Wye zoveel junkfood had gegeten dat ik niet goed meer in mijn kleren paste. Gelukkig had ik een ruimzittend jasje dat met mijn marineblauwe jurk combineerde. Een flinke dosis make-up hielp de kringen onder mijn ogen wegwerken. Voor mijn haar was geen hoop.

We vlogen per helikopter naar een landingsplaats bij de spiegelende vijver en repten ons naar het Witte Huis. Toen we ons in de Red Room verzamelden, daas van het slaapgebrek, had ik een goed gevoel. Netanyahu, een tegenstander van het Oslo-proces, begon er nu deel van uit te maken. Arafat leek meer op zijn gemak in de rol van onderhandelingspartner. De vorige dag – eigenlijk vroeger op diezelfde slaploze dag – hadden de twee partijen overeenstemming over belangrijke kwesties weten te bereiken door om de tafel te gaan zitten en rechtstreeks met elkaar te onderhandelen. Dat was in drie jaar niet gebeurd.

De Palestijnen zouden meer land krijgen, een luchthaven, een zeehaven, veilig reizen tussen de Westoever en Gaza, vrijlating van gevangenen, een toezegging tot inperking van nederzettingen, en een verse instroom van economische hulp. De Israëli's zouden niet eerder vertoonde medewerking voor veiligheid krijgen, arrestatie van gezochte Palestijnen, het schrappen van kwetsende tekst in het Palestijnse Convenant, en een snel begin van besprekingen over de definitieve status.

Mijn eerste bezoek als minister van Buitenlandse Zaken aan het Midden-Oosten was dertien maanden geleden. Bij het begin was er een bijna totale vertrouwenscrisis tussen de twee partijen. Het wantrouwen bleef duidelijk groot, maar Dennis Ross en zijn team hadden door hun onwrikbare toewijding, geduld en tactische creativiteit het onwaarschijnlijke bereikt. En president Clinton was boven het kreupelhout van politieke en persoonlijke vooringenomenheid uitgestegen om zijn status als wereldleider te bevestigen.

Wat mijn rol betreft gebruikte Sandy Berger een beeld uit de sport, wat met mij altijd een risico is. Hij zei dat ik de rol had gespeeld van een startende werper bij honkbal; ik had het team naar de achtste inning gevoerd en toen de bal overgegeven aan de vervangende werper – president Clinton.

De ondertekeningsplechtigheid van het Wye River Memorandum in het Witte Huis behoorde tot de ontroerendste die ooit door slaapwandelaars is uitgevoerd. De president was zijn gewone welsprekende ik. Premier Netanyahu gedroeg zich beminnelijk en als een staatsman. De opmerkingen van voorzitter Arafat bevatten een ondubbelzinnige afwijzing van geweld.

De meest dominerende persoonlijkheid was echter de man met de minst imponerende fysieke verschijning. Bij zijn laatste publieke optreden in het Witte Huis sprak koning Hoessein, zonder aantekeningen maar met veel passie, over de noodzaak een einde te maken aan de cultuur van dood, vernietiging en verspilling, en een plaats in te nemen 'voorbij aan onszelf en onze volken, die hen waardig is onder de zon, de nakomelingen van de kinderen van Abraham – Palestijnen en Israëli's die tot elkaar komen.' Hij waarschuwde dat sommigen op dit akkoord zouden reageren met geweld en spoorde de meerderheden aan beide zijden aan pal te staan tegenover de vijanden van vrede.

Het Wye River Memorandum was bedoeld als een tussenstation op weg naar een alomvattende vrede tussen Israëli's en Palestijnen. In de jaren daarna zouden we leren hoe moeizaam en veranderlijk die weg zou zijn. Maar het gaf me ook de hoop dat harde onderhandelingen tot overeenkomsten kunnen leiden als we maar lang en hard genoeg ons best doen – een hoop die zowel de president als mij tot onze laatste dag in het ambt inspireerde.

Als ik nu aan Wye terugdenk is het beeld dat me voor ogen komt niet dat van elkaar in de haren zittende delegaties of van de latere teleurstellende gebeurtenissen, maar van koning Hoessein en koningin Noor, die bij zonsondergang in ligstoelen over de rivier uitkeken, gehuld in dekens, zich van de komende duisternis bewust maar samen genietend van het laatste licht.

HOOFDSTUK 20

Duelleren met dictators

HET DOEL VAN BUITENLANDS BELEID is de politiek en het handelen van andere landen te beïnvloeden, op een manier die de eigen belangen en waarden dient. De beschikbare hulpmiddelen omvatten alles, van vriendelijke woorden tot kruisraketten. Deze middelen goed en met voldoende geduld mengen is de kunst van de diplomatie. De uitdaging is vaak het grootst als het doel is een land over de streep te trekken of te duwen die internationale wetsovertreders scheidt van respectabele leden van de wereldgemeenschap. Als minister van Buitenlandse Zaken stond ik herhaaldelijk voor zulke uitdagingen, vooral als we te maken hadden met een roerig Iran, een halsstarrig Libië en een onderdrukt Cuba.

Vanaf het begin van mijn ministerschap werden president Clinton en ik geïntrigeerd door de mogelijkheid van betere betrekkingen met Iran, dat door zijn strategische ligging, culturele invloed en omvang een spil vormde in een van de ontvlambaarste regio's van de wereld. Er waren echter obstakels voor een nieuwe relatie, waaronder de geschiedenis. In 1953 was de regering-Eisenhower de aanstichter van een staatsgreep waarbij de gekozen premier van Iran werd afgezet en de sjah Reza Pahlavi weer aan de macht kwam. In de kwarteeuw die volgde onderhield de sjah nauwe betrekkingen met de Verenigde Staten en moderniseerde op agressieve wijze de Iraanse economie, terwijl tevens de binnenlandse oppositie meedogenloos werd onderdrukt. In 1979 werd hij door massale demonstraties ten val gebracht en kwam er wat al spoedig – onder ayatollah Roeholla Khomeini – een radicaal en fel anti-Amerikaans theocratisch regime werd. In november van dat jaar liet de regering-Carter met tegenzin de verbannen en stervende monarch voor medische behandeling in de Verenigde Staten toe. Als vergelding bestormden extremisten onze ambassade in Teheran en hielden zo'n vijftig mensen meer dan een jaar in gijzeling.

De negatieve beelden van die tijd vormden de Amerikaanse kijk op Iran, en ze werden versterkt toen door Iran gesteunde extremisten in de jaren tachtig in Libanon Amerikanen en Europeanen ontvoerden. Tijdens de eerste regering-Clinton streefden we een beleid na van 'tweevoudige insluiting', waarbij Iran in wezen gelijk werd gesteld met Irak. Beide werden beschouwd als 'schurkenstaten', herhaaldelijke schenders van het internationaal recht, ondemocratisch en vijandig tegenover onze belangen. Ons beleid was ze te isoleren en het vermogen te ontzeggen tot het ontwikkelen van geavanceerde wapens.

In mei 1997 deden de jonge kiezers van Iran waarnemers versteld staan door een nieuwe president te kiezen, Mohammad Khatami, een gedreven hervormer die geheel anders klonk dan zijn voorgangers. Op zijn persconferentie na de verkiezing zei hij: 'Het spijt ons dat het Amerikaanse beleid altijd vijandig tegenover ons is geweest.' Hij vormde een gematigd kabinet en – indachtig zijn populariteit bij vrouwelijke stemmers – benoemde een vrouw tot vice-president. Bij publiekelijke uitspraken sprak hij met hoop, niet met bitterheid, en hij legde de nadruk meer op vrijheid dan op orthodoxie. In een vraaggesprek in januari 1998 met CNN trok Khatami een parallel tussen de Amerikaanse Revolutie en de Iraanse onafhankelijkheidsstrijd, terwijl hij pleitte voor een 'dialoog van beschavingen', te beginnen met onderling verkeer van wetenschappers, kunstenaars, journalisten en toeristen. Toch zaten er doornen aan zijn olijftak, want hij bekritiseerde de Verenigde Staten om hun vermeende Koude-Oorlogvisie.*

Diezelfde maand toonde Jasser Arafat ons een van Khatami ontvangen brief. Hierin werd het vroegere Iraanse standpunt omgedraaid, de wettigheid van Israël werd erkend, en de mogelijkheid van vrede in de hele regio besproken, als de Palestijnen een staat mochten stichten op de Westoever en in de Gazastrook. Ik concludeerde dat Iran niet langer in dezelfde categorie als Irak thuishoorde. De tijd was rijp om verder te gaan dan tweevoudige insluiting.

In juni 1998 hield ik een toespraak waarin ik de verkiezing van Khatami en de toenemende druk van de bevolking voor meer vrijheid verwelkomde. Ook onderschreef ik Khatami's oproep tot intercultureel contact en zei dat wanneer Iraanse functionarissen bereid waren rechtstreeks met ons te spreken, wij bereid waren zonder voorwaarde vooraf om de tafel te gaan zitten en een routekaart naar normale betrekkingen uit te denken. In een poging zo'n dialoog van de grond te krijgen sprak ik respectvol over de geschiedenis, de cultuur, het volk en de president van Iran. Toch moet ik toegeven dat het netelig was te proberen uitingen van vriendschap te combineren met kritiek op de Iraanse steun voor terrorisme en ander ontoelaatbaar beleid.

Het probleem was dat Khatami onder de Iraanse grondwet slechts beperkte macht had. De Iraanse strijdkrachten, inlichtingendiensten, politie en juridische instellingen moesten zich nog steeds verantwoorden bij de opperste leider ayatollah Ali Khamenei, die geregeld zijn gehoor tot het spreekkoor 'dood aan Amerika' bracht. De militairen waren onder Khomeini verantwoordelijk voor de Iraanse steun aan terroristische groeperingen, het nastreven van kernwapens en het schenden van mensenrechten.

---

* Dit CNN-interview was hoe dan ook niet aan mijn aandacht ontsnapt, maar door de persoon van de interviewer maakte het nog meer indruk. Christiane Amanpour had zich kort daarvoor met mijn woordvoerder Jamie Rubin verloofd.

For Madeleine Albright!   PANCHO   Paris September 98

Iran reageerde niet onmiddellijk op mijn toespraak omdat het te druk was met het vieren van de overwinning op de Verenigde Staten bij het wereldkampioenschap voetbal, iets wat ayatollah Khamenei met zijn gebruikelijke beminnelijkheid begroette: 'Opnieuw heeft de arrogante vijand de bittere smaak van de nederlaag geproefd.' Interessanter was wat er in de straten gebeurde. Tijdens het feestvieren stak een jongeman een Amerikaanse vlag in brand, terwijl anderen vlugschriften met 'Dood aan Amerika' uitdeelden. De menigte reageerde met het wegrukken van de vlag, het doven van de vlammen en het verscheuren van de vlugschriften.

President Khatami reageerde pas enkele dagen later. 'We geloven dat hun toon is veranderd,' zei hij, 'maar we zien uit naar daden.' Dit was slim, omdat het dezelfde mantra was die ik had gebruikt bij vragen over bewijzen van veranderingen in Iran. Niet lang daarna vroeg een Iraanse diplomaat officieel aan een voormalige functionaris van Buitenlandse Zaken of de betrekkelijk vriendelijke aard van mijn opmerkingen een truc was geweest, en hij zei dat er in Iran twijfels waren over onze bedoelingen. De Iraniër zei dat zijn regering meende dat de invloed van Amerikaanse joden te sterk was om echte flexibiliteit in de standpunten van de VS toe te laten. Hij merkte op dat president Bush in zijn inaugurale rede van 1989 met betrekking tot Iran had gezegd: 'Van welwillendheid komt welwillendheid.' De gijzelaars in Libanon waren naderhand vrijgelaten en toch bleef de Amerikaanse vijandigheid onveranderd. De Amerikaanse deelnemer aan de discussie gaf de kern ervan weer met de conclusie dat alleen rechtstreekse besprekingen op regeringsniveau de lucht konden zuiveren. Omdat wij tot dezelfde conclusie waren gekomen deden we pogingen om in persoonlijk contact met Khatami te komen, maar we werden afgepoeierd. Al gauw zagen we in dat hoewel president Khatami en ayatollah Khamenei ver van elkaar leken te staan bij hun uitspraken in het openbaar, we niet met de een buiten de ander om zaken zouden kunnen doen.

Niettemin werd er iets van verwacht toen Khatami dat najaar de Verenigde Staten bezocht voor de algemene vergadering van de VN. In New York liet Khatami een krachtige roep horen om vrije meningsuiting en naleving van wetten, waarop hij warm applaus kreeg van invloedrijke Iraanse Amerikanen. Hij won meer punten – hij bracht zelfs het Verenigd Koninkrijk ertoe de diplomatieke betrekkingen te herstellen – door te verklaren: 'We beschouwen de affaire rond Salman Rushdie als volledig afgedaan.'*

De Verenigde Staten en Iran hadden allebei belang bij Afghanistan, waar een burgeroorlog woedde en kort daarvoor negen Iraanse diplomaten waren vermoord. Bij elke crisis, zo leek het, vormde de internationale gemeenschap een groep: wij hadden de 'zes plus twee' in het leven geroepen om de kwestie Afghanistan te bespreken. De leden waren de zes buurlanden van Afghanistan waaronder Iran, plus Rusland en de Verenigde Staten. Deels om een ontmoeting tussen mijn Iraanse ambtgenoot Kamal Kharrazi en mij mogelijk te maken plande Kofi Annan een bespreking van de 'zes plus twee' op ministerieel niveau. Dit zou de eerste ontmoeting op hoog niveau worden van vertegenwoordigers van onze twee landen in meer dan tien jaar. Ik hoopte dat de sessie zou helpen de betrekkingen te ontdooien.

De bespreking vond plaats in het gebouw van het VN-secretariaat, in een kamer die nauwelijks groter was dan de vierkante tafel in het midden. De zetel van Iran was tegenover de mijne en toen ik binnenkwam glimlachte de Iraanse afgevaardigde en maakte een buiging, die ik beantwoordde. Tegelijkertijd was ik bevreemd. Kharrazi was de Iraanse ambassadeur bij de VN geweest toen ik dat voor de Verenigde Staten was, dus ik wist hoe hij eruitzag. Nu dacht ik dat hij dikker moest zijn geworden. Toen het mijn beurt was om te spreken zei ik het een bijzonder genoegen te vinden collega's terug te zien die ook hun VN-ervaring gebruikten om minister van Buitenlandse Zaken te worden. De Iraniër glimlachte weer. Dat was mooi, maar ik bleef onzeker. Ik schreef voor de functionarissen achter me op: 'Weten we zeker dat dit Kharrazi is?' Ik hoorde gefluister toen leden van mijn adviesraad – onze deskundigste Irankenners – beraadslaagden. Het antwoord kwam: 'We weten het niet.'

Het mysterie werd opgelost toen de voorzitter de Iraniër aansprak met: 'Meneer de plaatsvervangend minister van Buitenlandse Zaken.' Duidelijk niet Kharrazi. Later vernamen we dat de opperste leider zowel Khatami als Kharrazi

---

* Negen jaar daarvoor veroordeelden Iraanse autoriteiten de Britse schrijver Rushdie bij verstek ter dood, wegens belediging van de islam in zijn roman De duivelsverzen. Ondanks de woorden van Khatami houden sommige Iraanse geestelijken vol dat het doodvonnis van Rushdie nog steeds van kracht is.

had geïnstrueerd tijdens het bezoek ieder contact met Amerikaanse functionarissen te vermijden. Khatami hield wel een rede in het gebouw van de Asia Society, dezelfde locatie als van mijn eerdere toespraak, waarbij hij enkele punten die ik had gesteld besprak. Het diplomatieke ballet ging verder.

Tegen het einde van 1998 kwam Khatami's streven naar liberalisatie onder vuur te liggen. Zes vooraanstaande Iraanse dissidenten, schrijvers en intellectuelen, werden vermoord, een aantal onafhankelijke kranten werd verboden en bondgenoten van Khatami werden van corruptie beschuldigd. Intussen was de coalitie van de president ernstig verdeeld tussen technocraten die de economie wilden hervormen en linksen die meer sociale rechtvaardigheid wilden. Het gevolg was stagnatie terwijl de inflatie steeg en de groei praktisch tot stilstand kwam. We zaten in een lastige positie omdat we de hervormers niet konden helpen door openlijk hun zijde te kiezen. Voor de ayatollah en zijn trawanten waren we nog steeds de Grote Satan, en het zou de voorstanders van verandering geen goed doen als ze de duivel als pleitbezorger hadden.

Begin 2000 pas besloten we een tweede poging tot verbetering van de relatie te wagen. Het tijdstip leek gunstig. De aanhang van Khatami had bij de verkiezingen van februari spectaculair teruggeslagen en beheerste het parlement. Iran had het Chemische-Wapensverdrag ondertekend en was een regionaal leider in de bestrijding van drugs. Hun standpunt over de noodzaak van een oplossing door onderhandelingen voor de Afghaanse burgeroorlog kwam overeen met het onze. En Iran had schepen onderschept waarmee in strijd met VN-resoluties Iraakse olie werd gesmokkeld. Het Iraanse beleid inzake andere kwesties bleef diep zorgelijk. Teheran bleef de in Libanon gevestigde terroristische groepering Hezbollah van wapens voorzien en anti-Israëlisch geweld van Palestijnen financieren. Iraanse leiders, waaronder Khatami, ontkenden deze feiten niet maar beweerden dat deze strijders voor de 'bevrijding' van moslimlanden niet als terroristen te omschrijven waren.

Ondanks de vele ontkenningen geloofden we ook dat Iran nog steeds poogde om kernwapens te verwerven of te ontwikkelen. Het is waar dat Israëlische functionarissen al bijna tien jaar waarschuwden dat Iran binnen drie jaar kernwapens zou hebben, een voorspelling die onjuist was gebleken. Anderzijds is de les van de fabel 'De jongen die wolf riep' van Aesopus, dat de wolf zich uiteindelijk vertoont. De nucleaire ambities van Iran dateren nog uit de tijd van de sjah, en het land is zijn kernenergiesector blijven uitbreiden, hoewel het tot de grootste olieproducenten van de wereld behoort. Het heeft zijn eigen uraniumvoorraad, een uraniumverrijkingsfabriek, nucleaire onderzoekscentra en twee onderzoeksreactoren – en bovendien clandestiene fabrieken waar mogelijk wordt getracht de kern van een atoombom te maken.*

---

* Ons verzet tegen verkoop van nucleaire technologie door de Russen was tijdens mijn hele termijn als minister van Buitenlandse Zaken een belangrijke kwestie in onze bilaterale betrekkingen met Moskou.

Een ander ernstig probleem was de aanslag van juni 1996 op de Khabar Towers, een wooncomplex voor Amerikaanse militairen in Saoedi-Arabië. Negentien Amerikanen werden gedood bij deze bomaanslag. Eind 1998 verkreeg de FBI informatie waaruit bleek dat Iraanse functionarissen achter de aanslag zaten, en ze door Hezbollah hadden laten uitvoeren. Vijf maanden na mijn vertrek als minister kwam er een aanklacht waarin verbindingen tussen Hezbollah en Iran werden belicht, en dertien Saoedische Hezbollah-leden werden beschuldigd. De tragedie benadrukte weer eens de complexiteit van omgang met een verdeeld Iran. We konden de harde lijn van de ayatollah niet negeren bij toenadering tot het Iran van Khatami, en we wilden de belofte voor hervorming niet negeren bij het pogen de ayatollah in te tomen. De voorafgaande twee decennia hadden we één beleid voor de Sovjet-Unie onder communistisch bewind gehad, en toen een ander voor Rusland onder democratisch bewind. In Iran waren de totalitairen en de democraten tegelijkertijd aanwezig.

In februari 2000 stuurde ik de president een memo met het voorstel de positieve stappen van Iran te erkennen, maar wel aan onze dreigementen vast te houden. De president gaf me groen licht, dus maakte ik in maart de opheffing van importbeperkingen op de voornaamste niet-olie-exportproducten van Iran bekend – tapijten, pistachenoten, gedroogde vruchten en kaviaar. Deze worden in de Verenigde Staten als luxeartikelen beschouwd, maar de productie en handel in Iran werden met de middenklasse geassocieerd, die grotendeels op Khatami had gestemd. Ik hoopte door openstelling van onze markt welwillendheid te wekken en tegelijk nieuwe contacten op handelsniveau te leggen. In mijn toespraak verweefde ik opnieuw bezorgde uitspraken over het veiligheidsbeleid van Iran met uitingen van respect, en ik nodigde Iran uit om officieel de dialoog aan te gaan.

De reactie in de VS en Europa was gunstig, maar in Iran voorspelbaar verdeeld. De ayatollah zou woedend zijn geweest omdat ik hem – volkomen juist – 'niet gekozen' had genoemd. Khatami benadrukte de positievere aspecten van de toespraak maar zei weer dat onze daden onvoldoende waren voor een nieuwe relatie.

Er was nog een complicerende factor. In het voorjaar van 1999 liet de Iraanse minister van Informatie dertien leden van de joodse gemeenschap in Iran oppakken, tegelijk met zeven moslims. Na een gevangenschap van maanden beschuldigden de autoriteiten hen van spionage voor de Verenigde Staten en Israël. In samenwerking met Kofi Annan, de EU en andere bevriende landen oefenden we diplomatieke druk op Iran uit om de gevangenen vrij te laten of hen tenminste een eerlijk proces te gunnen. Deze inspanningen hadden enig effect, maar niet genoeg om tot een bevredigend resultaat te leiden. Twaalf van de aangeklaagden werden schuldig bevonden en tot gevangenisstraf veroordeeld.*

De bittere strijd tussen hervormers en traditionalisten in Iran duurde het laat-

---

* Van de veroordeelden werden er acht vrijgelaten na een deel van hun gevangenisstraf te hebben uitgezeten. In februari 2003 waren ze allemaal vrij.

ste jaar van mijn termijn voort. Hervormers worstelden vergeefs om kranten te behouden, kandidaten op de kieslijst te krijgen en een consistent economisch plan op te stellen. Khatami, die betrekkelijk populair bleef, werd minder gedurfd in zijn uitspraken. In het najaar kwam hij voor de Millenniumtop van de VN naar New York, en voor een gebeurtenis die werd geafficheerd als de 'dialoog van beschavingen', waar hij ooit het initiatief toe had genomen.

Kofi Annan stelde voor dat ik de toespraak van de Iraanse president bij de dialoog zou bijwonen, hetgeen ik deed. In een door de secretaris-generaal opgezet wederzijds vertoon van beleefdheid bleef zowel president Clinton als Khatami om de volgende dag de rede van de ander voor de algemene vergadering van de VN aan te horen. Bij beide gelegenheden waren de opmerkingen van de Iraniër, hoewel erudiet en idealistisch, vaag. In reactie op vragen liet hij blijken net zo weinig geduld te hebben met zijn militantere volgelingen als met zijn conservatieve tegenstanders. Bij een ontmoeting met Iraanse Amerikanen weigerde hij vragen te beantwoorden – een contrast met zijn open omgang met een soortgelijke groep in 1998. Ik was teleurgesteld. Khatami leek zich moeilijk te schikken in de rol van overlever. Hij was erachter gekomen tot hoe ver hij kon gaan en had geen zin in nieuwe strijd. Het blijft te bezien wat op lange termijn met zijn pragmatisme wordt bereikt.*

Het beleid van de regering-Clinton ten aanzien van Iran was op de juiste manier geijkt. We hadden alleen een doorbraak kunnen bereiken door onze principes en belangen te laten vallen in zake non-proliferatie, terrorisme en het Midden-Oosten, een veel te hoge prijs. Door de hervormingsbeweging geheel te negeren hadden we de aantijging kunnen vermijden dat we Iran te zacht aanpakten, maar dat had ons internationaal geïsoleerd en was voor Iran geen prikkel geweest om verder te veranderen. Daarom kozen we een koers die, hoewel marginaal, onze relatie in de goede richting hielp, terwijl de deur naar meer contact werd opengezet. Door een dialoog zonder voorwaarden vooraf aan te bieden legden we het bij Iran neer uit te leggen waarom het zelfs niet bereid was over onze meningsverschillen te praten, en legden we de basis voor formele gesprekken, als en wanneer deze mogelijk zouden worden. Door het verlangen naar democratie van het Iraanse volk te erkennen moedigden we de burgers aan zich een toekomst voor te stellen vrij van de repressie van heden en verleden.

Terwijl dit midden 2003 wordt geschreven wordt de strijd tussen liberalisatie en repressie in Iran intensiever. Wie zal winnen is van groot belang bij het indammen van terreur, het stabiliseren van het Midden-Oosten en het uitdiepen van

---

* Tijdens de algemene vergadering van 2000 woonde ik een tweede bespreking van de 'zes plus twee'-groep over Afghanistan bij. Deze keer was minister van Buitenlandse Zaken Kharrazi er wel bij, maar tot een persoonlijk gesprek kwam het niet. Het was een gelegenheid waarbij de sekse verschil maakte; we gaven elkaar geen hand. Bij dezelfde zitting in 2001 werden minister Colin Powell en Kharazzi gefotografeerd terwijl ze elkaar de hand schudden.

het wederzijds begrip tussen landen met een moslimmeerderheid en het Westen. Dit laatste punt is cruciaal omdat de hoge geboortecijfers in islamitische landen in het Midden-Oosten en Azië al decennia tot meer jonge mensen leiden dan hun zwakke en gecentraliseerde economieën kunnen opnemen. De gemiddelde leeftijd in Iran is bijvoorbeeld ongeveer vijftien.

Een jongere die arm opgroeit in een van deze landen kan men niet kwalijk nemen dat hij pessimistisch of zelfs wanhopig is. Hij (of zij) kan zien dat er voor elke baan wel twintig mensen strijden, en dat er in zijn familie wel twaalf hongerige monden te voeden zijn. Hij kan geen actie voeren voor sociale of politieke verandering zonder gevangenschap en misschien marteling te riskeren. Hij zal waarschijnlijk weinig respect opbrengen voor zijn regering, die onverantwoordelijk en corrupt kan zijn. De olierijkdom waar een fractie van zijn medemoslims van profiteert zal niet over hem zijn uitgevloeid. Ondanks zijn armoede is de wereld van de rijken maar al te zichtbaar in etalages, op de televisie en bij mensen die op straat langs hem lopen. In de moskee is hem geleerd dat hij voor God gelijk is aan ieder ander en dat hij – als hij goed leeft – eeuwig in het paradijs zal leven. Ook kan hem geleerd zijn dat hij arm is omdat het de belangen van Amerikanen en joden dient om hem zo te houden, en dat de Verenigde Staten oorlog voeren tegen de islam, tot de verdediging waarvan hij een heilige plicht heeft.

Het radicalisme in sommige delen van de islamitische wereld is betrekkelijk recent. Het is gegroeid naarmate het gevoel van woede en machteloosheid groeide, en de ongelijkheid in Arabische en andere moslimlanden toenam. Het is gevoerd door de mythe en realiteit van het Arabisch-Israëlische conflict en door het chronisch verzuimen van leiders in veel islamitische landen hun beloften na te komen. Deze leiders reageerden op verschillende manieren op de opkomst van radicalisme. Sommige traden hard op tegen extremistische groepen. Andere hebben zelfs de vreedzame politieke oppositie verboden. Weer andere probeerden extremistische leiders met geld en gunsten aan hun kant te krijgen. Nog weer andere tolereerden het aanzetten tot terrorisme, als dat maar tegen de VS en Israël is gericht en niet tegen hen. Iran is met zijn duellerende leiderschap een uniek geval.

Al met al ben ik van mening dat de officiële Amerikaanse reactie van zowel Democratische als Republikeinse regeringen onhandig en ondoelmatig is geweest. Eén probleem is dat we bang waren te veel druk achter democratie te zetten, vooral in Arabische landen. We vrezen, misschien terecht, dat als radicale islamieten via verkiezingen aan de macht komen, er daarna geen verkiezingen meer komen – het 'één persoon, één stem, één keer'-verschijnsel. Ook maken we ons zorgen om de tijdelijke instabiliteit die kan ontstaan. Of onze vrees gerechtvaardigd is of niet, we komen hypocriet over wanneer we regimes steunen waarvan we het beleid zouden veroordelen wanneer het elders in de wereld zou worden gevoerd. Een tweede probleem is dat we door de opvattingen die zich ontwikkelden en verhardden zoveel publieke diplomatie in de moslimwereld kunnen bedrijven als we willen, maar dat die niet echt slaagt als er geen doorbraak komt in de relatie tussen Palestijnen en Israël. Een derde probleem is dat Amerikanen en moslims zo verbijsterend weinig van elkaar weten. In een wereld van vierentwintig uur televisie over de hele wereld zouden we elkaar veel beter moeten kennen dan het geval is. Daarom vroeg ik in 1999 adviseur Wendy Sherman de inspanningen op ons ministerie om de moslimwereld beter te bereiken door te lichten, een initiatief dat alles omvat, van personeelswerving en opleiding tot voorlichting en assistentie van het buitenland. Ook begonnen we een reeks gesprekken met Amerikaanse moslims, met onder meer de eerste Iftaardiners waarbij de minister van Buitenlandse Zaken ooit gastvrouw was, ter gelegenheid van het einde van de ramadan.*

Het overwinnen van onwetendheid en onbegrip is een zware opgave die niet een-twee-drie is uitgevoerd. De meest briljante geesten aan weerszijden van de scheidslijn tussen de islam en het Westen zullen zich moeten laten gelden. Gunstig is dat er in het Westen al veel stemmen van de islam zijn, en ook belangrijke voorbeelden van democratische openheid in landen met een moslimmeerderheid. Weinig initiatieven zullen voor de richting van de wereld in de eenentwintigste eeuw zo belangrijk zijn als een echte dialoog tussen beschavingen van een aard zoals door de Iraanse president Khatami voorgesteld is, maar die tot dusver nauwelijks van de grond is gekomen.

Vóór Osama bin Laden was er de Libische leider Moammar Kadafi. Op 21 december 1988 explodeerde een vliegtuig van Pan American boven Lockerbie in Schotland, waarbij 259 passagiers en bemanningsleden, en elf dorpsbewoners omkwamen. Circa driekwart van de slachtoffers waren Amerikanen, onder wie studenten die voor de feestdagen naar huis reisden. Na een onderzoek van twee jaar wezen Amerikaanse en Britse autoriteiten een hogere Libische geheim agent en een werknemer van de Libische nationale luchtvaartmaatschappij aan als degenen die de bom in het bagageruim van het vliegtuig hadden geplaatst.

De Verenigde Staten en Groot-Brittannië eisten van Kadafi uitlevering van de twee mannen, voor berechting door een Amerikaanse of Schotse rechtbank. Met krachtige steun van de Britten en Fransen verbood de VN de verkoop van wapens en olieproductiematerieel aan Libië, en luchtverkeer van en naar dat land. De Veiligheidsraad beloofde de beperkingen op te schorten als Libië de verdachten uitleverde, en ze geheel op te heffen als Libië het terrorisme afzwoer, verant-

---

* Deze inspanningen waren een leerzame ervaring. Zo merkten we binnen het departement een voortdurende neiging om iedere met de islam samenhangende kwestie naar ons bureau voor het Nabije en Midden-Oosten door te schuiven – dit ondanks het feit dat er buiten die regio veel meer moslims leven. Tijdens een van de besprekingen met adviseur Sherman trok een gerespecteerde beroepsambassadeur die in Zuid-Azië had gediend, in twijfel of het verstandig was moslims te werven voor onze diplomatieke posten. 'Ik maak hier maar een opmerking,' zei hij, 'maar u weet dat die mensen vijf keer per dag bidden. Dat kan behoorlijk storend werken.' Ik heb dit met afschuw vernomen.

De helpende handen van Růžena Spieglová en Olga Körbelová voorkomen dat ik omval. Ik vond deze foto, de enige die ik heb waar mijn twee grootmoeders samen op staan, toen ik mijn moeders papieren doorkeek tijdens de voorbereiding van dit boek. Ik zal hem mijn leven lang koesteren.

THE WASHINGTON POST   TUESDAY, FEBRUARY 4, 1997 M2 A1

16

Albright's Family Tragedy
Comes to Light Secretary Says She Didn't Know That
3 Grandparents Were Jewish Victims of Holocaust

A tearsheet from a family narrative that was written 30 years after World War II by Madeleine K. Albright's mother.

By Michael Dobbs
Washington Post Staff Writer

Madeleine Korbel Albright was almost 2 years old when her parents

found the new information "fairly compelling" but wanted to conduct her own research into her family and its fate. "Obviously it is a very per-

II—including the grandparents, her uncle and aunt, and a first cousin— died in Nazi concentration camps. Albright, who was born in Prague in

Kop op de voorpagina van de *Washington Post* op de dag van president Clintons eerste 'State of the Union'-speech van zijn tweede ambtstermijn.

President Clinton. Een van de kwaliteiten die ik altijd in hem heb bewonderd is zijn vermogen om te luisteren.

THE WHITE HOUSE

THE WHITE HOUSE/ROBERT MCNEELY

Als je samen met mij onder één paraplu wilt lopen, moet je bereid zijn te bukken. Sandy Berger en ik hebben af en toe overhoop gelegen, maar vergeleken met de meeste andere combinaties adviseur Nationale Veiligheid en minister van Buitenlandse Zaken konden we heel goed met elkaar opschieten. Voor ons loopt een ander stel dat goed bij elkaar paste: president Clinton en vice-president Gore.

Aan het diner in New York met Yitzhak Rabin, de Israëlische premier. Zijn dood door een aanslag in november 1995 heeft een leegte achtergelaten die nog steeds niet opgevuld is.

Beantwoorden van vragen tijdens een gezamenlijke persconferentie met premier Benjamin Netanyahu. De scepsis van de Israëlische leider ten aanzien van het vredesproces weerhield hem er niet van om in Wye River een akkoord met de Palestijnen te sluiten. In het midden staat mijn woordvoerder en naaste adviseur Jamie Rubin naar ons te luisteren. Rechts van hem staat aan de telefoon Kitty Bartels, hoofd voorlichting van het ministerie van Buitenlandse Zaken.

Koning Hoessein, die door zijn volk Al-Malik Al-Insan ('de menselijke koning') genoemd werd, regeerde over Jordanië van 1953 tot zijn dood in februari 1999, vier maanden nadat deze foto genomen werd. Hij was niet alleen een fel verdediger van het Arabische volk maar streefde ook hartstochtelijk naar vrede.

Javier Solana, secretaris-generaal van de NAVO, is een plezierige dinerpartner en een bekwaam wereldleider.

DEPARTMENT OF STATE

Op 12 maart 1999 in Independence, Missouri, hebben de Tsjechische, Poolse en Hongaarse ministers van Buitenlandse Zaken zojuist de stukken ondertekend die de toetreding van hun landen tot de NAVO bevestigt. Ik kon het niet laten de documenten aan het juichende publiek te laten zien.

REUTERS

DEPARTMENT OF DEFENSE

Converserend met generaal John Shalikashvili tijdens zijn afscheidsfeest in 1997. Op een dag stond ik met generaal Shali buiten het Witte Huis toen een derde functionaris langskwam en ons begroette met 'oorlog en vrede'. Shali antwoordde: 'Ja, maar wie is wat?' Achter ons staan Bill Cohen, minister van Defensie, en zijn vrouw Janet Langhart Cohen.

De Russische minister van Buitenlandse Zaken Igor Ivanov en ik wisselden vaak harde diplomatieke woorden, hier ruilden wij van hoofddeksel. Zoals uit de opdracht blijkt, waren we een sterk team als we samenwerkten.

Op mijn zestigste verjaardag verscheen er een onverwachte gast. Senator Jesse Helms, die ouderwetse politieke ideeën en ouderwetse hoffelijkheid combineert, is trots op beide. Wat beleid betrof maakte hij me vaak woedend. Persoonlijk hebben we nooit een onvriendelijk woord tegen elkaar gezegd.

LYNN SWEENEY

MINISTERIE VAN BUITENLANDSE ZAKEN, RUSSISCHE FEDERATIE/EDUARD PESOV

De ministers van Buitenlandse Zaken van Zuidoost-Azië gaven hun diners niet cadeau, we moesten er letterlijk voor zingen. In 1997 was ik Evita. Het jaar daarop deed ik samen met Jevgeni Primakov een sketch die we de 'East-West Story' noemden. Knipperend met mijn wimpers zong ik: 'Ik wil weten hoe je over me denkt.' Jevgeni zong: 'Kijk in je KGB-dossier!'

Met Sean Connery tijdens het diner
ter gelegenheid van de uitreiking
van de Kennedy Center Awards.
Later werd ik schertsend het
'nieuwe Bond-meisje' genoemd.

Acteur Patrick Stewart is een goede vriend. In zijn functie van kapitein Jean-Luc Picard van het Starship
Enterprise nodigde hij mij uit om kennis te maken met zijn bemanning. In deze groep ben ik degene met het
ongebruikelijke uiterlijk.

De eerste bal van het seizoen die ik bij de Baltimore Orioles wierp was aanleiding tot een foto in de *New York Times* met als bijschrift: 'Nu aan de bal voor de Verenigde Staten.'

De president probeert mijn bowlingprestaties op te vijzelen in Camp David. Ik ben zo'n snelle leerling dat hij niet eens zijn Cola Light-blikje hoefde weg te zetten.

woordelijkheid voor de misdaad erkende en instemde met schadevergoeding voor de nabestaanden. Een verbeten gevecht begon.

In mijn jaren bij de VN slaagde ik eerst in versterking van de sancties en later in het voorkomen dat anderen ze verzwakten. Mijn meest waardevolle bondgenoten waren de families van de slachtoffers, die naar New York reisden om het beraad bij te wonen. Ik zal ons eerste gesprek nooit vergeten. We zaten om een tafel in de VN-missie. De ouders, broers, zusters en kinderen spraken een voor eenover hun verloren dierbaren, en over hun frustratie om ons onvermogen Kadafi onze wil op te leggen.

Terwijl ze spraken dacht ik aan mijn dochter Katie, die in het jaar van de aanslag in Groot-Brittannië studeerde. Ik huiverde bij de gedachte hoe verschrikkelijk het moet zijn geweest om op de luchthaven te wachten, een nieuwsbericht te horen of de telefoon te pakken om te vernemen dat de dierbare die je verwachtte er niet meer is. Ik werd er beroerd van dat ik de families niet kon verzekeren dat de door ons genomen maatregelen voldoende zouden zijn voor het doen afleggen van rekenschap. De raad bezag de sancties voor Libië om de vier maanden. Na meer dan twaalf van zulke zittingen zag ik bij mijn collega's het ongeduld met de sancties toenemen. Dit kwam gedeeltelijk door Kadafi, die zijn best deed om zijn imago van onverantwoorde radicaal om te zetten in iets respectabelers. Terwijl hij zich uit de rechtstreekse betrokkenheid bij terrorisme leek terug te trekken verbeterde hij zijn relatie met Arabieren en Afrikanen. Hij verwierf sympathie bij moslims en sommige leden van de Veiligheidsraad door aan te voeren dat het door het vliegverbod van de VN voor religieuze Libiërs onmogelijk was de heilige plaatsen in Saoedi-Arabië te bezoeken. En hij beweerde dat de sancties zijn economie schaadden en het verkrijgen van benodigdheden voor ziekenhuizen en de landbouw bemoeilijkten.

In 1996 stelde de Organisatie van Afrikaanse Eenheid (OAU) voor dat Libië de twee verdachten voor berechting aan een neutraal land zou uitleveren. We zeiden meteen nee, met het argument dat recht alleen mogelijk was als het proces onder de wet van de slachtoffers plaatsvond, Amerikaans of Schots. Maar toen onze vooruitzichten op handhaving van de sancties slechter werden gingen we over onze opties nadenken.

Mijn juridisch adviseur, David Andrews, en David Welch, de waarnemend onderminister voor het Nabije Oosten – die en een vriend en een collega bij de ramp met PanAm vlucht 103 had verloren – kwamen met het idee een proces in Nederland te accepteren, met een Schotse rechter en onder Schots recht. Niemand wist zeker of deze onvoorspelbare benadering realistisch was, maar ik was bereid alles te onderzoeken wat de families van de slachtoffers kon helpen. De Britten, zei Welch, dachten al langs dezelfde lijnen. Kerstmis 1997 bracht ik in Londen bij mijn dochter Alice en haar gezin door. Ik werd toen door Robin Cook uitgenodigd in het buitenhuis van de minister van Buitenlandse Zaken, waar we een lange discussie hadden over Libië. Negen jaren waren verstreken: de families van de slachtoffers hadden al veel te lang gewacht. We kwamen overeen dat we de verdachten voor de tiende verjaardag in hechtenis wilden hebben. We zouden het plan van het derde land doorzetten.

Ik waakte op dit punt voor geheimhouding. We wilden niet dat Kadafi nieuwe voorwaarden ging stellen voor zijn medewerking, of dat critici het plan zouden aanvallen voor het geheel kon zijn uitgewerkt. We hadden echter hulp nodig van het ministerie van Justitie, dus had ik op 15 januari 1998 een ontmoeting met minister Janet Reno. Ik bewonderde Janet om wat ze had bereikt en om haar bescheidenheid, een combinatie die zeldzaam is in Washington. Alle jaren in het ambt probeerden politici en deskundigen Reno te paaien, te manipuleren of te intimideren, altijd zonder succes. Tijdens de eerste regering-Clinton had ik met haar een kennismakingsdiner in een restaurant. We waren een komisch tweetal door ons lengteverschil. Onder het eten kwam een man naar ons toe die ons ieder een ring wilde geven van een ingewikkeld gevouwen dollarbiljet. Hij was heel aardig, maar Janet zei autoritair: 'Als minister van Justitie kan ik geen geld aannemen en als jurist wijs ik minister Albright erop dat het ook voor haar iets onwettigs is.'

Over Libië had Reno net zulke overtuigde opvattingen. Ze wilde blijven vasthouden aan een proces in de Verenigde Staten of Schotland. 'Ze zullen ons betichten van onderhandelen met terroristen,' zei ze. 'Stel dat de verdachten worden uitgeleverd en er volgt seponering, of vrijspraak wegens meineed of onwettig verkregen bewijs. Gaan de verdachten dan gewoon vrijuit?' Ik verzekerde haar dat ik ons voorstel op basis van 'graag of niet' zou presenteren, zonder onderhandelingen, en dat onze juristen overtuigende antwoorden op haar verdere vragen hadden. Ook zei ik dat het sanctieregime afbrokkelde en dat we bij het suggereren van een proces in een derde land niet konden verliezen. 'Als Kadafi de verdachten uitlevert is dat mooi. Weigert hij, dan is het voor ons eenvoudiger de sancties te handhaven of zelfs te verzwaren.' Reno was niet overtuigd maar stemde in met een gesprek met Dave Andrews, die ons initiatief coördineerde, en ze zou juristen van haar departement laten overleggen met hun Schotse en later hun Nederlandse collega's. Tot mijn ontsteltenis volgden er maanden van juridisch en politiek getouwtrek. Bill Clinton en Tony Blair wilden er net als ik vaart achter zetten. Maar de juristen van alle partijen gedroegen zich als zodanig, reageerden op elk antwoord met een nieuwe vraag, vertraagden de boel daarmee maar voorkwamen uiteindelijk fatale fouten.

Na verloop van tijd kreeg het plan voor een derde land vorm. We raadpleegden de families van de slachtoffers persoonlijk; de meerderheid steunde ons, al waren sommigen fel tegen wat ze als een concessie zagen, waarbij ze telefonisch in onverbloemde taal hun gevoelens ventileerden. Hun kritiek deed pijn omdat we zo hard aan deze zaak hadden gewerkt, maar ik kon niet boos zijn omdat ik niet wist wat ik in hun plaats had gezegd of gedaan.

Op 24 augustus maakten Robin Cook en ik het nieuwe 'graag-of-niet'-aanbod bekend. De aanvankelijke reactie van Tripoli was bemoedigend. Kadafi zei tegen Arabische diplomaten dat hij een oplossing wilde; Libische en VN-juristen begonnen de details te bespreken. Er kwam echter al gauw een kink in de kabel.

Kadafi eiste dat de VN de sancties zouden opheffen en niet alleen opschorten als de verdachten waren overgedragen. Dit was in wezen een symbolische kwestie; er zou een nieuwe resolutie van de Veiligheidsraad vereist zijn om opnieuw sancties in te stellen, of ze nu waren opgeheven of opgeschort. Maar symbolen zijn soms van belang. 'Opschorting' betekende dat er een wolk boven Libië bleef hangen. 'Opheffing' betekende een heldere hemel en een nieuwe start. We waren niet geneigd dat toe te staan voor Libië zijn verantwoordelijkheid voor de misdaad erkende en schadevergoeding betaalde. Het opblazen van het PanAm 103 was tenslotte geen ongeluk; het was massamoord met voorbedachten rade.

Uiteindelijk loonde onze volharding. In maart 1999 stemde Kadafi in met uitlevering van de twee mannen, zonder opheffing van de sancties. De verdachten kwamen op 6 april in Nederland aan. Bijna twee jaar later veroordeelde de Schotse rechtbank de Libische geheim agent tot levenslang. De tweede man werd wegens gebrek aan bewijs vrijgesproken. Volgens de rechters 'waren het bedenken, het organiseren en uitvoeren van het plan – dat leidde tot het plaatsen van de bom – van Libische oorsprong.'

In het geval van Libië slaagden we erin met multilaterale sancties – hoewel traag en onvolmaakt – Kadafi tot iets te brengen wat zeer tegen zijn zin was. Het resultaat was het proces, veroordeling en gevangenisstraf voor de meest rechtstreeks verantwoordelijke voor de moord op 270 mensen en het leed van duizenden. Door dat proces werd de verantwoordelijkheid voor deze terreurdaad zonder meer bij Libië gelegd en was er een basis voor besprekingen met als doel rechtstreekse erkenning van schuld, en schadevergoeding, kwesties die helaas nog enige tijd zouden slepen. Net als veel resultaten in de buitenlandse politiek was dit verre van totaal bevredigend, maar het toonde wel aan dat we de hulpmiddelen van de diplomatie konden gebruiken om een zekere mate van verantwoording en respect voor de wet te kunnen bereiken.

Een van mijn taken, als ambassadeur bij de VN en ook als minister van Buitenlandse Zaken, was vragen beantwoorden van het Amerikaanse publiek, gewoonlijk na het houden van een toespraak. Behalve het Midden-Oosten was Cuba het meest besproken onderwerp. Afhankelijk van waar ik was neigden de vragenstellers ernaar Fidel Castro door een rode lens te zien, of door een roze bril. De ene groep wilde weten waarom we geen strengere wetten op Castro toepasten; de andere waarom het logisch was handel met China toe te staan, met Vietnam en andere communistische landen, maar niet met Cuba.

Ik verdedigde het handelsembargo tegen Cuba niet graag omdat het al acht presidentschappen van kracht was zonder dat er iets beslissends mee was bereikt. Zo had het embargo Castro er niet van weerhouden zich tijdens de Koude Oorlog met Midden-Amerika en Afrika te bemoeien, en ook had het niet het hefboomeffect gehad, nodig voor democratische verandering op Cuba zelf. In plaats daarvan gebruikte Castro het spook van 'Yankee-imperialisme' om zijn macho-imago in stand te houden.

Echter, toen de Koude Oorlog eindigde, was het ook met Castro's ideologische rol in de wereld gedaan. Linkse rebellen in El Salvador en Guatemala legden de wapens neer en stelden zich verkiesbaar. Gekozen leiders vervingen in heel Midden- en Oost-Europa en in Rusland zelf de communistische regimes. Door het wegvallen van Russische subsidies zakte de Cubaanse economie in. In mijn eerste jaren bij de VN leek Castro een overblijfsel. Ik begon tegenover andere regeringsfunctionarissen voorzichtig over de mogelijkheid van het normaliseren van betrekkingen en verzachting of opheffing van het embargo, me afvragend of de tijd misschien was gekomen om de dictator zijn voorwendsels te ontnemen.

Daar hield ik abrupt mee op toen Castro's militairen in 1996 de twee vliegtuigen van Brothers to the Rescue neerschoten. Eén erfenis van die tragedie was de bekrachtiging van een door senator Jesse Helms opgestelde wet, waardoor het embargo officieel van kracht blijft tot Cuba een volwaardige democratie is. Daarvoor was het embargo een presidentiële bepaling die zonder goedkeuring van het Congres kon worden opgeheven. Met de nieuwe wet pasten we op Cuba een standaard toe die voor geen enkel ander land geldt en de wet beperkt de mogelijkheden van de regering aanzienlijk om te handelen ter voorbereiding van de dag waarop Castro, nu in de zeventig, eindelijk van het toneel verdwijnt.

Die dag komt onvermijdelijk, maar we moesten plannen maken voor daarna. Zou het Cubaanse volk de straat opgaan en zijn vrijheid eisen? Zouden Castro's trawanten proberen om met geweld aan de macht te blijven? Zouden duizenden

Cubanen over zee naar de Verenigde Staten proberen te vluchten, zoals tijdens voorgaande crises? Zouden in de VS wonende avonturiers proberen het eiland te 'bevrijden'? Of zou er een vreedzame overgang naar een democratisch bewind volgen?

Vanuit ieder oogpunt behalve het communistische is het laatste alternatief duidelijk het beste. Maar met Castro nog in het zadel is het voor Cubanen niet mogelijk zich op een ordelijke overgang naar democratie en een vrijemarkteconomie voor te bereiden. Ik vond dat we binnen de beperkingen van de wet moesten doen wat we konden om de Cubanen aan een voorproefje van vrij ondernemerschap te helpen, en hen instellingen te laten opbouwen die onafhankelijk van hun regering waren. Ook wilde ik hen laten weten dat we hun noden niet waren vergeten.

Op 21 januari 1998 begon paus Johannes Paulus II aan een vijfdaags bezoek aan Cuba. Dat vooruitzicht intrigeerde me omdat twintig jaar daarvoor de pelgrimage van dezelfde kerkvorst naar zijn geboorteland Polen democratische krachten losmaakte en een kettingreactie van gebeurtenissen op gang bracht die tot het neerhalen van de Berlijnse Muur leidde. Toentertijd beging de communistische regering, die zich niet achter het bezoek wilde stellen, de fout dat ze de organisatie aan plaatselijke kerken overliet. Toen Poolse kerken regelingen troffen voor de optredens van de paus ontdekten ze hun onafhankelijke macht. Poolse burgers gingen massaal de straat op om hun geliefde landgenoot toe te juichen en te genieten van een onverwacht gevoel van 'volksmacht' en vrijheid. Ik beschreef het verschijnsel dikwijls met een wat vreemde maar inhoudelijk juiste zin: 'Ze ontdekten hoeveel er van elkaar waren.'

Ondanks de duidelijke verschillen in geografie en cultuur hoopte ik dat door de Cuba-reis van de paus mogelijk een dergelijk proces op gang zou komen. Tijdens zijn bezoek hield de paus een aantal diensten, ontmoette jongeren, troostte zieken en hield preken en toespraken voor grote, enthousiaste menigten. Het merendeel van zijn opmerkingen was gericht op trouw aan de katholieke leer, maar hij deed ook krachtige uitspraken ter ondersteuning van vrije meningsuiting, mensenrechten en vrijlating van politieke gevangenen.

Anders dan het Poolse regime hield de Cubaanse regering de touwtjes bij de gebeurtenissen strak in handen. Castro verwelkomde de paus persoonlijk en woonde de bijzondere mis op het Plein van de Revolutie bij. Hoewel de Amerikaanse aandacht was afgeleid (er was opeens nieuws over Monica Lewinsky), deed het bezoek van de paus het Cubaanse moreel goed en het bracht een gevoel van verwachting voor de toekomst. Ook beschaamde het Castro dermate dat hij Kerstmis na veertig jaar weer tot een vrije dag maakte.

President Clinton was net zo in Cuba geïnteresseerd als ik, en toen de paus weer naar huis was werkten we enkele ideeën uit om het Cubaanse volk te helpen zonder iets ten gunste van het bewind te doen. In februari ging ik naar Florida om de mogelijke reactie van de politiek gevoelige Cubaanse gemeenschap te peilen op de maatregelen die we overwogen. Mijn gids in Miami was plaatsvervangend onderminister Lula Rodriguez, een Cubaans-Amerikaanse die in die stad was opgegroeid, iedereen kende, en die onverzettelijkheid combineerde met geestdriftige vastberadenheid om dingen voor elkaar te krijgen. Lula hielp ontmoetingen regelen, niet alleen met de bekende leiders van de gemeenschap, maar ook met een keur van zakenmensen, kerkfunctionarissen, jongeren en zelfs artiesten, zoals popdiva Gloria Estefan en haar man, Emilio, die ons te eten vroegen.

De meeste oudere Cubaanse Amerikanen waren door het communistisch bewind uit hun land verdreven. Dat was ik zelf ook, dus hadden we iets belangrijks gemeen. Maar ik was niet in een grote vluchtelingengemeenschap opgegroeid. Mijn familie was actief geweest in de Tsjechoslowaaks-Amerikaanse politiek. Maar Tsjechoslowakije ligt niet op honderdvijftig kilometer van de Amerikaanse kust. Niettemin vond ik dat ik de band tussen Cubaanse Amerikanen kon begrijpen, en hun gevoel van gemeenschappelijke identiteit. Ik zag hoe nieuwe golven van immigranten hen aan hun geboorteland herinnerden en de pijn oprakelden van de verloren vrijheid. In sommige kringen is er een tendens om Cubaanse Amerikanen af te doen als politiek extreem en eenzijdig, maar daar heb ik niets van gemerkt.

Wat ik wel meemaakte was een spectrum van meningen, zwaar beïnvloed door persoonlijke ervaringen en leeftijd. Veel oudere mensen droomden nog steeds van hun geboorteland zoals het was. Ze herinnerden zich het huis waarin ze opgroeiden en een bevolking waarvan het etnische erfgoed voornamelijk Europees was. Hun woede jegens Castro was persoonlijk en ze stonden vierkant achter het embargo.

Mensen van de tussengeneratie, veertigers en vijftigers, hadden ook een afkeer van Castro, maar waren pragmatischer. Velen met wie ik sprak waren geïnteresseerd in het helpen van Cubaanse dissidenten en activiteiten om de burgersamenleving te ondersteunen. De meesten waren enthousiast over het pausbezoek en zagen het als een mogelijk keerpunt. Iemand zei tegen me: 'Dit is de eerste keer in bijna veertig jaar dat het Cubaanse volk samenstroomde om iemand anders dan Castro aan te horen.'

Ik sprak ook met een jongere Cubaanse Amerikaan die het embargo wilde opheffen en die een stroom van consumptiegoederen wilde sturen die Castro de mogelijkheid zou ontnemen de Verenigde Staten de schuld te geven van de economische rampspoed.

Ik vond één terrein van algehele overeenstemming, en dat was steun voor het overmaken van geld – geld dat Cubaanse Amerikanen naar hun familie op Cuba stuurden. Na het neerhalen van de vliegtuigen waren overmakingen verboden, maar dat verbod kon niet voorkomen dat er honderden miljoenen dollars werden gestuurd; het betekende alleen dat het geld via geheime kanalen stroomde. Zoals een wat bezadigde Cubaan zei: 'Wij emigranten zijn de grootste voorstanders van het embargo, maar tevens de grootste brekers ervan.' Helaas verdween veel van dit geld onderweg in de zakken van corrupte ambtenaren. Hoewel overmakingen het regime hielpen door de inbreng van harde valuta, verschaften ze Cubanen ook een middel om onafhankelijk van de regering te overleven.

Ik kwam uit Miami terug met de gedachte dat tenminste een bescheiden initiatief ten aanzien van Cuba haalbaar was. Maar voor ik aan de gang ging wilde ik horen hoe de paus over zijn bezoek aan het eiland dacht en manieren bespreken waarop de Verenigde Staten en het Vaticaan samen konden werken. Ook wilde ik kunnen zeggen, tenminste in het algemeen, dat de paus de maatregelen die we voorbereidden steunde, dus benutte ik een reis naar Europa om Rome aan te doen.

Het Vaticaan bezoeken is als een renaissanceschilderij binnenwandelen. De muren zijn hoog, de gangen lang, deuropeningen gewelfd en de sfeer is verstild. De Zwitserse Garde draagt uniformen uit vroeger tijden en het protocol is ingewikkeld en nauwgezet. Na mijn aankomst werd ik precies op het afgesproken tijdstip door een gang geleid door een man met een witte das met zilveren kettingen om zijn nek. We liepen behoedzaam door verscheidene kamers die allemaal versierd waren met prachtige sculpturen of schilderijen. Uiteindelijk werd ik de werkkamer van de paus ingeloodst.

Zijne Heiligheid zat aan een lange tafel in de grote kamer. Ik was als katholiek opgegroeid met respect voor het pausschap in het algemeen, maar door zijn democratische reputatie had ik in het bijzonder achting voor Johannes Paulus II. Hij stond op om me te begroeten en we zeiden wat aardige dingen in het Pools. 'Maar ik dacht dat u Tsjechisch was,' zei hij, voor we op Engels overgingen. Ik vertelde hem dat ik bevriend was met Zbig Brzezinski, waarop de paus knikte en zei dat ik hem de groeten moest doen. Hij zag eruit zoals men zou verwachten, geheel in het wit met een roze gelaatskleur en een aura die me het gevoel gaf dat ik mijn hoofd, dat ik bedekt had mijn zwarte hoed met brede rand, moest buigen.

Terwijl we spraken leunde de paus op zijn ellebogen naar voren, zodat ik luider ging spreken. Ik vertelde hem dat ik mijn hele leven het communisme had bestudeerd en dat ik bewondering had voor zijn rol bij het brengen van vrijheid in Polen. Ik zei dat zijn bezoek aan Cuba mogelijk net zo'n verandering teweeg zou brengen en dat we reacties van het bewind nauwlettend in het oog hielden. Er waren enkele politieke gevangenen vrijgelaten, maar andere dissidenten waren gearresteerd. De paus verzekerde me dat ook hij de situatie volgde en regelmatig contact had met de kerk op Cuba.

Ik zei dat we wilden proberen wat hulp naar Caritas te sluizen, de humanitaire hulporganisatie van de kerk op Cuba. We hoopten het Cubaanse volk te laten weten dat we wilden helpen, en voorbereiding op zelfbestuur wilden vergemakkelijken. Ik zei te begrijpen dat de kerk op Cuba anders was dan de kerk in Polen. 'Zeer zeker,' zei hij. In Polen is de katholieke kerk sterk vereenzelvigd met het land.

Toen we kort over de ballingengemeenschap in Miami spraken zei hij tegen het embargo te zijn. Dat was schadelijk voor gewone mensen. Toch was hij ingenomen met het idee van samenwerking met ons om te trachten de Cubanen te helpen en hij drong er bij me op aan in contact te blijven met kardinaal Angelo Sodano, de minister van Buitenlandse Zaken van het Vaticaan.

Het voor ons gesprek uitgetrokken halfuur ging snel voorbij en ik stond op om weg te gaan. Maar eerst liep de paus een grotere ontvangstkamer in om de rest van mijn delegatie te begroeten. Hij toonde zich verbaasd over het grote aantal vrouwen. Er kwamen wat verslaggevers binnen en bij het afscheid vroeg ik de paus voor me te bidden. 'Ik zal doen wat u vroeg,' zei hij. Verslaggevers hoorden het antwoord van de paus, maar niet mijn verzoek, en waren dolnieuwsgierig naar wat Zijne Heiligheid bereid was voor de Verenigde Staten te doen. Ik glimlachte alleen maar.

Bij mijn terugkeer in Washington maakte ik bekend dat Cubaanse Amerikanen werd toegestaan rechtstreeks geld over te maken naar familie op Cuba. Liefdadigheidsorganisaties mochten vliegtuigen charteren, zodat ze niet meer zoveel moesten betalen aan omwegen via derde landen. We vereenvoudigden procedures om het voor religieuze en andere non-profitorganisaties gemakkelijker te maken medicijnen te sturen, en we beloofden in samenwerking met Capitol Hill een voorstel uit te werken voor voedselschenkingen.

Begin 1999 zetten we vier extra stappen met hetzelfde algemene doel: uitbreiding van uitwisselingen, overmakingen toestaan aan iedere Amerikaan, de verkoop van voedsel aan particuliere restaurants toestaan, en uitbreiding van het aantal vluchten van en naar Cuba.

Deze maatregelen maakten verschil. Aan het eind van mijn termijn reisden jaarlijks honderdduizend mensen naar Cuba voor allerlei doeleinden, academische, culturele en sociale. De Verenigde Staten keurden levering van medische apparatuur voor tientallen miljoenen per jaar goed, en naar schatting werd er een miljard dollar aan geld overgemaakt. Vergunningen voor humanitaire hulp waren sterk in aantal toegenomen en het Congres had voor het eerst in bijna veertig jaar rechtstreekse verkoop van voedsel aan Cuba goedgekeurd.

De initiatieven deden wat ze moesten doen – de isolatie van Cuba verminderen. Ze hebben echter geen invloed op de levensduur van Castro. Het is duidelijk dat Castro niet net als zijn oude maten uit het Warschaupact wil eindigen als een omvergetrokken standbeeld. Hij heeft ook een aantal voordelen. Ondanks zijn uitwassen is Castro niet een saaie, door een vreemde macht gesteunde apparatsjik van het type dat Midden- en Oost-Europa tijdens de Koude Oorlog bestuurde. Hij is een charismatisch leider. Het feit dat Cuba een eiland is, maakt het voor de regering makkelijker om de informatiestromen te controleren. En hij was immuun voor de effecten van het pausbezoek omdat de paus Pool is en geen Cubaan en omdat de Cubaanse kerk geen politieke rol wil spelen.

Castro was niettemin meedogenloos bij zijn pogingen de vonken van vrijheid die de pelgrimage van de paus hadden verspreid uit te trappen. In maart 1999 werden vier vreedzame dissidente leiders veroordeeld na een besloten proces dat in Europa en veel delen van Latijns-Amerika werd afgekeurd. Ik hield op mijn bureau een lijst bij van gevangen dissidenten en vermeldde hen dikwijls in openbare verklaringen, om hun behandeling in de publiciteit te houden en druk op de ketel te houden met het oog op hun vrijlating.* In november 1999 was Castro gastheer van de Ibero-Amerikaanse Top in Havana. In plaats van de top te gebruiken om Washington in verlegenheid te brengen kwam Castro in verlegenheid door het aantal buitenlandse hoogwaardigheidsbekleders dat contact zocht met in moeilijkheden verkerende democratische activisten, en door de slotverklaring met daarin de roep om vrijheid van politieke meningsuiting. Recenter kwam Castro nog meer in verlegenheid door het Varela-project van Oswaldo Payá, waarbij duizenden handtekeningen werden verzameld voor een referendum voor politieke rechten. Dat Payá door Václav Havel werd voorgedragen voor de Nobelprijs voor de Vrede toont de solidariteit tussen voorvechters van vrijheid.**

Terwijl ik ons Cuba-beleid hielp vormgeven waren er van beide zijden heel wat mensen die bij me lobbyden. Vaak was dit irritant, maar in één geval was het fascinerend. De Nobelprijswinnaar en schrijver Gabriel García Márquez was niet iemand die ik had verwacht ooit te ontmoeten. In 1997 gaf de Mexicaanse president Ernesto Zedillo een staatsdiner voor president Clinton, en García Márquez was daarbij. Ik vertelde hem dat ik zijn roman *Liefde in tijden van cholera* aan president Havel cadeau had gegeven, die toen zei dat hij het al had gelezen en het erg mooi vond. Dat soort dingen horen schrijvers graag en we hadden een goed gesprek.

Toen García Márquez een jaar later naar Washington kwam ter gelegenheid van een staatsdiner voor de Colombiaanse president Andrés Pastrana, vroeg hij of ik voor een langer gesprek met hem en zijn vrouw wilde lunchen. Nu doe ik wel deftig, maar in werkelijkheid ben ik nogal schaamteloos, dus dacht ik de beroemde schrijver te vragen wat boeken te signeren. Thuis zocht ik naar exemplaren van zijn werk, maar ik kon ze niet vinden, omdat mijn huishoudster had besloten mijn bibliotheek naar formaat te rangschikken en niet naar auteur of onderwerp. Ik rende naar een boekhandel en naar nog een, en kwam uiteindelijk voor de lunch opdagen met een grote tas en het gevoel een groupie te zijn. García Márquez, een knappe man met zilverachtige haar en een sprekend, intelligent gezicht, grijnsde en was bereid alle boeken te signeren.

Onder het eten legde 'Gabo' uit waarom hij me weer had willen spreken –

* Inspanningen om de mensenrechten op Cuba onder de aandacht te brengen werden eind 1999 en de eerste maanden van 2000 gehinderd door de beroering rond de voogdij over Elián Gonzalez, een jongetje dat door de kustwacht uit de wateren rond Florida was opgepikt. Wat de dissidenten betreft, Marta Beatriz Roque, Félix Bonne en René Gómez Manzano kwamen in 2000 vrij; Vladimiro Roca in 2002.

** In het voorjaar van 2003 kwam Castro met een nieuwe golf van repressie en zette tientallen dissidenten gevangen, terwijl de aandacht van velen was afgeleid door de tweede Golfoorlog.

Castro. García Márquez had de Cubaanse leider in 1975 ontmoet toen hij een boek over de revolutie schreef. Sindsdien waren ze vrienden. Hij vertelde me dat we het helemaal mis hadden met Castro; de Cubaanse dictator zocht een aanleiding om zich met de Verenigde Staten te verzoenen, maar kon dat niet doen zolang het embargo van kracht was. Hij zei dat Castro een goed mens was, gelovig zelfs, en dat hij ondanks de vele economische problemen populair bleef bij zijn volk.

Ik antwoordde dat de wet het ons onmogelijk maakte het embargo op te heffen, en dat Castro er in de voorafgaande dertig jaar vrijwel op ieder moment een einde aan had kunnen maken door vrije verkiezingen te houden. Aangezien al gauw duidelijk werd dat García Márquez en ik elkaar niet van mening zouden doen veranderen zei ik dat ik veel liever met hem over zijn schrijverschap zou praten. Hij zei dat de mensen dachten dat hij de verhalen in zijn boeken had verzonnen, maar dat ze allemaal waar waren, alleen niet in die volgorde. In zijn memoires die hij toen aan het schrijven was zou hij uitleggen waar alles vandaan kwam.

De rest van mijn ambtstermijn bleef ik met Gabo in contact. Ik belde hem tijdens zijn lymfklierziekte en besprak met hem de verschrikkelijke problemen waar zijn geboorteland Colombia voor stond. De mooiste tijd hadden we in Cartagena, waar we na een etentje in de presidentiële residentie door de stad toerden en hij me karakteristieke punten uit *Liefde in tijden van cholera* liet zien. Ook gaf hij me een raad die me is bijgebleven. 'Als je je memoires schrijft,' zei hij, 'onthoud dan: wees niet kwaad.'

HOOFDSTUK 21

De wereld draait door

IKWIJLS IS ME GEVRAAGD hoe het leven was als minister van Buitenlandse Zaken. Om het met één woord te zeggen: beweging. De wereld hield niet op te draaien en ik ook niet. Hoeveel ik ook deed, er was altijd meer te doen. De trefwoorden in mijn leven waren telefoon, vliegtuig, bespreking en memo. Ik merkte tot mijn leedwezen dat het onmogelijk was veel van de persoonlijke vriendschappen die ik in de twintig jaar daarvoor in Washington had gesloten te onderhouden. Ik moest zo veel afspraken voor etentjes of voor een voorstelling afzeggen dat ik ze ten slotte niet meer maakte. Ik had eenvoudig geen tijd voor een privé-leven.

Een uitzondering vormden mijn kleinkinderen, aan wie ik beslist zoveel tijd wijdde als ik kon. Hen kon het niet schelen wat voor baan ik had, zolang ik maar kaasbroodjes kon maken, voorlezen of een speelgoedtrein kopen. Ze vonden het echter doodgewoon hun grootmoeder op de televisie te zien, of haar te zien rondreizen met een groep schaduwkrijgers als beschermers. Toen ik jonger was kon ik niet begrijpen waarom oudere vrouwen maar over hun kleinkinderen bleven praten. Nu begreep ik het: het is onmogelijk dat niet te doen.

Maar zulke persoonlijke momenten waren zeldzaam. De kwesties waar ik me mee bezighield begonnen en eindigden niet naar believen, zodat ik me op de ene kon concentreren terwijl de andere stillagen. Midden in spannende, zeer belangrijke besprekingen kreeg ik vaak briefjes in handen over telefoongesprekken die ik dringend moest voeren wegens totaal andere gebeurtenissen die net aan de andere kant van de wereld hadden plaatsgevonden. Weinig was zeker, behalve de onzekerheid over wat de volgende dag zou brengen, en of ontwikkelingen in internationale aangelegenheden of gebeurtenissen thuis dreigden te botsen met ons buitenlands beleid. Bij dat alles deed ik mijn best om mijn werk zo goed mogelijk te doen, op een manier waaruit mijn stijl en persoonlijkheid sprak. Vooral het eerste jaar was een tijd van het leren van een nieuwe rol, en ik was er opgetogen over hoe gladjes de dingen doorgaans gingen. Het tweede jaar was een andere zaak – een tijd van zwaar op de proef gesteld worden, politieke tegenslagen en controverse, en momenten van twijfel aan mezelf.

Kort na mijn beëdiging als minister van Buitenlandse Zaken stelde Henry Kissinger me aan een publiek voor door me officieel te verwelkomen bij de 'broederschap' van mensen die de functie van minister van Buitenlandse Zaken hadden bekleed. Ik antwoordde: 'Henry, ik vind het jammer dat ik het je moet zeggen, maar het is geen broederschap meer.'

President Clinton maakte een einde aan het glazen plafond voor vrouwen in het buitenlands beleid. Tijdens zijn acht jaar als president waren zeven van de tien topposities op het departement op enig moment door vrouwen bezet. Geen terrein van verantwoordelijkheid was buiten bereik. Vrouwen kregen de leiding over economisch beleid en wapenbeheersing, management, voorlichting en betrekkingen met Capitol Hill. Tegelijkertijd keek ik vaak rond bij besprekingen van het buitenlandsbeleidteam van de president, met vertegenwoordigers van de NSC en andere grote departementen en bureaus, en zag dat ik daar de enige vrouw was.

Als minister was ik vastbesloten me in te spannen om het leven van vrouwen en meisjes, als onderdeel van ons totale buitenlands beleid, te verbeteren – iets wat allang had moeten gebeuren. Een van de kerndoelen van de VS was het bevorderen van democratie, maar democratie was niet mogelijk wanneer vrouwen als tweederangsburgers werden behandeld of het slachtoffer waren van discriminatie of misbruik.

Op de Wereldvrouwenconferentie van 1995 in Peking deden de Verenigde Staten een reeks toezeggingen, gericht op bevordering van de positie van vrouwen in eigen land en steun voor zulke inspanningen elders. Om deze toezeggingen te verwezenlijken stelde de president de White House Inter-Agency Council on Women in, voorgezeten door Donna Shalala, onze dynamische minister van Gezondheid. Toen ik op Buitenlandse Zaken kwam vroeg de president me daar zitting in te nemen.

We vierden deze benoeming tijdens de Internationale Vrouwendag in maart 1997. De first lady en ik spraken op een bijeenkomst in mijn ministerie, en in de maanden die volgden bouwden we voort op onze vroegere vriendschap om een niet eerder vertoond partnerschap te smeden. Heel mijn ambtstermijn was Hillary een belangrijke aanwinst voor het buitenlands beleid. Als autodidactisch diplomaat was ze een enorm populaire onofficiële ambassadeur voor de Verenigde Staten. Mij werd eens gevraagd of het gepast was dat wij tweeën zo nauw samenwerkten. Ik gaf toe dat het een breken met de traditie was, maar wees erop dat de tijden waren veranderd. 'Ik ben Thomas Jefferson niet,' zei ik, 'en Hillary is beslist Martha Washington niet.'

Ons gezamenlijk doel was voorbij te gaan aan lippendienst en nadere overwegingen, om aan ieder bureau van Buitenlandse Zaken en iedere ambassade de boodschap over te brengen dat het me na aan het hart lag dat vrouwen bij projecten voor de opbouw van democratie werden betrokken, dat er programma's liepen om geweld tegen vrouwen te bestrijden, dat er iets werd gedaan aan de bijzondere behoeften van vrouwelijke vluchtelingen, en dat geboortebeperkingsprogramma's de prioriteit kregen die ze verdienden. Om dit uit te dragen wilde ik tijdens mijn buitenlandse reizen, wanneer dat maar mogelijk was, groeperingen van vrouwenactivisten ontmoeten.

In mijn tijd bij de VN had ik een groep van permanente vrouwelijke vertegenwoordigers bijeengebracht. Nu riep ik elk jaar tijdens de zittingen van de algemene vergadering van de VN in New York de vrouwelijke ministers van Buitenlandse Zaken van de wereld bijeen. We begonnen altijd met een serieuze discussie hoe we wereldwijd de aandacht konden vestigen op problemen als de ernstig toegenomen handel in vrouwen en meisjes. We waren nog een kleine groep – van een handjevol uitgroeiend naar meer dan twaalf – maar we merkten snel dat onze gezamenlijke projecten meer invloed en gewicht hadden dan afzonderlijk genomen initiatieven. Ook vergeleken we aantekeningen over ons persoonlijk leven en hoe het is te opereren in wat nog steeds een grotendeels door mannen gedomineerde omgeving is. Of we nu uit Afrika, Europa, Latijns-Amerika of van elders kwamen, onze ervaringen waren in veel opzichten hetzelfde. We moesten naar het leek twee keer zo hard werken om serieus te worden genomen, en drie keer zo hard om onze agenda's echt door te zetten.

Volgens Dean Acheson 'is saaiheid de eerste vereiste voor een staatsman'. Acheson zei niets over staatsvrouwen, dus voelde ik me niet aangesproken.

Ik zag het als minister als mijn taak mijn land te vertegenwoordigen, te helpen beleid te formuleren, en het ministerie van Buitenlandse Zaken te leiden. Ik trachtte te vermijden iets te doen wat tegen de waardigheid van het ambt indruiste, maar ook was ik vastbesloten mezelf te zijn, en ik kwam niet overeen met het gewone beeld van een minister van Buitenlandse Zaken. Ik had ervoor kunnen kiezen om de verschillen zoveel mogelijk weg te werken en mijn best te doen om de mannen die me voorgingen te imiteren. Ik had informele entourages kunnen mijden, me stijf kunnen kleden en mijn neiging tot onomwonden spreken kunnen intomen. Maar het werk was dan minder bevredigend geweest en ik had niet zoveel kunnen bereiken als ik deed.

Het nieuwe van mijn benoeming trok veel belangstelling. Ik besloot mijn voordeel met die aandacht te doen, in de hoop dat als mensen me plezier zagen hebben in de uitdagingen van mijn werk, ze misschien meer belangstelling zouden stellen in wereldzaken. Ik bezocht vaak scholen om de kleinere kinderen voor te lezen en vragen van hun oudere broers en zusjes te beantwoorden. Ik gebruikte geregeld een globe om aan te wijzen waarheen ik reisde en uit te leggen waarom gebeurtenissen aan de andere kant van de aardbol Amerikanen moeten interesseren. Uiteraard stelden de jongste kinderen de moeilijkste vragen, door bijvoorbeeld te willen weten of mensen in Australië ondersteboven moesten lopen – en zo niet, waarom dan niet. Mijn educatieve inspanningen werden opgevoerd toen de *Mini-Page* over me schreef, een zondagsbijlage bij honderden kranten. De kop luidde: 'Eerste vrouwelijke minister van Buitenlandse Zaken praat met kinderen.' Er stond een boodschap in van mij, een woordenbrij met termen als 'verdragen', 'visa', 'kabinet' en een 'verbind-de-punten'-puzzel die kinderen uitdaagde mijn haar te tekenen.

In maart 1997 vroegen de Baltimore Orioles of ik in plaats van de president – die zijn knie had bezeerd – de eerste bal van het honkbalseizoen wilde werpen voor het massale publiek van de openingsdag. Ik belde mijn dochter Anne, de softbalspeelster in de familie. Ze zei botweg: 'Mam, je werpt als een meisje.' Ik besloot ja te zeggen alleen nadat Anne en mijn diplomatieke beveiligingsploeg hadden toegezegd me te coachen. Ik leende een oude handschoen en oefende met de agenten in de kelder van het ministerie, in een park in de buurt en zelfs op het asfalt van Andrews Air Force Base, op hoge hakken, kort voor ik ging vliegen.

Op de dag van de wedstrijd kwam ik vroeg naar Camden Yards, het stadion van de Orioles, en oefende onder de tribunes voor ik me op het veld waagde voor de openingsceremonies. Met een zwarte bandplooibroek en een Orioles-jasje aan stond ik naast Iron Man Cal Ripken jr. en stond versteld van hoe groen het kortgemaaide gras was, hoe klein het veld was, hoe enorm het stadion en hoeveel lawaai 48.000 fans kunnen maken. Ook maakte ik me zorgen, want er verstreken vele minuten voor ze me de bal gaven en ik naar de werpheuvel ging. Werd mijn subtiel ingespeelde werparm niet te koud?

Daar stond ik naar de thuisplaat te turen. Catcher Chris Hoiles bekeek me, liep op me toe en bleef op tien meter afstand staan. Hij hield zijn enorme catchershandschoen op om me een goed doel te bieden en stak twee vingers op, wat een curvebal betekende. Ik schudde mijn hoofd. Hij stak één vinger op, wat een fastbal betekende. Ik knikte en begon aan mijn beweging, trok mijn been in, draaide keurig om mijn as, bracht mijn werparm naar voren en liet met een Monica Seles-kreun en een knapgeluid in mijn pols de bal los. Zonder de zwaartekracht was deze met een klap in de handschoen van Hoiles beland. Hij had verder kunnen komen als ik niet had vergeten mijn gouden armbanden af te doen. Nu stuiterde hij, één keer slechts. Hoiles liep naar me toe en gaf me de bal, een hand en een grijns. Ik liep weg, in stilte biddend dat de president voortaan heel bleef.*

Warren Christopher had zijn fraaie stropdassen, ik had mijn spelden of broches. In mijn tijd bij de VN kwamen de aan de leiband lopende Iraakse media – kwaad door mijn kritiek op Saddam Hoessein – met een gedicht waarin ik voor van alles werd uitgemaakt, onder meer voor 'slang'. Omstreeks die tijd moest ik in bespreking met een hoge Iraakse functionaris. Toevallig had ik een speld met een ineengerolde slang, dus droeg ik die voor de bespreking. Toen ik de pers te woord stond richtten de tv-camera's zich op de speld, net als de vragen van de journalisten.

---

* Een hoofdartikel in de *Wall Street Journal* van de volgende dag was getiteld: 'Madeleine K. Clemens.' Persoonlijk vond ik het commentaar van de redacteur getuigen van ongewone opmerkingsgave: 'Van groot belang was dat haar hoofd stil bleef en haar ogen al die tijd op het doel gericht bleven, anders dan bij de doorsnee-worp van de president, wiens hoofd in de korte tijd van een worp van helemaal rechts naar helemaal links schiet.'

Daarna vond ik het leuk een speld uit te zoeken die bij de boodschap van de dag paste. Mary Jo Myers, de vrouw van de latere voorzitter van de Joint Chiefs of Staff generaal Myers, schonk me bijvoorbeeld een speld met de onderscheidingstekens van de vijf strijdmachtonderdelen, die ik vaak droeg als ik voor militairen sprak. Ik koos een spin bij die (zeldzame) gelegenheden dat ik boosaardig was, een ballon als ik in de lucht was, het Capitool om te tonen dat ik voor twee partijen was, en een bij als ik iemand zocht om te steken. Toen ik met de Russische minister van Buitenlandse Zaken het Anti Ballistic Missile-verdrag ging bespreken droeg ik een speld in de vorm van een raket.* De Rus vroeg: 'Is dat een van jullie onderscheppingsraketten?' Ik zei: 'Ja, en zoals u kunt zien kunnen we die heel klein maken. Ik zou dus maar bereid zijn tot onderhandelen.'**

Ondanks de onvermijdelijke momenten van ergernis voelde mijn eerste jaar als minister als verlengde wittebroodsweken. De kwesties leken vers en de uitdagingen doenlijk. De pers was vriendelijk en het werk mateloos interessant. Met het gevoel dat ik de best denkbare baan had, was ik vast van plan uit iedere minuut alles te halen. Ik was vroeg op kantoor en bleef tot laat – voor mij eenvoudiger dan voor anderen omdat ik betrekkelijk weinig huiselijke verplichtingen had. Ik probeerde een sterk gevoel voor teamwork te kweken zowel op het departement als elders in het apparaat. De belangrijke relaties met ambtgenoten en op Capitol Hill die ik aanging onderhield ik met zorg.

Op een zondag in 1997, tijdens mijn eerste zitting van de algemene vergadering van de VN als minister, besloot ik met mijn zuster een lange wandeling over Madison Avenue te maken. Het was een heerlijke herfstmorgen en mijn ego rees huizenhoog toen mensen de hele weg glimlachten en wuifden. Een vrouw die zei Israëlische te zijn vroeg me iets aan haar premier te doen. Een man riep: 'Hé schat, laat je niet kisten door die Serviërs.' We vonden een restaurant om te lunchen dat rustig was tot een jonge Griekse ober ons opmerkte en een gesprek over Cyprus met me begon. Die avond dineerden we in een restaurant waarvan

---

* De raketbroche was gemaakt door sieraadontwerpster Lisa Vershbow. Haar echtgenoot was onze ambassadeur bij de NAVO.

** Spoedig zei ik tegen journalisten die nieuws zochten: 'Lees mijn spelden.' Ik was verrast en gevleid toen Helen Drutt English, een autoriteit op het terrein van hedendaagse sieraden en eigenares van een kunstgalerij in Philadelphia, edelsmeden uit de hele wereld opriep om broches te ontwerpen als bijdrage aan de diplomatie. Meer dan zestig kunstenaars reageerden met een uiteenlopende collectie stukken die in de VS en elders zijn geëxposeerd. De Nederlander Gijs Bakker ontwierp er een die was afgebeeld op een foto van mij op het omslag van de catalogus. Het sieraad toont het hoofd van het Vrijheidsbeeld, met twee echte horloges als ogen. Bakker plaatste het ene horloge ondersteboven zodat ik wist hoelang een afspraak al duurde, en het andere gewoon, zodat een bezoeker zou weten wanneer het tijd was om te gaan. Vaak wordt me gevraagd welke van die broches ik het meest draag, maar ze zijn van de makers, niet van mij, behalve een ontwerp van Helen Shirk uit Buffalo, New York, dat ik na mijn afscheid ten geschenke kreeg.

ik dacht dat het Italiaans was maar dat Albanees bleek te zijn; de eigenaar kwam bij ons en we spraken over de Balkan.

De volgende morgen glimlachte ik nog van al die herkenning. Ik voelde me behoorlijk belangrijk. Vervolgens ging ik naar de kapper. Door al het reizen dat ik deed was mijn haar een belangrijk probleem geworden. Ik ging steeds naar andere kappers, die me of helemaal onder handen wilden nemen, of bang waren om mijn haar aan te raken. Als ik in de spiegel keek wist ik nooit wat ik zou zien. Daarom droeg ik zo vaak een hoed.

Deze keer probeerde ik een salon die nieuw voor me was, maar hooglijk aanbevolen. Ik was gewapend met een foto, die ik aan de kapper liet zien met de woorden: 'Zo wil ik er uitzien. Behandel me alstublieft als een normaal mens, pluk, trek, doe gewoon wat moet.' Toen hij klaar was bedankte ik hem, zei dat hij geweldig werk had geleverd en beloofde terug te komen, wanneer ik maar in New York was. Toen vroeg ik zijn naam. 'Anthony,' antwoordde hij, alvorens te informeren: 'En u bent...?'

Zoals ik wel had verwacht vond ik dat eerste jaar het hebben van een eigen vliegtuig heerlijk. Ik blijf de mannen en vrouwen van de luchtmacht dankbaar die me in die vier jaar anderhalf miljoen kilometer in de lucht hielden en ons elke keer veilig aan de grond zetten. Ook Dick Shinnick ben ik dankbaar, de leider van de administratieve staf, die ervoor zorgde dat de duizend bewegende delen waar elke reis uit bestond op de juiste manier en op het juiste tijdstip in elkaar grepen.

Een van die delen was mijn bagage, die om veiligheidsredenen altijd in de cabine werd vervoerd, en ook om me vlug te kunnen kleden op de temperatuur van ons reisdoel. We leken altijd heen en weer te reizen tussen de heetste en koudste klimaten. De meeste van mijn voorgangers hadden een vrouw die voor hen pakte. Ik niet, en zo ontstond mijn gehaaste routine. Ik kwam dan laat thuis met een volle agenda, ging voor de tv zitten en schreef op wat ik wilde dragen, compleet met de broches die het goed zouden doen. Vervolgens moest ik proberen uit te vinden waar de kledingstukken waren die ik had uitgekozen en nagaan of ze sinds de vorige reis nog pasten. Wie op zo'n moment bij me thuis was gekomen had een heel onministerachtig persoon mopperend zien rondrennen. Aanvankelijk hield ik bij wat ik in ieder land had gedragen, maar na een tijdje gaf ik dat op.

Zoals alle Amerikanen probeerde ik allerlei soorten oefeningen en diëten. In het vliegtuig deed het cabinepersoneel zijn best om me hierbij ter wille te zijn. Ze zochten ruimte voor een draagbaar stepapparaat en gewichten, en ze hadden altijd tonijn en de juiste soort crackers. Ze maakten mijn zelfgemaakte koolsoep warm als deze delicatesse deel uitmaakte van mijn dieet, en ze gehoorzaamden mijn verbod op KitKat-repen in mijn cabine. Maar hoe dan ook kwam tijdens elke reis het moment dat uitputting het van discipline won en dan kwam mijn favoriete tacosalade met alles erop en eraan op tafel, tegelijk met meegesmokkelde KitKats.

Tijdens mijn eerste reis om de wereld dacht ik zo veel te moeten reizen dat ik een hobby moest hebben om de tijd te doden. Daarom ging ik tijdens een tussenlanding in Japan met Elaine Shocas naar een winkel en beiden kochten we een kleine Singer-naaimachine. Ons plan was vlaggetjes te naaien van ieder land dat we bezochten en naderhand een grote quilt te maken met de Amerikaanse vlag in het midden. Bij de eerste gelegenheid kochten we daar materiaal voor en op onze volgende reis namen we alles mee. Onnodig te zeggen dat er in vier jaar tijd geen naaimachientje uit de doos kwam. Als ik niet werkte was ik gewoonlijk te moe om iets te doen, behalve films kijken. Mijn beleid was geen internationale thrillers te bekijken, omdat die me te veel aan mijn dagelijks werk deden denken.* Ook sliep ik wanneer ik kon en ik begon slaappillen te nemen zodat ik op commando kon slapen en klaar was voor wat er ook op het programma stond.

In veel landen is er een minister van Cultuur. De Verenigde Staten kennen die niet, maar cultureel bewustzijn is een wezenlijk onderdeel van onze diplomatie. Onze ambassadeurs en diplomaten zijn geschoold in de geschiedenis, tradities en gebruiken van de landen waar ze geaccrediteerd zijn. Door de wereldwijde invloed van de Verenigde Staten zijn we bijzonder ontvankelijk voor de aantijging dat we de gevoeligheden van anderen niet respecteren. Tijdens mijn ambtstermijn probeerde ik het probleem aan te pakken door de eerste White House Conference on Culture and Diplomacy te helpen organiseren, met een jaarlijkse ontvangst ter ere van de Thelonius Monk Jazz Competition, fondsenwerving voor internationale uitwisselingsprogramma's voor studenten, en steun voor inspanningen om de wereld de culturele verscheidenheid van de VS te tonen.

Op een meer persoonlijk vlak stond ik voor een uitdaging die geen van mijn voorgangers op die manier kende. Ik moest me de kunst van diplomatiek kussen eigen maken. Dit was ingewikkelder dat het klinkt omdat mensen van verschillende plaatsen van stijl verschillen. Wanneer ik door een ambtgenoot werd begroet kreeg ik in de meeste gevallen een simpel kusje op mijn wang. Echter, in Latijns-Amerika werd de manoeuvre gecompliceerd door het feit dat ze in sommige landen op de linker-, en in andere op de rechterwang kussen. Ik kon nooit onthouden welke, dus er werden heel wat neuzen gestoten. De Fransen kussen natuurlijk op beide wangen. De Belgen en Nederlanders kussen drie keer. In Botswana is het vier keer.

Wat Jasser Arafat betreft, die is alleen maar als hardleers en onvoorspelbaar te omschrijven. Soms kuste hij op één wang, soms op twee, en soms ook op twee wangen, het voorhoofd en de hand. Hij probeerde ook president Clinton te kussen, die boven hem uittorent, zodat Arafat met zijn hoofd onder diens kin belandde.

Een wat ongebruikelijker vertoon van culturele diplomatie deed zich altijd

---

* Toch kon ik de verleiding niet weerstaan Harrison Ford te zien in *Air Force One*, terwijl we met de president ín de Air Force One zaten.

voor tijdens de jaarlijkse bijeenkomst van het Verbond van Zuidoost-Aziatische Naties (ASEAN). Misschien om dezelfde reden dat karaoke in Japan ontstond vonden de Aziaten het leuk er een show van te maken. Ze verwachtten van alle delegaties dat ze een lied zongen of een dansje deden – met de minister in de hoofdrol – als vermaak tijdens het slotdiner. Sommige landen namen dit heel serieus en repeteerden maandenlang. Andere huurden beroepsmensen in. Historisch gezien waren Amerikaanse ministers van Buitenlandse Zaken uiterst onwillig geweest. Mijn eerste reactie op de Aziatische traditie was: Die zijn niet goed bij hun hoofd. Toch kwam ik er spoedig achter dat ik eigenlijk wel een liefhebster was.

Voor de ASEAN-besprekingen van 1997 in Maleisië had onze ambassade een tekst gemaakt op de wijs van 'Mary had a little lamb'. De woorden waren geestig maar het liedje vond ik niets voor mij. Daarom verruilde ik tijdens de lange vlucht naar Kuala Lumpur een jongere vrouw voor een oudere: Evita verving Mary. Ik kwam op in een lange zwarte jurk, met felrode lippenstift, een sjaal en een grote bloem in mijn haar. Met mijn diplomatieke team als achtergrondkoortje kweelde ik voor de aanwezigen 'Don't cry for me ASEANies'. Het optreden werd met luid gejuich ontvangen. Ik zou onuitstaanbaar zijn geworden als een delegatielid niet tegen de pers had gezegd: 'Madeleine was heel uitdagend als de nieuwe Madonna, ook al kan ze nog niet zingen als dat haar het leven zou redden.'

Het volgende jaar wilde ik beslist mijn optreden overtreffen, wat inhield dat ik hulp nodig had. In Maleisië had Jevgeni Primakov niet gezongen, maar met een fluitje zijn delegatie begeleid, die zong in het uniform van de Russische Zwarte Zee-vloot. Ik prees zijn optreden schaamteloos en stelde voor dat we heimelijk voor de vergadering van 1998 in Manilla de krachten zouden bundelen.

Tussen besprekingen over de Balkan en Irak door bedachten we een verhaal over onfortuinlijke geliefden dat we de 'East-West Story' noemden. De avond voor het optreden hadden we een schorre repetitie in mijn kamer – de Douglas MacArthur-suite – in het Manilla Hotel. Primakov speelde Tony, ondersteund door zijn bende, 'de Russkies', en ik had de rol van Natalie Wood, met steun van mijn bende, 'de Yankees'. De volgende dag strooiden onze teams rond dat er die avond 'geknokt' zou worden, maar slechts weinigen begrepen daar iets van tot de Russkies en Yankees vingerknippend en met dreigende blikken het podium op kwamen. Ik kwam van links op in een geborduurde blouse en zong: 'The most beautiful sound I ever heard – Jevgeni, Jevgeni, Jevgeni,' waar Primakov op antwoordde met zijn vette Russische accent: 'Madeleine Albright – I just met a girl named Madeleine Albright.' Ook deze parodie sloeg in en, belangrijker, ze hielp in een moeilijke tijd onze betrekkingen met de Russen milder te maken.

Cultuur vormde ook de kern van een van mijn favoriete emolumenten als minister. Elk jaar werden vijf uitvoerende artiesten geselecteerd voor de felbegeerde Kennedy Center Honors. De prijzen werden uitgereikt tijdens een formeel diner in de diplomatieke ruimten van het ministerie. Uitnodigingen voor de gebeurtenis waren uiterst gewild in Washington; ik had pogingen om er een te krijgen allang opgegeven. Maar als minister werd ik niet alleen uitgenodigd, ik moest ook gastvrouw zijn. Nooit was een taak zo welkom.

Van 1997 tot 2000 werden onder meer Bill Cosby, Willie Nelson, Clint Eastwood, Stevie Wonder, Lauren Bacall, Bob Dylan, Jessye Norman, Plácido Domingo, Chuck Berry, Judith Jamieson, Angela Lansbury en Michail Barishnikov onderscheiden. Maar om redenen die – dat zweer ik – louter artistiek waren was Sean Connery mijn favoriet. Hij was bij iedereen populair. Zoals een verslaggever zei, wilden alle mannen in de zaal James Bond zijn en alle vrouwen wilden bij Sean Connery zijn.

Tijdens het foto's maken legde Connery zijn handen op mijn schouders terwijl ik naar hem opkeek. Die foto ging de hele wereld over. Toen ik een paar dagen later Saoedi-Arabië bezocht werd ik begroet door prins Bandar, de Saoedische ambassadeur in de Verenigde Staten. Bandar zwaaide met een Arabische krant met de Connery-foto op de voorpagina. Terwijl we door de luchthaven liepen bleef hij maar roepen: 'Uit de weg voor Madeleine Albright, het nieuwe Bondmeisje; maak ruimte voor het nieuwe Bond-meisje.'

In rang, maar ook door zijn persoonlijkheid en intellect was president Clinton het onbetwiste hoofd van zijn eigen team voor buitenlands beleid. Hij wist als geen ander mensen te kiezen, was een alles verslindende lezer, een voortreffelijk luisteraar, iemand die bleef leren, en een uitmuntende geschiedenisstudent. Zijn energie was verbluffend en zijn vermogen om zijn tegenspelers voor zich in te nemen zowel buitengewoon als nuttig. Tijdens zijn twee termijnen groeide hij gestaag op het wereldtoneel en werd, terwijl andere leiders terugtraden, een van de belangrijkste staatslieden van de wereld.

De president had niet regelmatig een-op-eengesprekken met een lid van het kabinet. Maar ik mocht niet klagen, want ik sprak het staatshoofd dikwijls alleen of met anderen. Vaak bleef ik na Oval Office-besprekingen achter omdat de president dat met een briefje of oogcontact had gevraagd. Hij had ook de wat lastige gewoonte om me 's nachts te bellen, dikwijls heel laat. Ik was daar best blij mee, maar vroeg me soms af hoe samenhangend ik klonk als hij me wakker belde.

Niets is van meer belang voor een doelmatig buitenlands beleid dan een krachtige en betrokken president, maar het helpt ook als de minister van Buitenlandse Zaken en de adviseur nationale veiligheid doelmatig als team functioneren. Historisch gezien was deze relatie gespannen. Mijn relatie met Sandy Berger en zijn plaatsvervanger James Steinberg* was verre van rimpelloos, maar vergeleken met vroegere combinaties konden we het samen goed vinden.

De president prees Sandy dikwijs tegenover mij en zei dat deze een 'goed stel

---

* Tijdens de campagne voor Dukakis werkte ik nauw met Jim Steinberg samen. Bij de NSL werkte niemand harder, niemand had een groter gevoel voor rechtvaardigheid, en niemand deed meer om interburele wrijving te voorkomen. Berger en Steinberg vormden een sterk team.

hersens' had en tijdens zijn eerste termijn had 'geholpen dingen bijeen te houden'. Ik was het daar geheel mee eens en vond Sandy erg eerlijk, maar tijdens
mijn eigen vier jaar ergerde ik me soms aan wat ik zag als pogingen van de NSC
tot onderhands geregel. Eerst dacht ik dat het aan mij lag, hoewel mijn voornaamste drijfveer altijd samenwerking is. Vervolgens weet ik het aan de mannelijke overheersing in het systeem. De waarheid is dat problemen rezen als Sandy
en ik probeerden elkaars ruimte in te nemen. Hoewel de taak van de NSC zich
diende te beperken tot coördinatie van initiatieven en beleid van de departementen, verleidde de nabijheid van de president Sandy en zijn staf tot het aannemen
van een operationele rol. Mijn bezwaren werden ondermijnd door de connectie
van vroeger met de zeer operationele Brzezinski. In de Carter-jaren had de NSC
van Zbig Buitenlandse Zaken tot waanzin gedreven. Dus toen ik klaagde zei
Sandy – die in die tijd op Buitenlandse Zaken zat – dat hij alleen maar deed wat
Brzezinski had gedaan.

Ondanks de wrijving zo nu en dan wisten Sandy en ik dat wat er ook gebeurde,
we samen zouden zinken of zwemmen. Geen van beiden zouden we er als een
held uitspringen als ons buitenlands beleid mislukte. We voelden beiden een
verplichting om persoonlijke irritaties te onderdrukken en samen te werken.
Om dit mogelijk te maken, maakten we dikwijs gebruik van de rechtstreekse te-
lefoonlijn tussen Sandy's kantoor en het mijne, op sommige dagen wel tien keer
of vaker. Elke maandag als we in de stad waren luchten we met minister van
Defensie Bill Cohen in het kantoor van Sandy. Deze zogenoemde ABC-lunches (A
voor Albright, B voor Berger, C voor Cohen) waren nuttige sessies voor de coördinatie van het beleid, het doorbreken van impasses en het zuiveren van de
lucht.*

Ik leerde Bill Cohen ruim twintig jaar eerder kennen toen ik voor senator
Muskie werkte en hij de afgevaardigde van Maine was. Later, toen ik voor de NSC
het Congres volgde, bekritiseerde ik Cohen in een rapport voor Brzezinski wegens zijn verzet tegen het SALT-II-wapenbeheersingsverdrag. Als minister was ik
gegeneerd toen ik vernam dat het reeds lang vergeten memo zou gaan opduiken
in de *Washington Post*.** Ik ging er meteen op uit om wat boeken over vergeving
te kopen, die ik Cohen ten geschenke gaf. 'Waar zijn die voor?' vroeg hij bevreemd. Ik antwoordde: 'Misschien begrijp je het nu nog niet, maar dat komt
wel.' Ik weet niet of het door de boeken kwam, maar toen het verhaal verscheen
vergaf hij me. Al was ik het niet altijd eens met de minister van Defensie, gewoonlijk konden we de problemen, die werden veroorzaakt door de verschil-

---

* Ook kwamen we op woensdagochtenden bijeen met een grotere groep om te ontbijten,
  met onder meer het hoofd van de CIA George Tenet, topadviseur van de vice-president
  Leon Fuerth, generaal Henry 'Hugh' Shelton, voorzitter van de Joint Chiefs of Staff, en
  Bill Richardson en later Richard Holbrooke, onze ambassadeurs bij de VN.
** Dat item over mijn memo kwam in de column *In the Loop* van de *Post*. Die was een instituut vanaf het moment dat Al Kamen, een van de geestigste en brutaalste journalisten
  van de hoofdstad, er in 1993 mee begon

lende zienswijzen van onze beide departementen, uit de weg ruimen. Ik vond Bill altijd eerlijk in zijn benadering en resoluut in het uitvoeren van beleid als dat eenmaal overeen was gekomen. Hij is ook een heel interessante man, een intellectueel, dichter en romanschrijver met een knap, jongensachtig voorkomen dat hij zijn hele leven wel zal houden.

Eén reden waardoor ons team voor buitenlands beleid goed functioneerde was dat we ondanks kleine problemen elkaar eigenlijk allemaal mochten en samen veel sociaal contact hadden. Op een zondagavond in Camp David, januari 1998, keek ik met de Clintons en veel van mijn collega's naar *Good Will Hunting*. Robin Williams, Matt Damon en de rest van cast waren er ook. De film eindigt ermee dat het personage van Damon naar Californië gaat om zijn meisje te zoeken. Dit ontlokte de president de opmerking dat hij een baan bij de campagne van McGovern had opgegeven om Hillary te kunnen ontmoeten. Na het diner gingen we bowlen, wat ik sinds de middelbare school niet meer had gedaan. Met de president als mijn persoonlijke instructeur wist ik weer hoe ik de bal moest loslaten zonder me te bezeren of de Geheime Dienst te alarmeren. Aan de reeks foto's is te zien dat we het prima konden vinden met elkaar.

Heel 1998 en daarna beheerste de Lewinsky-affaire de krantenkoppen. Dat weerhield ons er niet van ons werk te doen, maar de beroering was onmogelijk buiten te sluiten. Gewoonlijk hielp het team van Buitenlandse Zaken de president zich voor te bereiden op een persconferentie met een buitenlandse leider. Nu moesten we de kamer vroeg verlaten zodat de president ook de met het onderzoek samenhangende onderwerpen kon bezien waar hij zeker vragen over kon verwachtten.

Bij alles wat er in de wereld gebeurde kwam ons team van Buitenlandse Zaken in de weken na het uitbreken van het schandaal bijna voortdurend bijeen. We spraken niet veel over wat we in de kranten lazen. Wel bespraken we het feit dat er op ons werd gelet en dat we een vaste koers moesten varen. Hoewel hij dat niet hoefde te doen was ik blij dat Sandy al vroeg zei dat we bij het beraadslagen over beleidskwesties niet moesten betrekken wat er bij het onderzoek gebeurde. We hadden maar één prioriteit en dat was de belangen van de Verenigde Staten zo goed mogelijk te dienen. Toen de weken verstreken en er meer informatie naar buiten kwam werd duidelijk dat de sfeer in het Witte Huis uitzonderlijk gespannen was geworden. Medio februari kwam de first lady op ons ministerie lunchen, en toen ik vroeg hoe het met haar ging trok ze alleen maar een grimas. In maart werd ik weer voor Camp David gevraagd, ik vermoed op instigatie van Hillary. Ook kwamen er meer uitnodigingen om films te zien in het Witte Huis. Het was zo'n moeilijke tijd voor de Clintons dat het misschien prettiger voor hen was mensen om zich heen te hebben. Het resultaat was een soort geforceerde opgewektheid, met stijf glimlachen en praten over koetjes en kalfjes.

Mijn collega's van elders in de wereld konden niet begrijpen waarom het iemand wat zou schelen wat de president al of niet had gedaan. Als leider was hij

enorm populair; hij kreeg een enthousiaste en zeldzame staande ovatie toen hij
op het hoogtepunt van de controverse voor de algemene vergadering van de VN
verscheen. Ik wist echter dat de kwestie in de Verenigde Staten wel degelijk ernstige politieke consequenties had. Ik wilde nog steeds geloven dat de hele zaak
was opgezet om de president kapot te maken en dat dit duidelijk zou worden als
de volledige waarheid naar buiten kwam.

Daar kwam bij dat als 1997 het jaar was waarin de meeste dingen in de buitenlandse politiek goed leken te gaan, 1998 het jaar was waarin alles – tenminste
voor enige tijd – mis leek te gaan. In de eerste maanden van dat jaar stagneerde
het vredesproces in het Midden-Oosten, hadden we herhaaldelijk onopgeloste
geschillen met Saddam Hoessein, en brak er geweld uit in de Joegoslavische
provincie Kosovo. In mei nam de regering van India een ondergrondse kern-
proef, de eerste sinds 1974. Hoewel we hard werkten om de Pakistanen ervan te
weerhouden dit voorbeeld te volgen, deden ze dat twee weken later toch. In de
voorafgaande vijftig jaar hadden India en Pakistan drie oorlogen en talrijke
schermutselingen uitgevochten, met voortdurende uitwisseling van vijandige
retoriek. Nu hadden beide landen kernwapens en was de wereld gevaarlijker geworden.

De wereld werd ook chaotischer. De economieën van de befaamde Aziatische
tijgers brulden opeens niet meer. Eerst in Thailand, toen in Indonesië, Maleisië,
de Filipijnen, Hongkong en Zuid-Korea verflauwde de economie die aan groei
met twee nullen gewend was en liep vervolgens terug. Begin 1998 incasseerden
de Aziatische financiële instellingen een klap van honderden miljarden dollars
aan onbetrouwbare investeringen, verscheidene nationale valuta's verkeerden
in vrije val, lokale effectenbeurzen zakten in en tientallen miljoenen mensen
stonden voor de terugreis naar de verkeerde kant van de armoedegrens. Tegen-
gesteld aan de tirades van de xenofobische premier Mahathir Mohamad van Maleisië was de financiële crisis niet door te veel economische liberalisering veroorzaakt, maar door vriendjespolitiek, corruptie en hebzucht. Ik wist in die tijd
dat de verwoesting omvangrijke politieke en sociale consequenties in Azië zou
hebben, maar niet precies in welke richting en hoe diep.

Het antwoord kwam in Indonesië in mei, toen het tweeëndertigjarige bewind
van Soeharto triest eindigde met rellen, oplopende werkloosheid en politieke
verbrokkeling. Hoewel de Verenigde Staten en Soeharto altijd hartelijke betrekkingen hadden onderhouden, behoorde de Indonesische president voor ons tot
de partners met het minste aanzien. Net als Ferdinand Marcos van de Filipijnen
vond hij manieren om de regeringsdienst uiterst lucratief te maken – niet alleen
voor hemzelf maar voor zijn hele familie. Ook net als Marcos blokkeerde hij de
ontwikkeling van democratische instellingen. Door druk van het volk tot aftreden gedwongen liet Soeharto een lege schatkist en een verdeelde samenleving
achter.

Midden juni brak in de Hoorn van Afrika oorlog uit tussen Ethiopië en Eritrea,
twee deels democratische landen met voorheen gerespecteerde leiders die abso-

luut niets bij het conflict hadden te winnen. Intussen viel de grote en strategisch belangrijke Democratische Republiek Congo, het vroegere Zaïre, uiteen door strijd tussen troepen van vijf volken plus een aantal gewapende guerrillagroepen. In Soedan bleef de decennialange burgeroorlog voortwoeden.

Laat in de zomer ging ik naar Capitol Hill om deel te nemen aan een briefing achter gesloten deuren voor het Huis van Afgevaardigden over Noord-Korea. Het werd een zeer partijgebonden en boosaardige zitting, waarbij enkele leden me ten onrechte beschuldigden van liegen over een belangrijke zaak met betrekking tot geheime informatie. Op de laatste dag van augustus droeg Noord-Korea aan de warboel van problemen bij door een drietrapsraket te lanceren die over Japans grondgebied vloog voor hij in de oceaan viel. De provocerende raketproef wekte begrijpelijkerwijs beroering in Japan, en bij ons bezorgdheid dat de Noord-Koreanen te zijner tijd raketten konden ontwikkelen waarmee de Verenigde Staten waren aan te vallen.

Het leek of ik overal waar ik keek ineenstorting of gevaar zag. De Verenigde Staten konden met al hun macht de gebeurtenissen niet dicteren. De Noord-Koreanen, Serviërs, Israëli's en Palestijnen, Indiërs en Pakistanen, Irakezen, Russen, Afrikaanse leiders en zelfs onze bondgenoten leken onverschillig of vijandig ten aanzien van onze verzoeken. Persoonlijk zag ik weinig reden tot vertrouwen. Ik zag mezelf als een activistische minister maar had vaak het gevoel dat mijn wielen slipten. Mijn wittebroodsweken met de media waren verworden tot op zijn best een moeizaam huwelijk. Mijn natuurlijke neiging om lof buiten beschouwing te laten en kritiek uit te vergroten kwam daar nog bij.

In vijf dagen tijd, eind augustus begin september, kwamen de *New York Times*, *Washington Post* en de *Wall Street Journal* met voorpagina-artikelen waarin ik in wezen als een mislukking werd beschreven. In talrijke tijdschriftartikelen kreeg dat navolging. De voornaamste beschuldiging was dat mijn retoriek zo uit de pas liep met het Amerikaanse vermogen of de bereidheid tot handelen dat ons buitenlands beleid aan geloofwaardigheid verloor. Er was ook persoonlijke kritiek. *New York Times*-columnist Maureen Dowd schreef dat ik in mijn bijzondere hoedanigheid als bedrogen vrouw had nagelaten de president openlijk af te vallen inzake Lewinsky. Martin Peretz van de *New Republic* vermengde recente onthullingen van buitenlands beleid met de geschiedenis van mijn familie en merkte vals op: 'Natuurlijk, het verhullen van belangrijke waarheden is een van Albrights levenslange gewoonten.' Verslaggevers begonnen te vragen over geruchten dat ik dacht over aftreden, en ik zei tegen vrienden dat ik er dikker uitzag omdat ik een dikkere huid had aangekweekt.

In zeker opzicht verbaasde al die kritiek me niet. Ik was lang genoeg in Washington om te weten dat volkswijsheid over prominente functionarissen vaak maar een korte houdbaarheid heeft. Ik wist dat ik nergens zou blijven als ik de aanvallen persoonlijk nam. Met deze kritiek volop om me heen probeerde ik na te gaan wat er was gebeurd.

Namen we te veel hooi op onze vork? Maakte ik me schuldig aan beloften die de regering niet kon of wilde waarmaken? Waren de problemen van de president een zwaardere handicap dan we bereid waren toe te geven? Droegen vijandige en partijelementen aan de problemen bij door te trachten ons bij ieder punt onderuit te halen?

Het antwoord, concludeerde ik, was van alles een beetje. Tegelijkertijd meende ik dat onze beleidslijnen juist waren. In het rumoer van het moment gingen onze critici voorbij aan wat we hadden bereikt en aan de moeilijkheidsgraad van ons werk. We leefden in een splinternieuwe wereld. We hadden geen handboek om ons te leiden bij het beschermen van Amerikaanse burgers, belangen en waarden in een snel veranderende omgeving. We werden belemmerd door een gebrek aan hulpbronnen voor buitenlands beleid, een zeer geladen politiek milieu, media die eenvoudige antwoorden en snelle resultaten eisten, verdeelde bondgenoten, en een wereld die tegelijkertijd leiderschap van de VS eiste en er een afkeer van had.

Terwijl ik me hiermee bezighield kreeg ik steun uit hoeken die zowel van nature gelijkgestemd als verrassend waren. Tom Pickering stuurde me een memo: 'Waar wij voor op onze duvel krijgen is dat het niet lukt een aantal lopende zaken tot een goed einde te brengen. Maar diplomatie is geen poederkoffie.' Hij stelde voor dat we geduldig voort zouden ploegen, één kwestie tegelijk zouden aanpakken, en de principes achter ons beleid zo helder mogelijk zouden uitleggen. Een goed advies, maar het werd me steeds duidelijker dat onze diverse instrumenten voor buitenlands beleid niet altijd in staat waren een probleem op te lossen. Soms was het in de hand houden daarvan de enige goede optie.

In de eerste week van september belde ik senator Jesse Helms op om hem te informeren over recente ontwikkelingen. Hij zei: 'Goed, maar eerst wil ik je iets persoonlijks zeggen. Ik hoop dat je geen last hebt van al dit gedoe. Ik neem aanstoot aan artikelen waarin staat dat je hebt gefaald, alleen omdat niet alles goed loopt. Je hebt niet gefaald. Je hebt gedaan wat je kon en op een geschikt tijdstip zal ik dat duidelijk maken.' Ik zei dat mij de beschuldigingen dwarszaten dat ik niet de waarheid had gesproken. Helms zei: 'Ik ben het misschien niet altijd met je eens, maar je vertelt me altijd de waarheid. Je zegt het me onomwonden. Beter dan dat kan ik niet vragen. Daarom hoop ik dat je je geen zorgen maakt, en onthoud, als iemand achter je baan aan zit, dan zal dat via dit college moeten.' Er waren tijden dat Helms me razend maakte. Op dat moment was ik blij dat we vrienden waren.

Ik vond eveneens troost in de biografie van Dean Acheson, van de hand van James Chace. Gewoonlijk was ik te moe om veel te lezen, maar toen ik het boek stukje bij beetje las vond ik enkele interessante parallellen. We zien Acheson en Truman nu als de leiders in een periode van krachtig Amerikaans leiderschap en creativiteit in wereldzaken. Hun prestaties worden in onze tijd nog bewonderd en moeten, naar we aan mogen nemen, ook in die tijd zijn erkend. In werkelijkheid had Acheson een koor van critici voor zich, veel feller dan het mijne. Zijn relatie met het Congres was dikwijls moeizaam; hij werd geplaagd door de herhaalde roep om zijn aftreden; zijn vaderlandsliefde werd in twijfel getrokken; hij lag constant overhoop met de ministers van Financiën en Defensie; hij betreurde het gestage verlies van invloed van Buitenlandse Zaken; en hij kreeg kritiek voor het overdrijven van de dreigingen waar ons land voor stond, om de steun van het volk te krijgen voor doeltreffende internationale actie. Bij dat alles handhaafde Acheson een rechte koers, vertrouwend op de wederzijds versterkende werktuigen van geweld en diplomatie, vol vertrouwen in het goede van Amerikaans leiderschap en resoluut bij het verdedigen van democratische belangen en waarden. Zijn verhaal herinnerde me eraan dat zelfs de historisch meest gerespecteerde ministers slechte dagen hadden gekend.

Op woensdagmorgen 9 september werd ik wakker in New Orleans. Ik was uitgenodigd om op de jaarlijkse bijeenkomst van het American Legion, de oudstrijdersorganisatie, te spreken, en ik was nerveus. Dit was een enorme manifestatie, met duizenden mensen als publiek en nog duizend in een andere zaal met een groot scherm. Ik voelde me bezwaard omdat ik van leugens was beschuldigd, veel van ons beleid in het slop zat, ik nooit militair was geweest en al mijn tijd had doorgebracht te midden van de bureaucratische en partijoorlogvoering in Washington. Ik was bang voor boegeroep van de veteranen. Ik ging me beter voelen tijdens ons ontbijt vooraf, toen iedereen hartelijk was en we een praktische discussie hadden over de actuele onderwerpen van terrorisme en landsverdediging.

Toen ik opstond om te gaan spreken keek ik waakzaam uit over een zee van brede schouders en sportjasjes vol medailles, en in rood-wit-blauw geklede vrouwen. Geleidelijk ging ik beseffen wat ik gemeen had met dit gehoor. Toen ze op mijn rede reageerden voelde ik me beter. Ik sprak over hoe de Amerikaanse vrijheden altijd verdedigd moesten worden. Ik sprak over de dreiging van extremisten, de gevaren van raketten, en de noodzaak de ambities van tirannen als Saddam Hoessein te dwarsbomen. Ik sprak over het belang om onze diplomatie te ondersteunen met wapengeweld, en diplomatie te gebruiken om onze vechtende mannen en vrouwen buiten schot te houden. Het was nog geen tien uur in de nachtbrakershoofdstad van de wereld, maar het publiek was wakker, luisterde en klapte.

Het drong tot me door dat dit niet het soort mensen is dat je beoordeelt op grond van wat ze mogelijk de vorige dag over je hebben gehoord. Ze malen niet om geslacht, partijvoordeel of wie het in Washington goed of slecht doet. Waar het om ging was dat ik de Verenigde Staten vertegenwoordigde. Begrippen als bestrijding van kwaad, verdediging van vrijheid en hard werken voor Amerikaanse idealen zijn voor hen niet theoretisch, maar werkelijkheid, en niets kon voor mij zo werkelijk zijn. Na mijn recente aanvaringen met het Congres, de pers, en soms zelfs met mijn collega's, was het bevrijdend over vaderlandsliefde te spreken voor mensen die niet met hun ogen rolden. Dat publiek herinnerde me eraan dat proberen je eruit te draaien als je in het nauw zit niet de juiste manier is. Dat is voor je standpunt uitkomen, vrijuit spreken en zo nodig van je afbijten.

De volgende dag had ik het over de toespraak voor het American Legion op de eigenaardigste Witte-Huisbespreking die ik ooit heb meegemaakt. Stafchef Erskine Bowles had me verteld dat het doel van de zitting was de president de gelegenheid bieden zich bij het kabinet te verontschuldigen omdat hij over Lewinsky niet de waarheid had gesproken. De pers had speciale belangstelling voor wat de president tegen Donna Shalala en mij zou zeggen. Wij waren de twee vrouwen van het kabinet die hem bij de laatste voltallige kabinetsvergadering in januari voor de televisiecamera's hadden verdedigd. Als gevolg daarvan waren sommige vrouwengroeperingen kwaad omdat we niet waren opgestapt.

Voor de bespreking belde ik Donna om te vragen wat zij dacht te zeggen. Ze was woedend; ze zei me dat ze de gelegenheid zou gebruiken om de president de waarheid te zeggen. Op weg naar het Witte Huis verwerkte ik dat in mijn denken. Van mij werd verwacht dat ik als eerste na de president zou spreken. Ik wist dat ieder van ons worstelde met de vraag hoe te reageren, en ieder zou dat doen volgens zijn of haar gevoelens en ervaring. Mijn eigen gevoelens waren tegenstrijdig; ik hoopte dat de woorden van de president zouden helpen om mijn gedachten beter te ordenen.

De bespreking zou plaatsvinden in het woongedeelte van het Witte Huis en niet in de Cabinet Room. Die entourage was minder formeel en we zouden de eeuwig voor het gebouw wachtende pers kunnen mijden. Deze regeling vond ik prettig omdat ik niet weer voor de camera's wilde, hoe de bespreking ook zou verlopen.

Terwijl we bijeenkwamen sprak ik weer met Donna. Ze leek behoorlijk opgewonden te zijn. We gingen de trap op naar de tweede verdieping, de zogeheten Yellow Oval binnen, een ruimte tegenover de Ellipse en het Washington Monument, en wat verderop het Jefferson Memorial. Vergulde rechte stoelen werden in een halve kring gezet voor twee leunstoelen waarin de president en de vicepresident zouden zitten. Ik zat recht voor de stoel van de president met Janet Reno links naast me. Andere kabinetsfunctionarissen zaten op sofa's en stoelen in het rond. Leden van de staf van het Witte Huis waren ook aanwezig. Toen iedereen zat kwam de president binnen. Hij begon met te zeggen dat hij ons een verklaring schuldig was. Hij zei echt spijt te hebben van wat hij had gedaan. Hij wist dat het verkeerd was en dat hij zijn gezin, het land en ons veel leed had berokkend. Hij zei dat hij de rest van zijn leven nodig had om het goed te maken. Toen zei hij dat hij het had gedaan omdat hij al viereneenhalf jaar in woede verkeerde. Hij was een goed toneelspeler geweest en had geglimlacht, maar hij was al die tijd kwaad geweest. Hij sprak enige tijd in die geest zonder oogcontact met mij of iemand anders te maken – en zweeg toen.

Terwijl hij sprak wist ik het niet meer. De president begon op een manier die ik had verwacht, maar de rest was verrassend en niet bepaald zinnig. Ik wist niet of hij zich echt had verontschuldigd en zo ja, of dat was voor wat hij had gezegd of wat hij had gedaan. Ook begreep ik die woede niet. Natuurlijk, de vele kritiek was vaak onbillijk en boosaardig, maar uiteindelijk was hij gewoon herkozen. Hoe dan ook, wat voor excuus was dat?

Toen de president was uitgesproken probeerde ik de tegenstrijdige gevoelens die ik had in enkele woorden samen te vatten. Ik zei dat dit duidelijk een moeilijke en trieste tijd was. Het was zwaar voor de president, voor zijn gezin en voor ons allen. Wat de president had gedaan was verkeerd en dat had hij toegegeven. Maar we hadden allemaal ons werk. Ik zei er trots op te zijn dat ik de vorige dag de regering had vertegenwoordigd bij de oud-strijdersbijeenkomst, en dat ik in dat publiek gewone Amerikanen had gezien die edelmoedig en vergevensgezind waren. Toen keek ik de president aan en zei: 'Het trieste is dat we allemaal dachten dat u Mike McGwire was en zeventig homeruns zou slaan. Het is zo zeldzaam dat een Democraat wordt herkozen en twee termijnen kan uitdienen. U hebt ons een grote kans geboden en nu moeten we ons door ons werk het vertrouwen van de mensen waardig tonen.'

Donna Shalala sprak kort daarna. Ze zei botweg dat de president zich onvergeeflijk had gedragen en dat het voor een leider belangrijker was dat hij de juiste moraal had dan dat hij het juiste beleid voerde. De president vocht Donna's kenschets niet aan en gaf toe dat het net zo belangrijk was een goed mens te zijn als een goede president, maar voegde er een beetje korzelig aan toe dat volgens haar logica het land beter af was geweest als in 1960 Richard Nixon was gekozen en niet John Kennedy. Nadat Shalala had gesproken begon de sfeer in de zaal te veranderen. James Lee Witt, hoofd van het Federale Bureau voor Rampenbestrijding begon te spreken over verlossing en hij citeerde uit de bijbel. Hij kwam net als de president uit Arkansas en klonk als een prediker. De ministers van Transport, Rodney Slater, van Arbeid, Alexis Herman, en van Huisvesting, Andrew Cuomo, citeerden ook passages uit de bijbel. Minister van Binnenlandse Zaken Bruce Babbitt had het over te biecht gaan als een kind. Carol Browner van het bureau voor het milieu was een van de weinigen die met wat nuchterders kwam toen ze zei dat het gedrag van de president haar had genoodzaakt gesprekken met haar tienjarige zoon te voeren zoals ze zich niet had kunnen indenken dat die nodig zouden zijn. Vice-president Gore sprak als laatste en herinnerde ons er wat cryptisch aan dat koning David een gebroken geest had en een dapper hart.

Toen we weg zouden gaan en ieder de president een hand gaf en in sommige gevallen omhelsde, zei Witte-Huisassistent Douglas Sosnick tegen mij dat we getuige waren geweest van 'iets zuidelijks'. Het was deels een godsdienstige bijeenkomst, deels een ontmoetingssessie, en deels revival. Mij deed het tegelijk onbehaaglijk, ontoereikend, louterend, maf en typerend aan. Met de wereld in beroering, verkiezingen op komst en een aan het eind van dat jaar te verwachten afzettingsprocedure moest de regeringsploeg nodig tot elkaar komen. Tegelijkertijd vond ik dat het kabinet niet voor dominee moet spelen, waarbij ik niemands oprechtheid in twijfel trok of aan het belang van persoonlijke verlossing twijfelde. Ik was kwaad op de president omdat hij voor minder dan niets zoveel had geriskeerd, maar ik had uit eigen ervaring geleerd niet verbaasd te zijn als een man liegt over seks. In ieder geval voelde ik me niet persoonlijk gekwetst. De president had niet mij bedrogen maar de first lady en het was aan Hillary daar wat aan te doen, niet aan het kabinet. Onze taak was deze onvolmaakte maar rijk begaafde en goedbedoelende man te helpen het werk te doen waar hij voor was gekozen, voor het land dat we allemaal hadden beloofd te dienen en te verdedigen.

Wat mezelf betrof, ik leerde weer eens hoe gevaarlijk het was me retorisch in de buitenaardse wereld van mannensporten te wagen. Erskine Bowles zei me glimlachend dat de voornaam van McGwire Mark was, niet Mike.

In moeilijke tijden kwamen Hillary Clinton en ik bij een aantal gelegenheden bijeen, samen met onze stafchefs Elaine Shocas en Melanne Verveer, voor informele besprekingen van de 'openhartige groep'. Zo genoemd omdat we zo vertrouwd met elkaar waren dat we ons uit konden spreken. De ene keer kwamen we in het Witte Huis bijeen en de andere in mijn ministerie. Over de meeste onderwerpen was Hillary openhartiger dan ik. Ze zei dat ik minder waarde moest hechten aan collegialiteit en meer zeggen wat ik vond.

We bespraken wel het onrechtvaardige van de Whitewater-beschuldigingen en hoe die de aandacht van belangrijk werk afleidden. Hierom maakte de first lady zich meer dan om wat ook kwaad. Gezien mijn eigen ervaring met Joe meende ik dat ze misschien haar gevoelens over het gedoe met Lewinsky wilde delen, maar ze begon er nooit over en ik vond het niet gepast ernaar te vragen. Ze kon kennelijk beter dan ik privé-zaken voor zich houden. Toen ik kwaad was op Joe wist half New York hoe ik daarover dacht. Ik heb het hart op de tong. Dat van Hillary was beter beschermd. Ze is iemand die zichzelf geheel in de hand heeft en ze wilde per se niet dat iemand medelijden met haar had. Daar kon ik inkomen.

Een buitenstaander kan met geen mogelijkheid de relatie tussen twee getrouwde mensen begrijpen, zeker die tussen de Clintons niet. Mijn oordeel over hen na ze jaren te hebben meegemaakt is dat ze dikke vrienden zijn die innig van elkaar houden, zorg hebben voor elkaar en heel veel praten. Ze vullen elkaar ook aan omdat hun werkgewoonten en denkwijze zo verschillen. Hun mooiste prestatie: Chelsea. De meesten van ons zagen haar voor het eerst toen ze nog geen tien was en een beugel en krullen had. Ze groeide in het Witte Huis op en werd eer aantrekkelijke, goed opgeleide, spontane jonge vrouw. Als ze mee was, vormde ze een geweldige aanwinst bij elke buitenlandse reis. Ze las veel en zwierf, met iedereen grapjes makend, door de gangpaden van de Air Force One. Voor mij kwam haar opmerkelijkste optreden tegen het einde – tijdens de vredesonderhandelingen over het Midden-Oosten in 2000 in Camp David. Ze bleef op de achtergrond, nam in zich op wat ze zag en hield ons allen, ook de president, in een goed humeur.

Eén gelegenheid met de first lady vond ik met name gedenkwaardig, al weet ik niet of zij dat ook zo zag. Hillary had me te eten gevraagd in het Witte Huis, samen met koningin Noor. Ik had de koningin een aantal malen ontmoet, zowel in Jordanië als in de Verenigde Staten. Toen ze met koning Hoessein trouwde wa-

ren er honderden artikelen over haar verschenen. Ik had het gevoel haar te kennen omdat ik haar ouders had ontmoet en omdat ze net als mijn dochters de
National Cathedral School had bezocht. Deze bijzondere Amerikaanse schoonheid was een serene Jordaanse koningin geworden, toegewijd aan haar man,
haar gezin en haar nieuwe land. Toen de koning ging sterven handhaafde ze
haar kracht en waardigheid. Ze was nu alleen, en als vrouw van in de veertig
met kinderen bezon ze zich op haar nieuwe levensfase, met behoud van het erfgoed van haar man. We aten gedrieën in de privé-eetkamer in de residentie. We
aten wat van de eerste twee gangen, maar toen we hoorden dat we konden kiezen uit drie desserts vroegen we om wat van alle drie – heerlijke chocola, fruit-
taart en massa's ijs.

Wij drieën praatten over van alles, van wereldproblemen en mensen die we
kenden tot het schrijven van onze memoires. Hillary was de ervaren schrijfster,
want ze had al de bestseller *It Takes a Village* geschreven. Ze gaf praktische adviezen over tijdschema's en uitgevers. Ze had nog niet besloten hoe ze het schrijven over haar leven in het Witte Huis zou aanpakken. Koningin Noor was vast
van plan te schrijven, niet zozeer om dingen over zichzelf kwijt te kunnen, maar
om ervoor te zorgen dat de wereld haar overleden echtgenoot begreep en volledig waardeerde, en om haar liefde voor Jordanië en het Arabische volk te uiten.
Ik luisterde en stelde vragen, me afvragend hoe ik ooit in staat zou zijn het persoonlijke te vermengen met alles wat ik over politiek wilde zeggen.

Toen ik thuiskwam dacht ik na over wat een bijzondere avond was geweest.
We waren drie vrouwen met verschillende achtergronden, die buitengewone
kansen hadden gekregen om rechtstreeks op het hoogste niveau deel te hebben
aan wereldzaken. We waren gepassioneerd in onze overtuigingen, waren in zekere stadia van ons leven zwaar op de proef gesteld, en stonden nu zeer in de publieke belangstelling. Ook trof het me dat we iets persoonlijks gemeen hadden in
verband met de mannen met wie we getrouwd waren. Op verschillende manieren en tijdstippen hadden we de grenzen van onze innerlijke kracht moeten verkennen door een man die bedroog, wegliep of stierf.

DEEL VIER

Oorlog voeren, vrede nastreven

HOOFDSTUK 22

Een bijzonder soort kwaad

'ONZE AMBASSADES ZIJN OPGEBLAZEN.' Deze woorden drongen langzaam door de dichte mist van slaap toen ik op 7 augustus 1998 in Rome wakker werd – mijn zwartste dag als minister van Buitenlandse Zaken. Op die dag ontploften er bommen bij onze ambassades in Kenia en Tanzania; meer dan 220 mensen kwamen om, onder wie twaalf Amerikanen en veertig man lokaal personeel van de ambassades, en bijna vijfduizend Afrikanen en Amerikanen raakten gewond.

Het had een vreugdevolle dag moeten worden. Jamie Rubin zou buiten Rome trouwen met Christiane Amanpour, de internationale correspondent van CNN. Ik had het zo geregeld dat ik bij het huwelijk kon zijn en ik verheugde me op een paar dagen vrij in Italië. Elaine Shocas zou ook naar de trouwerij gaan; mijn dochter Alice, die in Londen was, zou ons in Rome opzoeken.

We hadden een suite geboekt in het Excelsior, een fraai oud hotel aan de Via Veneto, niet ver van de ambassade van de VS. We landden halverwege de morgen en dachten een paar uur te slapen, op ons gemak te lunchen en wat te winkelen voor we Alice troffen voor het bruiloftsfeest die avond.

Toen we nog maar net sliepen werd Elaine gewekt door een van mijn veiligheidsagenten die haar vertelde dat het ministerie van Buitenlandse Zaken wanhopig trachtte ons te bereiken. Ze belde het ministerie en wekte mij toen voor het afschuwelijke nieuws. De explosies die onze ambassades troffen kwamen vrijwel tegelijk, en vanaf het begin was de voornaamste verdachte een voormalige Saoediër – Osama bin Laden.

Ik belde snel met Washington, Kenia en Tanzania, en de volgende paar uren werd nagegaan of er wel zo veel hulp als mogelijk werd geboden aan zowel ambassades als regeringen, en er werd geprobeerd informatie te verzamelen over de daders. Tussen het telefoneren door zat ik als versteend naar tv-beelden te kijken van onze ambassades die in rook gehuld waren. Reddingswerkers trokken koortsachtig aan platen van metaal en steen, en juichten als er slachtoffers levend werden gevonden. De aanslagen waren halverwege de morgen gepleegd, op het moment dat het in de kantoren druk was en de rijen voor een visum lang waren. Ik voelde me verdoofd en woedend – ik wilde onmiddellijk naar Afrika – maar liet me ervan overtuigen dat mijn aanwezigheid op dat moment niet zou helpen. Er waren te veel logistieke en veiligheidskwesties verbonden aan zo'n bezoek, en we konden ons niet veroorloven mensen van hun dringende reddingstaak af te houden.

Vanuit onze ambassade in Rome gaf ik een korte verklaring aan de pers en werd met luid applaus begroet door een menigte die zich buiten had gevormd, een teken dat de Verenigde Staten veel goede vrienden in de wereld hadden. We vertrokken snel naar Shannon in Ierland, waar we wachtten tot de luchtmacht ons naar huis zou brengen. De luchthaven was gesloten maar het personeel kwam toch, met Irish coffee en gerookte zalm. Een man met een zwaar Iers accent zei: 'Als Amerika gewond is heeft ieder land pijn.'

Een schok, indien voldoende groot, kan een natie en een generatie verenigen. De meeste Amerikanen van zo'n twintig jaar ouder dan ik weten nog precies waar en hoe ze het nieuws van de aanval op Pearl Harbor hoorden. Amerikanen van mijn leeftijd herinneren zich wanneer John Kennedy werd vermoord en vijf jaar later Martin Luther King en Robert Kennedy. De aanslagen op onze ambassades in Afrika hadden een verbijsterend schokeffect, maar er zouden nog andere tragedies volgen – de aanslag op de USS *Cole* en de grootste schok van de nieuwe eeuw, de aanslagen van 11 september 2001. Samen gaven deze wandaden vorm aan een nieuwe bedreiging voor de wereldvrede, een bijzonder soort kwaad.

Veel van de oorspong van de aanslagen op de ambassades in Afrika zijn – net als de misdaden van 11 september – terug te voeren op de Russische inval in 1979 in Afghanistan, een daad die de Koude Oorlog sterk intensiveerde. De Verenigde Staten reageerden door geld, Stinger-raketten en andere wapens aan het Afghaanse verzet te geven, de moedjahedien. Deze strategie werkte: de gehate sovjets werden uiteindelijk verdreven. Het was een grote overwinning maar met onbedoelde consequenties. Nadat de sovjets zich in 1989 uit Afghanistan hadden teruggetrokken verloren de Verenigde Staten hun belangstelling voor de regio en lieten duizenden militante mensen achter, met weinig banen maar met veel wapens.

In de eerste helft van de jaren negentig maakten plaatselijke krijgsheren gebruik van dit vacuüm en sneden Afghanistan in stukken, tot 1996, toen de meeste waren verslagen of opgenomen in een fel conservatieve groepering, de Taliban. Waarnemers hoopten dat de benauwde maar gedisciplineerde visie op de islam van de Taliban meer stabiliteit zou brengen dan de vechtende krijgsheren. Incidenten van verkrachting, plundering en afpersing liepen onder hun bewind inderdaad terug. Leiders in het aangrenzende Pakistan steunden de groepering openlijk, ten dele doordat de veiliger omstandigheden hen in staat stelden weer goederen via Afghanistan te exporteren.

In die jaren toonden Taliban-leiders geen vijandigheid jegens de Verenigde Staten; eigenlijk dankten ze die voor hun rol bij de verdrijving van de sovjets. Ze hadden echter een probleem geërfd. De terroristenfinancier Osama bin Laden was uit zijn geboorteland Saoedi-Arabië verdreven en bevond zich in Afghanistan, samen met een multinationale verzameling van organisators en rekruten, bekend als Al-Qa'ida. Net als Bin Laden hadden veel leden van dit netwerk de Amerikaanse zijde gekozen bij het helpen van het Afghaanse verzet, maar zich tegen de VS gekeerd na de Golfoorlog van 1991. Bin Laden eiste beëindiging van de Amerikaanse aanwezigheid in Saoedi-Arabië. In februari 1998 zwoer hij overal ter wereld Amerikanen te doden, wat mij ertoe bracht officieel een wereldwijde oproep tot waakzaamheid te doen om de aandacht op deze dreiging te vestigen.

De Taliban hadden nog een probleem, en dit hadden ze zelf gecreëerd. Ze waren culturele imperialisten, vastbesloten hun primitieve regels aan hun landgenoten op te leggen – ook aan vrouwen. Ze beroofden de burgers van hun grondrechten, beletten een generatie Afghaanse meisjes naar school te gaan en brachten een aanzienlijk aantal Afghaanse vrouwen in geestelijke en lichamelijke nood, en zelfs tot zelfmoord. Laat in mijn eerste jaar als minister bezocht ik Pakistan en waarschuwde de leiders persoonlijk: 'Uw land loopt het gevaar geïsoleerd te raken door de steun aan de Taliban.' Publiekelijk zei ik naar waarheid, zij het niet diplomatiek: 'Wij zijn tegen de Taliban vanwege de verachtelijke manier waarop ze vrouwen en kinderen behandelen en vanwege hun algemeen gebrek aan respect voor de menselijke waardigheid.'

Tijdens die reis bezocht ik een vluchtelingenkamp bij Peshawar, zo'n veertig kilometer van de Afghaanse grens, niet ver van de Khyberpas. In een klaslokaal zaten circa vijftien vrouwen op me te wachten die met horten en stoten verhaalden dat de Taliban hen hadden belet naar school te gaan; ze mochten niet werken en ze mochten zonder begeleiding van een man hun huis niet uit. De vluchtelingen spraken over hun verlangen om naar Afghanistan terug te keren, maar zeiden niet terug te kunnen zolang de Taliban aan de macht bleven. Terwijl ze spraken voelde ik hun nervositeit: de pers had camera's en de vluchtelingen wilden niet met hun gezicht op de foto. Velen hadden nog familie in Afghanistan en vreesden voor ernstige repercussies als hun bereidheid mij te ontmoeten bekend werd.

Op zo'n moment schieten woorden vrijwel altijd tekort. Ik zei hun dat ik mijn bezoek aan hen nooit zou vergeten en dat de Verenigde Staten zouden doen wat ze konden om te helpen. Even later sprak ik een groep plaatselijke functionarissen en vluchtelingen van beide seksen en in alle leeftijden toe, die op kleedjes op een geïmproviseerde binnenplaats zaten. De zon stond laag en ik schrok toen ik de lange schaduwen van de Pakistaanse scherpschutters zag die ons beveiligden; door de stand van de zon waren de schaduwen wel zes meter lang.

Ik vertelde mijn gehoor dat het tot mijn taak behoorde kwesties van oorlog en vrede, ontwikkeling en mensenrechten ter harte te nemen. Ook zei ik dat geen land kon moderniseren of welvarend worden zonder de bijdrage van al zijn burgers, en geen samenleving kon vooruitkomen als vrouwen geen toegang hadden tot onderwijs en gezondheidszorg, en als ze niet werden beschermd tegen lichamelijke uitbuiting en misbruik.

Toen ik was uitgesproken liep ik naar voren om handen te schudden. De jongste kinderen zaten met gekruiste benen vooraan. Ik stak mijn hand naar hen uit
maar de kinderen waren te klein, ik kon er niet bij. Omdat ik niet voorover wilde
vallen ging ik maar op mijn knieën. Hun handjes waren dun en broos, hun ogen
obsederend, hun gezichten mooi en hun glimlach was onvergetelijk. Heel even
werd de turbulentie van de rest van de wereld achtergrondlawaai en ik voelde
me meer moeder dan diplomaat.

Terrorisme schendt per definitie de wet, en effectieve wetshandhaving is een
van de beste middelen om terrorisme te bestrijden, maar het juridisch proces is
soms heel traag. Onder extreme omstandigheden kunnen ook gedurfder daden
nodig zijn. Dat was het geval na de aanslagen op de ambassades in Afrika.*

Een week na die tragedie vertelde George Tenet, directeur van de CIA, ons tijdens een bespreking in het Witte Huis dat het bewijs van de betrokkenheid van
Osama bin Laden sluitend was en dat we dagelijks dreigementen ontvingen voor
mogelijke nieuwe aanslagen. Onze veiligheidsmensen hadden ontdekt dat in
achtendertig steden met diplomatieke posten Al-Qa'ida actief was. We konden
niet blijven zitten wachten tot de terroristen weer toesloegen.

President Clinton gaf het groene licht voor een vergeldingsactie. We beperkten
onze planning tot de kleinst mogelijke groep en gingen door met ons routinepro-
gramma om Bin Laden niet te alarmeren. We wilden drie terroristenbases treffen bij Khost, zo'n honderdvijftig kilometer ten zuiden van Kaboel. Deze kampen, die onderkomens, opslag- en trainingsfaciliteiten omvatten, werden geleid
door Pakistanen en Arabieren, verbonden aan het netwerk van Bin Laden. De
daar getrainde mannen konden worden ingezet voor terrorisme in Kasjmir en
Centraal-Azië, of voor missies van langere duur in Europa en de Verenigde
Staten. We moesten onverwijld handelen, want we hadden informatie dat terroristische leiders – onder wie mogelijk Bin Laden – in een van die kampen bijeen
waren om nieuwe aanslagen voor te bereiden. We hoopten hen te treffen als het
de grootste uitwerking had.

Ook bekeken we plaatsen in Soedan, waar Bin Laden voor 1996 een tijd was
geweest om zijn terroristennetwerk op te bouwen, en waar hij nog steeds zakelijke belangen had. Als doel werd een farmaceutische fabriek gekozen. Onze
inlichtingenmensen hadden ons verteld dat Bin Laden had geïnvesteerd in een
militair complex waar de fabriek deel van uitmaakte. Ze vertelden dat een grond-
monster de aanwezigheid had aangetoond van een afgebroken vorm van de verbinding VX, een van de giftigste stoffen ter wereld.

Ondanks de dreiging van luchtaanvallen wilde ik naar Kenia en Tanzania om
mijn deelneming te betuigen en te zien wat we nog meer konden doen om te hel-

---

* Tegelijkertijd werden ook wettelijke maatregelen genomen. In mei 2001 werden in New
  York vier leden van Al-Qa'ida wegens betrokkenheid bij de aanslagen tot levenslang
  veroordeeld. Andere verdachten blijven in hechtenis.

pen. Om zo snel mogelijk heen en weer te kunnen, gebruikte ik weer een vliegtuig dat in de lucht kon worden bijgetankt. Ik had dat nog nooit zien gebeuren, dus toen tijdens de lange vlucht werd bijgetankt vroeg ik de piloot of ik achter hem mocht zitten. Met een mengeling van vrees en ontzag keek ik toe toen twee enorme tankvliegtuigen vol brandstof ons naderden. Het eerste kwam zes tot tien meter voor ons vliegen, zo dichtbij dat ik het gezicht van een op zijn buik liggend bemanningslid kon zien, dat met joystickachtige hendels een lange slurf naar ons vliegtuig leidde voor het overpompen van de brandstof. Om de vliegtuigen in lijn te houden vloog de tanker op de automatische piloot, terwijl onze piloot op handbediening overging. Hij had al zijn kracht nodig om het vliegtuig stabiel te houden. De hele procedure werd met de tweede tanker herhaald. Ik was doodmoe toen het voorbij was, al had ik zelf niets gedaan. Naar mijn idee moest de piloot pijnlijke schouders hebben, dus masseerde ik die. Hij zei tegen me: 'Mevrouw, dit is de eerste keer in de geschiedenis van de Amerikaanse strijdkrachten dat de minister van Buitenlandse Zaken de rug van een piloot masseert.'

Naderhand vertelde ik aan luitenant-generaal van de luchtmacht Robert 'Doc' Foglesong, mijn militaire adviseur, hoe indrukwekkend ik het bijtanken had gevonden. Hij vond dat ook en zei dat het vliegtuig van de president, de Air Force One, ook in de lucht kon bijtanken, maar dat werd nooit gedaan met de president aan boord. 'Waarom niet?' vroeg ik. 'Ben je gek geworden?' zei hij lachend. 'Twee enorme vliegtuigen vol brandstof, met een snelheid van honderden kilometers per uur en slechts een paar meter ertussen? Veel te gevaarlijk.'

Na de landing in Tanzania ging ik naar onze ambassade in Dar es Salaam. Het gebouw, dat kilometers buiten het centrum stond, was vroeger van Israël geweest en dus beter versterkt dan de meeste andere gebouwen. We hadden geluk gehad: door een tankwagen met water had de vrachtauto van de terroristen niet door de omheining kunnen breken. Hier waren bij de aanslag veel minder mensen omgekomen dan in Kenia.

Onze ambassade in Nairobi daarentegen stond midden in de bedrijvige stad. Dit soort lokaties hadden we vroeger liever voor onze diplomatieke posten, omdat we een open beleid voerden en deel wilden uitmaken van de hoofdstad. Dat tijdperk eindigde in 1983 met zelfmoordaanslagen bij een marinierskazerne en de Amerikaanse ambassade in Beiroet. Sindsdien moesten nieuwe ambassades aan strenge maatstaven voldoen en ver van drukke straten zijn, met ruimte voor dubbele muren, controleposten en gelegenheid tot het inspecteren van voertuigen. Deze eisen maakten nieuwe ambassades veiliger maar ook kostbaarder. Daarom waren er de voorafgaande tien jaar weinig gebouwd. Oudere ambassades, zoals die in Kenia, waren minder goed beschermd en moesten met wereldwijd meer dan tweehonderd andere vestigingen wedijveren om het weinige geld dat voor verbeteringen beschikbaar is.

Een paar maanden eerder had ambassadeur Prudence Bushnell per brief haar bezorgdheid uitgesproken over de kwetsbaarheid voor terrorisme van haar ambassade. Ze drong erop aan dat ik Kenia als voorbeeld zou aanvoeren om extra geld te vragen. De brief werd na de aanslagen nieuws. Zoals Bushnell schreef: 'Iedereen maakt er het beste van, gezien de beperkte middelen. Die beperking is het probleem. De oplossing is de beveiliging van vestigingen in de wereld aan de orde te stellen.' Dat vond ik ook. Ik had mijn best gedaan om dat te bereiken, maar pas na de aanslag op de ambassades kon ik de volle aandacht krijgen van degenen die in het Congres en de regering over de portemonnee gaan. Helaas was in Kenia de enige echte oplossing geweest de ambassade naar een minder druk stadsdeel te verplaatsen. Dat had miljoenen gekost en had voor 7 augustus niet eens kunnen beginnen.

Van een afstand hadden de televisiebeelden van de ravage in Nairobi me met woede en droefheid vervuld. Van dichtbij was de werkelijkheid nog erger – een kleinere versie van wat we later zouden kennen als Ground Zero. Toen ik er aankwam stond het skelet van de ambassade nog overeind, maar het interieur was één grote puinhoop van weggeblazen ramen en wanden, en verspreid kantoormaterieel. Door de explosie waren die voorwerpen tot dodelijke instrumenten geworden. De meeste slachtoffers vielen door het instorten van het gebouw ernaast, dat niet meer was dan een berg glas, bakstenen en beton. Waar je hart van stilstond waren de nog zichtbare persoonlijke voorwerpen – een verwrongen schoen, een flard van een shirt, een gescheurde zakdoek, een verpletterde kinderwagen.

In een ziekenhuis in de buurt bezocht ik enkele van de gewonde Kenianen. Van bed naar bed gaande zei ik hun hoe erg ik het vond. Net als andere slachtoffers van terreur waren dit gewone mensen die gewoon hun leven leidden, en zich opeens op het verkeerde moment op de verkeerde plaats bevonden. Velen zaten zwaar in het verband, anderen hadden verwondingen aan handen en gezicht. In de ambtswoning van ambassadeur Bushnell sprak ik met leden van ons ambassadeteam. Net als hun collega's onder leiding van John Lange in Tanzania hadden ze uitstekend werk verricht in hun reactie op de tragedie, de omgang met lokale gevoeligheden, ondersteuning van het onderzoek en het voortzetten van het ambassadewerk. Daarbij hadden ze stilgestaan bij de spelingen van het lot, dat hen in leven had gelaten terwijl collega's en dierbaren het leven lieten.

Het was een droevig voorrecht de lichamen van tien van die collega's over de oceaan te begeleiden naar de plechtigheid met het presidentiële paar op de Andrews Air Force Base bij Washington. De kisten waren aan boord gebracht van een C-17 met de bijnaam 'Geest van Amerika's veteranen'. In de lucht bestudeerde ik de beschrijvingen en foto's van de omgekomen Amerikanen die ik had gekregen. Onder hen waren een diplomaat en zijn dierbare zoon; een jonge sergeant van de mariniers uit Tallahassee; een epidemiologe en moeder van drie kinderen die werkzaam was om kinderen voor malaria te behoeden; een financieel functionaris van de luchtmacht uit South Bent, Indiana; een politieke functionaris die tevens jazzmusicus was; een administratief medewerker van Buitenlandse Zaken uit Valdosta, Georgia; een diplomaat met twee dochters die pas elf dagen voor de aanslag in Kenia was gearriveerd; een employé van het bureau Algemene Diensten, en twee medewerkers van het bureau van de militaire attaché, van wie de ene een landmachtsergeant was met een jongensachtig gezicht, vader van een kind van twee.*

Emotioneel leeg probeerde ik te slapen op een ligbed. De kisten lagen achter een zwaar, kakikleurig linnen gordijn. Soms werd ik tijdens de vlucht wakker, deed het gordijn open en ging bij de kisten zitten bidden en nadenken. De slachtoffers varieerden in leeftijd van twintig tot zestig jaar en waren van Afrikaanse, Aziatische en Europese afkomst. Sommige waren militairen, andere burgers, bijna evenveel mannen als vrouwen. Zij vormden het gezicht van de Verenigde Staten, het soort onpretentieuze maar opmerkelijke mensen dat ons land overzee vertegenwoordigt, hun werk doet, problemen oplost en vrienden wint voor de democratie. Ik dacht met enige bitterheid aan de hardnekkige clichés over het ambassadeleven, met diplomaten die in streepjesbroeken lopen, overdadige feesten geven en in luxe leven. De werkelijkheid is veel alledaagser, het werk zwaarder, de beloning geringer en de risico's zijn groter. De Verenigde Staten hadden in andere fasen van mijn leven tegenover ander kwaad gestaan – Hitler, Stalin, etnische zuiveringen en genocide – maar nu was ons land in conflict met een niet duidelijk zichtbare vijand, op een onbestemd slagveld waar we allemaal aan de frontlijn kunnen komen te staan.

Ik ervoer op dat moment een bijna verpletterend gevoel van verantwoordelijkheid. Zoals de meeste mensen in het openbare leven had ik er dikwijls over gesproken hoe regeringsfunctionarissen verantwoordelijk waren te stellen. Het is heel gemakkelijk met een beschuldigende vinger te gaan wijzen. Ik had nu het gevoel dat alle ogen op mij gericht waren. Ik wist dat ik de veiligheid van mijn mensen niet kon garanderen maar ik had de plicht alles te doen wat in mijn vermogen lag. Dit was geen kwestie meer van eenvoudig mijn werk doen, maar van loyaliteit, eer en vertrouwen.

Voor we landden zei de bemanning dat ik naar mijn stoel terugmoest. Ik ging zitten en viel in slaap, met mijn gezicht naar het gordijn. Toen we geland waren deed ik mijn ogen open. Het gordijn was open. Niets scheidde me nu van de doodkisten. In de korte tijd dat ik had geslapen waren ze allemaal met een Amerikaanse vlag bedekt.

Om elf uur 's morgens op 20 augustus werden er vanaf Amerikaanse schepen in de Rode en de Arabische Zee negenenzeventig kruisraketten gelanceerd, die een paar uur later hun doelen in Afghanistan en Soedan troffen. De gelijktijdigheid van de aanvallen was bedoeld als navolging van de twee aanslagen op de ambas-

---

* De slachtoffers waren Julian Bartley sr., Julian Bartley jr., sergeant Jesse Aliganga jr., dr. Mary Louise Martin, Arlene Kirk, Uttamlal ('Tom') Shah, Molly Hardy, Prabhi Kavaler, sergeant Sherry Lynn Olds, Ann Michelle O'Connor, Jean Dalizu en sergeant Kenneth R. Hobson.

sades. Zodra we wisten dat de raketten op hun doelen waren gevallen deed de president – die zijn vakantie niet onderbroken had om het verrassingselement te waarborgen – journalisten in Martha's Vineyard versteld staan door ons besluit tot militair ingrijpen bekend te maken. Hij ging meteen naar Washington terug.

Operatie Infinite Reach bracht ernstige schade toe aan trainingskampen van Al-Qa'ida, waarbij mogelijk twintig leden van het netwerk van Bin Laden omkwamen en er tientallen gewond raakten. Als Bin Laden daar was, zoals we vermoedden, dan is hij ontkomen. De actie toonde niettemin dat we de vijand op zijn grondgebied konden raken en dat de Verenigde Staten niet ongestraft waren aan te vallen. De meeste leden van het Congres juichten de aanvallen toe, maar het publiek reageerde lauw. Terroristen hadden Amerikaanse ambassades aangevallen maar nog niet ons thuisland. Er waren er zelfs die vonden dat we overdreven hadden gereageerd en ze hadden twijfels over de motieven van de president. De film *Wag the Dog* aanhalend (waarin het Witte Huis een oorlog voorwendt om de aandacht van een seksschandaal af te leiden), suggereerden partijcommentatoren dat we probeerden de aandacht van problemen met de bijzondere aanklager af te leiden. Deze aantijgingen waren ongegrond en kwetsend, maar droegen bij aan een sfeer waarin het Congres of de media vrijwel niet tot verder militair optreden tegen Al-Qa'ida opriepen. Wij zouden echter voortdurend de mogelijkheden nagaan om juist dat te doen, terwijl we op het diplomatieke front druk zetten.

Twee dagen na de raketaanvallen ging de telefoon in het kantoor van Michael Malinowski, verbonden aan het bureau voor Zuid-Aziatische Aangelegenheden van het ministerie van Buitenlandse Zaken. De grondlegger en leider van de Taliban, Moellah Omar, was aan de lijn. Dit was nog nooit vertoond: Omar sprak bijna nooit met westerlingen. Hij zei tegen Malinowski dat onze luchtaanvallen averechts hadden gewerkt, dat president Clinton zou moeten aftreden en dat de Amerikaanse militairen weg moesten uit Saoedi-Arabië. Malinowski wees deze onzin van de hand, drong bij Omar aan op uitlevering van Bin Laden en stelde een officiële dialoog voor. Omar stemde toe om te praten.

Een paar weken later gaf onze ambassadeur in Pakistan, William Milam, de aanzet tot een reeks besprekingen tussen Amerikaanse functionarissen en de Taliban, die twee jaar zou voortduren. Al die tijd lagen de problemen die we met de extremistische beweging hadden niet aan enige tekortkoming van onze kant om helder te communiceren. Onze boodschap was dan ook simpel: 'Bin Laden is een terrorist. Hij is een moordenaar van onschuldige mensen en een onverzoenlijke vijand van de Verenigde Staten. Als u enig belang hebt bij betere betrekkingen, help dan hem voor het gerecht te brengen.' De Taliban-leiders zeiden niet nee, maar kwamen met een stel slappe uitvluchten. Ze voerden aan dat het tegen de culturele etiquette indruiste iemand die hun gastvrijheid genoot onheus te bejegenen, en dat Bin Laden voor de Afghanen een held was vanwege zijn antisovjetrol in de jaren tachtig. 'We worden afgezet als we hem aan u geven,' zeiden ze. 'Ons volk zal veronderstellen dat we geld van u of de Saoedi's aannamen.'

Eind 1998 koos ik luitenant-kolonel b.d. Michael Sheehan, een gewezen student van mij in Georgetown, die bij de groene baretten had gediend en die mijn adviseur bij de VN was geweest, voor de functie van coördinator voor contraterrorisme van het ministerie van Buitenlandse Zaken. Met hulp van collega's als onderminister voor Zuid-Azië Rick Inderfurth werkte Sheehan spoedig een strategie uit voor toenemende druk op de Taliban. Hoewel we niet veel drukmiddelen in Afghanistan hadden, besloten we alle hefbomen die er waren tegelijk over te halen. Eerst stuurden we de Taliban de boodschap dat we hun leiders aansprakelijk stelden voor alle toekomstige terreurdaden waar Bin Laden achter kon zitten, en dat we ons het recht voorbehielden militair geweld te gebruiken, preventief als zelfverdediging, of als reactie op verdere aanslagen. Ten tweede vroegen we Pakistan, Saoedi-Arabië en de Verenigde Arabische Emiraten (VAE), de enige drie landen die diplomatieke betrekkingen met het Afghaanse regime onderhielden, onze eis tot uitlevering van Bin Laden te ondersteunen. Bleven de Taliban weigeren, dan zouden we de drie regeringen onder druk zetten om de Afghanen landingsrechten te ontzeggen, tegoeden te bevriezen en Taliban-leiders het internationaal reizen te beletten. Ook dreigden we bilaterale economische sancties aan de Taliban op te leggen en de VN te vragen wereldwijde beperkingen in te stellen.

In de maanden die volgden voerden we deze strategie volgens plan uit, alleen werkte het plan niet. Zowel de Saoedi's als de VAE voldeden aan ons verzoek de landingsrechten te beperken, en de Saoedi's reduceerden hun diplomatieke banden en weigerden Afghanen die om niet-religieuze redenen reisden een visum. We zetten de Pakistaanse leiders zwaar onder druk om de Taliban de duimschroeven aan te draaien, door te zeggen dat 'Bin Laden Amerikanen heeft gedood en van plan is dat weer te doen. Dat maakt hem tot onze vijand. En dat maakt degenen die hem steunen tot onze vijand. Breng Pakistan niet in die positie.' In juli 1999 legden we de Taliban sancties op. In oktober deed de Veiligheidsraad van de VN hetzelfde met algemene stemmen, waaronder die van landen met een moslimmeerderheid. Dit alles bracht de Taliban in een isolement, maar had niet tot resultaat dat ze Bin Laden uitleverden.

Bij het consolideren van hun macht hadden de Taliban zich uitsluitend op de inname van gebied en wapens gericht, en kennelijk zagen ze weinig in Bin Laden. Maar in de loop van de maanden kwamen Moellah Omar en Bin Laden tot een hechte relatie. De terroristen hadden een toevluchtsoord nodig om te trainen. Omar had behoefte aan het geld en de spierkracht van Bin Laden. Medio 1998 had Omar mogelijk het gevoel dat zijn overleven van de steun van Bin Laden afhing. Hoewel we met de Taliban besprekingen bleven voeren werd de dialoog sterieler naarmate Omar vijandiger werd. Bij het herhalen van onze waarschuwing aan de Taliban was Mike Sheehan expliciet: 'Wanneer Bin Laden of een met hem gelieerde organisatie de Verenigde Staten of Amerikaanse belangen aanvalt, dan houden we u persoonlijk verantwoordelijk.'

We vonden het nodig onze dreigementen te herhalen omdat we ervan overtuigd waren dat met Bin Laden gelieerde groeperingen nog altijd actief waren en waarschijnlijk trachtten chemische en biologische wapens te ontwikkelen of te verwerven. Sheehan waarschuwde ons herhaaldelijk dat Bin Laden zich op een nieuwe slag voorbereidde. Daarom stelden de president, minister Cohen en ik de terrorismekwestie herhaaldelijk aan de orde, in de VS en in het buitenland, ondanks dat het moeilijk was de aandacht van het publiek vast te houden. En zelfs toen we diplomatieke druk toepasten speelden we een wereldwijd verdedigingsspel in ons streven verdere aanslagen te voorkomen.

Hiertoe intensiveerden we samenwerking voor ordehandhaving met andere landen, resulterend in onopvallende arrestaties en vervolging van tientallen verdachten. We loofden beloningen uit, bevroren tegoeden van terroristen, verdrievoudigden ons terreurbestrijdingsbudget, voerden de anti-terreurtraining op en versnelden onderzoek naar anti-terreurtechnologie. De president kwam met een reeks richtlijnen om ons vermogen tot het ontwrichten van terroristische operaties in het buitenland te vergroten en voorbereid te zijn op de mogelijkheid van aanslagen op Amerikaanse bodem. Hij vroeg om geld voor verbetering van rampenbestrijding, voor het aanleggen van een landelijke voorraad medicijnen en vaccins, voor de opleiding van medische zorgteams in steden, en voor het beschermen van essentiële infrastructuur als krachtcentrales en computernetwerken tegen elektronische aanvallen. Op het Pentagon maakte Bill Cohen plannen bekend om snel inzetbare teams van de Nationale Garde in het leven te roepen, die gemeenschappen moesten bijstaan die het slachtoffer waren geworden van chemische of biologische aanvallen.* Tragisch genoeg voorkwamen deze initiatieven de 11de september niet, maar ze voorkwamen wel andere aanslagen en legden de basis voor wat later zou volgen – een gecoördineerd programma voor binnenlandse verdediging.

Nu onze ambassades zo duidelijk gevaar liepen hield ik me bezig met het verwerven van geld voor beveiliging. Vanaf mijn eerste dag als minister had ik bij de president en het bureau voor Beheer en Budgettering (OMB) om meer geld gezeurd voor internationale programma's en operaties. Na de aanslagen op de ambassades werd ik pas echt en opzettelijk lastig. Met hulp van senator Ted Stevens, afgevaardigde David Obey en anderen kregen we het dat najaar voor elkaar dat we meer dan een miljard dollar kregen voor extra beveiliging, waaronder versperringen rond het ministerie zelf, maar dat was slechts een klein begin van het oplossen van een groot probleem.

---

* Het Witte Huis gebruikte internationale organisaties om de bewustwording van de terroristische dreiging te vergroten en wereldwijd steun los te maken om die te verslaan. President Clinton zei bijvoorbeeld voor de algemene vergadering van de VN dat terrorismebestrijding boven aan de Amerikaanse agenda stond, en dat dat voor de hele wereld zou moeten gelden. Hij spoorde alle landen aan terroristische groeperingen steun en huisvesting te ontzeggen, samen te werken bij het uitleveren en vervolgen van verdachten, striktere normen rond fabricage en export van explosieven te regelen, internationale normen voor luchthavenbeveiliging te verscherpen, en de omstandigheden te bestrijden die geweld en wanhoop verspreidden.

In de nasleep van de aanslagen had ik een commissie ingesteld, voorgezeten door admiraal b.d. William Crowe, voormalig voorzitter van de Joint Chiefs of Staff en later ambassadeur in Groot-Brittannië, voor onderzoek en het doen van aanbevelingen. In januari 1999 stelde Crowe een jaarlijks bedrag van 1,4 miljard dollar voor, voorlopig voor de tijd van tien jaar, voor de bouw en beveiliging van ambassades. Verheugd ging ik hiermee naar het OMB dat er niet zo blij mee was. De rekenmeesters van het Witte Huis twijfelden aan ons vermogen zoveel geld snel en verstandig te besteden. Ze stelden drie miljard voor vijf jaar voor, met een toewijzing van slechts 36 miljoen voor het eerste jaar. Ik zei: 'Het Congres zal me afmaken als ik hiermee kom en dit budget probeer te verdedigen, en het heeft dan gelijk. Het is belachelijk. We hebben meer nodig.'

Zoals ik had voorspeld waren leiders van beide partijen verontwaardigd. Het OMB schikte zich snel in een compromis en werd nog milder toen het nieuwe hoofd, Jack Lew, ambassades in Oost-Europa en de Balkan inspecteerde. Toen ik het ambt verliet hadden we overeenstemming bereikt over een budget dat dichtbij het door Crowe aanbevolen niveau lag, en dit was wezenlijk omdat we hadden geleerd dat de gevaren voor ons personeel niet langer lokaal maar wereldwijd waren. Iets als een ambassade met een laag risico bestond niet. We konden verwachten dat onze vijanden gebruik zouden maken van eventuele zwakke plekken.

Ik was blij met de aanbevelingen van Crowe, maar wilde er zeker van zijn dat de uitvoering ervan niet ten koste ging van andere operaties van Buitenlandse Zaken. De dollars die we gebruiken om onze ambassades te bouwen en te beveiligen komen uit dezelfde pot waarmee we salarissen betalen, personeel werven en andere dagelijkse behoeften financieren. Ik waarschuwde zowel het Congres als het OMB: 'Als we meer aan veiligheid uitgeven zonder de pot groter te maken, komen we te zitten met gebouwen die veiliger zijn, maar tevens leeg, omdat we ons geen personeel kunnen veroorloven. U kunt me niet met die keus laten zitten.' Ik zei erbij dat het ministerie van Buitenlandse Zaken al te lang onvoldoende middelen kreeg. Elk jaar moesten we het ene gat met het andere dichten. Uiteindelijk beroofden we Peter om Paul te betalen, waarna we ook Paul beroofden.

Vroeg in mijn ambtstermijn koos ik David Carpenter als onderminister voor Diplomatieke Beveiliging. Deze baan was traditioneel voorbehouden aan leden van de buitenlandse dienst; ik besloot daarmee te breken. David, die hoofd van het presidentiële afdeling van de Geheime Dienst was geweest, was de eerste politieman in deze functie, en kwam in maart 1998 op contractbasis bij ons team. Vier dagen na de aanslagen op de ambassades werd hij beëdigd. Ik mocht hem omdat hij net zo vastbesloten was als ik om te voorkomen dat er nog meer mensen van ons werden gedood.

De beslissing om een ambassade wegens een dreiging te sluiten, of het nu voor een dag was of voor een maand, behoorde tot de gevoeligste die we moesten nemen. In deze periode ontvingen we zo'n duizend dreigementen per maand gericht aan gebouwen of functionarissen in het buitenland. Hadden we op elk daarvan gereageerd met sluiting van het gebouw in kwestie, dan waren we verlamd geweest. Hadden we geweigerd sluitingen te gelasten als de omstandigheden om voorzorgen vroegen, dan hadden we mogelijk met meer mensenlevens betaald. De enige manier om een zinnige beslissing te nemen was het analyseren van ieder dreigement.

Samen met onderminister voor Management Bonnie Cohen maakte Carpenter zich met succes sterk voor een diplomatieke veiligheidsfunctionaris bij de CIA, zodat we zouden weten wanneer er een dreigement tegen een van onze posten was ontvangen. Ook hadden we beveiligingspersoneel bij het operatiecentrum van het ministerie, dat letterlijk ieder uur van de dag werkte om onze reacties te coördineren. Een ambassade maakte altijd naar eigen inzicht de afweging of een waarschuwing geloofwaardig was. Veel tips die we kregen kwamen van mensen die een ambassade van ons binnenliepen en de ambassadeur of iemand anders van de staf te spreken vroegen. Zo nu en dan verschaften deze informanten belangrijke informatie. Vaker nog werden ze gemotiveerd door de hoop op een beloning, in de vorm van geld of een visum voor de VS. Soms kwamen ze de ambassade verkennen, voor het verzamelen van inlichtingen of mogelijk terrorisme. We hadden geen dringender taak dan ieder verhaal na te gaan.

Het rapport van Crowe beval aan dat één enkele hoge functionaris verantwoordelijk zou zijn voor alle veiligheidszaken. Om dat te bereiken stelde ik voor de post van onderminister voor Veiligheid, Terrorisme en aanverwante zaken in het leven te roepen. In afwachting van actie van het Congres besloot ik dat ik degene moest zijn die de uiteindelijke beslissingen nam, zij het met deskundig advies, zodat ik praktisch elke morgen als ik in Washington was, met Carpenter in mijn kantoor de laatste informatie zat door te nemen. In één geval gingen leden van een afscheidingsgroepering gewapend met een raketwerper een gebouw tegenover ons consulaat in een Europese stad binnen. Door goed inlichtingenwerk hielden lokale autoriteiten de terroristen aan voor ze konden toeslaan. Het voorval illustreerde de waarde van een hechte relatie met het gastland. Gelukkig willen zelfs landen die onverschillig of vijandig tegenover ons staan geen terreuraanslagen op hun grondgebied zien. Toen we in een bepaald geval geen medewerking kregen belde ik de ambassadeur van dat land in Washington op en zei dat als we de hulp die we zochten niet kregen, we onze ambassade moesten sluiten en de wereld zouden vertellen waarom. Toen kwam die medewerking snel.*

Onze bezorgdheid om de mogelijkheid van een nieuwe grote aanslag kwam

---

* Terrorisme was niet onze enige zorg. De Koude Oorlog was voorbij maar spionage niet. Ik moest de beveiliging op het ministerie verscherpen nadat in 1998 een geheimzinnige man in een bruin pak een afgesloten deel van het gebouw was binnengedrongen, in 1999 Russische afluisterapparatuur in een vergaderzaal werd ontdekt en de verdwijning, in 2000, van een laptop met zeer geheime informatie. Over de maatregelen die ik nam, zoals

eind 1999 tot een hoogtepunt, toen de wereld zich opmaakte om het nieuwe millennium te vieren. De regering kondigde de hoogste staat van paraatheid af voor
onze politiemacht en het inlichtingenapparaat. We waarschuwden Amerikanen
die in het buitenland woonden of reisden uiterst voorzichtig te zijn. Als voorzorg
tegen de mogelijkheid van een aanslag met antrax stuurden we hoeveelheden
van het antibioticum Cipro naar al onze posten en maakten plannen om maskers
te leveren die in geval van een chemische of biologische aanslag snel waren te
gebruiken.

In Washington hadden we vierentwintig uur per dag een veiligheidsteam pa-
raat. Midden december werden er in enkele dagen drie aanslagen verijdeld en
de mogelijke daders aangehouden. In het Midden-Oosten werd een in Afghanistan
opgeleide groep terroristen opgepakt die een aanslag planden op het Radisson
Hotel in Amman, Jordanië. Ook een plan om toeristen te doden die de berg Nebo
bezochten, de top die Mozes kort voor zijn dood zou hebben beklommen, werd
verijdeld. Het derde plan – gericht tegen de luchthaven van Los Angeles – werd
verijdeld door een oplettende douanier die de drieëndertigjarige Ahmed Ressam
zijn kofferbak liet openen toen hij vanuit Canada de Verenigde Staten trachtte
binnen te komen. Er werd meer dan veertig kilo explosieven gevonden. Ressam
gaf daarna een gedetailleerd verslag van zijn training in observeren, moordaan-
slagen en explosieven, en getuigde dat tegen eind 1999 overal ter wereld massaal terreuraanslagen waren gepland. In ieder van die gevallen waren er banden
met Al-Qa'ida en Osama bin Laden. Hoewel ook andere dreigingen ons zorgen
baarden bleef de Saoedische terrorist het middelpunt van onze terreurbestrij-
ding.

De dag na onze vergeldingsaanval met kruisraketten in augustus 1998 werd in
het Witte Huis een bijeenkomst belegd om verdere militaire opties te bestuderen. Ons voornaamste doel was niet getroffen, en dat motiveerde ons alleen
maar sterker. In de weken daarna gaf de president opdracht tot het gebruik van
geweld om Bin Laden en zijn medewerkers te doden of gevangen te nemen.
Aanvankelijk zetten we B2-bommenwerpers in die binnen een dag Afghanistan
konden bereiken. Later gingen we over op met kruisraketten uitgeruste onderzeeërs, die permanent oproepbaar waren in de Arabische Zee. Het Pentagon, dat
na verloop van tijd geen zin meer had in deze stationering, zei dat verlenging ervan bij gebrek aan betere informatie over de verblijfplaats van Bin Laden niet
gerechtvaardigd was. President Clinton hield echter voet bij stuk omdat het ons
de mogelijkheid bood Bin Laden snel te treffen als er bruikbare informatie
kwam. Het was duidelijk dat we niet konden aanvallen als we geen redelijke

het voorkomen van slordigheid, instellen van meer veiligheidspatrouilles, beperking van
de toegang tot het ministerie en de ambtenaren persoonlijk verantwoordelijk stellen, waren sommige collega's boos en dat leidde tot berichten in de media over een lage moraal
op het ministerie. Gezien het gevaar van kleine fouten, ben ik er echter van overtuigd dat
critici het fout hadden en dat mijn strenge beleid zowel noodzakelijk als juist was.

mate van zekerheid hadden over waar Bin Laden zou zijn. De president drong aan op inlichtingen over de Afghaanse grotten bij de grens met Pakistan, maar onze militaire experts konden geen voldoende overtuigend scenario opzetten voor een doeltreffende aanval.

In onze ijver om ieder alternatief na te gaan bestudeerden we de mogelijkheid van het sturen van een commandoteam om Bin Laden te grijpen. Ook met deze aanpak waren problemen. Uiterst betrouwbare inlichtingen bleven essentieel, want we konden niet op grond van geruchten een team inzetten. Ook was de omvang van zo'n missie moeilijk te bepalen. Hoe kleiner het team, hoe groter de kans dat het Bin Laden bij verrassing te pakken kreeg, maar ook was het risico groter dat het door gebrek aan mankracht of defect materieel mislukte. Hoe groter het team, hoe beter het zichzelf kon beschermen, maar de kans op verrassen was kleiner. En als Bin Laden zou worden gewaarschuwd waren er veel plaatsen waar hij zich kon verschuilen. Bovendien konden raketten het werk sneller en met minder risico doen als we echt goede inlichtingen hadden.

Er was nooit enige twijfel dat als we meenden een goede kans te maken om Bin Laden te pakken, we achter hem aan zouden gaan. We voelden allemaal het verlies van de bij de aanslagen vermoorde mensen – we hadden hun familie ontmoet – en waren vastbesloten verdere aanslagen te voorkomen. Tegelijkertijd vereisten de omstandigheden dat we een hoge norm voor succes stelden. Als we een in het oog lopende missie uitstuurden en Bin Laden werd niet gepakt of gedood, dan zouden we terrein verliezen. De terrorist zou zeker triomfantelijk van zich later horen en zijn imago bij zijn radicale volgelingen oppoetsen.

Voordat operatie Infinite Reach van start ging hadden we informatie ontvangen over een geplande ontmoeting van terroristenleiders, met een goede kans dat Bin Laden daarbij zou zijn. Hoewel we ieder stukje informatie uitplozen kregen we nooit meer een vergelijkbare kans. Bij verscheidene andere gelegenheden liet men me weten dat we een aanval voorbereidden, en later hoorde ik dan dat onze informatie niet verifieerbaar of onjuist was gebleken. Soms kwamen we erachter waar Bin Laden was geweest of waar hij heen kon zijn, of waar iemand die op hem leek zou kunnen zijn, maar de tips waren altijd te laat of te vaag. Om gek van te worden. Ik vergeleek het met zo'n grijperspel op de kermis, waarbij je na het inwerpen van een munt wel even die prijs zult pakken. Maar telkens als je beet denkt te hebben valt het ding uit de grijper.

In opdracht van de president bleven de militairen ideeën leveren om onze actuele informatie over de verblijfplaats van Bin Laden te verbeteren. Laat in de zomer van 2000 zette het Pentagon de Predator, een langzaam vliegend onbemand toestel, in om boven Afghanistan fotografische gegevens te verzamelen. De resultaten waren bemoedigend, maar toen stortte het vliegtuig neer. De NSC stelde voor een Predator met een raket uit te rusten. Begin 2001 testte de luchtmacht een prototype, maar de regering-Bush wenste tot na 11 september geen al dan niet bewapende Predators in te zetten.

Eén vraag die sindsdien is gerezen is waarom we Afghanistan niet eenvoudig binnenvielen, om de Taliban af te zetten en Al-Qa'ida te verjagen. Voor zover ik weet is deze optie nooit serieus overwogen. Er waren redenen genoeg om militair optreden te rechtvaardigen, maar zonder de megaschok van 11 september zou een inval in Afghanistan door de meerderheid van onze burgers of onze bondgenoten niet zijn gesteund, en hij zou in de hele Arabische en islamitische wereld zijn veroordeeld.

De tweede termijn van president Clinton eindigde zonder geslaagde terreuraanslagen tegen diplomatieke posten van de VS. Maar zoals we weten zijn diplomatieke voorzieningen niet de enige doelwitten. Eén reden waarom terrorisme zo'n bedreiging vormt is dat het bijna overal kan toeslaan. Op 12 oktober kwam een kleine boot naast de USS *Cole* te liggen, toen deze in de haven van Aden bij de kust van Jemen brandstof innam. De boot explodeerde, sloeg een gat van achttien bij twaalf meter in de stalen romp van het marineschip, doodde zeventien mensen en verwondde er negenendertig.

Ik belde onmiddellijk president Ali Abdullah Saleh van Jemen op, die recent de Verenigde Staten had bezocht en zijn vriendschap betuigd. Hij beloofde een grondig onderzoek en plaatselijke autoriteiten arresteerden al gauw verdachten. Helaas boterde het niet erg tussen Jemen en de FBI. Onze ambassadeur, Barbara Bodine, bereikte dat de twee partijen tot op zekere hoogte samenwerkten door Jemen aan te moedigen tegemoetkomender te zijn, en de FBI om de mensen daar niet op hun tenen te trappen. Hoewel de verdenking meteen op Bin Laden viel beschikten we niet over het soort rechtstreeks bewijs zoals we na de aanslag op de ambassades hadden. Pas nadat ik uit functie was kon de FBI een afdoend verband leggen tussen Al-Qa'ida en de aanslag tegen de *Cole*.

De logische vraag na een catastrofe is of deze te voorkomen was geweest. Net als Pearl Harbor en de moord op JFK zijn en blijven de aanslagen van 11 september het onderwerp van nauwgezet onderzoek door officiële commissies, de media en publicisten. Veel aandacht ging naar gebleken feilen in de coördinatie tussen de CIA en de FBI. Ik weet uit eigen ervaring dat de culturen en doelstellingen van deze twee organisaties zeer verschillen. Tegelijk is er een tendens om door het prisma van het heden naar het verleden te kijken. De aanslag op de Twin Towers was als een bliksem die veel in het licht zet wat daarvoor minder duidelijk was. Treurig genoeg was ik niet verbaasd door de aanslag, of zelfs maar geschokt omdat vliegtuigkapingen een onderdeel vormden. Wel was ik geschrokken door het hoge coördinatieniveau en het feit dat de kapers zo'n tijd in de Verenigde Staten hadden kunnen oefenen.

De schaal en aard van die aanslagen stelden onze strijdkrachten, diplomaten, politie en binnenlandse veiligheid voor grote opgaven, zowel onmiddellijk als op lange termijn. Ze voegden een nieuwe dimensie toe aan de reeds lang bestaande vrees dat massavernietigingswapens in verkeerde handen kunnen vallen, en leidden tot veranderingen in het militair denken van de VS.

De reactie van de regering-Clinton op de aanslagen in Afrika en elders resulteerde in het aanhouden van veel verdachten van terrorisme en schiep een sterk precedent voor internationale samenwerking bij de bestrijding van terreur. We gebruikten zowel geweld als diplomatie om Bin Laden aan te vallen en Al-Qa'ida te ontwrichten, waarbij we veel bereikten maar de duidelijke overwinning misten die we zo hard nastreefden. De strijd zal doorgaan, net als het grotere gevecht van ideeën.

In mijn jaren als diplomaat dacht ik uiteraard in mondiale termen. Als optimist hoopte ik internationale aanvaarding te krijgen van het idee dat terrorisme een kwaad is, net als volkerenmoord, etnische zuivering, slavernij, apartheid en racisme. Onze opgave was de term 'terrorist' tot een algemeen aanvaard begrip te maken. Het etiket is beladen en vooral omstreden indien toegepast op strijders voor een nationale zaak. Ik heb veel gesprekken gehad met Arabische leiders die beweerden dat men leden van anti-Israëlische groeperingen als Hamas en Hezbollah niet als terroristen moest beschouwen omdat hun strijd om verloren Arabisch land terug te krijgen legitiem was. Mij werd gezegd: 'Ze doen alleen maar wat patriotten deden in de Amerikaanse Vrijheidsoorlog tegen de Britten.' Ik antwoordde: 'Ik herinner me niet dat George Washington en Paul Revere tegen hun zoons zeiden dat ze zich moesten opblazen om Britse kinderen te doden.'

Er zijn in de wereld veel troebele situaties waar buitenstaanders moeilijk over kunnen oordelen. Dikwijls zijn er verdiensten en fouten aan beide zijden, en het beste waar men op mag hopen is een pragmatische oplossing, zelfs als er wat morele losse eindjes overblijven. Ook zijn er veel autocratische regeringen die klaarheid willen brengen waar die niet is, en politieke tegenstanders voor 'terroristen' uitschelden, of die omschrijving van toepassing is of niet.

Maar toegeven dat veel situaties onhelder zijn wil niet zeggen dat helderheid in verantwoording onmogelijk te verkrijgen is. Als iemand een bom in het federale gebouw in Oklahoma plaatst, per post vergif stuurt, het vuur opent op biddende mensen in een moskee, een bloedbad aanricht op een groentemarkt, of een vliegtuig in een kantoorgebouw laat vliegen, zijn de morele kwesties eenvoudig. Het doet er niet toe hoe kwaad, wanhopig of gedemoraliseerd iemand kan zijn. Er is geen politieke, historische, religieuze, economische of ideologische rechtvaardiging voor het opzettelijk vermoorden van onschuldige mensen. Ieder van ons, in ieder land en werelddeel moet daartegenin gaan, elke dag.

Dit verklaarde ik voor een internationaal gehoor dat ik in april 2000 op uitnodiging van Henry Kissinger toesprak. Ik zei dat de veiligheidsopgaven waar de Verenigde Staten voor staan waren veranderd en dat de dreiging die conventionele strijdmachten vormden was verminderd. Ik stelde dat onconventionele dreigingen als terrorisme 'een met burgers bevolkt slagveld hebben gecreëerd. Als reactie moeten we onze strategieën bijstellen en begrijpen dat het geopolitiek schaakspelen niet meer voldoende is: het schaakbord is niet meer tweedimensionaal.' Ik betoogde dat voor bestrijding van terrorisme, proliferatie van wapens en misdaad in deze nieuwe wereld, we niet eenvoudig afhankelijk zou-

den moeten zijn van onze eigen middelen of de hulp van traditionele bondgenoten, maar van de bijdragen van 'iedere welwillende natie' en iedere regionale en
mondiale instelling.

De boodschap van die rede is tot op de dag van vandaag relevant. Maar de reden waarom deze me bij is gebleven is niet zozeer wat ik zei maar waar ik het
zei. Het was in een restaurant dat 'Windows on the World' heet, boven in het
World Trade Center, in de stad New York.

HOOFDSTUK 23

'Milošević is het probleem'

IK WEET NOG DAT IK LANG GELEDEN BEELDEN ZAG van een briljante schaker, misschien Bobby Fischer toen hij twaalf was, die simultaan schaakte tegen twaalf verschillende tegenstanders. Hij ging de tafels langs, bestudeerde de stukken, deed zijn zet en ging naar de volgende. Zo voelde ik me ook als minister van Buitenlandse Zaken, alleen was ik geen wonderkind en waren de gezichten die ik van tafel tot tafel zag die van Saddam Hoessein, Moammar Kadafi, Fidel Castro en ayatollah Khamenei. De partijen waren gecompliceerd omdat een verandering in de voortgang van de ene, de dynamiek van alle andere veranderde; tot onze zetten werd gezamenlijk besloten en dan lieten degenen die het er niet mee eens waren ze voortijdig uitlekken; nieuwe en tegenstrijdige strategieën werden uitgekreten door een koor van Capitol Hill; en het schaakbord van het Midden-Oosten bleef omkantelen, zodat de partij steeds opnieuw moest beginnen. De speelzaal was vroeg in 1998 al overvol toen weer een andere bekende tegenstander – Slobodan Milošević – kwam binnenstormen.

Eind februari en begin maart stormden Servische paramilitaire eenheden rond het stadje Prekaz in de Joegoslavische provincie Kosovo door etnisch Albanese dorpen en doodden tientallen mensen. Hele gezinnen verbrandden levend in hun huis. Er waren vrouwen, kinderen en bejaarden onder de slachtoffers; duizenden mensen vluchtten. Het was het ergste geweld in de provincie sinds de Tweede Wereldoorlog. Een woedende menigte kwam in de hoofdstad Pristina samen om tegen de moordpartijen te protesteren, die deel uitmaakten van een operatie om etnisch Albanese guerrillastrijders uit te schakelen die de Servische politie in een hinderlaag hadden gelokt.

Was dit een opzichzelfstaand incident geweest, dan was het een tragedie zonder wereldwijde invloed geweest, maar de moordpartijen hadden een historische lading en context. De provincie Kosovo telt ruim twee miljoen inwoners. De provincie ligt helaas op de zigzagscheidslijn die ruwweg de moslims van Europa van de christenen scheidt, in dit geval etnische Albanezen* van etnische Ser-

---

* In de volgende drie hoofdstukken wordt de term 'Albanezen' gebruikt om het etnisch Albanese deel van de bevolking van Kosovo aan te duiden. Tenzij anders aangegeven heeft deze aanduiding geen betrekking op de inwoners van het land Albanië.

viërs. In zo'n omgeving wordt het heden maar al te vaak bepaald door het verleden.

In 1389 werden bij een epische veldslag in de buurt van Pristina Servische eenheden verslagen door de ruiterij van het Ottomaanse rijk. De Servische leider, prins Lazar, werd door de Turken gevangengenomen, voor de sultan geleid en onthoofd. Tot op de dag van vandaag koesteren veel Serviërs bij herdenkingen van hun dappere soldaten het verlangen de nederlaag te wreken. Na de veldslag heersten de Ottomanen eeuwen over Kosovo en de rest van Servië, maar geen rijk duurt eeuwig, en het Ottomaanse werd in de negentiende eeuw steeds kleiner. Servië herwon in 1878 zijn onafhankelijkheid en heerste in 1912 kort over Kosovo. Na de Eerste Wereldoorlog werd Servië (met inbegrip van Kosovo) opgenomen in het koninkrijk van Serviërs, Kroaten en Slovenen, later bekend als Joegoslavië.

In 1974 werd onder Tito de grondwet van Joegoslavië gewijzigd om Kosovo een volledig autonome status te verlenen en het grote Albanese volksdeel een eigen parlement, scholen en andere instellingen te laten vormen. De volgende vijftien jaar was de regering van Kosovo voornamelijk in handen van Albanese communisten. In Kosovo wonende Serviërs klaagden over discriminatie en slechte behandeling. Deze onvrede creëerde voor Milošević toen hij in 1989 in Belgrado aan de macht kwam een mogelijkheid om te tonen wat hij als Servische nationalist waard was, door zich achter de zaak van de Servische minderheid in Kosovo te stellen. Spoedig na zijn aantreden liet hij door zijn politie scholen sluiten, en het aan de Albanezen systematisch ontzeggen van politieke en economische rechten begon.

Het gevolg was toenemende spanning. Zowel de Serviërs als de Albanezen hadden valide historische aanspraken, maar Kosovo, dat veel Serviërs als hun hart beschouwden, bevond zich reeds lang in een vreemd lichaam. Meer dan negentig procent van de bevolking was Albanees. Rond de provincie bevonden zich aanzienlijke etnisch Albanese populaties in het naburige Macedonië en Griekenland, en ook in Albanië zelf. Geweld tussen Serviërs en Albanezen in Kosovo kon over de hele regio komen.

De regering-Bush sr., die over het algemeen in de Balkan passief was gebleven, besloot zich voor haar terugtreden op iets gedurfds vast te leggen. Eerste kerstdag 1992 lieten Amerikaanse diplomaten Milošević weten dat de Verenigde Staten bereid waren militair te reageren als de Serviërs een gewapend conflict in Kosovo begonnen. Drie weken na het aantreden van president Clinton in 1993 bevestigde minister Christopher deze 'kerstwaarschuwing'.

Gezegd dient dat de Albanezen verkozen zich vreedzaam tegen de Servische repressie te verzetten, door parallelle 'schaduwinstellingen' op te zetten. Onder leiding van Ibrahim Rugova en de Democratische Liga van Kosovo (LDK) streefden ze naar onafhankelijkheid, maar op een niet-gewelddadige manier. Als gevolg sudderde Kosovo, terwijl Bosnië ooit kookte. De door de Serviërs beheerste officiële instellingen bestonden naast de onofficiële lichamen die in handen waren van de Albanezen. Maar de Joegoslavische politie hield de provincie in een wurggreep en was alom gehaat om haar tactiek van intimidatie. In Kosovo heerste extreme spanning maar geen oorlog.

Nadat echter in 1995 de Akkoorden van Dayton waren ondertekend raakte de situatie verder verhit. De Albanezen van Kosovo keken om zich heen en zagen dat de Bosniërs, Kroaten, Slovenen en Macedoniërs allemaal Joegoslavië de rug hadden toegekeerd om onafhankelijke staten te vormen. De Albanezen hadden dezelfde ambitie, maar de Akkoorden van Dayton deden niets voor hen. Vele verloren hun geduld met de ontzegging van hun rechten en het pleiten voor geduld door burgerleiders. Sommige gingen over tot geweld en sloten zich aan bij een verzetsbeweging, bekend als het Kosovo Bevrijdingsleger (UÇK). In die tijd wisten we weinig over deze los georganiseerde groep, behalve dat hij kleinschalige aanvallen op Serviërs in Kosovo had uitgevoerd. Uit bronnen in de regio vernamen we in januari 1998 dat Milošević militair wilde gaan optreden.

Omdat we een crisis vreesden drukten we de Servische leider herhaaldelijk op het hart geen nieuwe golf van repressie te beginnen, en we herinnerden hem nogmaals aan de kerstwaarschuwing. We wilden de gematigde Albanezen sterken door een dialoog met Belgrado aan te moedigen, gericht op herstel van de autonomie van Kosovo, en we ontmoedigden internationale steun voor het UÇK. Ook verkenden we wegen om pro-democratische krachten binnen Joegoslavië te helpen, omdat we meenden dat de problemen van Kosovo en de regio niet zouden worden opgelost voor Milošević van zijn macht was ontheven. Deze inspanningen weerspiegelden het droombeeld – dat president Clinton en ik deelden – van een vrij en onverdeeld Europa dat ook een vreedzame Balkan omvatte. Om dat droombeeld waar te maken moesten we eerst de fel nationalistische leiders kwijtraken die bij het uiteenvallen van Joegoslavië waren opgekomen. Nu het met de gezondheid van Franjo Tudjman in Kroatië achteruitging en Bosnië eindelijk stabiel was, vormde Milošević het laatste machtige obstakel voor de integratie van de Balkan in een democratisch Europa.

Voor de slachting van Prekaz hadden Joegoslavische autoriteiten onze hoofdonderhandelaar voor de Balkan, ambassadeur Robert Gelbard, verzekerd dat ze terughoudend op aanvallen zouden reageren. Ze hadden kennelijk gelogen. De Servische stormloop zou zeker Albanezen radicaliseren, gematigden verzwakken en het UÇK sterken. Milošević was in de Balkan al drie oorlogen begonnen (tegen Slovenië, Kroatië en Bosnië). Hij leek klaar om een vierde te beginnen.

Toen het geweld in Bosnië losbarstte maakte ik nog geen deel uit van de regering. Later, bij de VN, was ik lid van het team. Nu was ik minister van Buitenlandse Zaken. De moordpartijen van Prekaz gaven me een akelig voorgevoel, maar maakten me ook vastberaden. Ik vond dat we Milošević onmiddellijk moesten tegenhouden. Ik gaf publiekelijk een teken: 'We zijn niet van plan werkeloos toe te zien hoe de Serviërs in Kosovo doen waar ze in Bosnië niet meer mee wegkomen.' Hopend op internationale steun woonde ik in Londen een bespreking bij van wat bekend stond als de Contactgroep, een transatlantische task force met betrekking tot de Balkan bestaande uit de Verenigde Staten, Rusland, het Verenigd Koninkrijk, Frankrijk, Duitsland en Italië.

Minister van Buitenlandse Zaken Robin Cook, de gastheer van de bespreking, begon met een ontwerpverklaring rond te delen met een opsomming van op te leggen sancties, stappen die Milošević kon ondernemen om ze opgeheven te krijgen, en het dreigen met verdere sancties als hij dat niet deed. Het was een harde benadering. Robin en ik zaten op dezelfde golflengte. Hij meldde dat hij met Milošević had gesproken en hem uitermate ongeïnteresseerd vond in een politieke oplossing. Onze enige weg was hem te dwingen tot wijziging van zijn beleid.

Vervolgens sprak ik met ongewone indringendheid. Ik wees erop dat Lancaster House, het majestueuze gebouw waarin we vergaderden, hetzelfde bouwwerk was waarin westerse ministers van Buitenlandse Zaken zo veel vruchteloze sessies over Bosnië hadden gehouden. We zaten zelfs in dezelfde zaal. Eerder in het decennium had de internationale gemeenschap de eerste tekenen van etnische zuivering in de Balkan genegeerd. Van die fout moesten we leren. Het geweld in Kosovo was recent, maar het probleem dat door de meedogenloze ambitie was ontstaan was dat niet.

Ik waarschuwde dat Kosovo implicaties voor de hele regio had. We konden het de Serviërs niet laten omschrijven als een zuiver binnenlandse aangelegenheid. Milošević beweerde dat de Kosovaren gewelddadig waren, maar het geweld begon met hem. De Albanezen hadden onder Tito zelfbestuur gehad, maar Milošević had hun dat afgenomen. Als de Kosovaren niet hun rechten waren ontnomen zou er geen UÇK zijn geweest. We moesten concrete maatregelen goedkeuren die onze drukmiddelen op Belgrado zouden uitbreiden. Op die manier hadden we Milošević in Dayton aan tafel gekregen, en dit was de enige taal waar hij nu op zou reageren.

Ik dacht dat ik overtuigend was geweest, maar kennelijk was ik dat niet. Mijn Franse ambtgenoot Hubert Védrine vroeg om uitstel van de sancties, een duidelijker veroordeling van het UÇK, en een ondubbelzinnige verklaring tegen onafhankelijkheid voor Kosovo. Lamberto Dini van Italië vreesde dat sancties tegen Milošević eerder tot minder dan tot meer medewerking zouden leiden en drong erop aan dat we meer zouden doen om wapensmokkel voor het UÇK tegen te houden. Jevgeni Primakov, die de bespreking helemaal niet had willen houden, had uit protest een van zijn plaatsvervangers gestuurd. Robin Cook en ik namen de Russische gezant om beurten onder vuur, die kennelijk had besloten dat ons afmatten zijn beste tactiek was. Toen we hem onder druk zetten om tenminste enkele sancties te aanvaarden zei hij geïnstrueerd te zijn zich tegen iedere strafmaatregel te verzetten. Toen begon hij dwars te liggen.

Het debat raakte verhit, en terwijl ik luisterde krabbelde ik verwoed op mijn blocnote. Omdat ik naar de bespreking was gekomen om mijn krachtige denkbeelden helder uiteen te zetten was ik vastbesloten het vertrouwen van degenen die van de VS leiderschap verwachtten niet te beschamen. Op zeker moment drong de gewoonlijk havikachtige Jamie Rubin er bij me op aan over een bepaalde maatregel een compromis te aanvaarden. Ik keek hem bevreemd aan en zei: 'Jamie, denk je dat we hier in München zitten?'

Na vier uur hadden we een consensus bereikt zonder Rusland. De rest van ons keurde een moratorium op exportkredieten goed, een onderzoek door het oorlogstribunaal, en ontzegging van reisvisa voor hoge Servische functionarissen. We kwamen overeen een gezant van hoog niveau te sturen (de voormalige Spaanse premier Felipe González) om een dialoog tussen de Serviërs en Albanezen mogelijk te maken, en we waarschuwden Milošević voor extra sancties als het aantal Servische veiligheidstroepen in Kosovo niet werd verminderd.

Ik had het meeste waarop ik had gehoopt bereikt, maar de voortgang was niet blijvend. Terwijl de dagen verstreken gaven mijn Europese collega's Milošević hogere cijfers voor inschikkelijkheid dan ik. Ze legden de nadruk op de terugtrekking van wat Servische veiligheidstroepen. Ik kwam met bewijzen dat Servische speciale politie zich ingroef en niet vertrok. De Europeanen spraken over de uitnodiging van Belgrado voor herinstelling van een internationale aanwezigheid in Kosovo. Ik wees op de weigering van Milošević om een missie onder leiding van González te aanvaarden. De Europeanen vonden aanvullende sancties niet nodig. Ik vond ze onmisbaar.

Een tweede bespreking van de Contactgroep stond voor 25 maart in Bonn gepland. Ik kwam de avond tevoren aan en dineerde met Primakov. Jeltsin had vlak daarvoor bijna zijn hele kabinet ontslagen. Primakov legde uit dat hij had overleefd omdat hij een bondgenoot van Jeltsin was sinds ze samen bij het Politburo waren. Jeltsin voelde zich met hem op zijn gemak omdat hij geen potentiële rivaal was.

Met betrekking tot Kosovo waren we het erover eens dat een burgeroorlog rampzalige gevolgen zou hebben, maar verder liepen onze denkbeelden sterk uiteen. Primakov verdedigde Milošević; hij meende dat de Albanezen en niet de Serviërs nu de destabiliserende macht waren. Hij zei ook dat Rusland Kosovo als een binnenlandse aangelegenheid beschouwde en dat sancties tegen Milošević alleen maar Servisch nationalisme zou doen opvlammen. Ik had het gevoel dat het Russische standpunt minder werd gevormd door solidariteit met hun Slavische volksgenoten dan door de mogelijkheid dat internationale actie aldaar als precedent zou dienen voor buitenlandse interventie in Rusland, waar Tsjetsjeense separatisten geregeld met het leger overhoop lagen.

De Contactgroepbespreking, voorgezeten door mijn Duitse ambtgenoot Klaus Kinkel was het in wezen nergens over eens en overtuigde me ervan dat deze groep niet het juiste lichaam was om Milošević het hoofd te bieden. Kennelijk zou Rusland moeilijk worden, en Frankrijk en Duitsland meden bijna altijd een confrontatie met Moskou. De Italianen deden heel wat zaken met de Serviërs en hielden niet van sancties. Het was voor Milošević al te gemakkelijk deze landen met geruststellende gebaren en loze woorden te immobiliseren.

Ik concludeerde dat we ons niet tevreden moesten stellen met het volgen van de consensus over Kosovo; we moesten die leiden. Dat zou echter alleen mogelijk zijn als ik erin slaagde consensus binnen mijn eigen regering te bereiken – geen gemakkelijke opgave. De NSL en het Pentagon voelden onbehagen bij mijn resolute uitspraken. De regering stond niet te trappelen voor een nieuwe confrontatie inclusief de dreiging met geweld. Het ministerie van Defensie, dat was gezwicht bij de kwestie van handhaving van Amerikaanse troepen in Bosnië, was niet bereid verdere missies in de Balkan te overwegen. Daarom stond de regering tot mijn ongenoegen niet meer achter de kerstwaarschuwing van 1992.

Ik vond het hard nodig de mogelijkheid van bombarderen weer aan de orde te stellen. Milošević zou het ontbreken van een ondubbelzinnige waarschuwing opvatten als groen licht voor repressie. We moesten wat ruggengraat in ons beleid brengen. Op de middag van 23 april zaten Bob Gelbard, Strobe Talbott en ik met Sandy Berger in de westelijke vleugel van het Witte Huis.

Ik waarschuwde dat de door ons gezette stappen niet voldoende waren. Kosovo ging op een grote confrontatie af tenzij er een politieke overeenkomst kwam, wat niet zou gebeuren voor Milošević zich bedreigd voelde – wat er niet inzat zolang het gebruik van geweld buiten beschouwing bleef. Ons standpunt was weer dat we niets hadden uitgesloten. Dit klonk zwak omdat het zwak was. Het was een duidelijke stap terug van ons eerdere standpunt en een reprise van onze vroegere schuchterheid tegenover Bosnië.

Gelbard zei mijn opmerkingen na en vond dat we het dreigen met geweld moesten gebruiken om Milošević tot onderhandelen te brengen. Op dat moment kwam Sandy Berger er geërgerd tussen. 'Je kunt niet zomaar praten over midden in Europa bombarderen. Welke doelen zou je willen treffen? Wat moet je de dag daarna doen? Het is onverantwoord zonder een samenhangend plan dreigende uitspraken te blijven doen. Zoals jullie op Buitenlandse Zaken over bombarderen praten; jullie lijken wel gek.'

Ik had mijn vrouwelijke studenten in Georgetown altijd geleerd te interrumperen; nu deed ik het met de woorden: 'Ik ben dit zo zat. Elke keer als iemand het over gebruik van geweld heeft, wordt de persoon persoonlijk aangevallen. Toen ik vijf jaar geleden het gebruik van geweld in Bosnië voorstelde liet Tony Lake me nooit mijn verhaal afmaken. Goed, ik ben nu minister van Buitenlandse Zaken en ik sta erop dat we tenminste deze discussie voeren.'

Laat in het voorjaar, toen Milošević de helikopteraanvallen opvoerde en opdracht gaf tot het platbranden van dorpen in Kosovo, gingen we niet naar de Contactgroep maar naar de NAVO. Op aandringen van de VS begon het bondgenootschap verscheidene mogelijkheden te plannen, waaronder preventieve troepenstationering in Albanië en Macedonië om verspreiding van het conflict te verhinderen, luchtaanvallen in het geval van harder Servisch optreden, en een vredesmacht indien er een politieke regeling werd bereikt.

De diplomatie werd complexer toen de Britten een ontwerpresolutie van de

Veiligheidsraad die het gebruik van geweld toestond verspreidden. Dit was goed bedoeld maar niet goed bedacht. Ik belde Robin Cook, die zei dat zijn juristen hem hadden verteld dat een mandaat van de Veiligheidsraad nodig was, wilde de NAVO handelen. Ik zei hem dat hij andere juristen moest nemen. Als een VN-resolutie werd aangenomen hadden we het precedent geschapen dat de NAVO toestemming van de Veiligheidsraad nodig had voor ze kon optreden. Dit zou Rusland, om van China maar te zwijgen, vetorecht over de NAVO geven. Werd de resolutie verworpen, dan zou dat als een overwinning voor Milošević worden gezien en het voor de NAVO veel moeilijker maken op te treden. De derde mogelijkheid was dat de resolutie werd aangenomen, maar pas nadat deze tandeloos was gemaakt om instemming van de Russen te verkrijgen. Drie mogelijkheden: drie slechte uitkomsten; geen goed plan.

Ons doel was een regeling die door onderhandelingen tussen Milošević en de Albanezen zou zijn bereikt, en die de provincie een aanzienlijke mate van zelfbestuur zou geven. Om dat te bereiken moesten we eerst onderhandelaars hebben namens de uiteenlopende en verdeelde Albanese kant. Ibrahim Rugova, de gekozen leider van hun schaduwregering, was een bescheiden, beminnelijke intellectueel, bekend door de sjaals die hij altijd droeg en zijn pacifistische reputatie. Maar het UÇK, dat over de wapens ging, wilde Rugova niet als onderhandelaar. Ook sommige andere Albanese politieke leiders wilden hem niet, omdat ze hem als te passief tegenover de Serviërs zagen, en te onbeholpen tegenover dissidenten binnen zijn eigen partij.

Rugova had altijd geweigerd met Milošević te spreken, maar in mei 1998 wilde hij wel met een kleine delegatie naar Belgrado, om te zien of een politiek proces was te starten. Dit bleek een verkeerde stap. De Servische pers greep de gelegenheid aan om met foto's te komen van Milošević en Rugova, samen lachend. Op een moment dat de Servische politie Albanese dorpen plunderde schaadde de foto Rugova's aanzien bij zijn volk nog meer.

We trachtten de schade te herstellen door zijn delegatie naar Washington te brengen, om ons respect te tonen en op eensgezindheid aan te dringen. Tijdens onze bespreking werd ik ontmoedigd door de lichaamstaal van Rugova's collega's, die er stijf bijzaten en zelfs wegwerpgebaren maakten terwijl hij sprak. Toch klonk Rugova reëel. Hij zei dat de leefomstandigheden in Kosovo met de dag verslechterden en wilde dat de NAVO een no-fly zone instelde om een einde aan de helikopteraanvallen van de Serviërs te maken. Hij zei dat het doel van de Albanezen onafhankelijkheid was, maar ze accepteerden mogelijk een voorlopige status als internationaal protectoraat, of zelfs, zei hij lachend, als de eenenvijftigste staat van de VS. Ik zei hem dat we onafhankelijkheid niet konden steunen, maar we zouden ons best doen om Kosovo te helpen zelfbestuur en veiligheid te bereiken.*

---

* Onze onwil om onafhankelijkheid te onderschrijven kwam minder uit principes voort dan uit een pragmatische beoordeling van gevoelens in de regio. Macedonië en Grieken-

Na afloop gaf Rugova me een kleine halfedelsteen uit Kosovo. De Albanese leider had als aardigheidje dat hij geregeld stenen weggaf. De vorige dag had president Clinton een stuk bergkristal van twee kilo ontvangen. Ik heb in mijn leven heel wat dissidenten meegemaakt, in Midden-Europa en elders. Gewoonlijk kun je de bezieling voelen die ze voor hun zaak opbrengen. Rugova week daarvan af. Hoewel hij vaak verbijsterde kwam ik tot het inzicht dat het feit dat hij voortdurend werd onderschat een van zijn sterke punten was. Mensen zagen hem niet staan maar hij liep niet weg, en als de Kosovaren stemden deden ze dat vaker op hem dat op iemand anders.

Tijdens de hele Kosovo-crisis was de diplomatieke strategie van Milošević dat hij de UÇK-'terroristen' van alles de schuld gaf. Niemand hielp hem daar zozeer bij als het UÇK zelf. Bijna elke keer als het ons lukte Milošević in te tomen buitten de guerrillastrijders de opening uit en sloegen aan het vechten. Hun gelederen bleven zich vermeerderen, binnenslands versterkt door studenten en nationalisten, en vanuit het buitenland door etnisch Albanese sympathisanten, tot in de Verenigde Staten toe.

In het voorjaar en de vroege zomer stond Milošević onder druk van Rusland en de Contactgroep om de extra veiligheidstroepen die hij naar Kosovo had gestuurd terug te trekken. Hij weigerde dit en ook wilde hij niets doen om politieke rechten te herstellen. Maar wel beperkte hij militaire en politieke acties voornamelijk tot het grensgebied en doorgaande routes. Het UÇK trok daar voordeel uit door het platteland te infiltreren, op secundaire wegen controleposten op te zetten en tegenover de media trots te praten over 'bevrijde zones'. UÇK-leden beloofden Kosovaren in deze zones te beschermen en gingen zelfs nummerplaten fabriceren en UÇK-schoonheidswedstrijden houden.

Half juni werd het duidelijk dat er zonder de rebellen geen politieke regeling mogelijk zou zijn, zodat onze diplomaten besprekingen begonnen met vertegenwoordigers van het UÇK. Milošević was hier razend over en sarde de Europeanen, maar het was de enige manier om vooruitgang te boeken. Bij onze eerste contacten waren UÇK-functionarissen duidelijk over hun doel, en dat was bevrijding. Hun agenda, zeiden ze, was strikt militair, en ze verwachtten te zullen slagen. Daarom stelden ze geen belang in een staakt-het-vuren of onderhandelingen. Ik had gemengde gevoelens bij deze strijders. Ik sympathiseerde met hun verzet tegen Milošević, begreep hun verlangen naar onafhankelijkheid, en aanvaardde dat geweld soms noodzakelijk was voor een goede zaak. Anderzijds

land waren sterk tegen onafhankelijkheid voor Kosovo omdat ze vreesden dat deze separatistische ambities bij hun eigen etnisch Albanese bevolking kon opwekken. Andere landen hadden ook minderheden met onafhankelijkheidsaspiraties, waaronder de Tsjetsjenen in Rusland, de Abchazen in Georgië, de Koerden in Turkije en de Basken in Spanje. Meer in het algemeen vreesden sommige Europeanen dat een onafhankelijk Kosovo een broeinest van islamitisch extremisme en georganiseerde misdaad zou worden. We konden zonder steun van Europa onze doelen in Kosovo bereiken, en we zouden de steun van Europa niet hebben als we achter onafhankelijkheid voor Kosovo stonden.

bleek er weinig van Jeffersoniaans denken bij het UÇK. Met hun vaak lukrake aanvallen leken ze uit te zijn op het uitlokken van een massale Servische reactie, zodat internationaal ingrijpen onvermijdelijk zou zijn. Ik wilde een einde aan de strooptochten door Kosovo van Milošević, maar wilde niet dat het UÇK daar gebruik van zou maken voor doeleinden waar wij tegen waren. Daarom deden we alle moeite om duidelijk te maken dat we niet als de luchtmacht van het UÇK zouden fungeren of hen zouden redden wanneer ze als gevolg van hun eigen acties in moeilijkheden raakten. We veroordeelden geweld van beide zijden.

Het UÇK was de ergste vijand van Milošević, maar hun aanvallen hielpen hem diplomatiek. Als hij slim was geweest, dan had hij de wereldopinie tegen de guerrillastrijders kunnen keren door de aspiraties van Kosovaren voor het beheer van eigen bestuursinstellingen mogelijk te maken, terwijl hij onderwijl gedisciplineerde veiligheidsmissies uitvoerde, gericht op het afsnijden van de aanvoerlijnen van het UÇK, UÇK-leden arresteerde, burgers beschermde en op aanvallen reageerde. De internationale gemeenschap had niet tegen die koers kunnen zijn; nee, we hadden een regeling toegejuicht die provinciaal zelfbestuur instelde en daarbij mensenrechten waarborgde. Tragisch genoeg kon Milošević Kosovo niet als een politiek en diplomatiek op te lossen probleem zien. Hij zag alleen verzet dat de kop ingedrukt diende te worden. Omdat de rechten van de Albanezen hem niet konden schelen dacht hij dat wij daar ook niet mee zaten. Veel pijnlijke maanden zouden verstrijken voor we zijn ongelijk aantoonden.

In juli 1998 wilde het UÇK zijn eerdere grootspraak waarmaken en lanceerde een 'zomeroffensief'. Het werd een ramp. Het Servische tegenoffensief was overweldigend en aanhoudend. Hun strategie was het afsnijden van de aanvoerlijnen van de rebellen door gebieden langs de Albanese grens in te nemen en vervolgens de opstandige strijdmacht uit letterlijk ieder dorp te verdrijven. Het gevolg was een intimidatiecampagne die honderdduizenden burgers samen met UÇK-strijders de bergen en bossen in dreef. Milošević zag hierin zijn kans om de guerrillastrijders te vernietigen, waarbij hij de Kosovaren die onafhankelijkheid wensten zo zou terroriseren dat ze hun droom zouden opgeven. Maar zijn campagne had twee heel verschillende consequenties.

Ten eerste versterkte het offensief door het verzwakken van de rebellen in feite de druk op Milošević om voor een politieke oplossing te onderhandelen. Toen het UÇK sterk was konden de Albanezen niet zinnig onderhandelen omdat Rugova te zwak en het UÇK te dogmatisch was. De rebellen beloofden Kosovo zonder onderhandelingen en compromissen van Servië te bevrijden. Ook beloofden ze burgers te beschermen in de zones die ze hadden 'bevrijd'. Maar toen de Serviërs aanvielen vertrok het UÇK. Dorpsbewoners werden door de Serviërs gebrutaliseerd en de illusie van hun zogenaamde beschermers werd hun ontnomen. Als gevolg daarvan herwon Rugova genoeg prestige om een onderhandelingsteam bij elkaar te brengen, zonder als verrader te worden bestempeld. Zelfs het UÇK aanvaardde de noodzaak van besprekingen.

Dit betekende dat onze onderhandelaars eindelijk met de twee partijen besprekingen konden beginnen over hoe zelfbestuur voor Kosovo eruit zou kunnen zien. De tweede consequentie van het Servische offensief was minder goedaardig. Duizenden verdreven Kosovaren dreigden in de naderende winter dood te zullen vriezen. Veel families die voor de Servische geweren waren gevlucht waren bang om naar huis terug te gaan, zolang troepen van Milošević in de aanval waren. Hoewel Milošević voldoende druk voelde om met Rugova over zelfbestuur te spreken zou dat vast niet genoeg zijn om hem op specifieke voorwaarden akkoord te laten gaan. Hij was tenslotte de oorlog aan het winnen.

Duidelijk was dat sancties alleen Milošević niet zouden weerhouden van het doden van Albanezen. Zoals ik vanaf het begin had gemeend moesten we onze diplomatie ondersteunen met geweld. Ik bepleitte dit opnieuw bij mijn collega's in de regering, met het argument dat als we niet optraden, de crisis zich zou uitbreiden, meer mensen zouden omkomen, we zwak zouden lijken, zich druk zou opbouwen, en uiteindelijk zouden we toch onze toevlucht tot geweld nemen onder nog moeilijker en tragischer omstandigheden.

Ook zei ik dat we een gezamenlijke strategie moesten opzetten om een einde te maken aan het bewind van Milošević. Ik begreep dat in Dayton pragmatisme bepaalde dat we tot het einde van de Bosnische oorlog met Milošević zaken deden, maar ik heb hem nooit vertrouwd. Zijn ambities waren van een niet te vervullen aard, of het moest zeer ten koste van anderen gaan. Bovendien kwam ons belang bij Kosovo voort uit ons belang bij een vreedzaam Europa, en Joegoslavië zou met Milošević aan het roer nooit zijn weg in zo'n Europa vinden. We moesten aan Servische zakenmensen de boodschap sturen dat hij slecht was voor het zakendoen, aan de Servische militairen dat hij tot vernietiging van hun instellingen zou leiden, en aan de Servische middenklasse dat hij hun hoop op een vreedzame en welvarende toekomst teniet deed. Mijn argumenten, gecombineerd met dagelijks nieuws van rampen in Kosovo, gaven uiteindelijk de doorslag. De president gaf zijn goedkeuring aan een strategie voor het steunen van alternatieven voor Milošević met zichtbare, publieke middelen. Ook besloten we een duidelijk NAVO-besluit over Kosovo te eisen.

Ons plan met de NAVO was Milošević te noodzaken zijn offensief te staken en het aantal veiligheidstroepen in Kosovo te verminderen tot het niveau van voor het uitbreken van het geweld. Ook moest Milošević serieus akkoord gaan met onderhandelingen met de Albanezen voor voorlopige regelingen met betrekking tot zelfbestuur. Ondernam hij deze stappen niet, dan zou de NAVO een voortdurende campagne beginnen van aanvallen op Servische steunpunten in Kosovo en op Servië zelf. Hoewel we niet op de Veiligheidsraad konden rekenen voor expliciete autorisatie voor gebruik van geweld werkten we door via de raad om zo een bevestiging van onze politieke doeleinden te krijgen. Op 23 september nam de raad een resolutie aan, waarin de situatie in Kosovo tot een bedreiging voor vrede en veiligheid werd verklaard, en een reeks acties werd opgesomd die Milošević moest ondernemen. De volgende dag liet de NAVO een officiële waarschuwing uitgaan dat luchtaanvallen waren toegestaan als het Servische offensief voortduurde.

Op 30 september hadden we in de Situation Room van het Witte Huis een bespreking van de Principals Committee. Voor ons op tafel lag een foto uit de *New York Times* van die morgen. Op die foto een dood lichaam, skeletachtig, met open mond, als voor een laatste stille kreet. Het lichaam was een van de achttien vrouwen, kinderen en bejaarden, die begraven werden in het stadje Gornje Obrinje in Kosovo. Enkele dagen daarvoor had de Servische politie vijftien van de slachtoffers in een kloof verborgen gevonden en vermoord. Drie mannen, onder wie een verlamde man van vijfennegentig, waren in hun huis levend verbrand. Nog eens zestien burgers waren in naburige dorpen doodgeschoten of doodgeslagen. Dit was het antwoord van Milošević aan de Verenigde Naties en de NAVO.

Toen ik die morgen de foto bekeek en de tekst erbij las dacht ik weer aan mijn gelofte geen herhaling van de slachting in Bosnië toe te laten. Daar waren honderdduizenden mensen vermoord. In Kosovo waren het tot dan toe honderden. Voor de meesten was het nog niet te laat, maar we moesten er alles aan gaan doen.

De Principals Committee beval president Clinton aan Richard Holbrooke – toen ambteloos burger – naar Belgrado te sturen om de voorwaarden van de NAVO voor te leggen. In dat jaar had Holbrooke Bob Gelbard op verscheidene reizen vergezeld, pogend gebruik te maken van de relatie die hij tijdens de onderhandelingen in Dayton met Milošević had opgebouwd. We stuurden hem nu om onze bereidheid te tonen tot het verkennen van ieder redelijk alternatief voor geweld. In Belgrado aangekomen kon Holbrooke geen vooruitgang boeken omdat we nog steeds voldoende drukmiddelen misten.

Milošević had nog steeds niet het idee dat de NAVO verder zou gaan dan haar herhaalde waarschuwingen. Hij wist dat sommige Europese leiders een tweede, explicietere resolutie van de Veiligheidsraad eisten, een die op een Russisch veto kon rekenen. Een nieuwe regeringscoalitie – met de semi-pacifistische Grünen – zou in Duitsland gaan regeren. Italië had ons verzekerd dat het bij zijn standpunt bleef, maar de regering-Prodi stond op het punt te vallen te midden van alle bezorgdheid in het parlement over het vooruitzicht van luchtaanvallen vanaf bases in Italië. Milošević had bij een van zijn periodieke charmeoffensieven demonstratief een klein aantal militairen uit Kosovo teruggetrokken. Het leek zijn bedoeling de onderhandelingen met Holbrooke te rekken, in de hoop dat de NAVO verdeeld zou raken. Daarom moesten wij de zachtheid in het standpunt van de NAVO wegwerken.

Op 8 oktober sprak ik in Brussel met Holbrooke en vertegenwoordigers van het bondgenootschap. Samen meenden we dat een overeenkomst met Milošević alleen mogelijk was als de NAVO het gebruik van geweld toestond. Daarop gingen we gezamenlijk naar een bespreking van de Contactgroep in Londen om dezelfde uitspraak te doen en de Europeanen te verzekeren dat we al het mogelijke deden om de Russen binnenboord te houden. Dit betekende zakendoen met een nieuwe persoonlijkheid. Boris Jeltsin, geplaagd door economische tegenspoed, had weer eens een premier ontslagen en hem vervangen door mijn vriend Jevgeni Primakov. De nieuwe minister van Buitenlandse Zaken was een carrièrediplomaat, Igor Ivanov, met wie ik ook een warme relatie zou krijgen.

Voor het gemak vond de bespreking plaats in de viplounge van de luchthaven Heathrow. Zes ministers van Buitenlandse Zaken waren aanwezig, met hun gevolg van assistenten. De kleine kamer was ongelooflijk vol; er liep zelfs luchthavenpersoneel rond met thee en koekjes. Ik vroeg Robin Cook of we de bespreking tot kleine kring konden beperken. Hij stemde toe. Er volgde een gespannen discussie waarbij de Duitse minister Kinkel herhaaldelijk sterk bij ambtgenoot Ivanov aandrong op steun voor een resolutie van de Veiligheidsraad, voor machtiging tot militair ingrijpen. Ivanov zei dat Rusland dan een veto zou uitspreken en beweerde dat Milošević al had beloofd troepen terug te trekken. Ik zei daarop: 'Milošević is een geboren leugenaar.' Het Russische standpunt werd door de bespreking niet veranderd, maar wel werden de Europeanen erdoor overtuigd dat in dit geval de Veiligheidsraad niet beslissend zou optreden. Indien er landen waren die een catastrofe in Kosovo die winter wilden verhinderen, dan zouden ze voort moeten bouwen op de rechtvaardiging die we al hadden.

Na de bespreking ging Holbrooke met uitermate sterke drukmiddelen naar Belgrado terug. Al hadden we met onze NAVO-bondgenoten nog geen overeenstemming over alles, we hadden de voorafgaande maanden heel wat beraadslaagd en gesoebat, en dat werd nu beloond. De Fransen hadden verkondigd dat ze op humanitaire gronden ingrijpen van de NAVO zouden steunen, ondanks hun voorkeur, in principe, voor een resolutie van de Veiligheidsraad. De nieuwe Duitse kanselier Gerhard Schröder verzekerde president Clinton dat zijn regering voor zou stemmen. Daarna kwamen ook de Italianen volledig binnenboord. Vroeg in de morgen van 13 oktober gaf de NAVO officieel toestemming voor het gebruik van geweld, met een ultimatum van vier dagen. Een paar uur later verklaarde Holbrooke dat hij en Milošević tot overeenstemming waren gekomen.

Volgens die overeenkomst had Milošević tien dagen om het aantal militairen en politiemannen in Kosovo te verminderen. Vluchtelingen en ontheemden zouden naar hun huizen mogen terugkeren. Onder auspiciën van de Organisatie voor Veiligheid en Samenwerking in Europa (OVSE) zouden er zo'n tweeduizend waarnemers worden gestationeerd. De NAVO kreeg toestemming om over Kosovo te vliegen om Servische acties te controleren. Binnen negen maanden zouden verkiezingen worden gehouden en een nieuwe multi-etnische politiemacht zou worden opgeleid. Joegoslavië zou moeten meewerken aan onderzoeken door het oorlogsmisdadentribunaal. Tot slot zegde Belgrado toe met leiders in Kosovo te gaan onderhandelen over een regeling die de provincie weer zelfbestuur gaf.

Het oktoberakkoord was meer een pleister dan een genezing. De door Milošević gedane toezeggingen konden en zouden worden teruggedraaid, maar voorlopig konden honderdduizenden mensen door het akkoord uit de heuvels komen om de winter in hun huizen door te brengen. Het akkoord versterkte het feit dat het lot van Kosovo een internationale zorg was, en het stelde een reeks officiële, door Milošević aanvaarde verplichtingen vast, waaraan hij zich diende te houden. Het belangrijkste was misschien nog dat de toestemming voor geweld van de NAVO was opgeschort en niet ingetrokken.

Binnen enkele weken begon de pleister los te laten. Anders dan in Bosnië, waar na jaren vechten de fut er bij alle partijen uit was, waren Joegoslavische en Albanese extremisten uitgeput noch tevredengesteld. In november verving Milošević de leiders van zijn veiligheidstroepen door hardliners die opschepten dat ze de rebellen binnen enkele dagen konden wegvagen. Intussen bereidde het UÇK zich op oorlog voor door nieuwe strijders te werven en wapens uit Albanië in te voeren. Ondanks de sneeuw hielden sporadische hinderlagen en schermutselingen de toestand in Kosovo gespannen.

In Washington las ik elke dag de door het internationale controleteam onder leiding van de Amerikaanse ambassadeur William Walker opgestelde rapporten. Walker had eerder in oorlogsgebieden gewerkt. Hij had eersteklas werk geleverd als hoofd van een vredesmissie van de VN in Kroatië, waar hij dikwijls met Milošević te maken had. Nu had hij de leiding over een team dat tot taak had met feloranje voertuigen in Kosovo rond te rijden en te melden wat er te zien was. Aangezien dit voor ongewapende mensen gevaarlijk werk was beperkten de waarnemers hun operaties tot overdag, iets wat niet voor Servische strijdkrachten of het UÇK gold.

We wisten dat de komst van warmer weer het vervoer van strijders en wapens gemakkelijker en geweld waarschijnlijker maakte, dus moesten we snel handelen om een bloedige lente te voorkomen. Ik had een van mijn naaste medewerkers, James O'Brien, een van de architecten van de Akkoorden van Dayton, gevraagd zich bij ambassadeur Christopher Hill te voegen bij het leiden van de delegatie. Die twee hadden een creatieve regeling voorgesteld waarbij Kosovo binnen Joegoslavië zou blijven en er een nieuwe burgerpolitiemacht en een andere instelling voor zelfbestuur zouden worden gevormd. Zonder de deur naar latere onafhankelijkheid dicht te doen voorzag het voorstel in een overgangsperiode van minstens drie jaar voor die explosieve kwestie kon worden behandeld.

De Serviërs vertelden ons privé dat Milošević openstond voor een afspraak, maar we vroegen ons af op welke voorwaarden. We moesten hem op de proef stellen, maar eerst moesten we de Albanezen bewegen tot eenheid in hun onderhandelingsteam en instemming met een stel haalbare doelen. Dit bleek nog steeds moeilijk. Het UÇK won weer aan kracht en daarmee aan afkerigheid van compromissen. De diverse Albanese leiders spraken verachtelijk over elkaar, dreigden elkaar soms met geweld en konden het niet eens worden over een onderhandelingsagenda. Kostbare weken verstreken toen ze tot onze frustratie niet eens met een ontmoeting wilden instemmen.

Terwijl de winter voorbijging nam mijn vrees toe. Door de wanorde bij de

Albanezen was Milošević niet te verwijten dat er niet werd onderhandeld. Omdat het UÇK zich roerde waren onze bondgenoten niet bereid de Serviërs de schuld te geven, laat staan hen te bombarderen. Omdat Milošević niet te vertrouwen was, was het onmogelijk het UÇK te overreden voor de bescherming van Kosovo op het kleine, ongewapende team van OVSE-waarnemers te vertrouwen. Het resultaat was dat er niet werd onderhandeld terwijl het geweld zich uitbreidde.

Half december doodden Servische troepen eenendertig leden van een UÇK-eenheid die uit Albanië de grens over wilde komen. Een paar uur later schoten etnische Albanezen zes Servische tieners dood in een café in Kosovo. Twee dagen later werd een plaatselijke Servische functionaris dood gevonden op de weg naar de luchthaven van Pristina. Binnen een week vielen Servische strijdkrachten weer Albanese dorpen aan.

Ik vond dat we iets nieuws moesten proberen. De situatie was een lakmoesproef geworden voor het Amerikaans leiderschap en voor de relevantie en doelmatigheid van de NAVO. Het bondgenootschap zou in april zijn vijftigste verjaardag vieren. Als mijn vrees terecht bleek zou die gebeurtenis samenvallen met de aanblik van een nieuwe humanitaire ramp op de Balkan. En we zouden voor gek staan met de verklaring dat de NAVO klaar was voor de eenentwintigste eeuw als we een in de veertiende eeuw begonnen conflict niet aankonden.

Op 15 januari 1999 kwam de Principals Committee bijeen om een 'nieuwe' strategie te bezien. De bijbehorende papieren waren detailrijk en op het oog allesomvattend. Met uitvoerige passages over 'onderhandelingen nieuw leven inblazen' en 'opvoeren van drukmiddelen' bij de twee partijen gaf het voorstel een lijst met doelen weer. Het probleem was dat het allemaal retoriek was. De zogenaamde 'beslissende stappen' waren knoeiwerk. Er was geen duidelijk pad naar een oplossing.

Tijdens de bespreking zei ik dat de voorgestelde strategie onvoldoende was en dat we Kosovo breder moesten gaan bezien. 'Het in oktober bereikte staakt-het-vuren,' zei ik, 'balanceert op de snede van een mes. We zien nu al het geweld dat we niet eerder dan de lente verwachtten. We moeten naar onze bondgenoten terug en opnieuw met luchtaanvallen dreigen. We moeten Milošević onomwonden zeggen dat we geweld zullen gebruiken als hij zijn toezeggingen niet nakomt. We moeten het publiek benaderen en zijn tekortschieten sterk belichten. We moeten steeds maar weer benadrukken dat Milošević het probleem is.'

Mijn opmerkingen werden niet erg enthousiast ontvangen. Toen ik de gezichten langsging zag ik blikken van 'daar heb je Madeleine weer'. De 'nieuwe strategie' voor Kosovo werd aangenomen, maar ik vreesde dat die slechts tot dezelfde resultaten als vroeger zou leiden. Naderhand zei ik kwaad tegen mijn medewerkers dat we net 'woestijnratten in een tredmolen' waren, constant in beweging zonder ergens te komen. Tenzij er iets ingrijpends gebeurde zouden de Serviërs een nieuw offensief beginnen, en het verleden van Bosnië zou de toekomst van Kosovo worden.

HOOFDSTUK 24

Kosovo: diplomatie en de dreiging van geweld

SOMMIGE MENSEN WORDEN WAKKER DOOR HANENGEKRAAI, een wekker of gerinkel van kopjes. Ik heb een wekkerradio. Omdat het zaterdag was – 16 januari 1999 – ging de radio wat later aan dan gewoonlijk, maar nog wel ruim voor het licht werd. Terwijl ik daar in het midwinterse duister lag hoorde ik een nieuwslezer met het bericht van een massamoord, achtduizend kilometer verderop. De bijzonderheden zouden niet lang uitblijven. 'Daar liggen heel wat lijken,' zei ambassadeur Bill Walker tegen verslaggevers. 'Mensen die op verschillende manieren zijn doodgeschoten, maar veelal van heel dichtbij.' Vijfenveertig doden in het plaatsje Racak in Kosovo. Walker had de lijken zelf gezien, waarvan er veel verspreid lagen in een besneeuwd ravijn, andere op een hoop gegooid, allemaal met vreselijke wonden, allemaal met burgerkleren aan, en één zonder hoofd. Op de vraag wie dat had gedaan gaf Walker geen ontwijkend antwoord. 'Het was de Servische politie.'

Walkers team van internationale controleurs had de slachting van Racak niet kunnen tegenhouden, maar wel kunnen voorkomen dat die heimelijk gebeurde. Volgens getuigen waren de Serviërs de vorige dag met beschietingen begonnen. Daarna trokken paramilitaire troepen het dorp binnen, dreven vrouwen en kinderen een moskee in, verzamelden volwassen mannen en voerden die weg. Later vonden dorpsbewoners de lijken.

Die zaterdag zat ik grotendeels thuis met de halve wereld te telefoneren. We hadden gevreesd dat als de sneeuw smolt het geweld in Kosovo zou losbarsten. Ik belde Sandy Berger en zei triest: 'Het ziet ernaar uit dat het dit jaar in Kosovo vroeg lente is.' We vroegen of generaal Wesley Clark, de opperbevelhebber van de NAVO, en generaal Klaus Naumann, voorzitter van het Militair Comité van het bondgenootschap, naar Belgrado gestuurd konden worden om Milošević te waarschuwen tegen verdere wandaden, te eisen dat het oorlogstribunaal onderzoek kon doen naar Racak, en hem eraan te herinneren dat het dreigement van de NAVO geweld te gebruiken van kracht bleef. Ik belde de ministers van Buitenlandse Zaken van de NAVO-landen om voor te stellen dat het bondgenootschap plannen voor militair ingrijpen zou bezien en bijwerken. En ik belde mijn topadviseurs, op zoek naar een strategie die geweld en diplomatie zou combineren, om Milošević tegen te houden zonder Kosovo aan de strijders van het UÇK over te leveren.

Bij de eerste gelegenheid riep ik in mijn kantoor een groep bijeen met onder meer Strobe Talbott, Jamie Rubin en Morton Halperin, een intelligente en niets ontziende Washingtonse doordouwer, die kort daarvoor Greg Craig had vervangen als hoofd van ons bureau voor Beleidsbepaling.* Gezamenlijk bedachten we een aanpak, waarbij het dreigen met luchtaanvallen werd gekoppeld aan het streven naar een politieke regeling. Tenslotte hadden de Albanezen meer verdiend dan alleen het recht dat hun doden door internationale inspecteurs in het nieuws kwamen. Als de Serviërs weigerden in goed vertrouwen te onderhandelen, dan zou de NAVO hen daar met luchtaanvallen toe dwingen.**

Werden onze plannen uitgevoerd, dan voorzag ik drie mogelijke uitkomsten, waarvan twee te prefereren boven de status quo. Idealiter zouden dreigementen van de NAVO en de internationale aandacht beide partijen ertoe brengen met een regeling in te stemmen. Het resultaat zou zelfbestuur voor de Kosovaren zijn met een door een NAVO-vredesmacht gegarandeerde veiligheid. Zeiden de Serviërs nee en de Albanezen ja, dan zou de regeling vooraf worden gegaan door een bombardementsperiode die zo lang zou duren als nodig was om Milošević aan de onderhandelingstafel te krijgen. Zeiden beide partijen nee, dan zou dat resulteren in een chaos waarvoor beide partijen verantwoordelijkheid zouden dragen.

Die avond van 19 januari begon ik met de andere hoofdrolspelers op het terrein van de nationale veiligheid een debat dat bijna zonder pauze vier dagen zou voortduren. Ik was ervan overtuigd dat we op een keerpunt waren aanbeland, en dat zei ik ook. Aanvankelijk uitten minister van Defensie Cohen en generaal Hugh Shelton, die John Shalikashvili had vervangen als voorzitter van de Joint Chiefs of Staff, hun twijfel over mijn benadering en pleitten ze krachtig tegen een vredesmacht. Ze wilden geen tweede grote en langdurige missie in de Balkan steunen, en ze vreesden midden in een burgeroorlog te zullen belanden. Ze betwijfelden of we publieke steun zouden weten te krijgen voor de duistere zaak van zelfbestuur voor Kosovo. En ze vroegen zich af of het Congres akkoord zou gaan met ons aandeel in de kosten van de vredesmissie. Daarom zagen ze liever het behouden van het waarnemersteam dan de inbreng van een effectieve gewapende macht. Als er dan een NAVO-strijdmacht moest komen, moest dat zonder Amerikanen.

---

* Craig werd een van de advocaten die de president verdedigde tijdens de impeachmentprocedure. Ik vond het jammer dat hij wegging, maar ik wist dat de president met hem een goede keus had gemaakt.

** Dit voorstel werd niet alleen in mijn kantoor bedacht. Onze ambassadeur bij de NAVO, Alexander Vershbow, had al maanden volgehouden dat de NAVO uiteindelijk geweld zou moeten gebruiken om te voorkomen dat Milošević Kosovo zou terroriseren. Als dat zou gebeuren en de luchtaanvallen zouden de Servische troepen uit de provincie verdrijven, wilden Hubert Védrine en Robin Cook er zeker van zijn dat een door de NAVO geleide vredesmacht hun plaats in kon nemen. Anders waren de Europeanen bang dat de macht in Kosovo zou worden gegrepen door het UÇK.

Ik begreep waarom Pentagon-functionarissen zo dachten, maar ze hadden geen zinnig alternatief. De inspecteurs konden de orde niet handhaven. Zonder bescherming van de NAVO zouden de guerrillastrijders nooit ontwapenen. Zonder deelname van de VS zou er geen NAVO-bescherming zijn, en zonder de NAVO om hem tegen te houden zou Milošević met zijn aanvallen doorgaan. De enige manier om een ramp te voorkomen was diplomatie inzetten, gerugsteund door de dreiging van NAVO-geweld om een politieke oplossing te bereiken en uit te voeren.

Ik respecteerde minister Cohen en generaal Shelton, maar meende dat ze in dit geval ongelijk hadden. Van Bosnië had ik geleerd meningsverschillen niet persoonlijk op te vatten, dus hield ik mijn toon gematigd en trachtte iedereen op de feiten geconcentreerd te houden. In de uren van topoverleg won ik met mijn argumenten langzaam maar zeker terrein. Ironisch was dat Milošević me hielp door tegenover de generaals Clark en Naumann vol te houden dat in Racak alleen maar terroristen waren gedood. Hij zei dat het oorlogstribunaal niet bevoegd was en Bill Walker was volgens hem bevooroordeeld. Toen Clark over de mogelijkheid van luchtaanvallen door de NAVO sprak noemde Milošević hem een 'oorlogsmisdadiger'.

Ook ontvingen we informatie dat de Serviërs een aanval planden op grote UÇK-eenheden en commandocentra, twee weken lang in maart, gevolgd door een maandenlange operatie om verzetshaarden uit te roeien. Een dergelijk offensief zou resulteren in veel doden en het verjaagd worden van honderdduizenden mensen. Op 23 januari had ik ons team zo ver dat het instemde met een plan om onderhandelingen af te dwingen door met luchtaanvallen te dreigen en een door de NAVO geleide vredesmacht voor te staan, 'mogelijk' met deelname van de Verenigde Staten. Het Pentagon benadrukte echter dat zo'n strijdmacht alleen beschikbaar kon zijn in een 'tolerante omgeving', hetgeen instemming van Belgrado inhield. Ik streek mijn winst op en sprak het Pentagon op dat punt niet tegen – toen niet.

Met mijn eigen regering min of meer aan boord moest ik me nu met de overige spelers bezighouden. Ik wist dat het idee van een NAVO-strijdmacht door Europa werd gesteund en dat het idee van het koppelen van luchtaanvallen aan een vredesconferentie op hoog niveau aan zou slaan bij onze vrienden in Parijs, wanneer natuurlijk de vredesbesprekingen in Frankrijk zouden zijn. Ik moest er nog uit zien te komen wie dit initiatief zou leiden. Mijn voorkeur had de NAVO, die sterk en hecht was, en die succesvol was geweest in Bosnië. De Europeanen, vooral de Fransen, gaven de voorkeur aan de Contactgroep, waarin hun stem niet door zoveel andere landen werd verdund. Mij leek het mogelijk beide te gebruiken, maar alleen als Rusland – een Contactgrouplid – niet dwarslag. Dat betekende dat ik moest vaststellen hoe hard en in welke richting Moskou zou duwen. Het kwam goed uit dat ik diezelfde week Rusland zou bezoeken.

Ik leerde Igor Ivanov ooit kennen als plaatsvervanger van Jevgeni Primakov, en vond hem toen wat vormelijk. Toen we elkaar, nadat hij Primakov was opgevolgd, beter leerden kennen vond ik hem intelligent en innemend. Maar hij kon net als Primakov dwars zijn, en mijn discussies met hem over Kosovo verliepen nogal in cirkels. Ik zei Igor dan dat Milošević het probleem was, omdat zijn repressie tot het UÇK had geleid. Ivanov gaf dat dan toe maar wierp tegen dat de guerrillastrijders de grootste bedreiging waren geworden. We waren beiden voor een politieke regeling, maar werden het er niet over eens hoe die bereikt moest worden. Ik zei dat Milošević zonder de dreiging van aanvallen niet zou onderhandelen. Ivanov zei dat Rusland gebruik van geweld tegen mede-Slaven niet kon dulden. Ik wees er dan op dat Milošević de bron van het probleem was, en dan waren we weer terug bij af.

Ik greep de kans aan om deze vicieuze cirkel in een andere entourage te doorbreken – Ivanov had me uitgenodigd voor een voorstelling van *La Traviata* in het Bolsjoi-theater. We zaten samen in de presidentiële loge, die voor de tsaren was gebouwd en met rode pluche bekleed. De uitvoering was voortreffelijk, maar hoewel mijn ogen en oren op het toneel waren gericht was ik met mijn gedachten bij Kosovo. In de pauze ging Ivanov met me naar een antichambre, waar champagne en kaviaar klaarstonden. Ik draaide er niet omheen.

'Luister, Igor,' zei ik, 'ik zal er geen doekjes om winden. Als het in Kosovo tot een uitbarsting komt, komen we met betrekking tot een hele reeks kwesties voor enorme obstakels te staan in onze samenwerking . We kunnen dat niet toelaten. Er moet een politieke regeling komen. Maar de Albanezen willen de wapens niet neerleggen als de NAVO er niet is om hen te beschermen. En Milošević zal de NAVO nooit toelaten tenzij we met geweld dreigen. De Europeanen maken zich zorgen om jullie reactie als de NAVO zonder naar de Veiligheidsraad te gaan tracht op te treden, maar ik kan dit niet aan de raad toevertrouwen omdat Milošević weet dat jullie dan met een veto komen, wat betekent dat onze dreigementen ongeloofwaardig zijn, wat weer betekent dat er geen politieke regeling komt, en dat betekent oorlog in Kosovo. Dit is een echte Catch-22.'

Ivanov nam me een minuut lang bedachtzaam op. Toen zei hij: 'Madeleine, neem me niet kwalijk, maar wat is een Catch-22 precies?'

Ik legde het zo goed mogelijk uit en vervolgde: 'Igor, dit is serieus. Ik moet tegen de Europeanen kunnen zeggen dat de NAVO met geweld kan dreigen om een politieke regeling te krijgen, en dat jullie een manier zullen vinden om hiermee te leven.'

Hij dacht weer na voor hij antwoordde: 'Rusland zal nooit akkoord gaan met luchtaanvallen tegen de Serviërs,' begon hij. 'Dat zou totaal onaanvaardbaar zijn. De NAVO heeft niet het recht een soevereine staat aan te vallen.' Toen voegde hij er op zachtere toon aan toe: 'Maar we delen wel jullie verlangen naar een politieke regeling, en misschien is de dreiging met geweld wel nodig om die te bereiken. Ik zie niet in waarom we niet zouden kunnen samenwerken.'

Het was midden in de nacht, maar na de opera ging ik naar het hotel terug en belde de ministers van Buitenlandse Zaken van de Contactgroep, wetende dat ieder woord dat ik zei door de Russische autoriteiten werd opgenomen. Als ik het standpunt van Moskou niet goed weergaf verwachtte ik daar spoedig achter te komen. Ik vertelde mijn collega's dat Ivanov ons niet de voet dwars zou zetten en dat we gezamenlijk Milošević een ultimatum moesten stellen.

Deze keer ging alles eens volgens plan. Op 29 januari voegde ik me bij de Contactgroep in Londen en daar werd bekend gemaakt dat op 6 februari in Rambouillet, Frankrijk, vredesbesprekingen zouden beginnen. Aan beide partijen zou worden gevraagd een plan te aanvaarden om de bevolking van Kosovo zelfbestuur te geven, en dat zou met een NAVO-vredesmacht van zo'n achtentwintigduizend man worden doorgevoerd. De status van Kosovo zou na drie jaar opnieuw worden bekeken, waarbij onder meer met de 'wil van het volk' als factor rekening zou worden gehouden. Ons doel was beide partijen ertoe te bewegen ja te zeggen. Ivanov was erbij toen we het plan bekendmaakten.

Rambouillet is een vakantieplaats met circa vijfentwintigduizend inwoners in bosrijk gebied ten zuidwesten van Parijs, en vermaard voor het fokken van merinosschapen. Dit gegeven deed de media speculeren over de vraag of we de twee delegaties in één wei zouden kunnen drijven. De Fransen hadden voor de besprekingen gekozen voor een veertiende-eeuws kasteel met prachtig bijgehouden tuinen rondom en een lange oprijlaan met grind en bomen. Het kasteel zelf is een doolhof met rijk versierde gangen, talloze trappenhuizen en fraai ingerichte kamers. Tot de schatten behoort de badkuip van Marie Antoinette, weggestopt in een kamertje bij de keuken op de begane grond .

Hoewel Robin Cook en Hubert Védrine de officiële medegastheren waren, werden de dagelijkse onderhandelingen gecoördineerd door de trojka van de Amerikaanse ambassadeur Chris Hill, EU-vertegenwoordiger Wolfgang Petritsch en de Russische ambassadeur Boris Majorski.

De zestienkoppige Albanese delegatie omvatte onder meer de gematigde politieke leider Ibrahim Rugova, de gerespecteerde journalist Veton Surroi, de erudiete Rexhep Qosja, en vertegenwoordigers van andere politieke partijen, onafhankelijken en het UÇK. De delegatie koos verrassend een slungelachtige negenentwintigjarige UÇK-bevelvoerder, Hashim Thaçi, tot leider. Met hem hadden we weinig contact. De verkiezing van Thaçi leek de voortdurende neergang te weerspiegelen van het prestige van Rugova, die op het affront reageerde door bijna niets te zeggen. Toen een van onze diplomaten Rugova vroeg waarom hij zo teruggetrokken was antwoordde hij: 'Dat is mijn stijl.'

De Servische delegatie omvatte onder meer enkele juristen van aanzien en verder islamitische Slaven, Turken en zigeuners, gekozen om het veronderstelde gevoel voor etnische diversiteit van Milošević te tonen. Tegen het einde van de eerste week meldden onze diplomaten dat de Servische delegatie het onderhandelen niet serieus nam, terwijl de Albanezen – die vasthielden aan het recht op een bindend referendum over onafhankelijkheid – 'zo koppig als dode muilezels' waren. Chris Hill zei dat het zou kunnen helpen als ik eerder kwam dan oorspronkelijk gepland.

Ik stemde in en kwam met twee hoofddoelen naar de besprekingen. Het eerste was de Serviërs ervan te overtuigen dat een afspraak voor hen het gunstigst was, wat ik ook echt geloofde. Het tweede was de Albanezen ertoe te bewegen het kaderakkoord te aanvaarden dat de Contactgroep had voorgesteld.

Eerst sprak ik in Parijs met Milan Milutinović, de president van Servië, die optrad als plaatsvervanger van Milošević. Milutinović had glad naar achteren gekamd zilverachtig haar, een prachtig gesneden pak, en hij sprak beschaafd Engels. Ik zei hem dat de door ons voorgestelde politieke regeling goed zou zijn voor zijn land. Het UÇK werd dan ontwapend, Kosovo zou binnen Joegoslavië blijven en het leger mocht langs de grens blijven patrouilleren. De aanwezigheid van de vredesmacht onder NAVO-leiding zou juist helpen en geen kwaad doen, door de mensenrechten van de Servische minderheid in Kosovo te waarborgen. 'Het alternatief,' voerde ik aan, 'zou leiden tot het equivalent van Tsjetsjenië binnen jullie grenzen. Jullie zouden nog meer met de internationale gemeenschap en de NAVO overhoop komen te liggen. Zo hoeft het niet te zijn. Door deze kans op vrede te grijpen kunnen jullie aansluiting bij Europa en het Westen krijgen.'

Milutinović antwoordde: 'Ik ben het voor zestig tot zeventig procent met u eens. We moeten ons op de toekomst richten en trachten de problemen in Kosovo met politieke middelen op te lossen. We hebben het idee van zelfbestuur en democratie aanvaard, maar uw voorstel om een troepenmacht van buiten te stationeren is voor ons onaanvaardbaar. Dat zou een ramp worden. Nee, u zou met ons samen moeten werken om het UÇK te doen verdwijnen. U zou uw troepen in Albanië moeten stationeren, zodat de extremisten geen wapens meer krijgen.' Milutinović erkende dat Belgrado een fout had gemaakt door Kosovo zo veel jaren zelfbestuur te ontzeggen. 'Deze benadering kan heel goed gematigde stemmen hebben verzwakt, maar de VS zitten op het verkeerde spoor. U zou met ons moeten samenwerken om terreur en geweld te bestrijden.'

Ik antwoordde: 'Het Servische leger is het beste rekruteringswapen dat het UÇK heeft.' Milutinović corrigeerde me met een openheid die ik niet had verwacht. 'Nee,' zei hij, 'ik denk dat de paramilitaire politie die eer toekomt.'

In Rambouillet begon ik de eerste van vele besprekingen met de Albanese delegatie. Men zou deze groep 'bont geschakeerd' kunnen noemen, met de raadselachtige Rugova, de pragmatische Surroi en de problematische Thaçi. Niemand had eerder aan complexe onderhandelingen deelgenomen, zeker niet op het wereldtoneel, en ze hadden onderling nog steeds veel meningsverschillen. Het deed me genoegen dat ze de hulp van een klein team van externe adviseurs hadden aanvaard, onder wie de voormalige Amerikaanse ambassadeur Mort Abramowitz, een van mijn oude vrienden en een geducht voorvechter van mensenrechten.

Mijn boodschap voor de Albanezen was het spiegelbeeld van mijn argumenten voor de Serviërs. 'Jullie zijn leiders. Jullie zijn gekozen om jullie volk te vertegenwoordigen. Denk goed na voor jullie hen tot een toekomst van vechten veroordelen. De door ons voorgestelde overeenkomst zal jullie zelfbestuur geven, bescherming door de NAVO, economische hulp, het recht kinderen te onderwijzen in jullie eigen taal, en het vermogen jullie eigen leven te bepalen. Als jullie het aannemen gaan jullie een toekomst tegemoet van welvaart, democratie en integratie in Europa. Verwerp het en er komt een oorlog die jullie zullen verliezen, gelijk met de internationale steun.'

Verscheidene delegaties wilden van mij de verzekering dat de Verenigde Staten daadwerkelijk aan een vredesmacht zouden deelnemen, zodat ze niet alleen op Europa hoefden te vertrouwen. Rugova benadrukte dat de Kosovaren veiligheid altijd met onafhankelijkheid gelijk hadden gesteld, en dat hun bereidheid hun onafhankelijkheidsstreven in een overgangsperiode op te schorten een concessie was. Ze waren het allemaal eens over de noodzaak van een referendum over onafhankelijkheid, te zijner tijd. 'Anders,' zei er een, 'zitten we voorgoed in Servië opgesloten.'

Na de algemene bespreking sprak ik persoonlijk in een tochtige souterrainkamer met Thaçi. Toen en bij volgende gesprekken werd ik getroffen door zijn jeugdigheid en onervarenheid, die hem afwisselend koppig en behaagziek leken te maken. Bij Rugova had ik het gevoel dat ik met een excentrieke academische collega sprak. Thaçi was meer een veelbelovende student met de neiging zijn opgaven te laat in te leveren.

Volgens onze overeenkomst zou het UÇK worden gedwongen te ontwapenen en geen enkele onafhankelijke militaire rol meer te spelen. Ik wist dat dit voor Thaçi niet gemakkelijk te accepteren zou zijn, zelfs niet met de belofte van de NAVO het veiligheidsvacuüm op te vullen. Die eerste middag spoorde ik hem aan eens aan andere militaire organisaties te denken die zich tot politieke partijen hadden omgevormd. Thaçi zei te verwachten dat de Albanese delegatie het akkoord zou ondertekenen, maar voor de guerrillastrijders was tijd nodig om zich aan te passen. In een poging Thaçi's voorspelling vast te leggen zei ik: 'Uw toezegging tot ondertekenen doet me genoegen.' Hij zei: 'Ik denk dat een akkoord is te bereiken, maar dat is niet alleen aan mij, of het UÇK, of zelfs de delegatie. Er kunnen problemen komen.'

Toen de tweede onderhandelingsweek begon en ik naar Washington terugreisde bleven er twee grote obstakels bestaan. Het eerste was het verlangen van de Albanezen naar een duidelijk referendum over onafhankelijkheid, dat we naar mijn idee zouden kunnen afzwakken. Het tweede was het Servische verzet tegen een internationale aanwezigheid in Kosovo, waar we iets mee moesten. Kennelijk zou het Servische standpunt niet veranderen, tenzij Milošević daartoe besloot. Daarom telefoneerde ik met Belgrado.

Tijdens ons gesprek van twintig minuten vertelde ik Milošević dat er bij de onderhandelingen vooruitgang werd geboekt en dat een regeling de betrekkingen tussen onze twee landen zou verbeteren en Servië economisch vooruit zou helpen. Maar dit zou alleen gebeuren als hij toegaf op het punt van de vredesmacht.

De Servische dictator verzekerde me van zijn vredesverlangen en zijn streven naar een 'multi-etnisch, multinationaal, multireligieus Kosovo.' Hij wees erop dat de Servische delegatie in Rambouillet mensen van zeven verschillende volken omvatte. 'Maar de Albanezen willen een separatistische staat. Dat zou aan het einde van de twintigste eeuw niet de oplossing moeten zijn.'

Ik antwoordde: 'Meneer de president, ik hoor met plezier dat u het multi-etnische ideaal omhelst. Het werd ook tijd. De door ons voorgestelde overeenkomst omvat ook beschermingen voor rechten van minderheden en voor de Albanezen die negentig procent van de bevolking van Kosovo uitmaken. Ik kan u verzekeren dat het akkoord heel modern is.'

Maar Milošević had blijkbaar zelf geteld. 'Met alle respect, mevrouw de minister, van de anderhalf miljoen mensen in Kosovo zijn maar circa achthonderdduizend etnische Albanezen. Er zijn honderdduizenden Serviërs, Montenegrijnen, zigeuners en Turken. In Kroatië hebben de Verenigde Staten de etnische zuivering van Serviërs gesteund. Ik hoop dat u er niet op uit bent Serviërs uit Kosovo te verjagen.'

'Meneer de president,' zei ik, 'ik weet dat er niet-Albanezen in Kosovo zijn, en u weet dat ik heb geprobeerd Serviërs te helpen terugkeren naar hun huizen in Kroatië. Maar daar wil ik niet over twisten. We hebben weinig tijd. Ik begrijp dat het misschien moeilijk voor u is het toelaten van een NAVO-strijdmacht in Kosovo uit te leggen, maar we zullen doen wat we kunnen om het eenvoudiger te maken. Ik zou graag zien dat u met Chris Hill praat, die ons voorstel volledig kan toelichten. Daarna kunnen we over uw specifieke bezorgdheden onderhandelen.'

Milošević was bereid Hill te ontvangen en het gesprek werd beëindigd. Ik keek ongelovig naar de telefoon. De beweringen van Milošević brachten een jeugdherinnering bij me boven. Toen ik zes of zeven was en in Engeland woonde, speelden we een spel waarbij alle leerlingen op zijn Harry Potters in teams waren verdeeld die met verschillende bezigheden punten verdienden. Toen ik voor het eerst punten voor mijn team verdiende vertelde ik dat aan mijn vader, die zeer verheugd was. Omdat ik die reactie weer wilde oproepen ging ik wapenfeiten verzinnen waar ik meer punten voor kreeg, zoals naar ik me herinner, het uit de rozenstruiken trekken van de onderwijzer. Al gauw had ik zo veel denkbeeldige punten verzameld dat ik besloot een speciale prijs te bedenken. Ik kwam thuis en zei dat ik de 'Egyptische Cup' had gewonnen. Mijn ouders wilden dat ik die mee naar huis bracht, wat natuurlijk niet kon. In plaats daarvan bedacht ik een heel stel nieuwe leugens over hoe akelig iedereen tegen me deed. 'Ze laten me zelfs op naalden zitten!' riep ik uit. Mijn als altijd beschermende moeder wilde per se naar mijn school om uit te zoeken wat er met haar arme kind gebeurde. De hele waarheid kwam uit en ik kreeg behoorlijk straf. Wanneer ik in latere jaren ooit een verhaal vertelde dat op gespannen voet met de waarheid leek te staan hoefden mijn ouders alleen maar 'Egyptische Cup' te zeggen en ik zweeg.

Ik had 'Egyptische Cup' tegen Milošević kunnen zeggen. Volgens hem werd het aantal Albanezen in Kosovo met meer dan vijftig procent overdreven, en hijzelf was zowel een voorvechter van etnische verdraagzaamheid als een eenentwintigste-eeuwse denker. Onze inspanning om hem uit zijn fantasiewereld te halen duurde de hele week voort. Toen ik hem op donderdag weer belde zei hij: 'De bepalende kwestie voor ons is dat we geen oplossing moeten hebben die niet-Albanezen op de vlucht drijft. Kosovo is vijf eeuwen lang een bolwerk van het christelijke Westen tegen de islam geweest.' Dat was dus het denken van de nieuwe eeuw.

Hoewel ik weinig respons rechtstreeks van Milošević kreeg, gaf de Servische delegatie eindelijk antwoord op de politieke onderdelen van het ontwerpakkoord. Dit bemoedigde ons, maar niet de Albanezen, die nerveus toekeken toen juristen van de Contactgroep urenlang met de Serviërs gingen praten.

In die week belde ik Thaçi, die zei te wensen dat er meer van de Albanese suggesties werden aanvaard. Maar over het geheel genomen bleef hij optimistisch. Terug in Frankrijk sprak ik op zaterdagmorgen kort met de Albanese delegatie, individueel en collectief. De Kosovaren zeiden het kaderakkoord te zullen steunen als de twee partijen die middag met de ministers van de Contactgroep in bespreking gingen. Aangezien de Serviërs nog steeds de veiligheidskwesties niet hadden aangepakt, hadden de Kosovaren een prachtkans om Milošević te isoleren. Ik verwachtte dat ze die beslist zouden grijpen. Toen vond de bespreking plaats.

De kamer was klein en vol. De ministers van Buitenlandse Zaken zaten als een stel rechters aan de ene kant van een lange tafel. De sessie gaf vanaf het begin een inquisitoriaal gevoel. Tegen het einde was dat zonder meer zo. De leiders van de Albanese delegatie zaten tegenover ons met Thaçi, die niet op zijn gemak leek, in het midden.

De sfeer was gespannen toen we onze hoofdtelefoons opzetten. Er was eigenlijk maar één vraag te stellen: of de Albanezen het kaderakkoord aanvaardden. Ze hadden beloofd bevestigend te zullen antwoorden, maar toen het moment kwam gaf Thaçi geen rechtstreeks antwoord. Dit bood de Italiaanse minister van Buitenlandse Zaken Lamberto Dini, die altijd zeer kritisch over het UÇK was geweest, een opening. Hij zette Thaçi onder druk om niet alleen het plan te aanvaarden, maar ook af te zien van steun voor een referendum over onafhankelijkheid. Dit was onbillijk. Het door ons uitgewerkte voorstel vereiste dat de Kosovaren hun aspiraties voor onafhankelijkheid tijdelijk, maar niet definitief lieten varen. Dini wilde dat Thaçi steeds maar weer ja of nee zei op iets waarmee Thaçi niets te winnen had. Als gevolg daarvan zat Thaçi maar wat zijn keel te schrapen en te kuchen, zonder het plan te aanvaarden of een rechtstreeks antwoord te geven. Zijn delegatiegenoten – Surroi, Rugova en Qosja – zaten er wezenloos bij. Surroi omdat hij vond dat het niet aan hem was hier te spreken, Rugova omdat het zijn 'stijl' was, en Qosja omdat hij meende dat Thaçi het goed deed.

Ik deed mijn hoofdtelefoon af en smeet die op tafel. De Albanezen hadden ons gezegd met het plan akkoord te zullen gaan, en in reactie op mijn latere vragen deden ze dat ook. Maar het kwaad was geschied. Het standpunt van de Kosovaren was op zijn gunstigst duister. Milošević ontsprong de dans voorlopig.

De zaterdag had de laatste dag van de besprekingen moeten zijn, maar nu knoopten we er drie dagen aan vast. Thaçi was niet het enige lid van deze delegatie dat bedenkingen had. De tijd die we die week hadden gestoken in pogingen de Serviërs voor ons te winnen, had bij de meeste Albanezen onbehagen gewekt. Ze luisterden naar mensen van elders die hun hadden gezegd de Europeanen of ons niet te vertrouwen. Ze vreesden dat de tekst die ze zouden moeten aanvaarden een blijvende barrière voor onafhankelijkheid zou blijken. Ze wilden niet graag ontwapenen. Ook was het niet gunstig dat de Fransen om onverklaarbare redenen weigerden NAVO-functionarissen in het kasteel toe te laten om de details van ons militaire plan uiteen te zetten. Nu werd dat door een jurist van de Contactgroep gedaan, samen met een Amerikaanse kolonel die zijn uniform het kasteel in had weten te smokkelen.

Gebruikmakend van de weinige tijd die we hadden deden we nu een gezamenlijke poging de Albanezen gerust te stellen. We namen met hen de hele tekst door, zodat ze precies wisten wat hun gevraagd werd goed te keuren. We maakten duidelijk dat het akkoord hen niet zou beletten een referendum te houden, hoewel dat niet het enige criterium zou zijn voor het bepalen van de toekomstige status van Kosovo. Generaal Clark kwam per vliegtuig uit Brussel en sprak op een luchtmachtbasis bij Rambouillet met Albanezen om toe te lichten wat de toezegging tot bescherming van Kosovo door de NAVO inhield, als eenmaal een akkoord was bereikt. We moedigden de regering van Albanië en prominente etnische Albanezen in de wereld aan hun steun te betuigen. En ik gaf de delegatie verbaal op haar donder.

Het resultaat was vooruitgang. Toen we op zaterdagavond begonnen stemden negen leden tegen. Op maandag was alleen Thaçi nog tegen. Hij vormde een apart probleem omdat hij er zo moeilijk toe was te brengen op de details in te gaan. Hij keek naar zijn achterban. Het UÇK was niet monolithisch. Er was een machtsstrijd gaande met andere UÇK-leiders en de schimmige figuren van buiten die het guerrillaleger van geld en wapens voorzagen. Dat verklaarde de voortdurende telefoongesprekken van Thaçi en zijn assistenten. De UÇK-leider had Jamie Rubin Milošević op de televisie zien hekelen, en die twee hadden vriendschap gesloten. Thaçi vertelde Jamie nu dat hij voor zijn leven vreesde.

Na het fiasco van zaterdag probeerde ik verschillende tactieken. Eerst zei ik tegen Thaçi wat voor een groot leider hij kon worden. Toen dat niet werkte zei ik dat we in hem teleurgesteld waren, en dat hij het mis had als hij dacht dat zelfs wanneer de Albanezen het akkoord afwezen we de Serviërs toch zouden bombarderen. Daar zouden we nooit NAVO-steun voor kunnen krijgen. 'Anderzijds,' zei ik, 'als u ja zegt en de Serviërs zeggen nee, dan zal de NAVO aanvallen en dat blijven doen tot de Servische strijdkrachten weg zijn en de NAVO kan binnentrekken. U zult veiligheid hebben. En u zult uzelf kunnen besturen.'

Thaçi antwoordde dat het UÇK alleen maar voor onafhankelijkheid had willen vechten, en dat het heel moeilijk was dat op te geven. Ik zei: 'Dat hoeft u niet, maar u moet realistisch zijn. Deze overeenkomst is voor drie jaar. We weten dat

Milošević het probleem is. Maar de situatie kan er over drie jaar heel anders uitzien. Dit is uw kans. Grijp die, want misschien krijgt u nooit meer een nieuwe.'
Hoewel duidelijk in verlegenheid en bijna in tranen wilde Thaçi niet ja zeggen.

De maandag zou hoe dan ook de laatste volle dag worden. De Contactgroep
had de deadline op dinsdag drie uur 's middags bepaald. Na een heel weekeinde
van alle onderdelen omvattende besprekingen was ik overmatig geprikkeld.
Beide delegaties waren onmogelijk. Iedereen leek verwend door de geweldige
Franse keuken. Bij één maaltijd klaagde iemand: 'Waar blijft deze keer de kaas?'
Ik sprong bijna uit mijn vel.

De hele middag dacht ik erover na hoe we Thaçi konden overhalen. Ik had iedereen al gebeld van wie ik dacht dat hij de uçk-leider zou kunnen beïnvloeden,
dus besloot ik ten slotte Adem Demaçi te proberen. Demaçi was een doorgewin-
terde nationalist die tot degenen behoorde die Thaçi tot de hardst mogelijke lijn
presten. Ik bereikte hem in Slovenië en vroeg hem Thaçi aan te moedigen ons
voorstel te steunen.

Demaçi antwoordde dat hij nergens mee akkoord kon gaan zonder me persoonlijk te spreken; hij stelde voor dat ik naar Slovenië kwam om te praten. Ik
zei: 'Luister, de partijen onderhandelen al twee weken. De deadline is over een
paar uur. Ik kan u in de toekomst spreken, maar nu zou u uw instemming aan
Thaçi moeten overbrengen. Als u dat niet doet zal het u binnenkort achtervolgen, als gewone Albanezen liggen te sterven.'

Demaçi zei: 'We waarderen uw inspanningen, maar we laten ons niet opjagen.
Als het nodig is dat dertigduizend Albanezen omkomen dan zij dat zo, maar we
kunnen niet in ruil voor beloften onze wapens opgeven. We zullen nooit de
droom van vrij te zijn opgeven.'

Ik zei: 'Mijn voorstel heeft niet tot gevolg dat u uw droom moet opgeven. Zeg
tegen Thaçi dat het akkoord uw steun heeft.'

'Dat is niet mogelijk,' zei Demaçi. Vol afschuw hing ik op. Het was een van de
ijzingwekkendste gesprekken die ik ooit had gevoerd.

Ondanks Demaçi loonde onze druk uiteindelijk. Wij waren niet de enigen die
door Thaçi werden gefrustreerd. De rest van de Albanese delegatie raakte ervan
overtuigd dat het akkoord gunstig was en door de meeste Kosovaren zou worden
gesteund. We hadden dagen over het idee gepraat dat de Albanezen alleen maar
beloofden dat ze het akkoord zouden ondertekenen, maar het niet echt zouden
doen. Deze benadering had het voordeel dat ze ons in staat stelde de Serviërs onder druk te zetten, terwijl we voor hen de deur openhielden om te tekenen. Ook
gaf het de nerveuze Kosovaarse delegatie tijd om zich ervan te verzekeren dat
hun achterban achter hen stond.

De deadline van dinsdag drie uur naderde. Thaçi was nog steeds een probleem, maar toen nam Veton Surroi, de 'minister' van de Albanese delegatie, het
heft in handen en stelde een korte verklaring voor met de boodschap dat de delegatie het akkoord had goedgekeurd en het over twee weken zou ondertekenen,
na eerst de voorwaarden aan het volk van Kosovo te hebben uitgelegd. Terwijl

Surroi en de anderen bezig waren, was er hevig geruzie met Thaçi over de tekst van de verklaring, zowel van de Engelse als de Albanese versie. Uiteindelijk zei Surroi dat ze het alleen konden afmaken als Thaçi werd overgehaald de zaal voor een paar minuten te verlaten. Onze jurist, Jim O'Brien, meende dat de beste manier om Thaçi weg te lokken was, hem te zeggen dat Jamie Rubin hem moest spreken. Dus Jim en Thaçi gingen op zoek naar Jamie, die ze niet konden vinden omdat hij de pers te woord stond.

Eindelijk kwam Jamie en nam Thaçi mee om hem af te leiden met gepraat over films en Hollywood. Maar toen ze nauwelijks weg waren zei Surroi dat hij de verklaring klaar had en dat Thaçi er weer bij moest zijn. Dus pakte Jim Thaçi vast en loodste hem weer de zaal binnen, terwijl Jamie klaagde: 'Hé, ik steek nog maar net mijn sigaret aan.' Binnen probeerde Thaçi weer de tekst te wijzigen, maar Surroi moest daar niets van hebben. De verklaring, ondertekend door Surroi, werd naar de ministers van de Contactgroep gebracht en Jamie maakte die publiek.

Ondanks de hobbels en tegenslagen verlieten we Rambouillet met veel van wat we hadden nagestreefd. We hadden nu een min of meer eensgezinde Albanese delegatie en een helder beeld van hoe een democratisch Kosovo eruit zou zien. De Albanezen hadden geredetwist en geaarzeld, maar wel voor vrede gekozen. Thaçi ging de volgende twee weken het akkoord van Rambouillet aan bevelvoerders en kaderleden van het UÇK verkopen. Kort voor de onderhandelingen in Frankrijk op 15 maart werden hervat dook hij weer op en vergezelde de delegatie naar Parijs. Daar ondertekenden ze officieel het akkoord van tweeëntachtig pagina's tijdens een plechtigheid van vijf minuten die zowel door de Joegoslavische delegatie als de Russische onderhandelaar werd geboycot.

Wat zou Milošević nu doen? We hadden hem gezegd dat we bereid waren specifiek Servische zorgen te bespreken. Hoewel we niet konden tornen aan het principe van een vredesmacht onder leiding van de NAVO zouden we samen met hem bepalen hoe de missie was te omschrijven. We hadden voorgesteld over een overeenkomst te onderhandelen, om te laten zien dat de NAVO op uitnodiging in Joegoslavië was en er niet binnenviel; we opperden zelfs dat de Serviërs de NAVO-troepen als 'anti-terroristisch' zouden omschrijven, aangezien het ontwapenen van het UÇK onder meer een taak van de troepen was.

Sommige revisionisten suggereerden dat we signalen uit Belgrado hebben gemist, dat Milošević bereid was een akkoord te ondertekenen. Dat is onzin. Als de Serviërs belang hadden gesteld in serieus onderhandelen, dan hadden ze dat tegen iedere buitenlandse bezoeker kunnen zeggen die begin maart Belgrado aandeed. Maar de boodschap die Russische, Griekse, Amerikaanse, EU- en NAVO-functionarissen ontvingen was dezelfde. 'Nee,' zeiden de Serviërs, 'we willen niets met een strijdmacht van buiten te maken hebben. We zullen op onze eigen manier met de terroristische dreiging afrekenen. En dat zal niet lang duren.' Half maart ging Ivanov naar Joegoslavië en trof 'alleen idioten die klaarstaan om oorlog te voeren' aan.

Terwijl we in Europa diplomatie bedreven waren we op Capitol Hill wekenlang in touw geweest. Hoewel we krachtige steun hadden van internationalisti-
sche senators als Joe Biden en Richard Lugar, waren bij beide partijen velen kritisch over de door ons uitgezette koers. Sommigen trokken de wettige grondslag
van mogelijke luchtaanvallen van de NAVO in twijfel. Anderen meenden dat vechten om Kosovo een moeras zou blijken, net als Vietnam. Enkelen zeiden dat
Milošević niet kwaadaardig genoeg was geweest. Senator Donald Nickles van
Oklahoma verklaarde: 'Ik vind dat we niet met bombarderen moeten beginnen,
tenzij en tot de Serviërs echt een heel groot bloedbad aanrichten.'

Na dagen van hoorzittingen, overleg, voorlichten en telefoongesprekken wonnen we uiteindelijk. Kort voor de ondertekening in Rambouillet gaf het Huis van
Afgevaardigden met 219-191 zijn steun aan het plan van de president om troepen
te sturen voor de naleving van een vredesakkoord, als dat werd bereikt. Hoewel
de stemming zoals verwacht partijbelangen diende, kregen we wel steun van de
voorzitter van het Huis, Dennis Hastert, en Republikeinen van aanzien als afgevaardigde Henry Hyde van Illinois. Terwijl de tijd voor diplomatie opraakte stemde de Senaat met 58-41 voor het machtigen van de president tot steun voor NAVO-
bombardementen. Weinig wetgevers waren enthousiast over de vooruitzichten,
maar de meerderheid was het erover eens dat andere opties nog minder aanvaardbaar waren.

Wij waarschuwden Milošević herhaaldelijk dat hij geen offensief moest beginnen, maar we konden zien dat hij voorbereidingen trof. Belgrado had in Kosovo
veiligheidstroepen samengebracht, ongeveer de helft meer dan die bij de aanvallen van 1998 waren ingezet. Zijn onderhandelaars kwamen in Parijs met een
geheel uitgeholde versie van het akkoord van de Contactgroep, waarin meteen
al het woord 'vrede' was doorgestreept. Het is mogelijk dat Milošević dacht dat
we bluften, of dat de Russen een manier zouden vinden om de NAVO te dwarsbomen. Misschien vertrouwde hij op slechte raad over hoe snel een gevecht om
Kosovo te winnen was. Misschien dacht hij dat zijn greep op de macht sterker
zou zijn als hij vasthield aan de rol van slachtoffer. In ieder geval had hij zijn
keuze gemaakt. Wij zouden de onze moeten maken.

Op 19 maart sprak ons team voor buitenlands beleid met de president om onze
opties te bezien. Er waren geen goede. George Tenet meldde dat het Servisch
offensief al begonnen was en dat veel UÇK-eenheden tot terugtrekken waren gedwongen. Het aantal vluchtelingen en ontheemden nam snel toe. Het oordeel
van de militairen was al net zo somber. Burgers waren in Kosovo uiterst kwetsbaar voor Servische aanvallen. Zeker in het begin konden luchtaanvallen van de
NAVO hen niet helpen. Er was een risico dat veel onschuldige mensen zouden
worden gedood of verwond. Een op de machtscentra van Milošević gerichte
bombardementscampagne van de NAVO zou hem verzwakken, maar we wisten
niet hoe lang hij het uit zou houden.

Terwijl ik luisterde keek ik naar de president. Zijn ogen stonden net zo somber
als ik me voelde. Aan de vooravond van haar vijftigste verjaardag stond de NAVO

op de rand van strijd, voor de tweede keer pas in haar geschiedenis; de eerste keer was in Bosnië. Ons doel was steun verwerven voor een akkoord dat niet de uiteindelijke doelen weerspiegelde van Albanezen of Serviërs. Een overwinning zou langdurige militaire betrokkenheid betekenen om de orde te handhaven in een heel gevaarlijk gebied, maar terugkrabbelen was ondenkbaar. Onze beslissing maakte deel uit van een veel grotere keus tussen autocratie en democratie, en tussen fanatisme en verdraagzaamheid in het hart van Europa. Ik zei: 'Luister, we moeten onthouden dat het doel van het gebruik van geweld is het voor eens en altijd een eind maken aan geweldpleging in de stijl van Milošević. Er is geen garantie dat het zal slagen, maar de alternatieven zijn erger. Wanneer we nu niet reageren zullen we dat later moeten doen, misschien in Macedonië, misschien in Bosnië. Milošević heeft voor deze strijd gekozen. We kunnen niet toelaten dat hij wint.' De president vond dat ook en zei publiekelijk: 'Bij de omgang met agressors in de Balkan is aarzeling een vergunning tot doden.'

We stuurden Dick Holbrooke naar Belgrado voor een laatste poging om Milošević te bewegen zijn offensief te staken. De besprekingen leverden niets op, behalve meer vertragingstactiek, dus droeg ik Holbrooke op naar huis te komen. Zoals uit de woorden van de president sprak, konden we ons niet veroorloven nog langer te wachten. Door zijn offensief te beginnen dwong Milošević ons tot handelen, ook al was de timing ongelukkig. De Russische premier Primakov was voor een bezoek op weg naar de Verenigde Staten. Toen Al Gore hem telefonisch meedeelde dat de bombardementen door de NAVO zouden gaan beginnen liet een woedende Primakov zijn vliegtuig omkeren en terugvliegen naar Moskou.

Een paar uur later, op de avond van 23 maart, droeg de secretaris-generaal van de NAVO, Solana, generaal Wes Clark op luchtoperaties te beginnen.

Het was na middernacht. Ik was doodmoe naar huis gegaan en bleef laat op om het nieuws op de televisie te zien. Ik sliep bijna toen de telefoon ging. Het was de president. Hij zei: 'We doen hier wat juist is. We hebben een lange weg te gaan, en dit zal niet snel voorbij zijn, maar ik denk echt dat we ieder alternatief hebben bekeken.' Samen namen we de pogingen door die we hadden ondernomen om een diplomatieke oplossing te vinden, waaronder mijn vijftien reizen van het voorbije jaar naar Europa, voor overleg met bondgenoten. We spraken over onze verantwoordelijkheden jegens de Kosovaren en vooral onze strijdkrachten. Jonge mannen en vrouwen ten strijde sturen is de moeilijkste beslissing die een president kan nemen. Steeds als ik Amerikaanse troepen bezocht wilde ik oogcontact maken met de militairen, zodat ik me altijd hun gezichten voor de geest kon halen. Geen Amerikaanse leider moet ooit tot militaire actie overgaan zonder diepgaande overweging van het menselijk leed. In dit geval hadden we dat gedaan. De president zei weer: 'Ik denk dat we het juiste doen.' 'Ja, meneer de president,' zei ik, 'dat doen we.'

HOOFDSTUK 25

Het bondgenootschap
zegeviert

D E EERSTE DAGEN VAN DE STRIJD ging zo'n beetje alles fout. Verschrikkelijk slecht weer onderbrak en vertraagde het tempo van onze luchtaanvallen. De NAVO-bevelhebbers wilden de Joegoslavische luchtafweer
vernietigen voor er vliegtuigen tegen Servische tanks en kanonnen werden ingezet die Kosovo binnenstroomden, maar Milošević schakelde zijn luchtverdediging niet in op een manier dat wij die konden ontdekken. Een Amerikaanse Stealth-
bommenwerper stortte neer. Bijna een week lang bleef operatie Allied Force in
de eerste versnelling, terwijl de veiligheidstroepen van Milošević volgens bere-
kening hun gang gingen.

De eerste avond vroeg Larry King van CNN me hoe lang we de aanvallen zouden voorzetten, 'drie, vier dagen... Is er een plan?' Op mijn hoede voor de kritiek
dat Kosovo een nieuw Vietnam kon blijken zei ik geen bijzonderheden te kunnen
geven maar 'het zal een aanhoudende aanval worden en het is niet iets van al te
lange duur'. De volgende dag zei ik op net zo'n vraag van Jim Lehrer van PBS dat
we konden verwachten dat het bombarderen na een 'betrekkelijk korte periode'
voorbij kon zijn.

Het duurde wel heel kort voor ik wenste dat ik die woorden kon inslikken.
Mijn antwoorden – van het matigende 'betrekkelijk' ontdaan – werden bij talloze
gelegenheden geciteerd als bewijs dat ik naïef was met betrekking tot de risico's
die aan het gebruik van geweld door de NAVO vastzaten. Dat was waardeloze kritiek. Het is waar dat ik dikwijls betoogde dat geweld de enige taal was die
Milošević verstond, maar ik had niemand geprobeerd ervan te overtuigen dat hij
snel leerde. Daarom was ik sterk gekant tegen een Frans voorstel, ingediend
voor de bombardementen begonnen, om na een paar dagen een pauze in te las-
sen. Ook belde ik de Hoge Commissaris voor Vluchtelingen van de VN om voor te
stellen dat we een speciaal verzoek om hulp deden voor de door ons verwachte
stroom vluchtelingen kwam, een suggestie die werd afgewezen.

Voor de NAVO-bombardementen begonnen had het Servische offensief al honderdduizend Kosovaren uit hun huizen verdreven. Dit getal groeide de volgende
dagen snel. Milošević bleek vier hoofddoelen te hebben: het uitroeien van het
UÇK, wijzigen van de etnische balans in Kosovo op permanente basis, de Albanezen die in Kosovo bleven tot onderwerping intimideren, en het creëren van een

destabiliserende humanitaire crisis die de internationale gemeenschap bezig zou houden en de regio verdelen.

Deze doelen waren niet verrassend, maar we hadden de snelheid, de schaal en de felheid van de Servische terreurcampagne onderschat. In honderden dorpen werden huizen platgebrand. Intellectuelen, journalisten en politici die voor onafhankelijkheid hadden gepleit werden opgespoord en gedood. Tienduizenden mensen werden in treinen gedreven, die van buiten werden afgesloten en naar de Albanese grens werden gestuurd. Duizenden anderen werden langs dezelfde route per auto of te voet voortgedreven. Servische veiligheidstroepen namen de vertrekkende Kosovaren geboortebewijzen, rijbewijzen, autopapieren en andere identiteitsbewijzen af. Hun boodschap aan de Albanezen was duidelijk: 'Jullie moeten weg en we laten jullie niet meer terugkomen.'

Op de vijfde dag sprak ik met Hashim Thaçi, die nog in Kosovo was. Hij meldde dat Pristina als 'een dode stad' was en noemde wel zes streken waar veiligheidstroepen mensen vermoordden. Hij zei dat zestigduizend Albanezen de noordelijke stad Mitrovica waren ontvlucht en dat in totaal een half miljoen mensen dakloos waren. Thaçi vroeg om het afwerpen van hulpgoederen, maar het Pentagon zei dat dit niet haalbaar was omdat onze vliegtuigen om luchtafweer te ontlopen te hoog moesten vliegen.

Op het ergst van de exodus staken vierduizend vluchtelingen – of juister, gedeporteerden – per uur de grens met de buurlanden Albanië en Macedonië over. De verschrikkingen die we zagen versnelden wijzigingen in zowel onze militaire tactiek als onze diplomatie. Generaal Clark vroeg om meer vliegtuigen en uitbreiding van de lijst met doelen, waardoor de oorlog naar Milošević werd gebracht en er druk kwam op zijn veiligheidstroepen. Ik werkte vierentwintig uur per dag om ervoor te zorgen dat het toepassen van geweld door een eensgezind bondgenootschap werd gesteund.

Zoals gewoonlijk was de telefoon bij uitstek mijn instrument. De vraag was hoe deze het beste te gebruiken. De NAVO telde negentien leden. Ik kon de andere achttien niet elke dag bellen, dus begon ik met een paar, maar zelfs dat kostte te veel tijd. Het alternatief, hoewel voor de hand liggend, was nog iets nieuws in de internationale diplomatie – telefonisch vergaderen. Ik nam het initiatief tot veel van zulke gesprekken met een groep die bekend werd als de 'Quint' – waarvan ook Robin Cook, Hubert Védrine, Lamberto Dini en de Duitse minister van Buitenlandse Zaken Joschka Fischer deel uitmaakten. Fischer was een ongewone en daarom bijzonder aansprekende bondgenoot. Als leider van de Groenen in zijn land was hij een verklaarde pacifist. Als moderne Duitser nam hij ook de lessen van de geschiedenis serieus en vooral zijn oordeel over Milošević was veelzeggend. Op 30 maart zei hij door de telefoon tegen me: 'Milošević handelt al tien jaar als de nazi's in de jaren dertig. Eerst blies hij Joegoslavië op, toen Kroatië, toen Bosnië en nu Kosovo. Hoeveel mensen heeft hij gedood? Voor hoeveel verkrachtingen en vluchtelingen is hij verantwoordelijk?' Nijdig wees Fischer een voorstel van het Vaticaan en anderen af voor een pauze in de bombardementen. 'Er kan voor christenen met Pasen geen pauze zijn terwijl het doden van moslims doorgaat.'

Fischer zei dat het voor de NAVO doorslaggevend was het politieke initiatief te herwinnen, en hij stelde voor dat we een verklaring zouden doen uitgaan over oorlogsdoelen, waarvoor hij al de ontwerptekst had gemaakt. Het idee en ook zijn verklaring bevielen me, maar één omissie zat me dwars. Fischer specificeerde niet dat de NAVO de vredesmacht moest leiden. De Duitse minister van Buitenlandse Zaken zei te menen dat we de mogelijkheid van VN-leiderschap open moesten laten om steun van Rusland te verwerven. Ik zei dat als we überhaupt onze taal gingen verzachten, we eerst iets tastbaars van de Russen of Milošević moesten hebben. Dit was niet de tijd om wisselgeld weg te geven. Fischer stemde met de wijziging in. De verklaring, die al spoedig door de hele NAVO werd onderschreven zou met wat kleine wijzigingen gedurende de hele oorlog van kracht blijven. Voor de NAVO met de bombardementen zou stoppen moesten Servische veiligheidstroepen zich uit Kosovo terugtrekken, een strijdmacht onder NAVO-leiding moest gestationeerd worden, en vluchtelingen moesten veilig naar huis kunnen terugkeren. 'Serviërs eruit, de NAVO erin, vluchtelingen terug,' werd onze mantra.

De draagwijdte en wreedheid van de blitzkrieg-achtige aanval op de bevolking van Kosovo leidden tot felle kritiek, niet alleen op Milošević maar ook op de NAVO, president Clinton en mij. In de media gingen velen eenvoudig voorbij aan het feit dat Milošević was begonnen. Ze beweerden dat Milošević doodde omdat de NAVO bombardeerde, in plaats van andersom. Commentatoren die ons voorheen aanvielen omdat we Milošević niet aanpakten deden dat nu wegens de kennelijke consequenties daarvan. Functionarissen van het Pentagon werden anoniem geciteerd: ze zouden me hebben gewaarschuwd dat ons beleid rampzalige gevolgen zou hebben. Het oordeel van columniste Arianna Huffington was typerend: 'Het is nu tijd om de oorsprong van de humanitaire en strategische catastrofe in Servië terug te voeren op minister Madeleine K. Albright.'

Mijn nauwe verbondenheid met het Kosovo-beleid werd het indringendst getoond toen *Time* me op de cover zette, met een bomberjack aan, pratend in een mobiele telefoon en met een gelaatsuitdrukking die de meeste kinderen doodsbang zou hebben gemaakt. Het artikel van Walter Isaacson was evenwichtig, maar had de titel: 'De oorlog van Madeleine.' De president nam me apart en zei dat ik me er niets van aan moest trekken. 'Als ik alles had gelezen wat er het laatste jaar is geschreven,' zei hij, doelend op de beproeving van de impeachementprocedure, 'dan had ik het niet overleefd.' Wat me zowel toen als naderhand frappeerde was dat de Kosovaren zelf over het algemeen het besluit tot optreden van de NAVO toejuichten. De oorlog bracht de Albanezen veel trauma's maar ook hoop op een toekomst, vrij van het hardhandige bewind van Milošević.

Elke dag van deze periode las ik verhalen over hoe ernstig we hadden misgerekend. President Clinton en ik waren vastbesloten te bewijzen dat Milošević de fout had gemaakt. De president zei tegen me: 'We mogen geen krimp geven.

Geen herinterpretaties, houd gewoon het oog op wat nodig is om te winnen.' Ik schreef mezelf briefjes over het belang van doelgericht blijven denken. Hoe akelig als het nieuws ook leek en hoe vreselijk ik me ook voelde, ik geloofde dat we de juiste beslissing hadden genomen. Het ging er nu om te volharden.

Het conflict in Kosovo werd in de eerste tien dagen van april gewonnen, toen de regering slechte keuzen had kunnen maken maar dat niet deed. Teleurgesteld door de vroege tegenslagen onderzochten we het idee het UÇK te bewapenen, maar dat verwierpen we omdat het waarschijnlijk een tweedeling in het bondgenootschap had gebracht. We bekeken voorstellen voor een opdeling van Kosovo, maar verwierpen die als een juridische en veiligheidsnachtmerrie, en als een pover precedent voor het oplossen van etnische geschillen. We bezagen de mogelijkheid van een bombardementspauze opnieuw, maar verwierpen die als een teken van zwakte. We dachten erover het uit de macht zetten van Milošević tot expliciet oorlogsdoel te verklaren, maar verwierpen dat omdat het niet op korte termijn voor elkaar te krijgen was.

Nee, we kwamen tot de slotsom dat de luchtaanvallen zouden slagen als we doorgingen die sneller, harder en slimmer aan te pakken. Samen met de Britten spoorden we het bondgenootschap aan de bombardementen op te voeren en de kring van doelen verder uit te breiden. We vergrootten de humanitaire hulp voor de buurlanden van Joegoslavië en waarschuwden Milošević ervoor de oorlog niet naar Albanië en Macedonië uit te breiden. We werden het er onderling over eens dat Kosovo na de oorlog een internationaal protectoraat zou moeten worden, met de Joegoslavische soevereiniteit alleen in naam behouden.

Op Buitenlandse Zaken werkten we ook een wederopbouwplan uit voor de lange termijn en voor de hele Balkan.* Ons doel was te tonen dat het conflict geen opzichzelfstaande schermutseling was maar deel uitmaakte van een bredere strijd tussen de krachten van virulent nationalisme en de voorstanders van integratie en democratie. Wilden de laatsten de overhand krijgen, dat moesten we ophouden van crisis naar crisis te dobberen en een beslissende verschuiving bewerkstelligen. Als voorbeelden noemden we het Marshallplan dat West-Europa van de Tweede Wereldoorlog hielp herstellen, en het programma voor Steun voor Oost-Europese Democratie (SEED), dat Midden-Europa houvast gaf na de Koude Oorlog. We stelden voor dat de Verenigde Staten samen met andere landen genereus en langdurig hulp zouden bieden aan de noodlijdende democratieën van de Balkan. Dit initiatief zou samenwerking tussen landen in de hele regio bevorderen en, door alleen hulp aan Belgrado te beloven na een regeringswisseling, een extra stimulans geven om Milošević aan de dijk te zetten.

Op een bespreking begin april in het Witte Huis zette ik het voorstel van Buiten-

---

* Deze strategie was het geesteskind van het hoofd Beleidsplanning Mort Halperin en een van zijn beste plaatsvervangers, Daniel Hamilton. Richard Schifter, onze speciale adviseur voor Zuidoost-Europese Aangelegenheden, was behulpzaam bij de formulering en tenuitvoerlegging van de strategie.

landse Zaken uiteen en wachtte op een reactie. Toen er geen enkele kwam was ik teleurgesteld, tot tegen het einde van de bespreking de president zelf zei: 'Ik wil terug naar het punt dat Madeleine eerder aanvoerde, omdat ik denk dat het precies goed is.' Hij werd al gauw een van de krachtigste pleiters voor ons initiatief, steunde onze ideeën met middelen, noemde het voorstel in al zijn toespraken en haalde het aan als hij onze strategie aan het Congres uiteenzette.

Gedurende deze periode stond de rest van de wereld niet stil, dus er waren nog heel wat andere zaken te regelen. De Chinese premier Zhu Rongji kwam naar Washington met een voorstel om zijn land bij de Wereldhandelsorganisatie aan te laten sluiten. De pas gekozen president van Nigeria, Olusegun Abasanjo, zocht onze hulp voor het herstel van democratie en welvaart in het Afrikaanse land met de grootste bevolking. Libië leverde eindelijk de twee verdachten van de Lockerbie-aanslag uit. En in Israël zat premier Netanyahu midden in een verkiezingscampagne en vocht voor zijn politieke voortbestaan. Er waren dagen dat ik blij was als ik me met een ander stuk van de wereld kon bezighouden, zelfs het Midden-Oosten, maar voor het grootste deel van de volgende twee maanden was Kosovo mijn universum.

Mijn telefonische vergaderingen met de bondgenoten, die begin april bijna dagelijks plaatsvonden, weerspiegelden trans-Atlantische samenwerking in optima forma. Dit was praktijkdiplomatie van een nooit eerder beoefende soort, omdat er nooit eerder zo'n combinatie van moderne technologie en politieke wil was geweest. De gesprekken bleken een onmisbaar werktuig voor brainstorming en coördinatie van de politieke strategie van de NAVO. Soms belde ik Cook en Fischer van tevoren met de suggestie dat een voorstel mogelijk beter zou worden ontvangen als het van een van hen kwam en niet van mij. Het hoofdpunt waar we het allen over eens waren was dat we met één mond over Kosovo moesten spreken, of we nu met ons eigen publiek, Rusland of Milošević te maken hadden. We konden niet toelaten dat anderen zelfs maar subtiele meningsverschillen tussen ons uitbuitten. Dit principe gold niet alleen voor de Quint-gesprekken maar ook voor de gesprekken die ik geregeld met secretaris-generaal Solana had en met NAVO-ambtgenoten als Lloyd Axworthy van Canada en Jozias van Aartsen van Nederland.*

---

* Deze gesprekken vonden op alle momenten van de dag of de nacht en in de weekeinden plaats. Ze waren voornamelijk zakelijk, maar er waren ook luchtiger momenten, vooral tijdens de weinige uren op zaterdag of zondag, als men ons buiten onze kantoren moest bereiken. Ik kon aan de telefoon worden geroepen als ik nieuwe kleren stond aan te passen. Robin Cook kon dat overkomen op een kiezersbijeenkomst in Schotland of bij paardenrennen. Met Védrine wisten we het nooit zeker omdat steeds wanneer hij sprak zijn tolk eerst onze aandacht vroeg door te zeggen: 'Parijs wenst te spreken.' Eén keer schrokken we toen Joschka Fischer midden in ons gesprek begon te brullen. 'Joschka,' zeiden we allemaal tegelijk, 'wat is er aan de hand? Gaat het wel goed?' Fischer kwam weer aan de lijn. 'Nee, het gaat niet goed met me. Ik zit naar de voetbalwedstrijd Duitsland-Engeland te kijken en de Engelsen maken net een doelpunt.'

Toen de oorlog zijn derde week inging was de vraag die ons allen bezighield: hoe kunnen we dit conflict tot een einde brengen, en de door ons gestelde doelen verwezenlijken? Er was zeker geen gebrek aan voorstellen voor een regeling met minder resultaat. Milošević kwam bijna meteen na het begin van de strijd met halfbakken ideeën. Goedbedoelende Congresleden vlogen massaal de oceaan over om hun Russische partners te spreken en kwamen met ondoordachte initiatieven terug. De Oekraïne stelde een speciale gezant voor Kosovo aan en kwam met een eigen vredesplan. Secretaris-generaal Annan van de VN maakte plannen bekend om niet één maar twee gezanten voor Kosovo te benoemen. Ook de Tsjechen en de Grieken ventileerden ideeën. De Griekse minister van Buitenlandse Zaken George Papandreou maakte zich achter de schermen op creatieve wijze sterk voor het beëindigen van het wederzijds geweld.

Omdat ik Rusland als de sleutel tot een aanvaardbare uitkomst zag, was ik voor een 'dubbele magneet'-benadering die eerst Rusland dichter bij het standpunt van de NAVO bracht en vervolgens Belgrado dichter bij Rusland. In het ideale geval konden we over een akkoord onderhandelen, gebaseerd op het in Bosnië gehanteerde model, waarbij de Veiligheidsraad machtigde, de NAVO leidde en Rusland aan een vredesoperatie deelnam. Dit was een goed concept maar moeilijk om mee te werken omdat de Russen zo kwaad waren.

We spraken via vele kanalen met hen, maar of het nu Clinton-Jeltsin was, Gore-Primakov of Ivanov-ik, de Russische boodschap aan ons was dezelfde, ook al verschilde het geluidsniveau: we hadden het grandioos verknald. Milošević, zo zeiden ze, zou nooit capituleren. De bombardementen hadden de Serviërs verenigd en hun leider tot een held gemaakt. Het had ook felle anti-Amerikaanse en anti-NAVO-gevoelens gewekt.

De Russen waarschuwden ons dat sommige van hun militaire eenheden graag aan Servische zijde mee zouden vechten en dat zich druk opbouwde voor een pan-Slavische alliantie met Rusland, Joegoslavië en Wit-Rusland. Russische nationalisten en communisten buitten Kosovo voor politieke doeleinden uit, terwijl Jeltsins tegenstanders in de Doema hem met een grabbelton van losse beschuldigingen probeerden af te zetten. Uit vrees dat hij zwak zou lijken dreigde Jeltsin Russische kernwapens weer op de NAVO te richten en hij beschuldigde het bondgenootschap ervan de wereld op de rand van een mondiaal conflict te brengen.

Als reactie begon ik een bijna continue dialoog met Ivanov. Ik zei hem te hopen dat onze meningsverschillen over Kosovo de samenwerking over andere zaken niet in gevaar zouden brengen. Hij zei dat daar niet aan te ontkomen was. 'Rusland kan niet werkeloos toezien hoe de NAVO een soevereine natie vernietigt,' zei hij.

Het principe waarover we de scherpste meningsverschillen hadden betrof de behoefte aan een internationale vredesmacht als de bombardementen eenmaal waren gestopt. Ivanov zei het niet zinvol te vinden dat idee te overwegen omdat Milošević het niet zou aanvaarden en van Jeltsins regering viel niet te verwachten dat ze de zijde van de NAVO koos. De Serviërs, zei hij, konden niet tot het toelaten van buitenlandse militairen op hun grondgebied worden gedwongen. Ik voerde aan dat Rusland aan zichzelf verplicht was meer te doen dan de standpunten van Milošević overbrengen. Indien Rusland het principe aanvaardde dat vluchtelingen moesten kunnen terugkeren, zou het de realiteit moeten begrijpen dat vluchtelingen niet zouden durven terugkeren zonder een doelmatige internationale strijdmacht voor hun bescherming. Als de oorlog zich zou voortslepen en de vluchtelingen gingen niet naar huis, dan zouden de Albanezen extremistischer worden. Het was niet in het belang van Rusland als een guerrillaleger zich in Europa vestigde.

Bij heel deze dialoog waren de Russen gefrustreerd door de zwakte van hun positie. Ze hadden weinig militaire opties, hun afhankelijkheid van het Westen nam toe, hun binnenlandse politiek was verziekt, en hun vermeende pupil in Belgrado was een meedogenloze dictator. Elke dag van NAVO-bombardementen was een slechte dag voor Jeltsin, die er door haviken van werd beschuldigd dat hij bij de Verenigde Staten in het gevlei wilde komen zonder er iets voor terug te krijgen. Jeltsin wist dat hij om de bombardementen beëindigd te krijgen met ons tot overeenstemming moest komen, maar wat we boden beviel hem niet. Daarom benaderden de Russen onze onderhandelingen met pijnlijke tweeslachtigheid; hun standpunt schoof slingerend op naar het onze, raakte dagen of weken in beton vervat en slingerde dan weer voort.

In april 1999 vochten we al vier weken. Gelukkig was het weer eindelijk verbeterd, net als de doeltreffendheid van de NAVO-luchtaanvallen. Toch luidde de door leunstoelgeneraals over de wereld uitgedragen volkswijsheid dat luchtaanvallen alleen niet genoeg waren. Ik was het daar niet mee eens maar vond dat we ons op de mogelijkheid moesten instellen dat die volkswijsheid een keer bewaarheid werd.

Een jaar eerder hadden NAVO-planners geschat dat voor een inval in Kosovo meer dan honderdduizend militairen nodig waren. Ik als burger vond dat ik die ramingen niet in twijfel mocht trekken, maar wel probeerde ik met mijn collega's in de regering de politieke aannames te bespreken waar ze uit voortkwamen. De Britten wierpen dezelfde kwesties op. Stel dat de luchtaanvallen de Servische strijdkrachten praktisch lamlegden, maar Milošević bleef weigeren zich over te geven? Zouden we de patstelling eindeloos laten voortduren of konden we een troepenmacht van gematigde omvang sturen? Onze troepen zouden gebied binnentrekken dat nauwelijks vijandig was. Een grote meerderheid van Kosovaren zou ons toejuichen. De wekenlange bombardementen waren beslist van invloed op de strijdlust van de troepen van Milošević. We waren het er al over eens dat onze troepen Kosovo als 'tolerante' omgeving binnenkonden. De Britse premier Tony Blair suggereerde dat we klaar moesten staan om te handelen als de situatie 'semi-tolerant' werd. Hierdoor konden we een eindeloze luchtcampagne voorkomen en Milošević tonen dat we alles van plan waren te doen wat nodig was om te winnen.

Generaal Shelton veegde botweg het idee van tafel dat een militaire omgeving 'semi tolerant' kon zijn. 'Je wordt niet semi-doodgeschoten,' zie hij. Als er vijandige troepen waren moest het Pentagon aannemen dat die vijandig zouden optreden. Het was onverantwoord daar geen rekening mee te houden in de planning. Dat betekende dat een enorme strijdmacht nodig was, die in het begin voornamelijk uit Amerikanen moest bestaan. Shelton zei dat de stafchefs een grondactie konden gaan plannen, maar dat zou weken vergen en het was onmogelijk voor half juli troepen te velde te hebben.

Minister Cohen zag ook niets in het idee van 'semi-tolerant'. Toch stemde hij ermee in dat zowel zijn ministerie als de NAVO plannen voor een grondcampagne zouden uitwerken. Zinspelend op de kritiek die we van de pers en op Capitol Hill kregen zei hij: 'Ons huidige standpunt is onhoudbaar.' De president was het er ook mee eens en sprak spijt uit over de formulering van een uitspraak in zijn toespraak op de eerste dag van de oorlog, die het inzetten van grondtroepen leek uit te sluiten. De president was er nooit van overtuigd geweest dat grondtropen nodig zouden zijn, maar wist dat we de mogelijkheid niet konden blijven uitsluiten. Tenslotte, als de toekomst van Kosovo belangrijk genoeg was om in de lucht voor te vechten, dan kon men moeilijk zeggen dat ze het niet waard was om op de grond voor te vechten.

De militaire logica voor het plannen van een grondoorlog was duidelijk, maar er was ook een diplomatieke logica voor het besluit dit te doen voor op 23 april de NAVO-top in Washington bijeenkwam. Het bondgenootschap moest op zijn vijftigste verjaardag eensgezind ogen, maar dat waren we niet. Zoals ik door mijn Quint-gesprekken wist waren de Britten voor de grondoptie, Duitsland en Italië waren ertegen, en de Fransen zouden deze alleen steunen in het onwaarschijnlijke geval van goedkeuring door de Veiligheidsraad. We wilden de conferentie niet besteden aan gekibbel over grondtroepen. Wat ons uiteindelijk redde was grotendeels de relatie tussen president Clinton en premier Blair.

Aan de vooravond van de top kwam Blair voor een late bespreking naar het Witte Huis. De president was gastheer en ik was erbij, samen met Sandy Berger en enkele Britse functionarissen. Blair leek op Churchill toen hij zei vastbesloten te zijn in Kosovo te zegevieren, maar daar hield de gelijkenis op. Blairs jeugdige manier van doen en toegankelijkheid maakten het moeilijk hem niet 'Tony' te noemen, in plaats van het gepaste 'meneer de premier'. Blair had bewust de rol op zich genomen van de leider die Amerika aan Europa kon uitleggen en de rest van Europa aan Amerika, waarbij hij verschillen tussen die twee overbrugde. Qua leeftijd en instelling leek hij de ideale partner voor president Clinton, met wie hij uren kon praten over 'derde-wegpolitiek', wereldgeschiedenis en hun families. Tijdens onze bespreking die avond hing de kwestie Kosovo en grondtroepen in de lucht. Blair had de president duidelijk iets onder vier ogen te zeggen, maar was te wellevend om de rest van ons er uit te gooien. Ten slotte vroeg hij de president waar het toilet was. President Clinton ving het signaal op en wilde het hem wel even wijzen. Ze bleven meer dan een halfuur weg.

Wat ze ook bespraken, de NAVO-top bleef een tweedeling bespaard. Blair maakte geen werk van een vaste toezegging tot een grondcampagne. Beide leiders benadrukten in al hun uitspraken eensgezindheid. Met steun van de VS begon de NAVO aan de planning van de mogelijkheid dat luchtaanvallen niet voldoende zouden zijn.

Oorspronkelijk had de NAVO-top een schitterend gala met veel chique feesten moeten zijn. Tegen de achtergrond van een bloedend Kosovo kon een dergelijk feest echter niet gehouden worden. Toch was dit de grootste bijeenkomst van staatshoofden die ooit in Washington is gehouden. Er waren niet alleen vertegenwoordigers van het bondgenootschap zelf, maar ook van zijn partnerschapinstellingen, waaronder alle republieken van de voormalige Sovjet-Unie, behalve Rusland.

Op de openingsdag van de topconferentie betoogden de generaals Clark en Naumann dat door opvoering van de luchtcampagne en verhoogde economische druk op Belgrado Milošević op de knieën zou zijn te brengen. Niemand week af van het uitgangspunt dat het bondgenootschap één diende te zijn, Milošević hard aangepakt moest worden, en dat er gewonnen moest worden. We hadden ook een bespreking met de Oekraïne en zochten contact met andere niet-NAVO-landen, van Albanië tot Oezbekistan, door speciale zittingen aan de Balkan en de Kaukasus te wijden. De NAVO demonstreerde hiermee haar intentie overal nauw met democratische krachten samen te willen werken. Op zijn beurt oogstte het bondgenootschap steunbetuigingen van landen die ooit aan de leiband van Moskou liepen en nu vrij waren om hun eigen oordeel te vellen.

Op de laatste conferentiedag belde Boris Jeltsin president Clinton op met het voorstel dat vice-president Gore en de voormalige Russische premier Viktor Tsjernomyrdin samen aan een oplossing voor Kosovo zouden werken. Tsjernomyrdin kwam op 3 mei in Washington aan. Hij had een brief van Jeltsin bij zich met het voorstel van een wapenstilstand, tijdens welke Kofi Annan en Tsjernomyrdin naar Belgrado zouden reizen om over een regeling te onderhandelen. Die overeenkomst zou dan door de VN ten uitvoer worden gebracht. President Clinton antwoordde dat we de VN niet namens de NAVO lieten onderhandelen.

De volgende morgen zei Tsjernomyrdin op een ontbijtbijeenkomst in het huis van vice-president Gore dat hij bereid was druk op Belgrado te blijven uitoefenen, maar dat Rusland dat niet te zichtbaar of alleen wilde doen. Milošević, zei hij, was te koppig en te emotioneel om ooit voor de NAVO te zwichten. We moesten er een derde partij bij hebben, vandaar het voorstel van Moskou om de secretaris-generaal van de VN naar Belgrado te sturen. Het zou voor Milošević minder vernederend zijn met iemand van statuur te onderhandelen die neutraal was. Het idee was niet onzinnig maar, zoals president Clinton zei, Milošević kon niet eenvoudig met de VN onderhandelen. We hadden een andere partner dan Kofi Annan nodig, en ik stelde president Ahtisaari voor. Meteen klopte Tsjernomyrdin op de tafel en glimlachte. 'Die moeten we hebben.'

President Martti Ahtisaari van Finland was inderdaad de man die we moesten hebben – een alom gerespecteerde diplomaat, met VN-ervaring, uit een van oudsher neutraal land. De maand daarvoor hadden we Ahtisaari voorgesteld als een van de twee gezanten voor Kosovo, maar dat wees hij af omdat hij er geen tweede volle baan bij wilde. Maar wel wilde hij met Tsjernomyrdin werken aan wat hij met een vooruitziende blik voorspelde een inspanning van een maand zou worden om de oorlog te beëindigen.

Op vrijdag 7 mei had ik net een bespreking met Kofi Annan gehad toen mijn assistent Alex Wolff me zei dat ik maar even moest gaan zitten. 'We weten het niet zeker,' zie hij, 'maar CNN meldt op dit moment dat de NAVO de Chinese ambassade in Belgrado heeft gebombardeerd.' We vernamen al snel dat B2-bommenwerpers inderdaad bommen hadden geworpen op een gebouw waarvan de piloten meenden dat het een Joegoslavisch bureau voor wapenaankopen was. Tragisch genoeg hadden de bommenrichters het bureau verward met een nabijgelegen gebouw met dezelfde vorm – de Chinese ambassade. De noodlottige vergissing kostte drie Chinezen het leven en twintig raakten gewond. Het feit dat de ambassade verscheidene malen was getroffen was er de oorzaak van dat Peking ons van een opzettelijke aanval beschuldigde. In dit geval werkte de grote militaire reputatie van de NAVO tegen ons, want de Chinezen konden maar moeilijk geloven dat we zo'n fout konden maken.

De volgende dag lag ik net in bed na het huwelijk van een van mijn persassistenten, Kitty Bartels, te hebben bijgewoond. Ik keek naar het late nieuws en zag beelden van onze ambassadeur in Peking, James Sasser, die door een kapot raam naar een menigte Chinese studenten keek die stenen gooiden en schreeuwden. Vooral na de tragedie in Kenia en Tanzania was ik uitermate bezorgd om de veiligheid van onze mensen. Ik ging mijn bed uit en probeerde verwoed minister van Buitenlandse Zaken Tang Jiaxun in China te bellen. 'Hij is niet bereikbaar,' kreeg ik te horen. Daarom besloot ik op afstand te doen wat ik kon om de zaken te sussen. Ik belde de vice-voorzitter van de Joint Chiefs of Staff, generaal Joseph Ralston, en verzocht hem zijn uniform aan te trekken en met mij een middernachtelijk bezoek aan de Chinese ambassadeur te brengen. Tom Pickering en Kenneth Lieberthal van de NSC completeerden onze kleine delegatie.

Ik kende ambassadeur Li Zhaoxing uit de tijd dat we beiden bij de VN werkzaam waren. Ik zei hem dat het bombarderen een verschrikkelijk ongeluk was en dat het ons uitermate speet. Ik zei te weten hoe het voelde als collega's omkwamen, en dat ik hoopte dat hij mijn deelneming aan de familie van de doden en gewonden wilde overbrengen. Ook zei ik dat ik me zorgen maakte om de veiligheid van Amerikaanse diplomaten in Peking; het was van groot belang dat de demonstraties niet gewelddadiger werden.

Hoewel de relatie tussen Li en mij goed was toonde hij zich nu erg streng; hij eiste van mij officiële excuses op de Chinese televisie. Opeens kwamen er camera's te voorschijn. Ik legde een korte verklaring af. Toen onze delegatie wilde weggaan stuitten we op een groep Chinese 'journalisten' die de gang blokkeerden en ons op hoge toon vroegen waarom we hun collega's hadden gedood. Mijn lijfwachten hadden niet naar binnen gemogen, zodat we alleen stonden en vreesden niet weg te kunnen. Gelukkig zijn generaal Ralston en Tom Pickering prima mensen om onder zulke omstandigheden bij je te hebben – niet alleen koelbloedig maar ook groot. Ze duwden onze 'journalistieke' vrienden opzij en we vonden de weg naar een zij-ingang en de straat.

Het bombarderen van de Chinese ambassade verlegde tijdelijk de aandacht in de wereld van de opzettelijke wreedheid van Milošević naar onze onopzettelijke fouten. Milošević trachtte het moment diplomatiek uit te buiten door bekend te maken dat hij een symbolisch aantal militairen uit Kosovo terugtrok. De Russen verhoogden de druk door Tsjernomyrdin naar China te sturen, waar hij ons bombardement als een 'daad van agressie' betitelde. Hieraan lag het politieke circus ten grondslag dat in Moskou gaande was. Op de dag dat Tsjernomyrdin naar Peking ging ontsloeg Jeltsin premier Primakov. Er ging een week voorbij voor minister van Buitenlandse Zaken Ivanov te horen kreeg dat hij zijn baan nog had. Toen ik hem opbelde vertelde hij me dat Jeltsin zijn ministerie de mantel had uitgeveegd omdat het geen einde aan de NAVO-bombardementen wist te maken. Publiekelijk dreigde Jeltsin te stoppen met de diplomatieke inspanningen als de luchtaanvallen niet spoedig ophielden.

De tragedie in verband met China en de machinaties in Moskou vertraagden de diplomatieke voortgang. We hadden zelfs achteruit kunnen gaan als de Russen een formule hadden kunnen vinden om de NAVO verdeeld te krijgen, maar in Duitsland verdedigde Joschka Fischer krachtig het beleid van het bondgenootschap op het partijcongres van de Groenen – ondanks dat hij een rode verfbom naar zijn hoofd kreeg. De Italiaanse premier riep op tot een pauze in de bombardementen maar stond tegelijk de luchtmacht van zijn land toe aan NAVO-missies te blijven deelnemen. Ik maande mijn collega's tot geduld en liet Tsjernomyrdin en Ahtisaari hun werk doen. Zolang de bondgenoten eensgezind bleven hadden we de tijd aan onze kant. We kregen berichten dat aanzienlijke aantallen Servische soldaten deserteerden. Er waren anti-oorlogsdemonstraties in Belgrado. Het volk stond door de luchtaanvallen niet massaal achter Milošević, waar het aanvankelijk op had kunnen lijken, maar het verlangen naar vrede nam er bij doorsnee-Serviërs juist door toe.

We wisten ook dat het UÇK bescheiden aan het terugkomen was. De NAVO-bombardementen maakten het voor de Joegoslavische troepen moeilijk zich met zwaar materieel of in grote aantallen te verplaatsen. De guerrillastrijders pasten nu een nieuwe militaire tactiek toe, gericht op het buitmaken van wapens en munitie van geïsoleerde posten. Ook maakten ze van het inzakkende moreel van hun tegenstanders gebruik door rechtstreeks wapens van hen te kopen. Sommige Serviërs meenden kennelijk dat als de oorlog dan niet te winnen was, ze er tenminste munt uit konden slaan.

Terwijl de patstelling voortduurde had ik het gevoel dat we een wedloop deden waarbij beide lopers moe werden; de vraag was wiens benen het het eerst zouden begeven. Er was zeker een grens aan de schade die de Joegoslavische regering kon verduren zonder toe te geven, maar onduidelijk was of die grens zou worden bereikt voor het zwaartepunt binnen de NAVO naar het compromis zou opschuiven. De winnende partij zou onvermijdelijk de sterkste wil tonen. Aldus begonnen we met frisse moed de noodzaak van een inval te bespreken. Er waren duidelijke risico's aan verbonden, maar het was ontnuchterend in mei te vergaderen met 'winterklaar maken van vluchtelingenkampen' boven aan de agenda.

De NAVO heeft nooit een grondcampagne hoeven voeren, maar we besloten wel het aantal militairen in Macedonië en Albanië te verdubbelen. Deze troepen zouden zich zogenaamd voorbereiden op de vredesmissie in Kosovo, die er pas na de oorlog zou komen. Echter, zoals we wilden dat Milošević besefte, de troepen konden ook de kern vormen van een grondstrijdmacht als die nodig was.

Op 27 mei stelde het Joegoslavië-tribunaal Milošević, Milutinović en drie andere Servische leiders in staat van beschuldiging wegens misdaden tegen de menselijkheid. Sommigen waren nerveus door de aanklacht tegen Milošević, omdat die volgens hen betekende dat we niet met hem konden onderhandelen. Daar behoorde ik niet toe. Ik was blij met de aanklachten, omdat de boodschap ervan dezelfde was die de NAVO al twee maanden uitdroeg: wie etnische zuivering pleegt zal uiteindelijk niet bereiken wat hij nastreeft en verliezen wat hij heeft. De vraag op dat moment was of de aanklachten het meer of minder waarschijnlijk maakten dat Milošević de voorwaarden van de NAVO zou aanvaarden.

De dag na de actie van het tribunaal kwamen Tsjernomyrdin en Milošević na een bespreking van tien uur in Belgrado met de aantrekkelijke gezamenlijke verklaring dat de VN-Veiligheidsraad ten aanzien van Kosovo een resolutie aan zou moeten nemen 'in lijn met het Handvest van de Verenigde Naties'. Wat betekende dat? Ik belde Ivanov op, die weigerde uit te leggen wat er was veranderd, zo er iets veranderd was. In plaats daarvan zei hij dat Rusland kanselier Schröder, als leider van de EU, verzocht Tsjernomyrdin, Ahtisaari en een vertegenwoordiger van de VS voor een beslissende bespreking in Bonn uit te nodigen. We stuurden Strobe Talbott.

Op 1 juni meldde Talbott dat het Russische standpunt na verscheidene gesprekken nog steeds niet bevredigend was. Ze hadden nog niet de noodzaak aanvaard dat alle Joegoslavische veiligheidstroepen werden teruggetrokken, en ze wilden dat Russische peacekeepers in het naoorlogse Kosovo hun eigen sector kregen. Sandy en ik zeiden dat Strobe aan het eerste punt moest vasthouden, en opeens gaf Moskou toe. Op het tweede punt kwamen we overeen dat dit tussen de NAVO en Rusland moest worden uitgewerkt; daar stond Milošević buiten.

Eindelijk hadden de NAVO en Rusland een gemeenschappelijke visie. Het bijbehorende document met een opsomming van de voorwaarden waar Milošević aan zou moeten voldoen voor beëindiging van de luchtaanvallen werd aan Belgrado doorgegeven. Dit was de magneet die we wensten en die Milošević vreesde. Door Tsjernomyrdin en Ahtisaari ervan overtuigd dat hij geen beter aanbod zou krijgen, en dat de Russen hem niet langer steunden, nam de Servische leider het voorstel aan en vroeg zijn parlement het goed te keuren. Op 3 juni rinkelden rond zonsopgang in heel Washington telefoons, en op een ander tijdstip van de dag in NAVO-hoofdsteden, van Ottawa tot Athene. De strijdenden hadden de eind-streep bereikt.

Bij de Quint-gesprekken tijdens de oorlog had ik samengevat hoe de Verenig-de Staten de verschillende dimensies van internationale activiteit in elkaar za-gen passen. Nu moesten we de volgende stappen vormgeven. Als de strijd een-maal voorbij was zou een troepenmacht onder NAVO-leiding in Kosovo de orde handhaven terwijl de Serviërs zich terugtrokken. De VN zouden de vredesmissie autoriseren en het burgerlijk bestuur op zich nemen. De EU zou de wederop-bouw coördineren. De OVSE zou onder leiding van de oudgediende Noorse minis-ter van Buitenlandse Zaken Knut Volleback helpen verkiezingen uit te schrijven en burgerpolitie op te leiden.

Om al deze elementen in gang te zetten, in de juiste volgorde, was een inge-wikkelde diplomatieke dans vereist. Eerst moesten we voor de Veiligheidsraad een resolutie opstellen die het kader moest vormen voor een militaire overeen-komst tussen de NAVO en Joegoslavië. Deze zou het tijdschema bevatten van de terugtrekking van de Servische strijdkrachten. De volgende stap was nagaan of die terugtrekking was begonnen, wat het einde van de NAVO-luchtaanvallen in-hield. Was dat eenmaal gebeurd, dan zou Rusland voor een resolutie van de Veiligheidsraad stemmen die een vredesmacht zou goedkeuren, die dan gesta-tioneerd zou worden. Daarna zouden de vluchtelingen zich veilig genoeg voelen om terug te keren, en het UÇK om te ontwapenen.

Uiteindelijk werden al deze stappen gezet, in de juiste volgorde, maar niet zonder hoofdbrekens. De tekst van de resolutie werd na twaalf uur onderhande-len door de ministers van Buitenlandse Zaken van de G8 op 7 en 8 juni in Duits-land bepaald. De hele eerste dag probeerde Ivanov verwijzingen naar samen-werking met het Joegoslavië-tribunaal te schrappen en stelde hij voor dat enkele Servische eenheden in Kosovo mochten blijven. Onder het argumenteren dacht ik bij mezelf: ik ben de enige hier aan tafel die dit werk bij de Veiligheidsraad heeft gedaan. Ik weet dat ik moet doen wat ik eerder deed – de onderwerpen uit-splitsen en met ieder van mijn collega's afzonderlijk zakendoen, tot we de door mij nagestreefde consensus hebben. Ik hield bij ieder punt voet bij stuk. Toen hij inzag dat hij alleen stond bond Ivanov ten slotte in.

Die overeenkomst doorbrak een impasse tussen de NAVO en de Joegoslavische militaire leiders, die in het nabije Macedonië hun eigen onderhandelingen voer-den. Eindelijk begonnen Joegoslavische strijdkrachten zich op 9 juni uit Kosovo terug te trekken. De volgende dag werden de luchtaanvallen van de NAVO officieel gestaakt en de resolutie van de Veiligheidsraad werd aangenomen. De peace-keepers bereidden zich voor op hun taak. De enige overgebleven belangrijke kwestie was hoe de rol van Rusland in de door de NAVO geleide vredesmacht te omschrijven was.

Hoewel er nog steeds diplomatiek werk te doen was, had ik voor het eerst in maanden het gevoel weer normaal te kunnen ademen. Ondanks alle sceptici was het bondgenootschap eensgezind gebleven, en door een creatieve menge-ling van diplomatie en geweld hadden we gewonnen. Het was een bedwelmend moment. Toen ik in Keulen over straat liep kreeg ik applaus. Tijdens de G8-be-spreking had minister Fischer gezegd: 'Ach, als het de oorlog van Madeleine was, dan is het nu de overwinning van Madeleine.' Ik antwoordde dat het de overwinning van de NAVO was, maar vroeg me wel af hoe degenen die dit be-schuldigend mijn oorlog hadden genoemd er nu over dachten. Op het G8-diner, dat nota bene in een chocolademuseum plaatsvond, werd ik heerlijk bewierookt. Na afloop belde president Clinton met als eerste zin: 'Jij bent dus een gelukkig meisje.' Hij was zeker een gelukkige jongen. Hij vertelde dat hij net een column van John Keegan had gelezen, waarin de Britse historicus schreef: 'Er zijn be-paalde dagen in de geschiedenis van oorlogvoering die een echt keerpunt mar-keren... We kunnen nu een nieuw keerpunt op de kalender zetten: 3 juni 1999, toen de capitulatie van president Milošević bewees dat een oorlog te winnen is met alleen luchtinzet.'*

Voor ik naar Washington terugkeerde deed ik Macedonië aan om met de rege-ring daar te overleggen en Amerikaanse troepen te ontmoeten die zich opmaak-ten om Kosovo binnen te trekken. Ook bezocht ik een vluchtelingenkamp voor Kosovaren – een stoffige, broeiend hete stad met twintigduizend gedeporteer-den, van wie de meesten heel jong of heel oud, die in tenten op de rotsige bodem van Macedonië leefden. De enige natuurlijke kleur kwam van kleine paarse cac-tusbloempjes, die net als de menselijke kampbewoners taaie overlevers in een ruige omgeving waren. Er wapperden vlaggen boven de stad, maar die waren van geen enkel land. Ze waren van de VN, de Hoge Commissaris voor Vluchte-lingen van de VN, USAID en een katholieke hulporganisatie. De stad was omheind

---

* Drie personen in het Kosovo-verhaal verdienen speciale vermelding. Als hoofd van het internationale inspectieteam sprak Bill Walker de waarheid over de massamoord van Racak en spoorde zo de NAVO aan tot actie. James Dobbins toonde zich na Rambouillet een waar werkpaard toen hij Bob Gelbard als onze speciale Balkan-vertegenwoordiger verving. Waarnemend permanent vertegenwoordiger bij de VN Peter Burleigh zorgde ervoor dat de resolutie van de Veiligheidsraad die een einde aan de oorlog maakte, werd aangenomen. Triest genoeg hadden deze drie nog iets anders gemeen. Ze werden in hun loopbaan beperkt door senatoren of hun almachtige staven, die hun kandidatuur voor andere posities eindeloos tegenhielden. Walker kreeg niet de functie van ambassa-deur in Argentinië en later Pakistan. Dobbins werd de kans ontnomen op een post in Buenos Aires. En toen de president Burleigh als ambassadeur op de Filipijnen wilde be-noemen werd er geen actie ondernomen. De senatoren die deze kandidaturen blok-keerden hoefden dit nooit te rechtvaardigen, omdat de 'omgangsnormen' in de Senaat dat niet vereisen. Deze gang van zaken is uiterst demoraliserend voor leden van de bui-tenlandse dienst en verdraagt zich fundamenteel niet met democratische beginselen. Senatoren van beide politieke partijen maken zich aan dit misbruik schuldig en ik hoop dat daar nog eens een einde aan wordt gemaakt.

met draad, hoog en scherp genoeg om de mensen die daar moesten zijn binnen te houden en degenen die er niet hoorden buiten.*

De stad zelf deed denken aan een vlooienmarkt in een kustplaatsje. Voor de dicht opeen staande tenten stonden kapotte ligstoelen, kromme parasols en er lagen plastic sandalen, meest in kindermaten. Ondanks de moeilijke omstandigheden werden de leefruimten smetteloos schoon gehouden, wat liet zien dat de mensen trots waren op hun onderkomens, ook al waren die klein en tijdelijk.

Toen ik het kamp naderde zag ik verderop aan weerszijden van het pad mensen zich verzamelen. Wat ze riepen was aanvankelijk onduidelijk, maar toen glimlachte ik onwillekeurig. Ze scandeerden: 'USA, USA' en 'Albright, Albright'. Ik ging handen schudden en zei steeds weer tegen de mensen: 'Jullie gaan terug. Jullie zullen spoedig naar huis kunnen.' Een jongetje droeg een bord met bovenaan 'Ik hou van Amerika' en daaronder 'Ik wil naar Kosovo terug.' Ik bleef staan en sprak met zijn moeder, die me vertelde dat de grootvader van de jongen tijdens de uittocht uit Kosovo was gestorven en dat zijn grootmoeder als ze nog leefde nog in Pristina was.

Ik werd in een tent genodigd, waar een groepje vrouwen en enkele kinderen bijeenwaren. Ze spraken over hun verlangen terug te gaan. Ik maande hen tot geduld. 'De Joegoslaven hebben landmijnen gelegd en het kost tijd om die op te ruimen. Ik hoop dat jullie kunnen wachten tot we jullie vertellen dat het veilig is en er voldoende voedsel is.' Ook zei ik hun dat als ze teruggingen de NAVO er zou zijn om hen te helpen een normaal leven te leiden.

De vluchtelingen herinnerden me eraan hoe sterk het verlangen naar huis kan zijn – vooral in dit deel van de wereld, waar veel minder mobiliteit is dan in de Verenigde Staten en waar families eeuwenlang dezelfde akkers bewerken, over dezelfde wegen lopen en de zon boven dezelfde vertrouwde heuvels zien opkomen. Daarom is etnische zuivering – gericht tegen Albanezen, Serviërs of andere groepen – zo verwoestend. Het betekent niet eenvoudig dat mensen worden verplaatst, maar het ontwortelt hele gemeenschappen en bevolkt hun dorpen met vreemdelingen die de geschiedenis niet kennen, of de plaatselijke roddel, of de namen op grafstenen op nabije begraafplaatsen.

Bij het vertrek uit Macedonië verheugde ik me op het slapen tijdens de lange terugreis. Maar we waren nog maar net in de lucht toen de NSL belde om te zeggen dat Russische troepen Kosovo waren binnengetrokken en door Serviërs in Pristina als helden werden ingehaald. Samen met Sandy kreeg ik Strobe aan de telefoon, die van Moskou op weg was naar huis. We raadden hem de 'Primakovlus' aan, dus omkeren en teruggaan naar de Russische hoofdstad. Strobe belde

---

* Na een aarzelende start redde de internationale inspanning om Kosovaarse vluchtelingen te helpen duizenden het leven. Bijzondere eer komt Sadako Ogata toe, de ontembare Hoge Commissaris voor Vluchtelingen, en een team onder leiding van Julia Taft, onderminister van Buitenlandse Zaken voor bevolking, vluchtelingen en migratie. Regeringen in de regio speelden ook een belangrijke rol, vooral die van Albanië, Macedonië en Italië.

later om te zeggen dat hij Ivanov had gesproken, die hem had verzekerd dat het binnentrekken 'een vergissing' was en dat de troepen zou worden gelast te vertrekken.

Toen ik Ivanov de volgende dag sprak zei hij dat er een 'misverstand' was geweest over het vertrek van de troepen. De Russen zouden op de luchthaven van Pristina blijven, en als de NAVO troepen stationeerde voor er een akkoord was over de Russische rol, zouden er meer Russische troepen binnentrekken en noordelijk Kosovo bezetten. Ik dacht bij mezelf: 'Of ik droom, of dit is de slechtste film die ik ooit heb gezien.' Binnen één dag gingen we van het vieren van een overwinning naar een kluchtige hervatting van de Koude Oorlog. Ook vreesde ik dat Ivanov niet meer wist wat in zijn eigen regering speelde. Er had duidelijk iets gehaperd tussen civiel en militair gezag, hoewel niemand kon weten wat Jeltsin al of niet had gefiatteerd. De mogelijkheid van gevaarlijke misrekeningen, vooral van de kant van Russische officieren, was buitengewoon groot.

Zelfs nu nog acht ik het mogelijk dat Milošević het op een akkoordje had gegooid met het Russische leger – misschien via zijn broer, de Joegoslavische ambassadeur in Moskou – om een feitelijke deling van Kosovo te bereiken. Als dat zo was, dan werden de Russen van deze dwaasheid weerhouden door de restricties van internationale diplomatie en wetten. Het Russische leger had zes transportvliegtuigen klaarstaan om duizenden manschappen over te brengen, ter versterking van het kleine contingent op de luchthaven van Pristina. Dat is nooit gebeurd omdat de Russen geen toestemming kregen om over Hongarije, Roemenië en Bulgarije te vliegen. Al deze landen waren lid geweest van het Warschaupact. Inmiddels was er één NAVO-lid en de andere twee waren belangrijke kandidaten om dat te worden. Hun beslissing om zich op dit moment van spanning tegen Moskou te verzetten bekrachtigde onze strategie van uitbreiding van de NAVO. Het toonde de belangrijke rol die Midden-Europese landen bij het versterken van regionale veiligheid konden spelen en bedwong een crisis die tot iets had kunnen leiden wat tijdens de Koude Oorlog nooit gebeurde – een rechtstreekse confrontatie tussen de NAVO en Russische troepen.

Maar goed, de strijdmacht onder bevel van de NAVO werd gestationeerd en voorzag uiteindelijk de matig bevoorrade Russen op de luchthaven van voedsel, terwijl de onderhandelingen over een passende rol voor de Russen voortduurde. President Jeltsin belde president Clinton en stelde voor samen naar een 'boot, een onderzeeër of een eiland te gaan waar geen mens ons kan storen' om het probleem op te lossen. President Clinton stelde daarentegen voor dat de ministers van Defensie en Buitenlandse Zaken van de twee landen bijeen zouden komen om de kwestie op te lossen, hetgeen we na enkele dagen pittig onderhandelen deden.*

---

* Deze in Helsinki gevoerde onderhandelingen hadden als resultaat dat Rusland bataljons stationeerde in de door Duitsers, Fransen of Amerikanen beheerste sectoren van Kosovo. Rusland kreeg geen eigen sector, uit vrees dat dat tot een feitelijke deling van de provincie zou leiden.

Ik wist dat ik niet echt van mijn werk weg kon, maar ik had wat lucht nodig. Ik ging naar Anne, die zwanger was van mijn toekomstige kleindochter Maddy, en de driejarige Jack in Australië, waar haar man Geoff die zomer rechten doceerde. Ik kon echter niet te ver weg van Kosovo gaan. Nu de oorlog voorbij was had het bondgenootschap zich tot de VN gewend voor hulp op een terrein waar de VN zich deskundig had getoond– civiele wederopbouw. Kofi Annan stond op het punt om het hoofd van de civiele missie van de VN in Kosovo te benoemen, en ik had hem gezegd dat hij volgens mij een fout beging. Zijn keus was Bernard Kouchner, de Franse minister van Gezondheid en iemand die jaren eerder Artsen Zonder Grenzen hielp oprichten. Ik had gehoord dat Kouchner lastig was, maar toen maakte hij een afspraak met me voor een lunch in een hotel, niet ver van het mijne. Hij gaf me een bosje edelweiss en zodra we zaten zei hij: 'Ik hoor dat u me niet moet.' Ik wilde het tegenspreken, maar al heel gauw vertelde hij me alles over zijn hoop voor Kosovo. Ik was onder de indruk van zijn diepe overtuigingen, menselijkheid, kennis en toewijding, en belde de secretaris-generaal naderhand op om hem te zeggen dat hij toch gelijk had.

Eind juli bezocht ik Kosovo voor het eerst. De oorlog was ongeveer zes weken voorbij. Ondanks onze waarschuwingen hadden de meeste vluchtelingen niet met hun terugreis gewacht. Er waren vreugdevolle herenigingen en trieste ontdekkingen van geïmproviseerde graven. Tot verrassing van velen tekende het UÇK een demobilisatieakkoord dat Jamie Rubin tot stand had helpen brengen, maar over de bedoelingen van de groepering bleef veel onzekerheid bestaan. Zoals verwacht waren er wat vergeldingsacties van etnische Albanezen tegen Serviërs, van wie velen naar het eigenlijke Servië gingen. Het oude Kosovo lag in puin en de wederopbouw was nog nauwelijks begonnen.

In Pristina sprak ik op het grote plein van de stad een enorme menigte toe. Wegens alle daken en ramen was het een moeilijk te beveiligen locatie, en terwijl ik in het VN-hoofdkwartier wachtte hoorden we schoten, maar niemand wist waarvandaan. Om het risico te verminderen werd ik de vijftig meter van het gebouw naar het podium gereden dat voor de menigte was opgebouwd. Toen ik uitstapte stond de auto zodanig dat achter me een open portier was: als er iets gebeurde kon ik er meteen weer in.

De menigte, aangevuld met teruggekeerde vluchtelingen, was gekleed in een mengeling van Albanese klederdracht en bonte wollen stoffen. Terwijl ik het applaus in ontvangst nam bestudeerde ik de mensen voor me. Ik dacht aan de mensen die ik eerder in het vluchtelingenkamp had gezien, en aan andere in kranten en op de televisie – gezichten, getekend door ontberingen, verwrongen door angst, of vervuld van bezorgdheid als families naar verdwenen dierbaren zochten. Nu glimlachten deze zelfde gezichten.*

---

* Later werd me een foto gestuurd van een muur vol met graffiti in Pristina die het etnisch Albanese gevoel in die tijd weergaf. De boodschap: 'Bedankt NAVO, Toni Bler, Schroder, Sollana, Klinton, Shirak, Robin Kuk, Prodi, Klark en Olbright.'

Ik zei tot de menigte: 'Ik heb heel lang aan jullie gedacht, en aan het leed dat jullie hebben doorstaan. Vandaag moeten we ons voornemen dat er nooit meer 's nachts mensen met geweren komen, en dat er nooit meer massamoorden in Kosovo zullen zijn.' Hierop volgde luid gejuich.

Ik zei: 'We moeten het tribunaal steunen, omdat zij die zijn aangeklaagd wegens etnische zuivering en moord zich moeten verantwoorden, en Slobodan Milošević voor zijn misdaden terecht moet staan.' De menigte juichte nog harder.

Toen zei ik: 'Democratie kan niet op wraak worden gebouwd. Willen we een ware overwinning in Kosovo hebben, dan kan dat geen overwinning van Albanezen op Serviërs, of van de NAVO op Serviërs zijn. Het moet een overwinning zijn van mensen die in de rechten van het individu geloven, op mensen die dat niet doen. Anders is het geen overwinning. Het is dan alleen maar het verruilen van de ene soort onderdrukking voor de andere.'

De toehoorders werden stil. Je kon een speld horen vallen.

Uiteraard verwachtte ik niet dat de wonden van lichaam en geest in Kosovo snel zouden helen. Toegebrachte oorlogsellende brandt te diep in. Maar wel wilde ik een harde boodschap overbrengen. Bij mijn gesprekken met Europeanen, zelfs tijdens de oorlog, stuitte ik op diepe scepsis aangaande Albanezen. Ik zei onomwonden tot de menigte: 'Er zijn mensen die menen dat Kosovo nooit aan zijn verleden zal ontkomen. Zij zeggen dat jullie de Serviërs hetzelfde zullen aandoen als de Servische militie en politie jullie aandeden; dat jullie het Serviërs onmogelijk zullen maken in Kosovo te leven. Deze critici wijzen op tragedies als de laffe moord van afgelopen week op veertien Serviërs in Gracko, en ze zeggen: "Zie je wel, we hebben gelijk. De Albanezen van Kosovo zijn geen haar beter dan Milošević." Vandaag wil ik de voorspelling doen dat jullie die critici in het ongelijk zullen stellen.'

Dit was een rechtstreekse en noodzakelijke uitdaging. Ik vreesde dat nog een paar gevallen van Albanezen die Serviërs vermoordden het Europese enthousiasme voor het financieren van de wederopbouw van Kosovo de grond in boren. Als dat gebeurde zou het Congres niet in willen springen. We hadden net een oorlog uitgevochten; ik was vastbesloten de vrede niet te verliezen.

Na mijn rede werd ik tien kilometer zuidwaarts gereden, naar wat een andere wereld leek. In Pristina was de Albanese meerderheid opgelucht, in feeststemming en triomf. Buiten bij het Servisch-orthodoxe klooster Gracanica was de stemming angstig en bitter. Ik bezocht het klooster voor een ontmoeting met bisschop Artemije Radosavljević en andere lokale Servische geestelijke leiders. De bisschop was fel tegen de NAVO-luchtaanvallen geweest, maar hij had ook een beroep op Milošević gedaan om af te treden, wegens de wandaden die de tiran tegen Serviërs en niet-Serviërs had begaan.

We werden ontvangen door monniken in traditionele zwarte pijen met een koord om het middel. We bestegen een donkere wenteltrap en betraden een grote gemeenschapsruimte met grote houten tafels en stoelen. Aan de muur hing een wandtapijt waarop de Servische nederlaag in de Slag om Kosovo in 1389 werd herdacht. Nonnen brachten schalen met pruimen en perziken, kopjes bittere koffie, glazen appelsap en wijn, zoetigheid waar de honing uitdroop en dikke vanillepasta. De bisschop droeg een scepter met een zilveren knop. Het hele tafereel was middeleeuws, op de monniken na die langs de andere muur druk met computers in de weer waren. Ook liep er een monnik met een camcorder door de zaal.

Toen ik de bisschop voor de oorlog in Washington sprak waarschuwde hij dat een militaire confrontatie een ramp zou zijn. Nu toonde hij me foto's van verwoeste kerken, hij vertelde van aanvallen op Serviërs, en sprak zijn vrees uit dat alle Serviërs mogelijk uit Kosovo weg moesten. Ik zei hem dat ik dat nu juist niet wilde; de vredesmacht van de NAVO en de VN zouden al het mogelijke doen om ervoor te zorgen dat zijn mensen zich veilig voelden. De bisschop zei dat wanneer de Serviërs werden verdreven, het gelijk van Milošević was bewezen. Ik vond dat ook en zei dat het voor de Serviërs van Kosovo belangrijk was deel te nemen aan de inspanning van de NAVO om instellingen voor zelfbestuur in het leven te roepen.

Na ons gesprek liep de bisschop met me door de kloostertuin naar onze rij auto's. Buiten had zich een menigte verzameld die met van haat vertrokken gezichten pro-Milošević-leuzen schreeuwde. De prelaat vertelde me dat dit geen mensen van hier waren, maar vanuit Belgrado gestuurde ophitsers. We stapten in onze auto's terwijl de menigte opdrong, waarvan sommige mannen zich ontblootten om duidelijk te maken hoe ze over me dachten. Zodra we wegreden bestormde de menigte het klooster en bracht de bisschop in het nauw. Gelukkig waren er Britse soldaten om te voorkomen dat iemand iets overkwam.

Van Kosovo vloog ik naar Sarajevo, waar president Clinton en leiders uit heel Europa bijeen waren om het Stabiliteitspact voor de Balkan in te luiden. Dit was de strategie die we hadden ontwikkeld om de Balkan in de democratische hoofdstroom van het werelddeel te brengen. De keuze van Sarajevo was een mijlpaal op zichzelf. Tijdens de oorlog in Kosovo had de minister van Buitenlandse Zaken van Bosnië zijn land als voorbeeld voorgehouden voor hoe verschillende etnische groepen konden samenwerken. Gezien de recente geschiedenis van zijn land was dit een verbazingwekkende bewering, maar toch bevatte ze genoeg waarheid om vertrouwen te wekken dat wonderen te bereiken waren.

De bijeenkomst in Sarajevo werd gehouden in het stadion dat bij de Olympische Winterspelen van 1984 voor het kunstrijden was gebruikt. Terwijl ik luisterde naar sprekers in het Engels, Frans, Duits en verschillende Balkan-talen voelde ik heel sterk het verlangen van leiders in de regio om de deur naar het verleden te sluiten en een democratische toekomst te omhelzen. We hadden, meende ik, een reële kans om de patronen van de geschiedenis te veranderen en de draaikolken van geweld te vervangen door een gestage stroom voorwaarts.

Milošević had erop gegokt dat Kosovo het bondgenootschap zou splijten en een onoverbrugbare kloof tussen Rusland en het Westen zou openen. Dankzij de

Kranslegging ter herdenking van de slachtoffers van de terroristische aanslag in Nairobi op 7 augustus 1998. Rechts naast mij loopt Prudence Bushnell, onze ambassadeur in Kenia. De Keniaanse minister van Buitenlandse Zaken, Bonaya Godana, legt ook een krans. De lange blonde man die mij op de achtergrond in de gaten houdt is het hoofd van mijn beveiligingsteam, Larry Hartnett.

In 1999 in Vietnam, samen met de Amerikaanse ambassadeur Peter Peterson en brigadegeneraal Harry B. Axson jr. (rechts) en luitenant-kolonel John M. Peppers (links). De foto is genomen tijdens een ontroerende ceremonie vlak voor de repatriatie van de stoffelijke resten van vier Amerikaanse militairen die tijdens de Vietnamoorlog waren gesneuveld. Meer dan een kwart eeuw na dat conflict gaat de zoektocht naar informatie over het lot van de vermisten onverminderd door.

Tijdens de top ter gelegenheid van het vijftigjarig bestaan van de NAVO zat ik tussen president Clinton en Tony Blair, de charismatische premier van Groot-Brittannië. Achter de president zit Jim Steinberg, plaatsvervangend adviseur nationale veiligheid.

Ik heb een broche met de drie aapjes, die 'hoor geen kwaad, spreek geen kwaad, zie geen kwaad' verbeelden. Verder heb ik geen commentaar bij deze foto, behalve dat Sandy Berger zegt: 'Dat moet wel betekenen dat ik het kwaad ben.'

In gesprek met Amerikaanse militairen die naar het buitenland zijn uitgezonden. Critici zeggen dat leden van onze krijgsmacht niet graag deelnemen aan vredesmissies. Dat geldt dan misschien voor enkele militairen, maar de meeste die ik sprak waren blij met de kans om een verminkte samenleving weer op de been te helpen.

Het artikel dat bij deze foto hoorde, had als titel 'Madeleines oorlog'.

De ministers van Buitenlandse Zaken van de G8. Met de klok mee vanaf linksonder: Hubert Védrine van Frankrijk (zittend), staatssecretaris van Buitenlandse Zaken Umbert Ranieri van Italië, Lloyd Axworthy van Canada, Joschka Fischer van Duitsland, Masahiko Komura van Japan, Igor Ivanov van Rusland en (zittend tegenover mij) Robin Cooke van Groot-Brittannië.

De eerste bijeenkomst van vrouwelijke ministers van Buitenlandse Zaken (1997), later groeiden we naar het 'gevreesde veertiental'. Op de foto zittend (v.l.n.r.) Tarja Halonen (Finland), Andrea Willi (Liechtenstein), ik, Lena Hjelm-Wallén (Zweden) en María Emma Mejía (Columbia). Staand (v.l.n.r.) Shirley Gbujama (Sierra Leone), Nadezhda Mihailova (Bulgarije) en Zdenka Kramplová (Slowakije).

DEPARTMENT OF STATE/USIS

Na mijn kille ontmoeting met Slobodan
Milošević wilde ik alle schijn van
hartelijkheid tussen ons vermijden.
Dat lukte.

Naast Kim Jong il, de Koreaanse leider,
voor een muurschildering die heel
toepasselijk een woeste zee toont. We
waren bezig de Noord-Koreaanse
bedoelingen te toetsen toen de
regeringsperiode van Clinton afliep.

AP/WIDE WORLD PHOTOS

Ik heb vele serieuze en vriendschappelijke gesprekken gevoerd met kroonprins Abdullah, de feitelijke leider van Saoedi-Arabië.

In 1997 met de ministers van Buitenlandse Zaken van de Gulf Consultative Council (GCC) in Saoedi-Arabië. Ik werd altijd met respect bejegend, zelfs als ik tegen hen zei dat ik het over de rechten van de vrouw wilde hebben. Van links naar rechts: Jamil Ibrahim Al-Hujailan, secretaris-generaal van de GCC, en de ministers van Buitenlandse Zaken sjeik Hamdan bin Zayid Al-Nuhayyan (Verenigde Arabische Emiraten), sjeik Hamad Bin Jasim bin Jabir Al-Thani (Qatar), sjeik Sabah al-Ahmad al-Jabir al-Sabah (Koeweit), sjeik Muhammad bin Mubarak al-Khalifa (Bahrein), prins Saoed Al-Faisal (Saoedi-Arabië) en Jusif Bin Alawi bin Abdullah (Oman).

President Clinton en vice-president Gore vergaderen met het team voor het Midden-Oosten in het Oval Office. Naast mij op de bank, vol aandacht voor zijn notities, zit ambassadeur Dennis Ross. Naast hem zit onderminister van Buitenlandse Zaken Martin Indyk. Tegenover ons, met zijn rug naar de camera, zit Sandy Berger.

Discussies met Ehud Barak, de Israëlische premier, waren altijd heftig. Hij kon heel kortaf zijn, maar zijn bereidheid om zijn politieke loopbaan en zelfs zijn leven op het spel te zetten in het belang van een rechtvaardige en veilige vrede in het Midden-Oosten was onbetwist.

Arafat, voorzitter van de PLO, juicht voor mijn kleinzoon Jack tijdens zijn bezoek aan mijn boerderij in Virginia. Arafat was persoonlijk een hartelijk mens, maar zijn beleid was star en bleek uiteindelijk zijn volk en het hele Midden-Oosten veel te kosten.

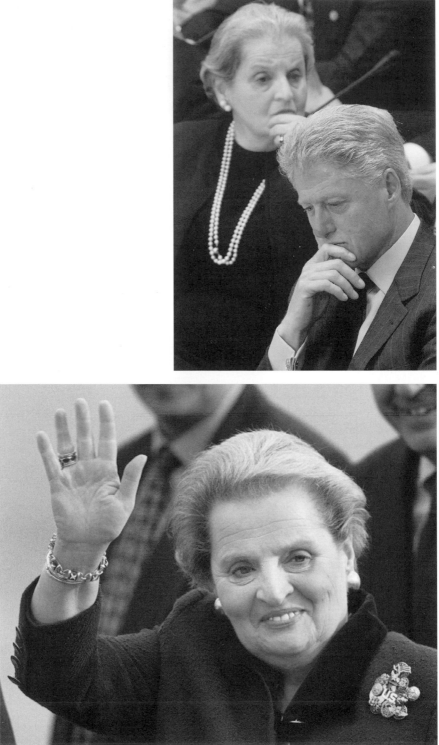

vastberadenheid van president Clinton, premier Blair, secretaris-generaal Solana en andere NAVO-leiders, op sleutelmomenten gekoppeld aan het pragmatisme van Jeltsin en Ivanov, bewezen we het ongelijk van Milošević. Ook bekrachtigden we mijn persoonlijke overtuiging dat de Verenigde Staten wettig en verstandig geweld kunnen toepassen, dicht tegen een grootschalige oorlog aan, ter ondersteuning van belangrijke diplomatieke doelen. We hoefden Joegoslavië niet plat te gooien of een troepenmacht van honderdduizenden in te zetten om onze doelen te bereiken.

Voor het bondgenootschap bracht het conflict de ongelijkheid aan het licht tussen het Amerikaanse vermogen tot moderne oorlogvoering en dat van Europa, maar het toonde ook de waarde van de politieke steun die solidariteit kan brengen. Niettegenstaande de zienswijze van sommige sceptici wonnen we in Kosovo door het bondgenootschap, en niet in weerwil daarvan. Op een of andere manier droegen alle NAVO-leden aan ons succes bij.

We hebben tijdens de oorlog zeker moeilijke vragen moeten beantwoorden, maar we werden gesteund door de wetenschap dat ze veel gemakkelijker waren dan de onderzoeken waar we voor zouden komen te staan als we niets hadden gedaan. Als de NAVO niet was opgetreden, dan waren door het Servische offensief meer dan een half miljoen Kosovaren ontheemd geraakt, wat velen had geradicaliseerd, en het had een nieuwe bron van langdurige spanning in Europa gecreëerd. Milošević zou zijn gesterkt en had mogelijk anderen ertoe verleid hun macht met soortgelijke middelen te vergroten. En de NAVO zou verdeeld zijn gebleven en had aan het begin van de nieuwe eeuw aan haar eigen bestaansrecht getwijfeld.

HOOFDSTUK 26

Vrijheid en orde in het mondiale tijdperk

ET LAATSTE DECENNIUM VAN HET MILLENNIUM werd algemeen aangeduid als het post-Koude-Oorlogtijdperk, maar dat zei ons alleen wat het niet was. Een betere omschrijving was het mondiale tijdperk, een tijd gekenmerkt door verhoogde onderlinge afhankelijkheid, overlappende nationale belangen, en door grenzen die alles doorlieten, van terroristen en technologie tot ziekten en democratische idealen.

Voor de leiders van niet geheel in het internationale systeem geïntegreerde landen bood dit tijdperk een keuze met aan weerszijden scherpe randen. Dergelijke regimes konden aansluiting zoeken bij de wereldeconomie en de stroom informatie en ideeën naar hun samenlevingen sterk vergroten, of zich afzijdig houden en economische stagnatie riskeren om een politiek sterke greep te behouden – tenminste voorlopig.

Voor de Verenigde Staten was de door mondialisering gestelde keuze zowel simpel als complex. We hadden een duidelijk belang bij het ontwikkelen van een alomvattend internationaal systeem dat stabiliteit brengt, recht handhaaft, handel bevordert en reageert op het universele verlangen naar vrijheid. Maar dit was geen doel dat met een of andere grote diplomatieke transactie was te bereiken. Het was meer een mondiaal doel waar lokale stappen voor nodig waren, een proces dat uit honderden specifieke maar zeer uiteenlopende projecten bestond, zoals het onderhouden van bilaterale betrekkingen als die tussen de Verenigde Staten en China en Rusland, het wereldwijd bevorderen van democratische waarden, en samenwerking met Afrikaanse leiders om conflicten te beëindigen en economische groei te bevorderen. Elk daarvan was een apart onderwerp, met zijn eigen lijst van sleutelkwesties en spelers. Maar elk daarvan maakte ook deel uit van een grotere strijd die zou bepalen of de wereld de nieuwe eeuw begon met nader tot elkaar te komen of verder uit elkaar te vallen.

De belangrijkste relatie van de Verenigde Staten in Azië is die met Japan. Als iemand dat betwijfelt zou hij moeten bedenken hoe de regio zou zijn als onze twee landen geen bondgenoten maar tegenstanders waren. Die situatie hebben we al gehad. Hoewel onze handelsrelaties hun moeilijke momenten hebben gekend is Japan een vertrouwde vriend van de VS, een natie die op ieder niveau en terrein onze genegenheid en achting heeft verdiend. Onze meest complexe relatie in Azië, en een die voortdurend zorg vereist, is die met China.

Twintig jaar eerder zat ik in het Witte Huis toen president Carter besloot dat de tijd rijp was voor het normaliseren van de betrekkingen met China. Ik weet nog dat ik de Chinese leider Deng Xiaoping zijn plan uiteen hoorde zetten voor de omvorming van de gecentraliseerde economie van zijn land, om ruimte te maken voor vrij ondernemerschap, buitenlandse investeringen en meer keus voor de werkers en beginnende ondernemers. Als resultaat van die plannen ontstonden bloeiende terreinen van groei naast de stagnerende staatssector van het land, miljoenen geraakten uit de armoede en de grondslag voor een markteconomie werd gelegd.

De economische opening ging echter niet gepaard met een politieke. Het andere deel van Dengs erfenis bestond uit de slachting op het Tiananmenplein, gevangen gezette dissidenten, geheime besluitvorming en voortzetting van het starre eenpartijbewind. Tijdens zijn verkiezingscampagne van 1992 had kandidaat Bill Clinton kritiek op de regering van Bush sr. wegens een te zachte houding tegenover de Chinese leiders. Toen hij zelf aan het bewind was en zijn eigen beleid van 'constructieve betrokkenheid' met Peking begon kwam hij aan dezelfde kritiek bloot te staan. Voor iedere Amerikaanse regering is China een aparte categorie – te groot om te negeren, te repressief om te omhelzen, moeilijk te beïnvloeden en heel, heel trots.

President Clinton hoopte dat er door de met zorg voorbereide staatsbezoeken in 1997 en 1998, en het contact met Dengs opvolger Jiang Zemin, tenminste een barst zou komen in de Chinese muur van politieke onvrijheid. Bij de eerste topontmoeting in Washington was er tussen de twee leiders een goede persoonlijke dynamiek ontstaan. Ter voorbereiding van de tweede sprak ik met president Jiang in een ommuurd complex bij de Verboden Stad in Peking. Jiang leidde me trots rond in het huis aan het meer dat hij voor het topoverleg had laten renoveren. Hij zei dat hij met de president op de veranda dacht te gaan zitten, waar ze naast hun ernstige discussies ook samen van muziek konden genieten. Tijdens ons gesprek was de Chinese leider beminnelijk en deed hij zijn best om een man van de wereld te zijn. Hij doorspekte zijn uitspraken met opmerkingen in het Russisch en Engelse citaten.* Bij andere gelegenheden citeerde hij uit gedichten, wat zijn tolk het voorhoofd deed fronsen. Wanneer Jiang glimlachte, wat veel gebeurde, deed hij me aan de Cheshire Cat uit *Alice in Wonderland* denken.

De topontmoeting zelf werd in het begin ontsierd omdat China per se wilde dat de officiële verwelkoming op het Tiananmenplein plaatsvond, met alle ongelukkige symboliek van dien. Om protocollaire redenen moesten we akkoord gaan, maar ik besloot iets duidelijk te maken door een witte hoed te dragen, voor Chinezen de kleur van rouw.

---

* Toen hem tijdens de eerste top de slaapkamer van Lincoln werd getoond, begon Jiang de toespraak van Lincoln, 'The Gettysburg Address', te citeren.

We hadden de normale enorme banketten en concerten. De first lady en ik bezochten juridische hulpgroepen en religieuze leiders, en bezichtigden zelfs een gerestaureerde synagoge in Sjanghai. Maar het hoogtepunt van de ontmoeting was een gezamenlijke persconferentie van de twee leiders. De autoriteiten verrasten ons door toe te staan dat de persconferentie live voor honderden miljoenen Chinezen door de staatstelevisie werd uitgezonden, en president Jiang deed ons opschrikken door een vraag over onderdrukking in Tibet echt te beantwoorden. President Clinton maakte van de gelegenheid gebruik om mooie woorden te spreken over de behoefte aan vrijheid van meningsuiting en godsdienst. Later deed hij tijdens een toespraak voor Chinese studenten de wezenlijke uitspraak dat politieke vrijheid niet zoals sommigen (waaronder Chinese leiders) beweren de vijand van stabiliteit is, maar juist de grondslag van stabiliteit, omdat volken worden geholpen geleidelijke verandering te bereiken en de volkswil recht wordt gedaan.

Persoonlijke diplomatie is echter niet genoeg om de basisfilosofie van een regering om te vormen. Een paar maanden na de topontmoeting trad Peking hard op tegen de beginnende Democratische Partij van China en criminaliseerde het lidmaatschap van een ongevaarlijke maar snel groeiende spirituele gezondheidsbeweging, bekend als de Falun Gong. Leiders werden gevangengezet en volgelingen werden opgepakt, vermanend toegesproken en vervolgd. Bovendien bleef China dwangarbeid toepassen, de godsdienstvrijheid beperken en de rechten van minderheden schenden.

Kennelijk betekende het einde van de Koude Oorlog voor het Westen iets anders dan voor Peking. Waar wij de belofte van democratische verandering zagen, zagen de Chinese leiders een bedreiging. Ze beseften dat ze niet konden gedijen zonder hun land meer in de wereldeconomie te integreren, en toch meenden ze niet te kunnen overleven zonder zich afzijdig te houden van de wereldwijde tendens naar meer open politieke systemen. Het resultaat was een balanceernummer dat tot op heden voortduurt.

De gevoeligste kwestie in de betrekkingen tussen de VS en China was en blijft Taiwan. Het is reeds lang beleid van de VS de visie van Peking dat er maar één China is waarvan Taiwan deel uitmaakt niet te bestrijden. Ook is het beleid en wet van de VS om wapens aan Taiwan te leveren om de kans zo klein mogelijk te maken dat Peking zal trachten het eiland met geweld weer in zijn macht te krijgen. Onze wens is dat de twee partijen hun geschillen vreedzaam regelen. Onze vrees is dat ze dat niet doen. De Chinezen zouden graag zien dat wij druk op Taiwan uitoefenen om de hereniging op de voorwaarden van Peking te aanvaarden – ongeveer analoog aan die welke nu voor Hongkong gelden. Wij zeggen dat het niet aan ons is Taiwan tot iets aan te zetten, behalve tot het zich onthouden van provocerende daden en woorden.

De relatie tussen Peking en Taipei roept bij beide partijen diepe emoties op. Druk tijdens welk gesprek met Chinese functionarissen ook op de juiste knop en men krijgt een lange geschiedenisles. Door deze emoties kan geen leider in

Peking zich een compromis over de kwestie van hereniging veroorloven, terwijl geen leider in Taipei zich een compromis over veiligheid kan veroorloven. De status quo is in geen jaren veranderd en blijft gespannen en instabiel. Het is zo'n probleem dat niet altijd in de schijnwerpers van de wereld staat, maar dat ieder moment tot een uitbarsting kan komen. De laatste jaren heeft China een raketmacht opgebouwd die is te gebruiken om Taiwan te intimideren, en het heeft onderzeeërs gekocht waarmee een blokkade is op te werpen. Als reactie heeft Taiwan van de VS hulp gekregen bij het moderniseren van zijn luchtverdediging. Als minister van Buitenlandse Zaken heb ik China vijf keer bezocht, vergezeld door Stanley Roth, onze geestige en deskundige onderminister voor Oost-Aziatische en Pacifische Aangelegenheden. Tijdens onze vele officiële besprekingen hadden we een agenda met onder meer non-proliferatie, terrorisme, mensenrechten, markttoegankelijkheid, Tibet, godsdienstvrijheid, het milieu, internationale misdaad en ook Taiwan. Toch had ik de indruk dat naar het idee van de Chinezen een ideale bespreking uit één enkele verklaring zou hebben bestaan, waarbij ik herhaalde dat de Verenigde Staten het één-China-beleid van Peking aanvaardde. Voor hen was Taiwan verreweg de belangrijkste kwestie.

Het tastbaarste succes van de strategie van betrokkenheid van de regering was het verdrag van 1999, waarvoor is onderhandeld door de vasthoudende handelsvertegenwoordiger Charlene Barshefsky, en dat voor China de weg vrijmaakte voor toetreding tot de Wereldhandelsorganisatie (WTO). Dit verdrag weerspiegelde een sprong voorwaarts in vertrouwen bij Peking, dat China op de wereldmarkt zou kunnen concurreren met inachtneming van internationale regels. Om voor de WTO in aanmerking te komen moest China bilaterale verdragen afsluiten die een grootscheepse vermindering van barrières voor zijn lokale markt betekende, van computers en auto's tot crackers en maïs. Op zijn beurt was China verzekerd van een gelijke behandeling door andere WTO-leden. Voor de Verenigde Staten betekenden dit het aan China toekennen van dezelfde handelsstatus als aan andere landen. Als we dat niet deden zouden onze concurrenten gemakkelijk toegang tot de markten van China verwerven en wij niet. Economisch was dit voor de regering een eenvoudige keus, maar de benadering moest door het Congres worden goedgekeurd en politiek was het een heet hangijzer.

Toen de president op 10 januari 2000 verklaarde dat hij aan China de status met permanent normale handelsbetrekkingen (PNTR) wilde toekennen maakte hij een maandenlang debat los tegen een achtergrond van veiligheidszorgen, zakenbelangen, zorgen om mensenrechten en politiek rond het verkiezingsjaar.* Veel Congresleden, onder wie de vooruitstrevendste en conservatiefste, meenden dat handel met China aan mensenrechten moest worden gekoppeld. Zij za-

---

* De campagne van de regering voor goedkeuring van de PNTR werd geleid door minister van Handel William Daley, Charlene Barshevsky, minister van Financiën Lawrence Summers en het hoofd van de National Economic Council, Gene Sperling. Het was mijn taak samen met Sandy Berger de betekenis van de kwestie te helpen uitleggen, uit het oogpunt van nationale veiligheid en buitenlandpolitiek.

gen PNTR als een beloning die China niet verdiende en dachten dat het tegen houden ervan de Chinezen er op de een of andere manier toe zou brengen democra-
tischer te worden.

Ik zag in dat we de stemming over PNTR niet zouden winnen wanneer die als
een uitruil werd gezien tussen ons economisch belang bij het openen van de
Chinese markt, en onze bezorgdheid om de mensenrechten. Voor de expliciete
keus gesteld tussen geld en waarden zal de meerderheid van de Amerikanen
elke keer voor de waarden kiezen. De regering moest tonen dat het mogelijk was
PNTR en de mensenrechten tegelijk te steunen. Hiertoe deed ik iets wat geogra-
fisch waanzinnig was.

Tijdens de jaarlijkse conferenties van de Commissie voor de Mensenrechten
van de VN (UNCHR) dienden de Verenigde Staten meestal een ten aanzien van
China kritische resolutie in. Of we nu krachtig of te laat lobbyden, we verloren
altijd, gewoonlijk met een paar stemmen verschil. Niettemin vonden we het belangrijk aan onze principes vast te houden.

Gewoonlijk worden we op de conferentie vertegenwoordigd door een speciaal
daartoe aangestelde ambassadeur. In 2000, met een heftig PNTR-debat gaande en
veel belangstelling voor China, besloot ik onze boodschap zelf te brengen. Terzelfdertijd zou de president echter Zuid-Azië bezoeken, en dat wilde ik niet missen. Ik moest of het een of het ander kiezen. Ik koos koppig allebei.

Nadat ik een dag lang de president in India had vergezeld vloog ik op de avond
van 22 maart naar Genève, waar ik de eerste minister van Buitenlandse Zaken
van de VS zou worden die de UNCHR toesprak. Na negen uur vliegen werd om
twee uur 's nachts op Kreta bijgetankt. De pers en mijn adviseurs, die tijdens de
vlucht wel zes afleveringen van *The Sopranos* hadden gekeken, zwierven als
zombies door de militaire terminal.

In Genève was het VN-auditorium volgepakt met diplomaten uit vierenvijftig landen, vertegenwoordigers van non-gouvernementele organisaties en de media. In mijn speech kwam ik terug op een kwestie die de Chinezen ons geregeld aanwreven. Ze waren trots op de status van hun land als een van de vijf permanente leden van de Veiligheidsraad en verweten ons geregeld dat we dat lichaam omzeilden. Ik wees erop dat het lidmaatschap van China niet alleen een recht maar ook een verantwoordelijkheid was. China was gebonden aan het Handvest van de VN; het had recentelijk opnieuw de Universele Verklaring voor de Rechten van de Mens onderschreven, en het Internationale Convenant voor Burgerlijke en Politieke Rechten ondertekend. Wanneer het deze verplichtingen niet ernstig ging nemen, kon het niet verwachten als wereldleider te worden beschouwd.

Toen ik de afgevaardigden zei dat het klimaat voor mensenrechten in China slechter werd in plaats van beter, liep het grootste deel van de Chinese delegatie weg. Toen ik was uitgesproken stond de Chinese ambassadeur op en verklaarde zonder te blozen dat China een democratie was die de mensenrechten volledig respecteerde. Mijn aanwezigheid had op zijn minst de Chinezen gedwongen het onverdedigbare ten overstaan van de wereld te verdedigen. Ik ging naar mijn vliegtuig terug en trof na nog veel meer uren vliegen de president weer in Zuid-Azië. Hoewel onze resolutie het weer niet haalde, had ik mijn boodschap zo indringend mogelijk gebracht. Het was mogelijk sterk pro-PNTR te zijn, en tegelijk pro-mensenrechten.

Op 24 mei 2000 stemde het Huis met 237-197 voor PNTR voor China. In september kwam de maatregel met een ruime marge door de Senaat. China kwam in december 2001 officieel bij de WTO; PNTR werd in dezelfde maand officieel van kracht. Dit was een historische ontwikkeling waarvan de precieze dimensies pas na verloop van tijd duidelijk zullen worden. Door de aansluiting bij de WTO zegde China toe zich te bevrijden van het 'huis dat Mao bouwde', waaronder staatsbedrijven, instellingen voor centrale planning, grote agrarische communes en parasitaire bureaucratieën. Dat zou moeten leiden tot meer technologische innovatie, meer gebruik van internet, frequenter contact met buitenlanders, en meer instellingen en verbanden die niet in handen zijn van de Communistische Partij. Er is geen vanzelfsprekend verband tussen handel en democratie, maar mensen worden nu eenmaal door hun eigen ervaringen en waarnemingen gevormd. De miljoenen jonge Chinezen die nu economisch zelfstandig leren denken zullen bijna zeker eerder dan hun ouders politiek zelfstandig denken. In een internetcafé in Peking zag ik jonge bezoekers informatie opvragen over ieder denkbaar onderwerp. Wanneer kennis eenmaal vrijelijk wordt verspreid is dat moeilijk weer terug te draaien.

Wanneer China en de Verenigde Staten economische groei kunnen bereiken door deelname aan een mondiaal handelssysteem, kunnen we misschien ook samenwerken op terreinen als terrorisme en proliferatie van kernwapens. We hebben al behoorlijke vooruitgang geboekt. Enkele decennia geleden moedigde Mao Zedong derdewereldlanden nog aan kernwapens te verwerven als middel tot machtsgelijkheid. Onder zijn opvolgers trad China toe tot het Non-Proliferatieverdrag, het ratificeerde het Chemische-Wapensverdrag, het ondertekende het Kernstopverdrag, het verdrag dat kernproeven verbiedt, het ontmoedigde het Noord-Koreaanse streven naar kernwapens, en het verscherpte de controle op uitvoer van gevoelige technologie, zij het niet in de mate die we wensten.

Het zou fout zijn het Amerikaanse beleid met betrekking tot China op vaste aannamen over de toekomst, positief of negatief, te baseren. De Chinezen meten hun geschiedenis niet in jaren of zelfs decennia, maar in dynastieën. Tot kort voor de twintigste eeuw hadden ze weinig reden om hun land niet als het middelpunt van de wereld te zien. Maar sinds westerse kanonneerboten het keizerlijk isolement van China doorbraken, kreeg het land met het trauma van uitbuiting, bezetting, burgeroorlog, de communistische opstand en de Culturele Revolutie te maken. Nu het met de communistische ideologie bergafwaarts gaat komt er weer nationalisme op en wordt de regionale en mondiale betekenis van China groter.

Het land staat niettemin voor geweldige problemen, zoals hoge werkloosheid, een onophoudelijk groeiende bevolking, corruptie, ziekten, en gestage migratie van het platteland naar de overvolle steden. Deze opgaven kunnen de Chinese leiders ertoe brengen een stabiele internationale omgeving na te streven, zodat ze zich kunnen richten op de binnenlandse behoeften, of ze kunnen op zoek gaan naar internationale oorzaken en die de schuld geven van de noden van hun volk.

De vraag voor de toekomst is hoe de Chinese trots zich zal manifesteren. Hoewel Amerikanen van nature willen zien hoe verhalen aflopen, zal het antwoord niet snel komen. Deng Xiaoping zei ooit dat Peking hereniging met Taiwan zou nastreven, hoe lang dat ook zou duren, 'al is het honderd of duizend jaar'. President Jiang sprak de geduldige hoop uit dat China bij aanhoudende groei binnen een halve eeuw een bescheiden ontwikkeld land zou zijn.

In onze betrekkingen met Peking moeten ook wij op lange termijn denken. Met alle andere perikelen in de wereld die er zijn, moeten we niet proberen China in de rol van vijand te dringen. We moeten hopen dat de economische hervormingen van China slagen, en daarbij contacten op ieder niveau verwelkomen. Maar betrokkenheid bij China is niet hetzelfde als overal achter staan. We moeten onze toezeggingen aan Taiwan nakomen en uiting blijven geven aan onze bezorgdheid over zaken als mensenrechten en de verspreiding van kernwapens. We kunnen van China niet eisen dat het tegen het als zodanig beschouwde eigen belang handelt. Maar we kunnen wel op het pragmatisme van een nieuwe generatie leiders inspelen om terreinen te vinden waar onze belangen samenvallen.*

Meer dan anderhalve eeuw geleden deed Alexis de Tocqueville de befaamde

---

* In maart 2003 koos het Chinese Nationale Volkscongres de zestigjarige Hu Jintao tot opvolger van Jiang Zemin als president van China en secretaris-generaal van de Communistische Partij. Voormalig ambassadeur in Washington Li Zhaoxing, aan wie ik na het onbedoelde bombarderen van de Chinese ambassade tijdens de Kosovo-oorlog mijn deelneming betuigde, werd tot minister van Buitenlandse Zaken bevorderd.

voorspelling dat de relatie tussen Rusland en de Verenigde Staten het lot van de wereld zou bepalen. Ik vermoed dat als hij bij het begin van het nieuwe millennium op aarde was teruggekeerd, hij Rusland niet zou hebben genegeerd, maar eerst over China had geschreven.

Op 31 december 1999, om twaalf uur 's middags, trad Boris Jeltsin af met de woorden: 'Rusland moet het nieuwe millennium ingaan met nieuwe politici, nieuwe gezichten, nieuwe, intelligente en krachtdadige mensen.' Zijn opvolger als president was Vladimir Poetin, die vier maanden eerder als vijfde premier van Jeltsin sinds maart 1998 was benoemd. De draaideur in het kantoor van de premier weerspiegelde de neerwaartse spiraal van de Russische economie. Weinig samenlevingen zijn zonder oorlog harder onderuit gegaan. In de crisisjaren daalde de productiviteit in de Verenigde Staten met eenderde. In de jaren negentig slonk die van Rusland met vijfenvijftig procent naar ongeveer het niveau van Nederland. Een kliek van corrupte functionarissen en zakenlieden beroofde het land van veel van zijn hulpmiddelen en sluisde de opbrengsten naar buitenlandse rekeningen. Hier kwam nog bij dat de financiële crisis van Azië de olieprijs deed dalen, de voornaamste bron van harde valuta voor Rusland, waardoor een aantal banken te gronde werd gericht. Toen Poetin premier werd noemden de Russische media hun land een 'Opper-Volta met raketten'.

Wat slecht nieuws was in Rusland was ook slecht nieuws in Washington. Decennia lang maakten we ons zorgen om de dreiging die een sterk Rusland vormde; nu maakten we ons zorgen om de gevaren van de zwakheid van Rusland. We vreesden dat de boze bevolking extreem nationalistisch zou worden en dat de onderbetaalde Russische militairen voordeel zouden willen halen uit het illegaal verkopen van nucleaire technologie en wapens. De economische problemen van Rusland konden de groeivooruitzichten van de Baltische staten en Midden-Europa, en de Kaukasus en Centraal-Azië frustreren, en het schouwspel van een imploderend Rusland zou wereldwijd het aanzien van de democratie schaden. Armoede en gebrek waren niet waar mensen zich voor hadden ingeschreven toen het IJzeren Gordijn wegviel.

Net als met China trachtten we ons beleid vorm te geven met de geschiedenis voor ogen. In de achttiende eeuw stelde Peter de Grote zijn land open naar het Westen, maar twee keer viel er een westers leger binnen, het eerste van Napoleon en het tweede van Hitler. Na de Tweede Wereldoorlog vormde de Sovjet-Unie een krachtig afweerschild met prikkeldraad door het hart van Europa. Nu was het prikkeldraad verdwenen en de vraag was hoe de nieuwe relatie tussen Rusland en Europa zou worden bepaald. Met steun van onze bondgenoten had president Clinton het idee van partnerschap gepropageerd door Moskou bij de G8 te halen en de Gemeenschappelijke Raad van Rusland en de NAVO op te richten. Rusland behoorde naar ons idee aan de tafel van naties die zich voor internationale stabiliteit inzetten. Deze vooronderstelling werd in Kosovo pijnlijk op de proef gesteld, toen Jeltsin de misdaden van Milošević bleek te negeren. Dit gebeurde opnieuw in een onherbergzaam gebied in de Kaukasus – Tsjetsjenië.

Toen de Sovjet-Unie in 1991 uiteenviel begonnen Tsjetsjeense nationalisten een onafhankelijkheidsstrijd. Jaren van zware gevechten resulteerden in een regeling waarbij Tsjetsjenië een aanzienlijke mate van zelfbestuur kreeg, maar nog wel binnen Rusland viel. Het conflict laaide in augustus 1999 weer op, slechts een paar dagen nadat Poetin premier was geworden, toen Tsjetsjeense rebellen plannen onthulden voor het stimuleren van een islamitische revolutie in de hele regio. In de maand daarna werd Rusland opgeschrikt door een reeks bomaanslagen waar bijna driehonderd mensen bij omkwamen. Zonder bewijzen te hebben beschuldigde Rusland de Tsjetsjenen en beloofde terug te slaan. In opdracht van Poetin bombardeerde de Russische luchtmacht Tsjetsjeense steden en dorpen, waarna grondtroepen het gebied binnentrokken. Er waren berichten over willekeurig geweld en massamoorden, en tienduizenden mensen ontvluchtten hun huizen, wat internationaal beroering wekte.

Keer op keer zei ik tegen minister van Buitenlandse Zaken Ivanov dat Rusland niet kon optreden alsof alle Tsjetsjenen terroristen waren. Ik zette hem onder druk om een onafhankelijk onderzoek naar de gruwelen toe te staan, humanitaire organisaties toe te laten en over een politieke regeling te onderhandelen. President Clinton sprak tijdens de OVSE-top in november 1999 in Istanbul Jeltsin op dezelfde kwesties aan. In een emotionele toespraak beschuldigde Jeltsin ons van inmenging. De Russische weerstand werd versterkt door de populariteit van de oorlog binnenslands. Volgens opiniepeilingen bij het begin van het conflict meende slechts twee procent van de Russen dat Poetin de juiste man was om Jeltsin te vervangen. Met oudjaar was dat cijfer gestegen tot zesenvijftig procent.

In januari 2000 werd ik in Moskou de eerste hoge Amerikaanse functionaris die Poetin sinds zijn aantreden als president ontmoette. Toen ik in het Kremlin aankwam betrof zijn eerste opmerking de broche die ik droeg, een met twee heteluchtballons. Ik zei dat die was om te tonen dat er voor Rusland nieuwe hoop gloorde. Hij glimlachte, keek toen streng en keerde zich naar de camera's met de woorden: 'De Verenigde Staten voeren ten aanzien van Tsjetsjenië een beleid van pressie tegenover ons.' Zodra de media weg waren glimlachte hij weer flauwtjes en zei tegen me: 'Ik zei dat opdat uw critici thuis u geen weekhartigheid verwijten.'

Poetin begon met zijn stapel te bespreken punten omhoog te houden en wierp ze toen terzijde. We waren het erover eens dat 1999 een moeilijk jaar was geweest. 'Rusland is in mijn land omstreden geworden,' zei ik, 'en de VS zijn in uw land omstreden. Dit komt deels door echte meningsverschillen en deels door de verkiezingen in beide landen. Het enige antwoord dat we degenen kunnen geven die ons bekritiseren omdat we samenwerken, is bewijzen dat we zaken voor elkaar kunnen krijgen.'

We steggelden wat over het voorstel van de regering om over wijzigingen in het Anti Ballistic Missile(ABM)-verdrag te onderhandelen om zo tot een beperkt systeem van nationale raketverdediging te komen, over onze bezorgdheid om de Russische levering van nucleaire technologie aan Iran, en over de vele economische problemen van Rusland. Wat dit laatste punt betreft begreep Poetin heel goed wat zijn voorganger weigerde te erkennen: Rusland had heel hard hulp nodig maar zijn leiders zouden die niet krijgen door kwaad te worden of met loze beloftes te komen. Poetin zei zich volledig te willen inzetten voor samenwerking met het Internationaal Monetair Fonds (IMF), het vinden van manieren om buitenlandse investeerders naar Rusland te halen en hervorming van het belastingstelsel.

Hij sprak met korte indringendheid maar werd heftig toen we over Tsjetsjenië kwamen te spreken. Dat gebied, verklaarde hij, was in handen geraakt van criminelen die roofden, ontvoerden, in drugs handelden, geld vervalsten en een terroristische staat wilden vestigen. Met hulp van de Taliban en andere extremisten, zei hij, hadden radicalen in heel Centraal-Azië vaste voet gekregen. 'Probeer niet Rusland uit dit gebied weg te krijgen,' zei hij, 'anders komt u met een nieuw Iran of Afghanistan te zitten.' Zich kennelijk bewust van mijn levensverhaal zei hij dat Rusland optrad zoals ik had gewenst dat Europa tegen de nazi's had opgetreden. 'In plaats van een nieuw München bevechten we ze nu voor ze sterker worden. En we zullen ze verpletteren.'

Ik antwoordde dat op de lange termijn militaire druk zonder een politieke optie niets op zou lossen. 'Bent u bereid een politieke regeling na te streven?' Poetin antwoordde dat er niemand was om mee te onderhandelen. 'De wettige leiders zijn verlamd en de rest bestaat uit boeven en moordenaars.'

Al die tijd probeerde ik zowel naar Poetin te luisteren als hem in te schatten. Ik wist uit zijn eigen publicaties en interviews dat hij trots was op de militaire loopbaan van zijn vader tijdens de Tweede Wereldoorlog, en dat hij opgroeide met het verlangen bij de KGB te werken, wat hij ook heeft gedaan. Hij houdt van Rusland en was duidelijk verlegen met het diepe gat waarin het was gevallen. Poetin was jonger en moderner van voorkomen dan Jeltsin of Primakov. Hij sprak vertrouwelijk en maakte als ik sprak notities alsof hij zijn gedachten ordende, naar de tolk opkijkend met starre, blauwgrijze ogen.

Op de vraag naar de fundamentele politieke oriëntatie van Rusland – en die van hem – zei Poetin botweg: 'Zeker, ik hou van Chinees eten, het is leuk om met stokjes te eten, en ik doe al heel lang aan judo, maar dat is slechts uitheems gedoe. Het is onze mentaliteit niet, die is Europees. Rusland moet duidelijk deel uitmaken van het Westen.'

In de maanden daarna gaf Poetin zich moeite om het respect voor de Russische staat te herstellen. Hij beknotte de voorrechten van regionale bestuurders en stuurde federale vertegenwoordigers eropuit om zich te oriënteren op de belangen van Moskou. Hoewel de brute gevechten in Tsjetsjenië voortduurden riep hij de overwinning uit en herstelde het bewind van Moskou. Hij haalde de nieuwe Doema over wetgeving aan te nemen die Rusland in staat stelde de pensioenen en de salarissen uit te betalen. Hij legde een grotere begrotingsdiscipline op en

liet de roebel in waarde stijgen, zodat met Russische producten en voedsel was te concurreren op de binnenlandse markt.

Bij het observeren van dit alles meldde onze ambassade in Moskou: 'Er waait een frisse wind.' Poetins populariteit ging specifieke programma's te boven. Hij vervulde een rol die niemand had kunnen voorspellen – de volkomen anti-Jeltsin, maar ook gekozen door en met de zegen van Jeltsin. Of hij nu sportprestaties leverde, een vliegtuig bestuurde of Russische officieren feliciteerde, Poetin had de zaken in de hand. Hij is misschien wel geholpen door opverende olieprijzen, maar de verandering in stemming en stootkracht was verbluffend.

Toch was er een probleem. Onder Poetins nationalisme en pragmatisme waren nauwelijks democratische instincten te ontdekken. Hij kwam geregeld in botsing met de onafhankelijke media, en leek vastbesloten die het zwijgen op te leggen. Hij sprak zelfs niet positief over de waarde van een vrije pers, en in zijn houding tegenover Tsjetsjenië leek hij zich niet erg om de rechten van die niet-etnische Russen te bekommeren. Terwijl China kritiek van de VN-Commissie voor de Mensenrechten wist af te weren werd het Russische Tsjetsjenië-beleid publiekelijk veroordeeld.

Kennelijk wilde Rusland een leider met krachtige hand die weer een gevoel van orde en richting zou brengen. De vraag was of de nieuwe president de soort 'orde' voor ogen stond waardoor Rusland als een geslaagde democratie kon functioneren, of de soort die zich in autocratie vertaalde. Naar ik meende was de rol van de Verenigde Staten Russische burgers aan te moedigen hun geloof in

vrijheid en een markteconomie te bewaren, daarbij begrijpend dat de ontwikkeling van democratische gewoontes tijd kost. Gelukkig waren deze gewoontes,
die tot de goedaardigste verslavingen van de wereld behoren, in Rusland al post
gaan vatten. De vroege ervaring van het land met vrijheid was een economische
ramp geweest, maar veel Russen waren verstandig genoeg om dit aan corrupte
functionarissen te wijten, en niet aan de democratische instellingen, en te bedenken dat corruptie onder het communisme ook wijdverbreid was. Daarom
wilden ze graag gebruik maken van de bescheiden hulp die we boden bij het op-
leiden van ondernemers, hulp aan vakbonden en het bijstaan van verdedigers
van de mensenrechten.

Hoewel ik twijfels had over aspecten van Poetins leiderschap, was ik bemoedigd door zijn herhaald uitgesproken voornemen voor Rusland een plaats in het
Westen te zoeken. Het was onze taak hem duidelijk te maken dat het Westen
Rusland alleen zou verwelkomen als het zijn streven naar democratie behield,
de onafhankelijkheid van zijn buurlanden eerbiedigde, en aan mondiale normen inzake verspreiding van wapens voldeed.

In juni 2000 vloog president Clinton naar Moskou voor zijn enige officiële topontmoeting met de Russische president. Bij aankomst van onze delegatie bleek
het Kremlin danig opgeknapt. Vale kleuren waren verdwenen; de kamers waren
in frisse tinten geschilderd. De oude tsarentronen waren er nog, zij het achter
touwen. Bij de ontvangst was Poetin weer nieuwsgierig naar mijn broche, deze
keer een met de drie aapjes van 'horen, zien en zwijgen'. Ik zei hem dat ze me
eraan moesten herinneren dat ik met hem over Tsjetsjenië moest spreken.

Wanneer hij met president Clinton sprak was Boris Jeltsin bombastisch, geest-
driftig, grillig, opvliegend en warm. Hij sprak alsof alles persoonlijk was en door
de twee presidenten samen was op te lossen. Poetin daarentegen was helder van
geest, hartelijk en koel. Glorieerde Jeltsin in zijn persoonlijke vriendschap met
'Biel', Poetin stelde voornamelijk belang in zakendoen.

Op de eerste dag van de topontmoeting probeerde president Clinton zijn hele
arsenaal van argumenten uit ter ondersteuning van onze ideeën over nationale
raketverdediging, het ABM-verdrag en verdere wapenvermindering. Het Pentagon had de Russen gedetailleerd op de hoogte gebracht van onze bezorgdheid
over Iraanse en Noord-Koreaanse raketprogramma's, en Poetin erkende de potentiële dreiging. Hij betoogde echter dat er minder riskante en doelmatiger manieren waren om met de nieuwe gevaren om te gaan dan nationale raketverdediging. Hoewel de twee presidenten niet tot een afronding kwamen, werden ze
het wel eens over een plan om een teveel aan plutonium kwijt te raken; ook kwamen ze overeen een gezamenlijke militaire operatie op te zetten voor vroege
waarschuwing bij raketlanceringen.

Die avond was er na het diner amusement. De presidenten Poetin en Clinton
zaten in grote stoelen in het midden, met de rest van ons eromheen. Gewoonlijk
weerspiegelt muziek bij gelegenheden als deze de cultuur van het gastland. In
dit geval hadden de Russen besloten hun eregast te plezieren door jazz te kiezen.

Het programma bestond uit een band onder leiding van een vrij oude man, gevolgd door een band van jonge mensen, met daarna een saxofonist. Ze klonken allemaal geweldig en president Clinton tikte met zijn voet, zoals hij altijd bij dit soort optredens doet, opgaand in de muziek. Poetin zat er intussen stijf en met een ernstig gezicht bij. Dit deed me – niet helemaal eerlijk – aan de klacht van Lenin denken: 'Ik kan niet te vaak naar muziek luisteren. Die heeft invloed op de zenuwen en maakt dat je domme en naïeve dingen wilt zeggen.'

Voor Rusland was de twintigste eeuw een vreselijk drama geweest met revolutie, onderdrukking en oorlog, een drama waarin een diep ideologische strijd werd uitgevochten, en de gekoesterde titel 'supermacht' werd verworven en verloren. Poetin had de taak geërfd de zoektocht van zijn land naar hernieuwde grootheid te leiden. Anders dan China, dat zich tot het einde van het millennium in twee decennia van aanhoudende groei verheugde, ging Rusland met het nieuwe tijdperk een diep gat in. Beide landen hebben nu leiders die de noodzaak van moderniseren inzien en die – hoewel vanuit twee heel verschillende vertrekpunten – trachten de relatie tussen economische vooruitgang en politieke vrijheid helder te krijgen en proberen vorm te geven aan de implicaties van samenwerking versus confrontatie met het Westen.

Toen de eenentwintigste eeuw begon werd de wereld gefascineerd door doorbraken op het terrein van techniek en onderzoek – met onder meer het klonen van schapen, het in kaart brengen van het DNA, de ontwikkeling van nieuwe medicijnen en digitale technologie. Ik heb geen moeite met een beter leven dankzij de wetenschap, maar ik geloof niet dat het de beste maat voor het meten van vooruitgang is. Een meetlat van meer betekenis is de spreiding van democratie. Als minister van Buitenlandse Zaken kwam ik tot de bevinding dat als ik de lijst naliep met opgaven waar de wereld voor staat – van terrorisme en oorlog tot armoede en milieuvervuiling – democratie het zekerste pad naar vooruitgang is.

Al sinds ik een schoolmeisje was hield ik van het vormen van clubs. Naar een idee van ons hoofd Beleidsplanning, Mort Halperin, besloot ik een samenkomst van alle democratieën van de wereld voor te stellen. De tijd leek rijp voor zo'n project: meer dan tweederde van de wereldbevolking leefde onder gekozen leiders, waaronder een meerderheid van christenen, hindoes, joden en moslims. In dertig jaar had het aantal democratieën zich van dertig naar ongeveer honderdtwintig uitgebreid, maar dit betekende dat er ook meer plaatsen waren waar democratische regeringen werden bedreigd. Dit gevaar was er vooral waar democratieën broos en nieuw waren.

Op het hele westelijk halfrond verdwenen de dictators en kwamen de democraten. Toen ik de regio bezocht had ik twee kaarten bij me met landen met autoritaire regimes in rood en democratieën in groen. De kaart van een kwarteeuw eerder was voornamelijk rood. De kaart van nu was, afgezien van het rode litteken Cuba, geheel groen. Deze welkome omvorming begon in de jaren zeventig, deels bevorderd door het mensenrechtenbeleid van president Carter, en vergezeld van het besef dat politieke hervormingen onderdrukking overtroefden als middel om een revolutie in de stijl van Castro te voorkomen. Een voor een werden militaire dictaturen van Chili en Argentinië tot El Salvador en Guatemala vervangen door een gekozen leiderschap. In verscheidene landen ontbonden guerrillabewegingen zich, ontwapenden en vochten als gewone politieke partijen verder voor hun ideeën. De Summit of the Americas, tijdens de eerste regering Clinton in het leven geroepen, bekrachtigde een nieuwe consensus op het westelijk halfrond voor steun voor vrije markten, open handel en democratische instellingen.

De late jaren negentig moet daarom de beste tijd ooit in Latijns-Amerika en het Caribisch gebied zijn geweest. Sinds de laatste geslaagde militaire coup waren bijna twintig jaar verstreken. In de meeste landen was het publieke debat krachtig en het werd met weinig vrees voor officiële repressie gevoerd. De nieuwe mondiale economie had overal de groeicijfers verhoogd en miljoenen mensen geholpen een hogere levensstandaard te bereiken. De trieste realiteit was echter dat nog meer miljoenen achterbleven. De kloof tussen arm en rijk was extreem groot; meer dan eenderde van de Latijns-Amerikanen moest van twee dollar of minder per dag leven. De volken van Venezuela, Nicaragua en andere landen die democratie hadden binnengehaald, raakten gefrustreerd. Ze voelden zich door hun eigen gekozen functionarissen gebruikt en verraden en ze vreesden dat corruptie en misdaad zo ingeworteld waren dat ze nooit meer konden worden uitgeroeid. Onderzoeken gaven aan dat de meerderheid van Latijns-Amerikanen onvrede had met de democratie en die als een middel zag voor een manipulatieve elite om onderdrukking van de armen te legitimeren. Soortgelijke problemen waren er in Midden-Europa, Azië en Afrika, waar nieuwe democratische regimes onder geërfde lasten en hun eigen onzekerheid over democratische leefwijzen gebukt gingen.

Toen tien jaar eerder de Berlijnse Muur werd neergehaald, dansten de mensen in de straten. Nu was de euforie verdwenen en waren we in een nieuwe fase. Hier en daar bestond het gevaar dat optimisme zou wijken voor defaitisme en dat de deur werd opengezet naar de mislukte aanpak van het verleden. In sommige landen was zelfs een toenemende nostalgie naar de orde en discipline van het communisme.

Als waarschuwing kwamen in 1999 oudgedienden van de Fluwelen Revolutie van Tsjechoslowakije met een openluchtmuseum van totalitarisme. Bezoekers konden langs halflege fruitkramen met rotte sinaasappels lopen, met een zwendelende slager marchanderen over vanonder de toonbank verkochte biefstuk, ruzie maken met een ambtenaar die de juiste stempel maar niet kon vinden, en boeken uit de jaren vijftig kopen over de onontkoombare triomf van het socialisme.

Als minister van Buitenlandse Zaken wilde ik er alles aan doen om de worstelende democratieën te helpen slagen. Op bilaterale basis konden we veel bereiken en daarom gaf ik landen als Nigeria, Indonesië, de Oekraïne en Colombia prioriteit bij onze hulp en aandacht, vanwege hun regionale belang en de schaal

van de opgaven waar ze voor stonden. Niets zou bijvoorbeeld meer voor de gezondheid van de democratie in Latijns-Amerika doen dan herstel van stabiliteit
in Colombia, een door meedogenloze rebellen en drugshandelaren geteisterd
land. Maar ik wilde ook een mondiale aanpak proberen.

In samenwerking met Mort Halperin en onderminister voor Democratie,
Mensenrechten en Arbeid Harold Koh zette ik een voorstel in elkaar dat de president goedkeurde. Ons plan was tegelijk ambitieus en bescheiden. We wilden democratieën van de hele wereld samenbrengen, maar niet met een nieuw instituut met zijn eigen bureaucratie, gebouw en logo. We maakten duidelijk dat ons
doel was de democratie te versterken waar deze bestond, en niet per se die naar
elders uit te breiden. Ik was voor allebei, maar als ik had gezegd dat ons doel was
democratische omwentelingen te bewerkstelligen, dan hadden we andere landen afgeschrikt.

Ons plan was een kerngroep van landen aan te wijzen die dan een grotere
groep op een mondiaal forum zou uitnodigen. Op de grotere conferentie zouden
landen verklaren vast te houden aan democratische normen en bespreken hoe
ze elkaar konden helpen democratische instellingen te herstellen, te verdedigen
en te versterken.

Om diplomatieke redenen wilden we het project niet 'made in America' laten
lijken. Onze these was tenslotte dat democratie niet slechts een westerse uitvin-
ding was; ze had wortels in praktisch iedere cultuur. We wilden deze overtuiging
weerspiegeld zien in het initiatief, de deelname en de locatie van de conferentie.
Nadenkend over het meest geschikte gastland besloten we Polen te vragen, waar
Solidariteit was voorgegaan in het bevrijden van Midden-Europa van communistische overheersing. Een van de leiders van Solidariteit, Bronisław Geremek,
was nu minister van Buitenlandse Zaken. Hij was een echte democratische held
en ik kende hem al bijna twintig jaar.

Op de NAVO-top in april 1999 vroeg ik Geremek of hij gastheer wilde zijn voor
de conferentie Community of Democracies. Hij zei meteen ja. In de maanden
daarna namen hij en ik contact op met de ministers van Buitenlandse Zaken van
in aanmerking komende sponsorlanden, om te zien of ze wilden helpen het geheel op te zetten. We kwamen tot een lijst van acht: Chili, Tsjechië, India, Mali,
Portugal en Zuid-Korea, en Polen en de Verenigde Staten.

Ook al hadden we de steun van president Clinton, veel leden van de Amerikaanse regering, onder wie aardig wat op Buitenlandse Zaken, waren niet enthousiast. De cynici vonden ons voorstel naïef, de sceptici vreesden een reactie
van gepasseerde landen, en formalisten meenden dat we ons in allerlei bochten
moesten wringen om het erover eens te worden wie uit te nodigen en hoe 'democratie' te definiëren.

We werkten ons systematisch door deze bezwaren heen. Op zeker moment zei
Halperin me dat de bureaucratie verdeeld was. 'De ene helft zal alleen akkoord
gaan als we verzekeren dat de conferentie iets eenmaligs is. De andere helft zal
ons alleen steunen als we vertellen dat ze tot iets blijvends zal leiden. We vertel-

len nu beide kampen wat ze willen horen en geven ze de raad niet te geloven wat anderen zeggen. Tot dusver werkt het.'

Met de conferentie gepland voor juni 2000 gingen we erover nadenken wie we moesten uitnodigen. Harold Koh vergeleek het proces met het plannen van een huwelijk met acht stel ouders. Ieder land van de lijst met cosponsors kwam met zijn opties en wilde meestal landen in zijn regio het voordeel van de twijfel geven. We kwamen overeen de toelating niet tot gevestigde democratieën te beperken. Het ging erom de democratische krachten te versterken op plaatsen waar die zwak of in gevaar waren. Uiteindelijk gingen we van de norm uit dat een regering zich publiekelijk op het democratisch pad, met inbegrip van verkiezingen, moest hebben vastgelegd.*

Uiteindelijk stuurden 107 landen vertegenwoordigers. Het kernstuk van onze beraadslagingen was een ontwerpverklaring die de organiserende landen hadden verspreid. Via dat stuk konden de deelnemers hun democratische houding bevestigen en hun ideeën schetsen van wat democratie vereist. De Verklaring van Warschau stelde normen waarop iedere deelnemende regering door haar eigen burgers kon worden afgerekend. Dit zou vooral waardevol zijn als er later vervolgbesprekingen werden gehouden. Aanvankelijk was er twijfel over de vraag of er wel een vervolg zou komen, maar in Warschau stonden regeringen in de rij om de volgende conferentie te mogen organiseren, en de derde en de vierde. Toen we uiteengingen was er een agenda van tweejaarlijkse conferenties tot tenminste 2008.** Er is reden tot hoop dat het vooruitzicht van al of niet voor die evenementen te worden uitgenodigd sommige regeringen zal motiveren om meer aan de Verklaring van Warschau te voldoen dan ze anders wellicht hadden gedaan. Alleen al die mogelijkheid maakte het initiatief de moeite waard, maar de betekenis op lange termijn is afhankelijk van hoe volledig het concept door toekomstige leiders in Amerika en wereldwijd wordt omarmd.

Een extra reden voor de Verklaring van Warschau was een persoonlijke. Een halve eeuw lang was de naam Warschau verbonden met het Warschaupact. Bronisław Geremek vertelde me dat hij via de Community of Democracies de naam van zijn beminde stad wilde verbinden aan een zaak die werkelijk in overeenstemming met de geschiedenis en de geest van het Poolse volk was.

Toen ik tijdens de conferentie met collega's sprak raakte ik ervan overtuigd dat we iets waren begonnen dat echt van de grond kon komen. Er was zeker veel

---

* De conferentie was voor regeringen, maar non-gouvernementele organisaties (NGO's) spelen een sleutelrol in democratische ontwikkelingen. Dit erkennende verzochten we twee vooraanstaande NGO's, Freedom House en de Poolse Stefan Batory-Stichting, terzelfdertijd in Warschau een Wereldforum over Democratie te organiseren. Hierdoor konden we activisten uitnodigen die voor vrijheid streden in landen die voor de officiële conferentie niet in aanmerking kwamen.

** De tweede conferentie was in november 2002 in Seoul, Zuid-Korea. De derde moet in februari 2005 in Santiago, Chili, gehouden worden. De vierde zal waarschijnlijk in Afrika plaatsvinden.

steun voor het idee dat democratieën zouden moeten samenwerken. De conferentie was ook een weerlegging van het idee dat democratische waarden niet buiten het Westen thuishoren. Sprekers uit alle delen van de wereld betuigden hun inzet voor de democratie en hun vaste wil om voor democratische waarden te vechten. Onder hen was secretaris-generaal van de VN Kofi Annan, die zei dat zijn grootste ideaal voor de VN was dat deze ooit een 'gemeenschap van democratieën' zou worden. Volgens president Oumar Konare van Mali bewees de conferentie dat democratie een 'universele waarde' was, een betekenisvolle uitspraak die nog meer indruk maakte omdat de president deze in het Pools deed.

Bij al dit juichen voor democratie was er één wanklank, uit het Franse kamp. Hubert Védrine had niet naar Warschau willen komen en vertelde me al vroeg dat hij het nut niet inzag van met democratieën praten over de verdiensten van de democratie. Ik zei hem dat het me voor Frankrijk van groot belang leek erbij te zijn omdat het een van 's werelds oudste democratieën was, en zijn ideeën zouden een goede inbreng zijn. Uiteindelijk wilde Védrine wel voor een paar uur komen en een toespraak houden. Toen maakte hij aan de vooravond bekend dat Frankrijk als enige van de vertegenwoordigde regeringen de Verklaring van Warschau niet zou ondertekenen.

Hoewel maar kort in Warschau vond Védrine de tijd om journalisten op te trommelen en de redenen voor zijn dédain te ventileren. Hij zei: 'Democratie is niet als een religie waartoe men zich kan bekeren, maar een evolutieproces dat langdurige rijpingsprocessen binnen naties inhoudt ten aanzien van zaken als economie, de collectieve mentaliteit en ten slotte, de politiek.' Hij zei dat het idee bij hem onbehagen werkte dat democratieën bevoegd waren om anderen de les te lezen. 'Laten we ons niet op de borst slaan,' zei hij. 'Onze democratieën zijn nog steeds vatbaar voor verbetering.'

Védrine zei niet nee, maar ik had zo'n gevoel dat hij geen probleem met de conferentie of de verklaring had, maar met de Verenigde Staten. Ik heb veel persoonlijke gesprekken met Hubert gevoerd, altijd in het Frans en soms onder het eten in het grootse Quai d'Orsay, het Franse ministerie van Buitenlandse Zaken, of 's winters bij de open haard in de villa van het ministerie buiten Parijs. Hoewel – of misschien wel omdat – we het zo vaak oneens waren genoot ik van deze ontmoetingen en ik mag Védrine oprecht. Hij is een echte intellectueel die zijn carrière aan het bevorderen van Franse belangen en ideeën heeft gewijd. Daar heb ik respect voor.

Als het niet een of ander dringend probleem betrof gingen onze gesprekken voornamelijk over de complexe relatie tussen onze twee landen. Terwijl ik voor de zaak van de democratische integratie pleitte en de reikwijdte van de gemeenschappelijke belangen van onze landen benadrukte, sprak Hubert zijn leedwezen uit over de door de Angelsaksen ingezette trend tot mondialisering. Al in 2000 had president Chirac 'unilateralisme' van de VS betiteld als een grote bedreiging voor de wereld, terwijl Védrine de Verenigde Staten omschreef als een 'hypermacht' – een status voorbij supermacht. Hier had ik twee reacties op. Ten eerste vroeg ik Hubert of de Fransen jaloers waren, en hij gaf toe dat ze dat waren. Ten tweede was ik het met hem eens dat de Verenigde Staten zonder nauwe samenwerking met hun bondgenoten niet doelmatig leiding konden geven. Ook verkondigde ik dat Frankrijk – dat Lafayette had gestuurd om te helpen bij de Amerikaanse vrijheidsstrijd – vooraan zou moeten staan bij inspanningen om solidariteit onder democratieën te bereiken. Védrine glimlachte: 'Ah, maar kijk, *chère* Madeleine, Lafayette ging niet de Amerikanen helpen; hij ging de Britten verslaan.'

Hoe prettig ik het ook vond met Védrine te redekavelen, hij zat er gewoon naast met zijn idee over de conferentie. De Polen hebben een leuze: 'Voor onze vrijheid en die van jullie.' De vrijheid van het ene land houdt verband met die van andere. De waarheid van die uitspraak was in de periode voor de Tweede Wereldoorlog geïllustreerd toen eerst Mantsjoerije, toen Ethiopië, toen Tsjechoslowakije en toen Polen werd aangevallen, wat voor anderen het voorland was. Vrije naties worden geholpen door sterke democratische buren en belemmerd door zwakke en instabiele. De Community of Democracies is gebaseerd op de overtuiging dat niets machtiger of positiever is dan vrije mensen die samenwerken.

Een lange, knappe man met een Afrikaans printshirt aan liep op me toe en stak zijn hand uit. 'Hallo,' zei hij, 'ik ben Nelson Mandela.' Het was alsof George Washington zich voorstelde. Ik schudde hem de hand. Toen ik indertijd de Amerikaanse ambassadeur was bij de VN in New York, was Mandela mogelijk de beroemdste en meest gerespecteerde man ter wereld. Hij was de belichaming van de bevrijding van zijn volk van de apartheid, en een leider die de wereld een wijze les had geleerd over het verkiezen van verzoening boven wraak. Medio jaren negentig belichaamde Mandela ook een toenemend gevoel van optimisme in heel Afrika. Alom werd een 'nieuwe Afrikaanse renaissance' voorspeld om de erfenis van kolonialisme en postkoloniale mislukkingen te vervangen. Er was reden voor deze hoop.

Toen ik minister van Buitenlandse Zaken werd had de helft van de achtenveertig Afrikaanse landen onder de Sahara zich als democratie gekwalificeerd, veelal met nieuwe leiders die vast van plan waren het model van de Aziatische 'tijgers' te volgen door economische hervormingen, openstelling van markten, privatisering van industrieën en het stabiliseren van valuta's te omarmen. Economische groeicijfers waren sinds 1990 verdrievoudigd; de economie in landen als Senegal, Ghana, Mozambique en Ivoorkust groeide tot zeven procent per jaar. Oeganda, het toneel van hels geweld onder Idi Amin, was onder president Yoweri Museveni een magneet voor investering geworden. Ethiopië, ooit berucht om hongersnoden, genoot een groei met dubbele cijfers. En Zuid-Afika had natuurlijk Mandela.

Traditioneel had Afrika in de buitenlandse politiek van de VS slechts een marginale rol gespeeld. Mij stond iets anders voor ogen. Net zoals ik de gezondheid van Europa beïnvloed zag door stabiliteit en democratie in de Balkan, zo zag ik mondiale vooruitzichten voor veiligheid en welvaart beïnvloed door vooruitgang in Afrika. De president, die mijn gevoel voor het belang van Afrika deelde, had veel leiders uit het werelddeel in het Witte Huis ontvangen. Al gauw ondernam hij een uitgebreide reis naar Afrika, dat de first lady al twee keer had bezocht.

Helaas eindigde in veel delen van Afrika het millennium rampzalig. Susan Rice, onze toegewijde onderminister voor Afrikaanse Zaken moest zich met meer conflictlanden bezighouden dan wie van haar collega's ook. Hoewel we een groot aantal goede relaties met Afrikaanse leiders ontwikkelden, konden we een reeks slopende conflicten niet tegenhouden of voorkomen.

Op mijn eerste reis als minister naar Afrika bezocht ik een ziekenhuis in de afgelegen stad Gulu in noordelijk Oeganda. Deze instelling voor gezondheidszorg deed tevens dienst als nachtasiel voor dorpelingen van het omringende platteland, die werden geterroriseerd door een groepering die het Verzetsleger van de Heer (LRA) heette. Het doel van het LRA was omverwerping van de Oegandese regering en het vestigen van een nieuw bewind op basis van de tien geboden, waar de groepering kennelijk de betekenis niet van kon bevatten. Opererend van over de grens met Soedan overviel het LRA dorpen in Oeganda, ontvoerde jongens om er soldaten van te maken, en meisjes die concubines moesten worden. Plaatselijke bewoners verzorgden overdag gewassen of vee en trokken zich voor de nacht terug in een versterking, of in dit geval in een ziekenhuis.

Omdat ik het kampement overdag bezocht liepen er maar zo'n honderd mensen rond op de grote binnenplaats. Dat aantal groeide met de schemering tot het tienvoudige. Ik ontmoette een groep jongens die aan het LRA waren ontkomen of waren vrijgekocht. Sommigen waren zo jong toen ze werden meegenomen dat ze weinig herinneringen aan thuis hadden. Een van hen, de tienjarige Geoffrey, was vier jaar vastgehouden. Deze tengere jongen was overdekt met striemen en littekens. Een andere jongen, zes jaar ongeveer, zei dat twee weken eerder mensen uit zijn dorp waren aangevallen. Zijn moeder had hem en zijn zusje, een baby, met haar lichaam afgeschermd. Toen het weer rustig was kroop hij onder haar vandaan en merkte dat ze dood was. Hij nam toen zijn zusje in zijn armen en liep met haar in een dag naar het ziekenhuis.

Ik ging kijken bij tienermeisjes die op matrassen elkaars haar zaten te vlechten. Toen ik binnenkwam stonden ze op en leken op schoolmeisjes, hoewel verscheidene al moeder waren als gevolg van verkrachtingen door het LRA. 'Zelfs als heel jong meisje,' vertelde er een, 'word je aan een man gegeven die zo oud is als mijn vader.'

Toen ik wilde weggaan kwam er een jonge man met een baby. 'Dit is het zusje van die jongen met wie u sprak,' zei hij. 'Ze heet Charity.' Ik hield het meisje vast, zag haar ogen en voelde de behoefte iets geruststellends te zeggen. 'Het komt allemaal goed,' zei ik tegen de baby. Maar opeens was ik degene die behoefte had aan geruststelling. Ik wendde me tot iemand van het ziekenhuis en zei: 'Het zál toch wel goed komen?'

De activiteiten van het LRA waren plaatselijk, maar symptomatisch voor een groter probleem. Veel grenzen in Afrika zijn demografisch gezien onzinnig. Ze zijn door Europese kolonisators bepaald, vaak zonder rekening te houden met geografische en etnische gegevenheden. Het gevolg is dat iedereen verwikkeld lijkt te raken in de zaken van ieder ander. De radicale islamitische regering van Soedan steunde het LRA omdat dat Oeganda teisterde, dat rebellen in Zuid-Soedan steunde. In Centraal-Afrika werd door de hevige rivaliteit tussen Hutu's en Tutsi's de omvangrijke Democratische Republiek Congo bij de oorlog betrokken.

In mei 1997 verdreef een Congolese guerrillaleider, Laurent Kabila, Mobutu Sese Seko, een corrupte dictator. Het vertrek van Mobutu was welkom, maar de komst van Kabila bracht een dodelijke kettingreactie teweeg. Bij het afzetten van Mobutu had Kabila hulp gekregen uit de aangrenzende landen Rwanda en Oeganda, die toen aan Kabila hulp vroegen bij het uitroeien van Hutu-milities die in Congo verbleven.* Toen Kabila weigerde, namen de Rwandezen in augustus 1998 het heft in eigen handen en stuurden troepen naar Congo om Hutu's te bevechten en Congolese rebellen te steunen tegen Kabila. Ook de Oegandezen vielen er binnen en steunden weer een andere rebellengroep. Kabila deed een beroep op Zimbabwe, dat troepen leverde in ruil voor een aandeel in de opbrengst van de Congolese mijnen. Verscheidene andere landen stuurden ook contingenten en de gehate Hutu-militie schaarde zich achter Kabila. Aangezien het platteland van Congo weinig wegen telt werd het conflict al spoedig een strijd om de controle over vliegveldjes en overslagpunten langs rivieren. De aanvoerlijnen waren dun. Mensen met wapens roofden voedsel van mensen zonder wapens en enorme aantallen burgers kwamen om.

Normaal gesproken zou Kabila recht hebben gehad op internationale sympathie. Hij had een alom verafschuwde dictator verdreven, men was zijn land binnengevallen, en een stabiel en vreedzaam Congo zou een zegen zijn voor heel Centraal-Afrika. Maar Kabila deed onvergeeflijke dingen. Hij maakte geen gebruik van de gelegenheid door zich van andere Afrikanen te vervreemden, door te proberen geld van buitenlandse investeerders los te krijgen, door zijn belofte van verkiezingen niet na te komen, en door te verzuimen een grondwet aan te nemen die politieke rechten beschermde. Tijdens een persconferentie met mij in Kinshasa ontstak hij in woede bij de vraag waarom een oppositieleider gevangen was gezet. Zijn beleid – dat akelig aan dat van Mobutu deed denken – leidde tot een economische ramp en droeg bij aan de omvangrijkste en misschien dodelijkste grensoverschrijdende oorlog in de Afrikaanse geschiedenis.

De hoop dat een nieuwe lichting Afrikaanse leiders het werelddeel voort zou stuwen rustte op de schouders van onder anderen Isaias Afwerki van Eritrea en Meles Zenawi van Ethiopië. Hoewel beiden door geweld aan de macht waren ge-

---

* Tot deze Hutu-milities behoorden strijders die in 1994 aan de voornamelijk tegen de Tutsi's gerichte Rwandese genocide hadden deelgenomen. De regeringen van Oeganda en Rwanda, beide door Tutsi's beheerst, wilden de Hutu's straffen en verdere aanvallen voorkomen.

komen, wisten ze hoe ze de taal van economische hervormingen moesten spreken. Ze hadden democratische pretenties, maar medio 1998 hadden ze hun volken in een bloedige onderlinge oorlog gevoerd waarmee geen van beide partijen kon hopen iets te winnen wat de moeite waard was. Tienduizenden verloren het leven in een loopgravenoorlog, met dodelijker wapens dan in de Eerste Wereldoorlog.

Net zo hartverscheurend was het conflict in het kleine West-Afrikaanse land Sierra Leone. Daar streed een het Revolutionair Verenigd Front (RUF) geheten groepering om de macht tegen een democratisch gekozen regering. De rebellen toonden hun verachting voor het electorale proces door handen en armen af te hakken van mensen die voor de regering hadden gestemd, en ook van hun kinderen. Aangezien er in Sierra Leone duimafdrukken aan het stemmen te pas komen zat hier een duivelse, sadistische gedachte achter.

In 1999 zag ik persoonlijk de ijzingwekkende gevolgen tijdens een bezoek aan het Murray Town kamp voor geamputeerden bij Freetown, Sierra Leone. David Evans van de Vietnam Veterans of America Foundation toonde me waar de prothesen werden gemaakt en hoe kinderen in het gebruik ervan werden geoefend. Hij sprak over de verschillende soorten problemen van degenen die een been misten, die een hand of een arm misten, of die beide handen of armen misten. Dat waren geen verwondingen die konden helen, maar als er zelfmedelijden was in dat zongeblakerde kamp dan heb ik het niet gevoeld – alleen droefheid en moed. Ik zag een baby zonder armen in de enige arm van een moeder. Ik knuffelde het driejarige meisje Mamuna dat een rood hemdje aanhad en dat met haar enige armpje genoeglijk met een speelgoedauto speelde. Hoe kon een menselijk wezen met een hakmes dit kind zoiets aandoen? Volgens VN-functionarissen werd veel van het verminken door kindsoldaten gedaan die met geweld waren gerekruteerd en van drugs voorzien. Om tegen te gaan dat deze 'soldaten' wegliepen werden ze gedwongen eigen familieleden te doden, zodat ze nooit meer naar huis terugkonden.

Deze en andere schanddaden veroorzaakten een dilemma. In koloniale tijden werden conflicten in Afrika geregeld door onderhandelingen tussen Europese mogendheden. Tijdens de Koude Oorlog werd de afloop van iets beïnvloed door militaire bijstand en troepen van een van beide blokken. In de nieuwe tijd waren zulke krachtdadige strijdkrachten van elders er niet om de orde te handhaven. Neem bijvoorbeeld de Verenigde Naties. De les van Somalië was dat de organisatie om rampen vroeg toen ze partij koos in een conflict. De les van Rwanda was dat de VN om rampen vroegen toen ze de les van Somalië ter harte namen. Ondanks een training onder Amerikaanse leiding waren de Afrikaanse peacekeeping-mogelijkheden nog onvoldoende om in een grote oorlog doeltreffend in te grijpen. De oplossing voor deze conflicten moest daarom in de diplomatie worden gezocht, en er werden slechts zelden troepen van buiten ingezet.

In mijn jaren als minister werkte ik met Afrikaanse en Europese diplomaten aan een onderhandelingsmodel dat Afrikaanse leiders aanmoedigde, met internationale steun, zelf oplossingen te bedenken. In de Hoorn van Afrika bundelden Susan Rice, speciale gezant Tony Lake en Gayle Smith van de NSC hun krachten met de Organisatie van Afrikaanse Eenheid om Ethiopië en Eritrea te overreden hun conflict te beëindigen. In Congo bewerkstelligden Zambia en andere Afrikaanse landen met steun van de Verenigde Staten, EU en de VN een reeks deelovereenkomsten die gedeeltelijk werd nageleefd. Pas in december 2000 werd een definitieve regeling bereikt en zelfs die is sindsdien in het slop geraakt.* In Sierra Leone smeedde de Economische Gemeenschap van West-Afrikaanse Staten (ECOWAS) in 1999 een akkoord tussen de regering en rebellen dat de strijd enige tijd deed ophouden, maar niet blijvend. Na een bijna rampzalige start bracht een VN-vredesmacht met sterke Britse steun in november 2000 een tweede wapenstilstandsovereenkomst tot stand, die de weg bereidde voor ontwapening en betrekkelijke vrede. De schijnbaar eindeloze burgeroorlog in Soedan weerstond alle diplomatieke inspanningen, ondanks talloze tijdverslindende strategiesessies die ik met Tom Pickering, Susan Rice en speciaal gezant Harry Johnston had, vaak in samenspraak met verontruste Congresleden.

Al met al waren de resultaten van deze initiatieven wisselend. Echte veiligheid zal niet komen voor er een beslissende politieke verschuiving is, wat niet zal gebeuren voor de leiders die achter het geweld zitten concluderen dat hun tactiek niet werkt.

Net als in de Balkan was er in de minder stabiele delen van Afrika een tendens om de machtsstrijd als een oorlog te zien waarbij de winnaar alles en de verliezer niets krijgt. Deze visie beperkte zich niet tot de eigenlijke slagvelden. In veel landen was het idee van wettige politieke oppositie nieuw en de ruimte voor echt publiek debat uiterst beperkt. Daarom maakten we met betrekking tot Afrika bevordering van democratie tot een kernstuk van het beleid van de regering-Clinton. Naast de hulp die we de burgersamenleving boden gaven we met onze twee voornaamste economische initiatieven de voorkeur aan landen die met economische en politieke hervormingen bezig waren. De wet die in mei 2000 na een jarenlange worsteling werd aangenomen, verlaagde veel Amerikaanse handelsbarrières voor landen bezuiden de Sahara. En onze steun voor grootschalige schuldsanering voor Afrika was bedoeld om gelden vrij te maken voor investering in onderwijs, gezondheidszorg en andere sociale behoeften.

Bij al mijn inspanningen om constructief Amerikaans leiderschap uit te oefenen was er één terugkerende frustratie, en dat was geld. Of het nu ging om schuldsanering voor Nigeria, peacekeepers voor Sierra Leone, of juridische opleidingen voor Rwanda, we moesten het geld altijd bij elkaar schrapen. Met hulp van president Clinton en bondgenoten in het Congres slaagde ik erin ons budget voor Afrika ongeveer een kwart hoger te krijgen dan het niveau dat ik erfde en

---

* Laurent Kabila werd in januari 2001 door een van zijn lijfwachten vermoord. Hij werd vervangen door zijn meer gematigde zoon, Joseph, waardoor over een regeling kon worden onderhandeld.

dat nog nooit zo laag was geweest. Maar zelfs met de gelden van andere donoren erbij was het lang niet genoeg. Ik vond deze situatie vooral moeilijk uit te leggen aan Afrikaanse leiders, omdat in die tijd onze economie sterk opleefde en we een groot begrotingsoverschot hadden.

Waarschijnlijk het treffendste voorbeeld dat we veel meer deden (maar nog steeds lang niet genoeg) was het gevecht tegen hiv en aids. Bij mijn aantreden was ik bang dat aids een belangrijke bedreiging was voor de democratie, de welvaart en de veiligheid in Afrika. Ik zag echter al snel in dat het de overheersende bedreiging was.

Met cijfers is de verwoesting die deze ziekte aanricht onvoldoende te beschrijven. Afrika telt tien procent van de wereldbevolking en zeventig procent van de mensen die met het hiv-virus zijn besmet. In sommige landen ligt de besmettingsgraad boven de twintig procent. In Botswana, een van de rijkste en meest vrije landen van Afrika, heeft de doorsneetiener net zoveel kans om aan aids te sterven als aan alle andere doodsoorzaken bij elkaar.

De enige zekere manier om aids te verslaan is preventie. Hiervoor zijn internationale financiering, nationale leiders met de moed om de zaak aan te pakken, en voorlichters op lokaal niveau nodig. Oeganda behoorde tot de eerste landen die door aids werden geteisterd en ook tot de eerste in Afrika die doeltreffend terugvochten. President Museveni spoorde iedere minister, en elke school, kerk en alle bedrijven aan om het bewustzijn rondom aids, aids-preventie en behandeling te bevorderen. Oegandezen noemden dit 'het grote lawaai', en het bracht de besmettingscijfers met de helft omlaag.

In Kenia daarentegen moesten aids-activisten tegen de starre ideeën opboksen van Daniel arap Moi, de bejaarde president van het land, die tegen het gebruik van condooms en tegen seksuele voorlichting op scholen was. Toen ik in 1999 in Nairobi was woonde ik een voorstelling bij die 'Eén boek, één pen' heette. Deze werd in een arme buurt aan de rand van de stad opgevoerd door een op de jeugd gerichte dans- en toneelgroep. De felle zon deerde de honderden kleurig geklede tieners en hun jongere broertjes en zusjes niet die op de muziek afkwamen. Ook ik vond de trommels onweerstaanbaar en toen me werd gevraagd mee te dansen deed ik het.

De moraal van het door de spelers weergegeven verhaal was dat als je meer dan één boek schrijft, je pen opdroogt, net als wanneer je de dop er niet op doet – een slimme, zij het terecht onsubtiele les om onthouding, trouw en voorzichtigheid aan te moedigen. De bijbehorende discussie ging over belangrijke kwesties als seksuele dwang en het met hiv verbonden stigma. Later, in Botswana, bezocht ik een aids-kliniek voor vrouwen. De artsen daar zeiden dat de helft van de vrouwen die erachter kwamen dat ze besmet waren, het niet aan hun man had verteld, uit vrees voor verstoting. Vanwege dat stigma weigeren veel Afrikanen – en ook niet-Afrikanen – zich te laten testen. En wanneer besmette mensen hun aandoening niet erkennen zullen ze eerder anderen besmetten en nalaten de nodige stappen te ondernemen om te voorkomen dat de ziekte op baby's wordt overgebracht.

In januari 2000 zat vice-president Gore een speciale zitting van de VN-Veiligheidsraad voor over hiv en aids. Het was de eerste keer dat een ziekte zo duidelijk als een gevaar werd erkend, niet alleen voor de volksgezondheid, maar ook voor de veiligheid in de wereld.

Tijdens de algemene vergadering van de VN in september van dat jaar deed ik samen met de andere twaalf vrouwelijke ministers van Buitenlandse Zaken een beroep op nationale leiders om deel te nemen aan het publieke gevecht tegen aids, en de toegenomen noodzaak te erkennen dat vrouwen en meisjes beschermd moeten worden. De laatste jaren betrof in Afrika voor het eerst de meerderheid van de nieuwe besmettingen vrouwen. Ik ben er trots op dat tijdens de regering-Clinton de Verenigde Staten de grootste donor waren voor internationale hiv/aids-preventie en -behandeling. Er bestaat echter geen zinnige bovengrens voor onze bijdragen.

Bij mijn aantreden had ik gehoopt een nieuw hoofdstuk te beginnen in de Amerikaanse relaties met Afrika, en te helpen iets aan Amerikaanse opvattingen over Afrika te veranderen: niet zozeer een gebied van armoede en strijd, maar een van modernisering en vooruitgang. Ik bezocht Afrika in totaal zeven keer, als minister ieder jaar. Ook organiseerden we een unieke conferentie van Afrikaanse kabinetsleden, en ondernamen we stappen om investeringen in en handel met Afrika te stimuleren, door middel van grotere toegankelijkheid tot kredieten en verzekeringen.

Voor al deze problemen is er al zoveel geprobeerd en niets is gelukt. Het is gewoon een kwestie van de juiste lessen leren. De lang zittende president van Tanzania, Julius Nyerere, benadrukte het belang van nationale identiteit en vormde een land waarvan het volk zich als Tanzanianen beschouwt, en niet als leden van aparte etnische groepen. Jerry Rawlings van Ghana en Oumar Konare van Mali zijn twee van vele Afrikaanse leiders die politieke oppositie duldden en democratische precedenten schiepen door de macht over te dragen aan gekozen opvolgers. In twintig jaar heeft het etnisch diverse leiderschap van Mauritius een stagnerende, bijna geheel op suiker gebaseerde economie omgevormd tot een moderne samenleving met het hoogste gemiddelde inkomen in Afrika.

Al met al heeft het voortduren van conflicten, armoede en ziekten het spreken over een opleving in Afrika voorlopig tegengehouden. Het is moeilijk optimistisch te zijn, maar Afrika is vastbesloten niet achter te blijven. Op de dag na zijn inauguratie als de opvolger van Nelson Mandela citeerde president Thabo Mbeki een volksgezegde over 'het dagen van de dageraad, wanneer alleen de hoornpunten van het vee afsteken tegen de ochtendlucht'. Terwijl het ene millennium plaatsmaakte voor het andere zouden mensen hoopvol toch ten minste het dagen van de dageraad moeten kunnen zien.

HOOFDSTUK 27

Binnen het kluizenaarsrijk

WIE OVER EEN VER VERLEDEN SCHRIJFT kan zijn gang gaan zonder bang te hoeven zijn dat zijn onderwerp in de tijd tussen schrijven en publiceren verandert. Voor mij loert dat gevaar bij ieder hoofdstuk, en dan vooral dit. Ik schrijf in mei 2003 over gebeurtenissen die voornamelijk in mijn jaren als VN-ambassadeur en minister van Buitenlandse Zaken plaatsvonden. Veel van wat de regering-Clinton met haar Korea-beleid trachtte te bereiken is na mijn tijd totaal veranderd. Toekomstige scenario's lopen nu van herstel van stabiliteit tot een Noord-Korea dat kernwapens klaar heeft voor een oorlog. Hoe thans ook de stand van zaken is, wat volgt is bedoeld om licht te werpen op de aard van kansen die zijn verkeken of die zijn gegrepen.

Op 25 juni 1950 vielen Noord-Koreaanse troepen met steun van China en de Sovjet-Unie Zuid-Korea binnen, waarmee een bloedige oorlog van drie jaar begon. Mijn vader doceerde die zomer aan de universiteit van Washington in Seattle en ik – net tiener geworden – las me door een grote verzameling stripboeken heen die ik in het door ons gehuurde huis aantrof. Het was geen televisie-oorlog, maar ons gezin volgde de op en neer gaande strijd nauwlettend, terwijl de Verenigde Staten en andere landen onder VN-vlag vochten om de invallers te verdrijven. De afloop ging me ter harte omdat mijn vader me duidelijk had gemaakt dat de geallieerde inzet deel uitmaakte van een wereldwijde strijd tegen het communisme. Helaas eindigde de oorlog niet met vrede maar met een patstelling. Er werd een gedemilitariseerde zone gecreëerd om de twee partijen te scheiden en in Zuid-Korea werden Amerikaanse troepen gestationeerd ter afschrikking van verdere agressie uit het noorden. Ze zijn er gebleven.

Vier decennia verstreken tussen de oorlog en de dag dat ik ambassadeur bij de VN werd, maar mijn kijk op Noord-Korea, of de Democratische Volksrepubliek Korea veranderde niet, omdat de fundamentele aard van het regime niet veranderde. De Noord-Koreaanse president Kim Il Sung behoorde tot de meest destructieve dictators van de wereld, wreed voor zijn volk, vijandig jegens het zuiden en onverschillig ten aanzien van internationaal recht. Tegen het einde van zijn leven raakte hij ook nog bezeten van het ontwikkelen van een nucleair arsenaal. Deze ambitie kan zijn versneld door de snelle economische neergang van zijn land als gevolg van het einde van de Koude Oorlog. Jarenlang na zijn stichting in 1948 was Noord-Korea welvarender dan zijn zuidelijke buur dankzij de vriendschapsbanden die het met de Sovjet-Unie en Oost-Europa had. Het verlies van die relaties, in combinatie met een reeks natuurrampen, verlamde de economie.

In 1993 en 1994 werd Noord-Korea het eerste land dat plannen bekendmaakte om uit het nucleaire Non-Proliferatieverdrag en uit het beveiligingssysteem van het Internationaal Atoomagentschap (IAEA) te stappen. De regering gaf te kennen brandstofstaven en voor wapens geschikt plutonium uit haar kernreactor te willen halen – genoeg voor zes kernwapens. Dit verergerde de crisis tussen Washington en Pyongyang. De spanning liep hoog op; de mogelijkheid van een echte oorlog lag vervat in de escalerende oorlog van woorden. Bij de VN moest ik op een dag een bijzonder agressieve toespraak van de Noord-Koreaanse vertegenwoordiger uitzitten. Ik wist dat er werd geprovoceerd en dus beet ik op mijn lip; de Noord-Koreaan had niets liever gezien dan een ruzie. Ik zei: 'Zaterdag ben ik jarig en hoewel ik zeker weet dat het niet de bedoeling was, wil ik de vertegenwoordiger van Noord-Korea bedanken omdat ik me door zijn retoriek uit de diepste diepten van de Koude Oorlog veertig jaar jonger voel.'

De regering-Clinton was vastbesloten Pyongyang ervan te weerhouden kernwapens te ontwikkelen en overwoog verschillende opties, waaronder zelfs luchtaanvallen op de Noord-Koreaanse reactor. Gelukkig gingen de Noord-Koreanen niet tot het uiterste. Ambassadeur Robert Gallucci, een van onze beste diplomaten, heeft langdurige onderhandelingen met Pyongyang gevoerd. In 1994 greep hij een door de voormalige president Carter gecreëerde opening aan om een akkoord te sluiten. Het akkoord hield in dat Noord-Korea zijn reactor stillegde, achtduizend brandstofstaven met opgewerkt plutonium verzegelde en onder toezicht van het IAEA zijn installaties voor plutoniumproductie stillegde. Op hun beurt kwamen de Verenigde Staten en hun bondgenoten overeen Noord-Korea te helpen met zijn acute brandstoftekorten en te betalen voor de bouw van twee civiele kernreactors.* Hoewel door sommigen bekritiseerd omdat het niet alle kwesties op het Koreaanse schiereiland oploste, maakte de overeenkomst een einde aan de crisis en voorkwam het dat Noord-Korea tientallen kernbommen zou ontwikkelen. Het Koreaanse schiereiland bleef niettemin een van de gevaarlijkste plekken ter wereld. Toen ik minister werd wilde ik iedere mogelijkheid voor het terugdringen van het risico van een militaire confrontatie onderzoeken. Drie factoren brachten me tot de conclusie dat zware inspanning geboden was.

De eerste was de zwakheid van Noord-Korea. Kim Il Sung was trots op het principe van *juche*, of autarkie. Maar toen hij in 1994 overleed liet hij aan zijn

---

* In de overeenkomst was opgenomen dat Noord-Korea de laatste noodzakelijke componenten om de watergekoelde kernreactoren te laten werken pas zou ontvangen als het de volledige geschiedenis van zijn kernwapenprogramma's onthulde.

zoon, Kim Jong Il, een samenleving na die voor voedsel, kunstmest en brandstof afhankelijk was van de buitenwereld. De vraag waar we voor stonden was of de rampspoed van Noord-Korea het land ertoe zou brengen verantwoord te handelen om zijn isolement te verminderen, of onbesuisd. We hadden goede redenen om te trachten die keuze te beïnvloeden.

Een tweede factor was de verkiezing in 1997 van Kim Dae-jung tot president van Zuid-Korea. Tijdens de Koude Oorlog gebruikten de Zuid-Koreaanse heersers de communistische dreiging als rechtvaardiging om met ijzeren hand te regeren. Kim Dae-jung daarentegen was een democratische activist die vanwege zijn onverbloemde denkbeelden jaren gevangen had gezeten. Ik leerde Kim in 1986 kennen toen ik in Zuid-Korea deel uitmaakte van een delegatie van het National Democratic Institute. Zelfs terwijl hij onder huisarrest stond uitte hij zijn ideeën zonder angst en hij deelde met graagte een gedurfde visie op democratie voor Zuid-Korea. Voor we weggingen schreef hij voor ieder van ons met een Koreaans kalligrafisch penseel een boodschap op een wit kaartje. Zijn advies aan mij was: 'Als u echte, praktische oplossingen nastreeft zult u ze bereiken.' Toen ik in 1998 weer naar Seoul ging om de pas geïnaugureerde president Kim te bezoeken bracht ik het kaartje mee, en hij ondertekende het weer.

Toen ik Kim Dae-jung als president ontmoette zag ik een parallel met Václav Havel en Nelson Mandela, die ook beiden de onwaarschijnlijke overgang beleefden van de gevangenis naar het presidentschap van hun land. Ze hadden de tijd van hun gevangenschap gebruikt om een eigen filosofie over politiek en het leven te ontwikkelen. Niemand beter dan Kim kon met grote geloofwaardigheid beweren dat democratie en respect voor mensenrechten zich met Aziatische waarden verdroegen. Tijdens onze officiële bespreking zette de zeventigjarige leider zijn plannen uiteen voor zijn beleid ten aanzien van Noord-Korea. Andere Zuid-Koreaanse leiders hadden alleen maar gesproken over het idee van verzoening met het Noorden, maar Kim Dae-jung was vastbesloten vreedzame coëxistentie na te streven. In het bijna paranoïde gevoel van onveiligheid van Noord-Korea zag hij een groot gevaar.

Een derde factor in de gebeurtenissen was de militaire inzet van Noord-Korea. Weinig regeringen hebben ooit zo'n duidelijke keuze gemaakt tussen kanonnen en boter. Ondanks de hongerende bevolking vormden de Noord-Koreanen een leger van een miljoen man en ze ontwikkelden geavanceerde wapens die ze ook aan het buitenland verkochten. Raketten en gevaarlijke technologie waren hun belangrijkste kassuccessen. In augustus 1998 beproefde Pyongyang een drietraps Taepo Dong-raket van een type dat – na verdere ontwikkeling en proeven – in staat zou zijn Amerikaans grondgebied te bereiken. De combinatie van lange-afstandsraketten en het Noord-Koreaanse vermogen kernbommen te ontwikkelen die met die raketten waren te vervoeren was duidelijk een reden tot grote bezorgdheid.

Met het oog op deze factoren vroegen de president en ik de voormalige minister van Defensie William Perry, die wegens zijn oordeelkundigheid en vasthou-

dendheid alom werd gerespecteerd, de leiding op zich te nemen van een door-
lichting van ons Korea-beleid. Perry voelde er weinig voor maar wilde het ten
slotte wel doen omdat hij wist dat er zoveel op het spel stond: een misrekening die
tot een oorlog op het Koreaanse schiereiland leidde zou heel veel mensenlevens
kosten. De stabiliteit van Oost-Azië en de veiligheid van zevenendertigduizend
Amerikaanse militairen in Zuid-Korea hingen af van het werk van diplomaten.*

Perry werd geassisteerd en later opgevolgd door adviseur Wendy Sherman;
beiden werden bijgestaan door ambassadeur Charles Kartman, onze speciale
gezant voor Koreaanse vredesbesprekingen. Samen beraadden ze zich uitvoerig,
ook in Azië en Europa. Dr. Perry maakte duidelijk dat de status quo onaanvaardbaar was en beval een diplomatiek initiatief aan dat zowel alomvattend als stap-
voor-stap moest zijn. Hij verwierp de theorie dat Noord-Korea aan de rand van
de ineenstorting stond. Hij zei dat we zaken moesten doen met het land zoals het
nu was en niet zoals we wensten dat het was. Hij stelde een systematisch testen
van Noord-Koreaanse bedoelingen voor door Kim Jong Il een keuze te bieden
tussen confrontatie en de kans op verbetering van de betrekkingen door af te
zien van nucleaire activiteiten zonder toezicht, en ontwikkelingsprogramma's
en export van raketten te beëindigen. In mei spraken Perry en Sherman rechtstreeks met hoge Noord-Koreaanse functionarissen in Pyongyang om onze voorstellen voor te leggen. De Noord-Koreanen kwamen pas vier maanden later met
een duidelijke reactie, maar die was dan ook positief. In plaats van een nieuwe
raketproef te laten doorgaan, schortten ze dergelijke proeven op zolang er besprekingen met de Verenigde Staten over verbetering van de betrekkingen
gaande waren. Om het diplomatieke proces te stimuleren kondigde president
Clinton plannen aan om beperkingen op niet-militaire handel, financiële transacties en officiële contacten op te heffen.

Intussen leek het beleid van Kim Dae-jung ook vrucht te dragen. In juni 2000
verwelkomde Kim Jong Il hem in Pyongyang voor niet eerder voorgekomen topoverleg tussen de twee leiders. Hun besprekingen waren hartelijk en in de na-
gloed van de ontmoeting mochten van elkaar gescheiden Koreanen voor het eerst
in vijftig jaar op familiebezoek. Noord- en Zuid-Koreaanse sportlieden liepen
naast elkaar tijdens de openingsceremonie van de Olympische Spelen van 2000,
en Kim Dae-jung kreeg voor zijn verzoeningswerk de Nobelprijs voor de Vrede.

---

* De gevaren in de regio werden duidelijk voor mij door een helikoptervlucht naar de gedemilitariseerde zone in 1997. De wapenstilstandslijn ligt zeventig kilometer ten noorden van Seoul, zodat de stad ruim binnen bereik van Noord-Koreaanse raketten ligt en
kwetsbaar is voor aanvallen van honderdduizenden militairen die dichtbij de demarcatielijn zijn gelegerd. Aan de zuidkant van de lijn ligt Camp Bonifas, genoemd naar een
Amerikaanse compagniescommandant die in 1976 door Noord-Koreanen werd vermoord. Ik werd per Humvee naar een observatiepost gebracht, naar iets wat wel de
grootste verrekijker ter wereld moest zijn. Wat ik zag was een landschap dat ongeveer
zo weelderig en leefbaar leek als de maan – en een Noord-Koreaanse officier die terug-
loerde naar mij.

Intussen stonden Noord-Koreaanse diplomaten, die zo gewend waren aan de rol van muurbloem, in de schijnwerpers. In juli was er tijdens de jaarlijkse bijeenkomst van het regionale forum van de ASEAN in Bangkok voor het eerst een gesprek tussen de ministers van Buitenlandse Zaken van Noord-Korea en de VS. Toen minister Paek Nam-sun en ik voor ons gesprek van een kwartier elkaar de hand schudden legden drie golven fotografen na elkaar het moment vast. Mij was gezegd dat ik niet veel van Paek moest verwachten, maar hij was soepel en professioneel. Onze discussie duurde toch nog ruim een uur; ik omschreef die naderhand als 'substantieel bescheiden, maar symbolisch belangrijk'. Eén vraag die we bespraken was of Kim Jong Il een hoge gezant naar de Verenigde Staten zou sturen, zoals president Clinton Bill Perry naar Pyongyang had gestuurd. Opnieuw waren de Noord-Koreanen bedachtzaam – wat wil zeggen traag – met reageren. Niet gewend aan overleg met een democratie hadden ze de gewoonte maandenlang niets te doen, om dan een besluit te nemen en onmiddellijk een reactie te verwachten.

In oktober 2000 besloot Kim Jong Il eindelijk een gezant van hoog niveau te sturen – vice-maarschalk Jo Myong Rok, de op één na hoogste militair. Dit was een belangrijk teken dat welke keuze Noord-Korea ook maakte, het leger altijd bij het besluit was betrokken. Jo droeg bij zijn bespreking met mij op Buitenlandse Zaken een grijs pak, maar kwam nog geen halfuur later in vol ornaat bij het Witte Huis aan, compleet met epauletten, medailles (waaronder minstens een voor tegen Amerikanen vechten in Vietnam) en lintjes. Met een zwierig gebaar overhandigde hij een brief van Kim Jong Il en nodigde de president uit naar Pyongyang te komen. De president zei het voorstel te zullen bestuderen, maar dat er vooraf regelingen moesten worden getroffen om van het succes van een reis verzekerd te zijn. Jo drong aan op meer uitsluitsel. De president stelde voor dat ik eerst zou gaan om de weg te bereiden. Jo zei dat als de president en de minister samen zouden komen, 'we in staat zullen zijn de oplossing voor alle problemen te vinden'.

De missie van Jo leek alleen maar bedoeld om een bezoek van president Clinton te bereiken, maar de van bovenaf opgelegde besluitvormingsstijl van de Noord-Koreanen combineerde niet zo goed met onze werkwijze van zoveel mogelijk proberen 'voor te koken' alvorens er de president bij te betrekken. Positiever was dat de delegatie van Jo met enkele onverwacht constructieve voorstellen met betrekking tot hun raketprogramma's was gekomen. Het kwam ons voor dat een topontmoeting in principe goed tot een akkoord zou kunnen leiden dat, indien inhoud gegeven, Oost-Azië minder gevaarlijk zou kunnen maken. Daarom intrigeerde het me toen vice-maarschalk Jo van ons aanvaardde dat we aan een voorbereidend bezoek vasthielden en me voor Pyongyang uitnodigde.

De twee delegaties kwamen ook met een gezamenlijk communiqué waarin het verlangen van onze landen duidelijk werd gemaakt om de vijandigheden van het verleden achter ons te laten. Beide partijen verklaarden geen 'vijandige bedoeling' jegens de ander te hebben. Deze potentieel historische stap, die van onze kant geen offer vereiste, was bedoeld om het onveilige gevoel van Noord-Korea te verzachten en het land meer bereid te maken tot beperkingen van zijn wapen- programma's. Die avond was de vice-maarschalk gastheer bij een diner dat heel ontspannen was, misschien wel te ontspannen. Ik was een groot deel van de avond bezig me aan de agressieve stijl van drinken van de Noord-Koreaanse de- legatie te onttrekken. De glazen werden voortdurend gevuld en aan het toasten kwam bijna geen eind.

Diplomatie met Noord-Korea is geen bilaterale aangelegenheid. Onze Oost- Aziatische bondgenoten zijn er in lichaam of geest altijd bij. De Zuid-Koreanen hebben met het Noorden een agenda die de onze overlapt maar die niet altijd op dezelfde wijze is geordend, en hij is duidelijk beïnvloed door de met de mensen ten noorden van de demarcatielijn gedeelde nationale identiteit. De Japanners maakten zich minder zorgen om Noord-Koreaanse inspanningen om lange- afstandsraketten te ontwikkelen dan om hun kwetsbaarheid voor de tientallen mobiele raketten voor middellange afstand die al operationeel waren. Begrijpe- lijk was ook dat Tokio wilde dat Noord-Korea verantwoording aflegde voor de Japanse burgers die het in de jaren zeventig en tachtig ontvoerde om als taal- leraar in te zetten.* Onze diplomatie met Noord-Korea leek daarom wel op een zakloopwedstrijd, waarbij wij er zeker van probeerden te zijn dat onze partners zich konden vinden in wat we deden, en dat er over elke stap die we zetten be- raad was met Australië, China, Rusland en Europa.

Bij al mijn reizen waren er logistieke kwesties, maar met Noord-Korea stonden we voor unieke opgaven. Omdat we in Pyongyang geen diplomatieke vertegen- woordiging hadden moesten we vanuit het niets een miniatuurambassade creë- ren. De technici die we vooruit stuurden troffen zes verschillende soorten stop- contacten aan, soms meerdere in één kamer. Onderhandelen over de invulling van het bezoek was ook ingewikkeld. De Noord-Koreanen wilden per se dat ik de tombe van Kim Il Sung bezocht. Normaliter was dit een simpele wellevendheid geweest, maar Kim Il Sung was de Koreaanse Oorlog begonnen die vierenvijftig- duizend Amerikanen en honderdduizenden Koreanen het leven had gekost. Daarna had hij een van-de-wieg-tot-het-graf propagandastelsel ingevoerd dat de oorlog aan de Verenigde Staten weet. Hij hersenspoelde zijn landgenoten om hem als een god te vereren. Er kunnen armere oorden dan Noord-Korea zijn, maar nergens was de spontaniteit van de menselijke geest beslissender onder- drukt. Omdat het diplomatieke noodzaak leek zou ik de tombe bezoeken van de voor dit alles verantwoordelijke man, maar ik kon zijn nagedachtenis geen eer bewijzen.

De andere complicatie bij de invulling van het programma was dat er geen

---

* Pas in september 2001 gaf voorzitter Kim toe dat de Japanse beschuldigingen juist wa- ren. Hij bekende dat Noord-Korea dertien mannen en vrouwen had ontvoerd, van wie er slechts vijf nog in leven waren.

tijdstip was bepaald voor mijn bespreking met Kim Jong Il. We namen aan dat zo'n ontmoeting op de tweede dag van het tweedaagse bezoek zou plaatsvinden, maar de Noord-Koreanen gaven ons geen uitsluitsel en noemden ook geen tijdstip. In de hooglijk gestructureerde wereld van internationale diplomatie is zo'n onzekerheid ongewoon, maar nog nooit had een Amerikaanse minister van Buitenlandse Zaken Pyongyang bezocht, en Noord-Korea is anders dan anders.

In andere landen zagen we politie of militairen het verkeer tegenhouden als we met onze stoet auto's van de luchthaven naar het hotel reden. In Pyongyang was er geen verkeer om tegen te houden. Onze auto's waren de enige op de weg. De voetgangers die we passeerden keken niet eens toen we langsreden. Na het passeren van wat verdroogde akkers met rijst en kool zagen we verveloze flatgebouwen van drie of vier verdiepingen buiten de stad, en van twintig of meer in de stad. Ik zag me daar al naar boven zwoegen als er geen stroom was voor licht en liften – als er al liften waren.

In de stad werd het beeld opgefleurd door verzorgd en gezond ogende kinderen die in rood en blauwe uniformen naar school gingen. Enkele kinderen fietsten, maar de meeste waren te voet. Tijdens de vlucht had ik een documentaire bekeken over kinderen op het platteland van Noord-Korea. Die kinderen waren beslist niet gezond: tweederde van alle Noord-Koreaanse kinderen leed aan ondervoeding; vele waren door hun ouders verlaten en aten wat ze konden vinden. Ik wist dat wat ik te zien zou krijgen geënsceneerd zou zijn om ons een heel andere indruk te geven dan de werkelijkheid.

Na ons in ons gastenverblijf te hebben opgefrist gingen we naar het hart van Pyongyang, een stad met brede boulevards, schone parken en uitzicht over de prachtige rivier, de Tae-dong. Anders dan in andere Aziatische steden waren er praktisch geen neonlichten of zelfs reclame. Ik zag niets van restaurants, supermarkten, warenhuizen of banken. Het stadsbeeld werd gedomineerd door lege straten en grote pleinen, door bouwwerken als de Grote Nationale Studieplaats, de Juche-toren en het Eén-Mei-stadion.

Mijn auto reed voor bij het Kim Il Sung-mausoleum, waar ik stram werd begroet door vice-maarschalk Jo en over een gladde marmeren vloer langs een lange rij bewakers naar de katafalk werd begeleid waar het gebalsemde lichaam van wijlen de dictator onder glas ligt. Ik bleef even staan en liep verder. Tijdens ons korte gesprek overhandigde ik Jo een brief van president Clinton, waarin deze zijn groeten overbracht en schetste waar de regering door mijn reis op hoopte. Net als iedere andere Noord-Koreaanse leider die ik zou ontmoeten droeg Jo een speld met de beeltenis van Kim Il Sung. Ik droeg mijn grootste broche met de Amerikaanse vlag.

Van het mausoleum ging ik naar een kleuterschool bij een groot appartementencomplex, waar ik even danste met een groep uiterst gedisciplineerde vijfjarigen, op een lied dat naar ik later hoorde over de roem van het strijden tegen imperialisme ging. Ook sprak ik met het plaatselijk hoofd van het Wereldvoedselprogramma, waarmee circa acht miljoen Noord-Koreanen werden gevoed – ook die kleuters – voornamelijk met hulp van de 'imperialistische' Verenigde Staten.

Tijdens onze lunchpauze hoorden we dat de geplande ontmoetingen met verschillende functionarissen waren geschrapt en dat ik in plaats daarvan voorzitter Kim zou ontmoeten, ook bekend als 'Dierbare Leider'. Ik zag met nieuwsgierigheid naar die ontmoeting uit. Ik wist weinig over Kim, die bekend stond als een onwereldse kluizenaar, meer in het maken en bekijken van films geïnteresseerd dan in regeren. Toch was hij volgens Kim Dae-jung en Chinese en Russische functionarissen die de Noord-Koreaanse leider recentelijk hadden ontmoet, goed geïnformeerd, opgewekt en betrekkelijk normaal. Persoonlijk zou ik niet goed weten hoe normaal ik zou zijn als ik met de marxistische leer in een afgegrendelde wereld was opgegroeid, omgeven door heroïsche afbeeldingen van mijn vader en mezelf. Ik wist dus niet wat ik kon verwachten.

Bij aankomst in het gastenverblijf van de voorzitter kwam ik op een gifgroen tapijt voor een grote muurschildering van een storm op zee te staan. De pers begon te flitsen zodra voorzitter Kim binnenkwam in zijn gebruikelijke kakivrijetijdspak. Hij begroette me met uitgestrekte handen en een brede glimlach. Ik droeg hoge hakken, maar hij ook, waardoor we ongeveer even groot waren, en we stonden daar gewoon even om de media hun werk te laten doen. Het viel me op dat een door de Noord-Koreanen gebruikte filmcamera uit de jaren vijftig moest stammen.

Bij onze bespreking aan een glanzende houten tafel begon Kim – die een rond gezicht heeft, een grote zonnebril droeg en een verbazend bol kapsel had – met me te feliciteren met mijn energie. Hij wist dat ik na een marathonvlucht in de ochtend was aangekomen en was ervan onder de indruk dat ik ondanks mijn leeftijd (slechts vijf jaar ouder dan hij) klaar was om aan de slag te gaan. Hij bedankte me voor mijn bezoek aan het mausoleum en sprak zijn dank erover uit dat toen zijn vader was overleden, de Noord-Koreanen een condoleance van president Clinton hadden ontvangen. Ook uitte hij zijn waardering voor de humanitaire hulp die we stuurden en hij zei te hopen dat president Clinton naar Pyongyang zou komen. 'Als beide partijen oprecht en serieus zijn,' zei hij, 'dan is er niets wat we niet kunnen.'

Mij was verteld dat de beste manier om resultaten te behalen bij diplomatie met Noord-Korea was geen haast te hebben en te trachten langzaam een relatie op te bouwen. Deze benadering was mooi voor beroepsdiplomaten, maar ik zou na twee dagen uit Pyongyang weg zijn en na drie maanden uit het ambt. Dus kwam ik snel ter zake. Na wat geruststellende woorden over de bedoelingen van de VS met Oost-Azië zei ik Kim dat ik nog niet had besloten wat ik tegen president Clinton zou zeggen, maar dat ik zonder bevredigende overeenstemming over raketten geen topontmoeting kon aanbevelen.

Kim zei de kwestie ernstig te nemen omdat de Verenigde Staten dat deden, ook al hadden we ongelijk als we meenden dat zijn land ooit een ander land zou aanvallen. Hij zei dat zijn land het programma alleen maar was begonnen om vreedzame communicatiesatellieten te lanceren, misschien drie per jaar. Maar als een ander land bereid was voor Noord-Korea satellieten rond de aarde te brengen, dan had hij niets aan raketten.

Wat hun raketuitvoer betrof, die naar ik zei een groot probleem vormde, zei Kim dat Noord-Korea voor de broodnodige deviezen raketten aan Syrië en Iran verkocht. 'Dus is het duidelijk, aangezien we voor het geld exporteren, dat het wordt gestaakt als u compensatie garandeert.'

Ik antwoordde: 'Meneer de voorzitter, we zijn al vijftig jaar bezorgd om uw bedoelingen, en dus waren we bezorgd om uw productie van raketten. En nu zegt u dat het alleen is om aan vreemde valuta te komen.'

'Ach, het gaat niet alleen om vreemde valuta,' zei hij. 'We rusten er ook ons eigen leger mee uit als onderdeel van ons autarkieprogramma.'

Hij zei ook nog dat zijn strijdkrachten zich zorgen maakten om wat Zuid-Korea kon, 'maar als we een garantie hebben dat Zuid-Korea geen raketten met een bereik van vijfhonderd kilometer zal ontwikkelen, zullen wij dat ook niet doen. Wat de al operationele raketten betreft, ik denk niet dat we daar veel aan kunnen doen. U kunt niet naar de eenheden gaan en ze inspecteren, maar het is mogelijk de productie te staken. De ineenstorting van de USSR, de openstelling van China, en de verdwijning van onze militaire bondgenootschappen met die landen, het is allemaal tien jaar geleden. Het leger wil zijn uitrusting moderniseren, maar we geven het geen nieuwe uitrusting. Als er geen conflict is, hebben wapens geen betekenis. Raketten zijn nu van geen betekenis.'

Kim zei dat ik zijn uitspraken openbaar kon maken, maar ik antwoordde dat ik aan de president verslag moest uitbrengen voor ik met de pers sprak. Aan het einde van ons gesprek gaf hij aan dat we elkaar de volgende dag weer zouden spreken. Toen zei hij dat hij een bijzondere verrassing had. 'Ik heb het amusementsprogramma veranderd. We hebben een spectaculair programma in het Eén-Mei-stadion dat u zal helpen de Noord-Koreaanse kunst en cultuur te begrijpen. De westerse wereld denkt dat we oorlogszuchtig zijn, en in de VS heersen veel misverstanden over ons. Het is van belang ons rechtstreeks te kennen. U kunt zich ontspannen en ervan genieten.'

Toen ik die avond in het stadion kwam zat iedereen al. Terwijl ik daar liep met Kim liet de enorme menigte een vulkaan van verrukt geluid horen – dat naar ik wist niet voor mij was. De arena was gigantisch en alle plaatsen waren bezet. Het contrast met de bijna lege straten was verbluffend; waar kwamen al die mensen vandaan?

De opvoering zelf leek op de opening van de Olympische Spelen en was, naar ik al gauw besefte, veel meer politiek dan cultureel. Het was een herhaling van een schouwspel ter gelegenheid van de vijftigste verjaardag van de Koreaanse Communistische Partij – geen reden tot vreugde in mijn boek. Het begon met een reusachtig beeld van een hamer voor arbeiders, een penseel voor intellectuelen en een sikkel voor boeren. Toen waren er ineens overal kinderen die dansten, gymnasten die radslagen maakten in wervelende kostuums met lovertjes, en mensen die op kleine raketten rondvlogen. Er waren jongeren als bloemen verkleed, soldaten die met hun bajonet stootten, vuurwerk, en menselijke kanonskogels. Er was een groot vak met tienduizenden mensen met verschillend gekleurde kaarten, die snel en gelijktijdig gedetailleerde afbeeldingen en geïllustreerde leuzen toonden, vergezeld van vaderlandslievende liederen. En er was een groot orkest dat liederen speelde als 'De leider zal altijd bij ons zijn' en 'Laat ons de rode vlag hooghouden'. Meer dan honderdduizend mensen deden mee en mogelijk het dubbele keek toe.

Op zeker moment toonde het vak met de kaarten de lancering van een Taepo Dong-raket in de Oost-Aziatische hemel – de Noord-Koreaanse trots uitdragend over de omstreden proef van 1998. Nog voor het robotachtige applaus verflauwde boog voorzitter Kim zich naar me toe en zei via zijn tolk: 'Dat was onze eerste lancering – en onze laatste.' Al met al was het een avond van gemengde boodschappen. Ik was bemoedigd door Kims kennelijke belofte, zelf gedaan in zo'n merkwaardige entourage, en hoopte die vast te houden. Tegelijk was ik bijna sprakeloos van de bonte ceremonie – die de voorzitter naar hij zei had helpen ontwerpen. Ik was beslist onder de indruk van de jonge acrobaten, maar verafschuwde de energie en het geld, verspild aan het vieren van uitgerekend de filosofie die het land arm maakte. Toen Kim en ik naar buiten kwamen riepen Amerikaanse journalisten: 'Wat vond u ervan?' Ik antwoordde: 'Het was verbijsterend,' en voegde er later aan toe, 'ik heb nog nooit honderdduizend mensen in de maat zien dansen. Ik denk dat daar een dictator voor nodig is.'

Die avond dineerden onze delegaties samen. Kim en ik toastten met elkaar, waarna ik dat met Jo deed. Ik was opgelucht toen Kim pogingen van andere Noord-Koreanen ontmoedigde om mijn glas te blijven volschenken en meer toasts van me te verlangen. Kim zelf dronk aanzienlijk minder dan zijn metgezellen, maar was er wel trots op dat hij Franse wijn schonk.

Toen ik tijdens ons gesprek vroeg hoeveel computers zijn land telde, zei hij honderdduizend, waarvan hij er drie zelf gebruikte. Later vroeg hij me om het adres van de website van Buitenlandse Zaken. Hij begon ook over de taalkwestie en vroeg me wat ik van zijn tolk vond. 'Is hij net zo goed als die van Kim Dae-jung?' Dit bracht me van de wijs want ik wilde de arme tolk niet in moeilijkheden brengen. 'Kim Dae-jung heeft een van de beste tolken die ik ooit heb gehoord, een vrouw. Uw tolk is net zo indrukwekkend.' Hierop straalde voorzitter Kim, net als zijn tolk.

Kim zei te wensen dat meer van zijn landgenoten Engels spraken, en het zou hem genoegen doen als Koreaanse Amerikanen de taal kwamen onderwijzen. Terwijl de avond vorderde vroeg ik of het waar was dat hij een filmfanaat was. Glimlachend zei hij: 'Ja. Ik probeer zo om de tien dagen de laatste films bij te houden en ik houd van de Oscars.'

De volgende middag sprak ik weer met voorzitter Kim. Ik zei dat we zijn delegatie een lijst met vragen hadden gegeven, en dat het nuttig zou zijn als zijn experts voor het einde van de dag tenminste enkele antwoorden konden geven. Tot mijn verrassing vroeg Kim om de lijst en begon zelf de vragen te beantwoorden, zonder zelfs de deskundige naast hem te raadplegen. Ja, zei hij, het voorgestelde verbod op de export van raketten zou voor bestaande en nieuwe contracten gelden, mits er compensatie was. Ja, het verbod zou alles omvatten, dus ook materialen, opleiding en technologie die met raketten verband hielden. Ja, Noord-Korea was van plan het multinationale Missile Technology Control Regime te aanvaarden, mits Zuid-Korea dat ook deed. Controlekwesties, zei hij, moesten verder worden uitgewerkt. Ik stelde voor dat we onze respectievelijke experts de week daarna voor besprekingen naar Maleisië zouden sturen.

Ik vroeg hem hoe hij over de aanwezigheid van Amerikaanse troepen op het Koreaanse schiereiland dacht. Hij zei dat de visie van zijn regering sinds de Koude Oorlog was veranderd: Amerikaanse troepen speelden nu een stabiliserende rol. Wel voegde hij eraan toe dat bij hun militairen de helft voor en de helft tegen het verbeteren van de betrekkingen met de Verenigde Staten was, en dat er op hun ministerie van Buitenlandse Zaken zelfs mensen tegen zijn besluit waren om met ons te praten. Hij zei: 'Net als in de VS zijn er hier mensen met opvattingen die van de mijne verschillen, maar dat is niet te vergelijken met het oppositieniveau dat u kent. Er zijn er hier nog steeds die vinden dat de VS-troepen weg moeten. En in Zuid-Korea zijn ook veel mensen tegen de aanwezigheid van de VS.' Kim zei dat de oplossing in normalisatie van de betrekkingen was gelegen.

Ik vroeg of ik zijn toezegging over de lancering van de Taepo Dong-raket openbaar kon maken, en hij zei dat ik dat met al het door ons besprokene kon doen, met uitzondering van de ene kwestie die gevoelig lag voor een derde land. Ik zei hem te menen dat onze gesprekken het begrip bij beide partijen hadden vergroot.

Kim antwoordde: 'Toen de Zuid-Koreanen kwamen vroeg ik of ze horens op mijn hoofd zochten. Ze zeiden nee. Ja, er was heel wat onbegrip tussen ons. Zo zouden we onze kinderen niet goed opvoeden. Onze kinderen werd geleerd uw landgenoten "Amerikaanse bastaarden" te noemen, in plaats van gewoon Amerikanen.'

Die avond hadden we weer een gezamenlijk diner, deze keer in een etablissement dat Magnolia Hall heette. Volgens protocol waren wij gastheer – wat een bicultureel menu betekende met Amerikaanse gebraden kalkoen en Koreaanse gebakken duif (met kop), vergezeld van aardbeiengebak, Californische en Koreaanse wijnen, en gelukkig water. Kim en ik gaven elkaar geschenken en praatten over economische kwesties. Hij gaf toe dat zijn land er slecht voor stond en in een vicieuze cirkel zat, omdat door de droogte waterkrachtcentrales niet werkten. Kolencentrales hadden gebrek aan kolen, en zonder elektriciteit konden ze geen kolen delven.

Ik vroeg hem of hij wilde overwegen zijn economie open te stellen en hij antwoordde: 'Wat bedoelt u met "openstellen"? We zullen eerst het begrip moeten definiëren, want openstelling betekent in verschillende landen iets verschillends. Wij aanvaarden de westerse versie van openstellen niet. Het mag onze tradities niet schaden.' Hij voegde eraan toe dat hij niet geïnteresseerd was in het Chinese model van vermenging van vrije markt en socialisme. Wel was hij geïntrigeerd door het Zweedse model, dat volgens hem in wezen socialistisch was. Me Noord-Korea als Zweden voorstellend vroeg ik hem of er nog andere modellen waren.

Hij zei: 'Thailand handhaaft een krachtig traditioneel monarchistisch stelsel en heeft in een lange, bewogen geschiedenis zijn onafhankelijkheid behouden, en toch heeft het een markteconomie. Ik ben ook in het Thaise model geïnteresseerd.' Ik vroeg me af of het economisch systeem van Thailand hem het meest aantrok, of de monarchie die daar al zo lang wordt behouden.

Terwijl er werd afgeruimd ging één kant van de zaal opeens omhoog en werd een toneel, omzoomd met knipperende rode, gele, groene en witte lichtjes. Muziek begon te galmen en twaalf jonge vrouwen huppelden het toneel op, gekleed in knielange zilveren kostuums, kennelijk de lente voorstellend. Ze deden een Las Vegas-achtig nummer – hoewel beslist geschikt voor kinderen – en kwamen dicht opeen midden op het toneel te zitten. Toen ze een paar seconden later uiteen gingen waren ze in zomers groen gekleed. We vroegen ons allemaal af hoe ze dat deden, toen ze een paar minuten later na nog een dans weer op een kluitje gingen, waarna hun jurken blauw waren voor de herfst. Na nog een dans was er een laatste kluitje, waar ze in kerstachtig rood en groen uitkwamen. De snelle verkleedtruc werd duidelijk toen een ongelukkig danseresje de door klittenband geholpen overgang van herfst- naar winterkleuren niet tijdig maakte en de rest van de avond met een diep gekweld gezicht rondliep. Kim zei me dat hij de hele show had gefotografeerd. Ik vroeg me af of de onfortuinlijke danseres ooit nog zou optreden.

De volgende morgen vloog mijn vliegtuig oostwaarts, toen naar het zuiden en daarna westwaarts, het onberekenbare luchtruim boven de gedemilitariseerde zone mijdend, alvorens bij Seoul te landen, waar ik me beraadde met Kim Dae-jung en de Japanse minister van Buitenlandse Zaken. Daarna ging het huiswaarts, met drie stel indrukken in mijn hoofd.

De eerste betrof de vooruitzichten voor een topontmoeting. De reactie van Noord-Korea op mijn bezoek toonde beslist dat hun leider serieus was. De Volksrepubliek leek bereid meer belangrijke beperkingen van haar raketprogramma's te aanvaarden dan we hadden verwacht. Ik had specifieke discussies over compensatie vermeden, maar de kosten van wat de Noord-Koreanen wensten aan voedsel, kunstmest en hulp bij het lanceren van satellieten zouden miniem zijn vergeleken met de kosten van verdediging tegen de bedreigingen die hun raketprogramma's vormden.

Mijn tweede indruk betrof Kim Jong Il zelf. Ik kon de mening van Kim Dae-jung bevestigen dat zijn Noord-Koreaanse tegenspeler een intelligente man is die weet wat hij wil. Hij was afgezonderd, maar niet ongeïnformeerd. Ondanks de beroerde toestand van zijn land leek hij geen wanhopige of zelfs maar be-

zorgde man. Hij leek vol vertrouwen. Wat wilde hij? Boven alles normale betrekkingen met de Verenigde Staten. Dat zou zijn land afschermen van de dreiging
die hij in de Amerikaanse macht zag, en hem helpen serieus te worden genomen
in de ogen van de wereld.

Op persoonlijk niveau moest ik aannemen dat Kim oprecht in de vleierij geloofde die hem ten deel viel en zich als de beschermer en weldoener van zijn
volk zag. Het kernprobleem met communisme is dat het de rechten van het individu ondergeschikt maakt aan de veronderstelde belangen van de samenleving,
en als men eenmaal individuele rechten veronachtzaamt is het nog maar een
kleine stap naar veronachtzaming van menselijk leed. Ideologische hersenspoe-
ling is misschien gemakkelijker als excuus te slikken wanneer de mensen aan
de top in de offers zouden delen. Net als in de oude Sovjet-Unie zwolgen de hogere echelons in Noord-Korea in privileges. Bij de gymnastische buitensporig-
heid van voorzitter Kim is waarschijnlijk net zoveel elektriciteit verbruikt als
Pyongyang per week nodig heeft. En hij was persoonlijk verantwoordelijk voor
de toename van welstand en voorrechten voor hoge officieren, vermoedelijk om
de dreiging af te weren van de enige groepering die het hem moeilijk kon maken. Niemand kon zonder zelf wreed te zijn heersen met een systeem dat zo
wreed was als dat van de Volksrepubliek, maar ik denk niet dat we de luxe hadden om hem eenvoudig te negeren. Hij zou niet weggaan en zijn land zou niet
uiteenvallen, hoe zwak het ook was. Mijn conclusie luidde dat we Kim zakelijk
moesten benaderen, niet aarzelen rechtstreekse besprekingen aan te gaan, en
gebruikmaken van de Noord-Koreaanse tegenspoed voor een regeling die de regio en de wereld veiliger zou maken.

Tot slot probeerde ik me een algemene indruk van Noord-Korea zelf te vormen. Ik was maar twee dagen in het land geweest en had veel van die tijd opgesloten gezeten met de minst representatieve burger van het land. Ik stelde echter
belang in de psychologie van het land. Indien het zichtbare weerspiegelde wat
echt was, dan bleef het hele politieke, economische en sociale leven van Noord-
Korea draaien om de leer van één enkel mens, Kim Il Sung, en diens maar weinig minder bewierookte zoon. Rondrijdend in Pyongyang zag ik geen enkel
beeld van Marx of Lenin. Alleen maar van de Koreaanse vader en zoon, die jovi-
aal op hun volk neerzagen.

Als ik gewone Noord-Koreanen in de straten zag wilde ik daar graag ontluikende Thomas Jeffersons (of Kim Dae-jungs) in zien die hun dorst naar vrijheid
voedden en alleen maar op een opening wachtten om hun verlangen naar democratisch bestuur te uiten. Maar dit was beslist een droombeeld. De meeste
Noord-Koreanen gingen met drie maanden naar kindertehuizen van de regering. De kleuters die ik bij het Wereldvoedselprogramma zag waren gedrild als
een legermuziekkorps. Noord-Korea had nooit iets ervaren als het Poolse Solidariteit of een Praagse Lente.

Of de meeste burgers de propaganda aanvaardden waarmee ze werden gevoed, of die half geloofden, of die spuugzat waren, was onmogelijk te zeggen.

Hoogstwaarschijnlijk hadden ze het zo druk met overleven dat ze weinig tijd besteedden aan het in twijfel trekken van wat ze dachten. Het was duidelijk dat ze weinig juiste kennis over de buitenwereld hadden.

Terug in Washington moesten we beslissen of president Clinton naar Pyongyang zou moeten gaan. Sandy Berger en ik vonden dat hij het moest doen als dat tot een aanvaardbaar akkoord over raketten zou leiden. De president zelf was meer dan bereid om de reis te ondernemen, maar we moesten nog wat hindernissen nemen, zoals de Noord-Koreaanse diplomatieke stijl, onze bondgenoten, de binnenlandse politiek, en de druk van andere zaken.

Toen Amerikaanse en Noord-Koreaanse deskundigen in de eerste week van november in Maleisië in bespreking gingen, formuleerden leden van ons team exact wat ze hoopten dat met een topontmoeting kon worden bereikt. Ze vertelden de vertegenwoordigers van de Volksrepubliek dat ons een gezamenlijke verklaring voor ogen stond over wederzijdse verplichtingen, gecombineerd met de uitwisseling van vertrouwelijke brieven waarin de details werden uitgewerkt. Onder president Clinton hadden we niet meer de tijd om over een gedetailleerd, alomvattend akkoord te onderhandelen.

Zoals ik met voorzitter Kim had besproken wilden we dat Noord-Korea zich onthield van productie, testen, stationering en export van hele klassen van raketten (waaronder die welke Japan bedreigden), in ruil voor onze toezegging civiele satellietlanceringen voor Noord-Korea te regelen. We wilden geleidelijke vernietiging van alle operationele raketten. We wilden een overeenkomst over controleprincipes, in combinatie met een toezegging om de middelen voor tenuitvoerlegging uit te werken. En we wilden dat Noord-Korea publiekelijk de aanwezigheid van Amerikaanse troepen op het Koreaanse schiereiland aanvaardde. Ook verwachtten we dat Noord-Korea zich van ongeoorloofde nucleaire activiteiten onthield. Het beste drukmiddel dat we hadden was het Noord-Koreaanse verlangen naar volledige normalisatie van de betrekkingen. We zouden niet aan dat verlangen voldoen tot aan al onze voorwaarden was voldaan.

We wisten dat we een zekere mate van onzekerheid moesten aanvaarden als de president werkelijk naar Pyongyang ging. De moeilijkste kwesties betroffen reeds geplaatste raketten, die we per se bij de onderhandelingen wilden betrekken, en de algemene kwestie van controle. Voorzitter Kim was tegenover mij korzelig en afwerend als de betrouwbaarheid van Noord-Korea in twijfel werd getrokken, of bij iedere zo beschouwde schending van zijn soevereiniteit. Hij zou zich verzetten tegen het idee van inspectie ter plekke, maar we hadden geen vertrouwen in zijn woord. Er was geen akkoord mogelijk als wij niet konden nagaan of Noord-Korea zich eraan hield.

Op grond van onze discussies hadden we er redelijk vertrouwen in dat Noord-Korea zou instemmen met een afspraak die een einde zou maken aan de potentiële dreiging die voor ons van langeafstandsraketten en kernwapens uitging. We meenden dat ze akkoord zouden gaan met exportbeperkingen die het voor Iran en andere klanten van hen moeilijker zouden maken wapens te verwerven die onze bondgenoten bedreigden. We meenden dat Noord-Korea er ook mee in zou stemmen geen nieuwe raketten te plaatsen die Japan en Zuid-Korea konden treffen.

Kim Dae-jung drong er sterk bij de president op aan dat hij naar Pyongyang ging. Hij zei zeker te weten dat Kim Jong Il wilde dat de reis een succes werd, en onder gewone omstandigheden had het akkoord waarvan we de contouren in de hand meenden te hebben een reis van de president gerechtvaardigd. We opereerden echter onder ongewone omstandigheden omdat we zo weinig tijd hadden. Veel Congresleden en deskundigen waren tegen een top omdat ze vreesden dat een akkoord met Noord-Korea de zaak van nationale raketverdediging zou verzwakken. Anderen beweerden dat een topontmoeting de kwalijke leiders van Noord-Korea zouden 'legitimeren', voorbijgaand aan het in 1972 door president Nixon met zijn bezoek aan China geschapen precedent, en de vele topconferenties van Washington en Moskou tijdens de Koude Oorlog. Weer anderen suggereerden dat het te laat was en dat de president verdere onderhandelingen aan zijn opvolgers moest overlaten. Nadat George W. Bush tot winnaar van de verkiezingen van 2000 was uitgeroepen vroeg president Clinton hem of hij bezwaar zou hebben tegen een top in Pyongyang. George W. Bush antwoordde zeer terecht dat dit Bill Clintons besluit was. We kunnen maar één uitvoerend staatshoofd tegelijk hebben.

Uiteindelijk weerhielden noch de critici, noch de regeringswisseling, noch de mogelijke meningsverschillen met de Noord-Koreanen president Clinton ervan naar Noord-Korea te gaan. Wendy Sherman zat een groot deel van december te wachten om naar Pyongyang te vliegen om verdere concessies te verkrijgen, met een voorgestelde datum voor een topontmoeting op zak als de besprekingen goed verliepen. Maar het Witte Huis stelde een uiteindelijke beslissing dag na dag, week na week uit, wegens de planningschaos die voortkwam uit het crisisoverleg over het Midden-Oosten.

Toen de kerstdagen naderden meende de president dat hij moest kiezen tussen een reis naar Noord-Korea – hetgeen ook stops in Seoul en Tokio inhield – en een alles-of-nietspoging om met de Israëli's en de Palestijnen tot overeenstemming te komen. In een laatste poging deze keuze te omzeilen nodigden we voorzitter Kim uit om naar Washington te komen. De Noord-Koreanen antwoordden dat ze die invitatie niet konden aannemen. Gezien het publieke karakter van Kims uitnodiging aan ons, het late tijdstip van onze uitnodiging aan hem, en het belang van 'gezicht' in Oost-Aziatische diplomatie, was deze reactie niet verrassend maar wel ongelukkig. We hadden het geprobeerd, maar anders dan voorzitter Kim leefden we in een democratie, en deze bepaalde dat ons team het toneel diende te verlaten.

In de Koreaanse taal kunnen werkwoorden veel verschillende uitgangen hebben. Bij mijn terugtreden meende ik dat er ook veel richtingen waren die de gebeurtenissen op het Koreaanse schiereiland in konden slaan. Ik dacht dat we een diplomatieke opening hadden gecreëerd die de aankomende regering-Bush zeker zou verkennen. Tijdens de regeringswissel mocht ik van mijn opvolger Powell gerust aannemen dat de nieuwe ploeg ons werk wel zou voortzetten. Zoals de wereld spoedig vernam zou dit niet het geval zijn. In maart 2001 kreeg Kim Dae-jung, in Washington voor een ontmoeting met de president, te horen dat de regering onderhandelingen met Noord-Korea niet zou voortzetten tot ze haar eigen beleidsbeeld had bepaald. In de zomer van 2002 was de regering eindelijk klaar om serieuze gesprekken te hervatten, maar toen kwam er nieuwe en verontrustende informatie. Noord-Korea had de middelen verkregen voor en wilde beginnen of was al begonnen met een clandestien programma voor uraniumverrijking. Indien waar, was dit een duidelijke schending van het akkoord van 1994. Toen onderminister van Buitenlandse Zaken James Kelly hun de beschuldiging voorhield gaven Noord-Koreaanse vertegenwoordigers het volgens zeggen toe.

In de weken die volgden namen de zaken herhaaldelijk een wending ten kwade. De regering weigerde aan het verzoek van Noord-Korea te voldoen voor rechtstreekse besprekingen of herhaling van de gezamenlijke verklaring van 'geen vijandige bedoeling'. Ze volgde ook het voorbeeld van Noord-Korea door het akkoord van 1994 dood te verklaren. De Noord-Koreanen verhoogden toen de inzet door internationale inspecteurs het land uit te zetten en hun bedoeling kenbaar te maken om de brandstofstaven en hun kernreactor weer in gebruik te nemen en de plutoniumproductie te hervatten. Met deze ontwikkeling was de zaak weer rond en kwam hetzelfde spookbeeld op waar president Carter aan het begin van zijn termijn voor stond – een Noord-Korea, gewapend met genoeg kernbommen om buurlanden te bedreigen, terwijl het aanvallen op eigen grondgebied makkelijk kon afslaan, almaar op zoek naar klanten die in klinkende munt voor splijtstoffen en bommen wilden betalen. Al met al een gevaarlijke toestand en totaal onaanvaardbaar als status quo.

De uitweg in 2003 verschilt echter niet veel van de uitweg in 1994. Een serieus beleid ten aanzien van Noord-Korea moet vier principes omvatten. Ten eerste moet het beleid resulteren in een controleerbaar atoomvrij Koreaans schiereiland. We kunnen Noord-Korea niet als kernmacht aanvaarden. Ten tweede moet het bereidheid omvatten tot rechtstreekse besprekingen met Noord-Korea, niet als een beloning voor Pyongyang, maar als een middel om te doen wat nodig is om proliferatie en de kans op oorlog te voorkomen. Ten derde moet het in volledige coördinatie met onze bondgenoten worden uitgevoerd. Ten slotte moet het met spoed worden uitgevoerd.

Voor het verhaal van binnenuit over wat er vervolgens gebeurde moeten we wachten op de memoires van de betrokkenen, want daar heb ik geen zicht op.

In november 2002 ging ik weer naar Seoul voor de tweede conferentie van de Community of Democracies, alleen was ik deze keer een deelneemster aan het non-gouvernementele deel. Ik sprak daar mogelijk voor het laatst met Kim Dae-jung. Toen ik hem voor het eerst als president zag vormde hij een verfrissende afwisseling met zijn voorganger, ten dele omdat diens zoon van omkoping was beschuldigd. Nu, nog maar een paar maanden voor zijn terugtreden, was Kims populariteit gekelderd, ten dele omdat zijn eigen zoons in een corruptieschandaal waren verwikkeld. Ik ging naar het Blauwe Huis (wat in de VS het Witte Huis is), waar ik een achterkamertje werd ingeloodst. Kim was nog in goede gezondheid, al liep hij behoorlijk moeilijk. We praatten over wat we samen hadden geprobeerd voor de toenadering tot Noord-Korea. Hoewel velen Kims beleid als een mislukking betitelden vond hij dat niet.

'Ik heb nooit verwacht dat er snel iets zou veranderen,' zei hij tegen me. 'Maar we hebben de grondslag gelegd. De leiders van Noord en Zuid hebben elkaar ontmoet. Families zijn herenigd. Heen-en-weerreizen is geen groot nieuws meer.'

'Wat te denken van hun nucleaire programma?' vroeg ik.

'Zeer zorgwekkend,' zei Kim. 'Noord-Korea zal niet veranderen voor het dit veilig denkt te kunnen doen. Ze vertrouwen niemand. Ze zagen wat de VS met Servië deden, dat geen kernwapens heeft. Ze werken nauw samen met Pakistan, dat ondanks internationale waarschuwingen kernwapens heeft en nu een bondgenoot van de VS is. Ze denken dat ze zulke wapens ter afschrikking nodig kunnen hebben. Zonder te dreigen moeten we hen ervan overtuigen dat dreigen niet werkt. Maar ze blijven steeds weer dezelfde fouten maken. In de laatste dagen van uw regering hadden we onze beste kans op een doorbraak. U begreep de situatie hier en hoeveel er op het spel stond. U stak er al uw energie in. Ik zal u en president Clinton altijd dankbaar zijn voor de steun die u gaf.'

Terwijl ik met Kim sprak, een van de grote democratische helden van de twintigste eeuw, bedacht ik dat de geschiedenis zich niet in hapklare brokken van vier jaar verdeelt, de tijd die een regering zit. Ze stroomt voortdurend, in dit geval met het wegvagen van onze inspanningen om Pyongyang te testen en het blokkeren van de verwezenlijking van de hoop van Kim Dae-jung. Toen ik opstond om weg te gaan wilde Kim me zijn hand toesteken, maar strekte toen beide armen uit en we omhelsden elkaar.

Er is een epigram van Oscar Wilde: 'De goeden eindigden gelukkig en de slechten ongelukkig. Dat is nu fictie.' In de werkelijkheid van het Koreaanse schiereiland is het lot van goeden en slechten verbonden door geografische nabijheid en technologie die het vermogen heeft een einde aan ons allen te maken.

HOOFDSTUK 28

De vruchteloze zoektocht

Het MILLENNIUM LIEP TEN EINDE en in het Midden-Oosten waren alle ogen op kalenders en klokken gericht. In mei 1999 kozen de Israëli's voor Ehud Barak, de leider van de Arbeiderspartij, die Bibi Netanyahu versloeg. Barak trad aan met een ambitieuze agenda voor het afsluiten van de alomvattende vredesonderhandelingen met Syrië, Libanon en de Palestijnen, najaar 2000, om zich daarna te concentreren op de niet geringe economische en sociale behoeften van Israël.

In Syrië had president Hafiz al-Assad lang geleden gezworen de tijdens de oorlog van 1967 veroverde Golanhoogte terug te krijgen. Maar de kwakkelende Assad raakte in tijdnood als hij de Golan op de juiste voorwaarden terug wilde.

Zes jaar na de Akkoorden van Oslo hadden de Palestijnen nog steeds hun land niet. Strevend naar het leiderschap over een gefrustreerd, verdeeld en verarmd volk waarschuwde Jasser Arafat dat hij spoedig eenzijdig een Palestijnse staat zou uitroepen.

In Washington was ons team van Buitenlandse Zaken zich er terdege van bewust dat het aantal maanden in het ambt steeds kleiner werd, en daarmee de kans om een bolwerk te bouwen tegen mogelijk rampzalig geweld in het Midden-Oosten.

Het was voor ons allen een race tegen de klok.

In oktober 1998, in Wye, waren Israëlische en Palestijnse onderhandelaars het eens geworden over de route naar een volledige vredesregeling. Korte tijd leek het of er vaart in de verzoening kwam, maar al snel rezen er problemen. Deadlines werden niet gehaald. De Israëli's gaven niet al het land terug dat ze hadden beloofd terug te geven. De Palestijnen maakten onvoldoende werk van het innemen van wapens. De Israëli's zouden Palestijnse gevangenen vrijlaten en dat deden ze, maar vanuit Palestijns perspectief niet de goede. De Palestijnen arresteerden mensen die van terrorisme werden verdacht, maar naar Israël beweerde niet de ware schuldigen. Op aandrang van politieke extremisten aan beide zijden werd de taal van vrede verdrongen door vitriool.

Publiekelijk en privé zei ik tegen Arabische leiders dat 'vrede geen kijksport is', maar met uitzondering van Jordanië reageerde de Arabische wereld niet.

Hoewel met tegenzin had Netanyahu zijn carrière voor vrede geriskeerd, maar zijn gokspel verzachtte de Arabische houding niet. Toen hij zich klem zag zitten riep hij nieuwe verkiezingen uit en werd in mei 1999 weggestemd.

De man die Netanyahu versloeg, Ehud Barak, trad aan als een haan bij dageraad. Net als zijn mentor, Yitzhak Rabin, had hij een lange militaire staat van dienst; in feite was hij de meest onderscheiden militair in de geschiedenis van zijn land. In het leger had hij zijn naam van Brog veranderd in Barak, wat 'bliksem' betekent. Alweer net als Rabin achtte Barak het voor Israël van levensbelang vrede te sluiten met zijn buren, ten dele als bescherming tegen de machtige dreiging van Iran en Irak. Hij geloofde ook dat vrede mogelijk was door de kracht van Israël. Arabieren zouden onderhandelen, niet omdat ze Israël niet meer haatten maar omdat het de enige manier was om verloren land terug te krijgen.

Hoewel de regering officieel neutraal was, was iedereen tevreden met de verkiezing van Barak, van het Oval Office tot de gangen van Foggy Bottom. De nieuwe premier was zevenenvijftig, stevig gebouwd en had een rond, jongensachtig gezicht met indringende bruine ogen, zo donker dat ze aan kool deden denken. Ik leerde Barak tijdens mijn eerste rondreis door het Midden-Oosten in 1997 kennen in zijn hoedanigheid als oppositieleider. Toen we van die bespreking kwamen zei ik tegen Dennis Ross: 'Zou het niet geweldig zijn met hem als premier te maken te hebben?' Nu hadden we die kans.

Dat Barak zo nodig moest kwam deels voort uit het debacle in Zuid-Libanon, waar sinds begin jaren tachtig Israëlische troepen waren gelegerd tegen aanvallen van de door Iran gesteunde Hezbollah-militie. Hoewel gerechtvaardigd gaf de Israëlische aanwezigheid Hezbollah de kans zich als een vaderlandslievende strijdmacht te profileren die vocht om Libanees land terug te krijgen. Eind jaren negentig was de legering in Israël impopulair door de slachtoffers die er vielen. Barak beloofde binnen een jaar terugtrekking. Omdat hij zichzelf als een ander soort leider dan Netanyahu zag had hij er vertrouwen in dat hij binnen een aantal maanden vrede kon bereiken met Syrië en het door Syrië beheerste Libanon. Voor hem waren de prikkels duidelijk: Syrië was het laatste vijandige buurland met een leger van betekenis, en Assad had genoeg macht om zijn beloften na te komen en Hezbollah in te tomen. Aan een akkoord zou Israël meer veiligheid overhouden en Syrië het land – of althans het meeste van het land dat het was kwijtgeraakt.

Ik sprak Assad voor het eerst in 1997 in Damascus. Bij het binnenrijden van de stad verbaasden me de vele schotelantennes op daken en balkons. Overal zag je ze. Naar mijn gevoel zou Syrië op slag veranderen als de laars van Assads regime uit zijn nek werd gehaald. Syrië heeft een goed opgeleide bevolking, een betrekkelijk moderne houding tegenover vrouwen, en een oude, kosmopolitische handelscultuur. Het land kon een sleutel zijn om het gehele Midden-Oosten in de nieuwe eeuw te brengen, wanneer de bevolking niet in een politiestaat zou leven.

Toen we bij het paleis van Assad kwamen wilde ik beslist een sterke indruk maken. Dit werd bemoeilijkt door de indruk die de entourage van onze bespreking op me maakte. Het paleis was ongelooflijk. Er was onvoorstelbaar veel marmer, en uiteraard waren in dat deel van de wereld de tapijten prachtig. Er waren weidse trappen en ik zag James Bond hier al in actie, achtervolgd door mensen met kromzwaarden. Assad ontving me in een enorme, spaarzaam gemeubileerde kamer met sofa's en twee bewerkte stoelen met kussens. Voor hij ging zitten trok hij de gordijnen open om het spectaculaire uitzicht te tonen over zijn hoofdstad, een van de oudste steden ter wereld.

Na het betuigen van zijn achting voor president Clinton en mij gaf Assad zijn lezing van de afgelopen onderhandelingen, waarbij hij zich zijn eigen toezeggingen veel minder helder herinnerde dan de aan hem gedane beloften. Hij zei dat Rabin in 1995 had beloofd de hele Golanhoogte terug te geven als aan Israëlische wensen ten aanzien van veiligheid en water tegemoet werd gekomen. 'Met minder kan ik geen genoegen nemen,' zei Assad. 'Geen persoon of kind in Syrië kan instemmen met vrede met een partij die ook maar een centimeter van ons land bezet. Overal ter wereld wordt ieder die eigen land afstaat als een verrader gezien.'

Assad was beleefd, recht door zee en koppig, zodat zijn standpunt van 1997 twee jaar later nog precies hetzelfde was. Hij zei de onderhandelingen alleen te willen hervatten op basis van zijn visie op de toezeggingen van Rabin. Barak wilde dat president Clinton naar Damascus ging om Assad zo te overdonderen dat hij weer ging onderhandelen. Maar de president zei dat ik moest gaan, en niemand was verbaasder dan Barak toen het mij lukte Assad ertoe te bewegen in te stemmen met onderhandelingen 'zonder voorwaarden vooraf'. Het resultaat was twee dagen van productieve discussies in Washington, tussen Barak en de Syrische minister van Buitenlandse Zaken Farouk Shara. Ze kwamen overeen in januari terug te komen voor een nieuwe ronde van intensieve onderhandelingen. Het daarvoor gekozen oord was een conferentiecentrum in Shepherdstown, West Virginia, een curieus dorp, vanuit mijn boerderij gezien net over de staatsgrens.

Hoewel beide partijen gretig leken zouden de besprekingen van Shepherdstown vast geen makkie worden. Om vrede te bereiken moesten de partijen op het oog onoverbrugbare standpunten overbruggen en een gemeenschappelijke definitie vinden voor wat teruggave van de Golanhoogte feitelijk betekende. De centrale vraag was, waar lag de grens? Waar liep de grenslijn die voor de oorlog van juni 1976 bestond?

Assad, die nooit moe werd ons te vertellen dat hij als jongeling in het Meer van Galilea had gezwommen, hield vol dat het grondgebied van Syrië zich over de oostelijke oevers van die watermassa, en ook tot de Jordaan uitstrekte. Voor hem was het weigeren van een compromis over land een erezaak, of misschien bezeerd machismo; hij was minister van Defensie toen Syrië de Golanhoogte kwijtraakte. Wanneer hij Israël zou toestaan land ten oosten van het meer en de rivier te gebruiken zou dat een geschenk van Syrië moeten zijn, niet een recht van

Israël. Omdat Israël voor zijn drinkwaterbehoefte voor veertig procent van het Meer van Galilea afhankelijk is, wilde Barak genoeg gebied behouden om de volle en veilige soevereiniteit over deze waterbron en de Jordaan te behouden. Het stuk land in kwestie was klein, maar beide partijen hadden zich ingegraven.

De eerste dag in Shepherdstown ging op aan strijd over de volgorde van de te behandelen kwesties. Na uren van gesteggel kwamen Barak en Shara overeen alle kwesties tegelijk te behandelen. De volgende paar dagen werkten we aan het verkleinen van meningsverschillen over zaken als het tijdschema voor de Israëlische terugtrekking, veiligheidsgaranties voor Israël, en de middelen voor normalisatie van diplomatieke betrekkingen. Net als in Wye ging de Amerikaanse delegatie een ontwerpakkoord voorbereiden.

Ik merkte al gauw dat beide partijen, en vooral de Syriërs, veel directer tegenover mij waren dan tegenover president Clinton. Wanneer Shara met de president sprak was hij formeel in zijn uitspraken en over het algemeen wilde hij behagen. Tegenover mij klaagde hij voortdurend, vooral over het feit dat Barak naliet de toezegging van Rabin te herhalen tot volledige terugtrekking, indien aan de veiligheidsbehoefte van Israël tegemoet werd gekomen. De Syriërs hadden met besprekingen ingestemd met slechts een indirecte toezegging van Barak op dit punt, maar hadden iets expliciets verwacht zodra de besprekingen begonnen. Dat hadden wij ook verwacht, maar Barak liet het afweten.

Voorafgaand aan Shepherdstown was de Israëlische leider vol vertrouwen over zijn vermogen om zijn volk te overreden zijn kijk op vrede te delen. Dit vertrouwen leek te wankelen toen de werkelijkheid begon weg te zinken in wat een akkoord met Assad zou inhouden. Net als Netanyahu voor hem, voelde Barak politieke druk van thuis. Deze druk berustte op enkele waarheden uit het verleden.

Ten eerste was een generatie Israëli's opgegroeid met de overtuiging dat de Golanhoogte essentieel was voor de verdediging van Israël. Tot 1967 stonden op die hoogvlakte Syrische wapens op het smalle grondgebied van Israël gericht. Na dat jaar waren Israëlische wapens op Damascus gericht, waardoor de strategische relatie tussen beide landen totaal veranderde.

Ten tweede waren er nu circa zeventienduizend kolonisten op de Golan, die zich krachtig – misschien met geweld – zouden verzetten tegen pogingen hen te verwijderen.

Ten derde waren er recentelijk ruim een miljoen immigranten uit de voormalige Sovjet-Unie en van elders naar Israël gekomen, die de volledige geschiedenis mogelijk niet zo kenden en geen reden zagen waarom Israël land op zou geven.

Ten vierde aarzelden de Israëlische politici van de oppositie niet de premier op zijn tactiek aan te vallen. Ariel Sharon, de voorzitter van de Likoedpartij, beschuldigde Barak van 'totale overgave', alleen omdat hij naar Shepherdstown ging.

Uiteindelijk kregen de Israëli's begrijpelijkerwijs genoeg van de Syrische houding. Zowel de vroegere Egyptische president Anwar Sadat als koning Hoessein van Jordanië hadden grootmoedige gebaren gemaakt om bepaalde bezorgdheden van Israël weg te nemen. Maar Assad weigerde persoonlijk met de Israëli's te onderhandelen en leek hen zo bezorgd mogelijk te willen hebben. Hoewel hij beweerde een 'strategisch besluit' te hebben genomen door een regeling na te streven, bleef hij in zijn manier van doen onverminderd vijandig. Hij had de reputatie een man van zijn woord te zijn, maar veel Israëli's konden maar moeilijk geloven dat hij ooit vrede zou sluiten.

Eén doel van in afzondering onderhandelen is een gevoel van gedeelde doelgerichtheid en kameraadschappelijkheid te bevorderen. In Wye waren de relaties tussen de Israëlische en Palestijnse leiders koel, maar onderhandelaars op het werkniveau aarzelden niet zich onderling te mengen bij maaltijden en wandelingen. In Shepherdstown zaten ze zelfs nooit samen aan tafel.

Toen het weekend werd was iedereen chagrijnig, dus vroeg ik die zaterdag, terwijl de Israëli's sabbat hielden, Shara om een toeristisch uitstapje te maken. De eerste attractie was Harpers Ferry. Daar heb ik vele bezoekers mee naartoe genomen en de meeste, uit binnen- of buitenland, waren er weg van. Thomas Jefferson heeft uitgezien over de plaats waar de Potomac en de Shenandoah samenkomen en verklaarde toen dat deze aanblik alleen al een reis over de oceaan waard was. Mijn gasten waren ook altijd gefascineerd door het verhaal over de slecht afgelopen poging van John Brown om kort voor de Burgeroorlog een slavenopstand te ontketenen. Dit verhaal was voor mij altijd exemplarisch voor het gevaar van nobele bedoelingen zonder inbreng van gezond verstand. Shara genoot zo dat hij zowaar zijn das afdeed.

Na het landschapsschoon en de geschiedenisles gingen we op weg naar mijn boerderij, waar het bureau voor Protocol van mijn ministerie al naartoe was. Dit droeg bij aan het ongerijmde van het avontuur, want het bureau gaat uit van chic, terwijl de boerderij huiselijk is. Bovendien was mijn schoonzoon Greg daar met mijn kleinzoon David. Om te helpen had Greg een groot vuur gemaakt. Alleen was de schoorsteen net gerepareerd en het rookkanaal dicht, dus toen Farouk Shara en ik arriveerden bij wat een ontspannen entourage had moeten zijn stonden ramen en deuren open en rende iedereen rond om de rook eruit te krijgen. Shara gaf David en Greg een hand voor hij zich met mij in het huis waagde, waar we gingen zitten en over de geschiedenis van Syrië spraken, af en toe in onze ogen wrijvend terwijl er thee werd geschonken.

De volgende dag vergezelde ik Barak en zijn vrouw Nava naar Antietam, waar de bloedigste gebeurtenis in de Amerikaanse geschiedenis plaatsvond. Op 17 september 1862 werden meer dan tweeëntwintigduizend soldaten van de Unie en de Confederatie gedood of raakten gewond. Als militair luisterde Barak aandachtig naar uitleg over de slag die werd gegeven door Bruce Riedel, een Midden-Oostenexpert van de NSC en een Burgeroorloghobbyist. Van daar gingen we naar Harpers Ferry en later naar mijn boerderij om te lunchen. Onder het eten vertelde ik nog wat over de Burgeroorlog, bijvoorbeeld dat de berg achter mijn terrein deel had uitgemaakt van de ondergrondse spoorweg; slaven die de vrijheid zochten hadden zich achter de brede muren en schoorstenen van de huizen verborgen.

Toen we buiten waren merkte Barak op dat ik een grote klok op mijn schuur had die niet de juiste tijd aangaf. Ik vertelde hem dat deze van een Franse toren kwam. Ik had hem op een antiekmarkt gekocht maar hem nooit aan het lopen gekregen. Ik wist dat Barak graag klokken uit elkaar haalde, dus verbaasde het me niet toen hij zei: 'De volgende keer dat ik kom maak ik die klok.'*

Terug in Shepherdstown ging het onderhandelen verder. Aan de randen werd vooruitgang geboekt, maar de kernkwesties bleven onopgelost. Toen president Clinton ons ontwerpakkoord had voorgelegd, vertraagde Barak, die al steeds meer ging twijfelen, het proces. De Israëlische premier stelde voor dat de delegaties een paar dagen de tijd namen om het document te bestuderen, eerst wat opmerkingen zouden maken en dan de bijeenkomst zouden verdagen tot een tweede ronde. President Clinton zei het best te vinden dat we allemaal een pauze namen maar waarschuwde dat half afgemaakte vredesovereenkomsten niet als kazen waren die beter worden als je ze laat rusten; ze waren meer als bananen die gaan rotten.

Recapitulerend vergeleek Shara de besprekingen met een auto die de Syriërs en de Amerikanen voortduwden omdat de Israëli's het contact niet hadden aangezet. Ik zei: 'Nee, ik denk dat de motor wel wil starten, maar momenteel doet hij nog steeds *grrr, grrr*.' Dennis Ross zei toen: 'Als de vergelijking met een auto u niet bevalt, laten we dan over fietsen praten.' Shara zei: 'Nee, fietsen zijn voor Palestijnen.' Dennis antwoordde: 'Ach, misschien moeten we de bedrading lostrekken en tegen elkaar houden.' Shara zei dat hij dat in zijn jonge jaren wel had gedaan.

Later herinnerde ik Shara aan ons uitstapje naar Harpers Ferry, waar we de rotsen in de rivier hadden gezien. Ik zei dat sommige rotsen glibberig waren, maar dat we in de rivier moesten blijven en proberen over te steken. Hij zei: 'We zijn nog niet eens in de rivier.'

Het toppunt van dergelijke beeldspraak kwam echter tijdens een derde gesprek met Shara, zoals ik me niet had kunnen indenken dat ik dat met een man zou hebben. We spraken over de mate waarin een vertrouwenssprong bij vredesonderhandelingen nodig was toen Shara zei: 'Nou, stel dat wij zouden gaan trouwen. Dat is een verbintenis die ik alleen zou aangaan als ik wist dat die zou werken.'

Ik antwoordde: 'Goed, maar stel dat we getrouwd zijn, ik wil reizen en u wilt me niet laten gaan?'

'Dat is geen probleem,' zei Shara, 'want ik geloof in gelijkwaardigheid.'

Mooi,' zei ik, 'maar stel dat onze definitie van gelijkwaardigheid niet dezelfde is?'

'Nog steeds geen probleem,' zei Shara, 'want we zijn allebei intelligent en willen er uitkomen.'

---

* Als voormalig premier Barak de tijd vindt om dit te lezen, hoop ik dat hij weet dat de uitnodiging nog steeds staat – en dat ik een klok heb die nog steeds gerepareerd moet worden.

'Ja, maar stel dat u bij de Taliban bent geweest en uw levensgeschiedenis heeft uw oordeel zodanig vervormd dat u mijn denkbeelden niet als redelijk kunt zien, hoezeer u ook uw best doet. Kan het huwelijk dan nog slagen? Ik hoop het, want Israël en Syrië hebben een hele geschiedenis samen.' Ten slotte kwam ik tot de slotsom dat het weinig zin had in metaforen te praten.

Om mijn twijfels te verkleinen vroeg ik aan Shara en Barak apart of ze serieus geloofden dat een akkoord zou worden bereikt. Ze zeiden allebei ja, wat ik bemoedigend vond tot ik naar de reden viste. Ze geloofden beiden dat president Clinton zou ingrijpen door hun concessies aan elkaar op te leggen. Ik twijfelde niet aan de kundigheid van de president, maar ik achtte zelfs hem niet tot toverkunst in staat. We verlieten Shepherdstown zonder enige vorm van afsluitingsceremonie of persconferentie, en verwachtten na negen dagen weer terug te zijn.

Op weg naar huis werden de onderhandelaars van beide partijen onder de loep genomen. Onder zulke omstandigheden is de verleiding groot om de dingen zo te draaien dat ons eigen team in het gunstigste daglicht komt en het andere in de schaduw. Daarom hebben geheime onderhandelingen hun nut en daarom waarschuwde president Clinton voor de korte houdbaarheid van een ontwerp-vredesplan. Zelfs voordat Shepherdstown was verdaagd stond er in een in Londen verschijnend Arabisch tijdschrift een artikel waarin ons ontwerp-vredesakkoord werd geschetst en nadruk werd gelegd op Assads eis tot volledige terugtrekking van de Golan door Israël. Op 13 januari publiceerde een Israëlische krant de hele ontwerptekst, met een lijst van concessies die Syrië had gedaan.

Beide delegaties hadden geheimhouding toegezegd. Ook al stond de toekomst van de regio en mogelijk veel mensenlevens op het spel, ze hielden zich daar geen van beide aan. De consequenties waren voorspelbaar. De Syriërs ontkenden de concessies die ze aangaande kleinere kwesties hadden gedaan en verklaarden weer te eisen dat Israël de hele Golan teruggaf. De tweede gespreksronde was van de baan.

Het had op dat moment logisch kunnen lijken de onderhandelingen met Syrië in de ijskast te zetten en ons weer op het potentieel explosieve Palestijnse spoor te richten. Dit had onze voorkeur, en die van veel leden van de regering-Barak. Maar Barak, die had beloofd de Israëlische troepen die zomer uit Libanon terug te trekken, wilde een overeenkomst met Syrië hebben om verzekerd te zijn van een ordelijke terugtrekking en een veilige afwerking.

Hij geloofde stellig dat Assad het voorstel dat hij voorbereidde zou aannemen: teruggave aan Syrië van de hele Golanhoogte, behalve een strook van vijfhonderd meter breed langs het Meer van Galilea, en zeventig meter breed langs de oostoever van de Jordaan. Als compensatie zou Israël een stuk land afstaan dat voorheen niet in Syrische handen was geweest. Baraks idee was dit voorstel tegelijk met gedetailleerde Israëlische standpunten over andere kwesties bij een persoonlijke bespreking door president Clinton aan Assad te laten voorleggen. Naar zijn mening bood hij de Syrische leider de kans om 99 procent van de Golan terug te krijgen. Geen redelijk mens kon dat afwijzen.

Omdat ik daar veel minder vertrouwen in had bood ik aan eerst de stemming in Damascus te peilen, en daarmee schermde ik president Clinton af van wat heel goed een zeer publieke mislukking kon worden. Barak was daar helemaal niet bang voor. Misschien was het zijn militaire achtergrond, zijn persoonlijkheid, of waren het de eigenaardigheden van het Israëlische politieke stelsel – maar hij zag diplomatie als het privilege van regeringshoofden. Anders dan Netanyahu voelde hij het niet als passend geregeld met iemand anders dan de president te spreken die hij voortdurend belde. Hij meende dat niemand anders dan de president met Assad zou moeten onderhandelen. Hij zei ons dat alleen president Clinton in staat zou zijn de Syrische leider te 'schudden' en hem daardoor wat soepeler te krijgen.

Als echte regelaar die alles in de hand wil hebben kwam Barak met een compleet script voor de president en diens aanpak van Assad. Op een manier die ik bevoogdend vond zei hij het prima te vinden als de president bij de opening wat improviseerde, maar de beschrijving van de Israëlische wensen diende woord voor woord te worden opgelezen.

President Clinton ging om verscheidene redenen akkoord met deze procedure. Hij had meer hoop dan de rest van ons dat het initiatief zou slagen en het aanbod van Barak was beslist tegemoetkomender dan elk ander dat de Syriërs waarschijnlijk zouden krijgen. De president had ook beloofd de mensen in het Midden-Oosten te steunen die bereid waren risico's voor vrede te lopen, en handig diplomaat of niet, Barak leidde de regio in deze categorie. Uiteindelijk gaf het optimisme, de president eigen, hem de moed te geloven dat een behoorlijke duw alleen maar kon helpen om beweging in de zaak te krijgen.

De president en ik gingen op 26 maart 2000 met Assad en Shara in bespreking in een balzaal van het Intercontinental Hotel in Genève. Aangezien er maar twee Syriërs aanwezig waren moesten we onze delegatie klein houden. We zaten in fauteuils om een lage tafel, de president en Assad naast elkaar. Ik zat aan de andere kant van de president, met Dennis Ross naast me. Robert Malley van de NSC notuleerde. Aan de andere kant van de ruimte stond een kamerscherm, waarachter verscheidene Amerikaanse functionarissen zaten mee te luisteren, ervoor oppassend niet hoorbaar te hoesten.

President Clinton begon met Assad te bedanken voor zijn komst, ondanks de lichamelijke problemen waar de duidelijk zieke leider mee kampte. Assad antwoordde: 'Ik word nooit moe u te zien.'

De president gaf een verkorte versie van zijn 'onze kinderen zullen ons dankbaar zijn'-toespraak, schetste de historische gelegenheid die voor ons lag en zei dat het hem genoegen deed het vertrouwen van Syrië te hebben kunnen winnen zonder dat van Israël te verliezen. Toen zei hij een officiële uiteenzetting te willen geven van waar de Israëli's toe bereid waren. Assad antwoordde: 'Mooi, ik zal niet reageren voor u klaar bent, maar hoe zit het met het grondgebied?'

'De Israëli's,' zei de president, 'zijn bereid zich volledig terug te trekken achter een gezamenlijk overeengekomen grens.'

'Wat bedoelt u met "gezamenlijk overeengekomen"?' vroeg Assad.

President Clinton begon het uit te leggen en Dennis kwam met een op de ideeën van Barak gebaseerde kaart, met een lijn langs de oostoever van de Jordaan en het Meer van Galilea, met de Israëlische strook grond duidelijk aangegeven.

'Dan wil hij geen vrede,' zei Assad, zonder de kaart zelfs maar te bekijken. 'Het is afgelopen.'

En dat was het ook. De volgende paar uur worstelden de president, Dennis en ik om de situatie te redden, maar het fundamentele probleem zat als een rotsblok in de zaal. De Israëli's wilden de grond rond en langs het water niet opgeven. Assad wilde nog geen Israëlische soevereiniteit over een centimeter van wat hij als Syrische grond beschouwde. De president probeerde een paar keer de volledige lijst met gesprekspunten van Barak door te nemen, maar de Syriërs deden afwerend.

Ik wees Assad erop dat president Clinton alleen om zijn wens voor vrede naar deze bespreking was gekomen, en dat Syrië niet gauw een beter Israëlisch aanbod zou krijgen. Ik drong er bij hem op aan de kans niet te vergooien om 99 procent van de Golanhoogte terug te krijgen, wegens een geschil om een smal strookje land.

Shara kwam ertussen: 'Het probleem is geen kwestie van kilometers. Het is er een van waardigheid en eer. De Israëli's verliezen niet als ze ons grondgebied teruggeven. Niemand kan meer doen dan president Assad om te zorgen dat Israël in de regio wordt aanvaard, als eenmaal een akkoord is bereikt.'

Toen we op wilden stappen drongen de Syriërs er bij president Clinton op aan niet te zeggen dat het mislukken van de onderhandelingen hun schuld was. De president zei alleen: 'De wereld zal oordelen.'

Door zo sterk op Syrië te spelen had Barak een historisch akkoord met een verbitterde vijand van Israël nagestreefd, waarmee hij de noordgrens van Israël had kunnen beveiligen, toegang tot water behield en de weg had kunnen vrijmaken voor afrondende besprekingen met de Palestijnen. Hij had Assad echter verkeerd beoordeeld. Wat Barak mogelijk leek was dat niet voor de Syrische president. Assad was op een standpunt blijven staan waar hij zelfs niet ook maar enigszins van dacht te kunnen afwijken zonder zijn zorgvuldig in stand gehouden imago te schaden.

Intussen bleef het zand in de zandloper wegvloeien. President Clinton had niet veel tijd meer. Assad helemaal niet meer. Op 10 juni 2000 overleed de Syrische president aan een hartaanval, zonder dat hij een centimeter grond van zijn land had kunnen terugkrijgen.

In de film *Groundhog Day* uit 1993 is de hoofdpersoon, gespeeld door Bill Murray, ertoe veroordeeld een bepaalde dag steeds opnieuw te beleven, tot hij er eindelijk achter komt hoe hij de persoonlijke en beroepsmatige keuzes moet maken die voor iedereen de beste resultaten geven. Elke morgen is hij bij het ontwaken

weer terug waar hij de vorige dag was, met dezelfde gebeurtenissen en gesprekken, tot hij de uitweg kan ontdekken. De film had net zo goed over het Midden-
Oosten kunnen gaan.

Net als de meeste kabinetsleden zag ik altijd uit naar bezoeken aan Camp David,
het historische presidentiële buitenhuis in Maryland. In juli 2000 bracht ik daar
vijftien dagen door, opgesloten met Israëlische en Palestijnse leiders. We werkten dag en nacht, en al die tijd was het prachtige landschap gehuld in een ver-
stikkende mist, als een bijbelse plaag. Toen ik ten slotte vertrok kon het me niet
schelen of ik er ooit terug zou komen, na zo lang met mannen uit drie culturen
over het Midden-Oosten te hebben geargumenteerd. Maar wil het Midden-
Oosten ooit vrede kennen, dan zal die groeien vanuit ideeën die in deze storm-
achtige weken zijn onderzocht.

Jasser Arafat had aanvankelijk Baraks verkiezing tot premier verwelkomd en
er zelfs enige eer voor opgeëist, maar zijn enthousiasme bekoelde spoedig. Hij
had garen gesponnen bij de botte taal en het havikenbeleid van Netanyahu, om
sympathie te winnen voor zijn zaak. Barak echter dreigde met zijn scherp om-
lijnde standpunten en bezielde vredesstreven Arafats status van beroepsslacht-
offer te ondermijnen. Barak haalde ook de schijnwerpers bij de Palestijnse leider
weg door met Syrië te onderhandelen.

Na de afwijzing van Assad richtte Barak zijn aandacht op terugtrekking van
Israëlische troepen uit de veiligheidszone in Libanon die ten koste van veel doden al zeventien jaar bezet werd. Hoewel de terugtrekking de meeste Israëli's
opluchtte waren de mensen van Arafat kwaad. Ze wezen erop dat de Palestijnen
in 1993 hadden besloten hun land door middel van onderhandelingen met Israël
terug te krijgen. Zeven jaar later hadden ze met al hun moeite niet meer bereikt
dan een klein stukje grondgebied en een leven vol dagelijkse vernederingen. De
Libanese Hezbollah, die de weg van gewapende confrontatie hadden gekozen,
waren erin geslaagd land terug te krijgen. De Syriërs weigerden zelfs de Israëli's
een hand te geven, en toch had Barak aangeboden ruim 99 procent van de
Golanhoogte terug te geven. De Israëli's, zeiden de Palestijnen, stuurden precies
de verkeerde boodschap – dat Hamas gelijk had en dat de harde lijn de enige manier was om Arabisch grondgebied te bevrijden.

Ik zei tegen Arafat dat hij de pogingen van Barak om met Syrië te onderhandelen verkeerd interpreteerde. Dat was geen teken van zwakte maar een weerspiegeling van Israëls wens tot vrede. Barak wilde niet dat Israël nog een generatie
een bezettende mogendheid was, en hij was bereid serieus te onderhandelen.
De Israëlische premier zei dat een regeling alleen mogelijk was als de Israëli's
rekening hielden met Palestijnse ambities. 'Als we niet slagen,' zei hij, 'zal er een
nieuwe ronde van geweld beginnen. Wij zullen onze slachtoffers begraven en zij
zullen hun slachtoffers begraven, en een generatie later zitten we nog met dezelfde geografie, dezelfde demografie en dezelfde problemen.'

Hoewel zijn aanpak veel gedurfder was deelde Barak de afkeer van zijn voorganger voor de stukje-bij-beetje-benadering van de Akkoorden van Oslo. Iedere stap die Oslo vereiste deed in Israël de gemoederen hoog oplopen en kostte een politieke prijs. Omdat hij meende dat het voor hem eenvoudiger zou zijn met één allesomvattend pakket te komen dan te blijven proberen stukjes vrede te verkopen, zette Barak zich in voor een allesomvattend akkoord. Om er vaart in te krijgen zinspeelde hij op onderhandelingsstandpunten die verrassend gunstig voor de Palestijnen waren. Deze maakten zijn tegenstanders woedend maar hielpen de Israëli's begrijpen dat voor vrede pijnlijke concessies nodig waren. Netanyahu had de Palestijnse verwachtingen willen temperen. Barak trachtte de Israëli's een realistischer inzicht te geven in wat ze zouden moeten opgeven.

Barry Schweid, de nestor van de persafdeling van Buitenlandse Zaken, vroeg me of Arafat iets deed om zijn volk voor te bereiden op het maken van moeilijke keuzes. Ik kon alleen maar nee zeggen. In de ogen van Arafat waren al die keuzen in 1993 gemaakt, toen de Palestijnen de Oslo-weg aanvaardden. Sindsdien waren zijn eisen op lange termijn gelijk gebleven. Hij was voor een Palestijnse staat met een grondgebied gebaseerd op de grenzen van 1967 en een regeringscentrum – net als Israël – in Jeruzalem. In zijn Arabische toespraken kende hij geen compromis. Hij erkende het bestaan van Israël, maar niet de morele wettigheid ervan. In plaats van te trachten een nieuwe Palestijnse consensus te kweken versterkte hij de oude.

In juni 2000 reisde ik twee keer naar het Midden-Oosten. Barak wilde dat president Clinton een topontmoeting in de stijl van Camp David belegde. Arafat niet. De Palestijnse leider was kwaad op Barak omdat hij nakoming van de Israëlische toezeggingen van Wye uitstelde en trachtte de rechtervleugel van zijn land te paaien door toe te staan dat nederzettingen zich nog sneller uitbreidden dan onder Netanyahu. Ook was hij kwaad omdat Barak na maanden uitstel van de besprekingen met de Palestijnen, nu eiste dat Arafat er vaart achter zette. De Palestijnse leider zei tegen me dat topoverleg een te belangrijke kaart was om zonder uitzicht op succes uit te spelen, en hij wilde niet dat de te verwachten mislukking aan hem werd geweten.

Barak zette ons intussen flink onder druk. Hij voorspelde dat in de 'snelkookpan'-entourage van topoverleg president Clinton Arafat naar een akkoord kon 'schudden'. Wij waren sceptisch; Barak had over het vermogen van de president om Assad om te krijgen hetzelfde voorspeld. Bovendien was de doos van Pandora waar 'kwesties van permanente status' op stond nooit eerder opengemaakt. Die kwesties waren met emoties beladen en ontmoedigend complex. De twee partijen hadden publiekelijk ver uiteenlopende standpunten. Voor succes zou een wederzijdse toezegging tot creativiteit en politieke wil nodig zijn, maar dat was verre van waarschijnlijk, gezien Arafats stemming voor de top. Daarbij kwam dat de president in zijn wens om meer geweld te voorkomen en als man die de vrede zeer ter harte ging, weinig zin had zijn oordeel in te ruilen voor dat van een Israëlische premier die zo vastbesloten was geschiedenis te maken. Terwijl Arafat om meer tijd vroeg kon hij niet aangeven wat met wachten was te winnen.

Op 3 juli 2000 nodigde president Clinton beide leiders uit voor topbesprekingen in Camp David, die een week later zouden beginnen.

Camp David ligt op wat sommigen een berg en anderen een heuvel noemen. Het is een omheind gebied met bomen, paden, bloemen en recreatievoorzieningen, waar golfwagentjes het handigst zijn om je te verplaatsen. Vanaf de treden voor zijn bungalow kon de president rechts van hem de verblijven van Barak zien, en links van hem die van Arafat. Mijn huisje stond vlakbij dat van Barak in de bosschages.

Omdat de president acht dagen na het begin van de top naar een conferentie van G8-leiders in Japan moest, hadden we niet veel tijd. We besloten de eerste twee dagen aan het opvragen van voorstellen te wijden, en dan op de derde dag een stuk voor te leggen met Israëlische en Palestijnse standpunten en onze eigen ideeën. Intussen was de eerste opgave van de president het veranderen van Arafats psyche. Wilden de onderhandelingen slagen, dan moesten we de Palestijnse leider ervan overtuigen dat hij er niet verkeerd aan had gedaan te komen. 'Zeg hem gewoon,' zei Sandy Berger tegen de president, 'dat het het meest trotse moment van uw leven zal zijn als u naast hem staat in Palestina en de Palestijnse vlag wordt gehesen.' Het staatshoofd keek Sandy aan met een blik van: je bent niet goed wijs. 'Het meest trotse moment van mijn leven? Wat dacht je van de geboorte van Chelsea?'

Het gesprek met Arafat bereikte zijn doel niet. De president was inspirerend en welsprekend. Het hoofd van de PLO was aandachtig, beleefd en zwijgzaam. De eerste bespreking met Barak was al net zo frustrerend. De Israëlische premier was laat aangekomen nadat hij in het parlement maar net een motie van wantrouwen had overleefd. Hij was prikkelbaar en zag liever voorlopig niets gebeuren, want als er te snel succes werd behaald zou het lijken dat hij niet hard genoeg had onderhandeld. Daarom wilde de leider die zo'n haast had gehad nu de zaken vertragen, als een dirigent die heen en weer gaat tussen adagio en allegro, met kans op dissonantie. Hij meende dat we Arafat onder druk moesten zetten tot er een crisis kwam, en dan tot het eindspel overgaan. Dit was het omgekeerde van onze aanpak. Wij meenden dat Arafat in het begin iets nodig had wat hem erbij betrok en tot constructief onderhandelen bracht. En we wisten niet wat Baraks eindspel inhield omdat hij het niet wilde vertellen.

Op de derde dag sprak ik met Barak in zijn bungalow, die Dogwood heet maar door zijn medewerkers al snel Doghouse werd genoemd. De premier was geheel in het zwart, wat bij zijn zienswijze paste. Hij klaagde over de Palestijnse stijl van onderhandelen. Hij zei dat Israël voortdurend van standpunt veranderde door voorwaarts te springen, maar dat als Arafat sprong hij altijd op dezelfde plek landde – iets waar weinig tegenin was te brengen. Barak vroeg het stuk te zien waar we aan werkten. Ik zei dat Dennis bezig was de Israëlische onderhandelaars te informeren. Barak zei: 'Ik moet het zien. Mijn onderhandelaars kunnen een fout maken. Ik moet u laten weten of ik het kan aanvaarden of niet.'

Kort daarna vernamen we het antwoord. Barak hield zijn duim omlaag. Omdat hij de Israëlische leider niet direct in het nauw wilde drijven verzocht de president Dennis een nieuw stuk op te stellen met eenvoudig een opsomming van Israëlische en Palestijnse standpunten. Dat vond Barak prima. Maar Arafat was woedend toen hij het nieuwe stuk ontving omdat het melding maakte van Israëls plan om Jeruzalem uit te breiden, zodat de Palestijnen hun regering in een voorstad konden vestigen, in plaats van binnen de traditionele stadsgrenzen. Hij zou deze 'Israëlische truc' nooit accepteren. Rond halfdrie 's nachts kwamen de Palestijnse onderhandelaars Saeb Erekat en Abu Ala naar mijn bungalow, waar Dennis en ik probeerden hen te kalmeren. Ten slotte zei Dennis: 'Als ons stuk jullie niet aanstaat, prima. Onderhandel maar rechtstreeks met de Israëli's.' Saeb zei: 'Bedoelt u dat we het stuk kunnen negeren?' 'Ja.'

Na drie dagen hadden we dus een stuk opgesteld dat door Barak werd afgewezen, en een tweede dat door de Palestijnen werd verworpen. Intussen vertelden leden van Baraks team dat hun leider verkeerd was begrepen en dat we vast hadden moeten houden aan het eerste stuk. In ieder geval zaten we zonder stuk en zonder voortgang, een resultaat dat spanningen binnen ons eigen team veroorzaakte. De NSC was ongeduldig, Buitenlandse Zaken was bezorgd over de voortdurend wisselende signalen, en wij waren allemaal geïrriteerd. John Podesta, de slimme en eerlijke nieuwe stafchef van het Witte Huis, hielp bemiddelen en zette ons weer op het spoor. Intussen moedigde president Clinton beide leiders aan zich in elkaar te verplaatsen, net als hij in Wye had gedaan. Maar Arafat was het beu de politieke problemen van Barak aan te horen, die de Israëlische leider volgens hem gewoon verzon. Van zijn kant deed Barak het idee af dat Arafat hulp nodig had om Palestijnse extremisten onder controle te krijgen.

Om te proberen de partijen te focussen moedigden we ze aan in kleine groepen te gaan zitten en samen de hoofdkwesties door te nemen. Deze omvatten onder meer grenzen (en nederzettingen), veiligheid, vluchtelingen en Jeruzalem.

Wat de grenzen betrof begonnen de Palestijnen met te eisen dat Israël al het in 1967 bezette land teruggaf, als grondgebied voor hun nieuwe staat. Dit was wat Anwar Sadat in 1978 voor Egypte met de Sinaï had bereikt en wat Assad voor Syrië eiste, maar in het jaar 2000 woonden er zo'n 180.000 Israëlische kolonisten op de Westoever en in Gaza, merendeels geconcentreerd in gebieden dichtbij Israël zelf. Barak wilde voldoende van de Westoever annexeren om ervoor te zorgen dat tachtig procent van de kolonisten onder Israëlisch bestuur bleef. Ook wilde hij controle over stroken grondgebied in de Jordaanvallei en Gaza, om aanvallen en verplaatsing van wapens en terroristen te voorkomen. De Palestijnen, die bereid waren enkele posten te aanvaarden, verzetten zich tegen iedere Israëlische militaire aanwezigheid in de Jordaanvallei. Ook wilden ze compensatie voor land dat voor nederzettingen werd geannexeerd, met grondgebied van dezelfde grootte en kwaliteit elders.

De vluchtelingenkwestie was zowel formalistisch als diep emotioneel. Volgens cijfers van de VN waren er circa vier miljoen Palestijnen, met hun nakomelingen, die door de oorlogen van 1948 en 1967 waren ontheemd. De Palestijnen hielden vast aan het recht om onder internationaal recht naar hun huizen terug te keren. Dit was in de hele geschiedenis van de PLO het hoofddoel geweest. Maar als dit recht geëffectueerd werd zou Israël zijn status als overwegend joodse staat verliezen. En als Israël wettelijke en morele verantwoordelijkheid voor het lot van de vluchtelingen aanvaardde, zou zelfs de legitimiteit van de stichting van de staat in de ogen van zijn vijanden worden ondermijnd. Zulke concessies waren duidelijk onaanvaardbaar. Een akkoord leek echter nog mogelijk, omdat sommige Palestijnse onderhandelaars bereid waren privé het idee te bespreken van een limiet voor het aantal vluchtelingen dat naar Israël zou mogen terugkeren, terwijl de Israëli's het ermee eens waren dat een internationaal systeem kon worden opgezet om vluchtelingen en regeringen die hen opnamen compensatie te geven.

Hoewel bijna onoplosbaar waren de grens- en vluchtelingenkwesties eenvoudig in vergelijking met het probleem Jeruzalem. Barak had zich net als iedere andere belangrijke Israëlische politicus voor een ongedeeld Jeruzalem verklaard. De Palestijnen eisten teruggave van Oost-Jeruzalem, dat tijdens de oorlog van 1967 was bezet. Bij onze onderhandelingen zou de politieke geografie van Jeruzalem in vier concentrische cirkels worden besproken. In de buitenste cirkel lagen buitenwijken die ook in 1967 waren bezet. In de tweede lagen wijken die zich tot het centrum van de stad uitstrekten. De derde cirkel bestond uit de oude ommuurde stad, met joodse, Armeense, christelijke en moslimwijken. En in het hart van Jeruzalem lag een gebied van vijftien hectare met fonteinen, tuinen, gebouwen en koepels dat de joden de Tempelberg noemen, en de moslims Haram al-Sharif, of Edel Heiligdom. Dit gebiedje telt meer plaatsen die voor christenen, joden en moslims heilig zijn dan welk gebied ook ter wereld.

Joden geloven dat het complex op de plaats is gelegen waar koning Salomo de eerste tempel bouwde, die na de Babylonische ballingschap weer werd opgebouwd. Onder de Tempelberg is de Westelijke muur, ook de Klaagmuur genoemd, de heiligste plaats van het jodendom. Joden gaan naar de Klaagmuur om te bidden en gebeden op stukjes papier tussen de oude stenen te stoppen. Het plateau van de Haram al-Sharif wordt door moslims gezien als het heiligdom waar de profeet Mohammed na zijn nachtelijke reis van Mekka naar Jeruzalem ten hemel zou zijn opgestegen. Ook omvat het de Rotskoepelmoskee, de op twee na heiligste plaats van de islam, en de historische al-Aksa-moskee.

Voor de onderhandelaars was de vraag hoe hieruit te komen. Jonathan Schwartz, een vindingrijke jurist van ons team, bedacht een programma van manieren om de begrippen van politiek, juridisch en bestuurlijk gezag of soevereiniteit nader te bepalen en te beschrijven. Wilde een oplossing voor het probleem Jeruzalem worden gevonden, dan zou dat naar ons idee moeten door een formule waarmee beide partijen konden zeggen dat ze wat voor hen het belangrijkste was in handen hadden.

Op zoek naar een gemeenschappelijke basis bij alle kwesties spraken we in kleine groepjes, zowel met één partij als met beide partijen. We regelden besprekingen tussen Israëli's en Palestijnen zonder ons. We planden bijeenkomsten in nabijgelegen bungalows en op betrekkelijk ver verwijderde locaties. We moedigden de twee partijen aan informeel ideeën uit te wisselen tijdens maaltijden en in de pauzes van het basketballen, communicerend met de natuur en in het geheim. We regelden dat de president bij sessies langskwam. We vroegen de onderhandelaars aan het eind van de dag bij hem of mij verslag te doen. We hebben zelfs twee onderhandelaars van beide partijen van twaalf uur 's avonds tot tien uur 's morgens in het kantoor van de president opgesloten.*

Al die tijd deed ons team al het mogelijke om de juiste stemming te creëren. Soms hielpen leden van de delegaties. Tenslotte waren dit mensen die elkaar in de loop der jaren goed hadden leren kennen, met voorkeuren en aversies over de nationale grenzen heen. De eerste vrijdag nodigden de Israëli's de Palestijnen en Amerikanen uit voor het sabbatmaal. Arafat was in een milde stemming, zegende iedereen en sprak zelfs een paar woorden Hebreeuws.

Bij andere gelegenheden kwam de spanning tot uiting. In het begin viel de president tegen de Palestijnse onderhandelaar Abu Ala uit omdat hij in de grenzenkwestie geen enkele flexibiliteit toonde. Toen hij had gezegd wat hij wilde wenkte hij mij en we beenden demonstratief naar buiten – precies op het moment dat het ging stortregenen. Het was of nat worden, of de dramatiek van ons weglopen verspelen, dus liepen we door en werden doornat.

Barak was duidelijk doodmoe van de uren die hij aan de telefoon doorbracht om zich met politieke hindernissen thuis bezig te houden. De eerste dagen werd alleen met discussies via achterdeurtjes enige echte vooruitgang geboekt. Dat hield op toen Barak de andere Israëli's verbood over Jeruzalem te spreken. Je kon niet anders dan Barak bewonderen. Persoonlijk vond ik hem een opmerkelijk mens met moedige ideeën, toewijding voor vrede en complexe strategieën. Zijn contactuele vermogens lieten echter te wensen over. Hij had de neiging anderen meteen te laten weten dat hij slimmer meende te zijn dan zij, hetgeen, ook als het waar was, tactisch noch slim was. Hij had zijn eigen gevoel voor logica en scheen niet te begrijpen dat toehoorders ontvankelijker waren als hij zijn uitleg verrijkte met humor en tact. Hij deed ook heel hooghartig tegenover de Palestijnen.

Verscheidene malen ging ik naar Arafats bungalow, alleen om te zien hoe zijn temperatuur was, die steeds verder opliep. Ervan overtuigd dat we met de Israëli's tegen hem samenzwoeren sprak hij uitvoerig over de beloften die Barak had gebroken. Zijn arm omhoog stekend riep hij als tegen een grote menigte: 'Ik ben geen slaaf, ik ben Jasser Arafat.' Toen ik de PLO-leider vroeg wat tegemoetkomender te zijn, keek hij me woest aan en zei: 'De volgende keer dat u me ziet zal zijn wanneer u achter mijn kist loopt.' De meeste gesprekken waren minder theatraal maar niet productiever. Arafat deed geen enkel voorstel. Hij leek een vermoeide en geïsoleerde oude man.

---

* Degene die dit alles coördineerde was de vindingrijke Elizabeth Jones, plaatsvervangend onderminister voor het Nabije Oosten.

Afgezien van zijn persoonlijke bedoelingen was het dilemma waar hij met zijn achterban voor stond net zo reëel als de problemen waren die Barak had met de zijne. Op voorstel van Arafat verliet ik Camp David even om met een groep Palestijnse leiders te spreken die zich in de Emmitsburg hadden verzameld. Ze waren kwaad omdat ze niet met Arafat hadden mogen spreken, als gevolg van de regels die we hadden opgesteld om lekken te voorkomen. Ik trachtte de groep enig gevoel te geven van wat zich bij de besprekingen voordeed, zonder iets te onthullen wat de onderhandelingen kon schaden. Ik vertelde ze dat voor ieder akkoord van beide zijden pijnlijke compromissen nodig waren en spoorde hen aan het Palestijnse volk te helpen voorbereiden op een akkoord. Ze zeiden de noodzaak van compromissen volledig te begrijpen en wilden uiteraard Arafat steunen, als hij maar niets aanvaardde wat in strijd was met de 'Palestijnse consensus' over vluchtelingen, grenzen of Jeruzalem. Met andere woorden, een akkoord zou mooi zijn als alle compromissen maar bij de Israëli's lagen.

Het was de achtste dag en er was maar weinig winst geboekt. President Clinton zei tegen Barak dat we de top moesten beëindigen of een beperkt akkoord moesten nastreven. Barak vroeg om bedenktijd en verzocht toen om een gesprek met de president alleen. Toen de president terugkwam glimlachte hij. Hij zei dat de Israëli's akkoord wilden gaan met teruggave van negentig procent van de Westoever en in principe het aanvaardden van een ruil voor een deel van het voor nederzettingen geannexeerde land – dus geen een-op-eenruil. Ze wilden Palestijnse soevereiniteit aanvaarden over zowel de moslim- als de christelijke wijken van de oude binnenstad van Jeruzalem, en over de meeste buitenwijken. De Palestijnen zouden bevoegdheden krijgen voor planning, zonering en wetshandhaving in de Arabische wijken, en 'beheerderschap' over Haram al-Sharif. Barak stelde voor dat de president Arafat zou zeggen dat wanneer de Palestijnen met deze ideeën instemden, de Verenigde Staten ook zouden trachten Barak tot redelijke standpunten over veiligheid en vluchtelingen te bewegen. Eindelijk sprak Barak zich uit, en het was zowel verreikend als moedig.

Hij ging veel verder dan zijn voorgangers. Van grote betekenis was dat hij met een regeling instemde die Arafat toestond de Palestijnse regeringszetel in Jeruzalem te vestigen. Dit was een doorbraak die de hele toekomst van het Midden-Oosten kon veranderen. Natuurlijk was er geen garantie dat de Palestijnen akkoord zouden gaan, en we verwachtten van hen niet dat ze dat onvoorwaardelijk zouden doen. Het Israëlische voorstel was niet volledig, en we werkten nog steeds met het principe dat 'niets is overeengekomen tot alles is overeengekomen'. Maar toch, de president had eindelijk wat nieuwe kaarten om uit te spelen. Hij nodigde meteen de Palestijnse leider uit in zijn bungalow. Ze spraken samen tot rond middernacht, waarna de president Arafat naar zijn verblijf begeleidde. De president meldde dat de Palestijnse leider aanvankelijk de voorstellen afwees. Daarna ging hij aandachtig luisteren en ten slotte beloofde hij met een antwoord te komen. Zijn antwoord kwam midden in de nacht – nee.

We vroegen ons af of Arafat gewoon tot de laatste minuut wachtte om met nieuwe voorstellen te komen. Dennis Ross zei dat Arafat vaak tot één minuut voor twaalf wachtte. Het probleem, zei Dennis erbij, was dat Arafats horloge soms niet gelijk liep. Er het beste van hopend stelde de president zijn reis naar Azië dag na dag uit, en we voerden een reeks vruchteloze telefoongesprekken voor steun van Arabische leiders.* Hoewel we geen basis hadden voor een akkoord wilde ik het niet opgeven, omdat ik vreesde voor de gevolgen van onze mislukking. Barak reageerde woedend op de afwijzing van Arafat, terwijl Arafat duister aangaf dat de Palestijnen alternatieven hadden voor onderhandelingen. We konden hen niet in een gemoedstoestand van confrontatie naar huis laten gaan.

Onderhandelingen leiden onontkoombaar tot enig toneelspel. Soms is het nuttig een relatie warmer te doen voorkomen dan ze eigenlijk is. Op andere momenten is vertoon van kwaadheid of weglopen nuttig. Toch vind ik het onaanvaardbaar als leiders met driftbuien belangrijke initiatieven in de weg staan. Wanneer vrouwelijke leiders zich hadden gedragen zoals Arafat en Barak in Camp David deden, dan waren ze weggestuurd wegens overgangsklachten.

De avond dat de president naar Azië vertrok gaf uitdrukking aan de verwarring, vermoeidheid en vastberadenheid die we allemaal voelden. Het regende overvloedig en het was vroeg donker. Bij hun voorbereidingen voor vertrek waren leden van beide delegaties bedrukt en neerslachtig. De persafdeling van het Witte Huis maakte bekend dat het topoverleg was afgelopen. Ik sprak met de Palestijnen, die de Israëli's de schuld gaven, en toen met Barak, die het aan Arafat weet. De president kwam voor een afsluitende persconferentie. Hij hielp me er bij Barak op aan te dringen dat hij bleef. Barak belde de president kort daarna en zei dat hij niet zou vertrekken als Arafat wilde onderhandelen op basis van de ideeën die ze de vorige avond hadden besproken. De president ging daarop naar Arafat en zei dat hij Barak had overgehaald om te blijven. Omdat het hem duidelijk leek zei hij er niet bij dat de discussie op basis moest zijn van de vorige avond besproken ideeën. Praatgraag als hij was wanneer hij de indruk had dat verder niets werd vereist besloot Arafat te blijven. De president gaf voor de pers een vrij optimistische verklaring, voor hij naar Washington en Azië vertrok. Ik ging naar bed, blij omdat de top nog voortduurde. Ik had er geen idee van dat de twee leiders precies tegenovergestelde opvattingen hadden van wat er vervolgens zou gebeuren.

De volgende morgen kwam de hele Palestijnse delegatie breed glimlachend aan het ontbijt, bereid 'alle kwesties' te bespreken. Maar omdat de Palestijnen zeiden dat ze de nieuwe ideeën niet hadden aanvaard weigerden de Israëli's te praten. Kennelijk was me een ernstig misverstand in de maag gesplitst. Ik ging

---

* Een neveneffect van Baraks zwijgzaamheid was dat we de weg niet hadden kunnen bereiden met bevriende Arabische regeringen. We konden hun de voordelen van een akkoord niet van tevoren voorhouden omdat we niet wisten hoe dat akkoord zou worden. Toen we hen spraken wilden ze niet toezeggen druk op Arafat te zullen uitoefenen, omdat ze de volledige context van de onderhandelingen niet kenden.

met mijn team na wat er was gebeurd. Uiteindelijk ging ik naar Barak en legde uit dat het misverstand onze fout was, maar dat ik niet wilde dat iedereen maar bleef zitten tot de president terugkwam. Barak stemde in met informele besprekingen, dus zei ik dat bij het diner bekend te zullen maken. 'Prima,' zei hij. Maar toen hij bij de maaltijd verscheen zei hij van gedachten te zijn veranderd. Ik zei dat het daarvoor te laat was en we gingen aan de slag.

Die avond begonnen informele besprekingen en ze duurden de volgende drie dagen voort. De onderhandelaars hielden zich bezig met een tamelijk luchtige uitwisseling van ideeën. Het was duidelijk dat tenminste de jongere Palestijnse afgevaardigden vooruitgang wilden boeken. Om een coöperatieve stemming te bevorderen regelden we gezamenlijke basketbalwedstrijden, en 's avonds liet ik een film draaien, *U-571*, over de kaping van een Duitse onderzeeër tijdens de Tweede Wereldoorlog. Na de film maakte een Israëli het grapje dat een onderzeeër een goede aanvulling zou zijn op de militaire hulp die zijn regering van de Verenigde Staten vroeg.

Hoewel de informele besprekingen doorgingen betaalde ik uiteindelijk een hoge prijs voor mijn aandringen dat Barak zijn mensen liet participeren. De Israëlische leider werd knorrig, kwam nauwelijks zijn bungalow uit en liet weten dat hij zelfs niet door zijn eigen delegatie gestoord wilde worden. Ik vermoedde dat hij toneelspeelde, aangezien hij Arafat er dikwijls van had beticht dat hij ons met zijn stemmingen manipuleerde, maar Baraks medewerkers waren er zo verlegen mee dat ik het idee losliet.

Ik zag het als mijn taak Barak op te beuren. Hij was, naast het vele dat hij nog meer kon, een begaafde klassieke pianist, dus dacht ik een piano naar zijn bungalow te laten brengen, zodat hij wat kon oefenen. Ik vroeg onze administratieve mensen of ze een goede piano dachten te kunnen vinden die door de deur van zijn onderkomen kon. Na veel navraag kwam als antwoord dat het te regelen was. Aangezien ik niet ongevraagd met een piano wilde aankomen en Barak geen telefoon opnam, besloot ik hem tijdens zijn middagwandeling 'tegen het lijf te lopen'. In het bos liep ik op hem af. Hij keek naar de grond en ik denk dat hij zonder iets te zeggen was langsgelopen als ik niet was blijven staan en 'hallo' had gezegd. 'Hallo,' antwoordde hij. 'Hoe gaat het ermee?' vroeg ik. 'Goed.' Ik zei: 'Nu de president weg is dachten we dat u misschien wat afleiding wilt. Zullen wij een piano naar uw bungalow laten brengen? Dat zou geen probleem zijn.' Hij antwoordde: 'Nee.'

Ik geef het niet gauw op. Op verzoek van Barak hadden we ervoor gezorgd dat de onderhandelaars van beide partijen in Camp David bleven. Maar nu de president weg was besloot de Israëlische leider dat hij naar Gettysburg wilde. Omdat ik de regels moest handhaven zei ik eerst nee, maar toen dacht ik: Dit is belachelijk. Ik ben geen cipier. Dus zei ik tegen Barak: 'Ja, u zei dat u geïnteresseerd was in Gettysburg. Vandaag is het vrijdag, morgen is het sabbat. Als we het slagveld zondag eens bezochten?' Daar fleurde hij van op. Het was geregeld. We zouden naar Gettysburg gaan.

Na mijn aanbod Barak mee te nemen voor een uitje moest ik voor Arafat iets bedenken, dus stelde ik voor de zaterdag een uitstapje naar Harpers Ferry of mijn boerderij te maken. Hij koos het laatste – ook al had ik hem verteld dat mijn kinderen, kleinkinderen en hun vriendjes daar zouden zijn. 'Dan is het nog leuker,' antwoordde hij.

De hele weg naar de boerderij dacht ik dat ik gek moest zijn geweest om het bezoek voor te stellen. Na aankomst dacht ik met een ernstig probleem te zitten toen mijn tweejarige kleinzoon Daniel uit zijn dutje ontwaakte, Arafat zag met zijn stoppelbaard en kaffiya, en een doordringende gil gaf. Maar naarmate de dag vorderde was het moeilijk te geloven dat de man die in Camp David zo onhandelbaar was, dezelfde persoon was die mijn andere kleinzoon, Jack, toejuichte toen hij van de duikplank sprong, mijn kleindochter Maddy, een baby, kuste, en vergenoegd op de foto ging met mensen in badpak.

Als tijdverdrijf tijdens de rit van drie kwartier terug naar Camp David moedigde ik Arafat aan over zichzelf te praten. Hij vertelde toen hoe hij tot de Palestijnse zaak was gekomen. Hij zei zijn leven te hebben gewijd aan die missie en sprak van zijn succes bij het erkend krijgen van zijn Fatah-beweging als de belichaming van de Palestijnse dromen, en bij het uit ballingschap terugkeren van de PLO naar de Westoever en Gaza. Terwijl ik naar hem luisterde kon ik zijn betrokkenheid niet in twijfel trekken, maar er kwamen nog steeds geen woorden van compromis, en er was geen teken dat zijn visie zich verder uitstrekte dan het overwinnen van Israël.

Bij Gettysburg was Barak de volgende dag ook in een goede stemming. Ik wierp het onderwerp leiderschap op toen we stopten bij Little Round Top en High Water Mark, waar de wanhopige aanval van de Zuidelijke generaal George Pickett rampzalig afliep. Barak was heel tevreden en poseerde blijmoedig voor de Israëlische fotograaf die hij had meegenomen. We waren vroeg gegaan zodat de foto's in de journaals in Jeruzalem en Tel Aviv waren te tonen. Tijdens de rit terug vertelde Barak me dat hij wilde dat de president Arafat zou dwingen zijn ideeën te aanvaarden, voor de besprekingen werden hervat. Hij zei dat we de Palestijnen moesten zeggen dat de Verenigde Staten de contacten met hen zouden verbreken als zij niet toegaven. Ik zei niet te weten of Arafat op dreigementen zou reageren, en bovendien had Israël net zoveel baat bij onze contacten met de Palestijnen als de VS. Barak was het daar niet mee eens.

We hoopten met de terugkeer van de president er wat beslissingen door te drukken. We besloten dat hij met vertegenwoordigers van beide partijen in bespreking zou gaan over iedere grote kwestie, te beginnen met veiligheid. Toen de president op 24 juli om halftwaalf 's avonds met zijn gele blocnote in de hand met de twee partijen om de tafel ging zitten, moest ik denken aan de lange nachtelijke sessie die het hoogtepunt werd van Wye. Misschien was er hoop: doorbraken met betrekking tot het Midden-Oosten leken zich altijd onder dekking van het duister voor te doen. De eerste uren van de discussie in deze nacht gingen over zaken als posten waarmee vroege waarschuwingen konden worden gegeven over aanvallen, demilitarisatie van de Palestijnen, en de aard van de Israëlische aanwezigheid in de Jordaanvallei. Het was bemoedigend omdat beide partijen betrokken waren en de meningsverschillen niet onoverkomelijk leken, maar ook ontmoedigend omdat geen van beide partijen iets nieuws bood. Toen de bespreking om halfzes werd verdaagd lagen veel kwesties nog op tafel.

De bespreking werd vijf uur later hervat. Wat er aan vaart in zat ging er snel uit. De Israëli's hadden alles gegeven wat ze konden. In de Palestijnen zat nog steeds geen beweging en ze kwamen met een kaart die geen nieuwe ideeën liet zien. De president vroeg ten slotte aan de Palestijnse onderhandelaar Saeb Erekat na te gaan of zijn baas een plan zou aanvaarden dat dat van Barak weerspiegelde, maar hij gebruikte de term 'soevereiniteit' – zij het zwaar gemodificeerd – in verband met meer dan wat Arafat binnen Arabische sectoren van Jeruzalem had nagestreefd. Twee uur later kwam Erekat terug en las een briefje van Arafat voor waarin deze de Verenigde Staten voor hun inspanningen bedankte, uiting gaf aan zijn bereidheid tot verder onderhandelen, en zei dat de Palestijnen geen enkele regeling konden aanvaarden waarbij de Israëli's ook maar een beperkte soevereiniteit over de Haram al-Sharif behielden.

Camp David was voorbij.

De president keerde zich hoorbaar zuchtend naar ons en zei: 'Ik maak niet graag mislukkingen mee, vooral niet hierbij.' Daarop belde hij Barak, die voorspelde dat de afloop van het topoverleg wel eens het einde kon markeren van twintig jaar van pogen vrede tussen Israël en de Palestijnen te bereiken. In zijn verklaring voor de pers probeerde president Clinton Barak te prijzen zonder Arafat tekort te doen. Hij loofde de Israëli voor zijn visie en moed, terwijl hij Arafat bijna alleen maar voor diens komst kon bedanken. In strikte zin hielden we onze belofte dat we het mislukken van de top niet aan Arafat zouden wijten, maar dergelijke verklaringen zijn gewoonlijk zeer afgewogen. Nu het de Israëlische en Amerikaanse onderhandelaars vrijstond de pers achtergrond te verschaffen won de onbalans in de woorden van de president aan gewicht.

Hoewel we Camp David teleurgesteld verlieten zagen we toch nog lichtpuntjes. De politieke tegenstanders van Barak protesteerden tegen de door hem gedane voorstellen, maar de vastberaden premier had weer eens het zwaartepunt van het debat verschoven. De Israëli's waren er nu op voorbereid aanzienlijk meer toe te geven dan ze voorheen overwogen, in ruil voor een definitief einde van het conflict. De Palestijnse onderhandelaars spraken publiekelijk over hoeveel tot stand was gebracht en hadden hoop voor de toekomst. Arafat had de Arabische en de moslimwereld getoond dat hij tegen Amerikaanse en Israëlische druk bestand was. Wanneer hij besloot deze toegenomen geloofwaardigheid te gebruiken voor beraad met Arabische leiders om een nieuwe en meer realistische consensus tot stand te brengen, dan was er nog een kans op het bereiken van een regeling.

Heel augustus en september zijn er persoonlijke besprekingen tussen Israëlische en Palestijnse vertegenwoordigers geweest. Ik telefoneerde geregeld met

Arabische leiders, benadrukte de risico's die Barak nam en spoorde hen aan Arafat te zeggen dat hij iets meer moest doen dan erbij zitten en zijn hand op- houden. Tijdens de zitting van de algemene vergadering van de VN in New York sprak ik de Palestijnse leider weer en probeerde ik erachter te komen of hij zijn standpunt had gematigd. Arafat stond op, zwaaide met zijn vuist en stormde de kamer uit. Hij kwam terug voor zijn bespreking met de president, waarbij hij de kamer doorliep om me met kussen te overstelpen. Over stemmingswisselingen gesproken.

Ondanks Arafats onverzettelijkheid drongen de Palestijnen bij ons aan op rechtstreekse betrokkenheid en het doen van 'overbruggende voorstellen'. Eind september kwamen de onderhandelaars naar Washington en spraken drie da- gen in het Pentagon City Ritz-Carlton. Dennis Ross, die een paar van de bespre- kingen bijwoonde, meldde dat de twee partijen het gevoel hadden dat ze vorde- ringen maakten. Intussen nodigde Barak op 25 september Arafat bij zich thuis uit in Israël, waar ze gezellig aten en beurtelings met president Clinton telefo- neerden. Voor hij die avond wegging nam Arafat volgens eigen zeggen Barak apart en drong er bij hem op aan dat hij zou voorkomen dat oppositieleider Ariel Sharon zijn plan uitvoerde om over het voorplein van de Tempelberg/Haram al- Sharif te lopen. Het verzoek werd genegeerd.

Op 28 september marcheerde Sharon, vergezeld door duizend man gewa- pende politie en soldaten, en een kliek van Likoedpolitici over het plein met de al-Aksa-moskee en de Rotskoepelmoskee. Palestijnen reageerden de volgende dag met grote demonstraties en gooiden stenen naar de Westelijke muur. De Israëlische politie schoot met rubberkogels, met vier doden en tweehonderd ge- wonden als gevolg. Een nieuwe golf van geweld was begonnen.

Waarom deed Sharon dat? Waarschijnlijk om Israëls aanspraken op de soeve- reiniteit te bevestigen en politiek voordeel op Barak te behalen. Had hij het recht de Tempelberg te bezoeken? Ja, maar voor hem was gebruikmaking van dat recht op dat moment als het werpen van een brandende lucifer in een bak ben- zine, met alle kinderen van de buurt eromheen. Er zullen altijd mensen zijn die zulke gebaren toejuichen. De geschiedenis doet dat echter niet.

De geschiedenis zal ook aantonen dat Arafat van een nieuwe kans helemaal niets maakte. In plaats van het incident te gebruiken om Palestijnse volwassen- heid te tonen bij de provocerende daad van Sharon, herinnerde hij de wereld er- aan waarom zelfs de meest openstaande Israëli's geen goed gevoel hebben bij het idee van een Palestijnse staat.

Of het geweld al was gepland of dat Arafat het beval of het niet kon inperken, de gevolgen waren hetzelfde. Palestijnen gooiden met stenen, flessen, staafbom- men en molotovcocktails naar Israëlische soldaten. De soldaten vochten terug met traangas en kogels. De Palestijnse televisie toonde beelden van de intifada van 1989 en speelde patriottische liederen. Een twaalfjarige jongen kwam in de vuurlinie terecht en kwam om het leven, en het beeld van zijn angstige gezicht ging de hele wereld over. Begrafenissen van Palestijnen wekten emoties die tot geweld leidden, lokten represailles uit die tot nog meer begrafenissen leidden. Wat ook de rol van Arafat was, de Palestijnse woede was oprecht. Barak, die niets had gedaan om het bezoek van Sharon te voorkomen, nodigde de Likoedleider nu uit om met hem een noodkabinet te vormen. Toen Israëlische Arabieren, die Arafat zeker niet in de hand had, overgingen tot gewelddadige demonstraties schoot de politie ook op hen, op die dag vielen er vijf doden en de volgende nog meer.

De Israëli's waren van mening dat ze terughoudend optraden omdat ze maar een fractie van hun vuurkracht gebruikten. Barak was persoonlijk betrokken bij pogingen de reactie in zodanige banen te leiden dat er zo min mogelijk slachtoffers vielen. Voor de Palestijnen telden echter de cijfers. In de eerste week werden minstens negenenveertig Palestijnen gedood, negen Israëlische Arabieren en twee Israëli's. De verschrikking escaleerde met de dag. In Nabloes werd het graf van Jozef door een Palestijnse menigte geschonden. Twee Israëlische reservisten werden uit een gebouw gehaald, geslagen en doodgestoken, en door de straten gevoerd. Israëlische helikopters vuurden raketten af op Ramallah en Gaza-stad.

In Washington keken we geschokt en bedroefd toe. Enkele weken na het bespreken van vreedzaam samenleven vroegen we ons af of we een terugkeer naar een totale oorlog konden afwenden. Beide partijen konden alleen maar het slechtste van de ander zien. Begin oktober had ik in de ambtswoning van de Amerikaanse ambassadeur in Parijs, Félix Rohatyn, een bespreking waarbij Barak en Arafat beloofden een einde aan het geweld te maken. Na een paar rustige dagen begon de strijd weer. Twee weken later deed president Clinton hetzelfde in Egypte, met hetzelfde resultaat.

Zowel ondanks als juist vanwege het geweld was president Clinton vastbesloten aan een oplossing te blijven werken. Voor het vechten was begonnen schenen de twee partijen te denken dat we vooruitgang boekten. Twee dagen na de verkiezingen in november spraken we in het Witte huis met Arafat. De president sprak onomwonden. 'Ik heb nog tien weken te gaan en ik wil die tijd gebruiken om een alomvattend akkoord tot stand te brengen, een historisch akkoord, een echte verzoening. Ik wil dat u uw eigen staat krijgt. Ik wil van u weten, voorzitter Arafat, of u aan mijn kant staat. Kunt u me bij dit streven steunen?' Arafat zei tegen hem: 'Ik reken op u, meneer de president. Ik denk dat we het samen kunnen, en we zullen elke stap volgen die u wilt zetten.'

Bij besprekingen later die maand overtuigde Arafat tenminste sommige Israëli's ervan dat hij echt moeite deed om het geweld te beperken, en dat hij een akkoord wilde bereiken voor ons team terugtrad. De staf van Barak nam deze vooruitgang serieus genoeg om al te gaan praten over welke Arabische leiders waren te bewegen tot bijwoning van de ondertekeningsplechtigheid. De Israëli's wilden optimistisch zijn omdat Barak had besloten dat hij geen andere keus had dan verkiezingen uit te schrijven, die begin februari zouden worden gehouden. Zijn tegenstander zou Ariel Sharon zijn. De Israëli's hoopten dat Arafat flexibeler zou zijn met een nieuwe Likoedpremier in het vooruitzicht. Eerst wilden de

Israëli's bilaterale besprekingen, zonder de VS erbij. Medio december was dat veranderd: nu wilden ze ons erbij betrekken. We nodigden onderhandelaars van de twee partijen uit voor een ronde van 'nu of nooit'-besprekingen, draaiend om de geschreven vredesdocumenten die we hadden opgesteld. De besprekingen begonnen op 20 december.

Toen de onderhandelaars drie dagen verder waren ontbood de president ze in het Oval Office. 'Ik weet dat u hard werkt,' zei hij hun, 'maar met dit tempo redt u het niet. Wat ik u wil geven is geen Amerikaans voorstel, maar ons idee van wat met betrekking tot de kernkwesties nodig zal zijn om tot een akkoord te komen. Als beide partijen weigeren deze parameters te aanvaarden zijn ze van tafel. We kunnen spreken over details, maar deze ideeën zijn niet om over te onderhandelen. Ik zou graag binnen vier dagen een antwoord van uw leiders zien.'

De sleutel was een uitruil. De Palestijnen kregen de soevereiniteit over de Haram al-Sharif/Tempelberg, maar zouden moeten accepteren dat Palestijnse vluchtelingen geen garantie kregen om naar Israël terug te keren. Israël zou de soevereiniteit over de Klaagmuur hebben. Palestijnse vluchtelingen die zich niet in Israël vestigden werd het recht op terugkeer naar Palestina gegarandeerd, of op vestiging elders met compensatie. De nieuwe Palestijnse staat zou voor 94-96 procent uit de Westoever bestaan, plus 1-3 procent van Israëlisch grondgebied als ruil. De regeringszetel zou in Arabisch Oost-Jeruzalem zijn. Israëlische troepen zouden zich in een periode van drie jaar uit de Jordaanvallei terugtrekken, terwijl een internationale troepenmacht geleidelijk zijn intrede zou doen. Aan het eind van die termijn zou het Palestijnse grondgebied op de Westoever aaneengesloten zijn, maar onder gezag van de internationale troepenmacht zouden op vaste lokaties wat Israëlische troepen blijven. In de week die volgde zochten we de steun van Arabische leiders, die de voorstellen van de president 'historisch' vonden en hun steun ervoor beloofden. Op 25 december zei Barak op de televisie dat hij onze ideeën zou aanvaarden als Arafat dat ook deed. Maar in plaats van een antwoord stuurde de Palestijnse voorzitter ons een brief waarin hij zich tegen Israëlische soevereiniteit over de Klaagmuur keerde, tegen iedere militaire aanwezigheid van Israël in de Jordaanvallei, tegen ieder compromis over het recht op terugkeer, en voor volledige terugtrekking door Israël, binnen maanden en niet jaren. De Palestijnen waren geen centimeter opgeschoven. De getypte brief was door Arafat ondertekend en er was een handgeschreven briefje bij om ons gelukkig Kerstmis en nieuwjaar te wensen.

Toch ging de show nog steeds door. Arafat kwam nog een keer naar het Witte Huis. Besprekingen tussen Israëlische en Palestijnse onderhandelaars gingen zelfs nog na het terugtreden van president Clinton door. De twee partijen schortten de besprekingen kort voor de Israëlische verkiezingen op en zeiden dat een akkoord 'dichterbij was dan ooit'. Het feit dat de Palestijnen het beste aanbod dat ze ooit zouden krijgen niet aanvaardden droeg bij aan de verkiezing van Ariel Sharon, een man met weinig sympathie voor hun zaak. Met de terreur voor de deur raakte het vredesproces in coma.

Mensen vragen mij wel eens wat mijn grootste teleurstelling was als minister. Dat was dit. Duidelijk is dat de kwesties en de geschiedenis ontzettend complex waren; niets met betrekking tot het Midden-Oosten is simpel. Leiders hebben een verantwoordelijkheid tegenover hun achterban; komen ze daaraan niet tegemoet, dan blijven ze gewoonlijk niet lang leider. Maar voor waarachtig leiderschap is het vermogen vereist om de publieke opinie te vormen, en niet alleen die te weerspiegelen.

De Israëli's kan men zeker verwijten maken voor het extremisme van sommigen en in het algemeen voor hun nederzettingenbeleid. Maar de voornaamste oorzaak van de mislukking was dat de Palestijnen niet keken naar hoeveel er was te winnen, maar zich blind staarden op het betrekkelijk weinige dat ze op moesten geven. Ze wilden niet een stuiver uitgeven om een dollar te verdienen. Arafat vreesde te worden vermoord als hij ja zou zeggen. Hij wilde niet het lot delen van Anwar Sadat, en op persoonlijk niveau kan ik hem dat niet kwalijk nemen. Maar Barak begaf zich bereidwillig in het vizier van Israëlische extremisten, die nog steeds de moordenaar van Yitzhak Rabin eren. Dat is het verschil tussen een overlever en een leider.

Had Arafat een andere keuze gemaakt, dan was Palestina nu lid van de Verenigde Naties, met Oost-Jeruzalem als hoofdstad. Palestijnen zouden vrijelijk tussen de Westoever en Gaza kunnen reizen. De lucht- en de zeehaven van het land zouden functioneren, Palestijnse vluchtelingen zouden compensatie en hulp krijgen bij hervestiging. In plaats daarvan hebben de Palestijnen hun dode letter, hun ellende en hun terreur.

Terwijl dit wordt geschreven lijkt een regeling zoals ons die in Camp David voor ogen stond niet realistisch. Het Oslo-proces is doodverklaard en de zoektocht naar iets nieuws is pas net begonnnen. De logica van de noodzaak van vrede is echter nog nooit zo duidelijk geweest; die is geschreven met het bloed van Palestijnen en Israëli's. Israël moet veilige grenzen hebben, maar zoals zijn leiders hebben gezegd, kan het als bezettende mogendheid niet veilig zijn. De Palestijnse ellende zal voortduren tot een nieuwe consensus is gevormd met aanvaarding van compromissen en uitsluiting van terreur. Zelfs dan zullen de twee partijen na het begraven van hun slachtoffers, zoals Barak voorspelde 'weer zitten met dezelfde geografie, dezelfde demografie en dezelfde problemen.'

HOOFDSTUK 29

Hadden we maar wereld genoeg, en tijd

IK WILDE DAT ER GEEN EIND AANKWAM, maar vanaf de eerste dag wist ik natuurlijk dat dat zou gebeuren. Omdat ik elke dag onder de portretten van mijn voorgangers werkte, die vanaf de muren op me neerzagen, was ik me altijd bewust van het verlopen van de tijd. Maar ik wilde zelf geen portret worden voor ik mijn ziel en zaligheid in het werk had gestoken. Met nog zes maanden te gaan zei ik voor de grap dat ik voortdurend zou gaan vliegen en over de datumgrens zou gaan, zodat elke dag zesendertig uur zou duren en ik nog negen maanden had.

Mijn laatste maanden als minister verliepen in een waas waarin al het normale werk en het reizen moesten worden ingeklemd tussen doorbraken in Noord-Korea en het Midden-Oosten, en het reageren op de aanslag op de USS *Cole*. Slapen deden we niet veel. Te midden van die beroering kwam er goed nieuws en wel uit onverwachte hoek. De laatste stukken van een democratische Balkan werden op hun plaats gebracht.

Eind 1999 overleed de Kroatische president Franjo Tudjman en hij werd opgevolgd door leiders die tegen corruptie en voor de democratie waren, en de Akkoorden van Dayton onderschreven. Dit was een cruciale ontwikkeling waar de Verenigde Staten, Canada en Europa snel op reageerden met technische hulp en een warm welkom bij instellingen als het Partnerschap voor Vrede. Ik reisde twee keer in drie weken naar Kroatië, eerst om de presidentskandidaten te spreken, daarna om de inauguratie van president Stjepan Mesić bij te wonen. Ons vertoon van directe steun was bedoeld om democratische krachten in Kroatië te sterken, en als boodschap voor het aangrenzende Servië, dat door zijn president, Slobodan Milošević, geïsoleerd achterbleef. Weinigen geloofden echter dat Milošević was te verdrijven.

Ruim voor de oorlog in Kosovo verkreeg ik steun van de regering voor een beleid, gericht op vervanging van Milošević. Twee jaar lang werkten we daar naar toe zowel achter de schermen als openlijk.* Met collega Joschka Fischer en anderen

* Binnen de Amerikaanse regering werd deze inspanning eerst aangevoerd door ambassadeur Bob Gelbard en daarna door Jim Dobbins, waarnemend onderminister voor Europese Aangelegenheden. De laatste succesvolle duw werd gegeven door Jim O'Brien, speciaal adviseur voor democratie in de Balkan van de president en de minister van Buitenlandse Zaken, die met zijn overtuigingskracht in Washington en Servië de sleutel vormde.

spoorde ik Servische oppositieleiders aan om een echte politieke organisatie op te bouwen en zich op het wegwerken van Milošević te richten. In het voorjaar van 2000 besloten we 'het geld te volgen', door het regime nieuwe sancties op te leggen en de middelen van Milošević te achterhalen, zodat hij zich verarmd en bedreigd zou voelen. Ik sprak met burgemeesters die pro-democratisch waren en vond voor hen wegen om hulp voor hun bevolking te krijgen zonder dat die door de federale regering werd opgeslokt. Publiekelijk zei ik herhaaldelijk dat de Verenigde Staten Milošević weg wilden hebben, weg uit Servië, en voor het Joegoslavië-tribunaal. Ik had er vertrouwen in dat het Servische volk Milošević zou afwijzen als het een eerlijke kans kreeg. Critici deden dit af als ijdele hoop, maar ze onderschatten de moed van de Serviërs. Een politieke aardverschuiving was ingezet.

Als om het lot te tarten ging Milošević te ver door presidentsverkiezingen op 24 september 2000 te willen. Voor het eerst in acht jaar zou zijn naam op een stembiljet voor algemene verkiezingen prijken. Misschien omdat hij zich had omringd met adviseurs die hem de waarheid niet durfden te vertellen, had hij er vertrouwen in dat hij zich als de voorvechter van Servisch nationalisme kon profileren, tegen een heel stel bemoeials, zoals de Amerikaanse minister van Buitenlandse Zaken. Hij had er net zo'n vertrouwen in dat als de kiezers hem in de steek lieten, hij met zijn gezag over staatsinstellingen de uitslag kon corrigeren. In beide gevallen bleek hij het mis te hebben.

Het was gunstig dat de Servische oppositie zich verenigde achter de kandidatuur van de ideologische anti-communist Vojislav Koštunica, die ook het voordeel van sterke nationalistische geloofsbrieven had. De leiders van de oppositie waren nu veel bedrevener dan ze bij vroegere anti-Milošević-initiatieven waren geweest. Met waarnemers in ieder stembureau verkregen ze gecontroleerde verkiezingsresultaten op lokaal niveau, die ze snel bekendmaakten, zodat manipulaties van Belgrado aan het licht zouden komen. Binnen enkele uren eiste Koštunica de overwinning op, wijzend op resultaten die aantoonden dat hij meer dan de benodigde vijftig procent had behaald. De volgende twaalf dagen worstelde Milošević om zich te redden. Na aanvankelijk ontkennen en toen schoorvoetend erkennen dat Koštunica voor lag, beweerde hij dat zijn tegenstander toch geen meerderheid had en dat een tweede stemming nodig was. Toen anti-Milošević-demonstranten in Belgrado de straat opgingen, veelal afkomstig uit democratische gemeenten die wij hadden geholpen, werkte ik non-stop om de diplomatieke druk op te voeren. De Britten, Fransen en Duitsers deden allemaal een beroep op Milošević om zijn nederlaag te erkennen.

De Russen liepen weer eens flink achter. Met de broer van Milošević als Joegoslavisch ambassadeur in Moskou waren ze niet bereid om op een ander in te zetten, ondanks het bewijs van de Servische volkswil. Ik belde minister van Buitenlandse Zaken Ivanov dikwijls, maar we waren beiden op reis en steeds wanneer ik Servië noemde werd op mysterieuze wijze de verbinding verbroken. 'Je moet Milošević zeggen dat hij het op moet geven,' zei ik tegen hem. 'Je geloofwaardigheid bij de Serviërs hangt ervan af.' Meer dan eens reageerde Igor:

'Madeleine, Madeleine, ik versta je niet, Ma-de-leine.' Op 5 oktober nam het Servische volk het heft in handen door het parlementsgebouw en de door de staat gecontroleerde media te bezetten. De opmerking van Tennyson waarmakend dat 'gezag een stervende koning vergeet' deed de politie niets om het rijk van Milošević te behouden. Veel militairen liepen over. De pijlers van de macht van Milošević vielen bijna meteen weg. Toen pas reisde Ivanov naar Belgrado om Koštunica met zijn overwinning te feliciteren.

De democratische opstand in Servië deed me denken aan de Fluwelen Revolutie van 1989 in Tsjechoslowakije. Het oude leiderschap verbrokkelde onder de druk snel. Er was betrekkelijk weinig geweld. Het gros van de mensen, geleid door studenten, had meer dan genoeg van een regime dat economisch, politiek en diplomatiek had gefaald. Milošević had zijn volk vier keer in een oorlog gevoerd en ze allemaal verloren, hij was als oorlogsmisdadiger aangeklaagd, en nu wenste de meerderheid van de Joegoslaven hem niet meer te gehoorzamen. Binnen negen maanden zat hij in Den Haag, voor een proces over in Kroatië, Bosnië en Kosovo begane misdaden.

Terwijl we steun bundelden voor een democratische overgang in Servië leerde ik hoe noodzakelijk het kan zijn om op de achtergrond te blijven. Veel Serviërs koesterden wrok jegens het Westen wegens de NAVO-acties. (Mij werd zelfs een rol toiletpapier toegestuurd zoals die in Belgrado werd verkocht, met afbeeldingen van Robin Cook, Joschka Fischer en mij.) Na de overwinning van Koštunica wilden de Verenigde Staten er zeker van zijn dat de volledige eer aan de Servische oppositie toekwam, terwijl ze de nieuwe president de ruimte gaven die hij nodig had, en aan Zoran Djindjić, de nieuwe premier, de tijd om zijn regering te consolideren en zich van de steun van Joegoslavische veiligheidstroepen te verzekeren.

Op 4 januari 2001 verwelkomde ik trots de Joegoslavische minister van Buitenlandse Zaken Goran Svilanović op ons ministerie. Hoewel de ontmoeting niets bijzonders opleverde, was het voor mij een geschikte slotscène. Nog maar een paar maanden eerder was het vooruitzicht van een hartelijke discussie tussen de Joegoslavische en de Amerikaanse minister van Buitenlandse Zaken ondenkbaar geweest. Het Servische volk, waarvoor mijn vader zo'n achting had gehad en dat mijn familie voor Hitler had helpen vluchten, had ten langen leste zijn eigen dictator afgezet, en nu maakten we mee dat Svilanović zijn vertrouwen uitsprak dat er aan het tijdperk van conflicten in de Balkan een einde was gekomen. We wisten allemaal dat Joegoslavië voor een scala van opgaven stond, maar de sceptici hadden ongelijk gekregen en mijn geloof in het Servische volk was gerechtvaardigd gebleken.*

---

* Het Servische volk zou in maart 2003 weer op de proef worden gesteld toen premier Djindjić door machtige leden van de criminele onderwereld werd vermoord, hetgeen de huidige dreiging van georganiseerde misdaad demonstreert. Ondanks de tragische omstandigheden verliep de overgang naar een nieuw leiderschap soepel, en de hervormingskrachten hebben hun bedoeling duidelijk gemaakt om voor wettigheid te vechten. De nieuwe premier, Zoran Živković, was een van de democratische burgemeesters met wie ik voor de nederlaag van Milošević sprak.

Velen meenden dat de Balkan geen gebied van belang was, maar ze vergisten zich. In mijn tijd als minister bood de Balkan de context voor een debat over de mondiale rol van de Verenigde Staten, de relevantie van de NAVO, de evolutie van Rusland, de grenzen van soevereiniteit, en de mogelijkheid om democratie uit te breiden naar landen zonder democratische traditie. In de Balkan stonden we voor een reeks keuzes: of we passief zouden blijven bij misdaden tegen de menselijkheid of handelen om er een eind aan te maken; of we mensen als Tudjman en Milošević aanvaardden of dat we hen bestreden. We moesten beslissen of het gepast was Amerikaanse macht te gebruiken om grootschalige misdaden tegen de menselijkheid een halt toe te roepen, en of we deel zouden nemen aan vredesmissies, bedoeld om nieuwe gruwelijkheden te voorkomen. Tot slot moesten we beslissen of we diplomatiek leiderschap in de regio uit moesten oefenen, of het aan de Europeanen moesten overlaten, die dichterbij leefden en beweerden dat ze de door het verleden ontstane dynamiek beter begrepen.

De Balkan vormde een proeftuin voor het buitenlands beleid van de regering-Clinton, een plek waarvoor voortdurend mislukking werd voorspeld en onze doelen als onrealistisch en naïef werden afgedaan. De regio blijft beslist behoorlijk in de problemen, maar in alle delen ervan zijn de criteria voor succes veranderd. De zin in conflicten is vergaan, en de drang naar etnische overheersing is gedempt door het verlangen naar integratie met het Westen, modernisering, onderwijs en het versterken van democratische instellingen. Zelfs zo'n emotionele kwestie als de wettige status van Kosovo lijkt met vreedzame middelen te worden opgelost, en de Balkan schuift op naar zijn rechtmatige plaats in een gezond en vrij Europa.

Al mijn jaren in de regering was democratie mijn thema. Tenslotte was ik door democratie minister van Buitenlandse Zaken geworden – en zou ik daardoor ook spoedig minister af zijn. In Servië was ik getuige geweest van een soort democratische overgang. Op 1 december 2000 zag ik een ander soort overgang bij de inauguratie van de nieuwe president van Mexico, Vicente Fox. Dit was geen gewone inauguratie. De verkiezing van Fox markeerde het einde van het zeventigjarige bewind van de ooit almachtige Partido Revolucionario Institucional (PRI). Het volk reageerde met blijdschap, maar het vooruitzicht van zo'n verandering na meer dan zeven decennia was voor leden van de PRI, die nog steeds het Mexicaanse Congres in handen hebben, een pijnlijke zaak.

Vicente Fox leek uiterst geschikt voor de rol van president; lang, knap, spontaan en met cowboylaarzen combineerde hij een waardig voorkomen met een informele stijl. Hij begon zijn rede voor het Mexicaanse Congres en een zaal vol buitenlandse hoogwaardigheidsbekleders met 'buenos días' te zeggen tegen zijn vier geadopteerde kinderen. In zijn toespraken beloofde hij corruptie aan te pakken en onderwijs te bevorderen, meer aandacht aan mensenrechten en het milieu te geven en – sprekend met bijzondere passie – een waardiger bestaan te bevorderen voor de inheemse bevolkingsgroepen van Mexico. Bij het afleggen van de eed had hij zelfs een eigen toevoeging over bescherming van de armen.

Het vertrekkende kabinet, met mijn collega minister Rosario Green, zat aan de ene kant van het podium en leek duidelijk niet op zijn gemak. De gekozen afgevaardigden zaten voor hen aan weerszijden van het gangpad. Er heerste aanzienlijke spanning, en PRI-leden aarzelden niet om met boegeroep uiting aan hun onvrede te geven toen Fox het oude 'autoritaire regime' bekritiseerde. In werkelijkheid hadden beide partijen reden tot trots. Fox had een sterke campagne gevoerd, gericht op de door decennia van PRI-bewind ontstane problemen, terwijl de scheidende president, Ernesto Zedillo, die naast Fox zat, de democratische hervormingen had gesteund die eerlijke verkiezingen mogelijk hadden gemaakt, en hij droeg een sterke economie en een goede relatie met de Verenigde Staten over.

Bij het bekijken van de gang van zaken merkte ik dat ik vooruitkeek naar mijn eigen toekomst. Elk jaar waren leden van ons kabinet met onze Mexicaanse collega's bijeen geweest om kwesties te bespreken, van beheersing van grensoverschrijdende vervuiling tot het coördineren van immigratiebeleid. De volgende keer dat die besprekingen werden gehouden zou zonder mij zijn. Hoewel de inwijdingspracht en -praal van Washington een ander ritme zouden hebben, zou het resultaat identiek zijn. De ene president werd uitgewuifd en de volgende ingehaald. En de Amerikaanse minister van Buitenlandse Zaken zou net als Rosario Green nieuwe uitdagingen moeten zoeken.

Bij het proces van terugtreden hoort samenvatten. Dit is vooral ingewikkeld voor buitenlands beleid, waarbij bijna alles subjectief is, weinig overwinningen blijvend zijn, en er geen scorebord is om winst en verlies bij te houden. Maar toen ik mijn laatste officiële reeks interviews gaf, vond ik dat we een goed verhaal te vertellen hadden.

Toen Bill Clinton werd gekozen was internationaal de sleutelvraag of de Verenigde Staten zich bij het ontbreken van een rivaliserende supermacht van de wereld af zouden wenden. President Clinton was bij zijn aantreden vastbesloten zich op de binnenlandse economie te richten, maar eenmaal aan het bewind nam hij al snel de houding van wereldleider aan. Daarom waren de Verenigde Staten bij zijn terugtreden welvarender dan ooit, in een wereld die vrijer was dan ooit.

Zich volledig bewust van de voortdurende dreiging van terrorisme en verspreiding van wapens legde de president de grondslag voor een mondiaal antiterrorismenetwerk dat zijn opvolger aanvankelijk deels verwaarloosde, en toen na 11 september gigantisch uitbouwde. De nachtmerrie van zwervende kernbommen uit de voormalige Sovjet-Unie werd aangepakt, hoewel er nog veel aan moest gebeuren. We hadden sancties tegen Saddam Hoessein gehandhaafd, terwijl we zijn militaire opties ernstig beperkten en zijn mogelijkheden verzwakten. In samenwerking met onze bondgenoten hadden we de voor Noord-Korea snelste route naar kernwapens geblokkeerd en opschorting bereikt van geavanceerde raketproeven. We hadden de Balkan gestabiliseerd en gedemocratiseerd.

In het Midden-Oosten hadden we Jasser Arafat alle gelegenheid gegeven om de basisverlangens van zijn volk te verwezenlijken. We hadden onze bondgenootschappen in Europa en Azië met zorg onderhouden en daardoor waren ze hecht en sterk. We hadden aan onze beginselen vastgehouden maar stonden op goede voet met Moskou en Peking. We hadden onze veiligheidsrichtlijnen met Japan versterkt, een nieuw hoofdstuk in onze betrekkingen met India geopend, samenwerking op ons halfrond door middel van de Summit of the Americas vergroot en aan de integratie van Afrika in wereldmarkten gewerkt. De president die een trage economie had overgenomen, belast was met grote tekorten, gaf aan zijn opvolger een solide fiscaal beleid door, een recordoverschot, en een land waarvan het internationale economische leiderschap onbetwist was. In de hele wereld werden de Verenigde Staten erkend als de drijvende kracht achter het nastreven van vrede, democratie, economische kansen, een opener handelssysteem en gerechtigheid.*

Ook hadden we de leiding bij minder traditionele beleidskwesties, waaronder inspanningen om het leven van vrouwen te verbeteren en eerbiediging van mensenrechten in het algemeen te vergroten. We reorganiseerden onze instellingen voor buitenlands beleid om ze op een nieuw tijdperk voor te bereiden, en hebben geholpen de Verenigde Naties te hervormen. We namen deel aan inspanningen om een permanent internationaal strafhof te vormen en de dreiging van landmijnen en het broeikaseffect in te dammen. En we hebben gewerkt aan toename van het gebruik van internet en andere geavanceerde technologieën, als werktuigen voor ontwikkeling. Dit is een gevarieerde lijst, maar ieder punt ervan was verbonden met het doel, een meer geïntegreerde, stabiele en democratische wereld te bouwen, met toegenomen veiligheid voor ieder die de belangen en rechten van anderen respecteert.

Bij het samenvatten van wat we hebben gedaan vertelde ik interviewers enkele van de meer specifieke lessen die ik heb geleerd. De eerste is dat ik hoop buitenlandse politiek nooit meer te horen omschrijven als een debat tussen wilsoniaanse idealisten en geopolitieke realisten. In onze tijd kan geen president of minister van Buitenlandse Zaken dingen regelen zonder die twee te combineren. Onder president Clinton waren we vast van plan het goede te doen, maar op een pragmatische manier. We trachtten multilaterale instellingen te versterken maar erkenden de noodzaak voor de VS om de leiding te nemen in gebieden als de Balkan en het Midden-Oosten. We bevorderden democratie maar werkten zonodig ook met niet-democratische staten. We verdedigden mensenrechten maar

---

* Het vervulde me ook met trots het gebouw van het ministerie van Buitenlandse Zaken op te dragen aan Harry S. Truman, die president was toen ik in de Verenigde Staten kwam en die voor mij het principiële gebruik van Amerikaanse macht belichaamde. Zoals Congreslid Ike Skelton van Missouri tegen me zei: 'Sommige van je prestaties kunnen mettertijd verbleken, maar het Truman-gebouw zal blijven, afgetekend in beton.'

begrepen dat andere dringende kwesties als non-proliferatie soms voorgingen. We waren bereid zware klussen aan te pakken, maar omzichtig bij het inroepen van hulp van anderen, en we pasten op voor toezeggingen die we niet waar zouden kunnen maken.

Sommigen beweerden dat we inconsistent waren, maar het is niet mogelijk buitenlandse politiek te bedrijven binnen een star kader waar voor iedere stimulus een van tevoren vaststaande reactie bestaat. Iedere situatie is anders, en als er problemen rijzen moeten onze leiders het grootst mogelijke bereik aan opties hebben. Deze moeten alles omvatten, van de kunst van verbaal overtuigen tot sancties, deelname aan vredesoperaties, of verschillende gradaties in gebruik van geweld. Keuzes moeten gebaseerd zijn op factoren als de ernst van onze belangen, de waarschijnlijkheid van succes, de bereidheid van anderen om hun steentje bij te dragen, de mate van publieke steun en de consequenties van niets doen. Militair geweld moet selectief worden ingezet, soms op beperkte wijze en andere keren met minder terughoudendheid.

Een tweede les is dat we adequate hulpmiddelen moeten hebben voor onze internationale operaties en programma's. Ik ben voor royale middelen voor onze strijdkrachten, maar de meeste Amerikaanse militaire leiders beamen zelfs dat er een wanverhouding bestaat tussen wat we voor militaire doeleinden bestemmen en wat we uitgeven om onze belangen overzee te bevorderen. Er is geld nodig om terroristen te stoppen, vrede te bewerkstelligen, verspreiding van wapens te voorkomen, drugskartels te verslaan, export te bevorderen, democratie te versterken, vervuiling tegen te gaan, aids te bestrijden, levens te redden door geboorteregeling, en op andere manieren onze belangen en waarden te verdedigen. Momenteel besteden de Verenigde Staten nauwelijks meer dan een cent van elke federale dollar aan al deze en andere internationale doelen bij elkaar. Ik ben er trots op dat ik in mijn vier jaar als minister dit met zeventien procent verhoogd heb kunnen krijgen. Maar het feit blijft dat we slechts eentiende uitgeven van wat we een halve eeuw geleden deden toen George Marshall minister van Buitenlandse Zaken was.

Ten derde geloof ik niet dat buitenlandse politiek het Amerikaanse volk kan vertegenwoordigen wanneer deze politiek geen democratische handelwijzen in het buitenland steunt. Tijdens de Koude Oorlog hadden we een excuus omdat bijna ieder probleem bezien werd door het prisma van onze rivaliteit met de Sovjet-Unie. Onze meest wijze leiders begrepen zelfs toen dat Amerikaans leiderschap niet alleen gebaseerd moest zijn op waar we tegen zijn, maar ook op waar we vóór zijn. En van Midden-Amerika tot Centraal-Azië eisen onze belangen dat we vóór een wereld moeten zijn waarin het democratische peil blijft stijgen. Meer landen dan ooit tevoren hebben een gekozen regering, maar veel overgangen naar democratie zijn fragiel en verdere vooruitgang is niet aan te nemen. Vrije volken moeten elkaar helpen. Daarom is het initiatief tot de Community of Democracies zo belangrijk.

Ten vierde is het voor de Verenigde Staten van wezenlijk belang de juiste rol

voor zichzelf te vinden – geen gemakkelijke opgaaf. Toen ik bij de Verenigde
Naties zat noemde president Clinton de Verenigde Staten 'de onmisbare natie'. Ik
hield van die frase en leende deze zo vaak dat ze met mij werd geassocieerd.
Sommigen vonden de term aanmatigend, maar ik bedoelde het zo niet. Nee, ik
vond dat hij de realiteit weergaf dat de meeste grootschalige initiatieven tenminste enige inbreng van de Verenigde Staten vereisten, wilden ze slagen. Ik bedoelde niet te suggereren dat we het gewoon alleen af konden. Mijn doel was
niet anderen te kleineren, maar om een gevoel van trots en verantwoordelijkheid onder Amerikanen te wekken, zodat we met minder tegenzin aan problemen zouden beginnen.

Hoewel de Verenigde Staten veel gemeen hebben met andere landen zijn ze
ook uniek in macht en wereldbereik. Dit schept enorme kansen, maar ook gevaarlijke verleidingen. Hoe het ook zij, Amerikaanse acties en beleid dienen als
voorbeeld. Bij afwezigheid van een tegenmacht betekent dit dat de Verenigde
Staten de discipline moeten hebben om hun acties te beperken, overeenkomstig
de normen die ze voor zichzelf stellen. Als we pogen onszelf boven of buiten het
internationale systeem te stellen nodigen we iedereen uit om hetzelfde te doen.
Dan is de morele helderheid weg, de grondslag van ons leiderschap wordt verdacht, het bindend effect van de wet wordt verzwakt en degenen die onze waarden niet delen vinden openingen om er gebruik van te maken. Ik heb in de Verenigde Staten altijd een uitzonderlijk land gezien, maar dat komt omdat we altijd
het voortouw hebben genomen in het creëren van normen die voor iedereen
werken, niet omdat we een uitzondering op de regels zijn.

Bij het terugtreden hoort het betreuren van dingen die beter hadden gekund.
Dat we destijds de opkomende volkerenmoord in Rwanda niet tijdig hebben on-
derkend, reken ik tot mijn grootste fout. Als minister van Buitenlandse Zaken
was ik onvoldoende doortastend in het stellen van prioriteiten, omdat ik in zoveel dingen geïnteresseerd ben. Ik wilde niet dat ergens op de wereld het gevoel
bestond dat de Verenigde Staten anders waren. Ook vond ik soms dat ik niet genoeg had gedaan om het primaat van het ministerie ten aanzien van het buitenlands beleid te herstellen, maar de problemen van mijn opvolger geven me het
idee dat ik het net zo goed deed als anderen hadden gedaan. De wereld is zo
complex geworden dat bijna ieder departement nu zijn gerechtvaardige internationale rol heeft. Tot slot had onze regering de visie moeten hebben om te riskeren dat we onze traditionele vrienden in het Midden-Oosten tegen de haren in
zouden strijken door binnen de Arabische wereld werk te maken van democratie, met daarbij een rechtstreekse uitdaging voor de indoctrinatie van jonge
mensen met principes die geweld en haat oproepen. Ook hadden we Israël meer
onder druk moeten zetten om de uitbreiding van nederzettingen tegen te houden, een beleid dat zo schadelijk is gebleken voor onderhandelingen.

Eén ding waar ik gemengde gevoelens over had, maar dat ik niet echt kan betreuren, is dat ik nee zei tegen Václav Havel toen hij opperde dat ik zou proberen
hem als president van de Tsjechische Republiek op te volgen. Ik was ongelooflijk

vereerd en het idee in de Praagse Burcht te wonen is beslist sprookjesachtig. Maar ik zei tegen Havel dat het Tsjechische volk geleid zou moeten worden door iemand die er de laatste decennia tussen heeft geleefd, en ik was lang geleden Amerikaanse geworden.

Zoals men zich kan indenken is afscheid nemen het moeilijkst. Sommige relaties zijn strikt beroepsmatig, maar andere bloeiden op tot ware vriendschappen, heel ongewone zelfs, en die laat je niet zo gemakkelijk los. Hoewel Jevgeni Primakov in 1999 terugtrad, belde hij me nog steeds samen met Ivanov met Kerstmis. Zelfs via de telefoon was het duidelijk dat ze in feeststemming waren.

Ik was bijzonder geroerd toen Hubert Védrine, met wie ik had samengewerkt maar met wie ik ook vaak overhoop lag, een afscheidsdiner voor me in Parijs organiseerde. Robin Cook, Joschka Fischer, Lamberto Dini, Igor Ivanov en Javier Solana waren erbij in het Château de la Celle-Saint-Cloud. Ik had alleen gewild dat ik de vele toasts had kunnen opnemen, die in twee talen en uiterst vleiend waren. De huldeblijken waren ongetwijfeld overdreven, zoals altijd bij zulke gelegenheden, maar de warmte en het collegiale gevoel waren echt. In de loop der jaren hebben we Milošević eronder gekregen, het met Saddam Hoessein aan de stok gehad, de NAVO aangepast en de nieuwe democratieën van Europa geholpen hun plaats te vinden in een veilig en verenigd werelddeel. Over het algemeen lang niet slecht. Ik moest moeite doen om me goed te houden: Igor had zoveel werk gemaakt van zijn cadeau – een Russisch theeservies met de afbeelding van alle ministers van Buitenlandse Zaken op de kopjes en een bijbehorend blad waar 'Madeleine's Dream Team' op stond. Védrine omhelsde me en schonk me een prachtige tweedelige uitgave van *Democracy in America* van De Tocqueville. Zijn knipoog bewees me dat onze meningsverschillen over de Verenigde Staten als 'hypermacht' en over de Community of Democracies nooit persoonlijk waren geweest.

Op 19 januari 2001 tekende ik mijn pro forma ontslagbrief en ik belde president Clinton om hem te bedanken voor zijn vriendelijke woorden op een videoband die tijdens een optreden van mij kort daarvoor bij Oprah Winfrey was gedraaid. We waren nog één dag in functie en de president dacht – net als ik – aan gemiste kansen. Verbolgen over alle tijd die we in Arafat hadden geïnvesteerd, zei hij te wensen dat hij de kans had aangegrepen om naar Noord-Korea te gaan, in plaats van in Washington te blijven om nog één keer iets met het Midden-Oosten te proberen.

Op mijn laatste dag hield ik de traditionele afscheidstoespraak voor het ministerie van Buitenlandse Zaken. In de memoires van Dean Acheson is een foto van die gelegenheid opgenomen, met bijna uitsluitend blanke mannen met hoeden. De groep die mij begroette was veel gevarieerder, en naar ik vermoed veel opener. Uit de luidspreker klonk Aretha Franklin toen ik me door een haag van vrienden en collega's naar het podium werkte, dat op de treden van de hoofdingang van het ministerie was opgebouwd. Daar memoreerde ik enkele hoogte- en dieptepunten van de voorafgaande vier jaar en bedankte de aanwezigen voor hun inzet voor ons land. Ook zei ik onder bijval dat 'het iets heel goeds over de Verenigde Staten zegt dat de eerste vrouwelijke minister van Buitenlandse Zaken nu wordt opgevolgd door onze eerste Afrikaans-Amerikaanse minister van Buitenlandse Zaken'.

De laatste dag eindigde zoals dat altijd gaat – met pakken. Aangezien ik dat eerder had meegemaakt kende ik de procedure. De meeste mensen die in mijn kantoor hadden gewerkt en me nu hielpen met dingen in dozen doen waren beroepsmensen. Zij zouden na mijn vertrek blijven om het nieuwe team te helpen, dat al kantoren op de begane grond had en popelde om naar boven te komen. De namen op de deuren en de foto's aan de muren zouden binnen een dag zijn verwisseld. Democratie is eerlijk maar ook een tikje wreed. Toch zal de geschiedenis registreren dat de vierenzestigste minister van Buitenlandse Zaken niet aan haar benen naar buiten hoefde te worden gesleept. Ik keek gewoon nog een laatste keer rond, keek of mijn afscheidsbrief aan Colin Powell er lag en vertrok.

Kort na de inauguratie werd ik gebeld door Harold Koh, die ons bureau voor mensenrechten had geleid. Harold zei dat toen het gezicht van Colin Powell op de televisie verscheen zijn negenjarige zoon Willie een kreet van verrassing slaakte. 'Hoe kunnen ze de baan van Madeleine aan zo iemand geven?' vroeg de jongen. Harold onderhield zijn zoon streng over gelijke kansen. 'Daar gaat het niet om,' zei Willie in verwarring. 'Ik had alleen nooit gedacht dat de minister van Buitenlandse Zaken een man kon zijn.'

Ik betrok een nieuw kantoor in Washington waar ik aan dit boek en andere projecten kon werken. Het was heel aardig maar toch niet helemaal hetzelfde. Vanuit mijn vroegere kantoor kon ik het Lincoln Memorial zien. Vanuit mijn nieuwe kantoor zag ik Loeb's Delicatessen. Ook het reizen was anders. Na acht jaar was ik op mezelf aangewezen. Voor een lezing ging ik met een lijnvlucht naar Californië en besloot een nachtvlucht terug te nemen. Die avond zat ik in de Admiral's Club de kranten door te nemen, wachtend op het vliegtuig. Er kwam een man binnen die rondkeek. Er waren rijen lege stoelen, maar hij kwam naast me zitten en zette zijn koffertje op mijn voet.

Na een minuut zei hij: 'U bent Madeleine Albright.'

'Inderdaad.'

Hij zei: 'Ik heb net een documentaire over u gezien.'

'O.'

Hij zei: 'Volgens Michael Douglas houdt u van flirten.'

'Michael Douglas is niet iedereen.'

Hij zei: 'U bent uw baan en al uw macht kwijt; u moet zich vreselijk voelen.'

'Dit is Amerika, zo werkt het systeem. Ik voel me prima.'

Hij zei: 'Nee, ik werkte vroeger voor Marilyn Quayle, en toen zij haar baan kwijtraakte voelde ze zich vreselijk. Dus u moet zich ook vreselijk voelen.'

Hier had ik nauwelijks van terug. Maar toen zei ik: 'Zal ik u wat zeggen? Ik voel me niet vreselijk, ik ben trots.'

Mijn antwoord bevatte de waarheid, maar niet de hele waarheid. Ik was eerder trots dan dat ik me vreselijk voelde, maar uit een openbaar ambt treden na zo'n lange periode van intense activiteit in de schijnwerpers valt niet mee. Het dagelijkse ritme houdt abrupt op. Het is geen eenvoudige zaak een baan op te geven waar je van houdt, en die je het gevoel geeft dat je een rol van betekenis speelt. Ik geloof niemand in een vergelijkbare positie die zegt: 'Ik ben blij dat het voorbij is.' Het lezen van de dagelijkse krant wordt een passieve en geen actieve ervaring – het verschil tussen een toneelstuk zien en erin spelen. Steeds als er in die eerste maanden na mijn vertrek iets belangrijks in de wereld gebeurde waren mijn fysieke en mentale reflexen nog geconditioneerd. Er kwam dan een adrenalinestoot die gedachten opwekte over wat er moest gebeuren en wie ik moest bellen, gevolgd door het rustgevende besef dat dit nu door anderen werd gedaan. Ook ergerde ik me aan het dédain dat sommige leden van de nieuwe regering toonden voor de prestaties, inspanningen en het harde diplomatieke werk van de voorafgaande acht jaar.

Er waren natuurlijk ook welkome kanten aan het hervatten van een normaal leven. Ik kon meer tijd aan mijn zus Kathy en mijn broer John en diens gezin wijden. Ik was dolblij dat mijn dochters Anne en Alice met hun gezin dichtbij woonden en dat Katie dikwijls op bezoek kwam met haar kinderen, Benjamin en Eleanor. Ik merkte al gauw dat voor buitenlandse politiek bedrijven en op kleinkinderen passen veel van dezelfde diplomatieke bekwaamheden nodig zijn. Ik ging dikwijls naar de boerderij, reed voor het eerst in jaren zelf en leerde tanken. Maar sommige aanpassingen waren eenvoudiger dan andere. Ik kon niet zomaar iedere oude vriendschap hervatten. Sommige mensen waren verhuisd of zo druk bezig met andere activiteiten dat ze niet meer beschikbaar waren – net als ik jarenlang door mijn werk. Mijn kennissenkring was nu enorm, maar mijn kring van intieme vrienden veel kleiner dan ik had gewenst. Ik had Wini, Mary Jane en Susan nog uit de Wellesley-tijd, maar Emily was overleden.

Een van de moeilijkste kanten aan het schrijven van memoires is de gevolgtrekking te moeten maken dat als ze klaar zijn, je leven – of althans het interessante deel ervan – voorbij is. Ik heb dat gevoel niet. Als minister leerde ik de kracht van mijn stem kennen. Nu ik weer buiten sta ben ik op zoek naar een nieuwe stem, geworteld in de diepte van mijn ervaring en mijn voortdurende gevoel voor verantwoordelijkheid om te doen wat ik kan voor de studenten die ik lesgeef, en voor het grotere debat over de richting van het Amerikaanse buitenlands beleid. Op verschillende manieren die goed in elkaar grijpen werk ik nog steeds aan het bevorderen van democratie, aan het openleggen van markten en aan handhaving van de wet. Hiertoe heb ik de Albright Group opgericht, een mondiaal werkende strategieorganisatie die bedrijven en organisaties helpt groeien en democratische markteconomieën aanmoedigt. Ook ben ik voorzitter van het National Democratic Institute; ik doceer weer in Georgetown; ik ben voorzitter van de Truman Scholarship Foundation; ik leid projecten voor de Pew Foundation en het William Davidson Institute voor bedrijfskunde van de universiteit van

Michigan; en ik houd toespraken in de hele wereld. Bij dit alles rende ik in 2002 ook nog langzaam met de fakkel van de Olympische Winterspelen door de straten van Washington.

Bijna overal waar ik kom word ik herkend – al hebben ze niet altijd de goede voor. Eén vrouw verwarde me met de ex-minister van Buitenlandse Zaken van Florida, Katherine Harris. Een groep mensen in Colorado vond het geweldig 'Margaret Thatcher' tegen het lijf te lopen. Een reiziger die in de rij stond op een luchthaven bekeek me lange tijd voor hij vroeg: 'Bent u het?' Ik antwoordde: 'Ja.' Hij keerde zich naar zijn vriend. 'Ik zei het je toch. Zij maakt reclame voor Northwest Airlines.' Het voelde beter toen in Boston een man op me toeliep en informeerde: 'Bent u Madeleine Albright?' Toen ik ja zei betrok zijn gezicht. 'Verdraaid,' zei hij, 'ik heb om twintig dollar gewed dat u het niet bent.'

Maar de ontmoetingen die het meest voor me betekenen zijn die met vrouwen van allerlei leeftijden die mijn ware ik herkennen en me komen bedanken. Ik koester vooral de jonge vrouwen die zeggen dat mijn voorbeeld hun de ogen heeft geopend en dat ze nu weten dat de functie van minister van Buitenlandse Zaken of zelfs een hoger ambt haalbaar is.

Toen minister van Buitenlandse Zaken Cordell Hull in 1944 zijn terugtreden naderde bekende hij aan een vriend waar hij allemaal genoeg van had: 'De intriges... gepasseerd worden... publiekelijk vertrouwen genieten en privé genegeerd worden... gevechten leveren die niet gewaardeerd worden... toespraken houden en door de pers ondervraagd worden... al dat praten en heel die baan.'* In mijn jaren als minister waren er tijden dat ik, waarschijnlijk net als de andere kabinetsleden, deze klachten had onderschreven. De baan was onverbiddelijk. Elke dag was er iets nieuws, maar de oude problemen gingen nooit weg. Er waren tijden dat ik me door mijn eigen regering lamgelegd voelde, onheus bejegend door het Congres en de pers, en gefrustreerd door mijn onvermogen met een toverstokje te zwaaien om zo gebeurtenissen naar mijn hand te zetten.

Over het geheel genomen is mijn kijk op de baan tegenovergesteld aan die van Hull. (De eerlijkheid gebiedt te zeggen dat hij ziek was toen hij terugtrad.) Wat ik van dag tot dag ook voor klachten had, ik was me altijd bewust van het voorrecht dat ik dit überhaupt mocht doen. Ik heb mijn baan nooit als een last gezien – of als iets waar ik blijvend aanspraak op kon maken of recht op had. Als iemand die haar hele loopbaan lang van de ene gladde steen naar de andere is gesprongen vond ik de constante spanning van minister zijn heerlijk; tien keer op een dag na een telefoongesprek of bespreking kunnen zeggen: 'Wat komt er nu?' – wetende dat het antwoord betrekking zou hebben op eeuwig veranderende kwesties, die van belang zijn voor mensen over de hele wereld.

De Verenigde Staten waar ik altijd van heb gehouden veranderen ook. Gerespecteerde regels voor hoe het moet, worden tegen het licht gehouden. De toe-

---

* *The War Diary of Breckinridge Long*, selecties uit de jaren 1938-1944. Geselecteerd en bezorgd door Fred L. Israel, Lincoln, University of Nebraska Press (1966), pp. 386-388.

komstige betekenis van de Verenigde Staten staat ter discussie. Deze tendensen moeten niet tot passief aanvaarden maar tot heftig debat leiden. Het gevoel welkom te zijn dat het Vrijheidsbeeld uitstraalt is voor mij heel echt, zoals het dat voor miljoenen Amerikaanse emigranten is. De bescherming die de grondwet biedt is al meer dan twee eeuwen lang een groot geschenk van ons land aan de wereld, en de machtigste en productiefste factor voor verandering. De grote instellingen van het trans-Atlantisch partnerschap, die in de twintigste eeuw de vrijheid redden, lopen gevaar. Ik geloof er vast in dat ze gered moeten worden en nieuw leven ingeblazen, wil deze zegening de nieuwe eeuw overleven.

Toch zie ik de toekomst met vertrouwen tegemoet, niet zozeer om wat is veranderd, maar om wat niet is veranderd. De beginselen waar ik sinds mijn jeugd in heb geloofd zijn nog net zo betrouwbaar als ze altijd zijn geweest. Dit zijn evidente waarheden over gelijkheid en over de onveranderbare waarde van ieder individu, door Jefferson uitgesproken en gedenkwaardig door Lincoln geïnterpreteerd in zijn emancipatieproclamatie en de Gettysburg Address. Veel in het leven is gecompliceerd en gaat ons begrip te boven, maar de grondbeginselen van menselijke vrijheid zijn niet zo gecompliceerd, en wanneer we daaraan blijven vasthouden zullen we een manier vinden om onze fouten te herstellen en een echte koers uit te zetten.

Dat is één reden waarom ik president Clinton zo dankbaar ben dat hij me de gelegenheid gaf om de Verenigde Staten van Amerika in de wereld te vertegenwoordigen. Het kwetste sommige mensen en het verbijsterde andere, maar ik kon het niet laten mijn vaderlandsliefde uit te dragen, of op mijn borst te spelden. Ik ben me ervan bewust dat het Amerikaanse experiment fouten heeft, maar nog steeds vind ik het een wonderbaarlijk succes, door uit een buitengewone diversiteit in achtergronden en culturen een eenheid te smeden. En ik ben trots op de rol die de Verenigde Staten in de levens speelden van allen die bestuur van, voor en door de mensen koesteren.

In zijn roman *Honderd jaar eenzaamheid* schrijft mijn vriend Gabriel García Márquez over individuen die verstrikt zijn, zoals wij allemaal, in de onontkoombare kringlopen van het leven. De zon gaat op en onder, de jaargetijden wisselen, de jaren gaan voorbij, de wielen draaien en de as verslijt onherstelbaar. Ons is niet de keus gelaten of we aan dit proces deelnemen. Als we leven is dat ons lot. Maar dat betekent niet dat we geen betekenisvolle keuzes kunnen maken. Omdat ik het van mijn ouders leerde heb ik altijd geloofd dat je moet vechten om alles te bereiken wat je kunt, niet in absolute zin maar met de gaven die je hebt. Eerst betekende dat voor mij mijn best doen op school. Later betekende het een goede echtgenote en moeder zijn, en zo verder door alle stadia van mijn leven, tot het ministerschap toe en ook daarna. Mij is geleerd te vechten, niet omdat er garanties zijn voor succes, maar omdat dat vechten op zichzelf de enige manier is om geloof in het leven te behouden.

Mensen vragen me soms hoe ik herinnerd wil worden. Ik antwoord dan dat ik niet herinnerd wil worden; ik ben er nog. Maar als de dag komt, hoop ik dat men-

sen zullen zeggen dat ik het beste haalde uit wat me was gegeven, dat ik probeerde ervoor te zorgen dat mijn ouders trots op me konden zijn, dat ik mijn land
diende met alle energie die ik had, en dat ik pal stond voor vrijheid. Misschien
zullen sommigen ook zeggen dat ik een generatie van oudere vrouwen leerde
hun rug te rechten, en jonge vrouwen dat ze niet bang moesten zijn om te interrumperen.

Nawoord

Het schrijven van *Mevrouw de minister* was veel moeilijker dan ik had verwacht. Het leek of ik honderden keren per bladzijde moest beslissen welke details weggelaten of benadrukt moest worden, welke mensen ik moest noemen of juist niet, welke bijvoeglijke naamwoorden goed waren en welke ik al te vaak had gebruikt. Al doende leerde ik veel over mezelf en anderen en maakte ik kennis met de wereld van uitgeverijen en boekpromoties.

De eerste kennismaking was tijdens een verkoopconferentie die door mijn uitgever in het zuidwesten van de VS was georganiseerd. Ik vond het heel wat, al die mensen die waren gekomen om over mijn boek te horen, en hoopte op de juiste stemming. Maar bij aankomst merkte ik dat de auteur van *Klaar voor het potje – hoe maak ik mijn peuter zindelijk* op het programma stond voordat ik aan de beurt was.

Onlangs bevond ik me voor een signeersessie in Londen. Er kwam een parmantige heer binnen die me vroeg om mijn boek te signeren en erbij te zetten: 'Voor die en die, mijn gezworen vijand.'

Ik zei: 'Dat is goed, maar wie is die en die?'

'Dat ben ik,' antwoordde hij.

'Aha. Hoezo bent u mijn gezworen vijand?'

'Omdat ik het volkomen oneens ben met uw ideeën en ik u een afschuwelijk mens vind.'

'Maar waarom wilt u mijn boek dan lezen?'

Hij zei: 'Ik zei niet dat ik u saai vind; ik vind u alleen afschuwelijk. U bent als zo'n *reality show* op televisie: vreselijk, maar op een bepaalde manier fascinerend.' Ik ben er nog altijd niet over uit of ik dit de meest complimenteuze belediging of het meest beledigende compliment vind dat ik ooit te horen heb gekregen. Toen ik mijn uitgever vroeg wat hij ervan dacht, zei hij dat het belangrijkste was dat 'die en die' mijn boek had gekocht.

Mensen vragen me tegenwoordig wel of ik mijn werk als minister mis en natuurlijk luidt het antwoord daarop 'ja'. Tegelijkertijd is de wereld er op dit moment zo ellendig aan toe dat ik degenen die nu aan de macht zijn niet benijd. Mijn gebruikelijke optimisme is het nulpunt dichter genaderd dan ooit tevoren. Door de invasie en bezetting van Irak is de internationale terroristische dreiging groter dan ooit, terwijl de toekomst van dat oude, door ongeluk geteisterde land zo ongewis is als een zandstorm. Het Midden-Oosten is even onveilig, koppig en angstig als altijd, maar nu inclusief dagelijks geweld. Afghanistan is geleidelijk weer in handen van krijgsheren en drugsbaronnen gekomen. Zuid-Azië blijft een kruitvat. Iran lijkt verschillende kanten tegelijk op te draven. De aidspandemie volgt onverbiddelijk haar dodelijke koers. De wereldwijde opmars richting democratie en vrij ondernemerschap is vertraagd en de kloof tussen arm en rijk vergroot. En in de coulissen is Korea waarschijnlijk stiekem bezig atoombommen in elkaar te knutselen. Het is allemaal weinig fraai.

Het beste middel tegen de wereldwijde ellende was tientallen jaren lang de samenwerking met Europa, die voor kracht en eenheid zorgde. Maar op dit moment lijkt deze ooit zo geruststellende verstandhouding ernstig verstoord. Ik ben het afgelopen jaar verschillende keren in Europa geweest om *Mevrouw de minister* te promoten en bijeenkomsten ter bevordering van de democratie te bezoeken. Ik werd zelf overal warm verwelkomd, waarvoor ik heel dankbaar ben. Maar wat betreft het buitenlandbeleid kreeg ik steeds een waslijst van klachten te horen over ons optreden, onze stijl, retoriek en aanpak. Dit gold zelfs voor landen waarvan de overheid de oorlog tegen Irak steunde. Vooral de oorlog heeft tot controverses geleid, maar ook verschillen van mening over andere kwesties spelen een rol, zoals de wereldwijde klimaatverandering, wapenbeheersing, de doodstraf, het Internationale Strafhof, de rol van de VN, en de langdurige detentie zonder proces van de gevangenen in Guantánamo Bay.

Sommige Amerikanen denken dat het Amerikaanse en Europese wereldbeeld zo ver uit elkaar is gegroeid dat we eigenlijk geen echte bondgenoten meer zijn. Volgens hen is Amerika sterk genoeg om alleen te beslissen en doortastend genoeg om het kwaad alleen te bestrijden en is Europa verhoudingsgewijs timide en zwak. Zij vinden dat Amerika de verdeeldheid in Europa eigenlijk moet aanmoedigen, om te voorkomen dat dit werelddeel een machtige rivaal wordt.

Tegelijkertijd zijn er in Europa mensen die betogen dat de eenwording van Europa vooral in dienst zou moeten staan van herstel van het machtsevenwicht met de Verenigde Staten.

Beide meningen zijn volgens mij kortzichtig. Een sterk en verenigd Europa is de beste partner voor de Verenigde Staten. En een sterk en invloedrijk Amerika vormt geen bedreiging voor de Europese onafhankelijkheid, maar een bescherming en stimulans. Maar zelfs het meeste logische partnerschap faalt als het gezond verstand tekortschiet.

Na de aanval van 11 september kon en moest de regering-Bush een doelmatig wereldwijd netwerk opbouwen om Al-Qa'ida en de steeds groter wordende schare gelijkgestemde moordenaars te bestrijden. De samenwerking met Europa vormde voor mij de logische kern voor zo'n netwerk. Maar toen de NAVO op de aanval reageerde door een beroep te doen op de bepalingen over wederzijdse verdediging van het NAVO-statusverdrag, wapperde de regering-Bush dit weg. In plaats van zich vervolgens op Al-Qa'ida en het nog nauwelijks begonnen karwei in Afghanistan te concentreren, verschoof president Bush de aandacht van de wereld naar Saddam Hoessein. In plaats van te wachten tot de VN-inspecteurs hun werk hadden gedaan, viel Bush Irak binnen. Na de val van Bagdad zette hij een herstelprogramma op zonder de hulp van de NAVO of de VN in te roepen.

Sinds het begin van de invasie van Irak wordt mij regelmatig gevraagd of ik voor of tegen de beslissing was om daaraan te beginnen. Zoals de lezers van dit boek weten, heb ik als overheidsfunctionaris een groot deel van mijn tijd besteed aan onderhandelingen met Saddam Hoessein, een van de weerzinwekkendste figuren die er in de laatste vijfentwintig jaar hebben rondgelopen. Ik was blij dat hij ten val werd gebracht en dat het Iraakse volk de kans kreeg om zelf hun toekomst vorm te geven. Omdat Bagdad al tien jaar weigerde aan zijn verplichtingen jegens de VN-Veiligheidsraad te voldoen, vond ik dat oorlog op dat punt gerechtvaardigd kon worden. Ik zei in die tijd dat ik het 'waarom' van de oorlog begreep. Maar ik voegde daaraan toe dat degenen die het conflict begonnen, duidelijk hadden moeten maken waarom het op dat moment moest gebeuren en wat erop moest volgen.

Die twee eenvoudige vragen zijn nog steeds niet beantwoord. Er is nog altijd niet aangetoond of Irak over massavernietigingswapens beschikte en banden had met Al-Qa'ida, wat toch de voornaamste redenen waren voor de oorlog. De manier waarop de regering-Bush de overgang naar een normaal bestuur begeleidt, is een doorlopende tragedie waarbij voortdurend fouten worden gemaakt. Zelfs Amerikanen die vierkant achter de oorlog stonden en de president steunden, geven toe dat er veel ernstige, makkelijk vermijdbare fouten zijn gemaakt waarvoor de Iraakse burgers en de coalitietroepen een verschrikkelijke prijs betaalden.

In de Verenigde Staten groeit de druk om een oplossing te vinden voor de ellende waarin we verzeild zijn geraakt. De president heeft gezworen om op de ingeslagen weg door te gaan, al wordt er nu nauwer met de VN samengewerkt en vinden er minder vaak rechtstreekse confrontaties met Iraakse militanten plaats. Er is een tijdsplan opgesteld voor het houden van verkiezingen en de overgang naar een permanente Iraakse regering, maar de situatie is nog niet veilig genoeg voor vrije verkiezingen. Ik denk dat Irak ondanks de vele tegenslagen nog steeds binnen afzienbare tijd een redelijk democratisch, gematigd stabiel en min of meer verenigd land kan zijn. Maar dat kan alleen als de Iraakse leiders in staat zijn hun vroegere rivaliteit te overwinnen en een eind te maken aan de huidige onveiligheid, zodat de invloed van extremisten wordt gemarginaliseerd en Irak niet uit elkaar valt. Ik bid dat hun dit lukt, want de oorlog in Irak was een keuze, geen noodzaak, terwijl vrede noodzaak is en geen keuze.

Voor en nadat Bagdad viel maakte de regering-Bush plannen voor een omwenteling in het Midden-Oosten. Het idee was dat een stabiel en democratisch Irak als voorbeeld zou dienen voor de Arabische wereld. Volgens deze theorie zouden de burgers in andere Arabische landen hetzelfde willen als de Iraakse burgers en hun regering onder druk zetten om eveneens te veranderen. De politieke en sociale druk die het terrorisme aanwakkert, zou afnemen door de nieuwe openheid. Vrede zou in het Midden-Oosten een kans krijgen doordat de Palestijnen nieuwe leiders zouden kiezen, die ferm zouden optreden tegen de gewelddadige elementen in hun midden. Het was een verheffende toekomstvisie en ik denk dat deze nog steeds verwezenlijkt kan worden. Maar tot dusver zien we minder verheffende beelden: gebouwen die door bomaanslagen zijn verwoest, met vlaggen bedekte lijkkisten, gevangenbewaarders die zichzelf en hun land te schande maken.

Een consequentie van deze visie van de regering is dat ze zich passief opstelt bij het vredesproces in het Midden-Oosten. Wie erop vertrouwt dat een overwinning in Irak leidt tot hervormingen in de Arabische wereld en tot een democratische, antiterroristische consensus onder de Palestijnen, gaat ervan uit dat de kans op vrede vanzelf groter wordt naarmate de tijd verstrijkt. Wie minder optimistisch denkt, ziet drie of vier jaar met vele doden en zonder ook maar de schijn van een politieke dialoog als een stap terug.

Noch de Palestijnse noch de Israëlische leiders hebben de wil getoond om vrede te sluiten en de Verenigde Staten hebben onvoldoende druk uitgeoefend om ze zover te krijgen.

Na alle terroristische aanslagen van de Palestijnen is er weinig meer over van de ooit zo actieve vredesbeweging in Israël. De Israëlische premier Sharon volgt een unilaterale aanpak van een multilateraal probleem. En het ontbreekt de Arabische wereld aan een moedige stem sinds koning Hoessein vijf jaar geleden overleed. Elke vorm van diplomatieke creativiteit en moreel leiderschap is zo langzamerhand ver te zoeken.

Ik moet er telkens weer aan denken dat president Clinton werd bekritiseerd omdat hij te hard zijn best deed om te bemiddelen voor de vrede in het Midden-Oosten. Terugkijkend lijkt het me duidelijk dat hierdoor het geweld enige tijd werd uitgesteld en er veel levens werden gespaard. Hij kwam zo dicht bij een finale regeling die door beide partijen werd onderschreven dat niemand in redelijkheid kan beweren dat vrede onmogelijk is. Toch doen veel mensen dat. Ze zeggen dat er geen hoop meer is, dat Palestijnen en Israëliërs nooit kunnen samenleven, tenzij een van beide partijen wordt verpletterd of in zee gedreven.

Ik geloof dat niet en we mogen daar niet van uitgaan. Want er is niets onvermijdelijks aan de moordpartijen en chaos in het Midden-Oosten. De werkelijkheid die we tegenwoordig zien, is geen historische onvermijdelijkheid, maar het resultaat van keuzen die in onze tijd werden gemaakt. Het zijn keuzen om naar het zwaard te grijpen in plaats van naar de olijftak, kinderen op te voeden met haat, moordenaars tot martelaar te verheffen en de waardigheid van de medemens met voeten te treden. En als mensen kunnen kiezen, kunnen ze ook veranderen.

We kunnen niet beslissen voor de mensen in het Midden-Oosten. Maar we kunnen eisen dat Arabische leiders ophouden anti-Israëlische terroristische groepen te financieren, onderdak te bieden en te verontschuldigen. We kunnen van Israël verwachten dat het de deur naar de vrede laat openstaan terwijl het zichzelf verdedigt. We kunnen een economisch plan voor de regio ontwikkelen om te zorgen dat de kanslozen de toekomst met hoop tegemoet zien. En we kunnen zorgen dat er een levensvatbare Palestijnse staat komt, zoals voorzien in onze *road map* waaraan door vier partijen wordt meegewerkt, met nieuwe, gedemocratiseerde overheidsinstellingen.

Deze doorbraken zullen niet meteen worden gerealiseerd, maar uiteindelijk moet het wel zover komen. Israël wordt nooit veilig als het als bezettingsleger blijft optreden of uitsluitend door middel van unilaterale acties de veiligheid probeert te vergroten. De Palestijnen krijgen het land dat ze kwijt zijn geraakt pas terug als ze voldoende bereidheid en wilskracht tonen om het terrorisme te beëindigen in de teruggegeven gebieden. Israëliërs noch Palestijnen kunnen via geweld een oplossing bereiken. En zonder de actieve, creatieve en volhardende betrokkenheid van Europa en de Verenigde Staten kan er geen vooruitgang worden geboekt.

Ik moet toegeven dat ik zeer gefrustreerd ben geraakt door wat er de afgelopen jaren is gebeurd. Ik weet uit ervaring dat leidinggeven aan het buitenlandbeleid van de VS een complexe taak is. Toen mijn termijn erop zat, was ik vastbesloten mijn opvolgers niet in de wielen te rijden. Ik onthield me dus van kritiek, behalve bij fouten die zulke grote gevolgen hadden dat de wereldpolitiek niet besproken kon worden zonder ze te noemen.

Eén fout verbaasde me vooral. In hoofdstuk 12 van dit boek, dat over de oorlog in Bosnië gaat, vraag ik in een moment van wanhoop: 'Waarom ben je zo zuinig op dit fantastische leger, Colin, als we het niet kunnen inzetten?' De vraag die ik nu aan president Bush wil stellen luidt: 'Waarom bent u zo zuinig op deze fantastische minister van Buitenlandse Zaken als we hem niet inzetten?' Ik kan me geen Amerikaanse regering herinneren die op diplomatiek gebied zo onbeholpen is.

Ik wil andermans taken niet moeilijker maken dan ze al zijn, maar ben nog niet zover dat ik me alleen nog maar met breien wil bezighouden, en dus moest ik een constructieve bezigheid zien te vinden. Die vond ik in de Aspen Atlantic Group, die bestaat uit voormalig ministers van Buitenlandse Zaken van de Verenigde Staten, Canada en bijna alle Europese landen. Tot de deelnemers behoren Robin Cook (Verenigd Koninkrijk), Hubert Védrine (Frankrijk), Jozias van Aartsen (Nederland), Lamberto Dini (Italië), Jaime Gama (Portugal), Erik Derycke (België), Ismail Cem (Turkije), Bronislaw Geremek (Polen), Nadezhda Mihaylova (Bulgarije) en Lloyd Axworthy (Canada). We komen twee of drie keer per jaar, onder auspiciën van het Aspen Institute en de Aspen Strategy Group, bijeen om de telkens veranderende en op dit moment behoorlijk verstoorde verstandhouding tussen Europa en de Verenigde Staten te bespreken. We betuigen medeleven, wisselen denkbeelden uit, nodigen experts van buitenaf uit, geven verklaringen af, discussiëren en roddelen. Eerder dit jaar publiceerden we een boek met prikkelende essays over de band tussen Europa en de Verenigde Staten. Op dit moment zijn we bezig met een project over Iran. Hoewel we het over sommige kwesties grondig oneens zijn, en over veel andere kwesties enigszins van mening verschillen, vinden we allemaal dat we het briljant deden in de tijd dat we zelf in de regering zaten en dat onze vele goede eigenschappen node worden gemist.

En we vinden allemaal dat het heel belangrijk is om de verstandhouding tussen Europa en de VS er weer bovenop te helpen. De treinaanslagen in Madrid op 11 maart van dit jaar waren een bewijs te meer als dat nog nodig was dat het terrorisme overal ter wereld een reële bedreiging vormt. Het is zaak deze meedogenloze vijand niet verdeeld en met onderling gekrakeel tegemoet te treden. Dat hebben we al eerder meegemaakt, namelijk in de Tweede Wereldoorlog. Het is tot daaraan toe om te kibbelen over genetisch gemanipuleerd voedsel en staalsubsidies, maar Amerikanen en Europeanen staan aan dezelfde kant als het gaat om de strijd tegen het terrorisme, steun voor de democratie en bescherming van de mensenrechten. We moeten zorgen dat de kwesties die de afgelopen drieënhalf jaar speelden niet onze gezamenlijke inzet op deze gebieden ondermijnen.

Ik geef toe dat ik, om redenen die ik in dit boek met een zekere emotie beschrijf, niet neutraal ben wat betreft de samenwerking tussen Europa en de Verenigde Staten. Als peuter maakte ik de turbulente tijd mee dat Europa werd verdeeld door het fascisme en verlamd door de *appeasement*-politiek. Als kind zag ik het kwaad verslagen worden door een machtige coalitie van landen aan beide zijden van de oceaan. Als volwassene zag ik een machtige alliantie voorspoed brengen in het Westen en samen met dissidenten de Berlijnse Muur omver stoten. En als Amerikaans minister van Buitenlandse Zaken zag ik hoe de NAVO een einde maakte aan de etnische zuiveringen op de Balkan. Europa en Amerika zijn niet zomaar een stel. Samen kunnen we alles, ieder afzonderlijk heel weinig. Misschien klopt het cliché wel dat de Amerikanen van Mars zijn en de Europeanen van Venus. Maar we moeten daarbij beseffen dat Mars en Venus goed met elkaar konden opschieten en samen een heel stel kinderen kregen, onder wie Harmonia, de godin van de eenheid.

We bevinden ons weliswaar aan weerskanten van de Atlantische Oceaan, maar als de waarden van de vrije wereld in het geding komen, staan Europa en Amerika aan dezelfde kant, de juiste kant, en zorgen we door één te zijn dat ook de vrijheid zich aan de winnende kant bevindt.

juni 2004

Chronologie

20 september 1909	Josef Körbel (vader) geboren.
11 mei 1910	Anna Spieglová (moeder) geboren.
28 oktober 1918	Tsjechoslowakije gesticht.
20 april 1935	Josef Körbel en Anna 'Mandula' Spieglová trouwen.
15 mei 1937	Marie Jana (Madeleine) geboren in Praag.
29 september 1938	Verdrag van München.
15 maart 1939	De nazi's bezetten Praag.
25 maart 1939	Josef, Mandula en Madeleine Körbel ontvluchten Tsjechoslowakije.
1 september 1939	De nazi's vallen Polen binnen, begin van de Tweede Wereldoorlog.
1939-1945	Het gezin Korbel woont in Engeland.
7 oktober 1942	Kathy Korbel (zuster) geboren.
7 mei 1945	Duitsland capituleert.
mei 1945	Het gezin Korbel keert terug naar het bevrijde Tsjechoslowakije.
september 1945–1948	Josef Korbel doet dienst als ambassadeur van Tsjechoslowakije van Joegoslavië en Albanië.
15 januari 1947	John Korbel (broer) geboren.
september 1947	Madeleine Korbel gaat naar kostschool in Zwitserland.
begin 1948	Begin februari wordt Tsjechoslowakije lid van de nieuwe VN-commissie voor India en Pakistan (Kasjmir). Josef Korbel wordt in de commissie benoemd.
25 februari 1948	Communistische coup in Tsjechoslowakije.
10 maart 1948	Jan Masaryk wordt dood aangetroffen.
mei 1948	Josef Korbel begint zijn werk voor de Kasjmir-commissie. Het gezin gaat naar Londen.
11 november 1948	Madeleine Korbel arriveert, samen met moeder, zus en broer, in de VS. Vader volgt in december.
4 april 1949	Oprichting van de NAVO.
7 juni 1949	Het gezin Korbel krijgt politiek asiel in de VS.
zomer 1949	Het gezin Korbel verhuist naar Denver.

1955-1959	Madeleine Korbel studeert aan Wellesley College.
14 augustus 1957	Madeleine Korbel wordt Amerikaans staatsburger.
11 juni 1959	Madeleine Korbel en Joseph Albright trouwen.
juli 1959	Joe Albright vervult zijn dienstplicht op Fort Leonard Wood, Missouri; Madeleine Korbel Albright (MKA) werkt voor *Rolla Daily News*.
1960-1961	Joe Albright werkt voor de *Chicago Sun-Times*; MKA werkt bij de *Encyclopaedia Britannica*.
voorjaar 1961	Joe Albright gaat werken bij *Newsday* in Long Island, New York.
17 juni 1961	Anne Korbel Albright en Alice Patterson Albright (dochters) geboren.
zomer 1962	Joe Albright werkt op het kantoor van *Newsday* in Washington. MKA begint aan een postdoctorale studie bij de SAIS, Johns Hopkins.
2 juli 1963	Alicia Patterson Guggenheim overlijdt. Het gezin Albright gaat terug naar Long Island.
5 maart 1967	Katharine Medill Albright (dochter) geboren.
voorjaar 1968	MKA krijgt diploma van Russian Institute en haalt haar graad aan Columbia University.
21 augustus 1968	De Praagse Lente eindigt met de sovjetinvasie.
september 1968	Joe Albright wordt hoofd van het kantoor van *Newsday* in Washington.
voorjaar 1970	Harry Guggenheim verkoopt *Newsday* aan Times Mirror Company.
mei 1976	MKA behaalt haar Ph.D. aan Columbia University.
augustus 1976	MKA wordt hoofdassistent wetgeving van senator Edmund Muskie.
2 november 1976	Jimmy Carter tot president gekozen.
18 juli 1977	Josef Korbel overlijdt.
1978-1981	MKA werkt als staflid van de National Security Council.
september 1981	MKA krijgt beurs van het Woodrow Wilson Center voor Polen.
13 januari 1982	Joe Albright kondigt aan dat hij wil scheiden.
30 januari 1983	De scheiding wordt uitgesproken.
1982-1992	MKA doceert aan Georgetown University School of Foreign Service.
jaren tachtig	MKA is adviseur op het gebied van buitenlands beleid, in 1984 voor de Democratische presidentskandidaat Walter Mondale en vice-presidentskandidaat Geraldine Ferraro en in 1987-1988 voor presidentskandidaat Michael Dukakis.
4 oktober 1989	Mandula Korbel overlijdt.

1989-1992	MKA directeur van het Center for National Policy.
1989-1990	Val van de Berlijnse Muur; Fluwelen Revolutie, Václav Havel wordt president van Tsjecho-Slowakije.
1991-1992	Oorlog op de Balkan.
4 november 1992	Bill Clinton gekozen tot president.
december 1992	Amerikaanse troepen beginnen aan een humanitaire missie in Somalië.
21 december 1992	President Clinton benoemt MKA tot permanent vertegenwoordiger van de VS bij de VN.
1 februari 1993	MKA begint haar werk als Amerikaans ambassadeur bij de VN.
25 mei 1993	De VN-Veiligheidsraad richt het Joegoslavië-tribunaal op.
26 juni 1993	De VS bombarderen het hoofdkwartier van de Iraakse inlichtingendienst als strafmaatregel voor pogingen tot moordaanslag op voormalig president George Bush sr.
13 september 1993	Israëlische en Palestijnse leiders tekenen het Beginselakkoord van Oslo.
3 oktober 1993	Achttien Amerikaanse militairen gedood in Somalië, waarop Amerika zich terugtrekt.
5 oktober 1993	De Veiligheidsraad geeft toestemming voor een vredesmissie in Rwanda.
8 oktober 1993	De VS sturen de USS *Harlan County* naar Haïti.
januari 1994	MKA en de voorzitter van de Joint Chiefs of Staff, generaal Shalikashvili reizen langs kandidaatlanden voor het Partnerschap voor Vrede.
6 april 1994	De Rwandese president komt om bij een vliegtuigongeluk, de volkerenmoord begint.
3 mei 1994	President Clinton ondertekent PDD-25 waarin criteria zijn vastgelegd voor deelname aan VN-vredesmissies.
31 juli 1994	De Veiligheidsraad geeft toestemming tot het herinstellen van de democratisch verkozen regering in Haïti, desnoods met geweld.
19 september 1994	Amerikaanse troepen gaan naar Haïti om de restauratie van de democratisch gekozen regering veilig te stellen.
21 oktober 1994	De VS en Noord-Korea ondertekenen een verdrag.
9-11 december 1994	President Clinton is gastheer van de eerste Summit of the Americas in Miami, Florida.
half juli 1995	Massamoord in Srebrenica, Bosnië-Herzegovina.
september 1995	De 4de Vrouwenwereldconferentie van de VN in Peking; MKA ontmoet Aung San Suu Kyi in Birma.
21 november 1995	In Dayton wordt een vredesakkoord over Bosnië bereikt.
24 februari 1996	Cubaanse gevechtsvliegtuigen halen twee burgervliegtuigen neer.

5 december 1996	President Clinton benoemt ambassadeur Albright bij het begin van zijn tweede ambtstermijn tot minister van Buitenlandse Zaken.
17 december 1996	Kofi Annan verkozen tot zevende secretaris-generaal van de VN.
23 januari 1997	MKA beëdigd als vierenzestigste minister van Buitenlandse Zaken.
30 januari 1997	Michael Dobbs van de *Washington Post* interviewt MKA over haar familiegeschiedenis.
18 april 1997	President Clinton en MKA kondigen reorganisatie van het ministerie van Buitenlandse Zaken en andere instellingen voor buitenlands beleid aan, waarbij ACDA en USIA worden geïncorporeerd, en beheer over de begroting van AID krijgen.
24 april 1997	De Senaat geeft goedkeuring aan het Chemische-Wapensverdrag.
mei 1997	Guerrillaleider Kabila zet president Mobutu van Zaïre af. Dit leidt tot een regionaal conflict waar ook de buurlanden Rwanda, Oeganda en Zimbabwe bij betrokken raken.
27 mei 1997	Presidenten Clinton en Jeltsin ondertekenen de NAVO-Rusland Stichtingsakte.
8-9 juli 1997	NAVO-top in Madrid: Tsjechië, Hongarije en Polen worden uitgenodigd om lid te worden.
21-24 november 1997	APEC-top in Vancouver, Canada, concentreert zich op de escalerende financiële crisis in Azië.
7 januari 1998	In een interview met CNN suggereert de nieuw gekozen president van Iran, Mohammad Khatami, dat de betrekkingen met de VS wellicht verbeterd worden.
20-23 januari 1998	De Israëlische premier Netanyahu en PLO-voorzitter Arafat in Washington voor overleg over vredesvoorstellen voor het Midden-Oosten.
21 januari 1998	Het Monica Lewinsky-schandaal komt aan het licht.
23 februari 1998	De VN bereiken een akkoord met Irak dat tijdelijk de in oktober 1997 uitgebroken crisis over wapeninspecties beëindigt.
februari-maart 1998	In de Joegoslavische provincie Kosovo breekt geweld uit. MKA waarschuwt Milošević dat hij overtollige troepen moet terugtrekken.
20 maart 1998	MKA kondigt maatregelen aan om de betrekkingen tussen de volkeren van Cuba en de VS te verbeteren.
30 april 1998	De Amerikaanse Senaat stemt toe in toelating van Polen, Hongarije en Tsjechië tot de NAVO.
mei 1998	India en Pakistan doen kernproeven.

21 mei 1998	De Indonesische president Soeharto treedt tijdens onge-regeldheden af na een economische crisis van bijna een jaar.
25 mei 1998	De Ierse bevolking stemt in met het Goede Vrijdag Vredesakkoord.
17 juni 1998	MKA biedt tijdens een speech samenwerking met Iran aan om te komen tot normale betrekkingen.
24 juni-3 juli 1998	MKA begeleidt de president tijdens bezoek aan China.
augustus 1998	Irak schort opnieuw samenwerking met de wapen-inspecties van de VN op.
7 augustus 1998	Terroristen die in relatie staan tot Osama bin Laden voeren aanslagen uit op Amerikaanse ambassades in Nairobi, Kenia, en Dar es Salaam, Tanzania.
20 augustus 1998	De VS schieten kruisraketten af op vermeende terroris-tenkampen in Afghanistan en een farmaceutische fabriek in Soedan die in verband worden gebracht met Osama bin Laden.
24 augustus 1998	De VS en Groot-Brittannië stellen voorwaarden op voor de rechtszaak aangaande Pan Am 103.
31 augustus 1998	Noord-Korea doet een proef met een drietraps Taepo Dong-raket. Voormalig minister van Defensie William Perry begint aan een onderzoek naar Amerikaans beleid ten aanzien van Noord-Korea.
half oktober 1998	Joegoslavische autoriteiten gaan akkoord met een wapenstilstand in Kosovo.
15-23 oktober 1998	Overleg over het Midden-Oosten leidt tot het Wye River Memorandum.
16-19 december 1998	De VS en Groot-Brittannië voeren operatie Desert Fox uit tegen Irak.
8 januari 1999	Het Crowe-rapport doet aanbevelingen voor meer geld ten behoeve van de veiligheid van ambassades over de hele wereld.
15 januari 1999	Massamoord in Racak, Kosovo.
januari-februari 1999	Het Senaatsonderzoek naar president Clinton resulteert in vrijspraak van alle aanklachten.
7 februari 1999	Koning Hoessein van Jordanië overlijdt.
februari-maart 1999	Overleg in Rambouillet, Frankrijk, over Kosovo. De Albanezen stemmen in met het opstellen van een regeling, de Serviërs niet.
12 maart 1999	Polen, Hongarije en Tsjechië treden officieel toe tot de NAVO.
16-18 maart 1999	In de VS wordt de VS-Afrikaanse ministeriële conferentie voor partnerschap in de eenentwintigste eeuw gehouden.

24 maart-12 juni 1999	Na een nieuwe Servische aanval op Kosovo begint de NAVO een luchtoorlog tegen Joegoslavië.
5 april 1999	Libië levert de verdachten van de aanslag op Pan Am 103 uit.
7-10 april 1999	De Chinese premier Zhu bezoekt Washington voor PNTR-overleg.
23-25 april 1999	Top ter gelegenheid van het vijftigjarig bestaan van de NAVO in Washington.
17 mei 1999	Israël kiest Ehud Barak als premier, Benjamin Netanyahu wordt verslagen.
9-12 juni 1999	Eind van het Kosovo-conflict.
augustus-september 1999	Het conflict in Tsjetsjenië laait weer op.
13 oktober 1999	De Senaat wijst het Kernstopverdrag af.
18 oktober 1999	Het Indonesische parlement verklaart de annexatie van Oost-Timor in 1976 ongeldig.
15 november 1999	De VS en China bereiken overeenstemming over handelsbetrekkingen, een eerste basis voor China's toetreding tot de Wereldhandelsorganisatie.
december 1999	Dankzij Amerikaanse en internationale inspanningen wordt een reeks terroristische aanvalsplannen die zouden moeten samenvallen met de millenniumvieringen verhinderd.
31 december 1999	Boris Jeltsin treedt af als president van Rusland, benoemt Vladimir Poetin tot zijn opvolger. Poetin wordt in maart 2000 gekozen.
31 december 1999	De VS dragen het gezag over het Panamakanaal over.
3-10 januari 2000	De VS zijn gastheren voor de Israëlisch-Syrische vredesbesprekingen in Shepherdstown, West Virginia.
17 maart 2000	MKA kondigt de opheffing aan van beperkingen op bepaalde exportartikelen uit Iran die geen verband houden met olie.
26 maart 2000	President Clinton en de Syrische president Assad spreken elkaar in Genève.
18 mei 2000	Africa Growth and Opportunity Act wordt wet, waardoor de Amerikaanse handelsbarrières met landen in Afrikaanse landen ten zuiden van de Sahara worden verlaagd.
24 mei 2000	Israël trekt zich geheel terug uit de veiligheidszone in zuidelijk Libanon.
8 juni 2000	MKA woont speciale VN-zitting 'Vrouwen 2000: Gelijkheid, ontwikkeling en vrede voor de seksen in de 21e eeuw' bij.
25-27 juni 2000	Polen is gastheer van de eerste conferentie van de Community of Democracies.

11-25 juli 2000	Midden-Oostentop in Camp David.
19 september 2000	De Senaat geeft toestemming voor PNTR met China.
22 september 2000	MKA doopt het hoofdgebouw van het ministerie van Buitenlandse Zaken het 'Harry S Truman Building'.
24 september- 5 oktober 2000	De Joegoslavische president Milošević wordt bij de ver-kiezingen verslagen door Koštunica.
28 september 2000	De Israëlische politicus Ariel Sharon bezoekt de Tempelberg/ Haram al-Sharif; er breekt geweld uit.
10-12 oktober 2000	De Noord-Koreaanse vice-maarschalk Jo Myong Rok in Washington, zijn bezoek leidt tot een gezamenlijke verklaring dat de VS en Noord-Korea geen vijandige bedoelingen jegens elkaar hebben.
12 oktober 2000	Terroristen plegen aanslag op de USS *Cole* in Jemen.
22-25 oktober 2000	MKA bezoekt Pyongyang, Noord-Korea.
november 2000- januari 2001	Laatste pogingen om een overeenkomst over het Midden-Oosten te sluiten falen.
20 januari 2001	MKA's laatste dag als minister van Buitenlandse Zaken.

Officiële internationale reizen, 1993-2001

Als ambassadeur bij de VN

30 juni-3 juli 1993	Zwitserland, Somalië, Maldiven, Thailand, Cambodja
18-21 juli 1993	Mexico en El Salvador
16 december 1993	Hongarije
4-13 januari 1994	Duitsland, Kroatië, Polen, Hongarije, Slowakije, Tsjechië, België, Bulgarije, Slovenië, Albanië, Roemenië, Nederland
25 maart-5 april 1994	Zuid-Afrika, Mozambique, Kroatië, Bosnië-Herzegovina, Soedan, Italië, Brazilië, Argentinië
8-9 mei 1994	Canada
26 augustus- 6 september 1994	Duitsland, Slowakije, Tsjechië, Oostenrijk, Moldavië, Georgië, Armenië, Azerbeidzjan, Rusland
24 november 1994	Haïti
14-16 december 1994	België
23 februari- 2 maart 1995	Groot-Brittannië, Oman, Koeweit, Tsjechië, Italië, Zwitserland, Honduras
31 maart 1995	Haïti
1-6 mei 1995	Israël, Jordanië, Egypte, Tsjechië
3-12 september 1995	China, Birma, Filipijnen, Thailand, Indonesië
16-17 november 1995	Israël
8-9 december 1995	Groot-Brittannië
12-13 januari 1996	Hongarije, Kroatië, Bosnië-Herzegovina
17-22 januari 1996	Liberia, Angola, Burundi, Rwanda, Egypte
6 februari 1996	Haïti
19-23 maart 1996	Groot-Brittannië, Zwitserland, Kroatië, Bosnië-Herzegovina, Macedonië
25-30 april 1996	België, Noorwegen, Zweden, Frankrijk
2-7 juli 1996	Tsjechië, Polen, Slowakije, Oostenrijk
16-20 juli 1996	Griekenland, Cyprus, Turkije
28 augustus- 4 september 1996	Uruguay, Chili, Bolivia

Als minister van Buitenlandse Zaken

Gebaseerd op de gegevens van 'Travels with the Secretary' op de website van het Amerikaanse ministerie van Buitenlandse Zaken op: http://secretary.state.gov/www/travels/index.html.

15-25 februari 1997	Italië, Duitsland, Frankrijk, België, Groot-Brittannië, Rusland, Korea, Japan, China
19-22 maart 1997	Finland
30 april-2 mei 1997	Rusland
4-10 mei 1997	Guatemala, Mexico, Costa Rica, Barbados
25 mei-1 juni 1997	Frankrijk, Nederland, Portugal, Kroatië, Servië-Montenegro, Bosnië-Herzegovina
25 juni-1 juli 1997	Vietnam, Hongkong
6-14 juli 1997	Spanje, Polen, Roemenië, Slovenië, Rusland, Litouwen, Tsjechië
25-30 juli 1997	Maleisië, Singapore
9-15 september 1997	Israël, Palestijnse Autoriteit, Egypte, Saoedi-Arabië, Jordanië, Syrië, Libanon
12-17 oktober 1997	Venezuela, Brazilië, Argentinië, Haïti
13-24 november 1997	Groot-Brittannië, Zwitserland, Qatar, Bahrein, Koeweit, Saoedi-Arabië, Pakistan, India, Egypte, Canada
4-18 december 1997	Groot-Brittannië, Zwitserland, Ethiopië, Oeganda, Rwanda, Angola, Democratische Republiek Kongo, Zuid-Afrika, Zimbabwe, België, Frankrijk
21-23 december 1997	Bosnië-Herzegovina, Italië
28 januari-3 februari 1998	Frankrijk, Spanje, Groot-Brittannië, Koeweit, Saoedi-Arabië, Bahrein, Egypte, Israël, Palestijnse Autoriteit
5-10 maart 1998	Oekraïne, Italië, Duitsland, Frankrijk, Spanje, Groot-Brittannië, Canada
23-25 maart 1998	Italië, Duitsland
4-6 april 1998	Haïti, Trinidad en Tobago
15-20 april	Chili
26 april-9 mei 1998	Rusland, Japan, China, Republiek Korea, Mongolië, Groot-Brittannië
16-18 mei 1998	Groot-Brittannië
27-29 mei 1998	Luxemburg
1-2 juni 1998	Venezuela
3-5 juni 1998	Zwitserland
11-12 juni 1998	Groot-Brittannië
24 juni-4 juli 1998	China, Japan
24 juli-2 augustus 1998	Filipijnen, Papoea-Nieuw-Guinea, Australië, Nieuw-Zeeland

12-13 augustus 1998	Duitsland
17-19 augustus 1998	Kenia, Tanzania
29 augustus- 3 september 1998	Kroatië, Bosnië-Herzegovina, Rusland, Oostenrijk
5-8 oktober 1998	Israël, Palestijnse Autoriteit, Groot-Brittannië, België
13-16 november 1998	Maleisië
7-10 december 1998	België, Frankrijk
12-15 december 1998	Israël, Palestijnse Autoriteit, Jordanië
24-29 januari 1999	Rusland, Egypte, Jordanië, Saoedi-Arabië, Groot-Brittannië
13-15 februari 1999	Frankrijk, Mexico
19-23 februari 1999	Frankrijk
27 februari- 7 maart 1999	China, Thailand, Indonesië, Groot-Brittannië
10-11 maart 1999	Guatemala
11-13 april 1999	België, Noorwegen
4-6 mei 1999	België, Duitsland
6-11 juni 1999	Duitsland, België, Macedonië
15-22 juni 1999	Zwitserland, Frankrijk, Finland, Duitsland, Slovenië, Roemenië, Bulgarije
23-30 juli 1999	Singapore, Italië, Kosovo, Bosnië-Herzegovina
1-13 september 1999	Marokko, Egypte, Israël, Palestijnse Autoriteit, Syrië, Libanon, Turkije, Vietnam, Nieuw-Zeeland
17-24 oktober 1999	Guinee, Sierra Leone, Mali, Nigeria, Kenia, Tanzania
31 oktober- 2 november 1999	Noorwegen
14-23 november 1999	Turkije, Griekenland, Italië, Slowakije, Bulgarije, Kosovo
5-9 december 1999	Saoedi-Arabië, Syrië, Israël, Egypte
16-18 december 1999	Duitsland, Frankrijk
14-16 januari 2000	Colombia, Panama, Mexico
27 januari- 3 februari 2000	Zwitserland, Rusland, Kroatië
17-19 februari 2000	Kroatië, Albanië
2-11 maart 2000	Portugal, Tsjechië, Bosnië-Herzegovina, België
17-26 maart 2000	Italië, India, Bangladesh, Zwitserland, Pakistan, Oman
13-19 april 2000	Oekraïne, Kazachstan, Kirgizië, Oezbekistan
23-26 mei 2000	Italië, Groot-Brittannië
29 mei-5 juni 2000	Portugal, Duitsland, Rusland, Israël, Egypte
5-7 juni 2000	Israël, Palestijnse Autoriteit, Egypte
12-13 juni 2000	Syrië
21-29 juni 2000	China, Republiek Korea, Polen, Israël, Palestijnse Autoriteit, Duitsland

26 juli-
  2 augustus 2000   Thailand, Japan, Italië, Rusland
14-19 augustus 2000   Brazilië, Argentinië, Chili, Ecuador, Bolivia
30-31 augustus 2000   Colombia
29 september-
  5 oktober 2000   IJsland, Frankrijk, Duitsland, Egypte
15-18 oktober 2000   Egypte, Saoedi-Arabië
22-26 oktober 2000   Democratische Volksrepubliek Korea, Republiek Korea
13-18 november 2000 Brunei
25-27 november 2000 Oostenrijk
20 november-
  2 december 2000   Mexico
6-12 december 2000   Zuid-Afrika, Mauritius, Botswana, Algerije
12-16 december 2000 Hongarije, België
10-12 januari 2001   Spanje, Frankrijk

Verantwoording

EEN PAAR DAGEN NADAT IK AFSCHEID HAD GENOMEN als minister van Buitenlandse Zaken ging ik met een paar vriendinnen uit mijn studietijd naar een kuuroord, Rancho La Puerta in Mexico. Dat bleek een goede keus, al hanteerden ze de strenge regel dat we op bepaalde tijden door niemand opgebeld mochten worden. Behalve Harvey Weinstein. Ik wil er niet eens over nadenken hoe hij dat voor elkaar gekregen heeft, maar het lukte Harvey om mij minstens drie keer aan de lijn te krijgen om te praten over mijn boek en zijn wens dat ik Miramax Books als uitgever zou kiezen. Harveys overtuigingskracht is legendarisch, maar het waren vooral zijn, Tina Browns en Jonathan Burhams enthousiasme en waardering voor de historische context waarin ik mijn autobiografie wilde plaatsen die mijn keuze simpel maakten.

Het schrijven van mijn memoires is in veel opzichten een eenzame ervaring geweest. Ik ben de enige die kan terugkijken op mijn leven, me prettige en onprettige momenten kan herinneren en mijn gevoelens kan beschrijven. Maar net als in de diplomatie deed ik het niet alleen. De standpunten en de herinneringen in dit boek komen uitsluitend voor mijn verantwoordelijkheid. Voor het bestaan van het boek moet ik velen bedanken en dat doe ik met plezier.

Bill Woodward wordt terecht beschouwd als een van de meest getalenteerde speechschrijvers van Amerika en ik had het geluk dat hij gedurende mijn ambtstermijnen als ambassadeur en minister voor mij werkte. Hij was zo goed op de hoogte van alle lopende zaken dat ik niet zou weten hoe ik over die jaren had kunnen schrijven zonder zijn hulp. Hij en ik werkten samen en we ontdekten dat het werk aan een boek een heel speciale beproeving is. We maken nu grappen dat het een wonder is dat onze vriendschap het heeft overleefd, na bijna drie jaar zoeken naar de juiste woorden, de juiste toon en inhoud voor elk deel van het verhaal dat ik te vertellen had. Het hoofd onderzoek, Laurie Dundon, was heel bijzonder. Ze heeft duizenden officiële documenten gelezen, bliksemsnel feiten geverifieerd, indringende vragen gesteld en ons deelgenoot gemaakt van haar eigen deskundigheid op het gebied van de Balkanlanden. Elaine Shocas heeft een unieke rol gespeeld in mijn leven en bij elk aspect van dit boek. Met haar ongebruikelijke inzichten en enorme geheugen heeft ze kleur, diepte en warmte toegevoegd aan het verhaal.

Richard Cohen, zowel een fantastische redacteur als een deskundig schrijver, heeft me geholpen om wat een volumineus boekwerk dreigde te worden terug te brengen tot een hanteerbare tekst. Hij heeft me geleerd, vaak onder protest, dat 'meer minder is'. Hij overleefde mijn eindeloze vragen en ik overleefde zijn soms wel erg Britse redactie van mijn Amerikaanse tekst. Sarah Crichton hielp mij om al helemaal in het begin mijn eigen geluid te vinden en bleef waardevolle adviezen geven — en heerlijk brutale e-mails sturen. Het is niet noodzakelijk maar het is een extraatje dat mijn beide redacteuren nu vrienden van mij zijn.

Jonathan Burnham, directeur en hoofdredacteur van Miramax Books, gaf wijze raad en was zo vriendelijk om mijn deadline meer dan eens uit te stellen. Hij is een man die zowel elegant als bescheiden is. Mijn dank gaat ook naar de hele staf van Miramax voor hun harde werk, professionalisme en goede gezelschap. Uitgever Kathy Schneider, Susan Mercandetti, Hilary Bass, Dev Chatillon, Jennifer Sanger, Bruce Mason, Jamie Horn, JillEllyn Riley, Jennifer Besser en Andrew Bevan. Kristin Powers, hoofd productie, heeft uitstekend werk geleverd bij het toezicht houden op elk detail van dit boek. Ik ben dankbaar voor het werk van mijn literair agent Linda Michaels en haar medewerkers en mijn deskundige advocaten Robert Barnett en Deneen Howell van Williams en Connolly LLP.

Onder degenen die mij de zaken in perspectief lieten zien en die mij advies gaven over wat ik moest opnemen waren Gabriel García Márquez, Michael Beschloss, Tom Oliphant, Lissa Muscatine en Bradley Graham. Tina Brown was aanwezig bij de geboorte van dit project en is voortdurend steun blijven geven. Ik ben dolblij dat ze in mijn leven blijft.

De hulp van mijn Tsjechische en Slowaakse vrienden is van onschatbare waarde geweest. Vele van hen waren dissidenten tijdens de donkerste dagen van Tsjechoslowakije en speelden een hoofdrol tijdens de gebeurtenissen die in dit boek beschreven zijn. Hun steun heeft de tekst niet alleen verrijkt, maar ook juister gemaakt: Michael Žantovský, Tomáš Kraus, Martin Palouš, Alexandr Vondra, Martin Butora, Zora Buterová, Pavol Demeš en Jaroslav Šedivý.

Velen hebben royaal hun tijd en deskundigheid aangewend door hun herinneringen te delen of gedeelten ervan, of het hele manuscript te lezen: David Andrews, Ralph Alswang, Carol Browner, Marcia Burick, David Carpenter, Pat Carter, Bonnie Cohen, Kitty Bartels DiMartino, Wini en Mike Freund, Bob Gallucci, Suzy George, Marcia Greenberger, David Hale, Janet Howard, Cameron Hume, Rick Inderfurth, Stu Jones, Barbara Larkin, Mary Jane Lewis, Judy Lichtman, Evelyn Lieberman, Frank en Dale Loy, Rod en Larissa MacFarquhar, Millie Meyers, Aaron Miller, Jim O'Brien, Susan Rice, Lula Rodriguez, Dennis Ross, Jamie Rubin, David Scheffer, Debi Schiff, Rika en Carl Schmidt, Marie Šedivá, Stu Seldowitz, John Shattuck, Wendy Sherman, Dick Shinnick, Mo Steinbruner, Lisa Švejdová, Mark Talisman, Susan en David Terris, Toni Verstandig, Melanne Verveer, Jenonne Walker, Nichole Tucker Walton, Meridith Webster, David Welch, Maggie Williams en Alex Wolff.

Onder de collega's en medewerkers die me op duizenden manieren staande hielden door hun dagelijkse steun waren Diana Sierra, Margo Morris en Zina Brown. Nate Tibbits, mijn technische goeroe, perfectioneerde mijn computervaardigheden en haalde talloze pagina's terug die ik anders zou zijn kwijtgeraakt. Martha Fuenzalida, Lucia Rente, Dorothy Burgess en Margo Carper hebben vele jaren lang voor mijn lichaam en ziel gezorgd. Mijn stagiaires bleven mij verbazen met hun vindingrijkheid en enthousiasme voor elke taak: Tuck Evans, Bailey Hand, Erin Lanahan, Nell McGarity, Jane Rhee, Sonja Renander, Ryan Rippel, Rachel Shields en vooral Kris Hamel, Kerryann Locey, Trey Street en Julia Voelker. Sergeant Louis Rinaldi en zijn team van de spoorwegpolitie van New York hebben vele jaren gezorgd dat ik veilig kon reizen.

Dit boek is grotendeels gebaseerd op officiële overheidsdocumenten uit de tijd dat ik in overheidsdienst was. Het ministerie van Buitenlandse Zaken heeft de tekst nagelopen om te zorgen dat de nationale veiligheid niet in gevaar komt. Ik moet volgens de wet de waarheid spreken en die waarheid is dat de meningen en typeringen in dit boek de mijne zijn en niet noodzakelijkerwijs officiële standpunten van de Verenigde Staten. Ik ben minister van Buitenlandse Zaken Colin Powell dankbaar dat hij de volledige medewerking van het ministerie verleende, waaronder de assistentie van onderminister voor Management Grant Green, onderminister voor Administratie Bill Eaton, plaatsvervangend wettelijk adviseurs Jim Thessin, Paul Claussen en Evan Duncan van de historische afdeling, Maryann Alt, hoofd van de researchafdeling, de Amerikaanse delegatie bij de VN en de hele secretariële staf – S/S en S/S–EX, met name George Rowland. Ik wil graag het team geleid door Margaret Grafeld en Alice Ritchie noemen en bedanken voor hun uitgebreide werk, vooral Mark Ramee die het manuscript zorgvuldig las en de toestemmingsprocedure leidde, en Mitzi Hardrick voor het inwilligen van onze vele verzoeken om research.

De productie van elk boek is een enorme onderneming en ik waardeer de ijver en de creativiteit van degenen die bij dit project betrokken waren: Peg Haller, Susan Groake, Rachel Smith, Brenda Horrigan, Nancy Wolff, Pat Fogarty, Carrie Smith, Ink, Inc. en Doyle Partners. Ik ben Diana Walker en alle fotografen en cartoonisten die mij toestemming gaven hun werk te reproduceren dankbaar. Ik heb in de loop van de jaren vele malen tegen fotograaf Timothy Greenfield-Sanders gezegd dat hij met het materiaal waarmee hij moest werken gedaan had wat hij kon.

Het is niet gemakkelijk als je oudere zus of moeder een bekend persoon wordt. Het heeft zo zijn voordelen – kennismaken met de president en aanzitten aan een paar officiële diners – maar het maakt ook inbreuk op je leven. Dus wil ik mijn familieleden bedanken. Ze waren niet alleen heel flexibel, maar mijn zus Kathy, broer John en zijn vrouw Pam hebben een zeer belangrijke rol gespeeld bij het reconstrueren van onze familiegeschiedenis. Onze ouders hebben 'familiesolidariteit' altijd gestimuleerd en zouden verrukt zijn dat we het hebben bereikt en er ook van genieten.

Ik wil vooral twee van mijn nichten noemen en bedanken. Alena Korbel hielp mij aan herinneringen aan onze Londense jaren tijdens de oorlog. Dáša Šimová wist veel lacunes in onze familiegeschiedenis te vullen en het spijt mij dat ze daartoe een aantal pijnlijke momenten moest herbeleven. We halen nu de vele jaren die we gemist hebben in.

Mijn dochters Alice, Anne en Katie, mijn schoonzonen en kleinkinderen hebben me voortdurend zowel gesteund als me met liefde en humor met beide benen op de grond gehouden. Wat zou ik nog meer kunnen wensen?

Dankbetuiging

IK BEN ER ALTIJD VAN OVERTUIGD GEWEEST dat er een speciale plek in de hel is gereserveerd voor degenen die erkenning krijgen en de eer niet delen. Als dat klopt is er misschien alvast een zeer warme plek voor mij gereserveerd. Bijna elk hoofdstuk van de eerste versies van de delen twee tot en met vier bevatte stukken waarin ik schreef over de mensen die met mij samenwerkten aan de genoemde problemen. Mijn redacteur noemde dit mijn 'Oscar-bedankjes' en markeerde ze met een rode pen (eigenlijk de deleteknop). Ik wilde per se dat vele namen weer werden opgenomen, maar moest toegeven dat een volledige beschrijving van het teamwerk van onze diplomatie de tekst moeilijk leesbaar maakte. Met als gevolg, moet ik tot mijn spijt zeggen, dat het harde werk en de creativiteit van collega's van het ministerie van Buitenlandse Zaken vaak niet beschreven wordt met de gedetailleerdheid die ik oorspronkelijk in gedachten had. Dat spijt mij bijzonder en daarom heb ik de lijst hieronder toegevoegd ter compensatie. Ik was en blijf enorm dankbaar jegens degenen die hieronder genoemd worden en vele anderen die niet genoemd worden, zoals onze ambassadeurs, ambassadepersoneel, ambtenaren, diplomaten, speciale adviseurs en diplomatieke vertegenwoordigers die mij – en het buitenlands beleid van de Verenigde Staten – hielpen en steunden met hun energie, adviezen, ideeën en dagelijkse professionalisme. Accepteer alstublieft mijn dankbaarheid voor uw assistentie en vriendschap en voor de enorme verrijking van het materiaal in dit boek.

De Amerikaanse afvaardiging naar de Verenigde Naties (1994-1997): Ambassadeurs Walker jr., Edward 'Skip' Gnehm jr., Karl 'Rick' Inderfurth, Victor Marrero, Irvin Hicks, David Birenbaum, Richard Sklar, Herbert Donald Gelber.

Functionarissen en stafleden:
Patsy Agee, Maryann Alt, Luiz Amaral, Paul Aronsohn, Joan Baldridge, Jonathan Barrett, Kitty Bartels, Elmira Bayrasli, John Blaney, John Boardman, Dorothy Burgess, Nancy Buss, Graham Cannon, Frantzy Charlemagne, William Clontz, Douglas Coffman, Thomas Countryman, John Cuddihy, Jeffrey De Laurentis, Thomas Donlon, Walter Douglas, Hugh Dugan, Caroline Dulin-Shaw, Jordaniëa

Dym, David Ettinger, Angel Escobar, Ivan Ferber, Jean Fiorie, George Ford,
Warren Forrest, Peter Fromuth, Adele Gilliam, Sandra Grandison, Russell
Graham, Rebecca Gaghen, Jeffrey Glassman, William Grant, Robert Grey, Joan
Grippe, John Guerra, David Hale, Margaret 'Nini' Hawthorne, Fiona Higgins,
Cameron Hume, Frank Kirchoff, Patricia Kuffler, Stanley Jakubowski, Barbara
Jones, Stuart Jones, Thomas Kearney, Holly Kenworthy, Craig Kuehl, Ellen
Laipson, Harvey Langholtz, Leslie Lebl, Wayne Logsdon, Vivienne Manber,
Edward Marks, Robert McCarthy, Daphne Martinez, Millie Meyers, John
Menzies, Kara McGuire Minar, Robert Moller, Suzanne McPartland, Richard
Naughton, Debra Nelson, Hong Ngo Nguyen, James O'Brien, Theodore Osius,
Matthew Palmer, Leroy Parham, Wayne Rosen, Robert Rosenstock, Dorothy
Sampas, David Scheffer, Rosalinda Seldowitz, Stuart Seldowitz, Scott Shaw,
Susan Shearouse, Michael Sheehan, Laurie Shestack, John Singler, Jane Stich,
Anne Stoddard, Krissy Sudano, Eugene Tadie, Michael Viggiano, William
Wallace, Erin Walsh, Fanny Weisblatt, Dennis Welch, John Wiecks, Bisa
Williams-Manigault, Carolyn Willson, Seth Winnick, William Wood, Frankrijks
Zwenig, en de mannen en vrouwen van de diplomatieke veiligheidsdienst,
New York Field Office.

Ik dank minister Warren Christopher en zijn hele team voor hun steun en
assistentie gedurende mijn jaren als permanent vertegenwoordiger van de
Verenigde Staten bij de Verenigde Naties, met name Strobe Talbott, Peter
Tarnoff, Thomas Donilon, Molly Raiser, Joan Spero, Lynn Davis, Richard Moose,
Brian Atwood, Marc Grossman, Kenneth Brill, William Burns, Patrick Kennedy,
Wendy Sherman, Genta Hawkins-Holmes, James Thessin, Maura Harty,
Ertharin Cousin en George Rowland, en ook Douglas Bennett, George Ward,
Melinda Kimble en het hele Bureau of International Organization Affairs.

Ministerie van Buitenlandse Zaken (1997-2001):
Onderministers en plaatsvervangend onderministers van Buitenlandse Zaken
en hun bureaus en andere functionarissen van het ministerie en hun personeel:
Administratie: Patrick Kennedy.
Afrikaanse Zaken: Johnnie Carson, George Moose, Susan Rice.
Wapenbeheersing: Avis Bohlen, Lucas Fisher.
Coördinator van Contraterrorisme: Christopher Ross, Michael Sheehan,
Philip Wilcox.
Consulaire Zaken: Mary Ryan.
Democratie, Mensenrechten en Arbeid: Harold Koh, John Shattuck.
Diplomatieke Veiligheidsdienst en het Bureau voor Buitenlandse Missies:
Eric Boswell, David Carpenter, Patrick Kennedy.
Oost-Aziatische Zaken en Zaken voor het gebied rond de Grote Oceaan:
Charles Kartman, Stanley Roth.
Economische en Handelszaken: Alan Larson, Brian Samuel, Earl Anthony Wayne.

Onderwijs en Culturele Zaken: William Bader.

Uitvoerend Secretaris: William Burns, Kristie Kenney.

Europese Zaken: James Dobbins, Marc Grossman, John Kornblum.

Financiën en Beheersbeleid/CFO: Kathleen Charles, Bert Edwards, Richard Greene.

Instituut voor Buitenlandse Dienst: Ruth Davis, Teresita Schaffer, Ruth Whiteside.

Personeelszaken/DG: Edward Gnehm jr., Marc Grossman, Anthony Quainton.

Information Resource Management/CIO:Fernando Burbano, Andrew Winter.

Inspecteur-generaal: Jacquelyn Williams-Bridgers.

Inlichtingen en Research: Edward Abington, Thomas Fingar, Toby Gati, Donald Keyser, Daniel Kurtzer, Phyllis Oakley, J. Stapleton Roy.

Zaken betreffende Internationale Narcotica en Wetshandhaving: Jane Becker, J. Rand Beers, Robert Gelbard.

Zaken betreffende Internationale Organisatie: Princeton Lyman, C. David Welch.

Juridisch Adviseur: David Andrews, Michael Matheson, James Thessin.

Juridische Zaken: Barbara Larkin.

Zaken betreffende het Nabije Oosten: Martin Indyk, Elizabeth Jones, Edward Walker jr., C. David Welch.

Non-proliferatie: John Barker, Robert Einhorn.

Zaken betreffende Zeeën en Internationaal Milieu en Wetenschap: Eileen Claussen, Melinda Kimble, David Sandalow.

Beleidsplanning: Gregory Craig, Morton Halperin, Alan Romberg.

Politiek-militaire Zaken: Thomas McNamara, Eric Newsom.

Bevolking, Vluchtelingen en Migratie: Phyllis Oakley, Julia Taft.

Publieke Zaken: Richard Boucher, Nicholas Burns, James Rubin.

Protocol: Mary Mel French, Molly Raiser.

Hulpmiddelen, Plannen en Beleid: Craig Johnstone, Anne Richard.

Wetenschap en Technologie: Norman Neureiter.

Zuid-Aziatische Zaken: Karl Inderfurth, E. Gipson Lanpher, Robin Raphel.

Verificatie en Naleving: Edward Lacey, Owen Sheaks.

Zaken betreffende het Westelijk Halfrond: Jeffrey Davidow, Peter Romero.

Algemeen ambassadeur voor Internationale Godsdienstvrijheid: Robert Seiple.

Algemeen ambassadeur voor recent zelfstandig geworden landen: James Collins, Stephen Sestanovich.

Algemeen ambassadeur voor zaken betreffende Oorlogsmisdaden: David Scheffer.

Andere belangrijke functionarissen, stafleden en programma's:

Art in Embassies Program en Friends of Art en Preservation in Embassies (FAPE).

Blair House: Benedicte Valentiner, Randall Bumgardner.

Diplomatieke Ontvangstruimten: Gail Serfaty, Wileva Johnston, Candida Pulupa.

Gelijke werkgelegenheid en Burgerrechten: Deidre Davis.

Uitvoerend Secretariaat: Gregory Berry, Robert Blake, John Campbell, Rose
Likins, Stephen Mull, Carol Perez, Peter Petrihos, Maureen Quinn, Neal Walsh,
Gretchen Welch, Alejandro Wolff.
Historici: William Slany, Marc Susser.
Internationale Informatieprogramma's: John Dwyer, Jonathan Spalter.
Juridisch Adviseurs: Jamison Borek, Jonathan Schwartz, Melinda Chandler.
Juridische Zaken: Shirley Cooks, Meg Donovan, Michael Guest, Susan Jacobs,
Kay King, Michael Klosson, Valerie Mims, Peter Yeo.
Medische Dienst: Cedric Dumont.
Crisiscentrum: Karl Hofmann, Rose Likins, Harry Thomas, Sharon Weiner.
Beleidsplanning: Lee Feinstein, James O'Brien.
Speechwriters: Taras Bazyluk, Durriya Ghadiali, Lukas Haynes, Heather
Hurlburt, Justin Leites, Thomas Malinowski. Open Forum-functionarissen.
Protocol: David Pryor, Larry Dunham, Charles Kinn, Debra Schiff, Laura Wills.
President's Interagency Council on Women: Theresa Loar, Kathy Hendrix,
Lidia Soto-Harmon.
Publieke Zaken, waarnemend woordvoerder: Glynn Davis, James Foley,
Lee McLeeny, Philip Reeker.
Lijnsecretariaat: James Bean, Paul Jones, Richard Mills, Carol Perez.
Uitvoerend assistenten van de minister: David Hale, Alejandro Wolff.
Uitvoerend directeur van de minister: Richard Shinnick.
Uitvoerend bureau van de minister: Columbia Barrosse, Elmira Bayrasli,
Jennifer Bonner, Ben Chang, John Crawley, Marie Damour, Kelly Degnan,
Richard Denniston, Linda Dewan, Sheila Dyson, Price Floyd, Patrice Frey,
Thomas Kelsey, Elizabeth Lineberry, Laurie Major, Heather McCullough,
Suzanne McPartland, David Pressman, Todd Robinson, Jane Stich, Nichole
Tucker, Bisa Williams-Manigault, Diana Zicklin.

Vakverenigingen en professionele associaties:
American Foreign Service Association (AFSA): Marshall Adair, Daniel Geisler,
F.A. 'Tex' Harris, Alphonse LaPorta, John Naland en de leden van de American
Federation of Government Employees (AFGE).
Miskende helden: sergeant-majoor Bruce en alle miskende helden van het
ministerie van Buitenlandse Zaken.
Liaison met het Witte Huis: Charles Duncan.

Ik wil graag mijn waardering uitspreken voor al mijn collega's bij het Agency
for International Development (AID), met name Brady Anderson, Brian Atwood,
Harriet Babbitt en Richard McCall. Alle lof voor de vele toegewijde ambtenaren
– huidige en voormalige – van het United States Information Agency (USIA) en
het Arms Control and Disarmament Agency (ACDA), die nu deel uitmaken van de
familie van het ministerie van Buitenlandse Zaken, met name Joseph Duffey,
Penn Kemble en John Holum.

Mijn dank gaat uit naar mijn militaire adviseurs en hun adjudanten voor hun hulp en voor het samen met mij vele malen rond de aarde reizen: generaal Richard Meyers, generaal Robert 'Doc' Foglesong, luitenant-generaal Donald Kerrick en admiraal Walter Doran.

Register